... accompagne dans tous vos déplacements. Nous l'avons voulu pratique et séduisant : présentation illustrée de chaque région, cartes détaillées de chaque département, liste des bonnes adresses de nos hôteliers, présents dans plus de 2 800 communes. Et pour faciliter le choix de vos itinéraires, nous vous offrons avec ce guide une carte routière situant les localités dans lesquelles le meilleur accueil Logis de France vous sera réservé. N'hésitez pas à nous écrire, vos commentaires sont toujours très appréciés. Bon voyage et bienvenue dans nos hôtels-restaurants Logis de France.

Have a nice trip and welcome in our Logis de France hotel-restaurants.

Gute Reise und Willkommen in unseren Logis de France Hotel-Restaurants.

Goede reis en welkom in onze hotel-restaurants Logis de France.

Buon viaggio e benvenuti nei nostri alberghi ristoranti Logis de France.

Buen viaje y bienvenidos a nuestros hoteles restaurantes Logis de France.

Renée Ougier, Présidente

Fédération nationale des Logis de France 83 avenue d'Italie - 75013 Paris - France

Respirez

Le carburant le plus économique est aussi le plus écologique.

Carbugaz est le GPL carburant d'ELF. C'est aujourd'hui le type de carburant le moins cher disponible en Stations-Service. Carbugaz répond aux normes anti-pollution les plus sévères. Rouler avec Carbugaz c'est réaliser de substantielles économies et préserver l'air que nous respirons tous. Pour plus de renseignements contactez **ELF ANTARGAZ, Département Carburation :** Les Renardières - 3, place de Saverne - 92901 Paris La Défense Cedex - Tél. : 01 41 88 70 00 - Fax 01 41 88 73 12

Carbugaz

L'Eco-carburant

Comment utiliser ce guide ? 6

How to use the guidebook ? Wie man diesen Reiseführer handhaben sollte ? Hoe zit deze gids in elkaar ? Come utilizzare questa guida ? Como utilizar esta guía ?

Hôtels-restaurants par région 51

Annexes à découper
- Carte de fidélité 1997
- Fiche "Suivi Qualité"
- Fiche "Cuisine régionale"
- Fiche "Étape Affaires 1997"

*"Sur toutes les tables,
les saveurs les plus subtiles réclament toujours le meilleur de la nature"*

COMMENT UTILISER

pour chercher votre hôtel-restaurant

Préparez votre circuit grâce à la carte routière accompagnant ce guide. Consultez l'index des régions en page 25, puis reportez-vous au chapitre concerné. En tête de chaque région, une "invitation à la balade" et une cartographie régionale. Puis par département, la liste des hôtels-restaurants, classée par ordre alphabétique des localités, avec une carte de repérage des Logis de France.

Si vous avez une idée plus précise de votre déplacement, **consultez l'index des départements** en page 27, ou celui **des localités** en page 29.

b o u r g o g n e

AISEY SUR SEINE (A1)
21400 Côte d'Or
150 hab.

▲▲ DU ROY ★★
MeM. Martin/Beaufort
☎ 03 80 93 21 63 ☎ 03 80 93 25 74
🛏 9 ◷ 160/260 F. ☕ 30 F. ⫪ 70/230 F.
🍴 40 F. ◪ 250/290 F.
✉ janv., lun. soir et mar. sauf juil./sept.
🔒 🚗 🍽 🏨 🐾

ARNAY LE DUC (A3)
21230 Côte d'Or
2500 hab. ℹ

▲ DU DAUPHINE
Rue René Laforge. M. Thierry
☎ 03 80 90 14 25 ☎ 03 80 90 14 21
🛏 8 ◷ 110/175 F. ☕ 26 F. ⫪ 60/155 F.
🍴 40 F. ◪ 175 F.

Régalez-vous avec un **Menu du Terroir Logis de France**, signalé dans ce guide et à l'entrée des établissements par une cassolette. Un excellent moyen de découvrir la cuisine régionale authentique à bon prix ! Ce menu, proposé à l'un des tarifs suivants : 80 F, 100 F ou 120 F par les hôtels-restaurants participant à l'opération, comprend toujours une entrée, un plat principal, un fromage ou un dessert de caractère régional.

1, 2 ou 3 cheminées ?
Le classement Logis
1 - 2 - 3 cheminées figure à l'entrée des établissements. Il est signalé dans ce guide en regard du nom de l'hôtel-restaurant. Il tient compte de plus de 150 critères objectifs allant de la qualité de la table et du service, à l'équipement de la chambre et de l'établissement.
A vous de choisir :
▲ simple et confortable
▲▲ de bon confort
▲▲▲ de très bon confort.

CE GUIDE ?

BEAUNE (B3)
21200 Côte d'Or
20000 hab. [i]

▲▲ AUBERGE BOURGUIGNONNE ★★
4, place Madeleine. M. Autin
☎ 03 80 22 23 53 📠 03 80 22 51 64
[🛏] 8 [🍴] 270/280 F. [🍽] 33 F. [Ⅲ] 89/205 F.
[🍴] 62 F.
⊠ lun. sauf jours fériés, dim. soir et lun.
fin nov./fin fév.
[E] [D] [🏠] [📞] [📪] [CV] [🐾] [CB]

▲▲▲ GRILLON ★★
21, route Seurre. M. Grillon
☎ 03 80 22 44 25 📠 03 80 24 94 89
🅿 [🛏] 18 [🍴] 258/298 F. [🍽] 32 F.
[Ⅲ] 85/175 F. [🍴] 50 F.
⊠ 1er fév./1er mars. Rest. mer. et jeudi
midi.
[E] [D] [🏠] [📞] [🚗] [📪] [🏷] [🎿] [CV] [🌐] [🐾] [CB]

**Pour comprendre
les pictogrammes
et les abréviations** qui vous
renseignent sur les équipements
de l'établissement, les activités
sportives ou de détente…
reportez-vous aux explications
en pages 18-19.

pour réserver

• **Consultez le guide et téléphonez
directement à l'hôtelier dè votre choix.**
Si votre premier contact est le bon,
confirmez votre réservation par écrit auprès
de l'hôtelier. L'usage veut que la réservation
soit accompagnée d'un versement qui
engage les parties. Une réservation annulée,
différée ou réduite autorise l'hôtelier à
conserver la somme préalablement versée,
pour dédommagement de son préjudice.

• **Tapez 36 15 Logis de France
sur votre minitel** (1,29 F la minute)
et vous pourrez choisir un hôtel avec
piscine, voyager avec votre animal favori…

• **Ou contactez la centrale
de réservation Logis de France.**
La centrale de réservation grand public
Logis de France regroupe près

01 45 84 83 84

de 600 hôtels-restaurants, classés
en 1, 2 ou 3 cheminées, et répondant
tous à la charte de qualité de la chaîne.
Elle permet aux particuliers de réserver
par téléphone, sur simple appel, leur
hébergement selon les critères souhaités :
lieu, prix, catégorie, équipement, prestations
diverses… Le client bénéficie de plus par
l'intermédiaire de la centrale, de promotions
spéciales Logis de France, pouvant aller
jusqu'à 30 % de remise sur un séjour donné.

HOW TO USE THIS

to find your hotel–restaurant

Plan your trip using the road map that comes with this guide. ●
Please refer to the index of regions on page 25, then turn to the relevant chapter. At the beginning of each regional section you will find a description of what you can see and do plus a map of the region. Then, for each "department" of the region a list of hotel-restaurants in alphabetical order by location and a map showing where the Logis de France are located.

If you have a more precise idea of where you want to go, **please refer to the index of departments** on page 27 or the index of **locations** on page 29.

b o u r g o g n e

AISEY SUR SEINE (A1)
21400 Côte d'Or
150 hab.

▲▲ DU ROY ★★
MeM. Martin/Beaufort
☎ 03 80 93 21 63   ▥ 03 80 93 25 74
🍴 9 ☺ 160/260 F. ☻ 30 F. ⊟ 70/230 F.
♨ 40 F. ▥ 250/290 F.
✉ janv., lun. soir et mar. sauf juil./sept.
🔊 🚗 🍴 🎮 🐾

ARNAY LE DUC (A3)
21230 Côte d'Or
2500 hab. ⓘ

▲ DU DAUPHINE
Rue René Laforge. M. Thierry
☎ 03 80 90 14 25   ▥ 03 80 90 14 21
🍴 8 ☺ 110/175 F. ☻ 26 F. ⊟ 60/155 F.
♨ 40 F. ▥ 175 F.

Enjoy a **Logis de France Regional Menu** shown by a saucepan sign both in this guide and at the entrance of each hotel-restaurant. This is an excellent way to discover genuine regional cuisine at a reasonable price! This menu always includes a starter, a main course and cheese or dessert, all typical of the region, and is offered by the participating restaurants at one of the following prices: 80F, 100F or 120F.

1, 2 or 3 fireplaces ?
The Logis classification in 1-2-3 fireplaces is shown at the entrance of each hotel-restaurant and next to its name in this guide.
This classification is based on more than 150 objective criteria ranging from the quality of food and service to accomodation and facilities .
You can choose between:
▲ simple and comfortable
▲▲ comfortable
▲▲▲ very comfortable.

GUIDE ?

BEAUNE (B3)
21200 Côte d'Or
20000 hab. [i]

▲▲ AUBERGE BOURGUIGNONNE **
4, place Madeleine. M. Autin
☎ 03 80 22 23 53 📠 03 80 22 51 64
🛏 8 ⬆ 270/280 F. 🍴 33 F. 🍽 89/205 F.
🏠 62 F.
⊠ lun. sauf jours fériés, dim. soir et lun.
fin nov./fin fév.
[E] [D] 🍴 ☎ ⤳ [CV] 📞 [CB]

▲▲▲ GRILLON **
21, route Seurre. M. Grillon
☎ 03 80 22 44 25 📠 03 80 24 94 89
120F 🛏 18 ⬆ 258/298 F. 🍴 32 F.
🍽 85/175 F. 🏠 50 F.
⊠ 1er fév./1er mars. Rest. mer. et jeudi
midi.
[E] [D] 🍴 ☎ ⤳ ⤳ 🎾 🎿 [CV] 🔧 📞 [CB]

**To understand the signs
and abbreviations** relating to
the hotel-restaurant's facilities,
sporting and leisure activities
available, turn to the explanations
on page 18-19.

How to make a reservation

• **Refer to the guide and give
a direct phone call to the hotel
you have chosen.**
Then confirm your reservation by writing
to the hotel. To secure your booking
a deposit is usually required. Cancelled,
postponed or abridged reservations will
entitle the hotel to retain the deposit
in compensation.

• **Dial 36 15 Logis de France
on your minitel** (1, 29 F per minute)
and you can find a hotel with swimming
pool or travel with your favourite animal…

• **Or call Logis de France central
reservations service**

Centrale de réservation

01 45 84 83 84

Logis de France central reservations service
gathers nearly 600 hotel-restaurants, which
are classified in 1, 2 or 3 fireplaces and
adhere to the chain's Quality Charter.
This service allows you to find the particular
hotel that will suit you and
your requirements by giving one
simple call. Selection can be made using
the following criteria: location, prices,
classification, facilities, services…
Through central reservations, you can
also benefit from special Logis de France
discounts for as much as 30% off.

DIE BENUTZUNG
zur Auswahl Ihres Hotel-Restaurants

Bereiten Sie Ihre Route mit der Straßenkarte im Anhang dieses Führers vor. Schlagen Sie im Verzeichnis der Regionen auf der Seite 25 nach, und sehen Sie sich das betreffende Kapitel an. Zu Beginn jeder Region eine 'Aufforderung zum Spaziergang' und Karten der Region. Dann für jedes Département die Liste der Hotels-Restaurants in alphabetischer Reihenfolge der Ortschaften, mit einer Skizze der Logis de France.

b o u r g o g n e

AISEY SUR SEINE (A1)
21400 Côte d'Or
150 hab.

▲▲ DU ROY **
MeM. Martin/Beaufort
☎ 03 80 93 21 63 📠 03 80 93 25 74
🍳 9 ⊠ 160/260 F. 🍽 30 F. ⫿ 70/230 F.
🍴 40 F. 🖼 250/290 F.
⊠ janv., lun. soir et mar. sauf juil./sept.
▨ ▨ ▨ ▨ ▨ ▨

ARNAY LE DUC (A3)
21230 Côte d'Or
2500 hab. ⓘ

▲ DU DAUPHINE
Rue René Laforge. M. Thierry
☎ 03 80 90 14 25 📠 03 80 90 14 21
🍳 8 ⊠ 110/175 F. 🍽 26 F. ⫿ 60/155 F.
🍴 40 F. 🖼 175 F.

Wenn Sie eine genauere Vorstellung von Ihrem Aufenthalt haben, **schlagen Sie im Verzeichnis der Départements** auf Seite 27 oder **der Ortschaften** auf Seite 29 nach.

Wählen Sie ein **regionales Menü Logis de France**, in diesem Führer und am Eingang der Restaurants durch eine kleine Kasserolle gekennzeichnet. Ein vorzügliches Mittel zur Entdeckung der authentischen regionalen Küche zu einem günstigen Preis. Das Menü wird angeboten zu einem der folgenden Preise: 80 FF, 100 FF oder 120 FF in den Hotels-Restaurants, die an dieser Aktion teilnehmen. Die Mahlzeit mit regionalem Charakter umfaßt stets eine Vorspeise, ein Hauptgericht, Käse oder Dessert.

1, 2 oder 3 Kamine?
Die Klassierung der Logis
1 - 2 - 3 Kamin(e) finden sich am Eingang des Hotels. In diesem Führer befindet sich die Kennzeichung neben dem Namen des Hotels-Restaurants. Sie beruht auf mehr als 150 objektiven Kriterien von der Qualität der Tafel und des Service bis zur Ausstattung der Zimmer und der Küche. Sie haben die Wahl:

▲ einfach und komfortabel
▲▲ hoher Komfort
▲▲▲ sehr hoher Komfort

DIESES FÜHRERS

zum Reservieren

* **Schlagen Sie in diesem Führer nach und rufen Sie direkt das Hotel Ihrer Wahl an.** Wenn Ihr erster Kontakt erfolgreich ist, bestätigen Sie Ihre Reservierung schriftlich bei dem Hotel. Traditionsgemäß wird bei der Reservierung eine Anzahlung geleistet, die beide Parteien bindet. Eine stornierte, verschobene oder verkürzte Reservierung berechtigt den Hotelier zum Einbehalt der Anzahlung zum Ausgleich für den von ihm erlittenen Schaden.

* **Wählen Sie 36 15 Logis de France mit Ihrem Minitel** (1,29 FF pro Minute) und suchen Sie ein Hotel mit Schwimmbad, mit Unterbringung Ihres Haustieres...

* **Rufen Sie die Reservierungszentrale an.** Die öffentliche Reservierungszentrale Logis

Centrale de réservation

Logis de France

01 45 84 83 84

BEAUNE (B3)
21200 Côte d'Or
20000 hab. [i]

▲▲ AUBERGE BOURGUIGNONNE ★★
4, place Madeleine. M. Autin
☎ 03 80 22 23 53 📠 03 80 22 51 64
🛏 8 🍽 270/280 F. 🍴 33 F. ⫿ 89/205 F.
🍴 62 F.
⊠ lun. sauf jours fériés, dim. soir et lun. fin nov./fin fév.
E D 📷 🛏 CV 🐾 CB

▲▲▲ GRILLON ★★
21, route Seurre. M. Grillon
☎ 03 80 22 44 25 📠 03 80 24 94 89
🚗 🛏 18 🍽 258/298 F. 🍴 32 F.
⫿ 85/175 F. 🍴 50 F.
⊠ 1er fév./1er mars. Rest. mer. et jeudi midi.
E D 📷 🛏 🚗 🐟 CV 🎱 🐾 CB

Zum Verstehen der Piktogramme und der Abkürzungen, die Sie über die Ausstattung des Hotels, die Sport- und Freizeitangebote informieren...
schlagen Sie die Erklärung auf den Seiten 18 und 19 nach.

de France umfaßt circa 600 Hotels-Restaurants, mit 1, 2 oder 3 Kaminen, die alle den Qualitätsanforderungen der Kette entsprechen. Sie ermöglicht Privatkunden die Reservierung per Telephon, mit einem einfachen Anruf, die Unterbringung nach den erwünschten Kriterien:
Ort, Preis, Kategorie, Ausstattung, verschiedene Leistungen... Der Kunde profitiert außerdem über die Zentrale von den Sonderangeboten Logis de France, die bis zu 30% Prozent Nachlaß für einen Aufenthalt umfassen können.

HOE DEZE GIDS

om uw hotel-restaurant te zoeken

Bereid uw circuit voor met behulp van de wegenkaart die zich in deze gids bevindt.
Raadpleeg de strekenindex op bladzijde 25, ga dan naar het desbetreffende hoofdstuk.
Bovenaan iedere streek is er een "uitnodiging voor een wandeling" en een kaart van de streek. Daarna volgt, per departement, de lijst van hotels-restaurants, geklasseerd in alfabethische volgorde van de gemeenten, met een kaart waarop de Logis de France kunnen worden teruggevonden.

Indien U een nauwkeuriger idee heeft van uw verplaatsing, **raadpleeg de departementenindex** op bladzijde 27, of die van **de gemeenten** op bladzijde 29.

b o u r g o g n e

AISEY SUR SEINE (A1)
21400 Côte d'Or
150 hab.

🏨🏨 DU ROY ★★
MeM. Martin/Beaufort
☎ 03 80 93 21 63 📠 03 80 93 25 74
🛏 9 🚿 160/260 F. 🍽 30 F. 🍴 70/230 F.
🛏 40 F. 🖼 250/290 F.
🚫 janv., lun. soir et mar. sauf juil./sept.
📺🚗🍴🎰🐾

ARNAY LE DUC (A3)
21230 Côte d'Or
2500 hab. 🅻

🏨 DU DAUPHINE
Rue René Laforge. M. Thierry
☎ 03 80 90 14 25 📠 03 80 90 14 21
🛏 8 🚿 110/175 F. 🍽 26 F. 🍴 60/155 F.
🛏 40 F. 🖼 175 F.

U kunt zich te goed doen aan **een Menu du Terroir (NL : Streekmenu) Logis de France**, aangegeven in deze gids en aan de ingang van de etablissementen door een ovenschoteltje. Een uitstekende manier om de authentieke, plaatselijke keuken te leren kennen tegen een goede prijs ! Dit menu, dat wordt aangeboden tegen één van de volgende tarieven : 80, 100 of 120 FF door de hotels-restaurants die deelnemen aan deze actie, omvat altijd een voorgerecht, een hoofdschotel, kaas of een dessert van de streek.

1,2 of 3 schoorstenen ?
De Logis-klassering 1 - 2 - 3 schoorstenen is aangegeven aan de ingang van de etablissementen. Zij is ook aangegeven in deze gids tegenover de naam van het hotel-restaurant. Zij houdt rekening met méér dan 150 objectieve criteria, gaande van de kwaliteit van het eten en de service, tot de uitrusting van de kamer en van het etablissement.
Het is aan U om te kiezen :
🏨 eenvoudig en comfortabel
🏨🏨 goed en comfortabel
🏨🏨🏨 zéér comfortabel

GEBRUIKEN ?

om te reserveren

• **Raadpleeg de gids en telefoneer rechtstreeks naar het hotel van uw keuze.** Als uw eerste contact goed is, bevestig uw reservering schriftelijk aan dit hotel. Het is de gewoonte dat de reservering wordt begeleid door een storting, die beide partijen bindt. Indien een reservering wordt geannuleerd, veranderd of ingekort, mag het hotel de voorafbetaalde som behouden als schadevergoeding.

• **Voer 36 15 Logis de France in op uw minitel** (1,29 F per minuut) en U kunt een hotel uitkiezen met zwembad, U kunt reizen met uw lievelingsdier...

• **U kunt ook contact opnemen met de reserveringscentrale Logis de France.**

BEAUNE (B3)
21200 Côte d'Or
20000 hab. ⓘ

▲▲ AUBERGE BOURGUIGNONNE ★★
4, place Madeleine. M. Autin
☎ 03 80 22 23 53 ℻ 03 80 22 51 64
🛏 8 ⊗ 270/280 F. 🍽 33 F. ⫯ 89/205 F.
🍴 62 F.
✉ lun. sauf jours fériés, dim. soir et lun. fin nov./fin fév.
Ⓔ Ⓓ 📷 ☎ ⤷ CV ⬅ CB

▲▲▲ GRILLON ★★
21, route Seurre. M. Grillon
☎ 03 80 22 44 25 ℻ 03 80 24 94 89
🛏 18 ⊗ 258/298 F. 🍽 32 F.
⫯ 85/175 F. 🍴 50 F.
✉ 1er fév./1er mars. Rest. mer. et jeudi midi.
Ⓔ Ⓓ 📷 ☎ 🚗 ⤷ 🌳 ⚓ CV ▥ ⬅ CB

Om de pictogrammen en afkortingen te kunnen begrijpen, die u informeren over de uitrusting van het etablissement, de sportactiviteiten of de ontspanningsmogelijkheden... u vindt de uitleg hiervan op bladzijden 18 - 19.

De centrale voor reserveringen voor het grote publiek Logis de France groepeert ongeveer 600 hotels-restaurants, geklasseerd volgens 1, 2 of 3 schoorstenen, die alle beantwoorden aan het kwaliteitscharter van de keten. Hierdoor kunnen privépersonen hun reservering per telefoon maken, door eenvoudig op te bellen, en hun verblijf aan te vragen volgens gewenste criteria : plaats, prijs, categorie, uitrusting, diverse prestaties... De klant geniet bovendien, door de tussenkomst van de centrale, van speciale promoties van Logis de France, die kunnen gaan tot 30 % korting op een gegeven verblijf.

COME USARE LA

per cercare un albergo ristorante

Preparate il vostro percorso grazie alla carta stradale allegata alla guida.
Consultate l'indice delle regioni alla pagina 25 e poi cercate il capitolo indicato.
In testa ad ogni regione un invito alla passeggiata e una cartografia regionale. Poi per dipartimento la lista degli alberghi ristoranti in ordine alfabetico di località con una carta che mette in evidenza i "Logis de France".

Se avete un'idea più precisa sul vostro spostamento, **consultate l'indice dei dipartimenti** alla pagina 27, o quello **delle località** alla pagina 29.

b o u r g o g n e

AISEY SUR SEINE (A1)
21400 Côte d'Or
150 hab.

▲▲ DU ROY **
MeM. Martin/Beaufort
☎ 03 80 93 21 63 🖷 03 80 93 25 74
🍴 9 🛏 160/260 F. ☲ 30 F. 🍽 70/230 F.
🎣 40 F. 🍴 250/290 F.
☒ janv., lun. soir et mar. sauf juil./sept.
☎ 🚗 🍴 🍽 🐾

ARNAY LE DUC (A3)
21230 Côte d'Or
2500 hab. 🛈

▲ DU DAUPHINE
Rue René Laforge. M. Thierry
☎ 03 80 90 14 25 🖷 03 80 90 14 21
🍴 8 🛏 110/175·F. ☲ 26 F. 🍽 60/155 F.
🎣 40 F. 🍴 175 F.

Approfittate del **Menù del "Terroir Logis de France"** segnalato nella guida e all'entrata del locale con un'insegna. E' un modo eccellente per scoprire l'autentica cucina regionale a prezzo modico. Questo menù, proposto a 80, 100 e 120 FF dagli alberghi ristoranti che partecipano all'operazione, comprende sempre un antipasto e un secondo piatto con formaggio o dessert a carattere regionale.

1, 2 o 3 camini ?
La classifica Logis 1, 2 o 3 camini figura all'entrata degli stabilimenti e la segnalazione appare nella guida di fronte al nome dell'albergo ristorante. La classifica tiene conto di più di 150 criteri di obbiettivi che vanno dalla qualità della tavola, al servizio, all'allestimento della camera e all'attrezzatura dello stabilimento.
A voi la scelta :
▲ semplice e confortabile
▲▲ buono comfort
▲▲▲ ottimo comfort

GUIDA ?

per prenotare

• **Consultate la guida e telefonate direttamente all'albergatore di vostra scelta.** Se il vostro interlocutore è quello desiderato, confermate la prenotazione per iscritto all'albergatore. L'uso vuole che la prenotazione sia accompagnata da un versamento che impegna le parti. Una prenotazione annullata, differita o ridotta, autorizza l'albergatore a conservare la somma versata in anticipo per risarcimento danni.

• **Consultate il 36 15 Logis de France sul vostro Minitel** (1,29 FF al minuto) per scegliere un albergo con piscina, per viaggiare con il vostro animale favorito…

• **Oppure prendete contatto con la centrale di prenotazione "Logis de France"**

BEAUNE (B3)
21200 Côte d'Or
20000 hab. [i]

▲▲ AUBERGE BOURGUIGNONNE **
4, place Madeleine. M. Autin
☎ 03 80 22 23 53 ℻ 03 80 22 51 64
[🛏] 8 [⌖] 270/280 F. [🍽] 33 F. [Ⅲ] 89/205 F.
[🍴] 62 F.
⊠ lun. sauf jours fériés, dim. soir et lun. fin nov./fin fév.
[E][D][⌂][☎][⇄][✗] CV [⬥] CB

▲▲▲ GRILLON **
21, route Seurre. M. Grillon
☎ 03 80 22 44 25 ℻ 03 80 24 94 89
[⛴]120F [🛏] 18 [⌖] 258/298 F. [🍽] 32 F.
[Ⅲ] 85/175 F. [🍴] 50 F.
⊠ 1er fév./1er mars. Rest. mer. et jeudi midi.
[E][D][⌂][☎][⇄][✗][🐕][⚲] CV [▦][⬥] CB

Per capire i pittogrammi e le abbreviazioni che vi informano sulle attrezzature dello stabilimento, le attività sportive o il relax, leggete le spiegazioni che si trovano alle paggine 18 e 19.

01 45 84 83 84

La centrale di prenotazione clienti "Logis de France" raggruppa più di 600 alberghi ristoranti, con 1, 2 o 3 camini che rispondono tutti alla qualità del gruppo. La centrale dà la possibilità di prenotare con una semplice chiamata telefonica, offrendo al particolare un soggiorno sulla base dei seguenti criteri: luogo, prezzo, categoria, attrezzatura, prestazioni ed altro. Il cliente beneficia inoltre, per il tramite della centrale, di promozioni speciali "Logis de France" che possono raggiungere anche il 30% per particolari soggiorni.

¿CÓMO UTILIZAR

para buscar su hotel–restaurante

Prepare su ruta con el mapa de carreteras que acompaña esta guía. Consulte el índice de las regiones en la página 25, y después remítase al capítulo correspondiente. Como encabezamiento de cada región, una "invitación al paseo" y una cartografía regional. A continuación, por departamento, la lista de los hoteles-restaurantes, clasificada por orden alfabético de las localidades, con un mapa de localización de los Logis de France.

Si tiene una idea más precisa de su desplazamiento, **consulte el índice de los departamentos** en la página 27, o el **de las localidades** en la página 29.

b o u r g o g n e

AISEY SUR SEINE (A1)
21400 Côte d'Or
150 hab.

🏠🏠 DU ROY **
MeM. Martin/Beaufort
☎ 03 80 93 21 63 📠 03 80 93 25 74
🛏 9 ⊗ 160/260 F. ☛ 30 F. 🍴 70/230 F.
🚶 40 F. 🛏 250/290 F.
⊠ janv., lun. soir et mar. sauf juil./sept.
☎ 🚗 🍴 🍴 🏠

ARNAY LE DUC (A3)
21230 Côte d'Or
2500 hab. ⓘ

🏠 DU DAUPHINE
Rue René Laforge. M. Thierry
☎ 03 80 90 14 25 📠 03 80 90 14 21
🛏 8 ⊗ 110/175 F. ☛ 26 F. 🍴 60/155 F.
🚶 40 F. 🛏 175 F.

Disfrute con **un Menú del Terruño Logis de France**, señalado en esta guía y en la entrada de los establecimientos por un cazo. Un excelente medio de descubrir la auténtica cocina regional por un buen precio. Este menú, propuesto por una de las siguientes tarifas: 80, 100 ó 120 FRF por los hoteles-restaurantes que participan en la operación, siempre incluye una entrada, un plato principal, un queso o un postre de carácter regional.

¿1, 2 ó 3 chimeneas?
La clasificación Logis 1, 2 ó 3 chimeneas figura en la entrada de los establecimientos. En esta guía están indicadas en frente del nombre del hotel-restaurante. Además de 150 criterios objetivos, que van desde la calidad de la mesa y del servicio hasta el equipamiento de la habitación y del establecimiento. Elija:
🏠 sencillo y confortable
🏠🏠 confortable
🏠🏠🏠 muy confortable

ESTA GUÍA?

para reservar

• **Consulte la guía y llame directamente al hostelero de su elección.**
Si su primer contacto es correcto, confirme su reserva por escrito al hostelero.
La costumbre es que la reserva vaya acompañada de un pago que compromete a las partes. Una reserva anulada, aplazada o reducida, autoriza al hostelero a quedarse con la suma previamente abonada como indemnización de su perjuicio.

• **Marque 36 15 Logis de France en su minitel** (1,29 FRF el minuto) y podrá elegir un hotel con piscina, viajar con su animal favorito…

• **Dónde ponerse en contacto con la Central de Reservas Logis de France.**

BEAUNE (B3)
21200 Côte d'Or
20000 hab. ⓘ

▲▲ AUBERGE BOURGUIGNONNE ★★
4, place Madeleine. M. Autin
☎ 03 80 22 23 53 ✉ 03 80 22 51 64
🛏 8 ⬡ 270/280 F. 🍽 33 F. Ⅲ 89/205 F.
🏃 62 F.
✖ lun. sauf jours fériés, dim. soir et lun. fin nov./fin fév.
Ⓔ Ⓓ 📷 ☎ 🚗 ✖ CV ⬅ CB

▲▲▲ GRILLON ★★
21, route Seurre. M. Grillon
☎ 03 80 22 44 25 ✉ 03 80 24 94 89
🔑 ❘ 18 ⬡ 258/298 F. 🍽 32 F.
120F
Ⅲ 85/175 F. 🏃 50 F.
✖ 1er fév./1er mars. Rest. mer. et jeudi midi.
Ⓔ Ⓓ 📷 ☎ 🚗 ✖ 🍴 🎿 CV 📞 ⬅ CB

Para comprender los pictogramas y las abreviaturas que le informan sobre los equipamientos del establecimiento, las actividades deportivas o de esparcimiento… remítase a las explicaciones de las páginas 18 y 19.

La Central de Reservas para el gran público Logis de France agrupa a 600 hoteles-restaurantes clasificados con 1, 2 ó 3 chimeneas, y que responden, todos ellos, a la carta de calidad de la cadena. Permite que los particulares reserven su alojamiento por teléfono, mediante una simple llamada, según los criterios que desea: lugar, precio, categoría, equipamiento, servicios diversos… Además, por medio de la central, el cliente beneficia de promociones especiales Logis de France, que pueden ir hasta el 30% de descuento por una estancia determinada.

PICTOGRAMMES ET ABRÉVIATIONS

**
classement tourisme
official grading,
Hotelkategorie,
klassement toerisme,
categoria turistica,
clasificación turismo

m
mètres
altitude
in meters,
Meter,
meter,
metri,
metros

hab
habitants
number
of inhabitants,
Einwohner,
inwoners
abitanti
habitantes

vac scol
vacances scolaires
school holidays,
Schulferien,
schoolvacantie,
vacanze scolastiche,
vacaciones escolares

hs
hors saison
off season,
Nebensaison,
buiten het seizoen,
fuori stagione,
fuera de
temporada

Renseignements généraux

office du tourisme syndicat d'initiative
tourist office,
Fremdenverkehrsamt,
tœristische dienst,
ente per il turismo
oficina de turismo

 EC
en cours de classement
Official grading pending,
Einstufung läuft,
classificatie is aan de gang,
categoria turistica
ufficiale in curso,
clasificación en curso

classement "cheminées"
fireplace grading,
Kaminkategorie,
classificarie in
Schoorstenen,
classificazione caminetto,
clasificación chimenea

 80F
menu du Terroir Logis de France
prix,
prices,
Preise,
prijs,
prezzo,
precio

hôtel sans restaurant
no restaurant,
ohne Restaurant,
zonder restaurant,
senza ristorante,
sin restaurante

numéro de téléphone de l'hôtel
hotel telephone number,
Telefonnummer des Hotels,
telefoonnummer van het hotel,
telefono dell'albergo,
teléfono del hotel

FAX
numéro de fax de l'hôtel
hotel fax number,
Faxnummer des Hotels,
Faxnummer van het hotel,
Fax dell'albergo,
Fax del hotel

nombre de chambres
number of rooms,
Anzahl der Zimmer,
aantal kamers,
numero di camere,
número de habitaciones

dates et jours de fermeture
closing days and periods,
geschlossen an folgenden Tagen,
jaarlijks verlof en sluitingsdag,
date e giorni di chiusura,
fechas y días de cierre

prix des chambres
prices of rooms,
Zimmerpreise,
prijs kamers,
prezzo delle camere,
precio de
las habitaciones

prix menus
set menu
prices,
Menüpreise,
prijs menu,
prezzo menu,
precios de los menus

prix menu enfant (à partir de)
children's menu price (from),
Kindermenüpreis ab,
prijs kindermenu,
prezzo menu bambini,
precio del menú
para niños

prix petits déjeuners
Breakfast rates,
Frühstückspreis,
Prijzen ontbijten,
Prezzo colazione,
Precios desayunos

prix 1/2 pension
half board prices,
Preise für Halbpension,
prijs halfpension,
prezzo mezza pensione,
precio en
media pensión

E
anglais parlé
English spoken,
man spricht englisch,
men spreekt engels,
si parla l'inglese,
se habla inglés

D
allemand parlé
German spoken,
man spricht deutsch,
men spreekt duits,
si parla il tedesco,
se habla alemán

i
italien parlé
Italian spoken,
man spricht italienisch,
men spreekt italiaans,
si parla l'italiano,
se habla italiano

SP
espagnol parlé
Spanish spoken,
man spricht spanisch,
men spreekt spaans,
si parla lo spagnolo,
se habla español

Equipements de l'établissement

téléphone dans chambres
telephone in rooms,
Zimmer mit Telefon,
telefoon in de kamers,
telefono nelle camere,
teléfono en las habitaciones

TV dans chambres
TV in rooms,
Zimmer mit Fernsehen,
TV in de kamers,
TV nelle camere,
TV en las habitaciones

 C+
Canal +

insonorisation
soundproofing,
Schallisolierung,
geluidsisolatie,
insonorizzazione,
insonorización

climatisation
air-conditioning,
Klimaanlage,
air-conditioning,
aria condizionata,
climatización

chambres/restaurant équipés handicapés

rooms/restaurant suitable for the disabled, Zimmer/Restaurant mit Einrichtungen für Behinderte, kamers/restaurant ingericht voor minder-validen, camere/ristorante attrezzati per i disabili, habitaciones/restaurante equipados para minusválidos

restaurant équipé handicapés

restaurant suitable for the disabled, Restaurant mit Einrichtungen für Behinderte, restaurant ingericht voor minder-validen, ristorante attrezzato per i disabili, restaurante equipado para minusválidos

chambres équipées handicapés

rooms suitable for the disabled, Zimmer mit Einrichtungen für Behinderte, kamers ingericht voor minder-validen, camere attrezzate per i disabili, habitaciones equipadas para minusválidos

chiens acceptés chambres et restaurant

dogs allowed in rooms and restaurant, Hunde im Zimmer & Restaurant erlaubt, honden tœgelaten in kamers en restaurant, cani ammessi nelle camere e nel ristorante, se aceptan perros en las habitaciones & restaurante

chiens acceptés chambres

dogs allowed in rooms, Hunde im Zimmer erlaubt, honden tœgelaten in kamers, cani ammessi nelle camere, se aceptan perros en las habitaciones

chiens acceptés restaurant

dogs allowed in restaurant, Hunde im Restaurant erlaubt, honden tœgelaten in restaurant, cani ammessi nelle ristorante, se aceptan perros en el restaurante

parking

car park, Parkplatz, parking, parcheggio, parking

garage fermé

covered car park, geschlossene Garage, gesloten garage, autorimessa chiusa, garaje cerrado

ascenseur

lift, Fahrstuhl, Lift, ascensore, ascensor

parc ou jardin

park or garden, Park oder Garten, park of tuin, parco e giardino, parque o jardin

CB

cartes bancaires acceptées

Banks cards accepted, KreditKarten akzeptiert, Kredietkaart geaccepteerd, Carte di credito accettate, Se aceptan tarjetas bancarias

CV

chèques vacances acceptés

accepted, akzeptiert, geaccepteerd, accettate, aceptan

CR

hôtel adhérant à la centrale de réservation

hotel using a centralized reservation service, Mitglied der Reservierungszentrale, Hotel dat lid is van de reserveringscentrale, Hotel aderente alla centrale di prenotazione, Hotel afiliado a la central de reservas

Services "affaires"

étape affaires

business stop, Etappe für Geschäftsleute, zaken etappe, Tappa affari, etapa de negocios

salles de réunions et séminaires

meeting and seminar facilities, Konferenz - Seminarräume vergader & seminariezalen, sala riunioni & seminari, sala de reunión & seminarios

Activités sportives ou de détente

piscine à l'extérieur

open-air swimming pool, Freibad, openlucht zwembad, piscina all'aperto, piscina al aire libre

piscine couverte chauffée

indoor heated swimming pool, geheiztes Hallenbad, overdekt verwarmd zwembad, piscina coperta riscaldata, piscina cubierta de agua caliente

sauna, hammam, jacuzzi

sauna, turkish bath, jacuzzi, Sauna, Dampfbad, Whirlpool, sauna, hammam, jacuzzi, sauna, bagno turco, idromassaggio, sauna, baño turco, jacuzzi

salle de gym

fitness center, Fitneß-Raum, gymzaal, palestra, gimnasio

tennis

tennis court, Tennisplatz, tennis, tennis, tennis

aire de jeux enfants

children's playground, Kinderspielplatz, kinderspeelplaats, area gioco per i bambini, zona de juegos para niños

mini golf

miniature golf, Minigolf, minigolf, minigolf, mini golf

location de vélos

bicycle rental, Fahrradverleih, Fietsenverhuur, noleggio biciclette, alquiler de bicicletas

Centrale de réservation

Logis de France

01 45 84 83 84

Le seul numéro à retenir avant de partir...

The only number you should remember before leaving.

Réservations immédiates, promotions exclusives.

Immediate booking, exclusive promotions.

l'hôtellerie à visage humain
Hotels with a human face

LÉGENDE DES CARTES - KEY

Autoroute en service, échangeur (1), demi-échangeur (2), péage (3)
Motorway in service, complete junction (1), limited junction (2), toll (3)

Autoroute en cours d'achèvement, avec date d'ouverture
Motorway near completion, with opening date

Autoroute en construction (1), autoroute en projet (2)
Motorway under construction (1), projected Mortorway (2)

Route à chaussée double de type autoroutier
Dual carriageway with motorway characteristics

Route à chaussée double avec carrefour ou échangeur avec ou sans terre plein central
Dual carriageway with cross-roads or junctions, with or without central reservation

Grand axe de circulation
Trunk road

Route principale (1), route secondaire (2)
Main road (1), Secondary road (2)

A 13   N 20   Numérotation des autoroutes (1), des routes (2)
(1)   (2)   *Numbering of motorways (1), of roads (2)*

17   36   Distance kilométrique sur autoroutes (1) et grands axes (2)
(1)   (2)   *Distances in kilometres on motorways (1), on trunk roads*

Frontière d'état
National boundary

Limite de régions (1), de départements (2)
Limits of regions (1), of departements (2)

Car-ferries
Car-ferries

Parc naturel régional et national
Regional or national park

Forêt et massif forestier
Forest and forest covered zone

567   Réf. n° de page, *page ref.*

▣ Abbaye, *Abbey*	∴ Ruine et vestige antique, *Antique ruin and remain*
✚ Cathédrale, *Cathedral*	★ Site et curiosité naturelle, *Natural site*
⊛ Eglise, *Church*	≼ Panorama, point de vue, *panorama, viewpoint*
⸸ Pélerinage, *Pilgrimage*	**PA** Parc d'attractions, *Country park*
⨜ Château, *Castle*	**Zⁱ** Station balnéaire, *Seaside resort*
ⱶⱶ Remparts et citadelle, *City walls and citadel*	⤜ Station de ski, *ski resort*
▲ Monument, musée, vieux quartier *Monument, museum, old town*	**T** Centre de thalassothérapie, *Thalassotherapy*

Bge = Barrage, *Dam*   *Gr* = Grotte, *Cave*   *Gre* = Gorge, *Gorge*   *Mt* = Mont, *Hill*

CARTES DÉPARTEMENTALES - MAPS OF THE DEPARTMENTS

▣ **Localité comportant au moins un hôtel-restaurant Logis de France**
Town with at least one Logis de France hotel-restaurant

○ *Autre localité, Other town*

ÉDITIONS **GRAFOCARTE**

Réalisé par les Éditions Grafocarte
125, rue J.J. Rousseau - BP 40
92132 ISSY-LES-MOULINEAUX Cedex
Tél. 01 41 09 19 00 - Fax 01 41 09 19 22

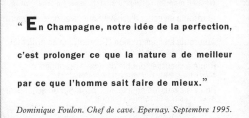

" **E**n Champagne, notre idée de la perfection,

c'est prolonger ce que la nature a de meilleur

par ce que l'homme sait faire de mieux."

Dominique Foulon. Chef de cave. Epernay. Septembre 1995.

BRUT IMPÉRIAL

MOËT & CHANDON

CHAMPAGNE

12%Vol   EPERNAY ★ FRANCE   75cl

FONDÉ EN 1743
PRODUCE OF FRANCE — élaboré par CHAMPAGNE MOËT & CHANDON à EPERNAY - FRANCE   NM-260-001

De la nature à l'œuvre

La FRANCE DES RÉGIONS

ILE-DE-FRANCE

0   100 km

NORD-PAS-DE-CALAIS
62
59
76   80
50   HAUTE   PICARDIE   02   08
BASSE   14   NORMANDIE   60   CHAMPAGNE   57
NORMANDIE   27   51   LORRAINE   54   67
29   22   61   ILE-DE-FRANCE   55   ARDENNE   88   ALSACE
BRETAGNE   35   53   28   10   52   68
56   72   PAYS DE   41   45   89   70   90   FRANCHE
44   49   LA   37   CENTRE   58   21   25   COMTÉ
LOIRE   VAL-DE-LOIRE   18   BOURGOGNE   39
85   POITOU   36   71
79   86
CHARENTES   87   23   03
17   16   LIMOUSIN   63   42   69   01   74
19   AUVERGNE   RHÔNE   73
24   15   43   ALPES   38
33   46   07   26   05
AQUITAINE   47   MIDI   12   48   30   PROVENCE   04
40   32   82   81   LANGUEDOC   84   ALPES   06
64   PYRENEES   31   34   13   CÔTE D'AZUR   83
65   09   ROUSSILLON
66

CORSE   2B
2A

ÉDITIONS GRAFOCARTE ©

« N'est-il pas admirable pour un territoire dont la traversée n'excède guère un millier de kilomètres, et non d'ailleurs dans tous les sens, de trouver la plaine et la montagne, la mer et les grands lacs, l'olivier et le sapin, le palmier et le hêtre, la vigne et le houblon ? »
Georges Duhamel

«Is it not wonderful that in a country hardly bigger than a thousand kilometres in length or breadth you can find plains and mountains, sea and great lakes, olive trees and pines, palm trees and beeches, vines and hops?»
Georges Duhamel

INDEX PAR RÉGION

LA FRANCE DES DÉPARTEMENTS

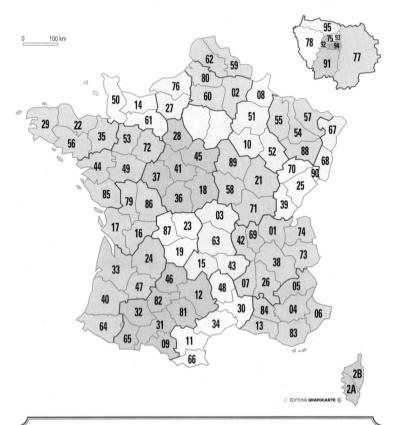

0   100 km

ÉDITIONS **GRAFOCARTE** ©

01 : Ain - 02 : Aisne - 03 : Allier
04 : Alpes-de-Haute-Provence
05 : Alpes (Hautes-) - 06 – Alpes-Maritimes
07 : Ardèche - 08 : Ardennes - 09 : Ariège
10 : Aube - 11 : Aude - 12 : Aveyron
13 : Bouches-du-Rhône - 14 : Calvados
15 : Cantal - 16 : Charente
17 : Charente-Maritime - 18 : Cher
19 : Corrèze - 2A : Corse du sud
2B : Corse (Haute-) - 21 : Côte-d'Or
22 : Côtes-d'Armor - 23 : Creuse - 24 : Dordogne
25 : Doubs - 26 : Drôme - 27 : Eure
28 : Eure-et-Loir - 29 : Finistère - 30 : Gard
31 : Garonne (Haute-) - 32 : Gers - 33 : Gironde
34 : Hérault - 35 : Ille-et-Vilaine - 36 : Indre
37 : Indre-et-Loire - 38 : Isère - 39 : Jura
40 : Landes - 41 : Loir-et-Cher- 42 : Loire
43 : Loire (Haute-) - 44 : Loire-Atlantique
45 : Loiret - 46 : Lot - 47 : Lot-et-Garonne
48 : Lozère - 49 : Maine-et-Loire

50 : Manche - 51 : Marne - 52 : Marne (Haute-)
53 : Mayenne - 54 : Meurthe-et-Moselle
55 : Meuse - 56 : Morbihan - 57 : Moselle
58 : Nièvre - 59 : Nord - 60 : Oise - 61 : Orne
62 : Pas-de-Calais - 63 : Puy-de-Dome
64 : Pyrénées-Atlantiques
65 : Pyrénées (Hautes-) - 66 : Pyrénées-Orientales
67 : Rhin (Bas-) - 68 : Rhin (Haut-)
69 : Rhône - 70 : Saône (Haute-)
71 : Saône-et-Loire - 72 : Sarthe - 73 : Savoie
74 : Savoie (Haute-) - 75 : Paris (Ville de)
76 : Seine-Maritime - 77 : Seine-et-Marne
78 : Yvelines - 79 : Sèvres (Deux-) - 80 : Somme
81 : Tarn - 82 : Tarn-et-Garonne - 83 : Var
84 : Vaucluse - 85 : Vendée - 86 : Vienne
87 : Vienne (Haute-) - 88 : Vosges
89 : Yonne - 90 : Territoire de Belfort
91 : Essonne - 92 : Hauts-de-Seine
93 : Seine-Saint-Denis - 94 : Val-de-Marne
95 : Val-d'Oise

INDEX PAR DÉPARTEMENT

BARON PHILIPPE DE ROTHSCHILD
FRANCE DISTRIBUTION

64 bis, rue La Boëtie - BP 62 - 75362 PARIS Cédex 08 - Téléphone : 01 44 13 20 20 - Télécopie : 01 42 56 01 01

L'abus d'alcool est dangereux pour la santé. A consommer avec modération.

INDEX PAR LOCALITÉ

Localité	Hôtels (page)	Carroyage	Carte (page)
ASPRES	384	A2	382
ASPRES SUR BUECH	668	B1	667
ATTIGNAT	716	A2	715
ATTIGNAT ONCIN	757	B1	755
AUBAGNE	685	B3	684
AUBAZINE	402	B2	401
AUBENAS	723	B2	722
AUBERIVES SUR VAREZE	736	A2	735
AUBIGNEY	335	B1	334
AUBIGNY SUR NERE	242	A1	241
AUBRAC	462	B1	461
AUBREVILLE	430	A2	429
AUBUSSON	409	B2	408
AUCH	476	B2	475
AUCHY LES HESDIN	516	B2	515
AUDIERNE	209	A2	208
AUDRESSEIN	458	A-B1	457
AUDUN LE TICHE	434	A1	433
AULAS	372	A1	371
AUMALE	565	A3	564
AUMESSAS	372	A1	371
AUNAY SUR ODON	530	B2	529
AUPHELLE	414	B2	412
AURAY	225	B2	224
AUREC SUR LOIRE	147	A3	146
AUREL	699	A2-3	698
AURIOL	685	B3	684
AURIS EN OISANS	736	B2	735
AURON	675	A1	674
AUSSOIS	757	B3	755
AUTRANS	736	A2	735
AUTREVILLE	440	A1	439
AUTREY	440	A3	439
AUTUN	180	A2	179
AUXERRE	187	A2	186
AUXONNE	168	B2	167
AVALLON	187	B3	186
AVERMES	135	A2	133
AVESNELLES	512	B3	511
AVESNES SUR HELPE	512	B3	511
AVEUX	489	B2	487
AVEZE	372	A-B1	371
AVEZE	152	B1	151
AVIGNON	699	B1	698
Les AVIRONS	789	A2	788
AVORD	242	B2	241
AVRANCHES	539	A3	538
AVRILLE	587	A2	586
AX LES THERMES	458	B3	457
AYDAT	152	B2	151
L'AYGADE	693	B2	690
AZAY LE RIDEAU	256	A2	255
AZERAILLES	426	B3	425
AZUR	107	B1	106
BACCARAT	426	B3	425
BADEN	225	B2	224
BAGNAC SUR CELE	480	B2	479
BAGNERES DE BIGORRE	489	A-B2	487
BAGNOLES DE L'ORNE	546	B1-2	545
BAGNOLS EN FORET	691	A3	690
BAGNOLS LES BAINS	383	B2	382
BAIN DE BRETAGNE	219	A3	218
BAINS LES BAINS	440	B2	439
BALARUC LES BAINS	378	B3	377
BALDERSHEIM	77	B2	71
BALLON D'ALSACE (LEPUIX GY)	339	B1	338
La BALME DE SILLINGY	767	B1	765
BALOT	168	A1	167
BAN DE LAVELINE	440	A3	439
BANDOL	691	B1	690
BANNEGON	242	B2	241
BANNES	297	B2-3	296
BANTZENHEIM	72	B2	71
BANYULS SUR MER	388	B3	387
BAPAUME	516	B3	515
Le BAR SUR LOUP	675	A3	674
BAR SUR SEINE	287	B2	286
La BARAQUE	155	B2	151
BARAQUEVILLE	462	A2	461
BARBAZAN	470	A2	469
La BARBEN	685	A2	684
BARBEZIEUX SAINT HILAIRE	634	A2	633
BARBIZON	353	A2	352
BARBOTAN LES THERMES	476	A1	475
BARCELONNETTE	662	A3	661
BARCUS	118	B2	117
BAREGES	489	A3	487
BARJAC	383	A2	382
BARJOLS	691	A2	690
BARNEVILLE CARTERET	539	A1	538
BARNEVILLE LA BERTRAN	532	A3	529
Le BARP	102	A2	101
BARR	62	A2-3	61
BARRAUX	742	B2	735
Le BARROUX	699	A2	698
BARTENHEIM	72	B3	71
BAS EN BASSET	147	A3	146
BASSAC	634	A2	633
BASSE SUR LE RUPT	440	B3	439
BASSES HUTTES	78	A1	71
BASSILLAC	94	B2	93
BASTELICA	308	A2	302
La BASTIDE	692	A3	690
La BASTIDE DES JOURDANS	699	B3	698
BAUD	225	A2	224
BAUDREVILLE	247	B2	246
BAUDUEN	692	A2	690
BAUGE	587	A3	586
La BAULE	580	B1	579
BAULNE EN BRIE	614	B3	613
BAUME LES DAMES	320	A2	319
BAYEUX	530	A2	529
BAYON	426	B3	425
BAYONNE	118	A1	117
BAZAILLES	426	A1	425
BEAUCAIRE	372	B3	371
BEAUCENS	488	A2	487
BEAUCROISSANT	737	A2	735
BEAUDEAN	489	A-B2	487
BEAUFORT SUR DORON	757	A2	755
BEAUGENCY	271	B1	270
BEAUJEU	752	A1	751
BEAULIEU SUR DORDOGNE	402	B2	401
BEAUMONT DE LOMAGNE	500	B1	499
BEAUMONT EN VERON	257	A2	255
BEAUMONT LE ROGER	560	B2	559
BEAUMONT SUR SARTHE	596	A1	595
BEAUMONT SUR VESLE	292	A2	291
BEAUNE	168	B3	167
BEAUREPAIRE	737	A2	735
BEAUREPAIRE EN BRESSE/LOUHANS	180	B3	179
BEAUVAIS	618	B2	617
BEAUVENE	723	B2	722
BEAUVEZER	662	B2	661
BEAUVOIR	539	A3	538
BEAUVOIR	618	A2	617
BEAUVOIR SUR MER	600	A1	599
BEAUZAC	147	A3	146
BEDOIN	699	A2	698
BEG MEIL	211	B3	208
BEGARD	202	A1	201
La BEGUDE DE MAZENC	730	A2	729
BELCAIRE	366	B1	365
BELFORT	339	B1	338
BELGODERE	309	A1	302
BELLAC	413	A2	412
BELLE ILE EN MER (SAUZON)	225	B1	224
BELLE ISLE EN TERRE	202	A1	201

Localité	Hôtels (page)	Carroyage	Carte (page)
BELLEFONTAINE	326	B2	325
BELLEGARDE SUR VALSERINE	716	A3	715
BELLEME	547	B3	545
BELLENAVES	134	B2	133
BELLERIVE SUR ALLIER	137	B2-3	133
BELLEVAUX	767	A2	765
BELLEVILLE	752	B1	751
BELLEVILLE SUR LOIRE	242	B1	241
BELLEY	716	B2	715
BELVES	94	B3	93
BELZ	225	B2	224
BENFELD	62	B3	61
BENODET	209	B3	208
BENON	639	A1	638
BENOUVILLE	530	A2	529
BERCK PLAGE	516	B1	515
BERENX	118	A2	117
BERGERAC	94	A3	93
BERGERES LES VERTUS	293	B2	291
BERGUES	512	A1	511
BERNAY	560	B1-2	559
La BERNERIE EN RETZ	580	B2	579
BERNEX	767	A2	765
BERRE LES ALPES	675	B2	674
BERTHEMONT LES BAINS	675	B2	674
BERTHOLENE	462	B2	461
BESSANS	757	B3	755
BESSE EN OISANS	737	B2	735
BESSE ET SAINT ANASTAISE	152	B2	151
BESSENAY	752	A2	751
BESSINES SUR GARTEMPE	413	B2	412
BETAILLE	480	B1	479
BETHUNE	516	B2	515
BETTON	219	A2	218
BEUIL	675	A2	674
BEUZEVILLE	560	A1	559
BEYNAC CAZENAC	94	B3	93
BEZE	168	B2	167
BIARRITZ	118	A2	117
BIDARRAY	118	A1	117
BIDART	118	A1	117
BIELLE	119	B3	117
BIESHEIM	72	B1	71
Le BIOT	767	A2	765
BIRKENWALD	62	A2	61
BISCARROSSE	107	A1	106
BISCARROSSE PLAGE	107	A1	106
BIZAC	147	B2	146
BLAGNAC	470	B1	469
BLAIN	580	A2	579
Le BLANC	251	A2	250
BLANQUEFORT	102	A2	101
BLAYE	102	A1-2	101
BLENDECQUES	516	A2	515
BLENEAU	188	A2	186
BLERE	256	B2	255
BLESSAC	409	B2	408
BLETTERANS	326	A2	325
Le BLEYMARD	383	B2	382
BLOIS	264	B2	263
BLONVILLE SUR MER	530	A3	529
BOCOGNANO	308	A-B2	302
BOESCHEPE	512	A1	511
BOGEVE	767	A2	765
BOIS DU FOUR	462	B2	461
Le BOIS PLAGE EN RE	639	A1	638
BOLLENBERG ROUFFACH	72	B2	71
BOLLENE	700	A1	698
BOLLEZEELE	512	A1	511
BOLQUERE	388	B1	387
Le BONHOMME	72	A1	71
BONHOMME (Col du)	443	A-B3	439
BONLIEU	326	B2	325
BONNAT	409	A1	408
BONNE	768	A2	765
BONNETAGE	320	B2	319
BONNEVAL	247	B2	246
BONNEVAL SUR ARC	757	B3	755
BONNEVILLE	768	B2	765
Le BONO	225	B2	224
BONS EN CHABLAIS	768	A2	765
BONSON	747	A2-3	746
BORDERES LOURON	489	B3	487
BORGO	309	B1	302
BORMES LES MIMOSAS	692	B2	690
BORT LES ORGUES	402	A3	401
Le BOSC	458	A-B2	457
BOSSEE	257	B2	255
Les BOSSONS	768	B3	765
BOUAYE	580	B2	579
BOUC BEL AIR	685	B3	684
BOUCHEMAINE	587	A-B2	586
Les BOUCHOUX	326	B3	325
La BOUILLADISSE	685	B3	684
BOUIN	600	A1	599
Le BOULOU	388	B3	387
BOUNIAGUES	94	A3	93
BOURBACH LE BAS	73	A2	71
BOURBON LANCY	180	B1	179
BOURBON L'ARCHAMBAULT	134	A2	133
BOURBONNE LES BAINS	297	B2	296
La BOURBOULE	153	B1	151
BOURCEFRANC LE CHAPUS	639	A2	638
BOURG D'OISANS	737	B2	735
BOURG D'OUEIL	470	A3	469
BOURG EN BRESSE	716	A2	715
BOURG LASTIC	153	B1	151
BOURG LES VALENCE	733	A1	729
BOURG MADAME	389	B1	387
BOURG SAINT ANDEOL	723	B3	722
BOURG SAINT CHRISTOPHE	716	B2	715
BOURG SAINTE MARIE	297	B2	296
BOURGANEUF	409	A2	408
Le BOURGET DU LAC	758	A1	755
BOURGNEUF EN RETZ	581	B2	579
BOURGOIN JALLIEU	737	A1	735
BOURGUEIL	257	A2	255
BOURROUILLAN	476	A1	475
BOUSSAC	409	B1	408
BOUSSENS	470	A2	469
BOUT DU PONT DE L'ARN	494	B2-3	493
BOUTENAC TOUVENT	639	B2	638
BOUTX - LE MOURTIS	470	A3	469
BOUVANTE	730	A-B1	729
BOUZIES	480	B2	479
BRACHAUD	414	B2	412
BRACIEUX	264	B2	263
BRAMANS	758	B3	755
BRANNE	102	B2	101
BRANTOME	94	A2	93
BRASSAC LES MINES	153	B2	151
BREDANNAZ DOUSSARD	768	B2	765
BREE EN TANIS	541	A3	538
BREHAL	539	A2	538
BREIL SUR ROYA	675	B2	674
La BRESSE	440	B3	439
BRESSUIRE	644	A1	643
BRETENOUX (PORT DE GAGNAC)	480	B1	479
BRETEUIL SUR ITON	560	B2	559
BREVIANDES	287	B2	286
BREVONNES	287	A2-3	286
BREZINS	738	A2	735
BREZOLLES	247	A1	246
BRIANCON	668	A3	667
BRICQUEBEC	539	A1	538
BRIDES LES BAINS	758	B2	755
BRIEC	209	B2	208
BRIEY	426	A1	425

Localité	Hôtels (page)	Carroyage	Carte (page)
BRIGNAIS	752	B3	751
BRIGNOGAN PLAGE	209	A-B1	208
La BRIGUE	676	B2	674
BRINON SUR SAULDRE	242	A1	241
BRIONNE	560	A2	559
BRIOUDE	147	A1	146
BRIVE LA GAILLARDE	402	B1-2	401
BROCAS	107	A2	106
BROMMAT	462	A-B1	461
BROUSSE LE CHATEAU	462	A3	461
BRUERE ALLICHAMPS	242	A2	241
BRUMATH	62	B2	61
BRUNSTATT	77	B2	71
BRUSQUE	462	B3	461
BUBRY	225	A2	224
BUE	242	A1	241
Le BUGUE	94	B2	93
Le BUISSON DE CADOUIN	94	B3	93
BUOUX	700	B2	698
BURNHAUPT LE HAUT	73	A2	71
BUSSANG	440	B3	439
La BUSSIERE	271	B3	270
BUXEUIL	257	A2	255
BUXY	180	A2	179
BUZANCAIS	251	A2	250
CABOURG	530	A3	529
CABRERETS	480	B2	479
CABRIS	676	A3	674
CADEAC	489	B3	487
CADENET	700	B2	698
CAEN	531	A2	529
CAGNOTTE	110	B1-2	106
CAHORS	480	B2	479
CAILHAU	366	A2	365
CAILLY SUR EURE	560	A-B2	559
CAJARC	480	B2	479
CALAIS	516	A1-2	515
CALES	480	A2	479
CALLIAN	692	A3	690
CALVI	309	A1	302
CALVIAC	481	B1	479
CALVINET	140	B2	139
CAMARES	462	B3	461
CAMARET SUR MER	209	A2	208
CAMBO LES BAINS	119	A1	117
CAMBRAI	512	B2	511
CAMIERS	517	A-B1	515
CAMORS	225	A2	224
CAMPAN	489	B2	487
CAMPENEAC	228	A3	224
CAMPS	402	B2	401
CANAPVILLE	531	A3	529
CANCALE	219	A1	218
CANDE	587	A1	586
CANDE SUR BEUVRON	264	B2	263
CANET EN ROUSSILLON	389	A3	387
CANET PLAGE	389	A3	387
La CANOURGUE	383	A2	382
CANTELEU	565	B2	564
CAP COZ	211	B3	208
CAP D'AIL	676	B2-3	674
CAP DE PIN	107	A2	106
CAPBRETON	107	B1	106
CAPDENAC GARE	462	A2	461
La CAPELLE	614	B1	613
CAPVERN LES BAINS	489	B2	487
CARANTEC	209	B1	208
CARCASSONNE	366	A2	365
CARENNAC	481	B1	479
CARENTAN	539	B2	538
CARMAUX	494	A2	493
CARNAC	226	B2	224
CARNOUX EN PROVENCE	686	B3	684
CAROMB	700	A2	698
CARPENTRAS	700	A-B2	698
CARROS	676	B2	674
CARROUGES	547	A-B2	545
Les CARROZ D'ARACHES	768	B2-3	765
CARRY LE ROUET	686	B2	684
CARSAC AILLAC	95	B3	93
CASSIS	686	B3	684
CASTAGNEDE DE BEARN	119	A2	117
CASTAGNIERS	676	B2	674
CASTELJALOUX	114	A2	113
CASTELLANE	662	B2	661
Le CASTELLET	692	B1	690
CASTELNAU DE MEDOC	102	A2	101
CASTELNAU MAGNOAC	489	B1-2	487
CASTELNAU MONTRATIER	481	A3	479
CASTELNAUDARY	366	A1	365
CASTERINO	676	B1	674
CASTETS	107	B1	106
CASTILLON DE LARBOUST	470	A3	469
CASTRES	494	B2	493
Le CATEAU CAMBRESIS	512	B2-3	511
CATTENOM SENTZICH	434	A1	433
CAUDEBEC EN CAUX	565	B2	564
CAUNA	108	B2	106
CAUNES MINERVOIS	367	A2	365
CAUREL	202	B2	201
CAUSSADE	500	A2	499
CAUSSE DE LA SELLE	378	A2-3	377
CAUSSIGNAC	383	A3	382
CAUTERETS	490	A3	487
CAVAILLON	700	B2	698
CAVALAIRE SUR MER	692	B3	690
CAVANAC	367	A2	365
CAYEUX SUR MER	622	A1	621
CAYLUS	500	A3	499
CAYRES	147	B2	146
CAZAUBON	476	A1	475
CAZERES	470	A2	469
CAZES MONDENARD	500	A2	499
CAZILHAC	378	A3	377
CEAUX	539	A3	538
CEILHES ET ROCOZELS	378	A1-2	377
CEILLAC	668	A3	667
La CELLE SAINT CYR	188	A2	186
CELLES SUR BELLE	644	B3	643
CELLIERS	758	B2	755
CERCOTTES	271	A1	270
CERCY LA TOUR	175	B2	174
CERESTE	662	B1	661
Le CERGNE	747	B1	746
CERILLY	134	A2	133
CERIZAY	644	A1	643
CERNAY	73	A2	71
CERONS	102	B2	101
CESSIEU	738	A1	735
CESSON SEVIGNE	219	B2	218
CHABEUIL	730	A2	729
CHABLIS	188	B2	186
CHABRIS	251	B1	250
CHACE	587	B3	586
CHAGNY	180	A2	179
CHAINGY FOURNEAUX	271	B1	270
La CHAISE DIEU	148	A2	146
CHALANDRAY	649	A2	648
CHALLANS	600	A1	599
CHALLES LES EAUX	758	A1-2	755
CHALON SUR SAONE	180	A2-3	179
CHALONS EN CHAMPAGNE	292	A-B2	291
CHAMARANDES	297	A2	296
CHAMBERET	403	A2	401
CHAMBERY	758	A1	755
CHAMBON SUR LAC	153	B2	151
Le CHAMBON SUR LIGNON	148	B3	146
CHAMBORD	264	B2	263

Localité	Hôtels (page)	Carroyage	Carte (page)
CHAMBORIGAUD	373	A2	371
CHAMBOULIVE	403	A2	401
CHAMONIX MONT BLANC	768	B3	765
CHAMOUILLEY	297	A1	296
CHAMOUSSET	758	A2	755
CHAMP	740	B2	735
CHAMPAGNE MOUTON	634	B1	633
CHAMPAGNEY	335	A3	334
CHAMPAGNOLE	326	B2	325
CHAMPAGNY EN VANOISE	758	B3	755
CHAMPANGES	769	A2	765
CHAMPENOUX	426	B2	425
CHAMPIER	738	A2	735
CHAMPLITTE	335	B1	334
CHAMPLIVE	320	A2	319
CHAMPTOCE SUR LOIRE	587	A-B2	586
CHAMPTOCEAUX	587	B1	586
CHANAC	383	A2	382
CHANAS	738	A2	735
CHANCELADE	97	A2	93
CHANDOLAS	723	A3	722
CHANTESSE	738	A2	735
CHANTILLY	618	B2	617
CHANTONNAY	600	A3	599
CHAPAREILLAN	738	B2	735
La CHAPELLE AUBAREIL	95	B2	93
La CHAPELLE CARO	226	A3	224
La CHAPELLE D'ABONDANCE	769	A3	765
La CHAPELLE D'ANDAINE	547	B1	545
La CHAPELLE D'ANGILLON	242	A1	241
CHAPELLE DES BOIS	320	A3	319
La CHAPELLE EN VERCORS	730	B1	729
CHAPONOST	752	B2	751
CHARAVINES	738	A2	735
CHARENSAT	153	A1	151
CHARETTE	180	A3	179
La CHARITE SUR LOIRE	175	A2	174
CHARIX	716	A2	715
CHARLEVAL	560	A3	559
CHARLIEU	747	A1	746
CHARMES	441	A2	439
CHAROLLES	181	B2	179
CHAROLS	730	A2	729
CHAROST	242	A2	241
La CHARTRE SUR LE LOIR	596	B3	595
CHARTRES	247	B2	246
CHASSENEUIL DU POITOU	649	A2	648
CHASSENEUIL SUR BONNIEURE	634	B2	633
CHASSEY LE CAMP	181	A2	179
CHASSIGNELLES	187	B2	186
La CHATAIGNERAIE	600	B3	599
CHATEAU BERNARD	738	A-B3	735
CHATEAU CHINON	175	B2	174
Le CHATEAU D'OLERON	639	A2	638
CHATEAU DU LOIR	596	B3	595
CHATEAU GONTIER	592	A3	591
CHATEAU LA VALLIERE	257	A1	255
CHATEAU LANDON	353	A3	352
CHATEAU RENAULT	257	B1	255
CHATEAU SALINS	434	B2	433
CHATEAUBERNARD	634	A2	633
CHATEAUDUN	247	A-B3	246
CHATEAUGIRON	219	B2	218
CHATEAULIN	209	B2	208
CHATEAUNEUF DU FAOU	210	B2	208
CHATEAUNEUF LE ROUGE	686	B3	684
CHATEAUNEUF LES BAINS	153	A2	151
CHATEAUNEUF SUR LOIRE	271	B2	270
CHATEAUNEUF SUR SARTHE	587	A2	586
CHATEAURENARD	686	A1-2	684
CHATEAURENAUD	182	B3	179
CHATEAUROUX	668	B2-3	667
CHATEAUROUX	252	B2	250
CHATEL	769	A3	765

Localité	Hôtels (page)	Carroyage	Carte (page)
CHATELAILLON PLAGE	639	A1	638
CHATELBLANC	320	A3	319
CHATELGUYON	153	A2	151
CHATELLERAULT	649	A-B2	648
CHATENOIS	62	A3	61
CHATILLON EN BAZOIS	175	B2	174
CHATILLON EN DIOIS	730	B2	729
CHATILLON SUR CHALARONNE	716	A1	715
CHATILLON SUR CLUSES	770	A-B2	765
CHATILLON SUR INDRE	252	A2	250
CHATILLON SUR SEINE	168	A1	167
La CHATRE	252	B2	250
CHAUDES AIGUES	140	B3	139
CHAUFFAYER	668	A2	667
La CHAULME	154	B3	151
CHAUME DU GRAND VENTRON	446	B3	439
CHAUMEIL	403	A2	401
CHAUMERGY	327	A2	325
CHAUMES EN BRIE	353	A2	352
CHAUMONT	297	A2	296
CHAUMONT EN VEXIN	618	B1	617
CHAUMONT SUR THARONNE	264	B3	263
CHAUNAY	649	A3	648
La CHAUSSEE SUR MARNE	292	B3	291
CHAUSSIN	327	A1	325
CHAUVIGNY	649	B2	648
CHAUX DES CROTENAY	327	B2	325
CHAUX NEUVE	320	A3	319
CHAVAGNES LES EAUX	587	B2	586
CHAVANAY	747	B3	746
CHAVANIAC LAFAYETTE	148	A2	146
CHAZELLES SUR LYON	747	B2	746
CHELLES	619	B3	617
CHEMILLE	587	B2	586
CHENAY	644	B3	643
CHENERAILLES	409	B2	408
CHENONCEAUX	257	B2	255
CHEPY	622	A1	621
CHERBOURG	540	A1	538
CHERVEIX CUBAS	95	B2	93
CHEVIGNEY LES VERCEL	320	A2	319
CHEVIGNY SAINT SAUVEUR	169	B2	167
CHEVILLON	298	A1	296
CHEVILLY	271	A1	270
Le CHEYLARD	723	B2	722
CHICHILIANNE	739	A-B3	735
CHILLE	327	A2	325
CHINON	257	A2	255
CHIS	490	A2	487
CHISSAY EN TOURAINE	264	B1-2	263
CHISSEAUX	257	B2	255
CHISSEY EN MORVAN	181	A2	179
CHITENAY	264	B2	263
CHOMELIX	148	A2	146
CHORANCHE	742	A2	735
CHOUVIGNY	134	B2	133
CHOUZY SUR CISSE	264	B2	263
CILAOS	789	A2	788
La CIOTAT	686	B3	684
CLAIRVAUX	287	B3	286
CLAIRVAUX LES LACS	327	B2	325
CLAM	639	B2	638
Le CLAUX	140	A2	139
La CLAYETTE	181	B2	179
CLECY	531	B2	529
CLEDEN CAP SIZUN	210	A2	208
CLEEBOURG	62	B1	61
CLELLES	739	B3	735
CLERMONT	618	B2	617
CLERMONT EN ARGONNE	430	A2	429
CLERMONT L'HERAULT	378	A2	377
CLIMBACH	62	B1	61
CLOHARS CARNOET	210	B3	208
CLUNY	181	B2	179

Localité	Hôtels (page)	Carroyage	Carte (page)
La CLUSAZ	770	B2	765
COARAZE	676	B2	674
COGNAC	634	A2	633
COGOLIN	692	B3	690
COINGS	252	B2	250
COL DE LA FAUCILLE	717	A3	715
COL DU MONT SION	770	B1	765
COLAYRAC SAINT CIRQ	114	B2	113
COLLIAS	373	A-B3	371
COLLIOURE	389	B3	387
COLLOBRIERES	692	B2	690
COLMAR	73	B1	71
COLOMARS	676	B2	674
COLOMBEY LES DEUX EGLISES	298	A2	296
COLOMBIER	747	B3	746
COMBEAUFONTAINE	335	A2	334
COMBLOUX	770	B2	765
COMBOURG	219	B2	218
COMBREUX	271	A2	270
COMPIEGNE	618	B3	617
COMPOLIBAT	463	A2	461
COMPS SUR ARTUBY	692	A2	690
CONCARNEAU	210	B3	208
CONCHES EN OUCHE	560	B2	559
CONDAT	140	A2	139
CONDE SUR NOIREAU	531	B2	529
CONFOLENS	634	B1	633
CONFRANCON	717	A1	715
CONQUES	463	A1-2	461
Le CONQUET	210	A2	208
CONTAMINE SUR ARVE	770	A2	765
Les CONTAMINES MONTJOIE	770	B3	765
CONTRES	264	B2	263
CONTREXEVILLE	441	B1	439
La COQUILLE	95	B1	93
CORBEIL ESSONNES	350	B3	349
Le CORBIER	759	B2	755
CORBIGNY	175	B2	174
CORDES	494	A2	493
CORDON	771	B2	765
CORMERY	258	B2	255
CORNEVILLE SUR RISLE	561	A2	559
CORNILLON CONFOUX	686	A-B2	684
CORPS	739	B3	735
CORRENCON EN VERCORS	739	A2	735
CORREZE	403	A2	401
COSNE SUR LOIRE	175	A1	174
La COTE SAINT ANDRE	739	A2	735
Le COTEAU	748	A1	746
COTIGNAC	693	A2	690
La COTINIERE	639	A2	638
COUCHES	181	A2	179
COUCOURON	723	A2	722
COUCY LE CHATEAU	614	A2	613
COUHE	649	A3	648
COULANDON	136	A2	133
COULOMBIERS	649	A2	648
COULOMMIERS	353	B1-2	352
COULON	644	A3	643
COUR CHEVERNY	265	B2	263
COURCHEVEL	759	B2-3	755
COURSEGOULES	676	A2	674
COURSEULLES SUR MER	531	A2	529
COURTENAY	271	A3	270
COURTILS	540	A3	538
La COURTINE	409	B3	408
COUSOLRE	512	B3	511
COUSSAC BONNEVAL	413	B3	412
COUSTAUSSA	367	B2	365
COUTAINVILLE	540	A2	538
COUTANCES	540	A2	538
COUTURE SUR LOIR	265	A1	263
CRANCOT	327	A2	325
CRANSAC LES THERMES	463	A2	461
CRECY EN PONTHIEU	622	A1	621
CRECY LA CHAPELLE	353	A1	352
CRECY SUR SERRE	614	B1-2	613
CREMIEU	739	A1	735
CREPON	531	A2	529
CRESSENSAC	481	A1	479
CREST	730	A2	729
CREST VOLAND	759	A2	755
Le CRESTET	723	B1	722
CREULLY	531	A2	529
CREVECOEUR EN AUGE	532	B3	529
CREVOUX	668	B3	667
CREYSSE	481	A-B1	479
Le CROISIC	581	B1	579
CROIX BLANCHE (LA) (BERZE LA VILLE)	181	B2	179
CROIX (Col des)	445	B3	439
CROIX FRY (Col de la)	773	B2	765
CROIX MARE	568	B2	564
CROTS	669	B2	667
CROZON	210	A2	208
CRUIS	662	B1-2	661
CUCUGNAN	367	B2	365
CUCURON	701	B3	698
CUISEAUX	181	B3	179
CUISERY	181	B3	179
CULAN	243	A3	241
CUQ TOULZA	494	B1	493
CUSSAY	258	B2	255
CUSSEY SUR L'OGNON	320	A2	319
CUSTINES	426	A2	425
CUTTOLI CORTICCHIATO	308	A2	302
CUXAC CABARDES	367	A2	365
CUZANCE	481	A1	479
DABO	434	B3	433
DAIX	169	B2	167
DAMGAN	226	B2	224
DAMPRICHARD	321	B2	319
DAMVILLERS	430	A1	429
DANGE SAINT ROMAIN	649	B1	648
DANNE ET QUATRE VENTS	434	B3	433
DAX	108	B2	106
DEAUVILLE	532	A3	529
DECIZE	175	A2	174
DELME	434	B2	433
DESAIGNES	723	B1	722
DESCARTES	258	A2	255
Les DEUX ALPES	739	B2	735
DHUIZON	265	B2	263
DIE	731	B2	729
DIENNE	140	A2	139
DIEPPE	565	A2	564
DIEULEFIT	731	A2	729
DIGNE LES BAINS	662	B2	661
DIGOIN	181	B1	179
DIJON	169	B2	167
DINAN	202	B3	201
DINARD	219	A1	218
DINGY SAINT CLAIR	771	B2	765
DISSAY	649	A2	648
DISSAY SOUS COURCILLON	596	B3	595
DIVONNE LES BAINS	717	A3	715
DOL DE BRETAGNE	220	A1	218
DOLANCOURT	287	B3	286
DOLE	327	A1	325
DOMARIN	737	A1	735
DOMBLANS	328	A2	325
DOMERAT	135	B1	133
DOMFRONT	547	A1	545
DOMPAIRE	441	A2	439
DOMPIERRE SUR BESBRE	134	A3	133
DOMPTIN	614	A3	613
DONNEVILLE	470	B2	469
DONZENAC	403	B1-2	401
DONZY	175	A1	174

Localité	Hôtels (page)	Carroyage	Carte (page)
FRECONRUPT	63	A2	61
FREHEL	202	A3	201
FREISSINIERES	669	A2-3	667
La FREISSINOUSE	669	B2	667
FREJUS	693	A3	690
Le FRENEY D'OISANS	740	B2	735
FRESNAY SUR SARTHE	596	A1	595
La FRESNAYE SUR CHEDOUET	596	B1	595
Le FRET	210	A2	208
FREVENT	517	B2	515
FREYMING MERLEBACH	434	A2	433
FROENINGEN	74	B3	71
FROGES	740	B2	735
FRONTON	470	B1	469
FROTEY LES VESOUL	335	B2	334
FUSSY	243	A2	241
FUTEAU	430	A2	429
FYE	596	A1	595
GABRIAC	463	B2	461
La GACILLY	226	B3	224
GAILLAC	495	A1-2	493
GAMARDE LES BAINS	108	B2	106
GAN	119	B3	117
GANNAT	134	B2	133
GAP	669	B2	667
GARABIT	140	B3	139
La GARDE	385	A1	382
La GARDE EN OISANS	737	B2	735
La GARDE GUERIN	385	B2	382
GARGILESSE DAMPIERRE	252	B2	250
Le GASCHNEY	74	A1	71
La GAUDE	677	A-B3	674
GAVARNIE	490	A3	487
Le GAVRE	581	A2	579
GAVRELLE	517	B3	515
GAZERAN	350	A2	349
GEDRE	490	A3	487
GELLES	154	B1-2	151
GEMENOS	687	B3	684
GENCAY	649	A3	648
GENILLE	258	B2	255
GENIS	95	B2	93
GENNES	588	B3	586
GENOLHAC	373	A2	371
GENOUILLAC	409	A1	408
GENSAC	102	B2	101
GERARDMER	441	B2	439
GERTWILLER	63	A-B2	61
Les GETS	772	A2	765
GEUDERTHEIM	63	B2	61
GEX	717	A3	715
GIEN	272	B2	270
La GIETTAZ	759	A2	755
GIEVILLE	540	B2	538
GIFFAUMONT CHAMPAUBERT	292	B3	291
GIGNAC	378	A2	377
GIGONDAS	701	A2	698
GIMEL LES CASCADES	406	B2	401
GIMONT	476	B3	475
GINASSERVIS	693	A2	690
GINCLA	367	B2	365
GIRMONT VAL D'AJOL	442	B2	439
GISORS	561	A3	559
GLENIC	410	A2	408
GOLFE JUAN	677	A3	674
GONDRIN	476	A2	475
GORDES	701	B2	698
GORREVOD	719	A1	715
GORRON	592	A3	591
GORZE	434	A-B1	433
GOUAREC	202	B1	201
GOUJOUNAC	482	A2	479
Le GOULET	561	A3	559
GOUMOIS	321	B2	319

Localité	Hôtels (page)	Carroyage	Carte (page)
GOUPILLIERES	535	B2	529
GOURDON	482	A2	479
GOURNAY	644	B3	643
GOUVIEUX	618	B2	617
GOUZON	410	B2	408
GRADIGNAN	102	A2	101
GRAMAT	482	B2	479
Le GRAND BORNAND CHINAILLON	772	B2	765
Le GRAND BORNAND VILLAGE	772	B2	765
GRANDCAMP MAISY	532	A1	529
GRANDE RIVIERE	328	B3	325
GRANDFONTAINE	63	A2	61
GRANDRUPT	442	A3	439
GRANDVILLERS	443	A3	439
GRANE	731	A2	729
Les GRANGETTES	321	A3	319
GRANVILLE	540	A3	538
GRASSE	677	A3	674
Le GRAU D'AGDE	378	B2	377
GRAULHET	495	B2	493
La GRAVE	669	A2	667
GRAVESON	687	A1	684
GRAY	335	B1	334
GRENADE	471	B1	469
GREOLIERES LES NEIGES	677	A2	674
GREOUX LES BAINS	663	B2	661
GRESSE EN VERCORS	740	A-B3	735
GRISOLLES	500	B2	499
GROSBLIEDERSTROFF	435	A2	433
GRUFFY	772	B1	765
GRUISSAN PLAGE	367	A-B3	365
GRUISSAN PORT	367	A3	365
GUEBERSCHWIHR	74	B2	71
GUEBWILLER	74	A-B2	71
GUEMENE SUR SCORFF	227	A2	224
GUERANDE	581	A1	579
La GUERCHE SUR L'AUBOIS	243	B2	241
GUERET	410	A2	408
GUEUGNON	182	B1	179
GUICHEN	220	A3	218
GUIDEL PLAGES	227	A1	224
GUILLAUMES	677	A2	674
GUILLESTRE	669	A3	667
GUILLIERS	227	A3	224
GUILVINEC	212	A3	208
GUINES	517	A1-2	515
GUINGAMP	202	A1-2	201
GUISE	614	B1	613
GURMENCON	121	B3	117
GYE SUR SEINE	287	B3	286
HABERE LULLIN	773	A2	765
L'HABITARELLE	383	B2	382
HAGENTHAL LE BAS	74	B3	71
HAGETMAU	108	B2	106
HAGONDANGE	435	A1	433
HAGUENAU	63	B1	61
HALLUIN	513	A2	511
HAMBYE	540	B2	538
HARTMANNSWILLER	74	B2	71
HASPARREN	119	A1	117
Le HAUT DU TOT	446	B3	439
HAUTERIVES	731	A1	729
Les HAUTES RIVIERES	284	B1-2	283
HAUTEVILLE LES DIJON	169	B2	167
HAUTEVILLE LOMPNES	717	B2	715
HAYBES SUR MEUSE	284	B1	283
HAZEBROUCK	513	A1	511
HEDE	220	A2	218
HELETTE	120	A1	117
HELL BOURG	789	A-B2	788
HEMING	435	B2	433
HENDAYE	120	A1	117
HENNEBONT	227	A1-2	224
HENRICHEMONT	243	B1	241

Localité	Hôtels (page)	Carroyage	Carte (page)
LARMOR PLAGE	227	B1	224
LAROQUE	379	A3	377
LARRAU	120	B2	117
LATHUILE	773	B1-2	765
LATILLE	650	A2	648
LAURIS	701	B2	698
LAVAL DE CERE	482	B1	479
Le LAVANCHER	769	B3	765
Le LAVANDOU	693	B2	690
LAVARDAC	114	A2	113
LAVEISSIERE	141	A2	139
LAVELANET	458	B3	457
LAVIGNOLLE DE SALLES	103	A3	101
LAVILLEDIEU	724	B3	722
LAVITARELLE (MONTET ET BOUXAL)	482	B2	479
LAYE	669	B2	667
LAYRAC	114	B3	113
LECQUES (LES) (SAINT CYR SUR MER)	694	B1	690
LELEX	718	A3	715
LEMBRAS	94	A2-3	93
LENTE	731	B1	729
LEON	109	B1	106
LEOUVE LA CROIX	678	A2	674
LERE	243	B1	241
LESCONIL	212	B3	208
LESNEVEN	213	B1	208
LESPERON	109	B1	106
LEVENS	678	B2	674
LEVIER	321	A2	319
LEVROUX	252	B2	250
LEYME	482	B2	479
LEZAN	373	A2	371
LEZIGNAN CORBIERES	368	A3	365
LIBOURNE	103	B2	101
Le LIEGE	259	B2	255
LIEPVRE	76	B1	71
LIESSIES	513	B3	511
LIEUSAINT	353	A2	352
LIGNY LE CHATEL	188	B2	186
LIGUEIL	259	B2	255
LIMERAY	256	B1	255
LIMEUIL	96	B2-3	93
LIMOGES	413	A-B2	412
LIMOUX	368	B2	365
LINGE	252	A2	250
LINTHES	292	B2	291
LINXE	109	B1	106
Le LION D'ANGERS	588	A2	586
LION SUR MER	533	A2	529
LIORAN (LE) (SUPER LIORAN)	141	A2	139
LIOUX	702	B2	698
LISIEUX	533	A3	529
LIVAROT	533	B3	529
LIVRON SUR DROME	731	A2	729
La LLAGONNE	390	B1	387
LLO	390	B1	387
LOCHES	259	B2	255
LOCMARIAQUER	227	B2	224
LOCMINE	227	A2	224
LOCQUELTAS	230	B2	224
LOCRONAN	213	B2	208
LODEVE	379	A2	377
LODS	321	A2	319
LONDINIERES	566	A3	564
LONGEVILLES MONT D'OR	321	A3	319
LONGPONT	614	A2-3	613
LONGUYON	426	A1	425
LONGWY	426	A1	425
LONS LE SAUNIER	328	A2	325
LORAY	321	B2	319
LORMES	175	B2	174
Le LOROUX BOTTEREAU	581	B3	579
LORP SENTARAILLE	458	A1	457
LORRIS	272	B2	270

Localité	Hôtels (page)	Carroyage	Carte (page)
LOSNE	171	B3	167
LOUARGAT	203	A1	201
LOUBRESSAC	482	B1	479
LOUDEAC	203	B2	201
LOUDUN	650	A1	648
LOUHANS	182	B3	179
La LOUPE	247	A2	246
LOURDES	490	A2	487
LOURMARIN	702	B2	698
LOUVIERS	561	A2	559
LUC EN DIOIS	731	B2	729
LUC SUR MER	533	A2	529
LUCELLE	76	B3	71
LUCHE PRINGE	597	A3	595
LUCHON	471	A3	469
LUGAGNAN	490	A2	487
LUGNY	182	B2	179
LUGOS	103	A3	101
LULLIN	773	A2	765
LUNEVILLE	426	B3	425
LUPPE VIOLLES	476	A1	475
LURIECQ	749	A3	746
LURS	663	B2	661
LUSIGNAN	650	A2	648
LUSSAC LES CHATEAUX	650	B2	648
LUTTENBACH PRES MUNSTER	76	A1-2	71
LUTTER	76	B3	71
LUTZELBOURG	435	B3	433
LUX	180	A2	179
LUXEUIL LES BAINS	335	A2	334
LUZ SAINT SAUVEUR	490	A3	487
LUZY	176	B3	174
LYON	752	B2	751
LYONS LA FORET	561	A3	559
MACE	548	A2	545
MACHECOUL	581	B2	579
La MACHINE (Col de)	733	B1	729
MACON	182	B2-3	179
MAGLAND	773	B2	765
MAGNAC BOURG	414	B3	412
MAGNANT	287	B3	286
MAICHE	321	B2	319
MAILLEZAIS	600	B3	599
MAILLY LE CHATEAU	188	B2	186
MAISONNEUVE CHANDOLAS	724	A3	722
MAISONS LES CHAOURCE	287	B2	286
MAIZIERES LA GRANDE PAROISSE	288	A2	286
MALAUCENE	702	A2	698
MALAY	183	B2	179
MALAY LE PETIT	189	A1	186
MALBUISSON	322	A3	319
MALEMORT SUR CORREZE	403	B1-2	401
MALESHERBES	272	A2	270
Le MALZIEU VILLE	384	A1	382
MAMERS	597	B1	595
La MANDA	676	A-B2	674
MANDEREN	435	A2	433
MANE	471	A2	469
MANIGOD	773	B2	765
MANOSQUE	663	B1	661
MANSLE	635	A2	633
MANTRY	328	A2	325
MANZAC SUR VERN	96	A2	93
MARCENAY LE LAC	169	A1	167
MARCONNE	517	B2	515
MARGENCEL	773	A2	765
MARGES	731	A1	729
MARGUERITTES	373	B3	371
MARINGUES	154	A2	151
MARKSTEIN	76	A2	71
MARLE	615	B1	613
MARMANDE	114	A2	113
MARNAY SUR MARNE	299	A2	296
MARQUAY	96	B2	93

Localité	Hôtels (page)	Carroyage	Carte (page)
MARSAC SUR DON	581	A2	579
MARSANNAY LA COTE	170	B2	167
MARSEILLETTE	368	A2	365
MARTEL	482	A1	479
MARTIN EGLISE	566	A2	564
Le MARTINET	331	B3	325
MARVEJOLS	384	A2	382
MASLACQ	120	A2	117
MASSAT	459	B2	457
MASSAY	243	A2	241
MASSERET	404	A1	401
MASSIAC	141	A3	139
MATIGNON	203	A3	201
MAUBEUGE	513	B3	511
MAULEON	644	A1	643
MAULEON LICHARRE	120	A2	117
MAURIAC	141	A1-2	139
MAUROUX	483	A2	479
MAURS	141	B1	139
MAUSSANE LES ALPILLES	687	A1	684
MAYENNE	592	B2	591
Le MAYET DE MONTAGNE	135	B3	133
MAZAMET	495	B2	493
MAZAN	700	A-B2	698
MAZET SAINT VOY	148	B3	146
MAZEYROLLES	99	B3	93
MAZIRAT	135	B1	133
MEAUDRE	740	A2	735
MEGEVE	773	B2	765
MEHUN SUR YEVRE	243	A2	241
MEILLERIE	774	A2	765
Le MELE SUR SARTHE	548	B3	545
MELLE	644	B3	643
MELVIEU	464	B2	461
La MEMBROLLE SUR CHOISILLE	259	A1	255
MENDE	384	A2	382
MENESQUEVILLE	561	A3	559
Le MENIL THILLOT	443	B3	439
La MENITRE	588	B3	586
MENTON	678	B2	674
MER	265	A-B2	263
MERCUROL	732	A1	729
MEREVILLE	427	A3	425
MERVILLE	471	B1	469
MERVILLE FRANCEVILLE PLAGE	534	A2-3	529
MESLAY DU MAINE	592	B2-3	591
MESNIL SAINT PERE	288	B2-3	286
MESNIL VAL PLAGE	566	A3	564
METZERAL	76	A2	71
MEUNG SUR LOIRE	272	B1	270
MEURSAULT	170	A3	167
MEXIMIEUX	718	B2	715
MEYMAC	404	A3	401
MEYRUEIS	384	A3	382
MEYSSAC	404	B2	401
MEZANGERS	592	B2	591
MEZERIAT	718	A1	715
La MEZIERE	220	A2	218
MEZIERES EN BRENNE	253	A2	250
MEZILHAC	724	A2	722
MIEUSSY	774	A2	765
MIGENNES	189	A2	186
MIGNERETTE	272	A2	270
MILLAU	464	B2	461
MIMIZAN	109	A1	106
MIMIZAN PLAGE	109	A1	106
MIRABEAU	702	B3	698
MIRAMONT DE GUYENNE	115	A1	113
MIRANDE	476	B2	475
MIREBEAU SUR BEZE	170	B2	167
MIRECOURT	443	A2	439
MIREMONT (PONT DU BOUCHET)	155	A1	151
MIREPOIX	459	A3	457
MITTELBERGHEIM	64	A3	61
MITTELHAUSBERGEN	64	B2	61
MITTELHAUSEN	64	B2	61
MITTERSHEIM	435	B2	433
MIZOEN	741	B2	735
MODANE VALFREJUS	760	B3	755
MOISSAC	500	A1	499
MOLINES EN QUEYRAS	669	A3	667
MOLITG LES BAINS	390	A2	387
MOLLANS SUR OUVEZE	732	A3	729
MOLLKIRCH	64	A2	61
MOLSHEIM	64	B1	61
Les MOLUNES	329	B3	325
MONAMPTEUIL	615	A2	613
MONASTIER DE GAZEILLE (Le)	148	B3	146
MONCRABEAU	115	A3	113
MONDOUBLEAU	265	A1	263
MONESTIER DE CLERMONT	741	B3	735
MONESTIES	495	A2	493
Le MONETIER LES BAINS (SERRE CHEVALIER)	670	A2	667
La MONGIE	491	B3	487
MONSEC	96	A1	93
MONT DE MARSAN	110	B2	106
Le MONT DORE	155	B2	151
MONT LOUIS	390	B1	387
MONT PRES CHAMBORD	265	B2	263
MONT ROC	495	A2	493
Le MONT SAINT MICHEL	540	A3	538
MONT SAXONNEX	774	B2	765
MONT SOUS VAUDREY	329	A1	325
MONTAGNAC	379	B2	377
MONTAIGU	600	A2	599
MONTARGIS	272	A3	270
MONTAUBAN	500	B2	499
MONTAUBAN DE BRETAGNE	220	A2	218
MONTBARD	170	A2	167
MONTBEL	384	B2	382
MONTBELIARD	322	B1	319
MONTBRISON	748	A2	746
MONTBRON	635	B2	633
MONTCEAUX LES PROVINS	353	B2	352
MONTCHAUVROT	328	A2	325
MONTCLAR	663	A2	661
MONTCUQ	483	A3	479
MONTDIDIER	622	B2-3	621
MONTECH	500	B2	499
MONTELIMAR	732	A2	729
MONTEUX	700	B2	698
MONTFAUCON EN VELAY	148	A3	146
MONTFAVET	699	B1-2	698
MONTFERRAND DU PERIGORD	96	A-B3	93
MONTFIQUET	534	A1	529
MONTFORT EN CHALOSSE	110	B2	106
MONTFORT SUR MEU	220	A2	218
MONTGAILLARD LAURAGAIS	473	B2	469
MONTHERME	284	B1-2	283
MONTI	678	B2	674
MONTIERAMEY	288	B2	286
MONTIGNAC	96	B2	93
MONTIGNY	565	B2	564
MONTIGNY LA RESLE	189	B2	186
MONTIGNY LE ROI	299	B2	296
MONTIGNY SUR AVRE	247	A1	246
MONTLOUIS SUR LOIRE	259	B2	255
MONTLUCON	135	B1	133
MONTMARAULT	135	B2	133
MONTMEDY	430	A1	429
MONTMELIAN	760	B2	755
MONTMERLE SUR SAONE	718	B1	715
MONTMIN	774	B2	765
MONTMIRAIL	292	B1	291
MONTMORT - LUCY	292	B2	291
MONTOIRE SUR LE LOIR	266	A1	263
MONTPELLIER	379	A3	377
MONTPEZAT SOUS BAUZON	724	A2	722

Localité	Hôtels (page)	Carroyage	Carte (page)
MONTPON MENESTEROL	96	A2	93
MONTREDON DES CORBIERES	368	A3	365
MONTREUIL BELLAY	588	B3	586
MONTRICHARD	266	B2	263
MONTRIOND	774	A2	765
MONTSALVY	141	B2	139
MONTSEGUR	459	B3	457
MONTSOREAU	588	B3	586
MORBIER	329	B3	325
MORCENX	110	A-B2	106
MORESTEL	741	A1	735
MORET SUR LOING	354	A3	352
MORGAT	210	A2	208
MORHANGE	435	B2	433
MORILLON	774	A-B2	765
MORLAIX	213	B1	208
MORNANT	753	A3	751
MORNAS	702	A1	698
MORSBRONN LES BAINS	64	B1	61
MORTAGNE AU PERCHE	548	B3	545
MORTAGNE SUR GIRONDE	640	A2	638
MORTAIN	541	B3	538
MORTEAU	322	B2	319
MORTEMART	414	A2	412
MORZINE	774	A2	765
La MOTHE SAINT HERAY	645	B2	643
MOTHERN	65	B1	61
MOUANS SARTOUX	678	A3	674
MOUCHARD	329	B1	325
MOULINS	135	A2-3	133
MOULINS ENGILBERT	176	B2	174
MOUSSY	293	A2	291
MOUSTERLIN	212	B3	208
MOUTIER ROZEILLE	410	B2	408
MOUTIERS	760	B2	755
MUHLBACH SUR MUNSTER	76	A1	71
MULHOUSE	77	B2	71
MUNSTER	77	A1	71
MURBACH	77	A2	71
La MURE	741	B3	735
Le MURET	110	A2	106
MUROL	155	B2	151
MURS	702	B2	698
MUSCULDY	120	B2	117
MUSSIDAN	97	A2	93
MUTZIG	65	A2	61
Le MUY	694	A3	690
NADAILLAC DE ROUGE	483	A2	479
NAGES	495	B3	493
NAILLOUX	471	B2	469
NAJAC	464	A2	461
NANCY	427	A2	425
NANGIS	354	B2	352
NANTES	581	B2	579
NANTEUIL SUR MARNE	354	B1	352
NANTUA	718	A2	715
NARBONNE	368	A3	365
NARBONNE PLAGE	369	A3	365
NARNHAC	141	B2	139
NASBINALS	384	A2	382
NATZWILLER	65	A2	61
NAVACELLES	379	A2	377
NAVES	404	B2	401
NAVES PARMELAN	775	B2	765
NAY	121	B3	117
NAZELLES NEGRON	256	B1-2	255
NEANT SUR YVEL	228	A3	224
NEAU	593	B2	591
NEMOURS	354	A3	352
NERAC	115	A3	113
NERIS LES BAINS	136	B1	133
NERONDES	243	B2	241

Localité	Hôtels (page)	Carroyage	Carte (page)
NESTIER	491	B2	487
Le NEUBOURG	561	A2	559
NEUF BRISACH	77	B1	71
NEUFCHATEAU	443	A1	439
NEUFCHATEL EN BRAY	566	A3	564
NEUILLE PONT PIERRE	259	A1	255
NEUNG SUR BEUVRON	266	B2	263
NEUSSARGUES	142	A3	139
NEUVEGLISE	142	B3	139
NEUVIC	404	A3	401
NEUVILLE EN FERRAIN	513	A2	511
NEUVILLE LES DAMES	718	A1	715
NEUVILLE SAINT AMAND	615	A1	613
NEUVY PAILLOUX	253	B2	250
NEUVY SUR BARANGEON	243	A1	241
NEVERS	176	A2	174
NEVEZ	213	B3	208
Les NEYROLLES	718	A2	715
NICE	679	B3	674
NIEDERBRONN LES BAINS	65	B1	61
NIEDERMORSCHWIHR	78	A-B1	71
NIEDERSCHAEFFOLSHEIM	65	B2	61
NIEDERSTEINBACH	65	B1	61
NIMES	373	B2-3	371
NIORT	645	A3	643
NISSAN LEZ ENSERUNE	379	B2	377
NOE	471	B2	469
NOEUX LES MINES	517	B2	515
NOGARO	476	A1	475
NOGENT LE ROTROU	248	A2	246
NOGENT SUR SEINE	288	A1	286
NOHANT	253	B2	250
NOIRETABLE	748	A2	746
NOIRMOUTIER EN L'ILE	601	A1	599
NOLAY	170	A3	167
NONTRON	97	A1	93
NORGES LA VILLE	170	B2	167
NORT SUR ERDRE	581	A2	579
NORVILLE	566	B2	564
NOTRE DAME DE BELLECOMBE	761	A2-3	755
NOTRE DAME DE BONDEVILLE	566	B2	564
NOTRE DAME DE MONTS	601	A1	599
NOTRE DAME DE SANILHAC	97	A2	93
NOUAN SUR LOIRE	267	B2	263
Le NOUVION EN THIERACHE	615	B1	613
NOYAL SUR VILAINE	221	B2	218
NOYANT	588	A3	586
NOYEN SUR SARTHE	597	A2	595
NOYERS BOCAGE	534	A2	529
NOYERS SUR CHER	266	B2	263
NOYON	619	A3	617
NOZAY	582	A2	579
NUAILLE	589	B2	586
NUITS SAINT GEORGES	170	B3	167
NYONS	732	A3	729
OBERNAI	65	A-B2	61
OBERSTEINBACH	65	B1	61
OBJAT	404	B1	401
OFFEMONT	339	B1	338
L'OIE	601	A3	599
OIRON	645	B1	643
Les OLLIERES SUR EYRIEUX	724	B2	722
OLLIERGUES	155	B3	151
OLMETO PLAGE	308	A3	302
OLORON SAINTE MARIE	121	B3	117
ORANGE	702	A1	698
ORBEC EN AUGE	534	B3	529
ORBEY	78	A1	71
ORCHAMPS VENNES	322	B2	319
ORCINES	155	A-B2	151
ORCIVAL	155	B2	151
ORGNAC L'AVEN	725	B3	722
ORLEANS	272	B1	270
ORNANS	322	A2	319

Localité	Hôtels (page)	Carroyage	Carte (page)
OROUET	602	A1	599
ORPIERRE	670	B1	667
ORSCHWILLER	66	A3	61
ORTHEZ	121	A2	117
OSSES	121	A1	117
OSTHEIM	78	B1	71
OTTROTT	66	A2	61
OUCQUES	266	A2	263
OUHANS	322	A2	319
OUISTREHAM RIVA BELLA	534	A2	529
OUSSE	121	A3	117
OUST	459	B2	457
OYE ET PALLET	322	A3	319
OYONNAX	718	A2	715
OZOIR LA FERRIERE	354	A2	352
OZON	491	B2	487
La PACAUDIERE	748	A1	746
PACY SUR EURE	561	B3	559
PADIRAC	483	B2	479
PAILHEROLS	142	B2	139
PAIMPOL	203	A2	201
PAJAY	741	A3	735
La PALUD SUR VERDON	664	B2	661
PAMIERS	459	A2	457
PANNESSIERES	329	A2	325
PARAY LE MONIAL	183	B1-2	179
PARCEY	329	A1	325
PARENT GARE	156	B2	151
PARENTIGNAT	154	B2	151
PARIGNY	748	A1	746
PARSAC GARE	410	B2	408
PARTHENAY	645	B2	643
PASSENANS	329	A2	325
PASSY	775	B2-3	765
PATAY	273	A1	270
PAU	121	A3	117
PAULHAC	142	B2	139
PAYRAC	483	A2	479
PEAULE	228	B3	224
Le PECHEREAU	251	B2	250
PEGOMAS	679	A3	674
Le PEGUE	732	A3	729
PEILLE	679	B2	674
PEILLON VILLAGE	679	B2	674
PEISEY NANCROIX	761	A3	755
Le PELLERIN	582	B2	579
PELUSSIN	748	B3	746
PELVOUX	670	A2	667
PENHORS (PLAGE)	215	A3	208
PENNE D'AGENAIS	115	B2	113
PENNEDEPIE	533	A3	529
PEPIEUX	369	A3	365
PERIERS	541	A2	538
PERIGNAC	640	B2	638
PERIGUEUX	97	A-B2	93
PERNES LES FONTAINES	703	B2	698
PERONNE	622	B3	621
PERPIGNAN	390	A3	387
PERROS GUIREC	204	A1	201
PERTHES	299	A1	296
PERTUIS	703	B3	698
PESMES	336	B1	334
La PESSE	330	B3	325
La PETITE FOSSE	443	A3	439
La PETITE PIERRE	66	A1	61
La PETITE VERRIERE	183	A2	179
Les PETITES DALLES	567	A1-2	564
PEYRAT LE CHATEAU	414	B2	412
PEYREHORADE	110	A2	106
PEYRELEVADE	405	A2	401
PEYRIAC MINERVOIS	369	A2	365
PEZENAS	379	B2	377
PEZENS	369	A2	365
PFAFFENHEIM	78	B2	71

Localité	Hôtels (page)	Carroyage	Carte (page)
Le PIAN MEDOC	103	A2	101
Les PIARDS	330	B3	325
PIERRE BUFFIERE	414	B3	412
PIERREFITTE SUR LOIRE	136	A3	133
PIERREFONDS	619	B3	617
PIERREFONTAINE LES VARANS	322	A2	319
PINEY	288	A2	286
PINSOT	736	B2	735
PIOLENC	703	A1	698
PIONNIER (Col du)	730	A-B1	729
PIRIAC SUR MER	582	A1	579
PISSOS	110	A2	106
PITHIVIERS	273	A2	270
PLAILLY	619	B2	617
PLAINE DES PALMISTES	789	B2	788
PLAINFAING	443	B3	439
PLAISANCE	464	A3	461
PLAISIA	330	A3	325
PLAN D'AUPS SAINTE BAUME	694	B1	690
PLAN DU VAR	679	A-B2	674
Les PLANCHES EN ARBOIS	326	B2	325
PLANCHEZ	176	B2	174
Les PLANTIERS	373	A2	371
PLASCASSIER DE GRASSE	679	A3	674
PLATEAU D'ASSY	775	B3	765
PLENEUF VAL ANDRE	204	A2	201
PLERGUER	221	A1	218
PLERIN	205	A2	201
PLESTIN LES GREVES	204	A1	201
PLEURS	293	B2	291
PLEYBEN	213	B2	208
PLEYBER CHRIST	213	B2	208
PLOERMEL	228	A3	224
PLOGOFF	213	A2	208
PLOGOFF (POINTE DU RAZ)	213	A2	208
PLOGONNEC	214	B2	208
PLOMBIERES LES BAINS	443	B2	439
PLOMEUR	214	A3	208
PLONEOUR LANVERN	214	A3	208
PLOUBAZLANEC	204	A2	201
PLOUDALMEZEAU	214	A1	208
PLOUESCAT	214	B1	208
PLOUGASNOU	214	B1	208
PLOUGONVELIN	214	A2	208
PLOUHA	205	A2	201
PLOUHARNEL	228	B1-2	224
PLOUHINEC	214	A2	208
PLOUIDER	214	B1	208
PLOUIGNEAU	214	B1	208
PLOUMANACH	204	A1	201
PLUVIGNER	228	B2	224
Le POIRE SUR VIE	601	A2	599
POLIGNY	330	A2	325
POLLIAT	719	A2	715
POLMINHAC	142	B2	139
POMMEVIC	501	A1	499
POMMIERS LA PLACETTE	741	B2	735
POMPADOUR	405	A1	401
PONS	640	B2	638
PONT AUDEMER	561	A1	559
PONT D'AIN	719	B2	715
PONT D'OUILLY	534	B2	529
Le PONT DE BEAUVOISIN	741	B1	735
PONT DE CE	589	B2	586
PONT DE CHERUY	741	A1	735
PONT DE CLAIX	742	B2	735
PONT DE CRAU	685	A1	684
PONT DE DORE	157	A3	151
PONT DE GOURNIER	384	A2	382
PONT DE LABEAUME	725	A2	722
PONT DE LARN	495	B2-3	493
PONT DE MONTVERT	384	A2	382
PONT DE POITTE	330	A2	325
PONT DE SALARS	464	B2	461

Localité	Hôtels (page)	Carroyage	Carte (page)
La ROCHETTE	761	B2	755
ROCROI	284	A1	283
RODEZ	465	A2	461
ROGNONAS	687	A1	684
ROGNY LES SEPT ECLUSES	189	A2	186
ROHAN	229	A2	224
ROLAMPONT	299	B2	296
ROMANS SUR ISERE	732	A1	729
ROMENAY	183	B3	179
ROMILLY SUR SEINE	288	A1-2	286
ROMORANTIN LANTHENAY	267	B2-3	263
RONCHAMP	336	A3	334
La ROQUE GAGEAC	97	B3	93
ROQUEBRUNE CAP MARTIN	679	B3	674
ROQUEFORT	110	B3	106
ROQUEMAURE	374	A3	371
ROSCOFF	215	B1	208
La ROSIERE MONTVALEZAN	761	A3	755
Les ROSIERS	589	B3	586
ROSOY	190	A1	186
ROSTASSAC	484	A2	479
La ROTHIERE	288	A3	286
ROUFFACH	79	B2	71
ROUFFIAC TOLOSAN	472	B1	469
Le ROUGET	142	B1	139
ROUGON (GORGES DU VERDON)	664	B2	661
ROUILLAS BAS	152	B2	151
ROULLET	635	A2	633
ROUMAZIERES LOUBERT	635	B2	633
ROURE	679	A1-2	674
Les ROUSSES	330	B3	325
ROUSSILLON	703	B2	698
ROUVRES EN XAINTOIS	444	A2	439
ROUVRES LA CHETIVE	444	A1	439
ROYAN	640	A2	638
ROYAT	156	B2	151
ROYE	622	B3	621
ROYERES	415	B2	412
ROZ SUR COUESNON	221	B1	218
RUE	623	A1	621
RULLY	183	A2	179
RUMILLY MOYE	776	B1	765
RUOMS	725	A3	722
RUPT SUR MOSELLE	444	B2-3	439
Le RUSSEY	323	B2	319
RUSTREL	703	B3	698
RUYNES EN MARGERIDE	142	B3	139
SABLE SUR SARTHE	597	A2	595
Les SABLES D'OLONNE	601	B1-2	599
SABLES D'OR LES PINS	205	A3	201
SABRES	111	A2	106
SADROC	404	B1	401
SAGONE	308	A2	302
SAHORRE	390	B2	387
SAHUNE	732	B3	729
SAHURS	567	B2	564
SAIGNES	142	A2	139
SAILLAGOUSE	391	B1	387
SAINT AFFRIQUE	465	B3	461
SAINT AGREVE	725	B1	722
SAINT AIGNAN	267	B2	263
SAINT AIGNAN DE CRAMESNIL	534	B2	529
SAINT ALBAN DE MONTBEL	761	A1	755
SAINT ALBAN SUR LIMAGNOLE	385	A1	382
SAINT AMAND MONTROND	244	B2-3	241
SAINT AMANS SOULT	496	B3	493
SAINT AMARIN	79	A2	71
SAINT AME	444	B3	439
SAINT AMOUR	331	A3	325
SAINT ANDRE DE SANGONIS	379	A2	377
SAINT ANDRE D'HEBERTOT	534	A3	529
SAINT ANDRE LES ALPES	664	B2	661
SAINT ANTHEME	156	B3	151
SAINT AUBIN SUR MER	534	A2	529
SAINT AVE	230	B2	224
SAINT AVOLD	436	A2	433
SAINT AYGULF	694	A3	690
SAINT BAUDILLE	495	B2	493
SAINT BENOIT	650	A2	648
SAINT BENOIT SUR LOIRE	273	B2	270
SAINT BERTRAND DE COMMINGES	472	A2	469
SAINT BLAISE LA ROCHE	66	A3	61
SAINT BOIL	183	B2	179
SAINT BONNET EN CHAMPSAUR	671	A-B2	667
SAINT BONNET LE CHATEAU	749	A3	746
SAINT BONNET TRONCAIS	136	A1	133
SAINT BREVIN LES PINS	583	B1	579
SAINT BRIEUC	205	A-B2	201
SAINT BRISSON	273	B3	270
SAINT CAST	205	A3	201
SAINT CERE	484	B1	479
SAINT CERGUES	776	A2	765
SAINT CEZAIRE SUR SIAGNE	679	A3	674
SAINT CHARTIER	253	B2	250
SAINT CHELY D'APCHER	385	A1	382
SAINT CHRISTOPHE SUR LE NAIS	260	A1	255
SAINT CIRGUES DE JORDANNE	143	A-B2	139
SAINT CIRGUES EN MONTAGNE	725	A2	722
SAINT CLAUDE	331	B3	325
SAINT CLEMENT SUR VALSONNE	753	A2	751
SAINT COLOMBAN DES VILLARDS	761	B2	755
SAINT CYPRIEN	98	B3	93
SAINT CYPRIEN PLAGE	391	A3	387
SAINT CYPRIEN SUR DOURDOU	465	A2	461
SAINT DALMAS DE TENDE	680	B2	674
SAINT DENIS D'ANJOU	593	B3	591
SAINT DENIS SUR SARTHON	548	B2	545
SAINT DEZERY	406	A3	401
SAINT DIDIER	700	B2	698
SAINT DIDIER	221	B2	218
SAINT DIE	444	A3	439
SAINT DISDIER	671	A2	667
SAINT ESTEBEN	121	A1-2	117
SAINT ETIENNE	749	A-B3	746
SAINT ETIENNE DE CHOMEIL	143	A2	139
SAINT ETIENNE DE FURSAC	410	A2	408
SAINT ETIENNE DE TINEE	680	A1	674
SAINT ETIENNE LES ORGUES	664	B1	661
SAINT FARGEAU	189	A2	186
SAINT FERREOL (LAC)	472	B2	469
SAINT FLORENT LE VIEIL	589	B1	586
SAINT FLORENTIN	189	B2	186
SAINT FLOUR	143	A-B3	139
SAINT FRANCOIS LONGCHAMP	762	B2	755
SAINT GALMIER	749	B2	746
SAINT GATIEN DES BOIS	533	A3	529
SAINT GAUDENS	472	A2	469
SAINT GELVEN	206	B1-2	201
SAINT GENGOUX LE NATIONAL	183	B2	179
SAINT GENIES DE MALGOIRES	374	B2	371
SAINT GENIES DES MOURGUES	379	A3	377
SAINT GENIEZ D'OLT	465	B2	461
SAINT GEORGES DU VIEVRE	562	A1	559
SAINT GEORGES SUR MOULON	244	A-B2	241
SAINT GERMAIN DE JOUX	719	A2-3	715
SAINT GERMAIN DU BOIS	183	A3	179
SAINT GERMAIN DU CRIOULT	535	B2	529
SAINT GERMAIN LEMBRON	156	B2	151
SAINT GERMAIN LES ARLAY	331	A2	325
SAINT GERMAIN LESPINASSE	748	A1	746
SAINT GERVAIS D'AUVERGNE	156	A2	151
SAINT GERVAIS LES BAINS	776	B3	765
SAINT GILLES	374	B3	371
SAINT GILLES CROIX DE VIE	601	A1	599
SAINT GILLES VIEUX MARCHE	206	B2	201
SAINT GINGOLPH	776	B3	765
SAINT GIRONS	459	A1	457
SAINT GIRONS PLAGE	111	B1	106

Localité	Hôtels (page)	Carroyage	Carte (page)
SAINT GROUX	635	A1	633
SAINT HERBLAIN	583	B2	579
SAINT HILAIRE D'OZILHAN	374	A3	371
SAINT HILAIRE DU HARCOUET	541	B3	538
SAINT HILAIRE LE CHATEAU	410	A2	408
SAINT HILAIRE LES COURBES	405	A2	401
SAINT HILAIRE SAINT MESMIN	272	B1	270
SAINT HIPPOLYTE	323	B2	319
SAINT HIPPOLYTE	79	B1	71
SAINT HIPPOLYTE	154	A2	151
SAINT HIPPOLYTE DU FORT	374	A2	371
SAINT HONORE LES BAINS	176	B2	174
SAINT HOSTIEN	149	B3	146
SAINT JACQUES DES BLATS	143	A-B2	139
SAINT JAMES	542	A3	538
SAINT JEAN D'ARVES	762	B2	755
SAINT JEAN D'AULPS	776	A2	765
SAINT JEAN DE CHEVELU	762	A1	755
SAINT JEAN DE LA BLAQUIERE	380	A2	377
SAINT JEAN DE LOSNE	171	B3	167
SAINT JEAN DE MOIRANS	742	B2	735
SAINT JEAN DE MONTS	602	A1	599
SAINT JEAN DE SIXT	776	B2	765
SAINT JEAN DU BRUEL	465	B2-3	461
SAINT JEAN DU DOIGT	215	B1	208
SAINT JEAN DU GARD	374	A2	371
SAINT JEAN EN ROYANS	732	B1	729
SAINT JEAN LE BLANC	273	B1	270
SAINT JEAN LE THOMAS	542	A3	538
SAINT JEAN LE VIEUX	121	B2	117
SAINT JEAN PIED DE PORT	121	B1	117
SAINT JEAN SAVERNE	66	A2	61
SAINT JEANNET	680	A-B2	674
SAINT JORIOZ	776	B1-2	765
SAINT JORY	472	B1	469
SAINT JULIEN CHAPTEUIL	149	B3	146
SAINT JULIEN DU VERDON	664	B2	661
SAINT JULIEN EN CHAMPSAUR	671	B2	667
SAINT JUNIEN	415	A2	412
SAINT LARY SOULAN	491	B3	487
SAINT LATTIER	742	A2	735
SAINT LAURENT DE LA SALANQUE	391	A3	387
SAINT LAURENT DU PAPE	725	B2	722
SAINT LAURENT DU PONT	742	B2	735
SAINT LAURENT EN GRANDVAUX	331	B2	325
SAINT LAURENT NOUAN	267	A2	263
SAINT LAURENT SUR GORRE	415	A2	412
SAINT LAURENT SUR OTHAIN	431	B1	429
SAINT LEGER	680	A2	674
SAINT LEGER LES MELEZES	671	B2	667
SAINT LEON SUR L'ISLE	98	A2	93
SAINT LEONARD	567	A1	564
SAINT LEONARD DE NOBLAT	415	B2	412
SAINT LEU D'ESSERENT	619	B2	617
SAINT LO	542	B2	538
SAINT LOUBES	103	B2	101
SAINT LOUP	136	B2-3	133
SAINT LOUP SUR SEMOUSE	336	A2	334
SAINT LYE	288	A2	286
SAINT LYPHARD	583	A1	579
SAINT MACOUX	650	A3	648
SAINT MAIXENT L'ECOLE	645	B2	643
SAINT MALO	221	A1	218
SAINT MAMET	471	A3	469
SAINT MARC SUR MER	583	B1	579
SAINT MARCEL	251	B2	250
SAINT MARS LA JAILLE	583	A3	579
SAINT MARTIAL VIVEYROL	98	A2	93
SAINT MARTIN BELLEVUE	777	B1-2	765
SAINT MARTIN D'ARDECHE	725	B3	722
SAINT MARTIN D'ARROSSA	121	A1	117
SAINT MARTIN D'ENTRAUNES	680	A1	674
SAINT MARTIN DE CASTILLON	699	B3	698
SAINT MARTIN DE CRAU	687	A1	684
SAINT MARTIN DE LA PLACE	589	B3	586
SAINT MARTIN DES BOIS	267	A1	263
SAINT MARTIN EN BRESSE	183	A3	179
SAINT MARTIN EN HAUT	753	A3	751
SAINT MARTIN LA MEANNE	405	B2	401
SAINT MARTIN LE BEAU	260	B2	255
SAINT MARTIN LES MELLE	644	B3	643
SAINT MARTIN SOUS VIGOUROUX	143	B2	139
SAINT MARTIN VESUBIE	680	B2	674
SAINT MAURICE CRILLAT	331	B2-3	325
SAINT MAURICE EN VALGODEMAR	671	A2	667
SAINT MAURICE SOUS LES COTES	431	B2	429
SAINT MAURICE SUR MOSELLE	445	B3	439
SAINT MAXIMIN LA SAINTE BAUME	695	A2	690
SAINT MERD DE LAPLEAU	405	B2	401
SAINT MICHEL	122	B1	117
SAINT MICHEL CHEF CHEF	583	B1-2	579
SAINT MICHEL DE MAURIENNE	762	B2	755
SAINT MICHEL SUR LOIRE	258	A2	255
SAINT MIHIEL	431	B2	429
SAINT NAZAIRE	583	B1	579
SAINT NAZAIRE EN ROYANS	733	A1	729
SAINT NECTAIRE	157	B2	151
SAINT NICOLAS DE REDON	583	A2	579
SAINT NICOLAS DES EAUX	229	A2	224
SAINT NICOLAS DU PELEM	206	B1	201
SAINT NICOLAS LES ARRAS	516	B3	515
SAINT OMER	517	A2	515
SAINT OUEN	268	A2	263
SAINT PALAIS	122	A2	117
SAINT PALAIS SUR MER	641	A2	638
SAINT PARDOUX ISAAC	115	A1	113
SAINT PAUL DE FENOUILLET	391	A2	387
SAINT PAUL DE JARRAT	458	B2	457
SAINT PAUL DE LOUBRESSAC	484	A3	479
SAINT PAUL DE VARAX	719	A-B2	715
SAINT PAUL LE JEUNE	725	A3	722
SAINT PAUL LES DAX	108	B2	106
SAINT PAUL LES MONESTIER	741	B3	735
SAINT PAULIEN	149	A2	146
SAINT PEE SUR NIVELLE	122	A1	117
SAINT PERAY	726	B2	722
SAINT PERE SOUS VEZELAY	189	B3	186
SAINT PHILIPPE	789	B3	788
SAINT PIERRE	331	B2	325
SAINT PIERRE DE CHARTREUSE	743	B2	735
SAINT PIERRE DE CHIGNAC	98	B2	93
SAINT PIERRE DE RIVIERE	458	A2	457
SAINT PIERRE D'ENTREMONT	743	B2	735
SAINT PIERRE DES ECHAUBROGNES	645	A1	643
SAINT PIERRE DES NIDS	593	B1	591
SAINT PIERRE LES NEMOURS	354	A3	352
SAINT PIERRE QUIBERON	229	B1-2	224
SAINT PIERRE SUR DIVES	535	B3	529
SAINT PIERREMONT	445	A2	439
SAINT POL DE LEON	216	B1	208
SAINT POL SUR TERNOISE	518	B2	515
SAINT PONS	726	B2	722
SAINT POURCAIN SUR SIOULE	136	B2	133
SAINT PRIEST TAURION	415	B2	412
SAINT QUAY PORTRIEUX	206	A2	201
SAINT QUENTIN SUR LE HOMME	542	A-B3	538
SAINT RAPHAEL	695	A3	690
SAINT REMY	645	A2	643
SAINT REMY DE PROVENCE	687	A1-2	684
SAINT REMY SUR DUROLLE	157	A3	151
SAINT RENAN	216	A2	208
SAINT ROMAIN	635	A3	633
SAINT ROMAIN	171	A3	167
SAINT ROMAIN D'AY	726	B1	722
SAINT ROMAIN LE PUY	749	A2	746
SAINT SAMSON SUR RANCE	202	B3	201
SAINT SATUR	244	B1	241
SAINT SATURNIN D'APT	703	B2	698

Localité	Hôtels (page)	Carroyage	Carte (page)
SAINT SAUVES D'AUVERGNE	157	B1	151
SAINT SAUVEUR EN RUE	749	B3	746
SAINT SAVIN	491	A2	487
SAINT SEINE L'ABBAYE	171	A2	167
SAINT SERNIN	465	A3	461
SAINT SEVER	111	B2	106
SAINT SEVERIN	635	B3	633
SAINT SORLIN D'ARVES	762	B2	755
SAINT SOZY	484	A1	479
SAINT SYLVAIN D'ANJOU	589	A2	586
SAINT SYMPHORIEN	597	A2	595
SAINT THEGONNEC	216	B2	208
SAINT TROJAN LES BAINS	641	A2	638
SAINT VAAST LA HOUGUE	542	B1	538
SAINT VALERY EN CAUX	567	A2	564
SAINT VALERY SUR SOMME	623	A1	621
SAINT VALLIER	733	A1	729
SAINT VALLIER DE THIEY	680	A3	674
SAINT VERAN	671	A3	667
SAINT VERAND	184	B2	179
SAINT VIANCE	403	B1	401
SAINT VIATRE	267	B3	263
SAINT VINCENT LES FORTS	664	A2	661
SAINT VINCENT SUR JARD	602	B2	599
SAINT VIT	323	A2	319
SAINT YORRE	137	B3	133
SAINTE ANNE D'AURAY	230	B2	224
SAINTE CECILE	543	B3	538
SAINTE CROIX	719	B1	715
SAINTE CROIX DE VERDON	665	B2	661
SAINTE CROIX EN JAREZ	749	B3	746
SAINTE EULALIE	726	A2	722
SAINTE FOY LA GRANDE	103	B2	101
SAINTE FOY TARENTAISE	762	A3	755
SAINTE GAUBURGE SAINTE COLOMBE	548	A3	545
SAINTE GENEVIEVE SUR ARGENCE	466	B1	461
SAINTE LIVRADE SUR LOT	115	B2	113
SAINTE MARIE AUX MINES	79	A1	71
SAINTE MARIE DE GOSSE	111	B1	106
SAINTE MARIE SICHE	308	A2-3	302
SAINTE MAURE DE TOURAINE	260	A2	255
SAINTE MAXIME	695	B3	690
SAINTE MENEHOULD	293	A3	291
SAINTE MERE EGLISE	542	B1	538
SAINTE MONTAINE	244	A1	241
SAINTE PAZANNE	584	B2	579
SAINTE SAVINE	288	B2	286
SAINTES	641	B2	638
SAINTES MARIES DE LA MER	687	B1	684
SALBRIS	267	B3	263
SALERS	144	A2	139
SALIES DU SALAT	472	A2	469
SALIGNAC EYVIGNES	98	B2	93
SALINS LES BAINS	332	B2	325
SALLANCHES	777	B3	765
La SALLE LES ALPES (SERRE CHEVALIER)	672	A2-3	667
Les SALLES SUR VERDON	695	A2	690
Le SAMBUC	685	B1	684
SAMOENS	777	A-B3	765
SAMOIS SUR SEINE	354	A2	352
SAMPANS	328	A1	325
SAN MARTINO DI LOTA	309	B1	302
SANARY SUR MER	695	B1-2	690
SANCERRE	244	B1	241
SAND	66	B3	61
SANDILLON	273	B2	270
SANTENAY	267	B2	263
SARCEY	753	A2	751
SARDIERES	762	B3	755
SARE	122	A1	117
SARLAT	98	B2	93
SARRAS	726	B1	722
SARRAZAC	484	A-B1	479
SARRE UNION	66	A1	61
SARREGUEMINES	436	A3	433
SARTENE	308	A3	302
SATILLIEU	726	B1	722
SAUBUSSE	111	B1	106
SAUGUES	149	B2	146
SAUJON	641	A2	638
SAULCE SUR RHONE	733	A2	729
SAULCY SUR MEURTHE	445	A3	439
SAULGES	593	B2	591
SAULIEU	171	A2	167
SAULT	703	A2	698
SAULT BRENAZ	720	B2	715
SAULXURES	66	A3	61
SAUVE	374	B2	371
SAUVETERRE DE BEARN	122	A2	117
SAUVETERRE DE GUYENNE	103	B2	101
SAUVIGNY LE BOIS	187	B3	186
SAUZET	484	A2	479
SAVENAY	584	A2	579
SAVERNE	67	A2	61
SAVIGNY LES BEAUNE	168	A-B3	167
SAVINES LE LAC	672	B2	667
SAZE	374	A-B3	371
SCHAEFFERSHEIM	67	B2	61
SCHERWILLER	67	A3	61
SCHIRMECK	67	A2	61
SCOURY	253	A2	250
SEBOURG	513	B3	511
SECLIN	513	A2	511
SEDAN	284	B2	283
SEES	548	A2	545
SEEZ	762	A3	755
SEEZ (VILLARD DESSUS)	762	A3	755
SEGUR LES VILLAS	144	A2	139
SEICHES SUR LE LOIR	589	A2	586
Le SEIGNUS	662	A3	661
SEILHAC	406	A-B2	401
SEINGBOUSE	436	A2	433
SELESTAT	67	A-B3	61
La SELLE SUR LE BIED	273	A3	270
SELLES SUR CHER	268	B2	263
SELONNET	665	A2	661
SEMBADEL-GARE	149	A2	146
SEMBLANCAY	260	A1	255
SEMENE	147	A3	146
Le SEMNOZ	766	B1-2	765
SEMUR EN AUXOIS	171	A2	167
SENAS	688	A2	684
SENLIS	619	B2	617
SENLISSE	350	A2	349
SENNECE LES MACON	182	B2-3	179
SENONCHES	248	A2	246
SENONES	445	A3	439
SENS	189	A1	186
SEPPOIS LE BAS	79	A3	71
SEPTMONCEL	332	B3	325
SEREILHAC	415	A2	412
SEREZIN DU RHONE	753	B3	751
SERIGNAC SUR GARONNE	115	A-B2	113
SERRAVAL	777	B2	765
SERRIERES	726	B1	722
SERVOZ	777	B3	765
SETE	380	B3	377
SETTONS (Lac des)	176	B2	174
SEURRE	172	B3	167
SEVERAC LE CHATEAU	466	B2	461
SEVRIER	777	B1-2	765
SEWEN	80	A2	71
SEYNES	374	A2	371
SEYTHENEX	772	B2	765
SEZANNE	293	B1	291
SIGEAN	369	B3	365
SIGNY L'ABBAYE	284	A2	283
SIGNY LE PETIT	284	A1	283

Localité	Hôtels (page)	Carroyage	Carte (page)
SIGOYER	672	B2	667
SILLE LE GUILLAUME	597	A1-2	595
SIMANDRE SUR SURAN	720	A2	715
SINCENY	615	A2	613
SIORAC EN PERIGORD	98	B3	93
SISTERON	665	A-B2	661
SIX FOURS LES PLAGES	695	B2	690
SIXT FER A CHEVAL	778	B3	765
SIZUN	216	B2	208
SOCCIA	309	A2	302
SOINGS EN SOLOGNE	268	B2	263
SOLERIEUX	733	A3	729
SOMBERNON	172	A2	167
SOMMEPY TAHURE	293	A3	291
SONZAY	259	A1	255
SOORTS HOSSEGOR	109	B1	106
SORGES	98	B2	93
SORGUES	703	B1-2	698
SORIGNY	260	A2	255
SOSPEL	681	B2	674
SOUDAN	645	B2	643
SOUFFELWEYERSHEIM	67	B2	61
SOUILLAC	485	A1	479
SOULAC SUR MER	103	A1	101
SOULAIRE ET BOURG	589	A2	586
SOULTZ	80	B2	71
SOULTZBACH LES BAINS	80	A-B1	71
SOULTZEREN	80	A1	71
SOULTZMATT	80	A-B2	71
SOUMOULOU	122	A3	117
SOURAIDE	122	A1	117
SOURDEVAL	542	B3	538
SOUSTONS	111	B1	106
La SOUTERRAINE	410	A1	408
SOUVIGNY EN SOLOGNE	268	B3	263
SOYONS	726	B2	722
STAINVILLE	431	A3	429
STELLA PLAGE	518	B1	515
STENAY	431	A1	429
STOSSWIHR	80	A1	71
STRASBOURG	67	B2	61
SULLY SUR LOIRE	273	B2	270
Le SUQUET	681	B2	674
SUZE LA ROUSSE	733	A3	729
La SUZE SUR SARTHE	597	A2	595
TAINTRUX	444	A3	439
TALLOIRES	778	B2	765
TAMNIES	99	B2	93
TANCARVILLE	567	B1	564
TANINGES	778	A2	765
TANUS	496	A2	493
TARARE	753	A2	751
TARASCON	688	A1	684
TARASCON SUR ARIEGE	459	B2	457
TARBES	491	A2	487
TARNAC	406	A2	401
TAUSSAT	103	A2	101
TAUVES	157	B1	151
TAVEL	375	A3	371
Le TEIL	726	B3	722
Le TEILLEUL	542	B3	538
TENDE	681	B1	674
TERMIGNON	763	B3	759
TESSE LA MADELEINE	546	A-B1	545
La TESTE DE BUCH	104	A2	101
Le TEULET	406	B2	401
THANN	80	A2	71
THANNENKIRCH	81	A-B1	71
THARON PLAGE	583	B1	579
THEMES	190	A2	186
THENIOUX	244	A1	241
THESEE LA ROMAINE	268	B2	263
THIEBLEMONT	293	B3	291
THIERS	157	A3	151
THIEZAC	144	B2	139
Le THILLOT	445	B3	439
THIONVILLE	436	A1	433
THOLLON LES MEMISES	778	A2	765
Le THOLY	445	B3	439
THONAC	99	B2	93
THONES	778	B2	765
THONON LES BAINS	779	A2	765
THORENC	681	A2	674
THORENS GLIERES	779	B2	765
THORIGNE SUR DUE	597	B2	595
Le THORONET	695	A2	690
THOUARS	646	B1	643
THUEYTS	726	A2	722
THURINS	753	A3	751
THURY HARCOURT	535	B2	529
TIGNES (LAC DE)	763	A-B3	755
TIL CHATEL	172	B2	167
TINTENIAC	222	A2	218
TIUCCIA	309	A2	302
TOMBEBOEUF	115	A2	113
TOUFFREVILLE	535	A2	529
TOUQUES	532	A3	529
La TOUR D'AIGUES	704	B3	698
La TOUR D'AUVERGNE	157	B1	151
La TOUR DU PIN	743	A1	735
TOURNAY	491	B2	487
TOURNOISIS	273	A1	270
TOURNON	727	B1	722
TOURNON D'AGENAIS	115	B2	113
TOURNON SAINT MARTIN	253	A2	250
TOURNUS	184	B3	179
TOUROUVRE	549	A3	545
TOURRETTES SUR LOUP	681	A3	674
TOURS	260	A-B2	255
TOURTOUR	695	A2	690
La TOUSSUIRE	763	B2	755
TOUZAC	485	A2	479
La TRANCHE SUR MER	602	B2	599
TREBES	366	A2	365
TREBEURDEN	206	A1	201
TREFFIAGAT	212	A3	208
TREFFORT	743	B3	735
TREGASTEL	206	A1	201
TREGUNC	216	B3	208
TREMONT SUR SAULX	431	A3	429
Le TREPORT	567	A3	564
TRESCHENU LES NONIERES	730	B2	729
TRESSERVE	756	A1	755
TREVE	206	B2	201
TREVIERES	535	A1	529
TREVIGNIN	757	A1-2	755
TREVOU TREGUIGNEC	206	A1	201
TRIE SUR BAISE	491	B1	487
TRIGANCE	696	A2	690
La TRINITE SUR MER	230	B2	224
TROARN	535	A2-3	529
TROIS EPIS	81	A1	71
TRONGET	136	A2	133
TROO	268	A1	263
TROUVILLE	535	A3	529
TROYES	289	A2	286
TRUYES	258	B2	255
TULLE	406	B2	401
TULLINS	743	A2	735
La TURBALLE	584	A1	579
TURCKHEIM	81	B1	71
TURINI (CAMP D'ARGENT)	681	B2	674
TURINI (COL DE)	681	B2	674
URDOS EN BEARN	122	B3	117
URIAGE LES BAINS	743	B2	735
URMATT	68	A2	61
USSAC	403	B1	401
USSEL	406	A3	401

Localité	Hôtels (page)	Carroyage	Carte (page)
USSON EN FOREZ	749	A3	746
UTELLE	681	B2	674
UZERCHE	406	A1	401
UZES	375	A3	371
VAGNEY	446	B3	439
VAIGES	593	B2	591
VAISON LA ROMAINE	704	A2	698
VAISSAC	501	B2	499
Le VAL D'AJOL	446	B2	439
VAL D'ISERE	763	B3	755
VAL SUZON	172	B2	167
VALBONNE	682	A3	674
VALCEBOLLERE	389	B1	387
VALDAHON	323	B2	319
VALENCE	733	A2	729
VALENCE D'AGEN	501	A1	499
VALENCE D'ALBIGEOIS	496	A2	493
VALENCE SUR BAISE	477	A2	475
VALENCIENNES	513	B2-3	511
VALENSOLE	665	B2	661
VALGORGE	727	A3	722
VALLAURIS	682	A3	674
VALLERAUGUE	375	A1-2	371
VALLET	584	B3	579
VALLIERES LES GRANDES	268	B2	263
VALLIGUIERES	375	A3	371
VALLOIRE	763	B2	755
VALLON PONT D'ARC	727	B3	722
VALLORCINE	779	B3	765
VALLOUISE	672	A2-3	667
VALMONT	567	A1	564
VALOGNES	542	A1	538
VALRAS PLAGE	380	B2	377
VALREAS	704	A2	698
VALROS	380	B2	377
VALS LES BAINS	727	A2	722
VALS PRES LE PUY	149	B2-3	146
Le VALTIN	446	B3	439
La VANCELLE	68	A3	61
VANNES	230	B2	224
Les VANS	727	A3	722
VARENGEVILLE SUR MER	567	A2	564
VARENNES LE GRAND	184	A3	179
VARENNES SUR ALLIER	136	B3	133
VARENNES SUR FOUZON	253	B1	250
VARS LES CLAUX	672	B3	667
VARS SAINTE MARIE	672	B3	667
VARZY	177	A1	174
VASSIEUX EN VERCORS	733	B2	729
VAUCLAIX	177	B2	174
VAUCOULEURS	431	B3	429
Le VAUDIOUX	327	B2	325
VAUGINES	704	B2-3	698
VAUJANY	743	B2	735
VAUVENARGUES	688	A3	684
VAYRES	104	B2	101
VEIGNE	260	B2	255
VELLUIRE	602	B3	599
VENASQUE	704	B2	698
VENCE	682	A2-3	674
VENDAYS MONTALIVET	104	A1	101
VENDENHEIM	68	B2	61
VENDEUIL	615	A1	613
VENDOME	268	A1-2	263
VENEJAN	375	A3	371
VENOSC	744	B2-3	735
VENOY	187	B2	186
VENTRON	446	B3	439
VERCEL	323	A-B2	319
VERCHAIX	779	A2-3	765
VERGEZE	375	B2	371
VERN SUR SEICHE	222	B2	218
La VERNAREDE	375	A2	371
VERNET	472	B2	469
VERNET LES BAINS	391	B2	387
VERNEUIL SUR AVRE	562	B2	559
VERNOU SUR BRENNE	261	B1-2	255
VERNOUILLET	248	B1	246
VERRIERES DE JOUX	323	B3	319
VERS	485	A2	479
VERTEUIL	636	B1	633
VERTOLAYE	157	B3	151
VERTUS	293	B2	291
VESOUL	336	B2	334
VEULETTES SUR MER	567	A2	564
Le VEURDRE	137	A2	133
VEYRIER DU LAC	779	B2	765
VEYRINS THUELLIN	744	A2-3	735
Les VEYS	539	B1	538
VEZAC	99	B3	93
VEZELAY	190	B3	186
VEZENOBRES	375	A2	371
VEZINS	589	B2	586
VIARMES	350	B1	349
VIAS SUR MER	380	B2	377
VIBRAC	636	A2	633
VIBRAYE	597	B2	595
VIC FEZENSAC	477	A2	475
VIC LA GARDIOLE	380	B3	377
VIC SUR CERE	144	B2	139
VICHY	137	B3	133
VICO	309	A2	302
VIEILLEVIE	144	B2	139
VIERVILLE SUR MER	535	A1	529
VIERZON	244	A2	241
VIEUX BOUCAU	111	B1	106
VIEUX MAREUIL	99	A1	93
VIEUX VILLAGE D'AUBRES	732	A3	729
VIF	744	B2	735
Le VIGAN	375	A1-2	371
VIGNORY	299	A2	296
VILLAGE NEUF	81	B3	71
VILLANDRY	261	A2	255
VILLAR D'ARENE	672	A2	667
VILLARD DE LANS	744	A-B2	735
VILLARD DU PLANAY	763	B3	755
VILLARD SAINT SAUVEUR	331	B3	325
Les VILLARDS SUR THONES	779	B2	765
VILLARS	99	B1	93
VILLARS LES DOMBES	720	B1	715
VILLARZEL DU RAZES	369	A2	365
VILLE	68	A3	61
VILLECIEN	190	A2	186
VILLECROZE	696	A2	690
VILLEDIEU LES POELES	543	B3	538
VILLEFORT	385	B2	382
VILLEFRANCHE D'ALBIGEOIS	496	A2	493
VILLEFRANCHE D'ALLIER	137	A2	133
VILLEFRANCHE DE LAURAGAIS	473	B2	469
VILLEFRANCHE DE ROUERGUE	466	A2	461
VILLEFRANCHE DU PERIGORD	99	B3	93
VILLEFRANCHE SUR MER	682	B3	674
VILLENAUXE LA GRANDE	289	A1	286
VILLENEUVE	663	B2	661
VILLENEUVE L'ARCHEVEQUE	190	A-B1	186
VILLENEUVE LES AVIGNON	375	A3	371
VILLENEUVE LOUBET	682	A-B3	674
VILLEPARISIS	354	A1	352
VILLEPERROT	190	A1	186
VILLEROY	190	A1	186
VILLERS BOCAGE	536	B2	529
VILLERS LE LAC	323	B2	319
VILLERS LES POTS	168	B2	167
VILLERS SOUS SAINT LEU	619	B2	617
VILLERS SUR MER	536	A3	529
VILLERSEXEL	336	B2	334
VILLERVILLE	533	A3	529
VILLEVALLIER	190	A2	186

Avec **LOC-ACTION**,
vous avez le droit d'avoir
un modèle préféré,
une marque préférée et même
un concessionnaire préféré !

P our la location longue
durée de votre parc automobile,
Loc-Action vous offre une totale
liberté d'action. Vous avez enfin
le droit d'avoir vos préférences
ou vos habitudes et de n'être
plus prisonnier d'un loueur,
lui même ficelé à une
marque...! Mais surtout
vous bénéficiez avec
Loc-Action d'une véritable
expertise en termes de financement et de gestion de votre parc automobile,
quelles que soient sa taille et ses spécificités. Présent en France depuis
10 ans, Loc-Action membre du groupe Barclays Bank assure la gestion
de flotte de grands groupes, de PME, et même la voiture de particuliers.
Loc-Action saura répondre à toutes vos exigences, en préservant toujours
votre part de liberté !

ISO 9002
Certificat N°1995 4837
AFAQ

Loc-Action

LA LIBERTÉ D'ACTION

Loc-Action SA - 9, rue de la Porte de Buc - 78007 Versailles Cedex
Pour tout renseignement, contactez le 01 30 84 41 68 ou 01 30 84 40 95

LE MÉMORIAL DE CAEN :
Un voyage à travers l'histoire de notre siècle

MEMORIAL
un musée pour la paix

CAEN NORMANDIE

ouvert tous les jours sans interruption
TEL. 02 31 06 06 44 - 36 15 MEMORIAL
1,29 F la minute

Présentation des hôtels-restaurants par région

- Présentation générale de la région
- Cartographies régionales et départementales
- Liste des hôtels-restaurants par département

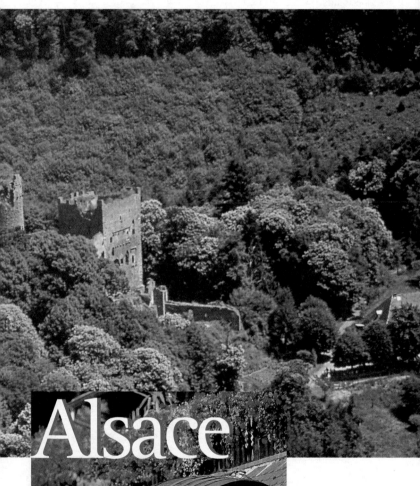

Alsace

C.R.T. Alsace

ALSACE

voir ci-après:
p61 BAS-RHIN
p71 HAUT-RHIN

57 - MOSELLE

54 - MEURTHE-ET-MOSELLE

55-MEUSE

88 - VOSGES

52 -HAUTE-MARNE

70 - HAUTE-SAÔNE

25 - DOUBS

PARC

DE

LORRAINE

BALLONS

VOSGES

Gravelotte
METZ
St-Avold
Puttelange-aux-Lacs
Arnaville
Faulquemont
Hans-sur-Nied
Baronville
Pont-à-Mousson
Delme
Nomeny
Château-Salins
Dieulouard
67
Moyenvic
Sarrebourg
Commercy
NANCY
Toul
19
Lunéville
Blâmont
Vaucouleurs
58
Colombey-les-Belles
Magnières
Baccarat
Domrémy-la-Pucelle
52
Charmes
Rambervillers
Neufchâteau
Liffol-le-Grand
Mirecourt
Dompaire
Bruyères
Begnécourt
Contrexéville
ÉPINAL
36
Dombrot-le-Sec
Darney
Xertigny
Gérar
Lamarche
Monthureux-sur-Saône
Bains-les-Bains
Cornin
Bourbonne-les-Bains
Plombières-les-Bains
Vauvillers
le Thillot
St-Loup-sur-Semouse
Luxeuil-les-Bains
Jussey
Conflans-sur-Lanterne
Mélisey
Giromagny
Combeaufontaine
Lure
Ronchamp
Saulx
Noroy-le-Bourg
BELFORT
Vaite
Villersexel
Châtenois-les-Forges
VÉSOUL
Espréls
Montbéliard
Arcey
Frétigney-et-Velloreille
l'Isle-sur-le-Doubs
Mathay
Au

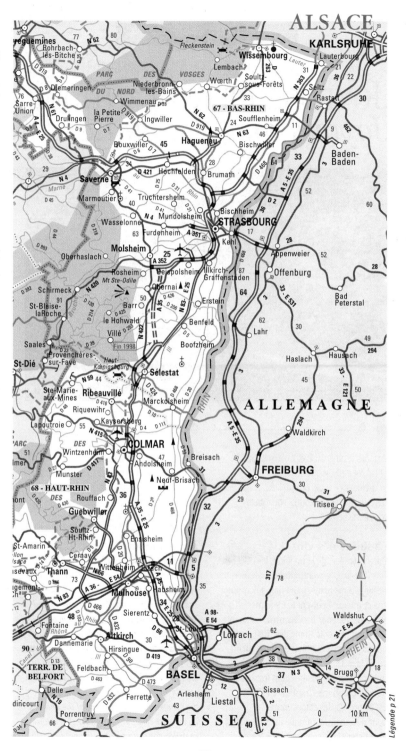

JOYEUSE ET ROMANTIQUE
Joyous and Romantic

C.R.T. Alsace

 — —

VILLAGES RIANTS, MAISONS À COLOMBAGES
ET BALCONS FLEURIS, CHÂTEAUX PERCHÉS
ET VIGNOBLES À FLANC DE COTEAUX…
L'ALSACE BALISE SES ROUTES POUR MIEUX
VOUS RETENIR.

*CHARMING VILLAGES, HALF-TIMBERED HOUSES AND
FLOWER-LADEN BALCONIES, CHÂTEAUX PERCHED UP
ON HILLSIDES COVERED WITH VINEYARDS…
THE ROADS OF ALSACE ARE SCATTERED
WITH LANDMARKS TO GRAB YOUR ATTENTION.*

La Route des vins

Dans le respect de la tradition, les célèbres
vins d'Alsace - gewurztraminer, sylvaner,
riesling, pinot blanc, pinot noir, tokay pinot
gris et muscat - doivent leurs noms
aux cépages. Pour les découvrir, le mieux
est d'emprunter la Route des vins
qui serpente sur 170 km de Marlenheim
au nord, à Thann au sud. Elle traverse
une centaine de localités dont les vignes
ne sont qu'un des charmes. L'idéal
est de prévoir des étapes courtes
pour découvrir la muraille du XIIIᵉ siècle
qui enserre la jolie bourgade de Wangen,

The Wine Trail

*According to traditional practice, the
famous Alsace wines - Gewurztraminer,
Sylvaner, Riesling, Pinot blanc, Pinot noir,
Tokay Pinot gris and Muscat - are named
after the variety of vine that produces
them. The best way of learning more about
them is to follow the Wine Trail that snakes
along 170 kilometres from Marlenheim in
the north to Thann in the south. It takes
you through a hundred or so places where
the vineyards are only some of the delights.
Ideally you will plan for many short stops
in order, for example, to discover the 13th*

visiter Rosheim et Andlau, profiter d'une halte à Obernai pour grimper à l'abbaye du mont Sainte-Odile, imaginer Renoir tourner "La Grande Illusion" au château du Haut-Kœnigsbourg, s'intéresser au centre de réintroduction des cigognes et à la reproduction des loutres à Hunawihr, découvrir, à Colmar, les musées d'Unterlinden et Bartholdi, célèbre sculpteur à qui les Français doivent le Lion de Belfort et les Américains la statue de la Liberté…

Le soir, la dégustation d'un vin étiqueté "vendanges tardives" ou "sélection de grains nobles" sera d'un merveilleux réconfort.

De la Route romane… à la Route de la "carpe frite"

Tous les amoureux de l'art roman apprécieront le circuit qui va de Wissembourg dans les Vosges du nord à Feldbach dans le Sundgau. Il offre la possibilité de visiter, en 19 étapes, plus de 120 sites : églises, châteaux, abbayes datant des XIe, XIIe et XIIIe siècles. Les passionnés de terres cuites n'oublieront pas de s'arrêter à Bertschdorf pour ses poteries et à Soufflenheim pour ses céramiques. Personne ne passera à côté de Strasbourg et de sa cathédrale : horloge astronomique, orgue Silbermann, chœur roman. Ni de Mulhouse, qui collectionne les musées techniques : automobile, chemin de fer, céramique, électricité, papiers peints… Les intellectuels réfléchiront en paix

century wall that encircles the pretty town of Wangen, to visit Rosheim and Andlau, to take the time at Obernai to climb up to the Abbey of Mont Saint-Odile, to imagine Jean Renoir filming "La grande illusion" at the Château of Haut-Kœnigsbourg. Then there is also the fascinating wildlife centre where the stork population is being re-established and where otters are being bred at Hunawihr. At Colmar you will find the Unterlinden Museum and the collection of work by Bartholdi, the famous sculptor who gave the French their Lion de Belfort and the Americans their Statue of Liberty…
In the evening you'll enjoy a marvellous tonic in a bottle of "late-harvested" or "sélection de grains nobles" wine.

From the Roman Trail to the Trail of "Fried Carp"

All amateurs of romanesque art will enjoy the route which runs from Wissembourg in the northern Vosges to Feldbach in the Sundgau. It offers the possibility of visiting more than 120 sites in 19 stages: churches, châteaux, and abbeys dating from the 11th, 12th and 13th centuries. For those who love earthen-ware, a stop at Bertschdorf for its pottery and Soufflenheim for its ceramics is essential. Nobody would drive by Strasbourg and its cathedral, with its astronomic clock, its Silbermann organ and its romanesque choir. Nor could you miss Mulhouse, with its collection of technical museums - car, rail, ceramic, electricity, wallpapers… For the intellectual, a moment of quiet reflection can

VERSPIELT UND ROMANTISCH

Fröhliche Dörfer, Fachwerkhäuser und Balkons mit Blumen, trutzige Burgen und Weinberge an den Hängen… Die Straßen des Elsaß sind so reichhaltig, daß Sie gefangen genommen werden: die Weinstraße, die romanische Straße, die Straße des "gebratenen Karpfens". Und überall finden Sie Feinschmeckerstätten mit ihren Spezialitäten.

VROLIJK EN ROMANTISCH

Riante dorpen, vakwerkhuizen met bloemen op het balkon, hooggelegen kastelen, wijngaarden op de flanken van de hellingen … In Elzas zijn de wegen duidelijk aangegeven om te proberen u langer daar te houden : wijnroutes, romaanse route, route van de "gebakken karper". Met overal haltes voor lekkerbekken met gerechten op basis van specialiteiten van de streek.

dans la bibliothèque humaniste de Sélestat. Les marcheurs randonneront sur les sentiers aménagés du Club vosgien et découvriront tout à la fois les crêtes et les lacs, le Donon et le Lichtenberg, la Lauter et le Ried. Restent les gourmands, ceux qui aiment, entre autres, la fameuse truite des Vosges ou la carpe du Sundgau qui se déguste frite entre Altkirch et Winkel.

Haltes gourmandes

Dans une simple winstub ou à une table plus élégante, aucun mets n'égale les spécialités : la célèbre choucroute bien sûr, mais aussi le baeckeoffe ou "plat du lundi" (voir recette) ; la matelote du Rhin ; le flammeküche au bon goût de crème aigre, d'oignons et de lardons ; le kougelhopf à la pâte bien levée… Sans oublier le foie gras, inimitable de fondant et l'infinie variété des charcuteries.

Sur un air de fêtes

Goût tout court, mais aussi goût de la fête. A chaque saison, l'Alsace s'amuse : au rythme des Messti et des Kilbe, les fêtes du vin et de fin de récolte ; en hiver, dans l'ambiance enchantée des marchés de Noël et sur toutes les places décorées de sapins illuminés. Quoi de plus naturel pour une région qui sut populariser, dès le XVIe siècle, la tradition de l'arbre de Noël !

be found at the humanties library of Sélestat. Walking enthusiasts can follow the marked paths of the Vosges walkers association, which will lead them to the peeks of Donon and Lichtenberg, the river Lauter and the wetlands of the Ried. Then for the lovers of good food, the region offers, amongst other delights, the famous Vosges trout or the Sundgau carp, which is eaten fried in the area between Altkirch and Winkel.

The Food Enthusiast's Pleasure

Whether in a simple winstub or at a smarter table, no dish is better than the local specialities: the famous Choucroute, of course, but also the Baeckeoffe or "Monday's dish" (see the recipe), the Rhine matelote, the Flammeküche with its delicious taste of sour cream, onions and bacon, and the Kougelhopf with its light pastry… And let's not forget the foie gras, with is inimitable creaminess, and the many varieties of pork meats.

Celebration is in the Air

A sense of good-living, but also a sense of celebration: the people of Alsace knows how to enjoy themselves in every season. To the rhythm of Messti and Kilbe, they celebrate the wine and harvest festivals. In winter, the Christmas markets are enchanting, with the squares decorated with blazing Christmas trees. What could be more natural in a region that made the tradition of the Christmas tree popular as early as the 16th century!

JOVIAL Y ROMÁNTICA

Pueblos alegres, casas con entramados y balcones floridos, castillos encaramados y viñedos en las laderas de los collados... Alsacia baliza sus rutas para retenerle más tiempo: ruta de los vinos, ruta románica, ruta de la "carpa frita". Y, por todas partes, paradas gastronómicas a base de especialidades.

GIOIOSA E ROMANTICA

Villaggi sorridenti, case a colombaio con balconi fioriti, castelli appollaiati e vigneti sui bordi del pendio... l'Alsazia vi guida lungo le sue strade per potervi trattenere meglio: strada dei vini, strada romana, strada della "carpe frite" e, dappertutto, punti di ristoro con specialità e golosità.

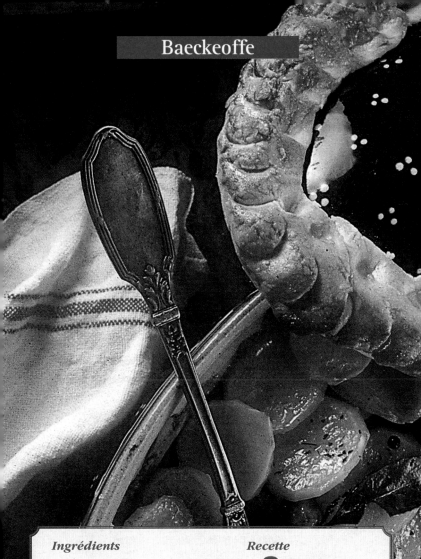

Baeckeoffe

Ingrédients

Pour 6 ou 8 personnes

- 400 g de bœuf à braiser
- 400 g d'épaule d'agneau
- 400 g porc désossé (échine)
- 1 pied de porc blanchi
- 5 oignons
- 2 kg de pommes de terre BF 15

Pour la marinade :

- 2 oignons, 1 bouquet garni
- blancs de poireaux,
- céleri-rave, carotte
- 4 gousses d'ail
- clous de girofle, muscade
- 1 bouteille de vin blanc sec

Recette

- La veille, émincer les oignons et hacher les légumes de la marinade. Déposer les épices sur les légumes et les viandes découpées en gros dés. Arrosez avec le vin.
- Le jour même, couper les pommes de terre en rondelles, émincer les oignons. Dans une cocotte en terre cuite, disposer en alternant une couche de pommes de terre, une couche d'oignons, les morceaux de viande et le pied de porc. Terminer par une couche d'oignons et de pommes de terre. Mouiller avec le fond de la marinade.
- Couvrer la terrine et la mettre au four (180°) pendant 3 h. Servir dans la terrine et n'enlever le couvercle que sur la table.

Bas-Rhin

C.R.T. Alsace

Association départementale
des Logis de France du Bas-Rhin
Maison du Tourisme - 9 rue du Dôme
B.P. 53 - 67061 Strasbourg Cedex
Téléphone 03 88 15 45 88

ALSACE

67 BAS-RHIN

Strasbourg

Colmar

68 HAUT-RHIN

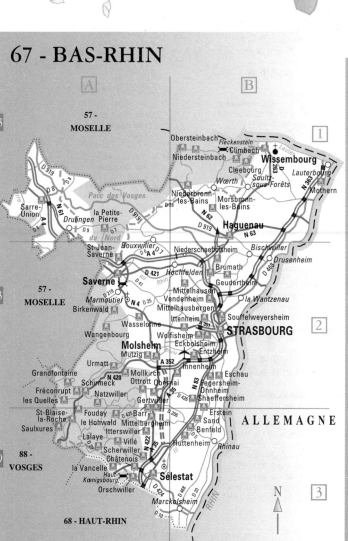

67 - BAS-RHIN

A   B

1

433

57 - MOSELLE

Obersteinbach   *Fleckenstein*
Climbach
Niedersteinbach   **Wissembourg**
Cléebourg   *Lauterbourg*
D 919   D 8   Wœrth   Soultz-sous-Forêts   N 363   Mothern
Parc des Vosges   Niederbronn-les-Bains   Morsbronn-les-Bains
Sarre-Union   la Petite-Pierre   N 62
Drulingen   D 919   D 919   **Haguenau**
du Nord   N 63
St-Jean-Saverne   *Bouxwiller*   Niederschaeffolsheim   *Bischwiller*
D 421   *Hochfelden*   *Drusenheim*

433

57 - MOSELLE

Saverne   Brumath   D 468
Marmoutier   N 4   D 25   Mittelhausen   Geudertheim
Birkenwald   Vendenheim   *la Wantzenau*
Mittelhausbergen
Wasselonne   Ittenheim   Souffelweyersheim
Wangenbourg   Wolfisheim   **STRASBOURG**

2

Molsheim   Eckbolsheim
Mutzig   Entzheim
Urmatt   **A 352**   Innenheim
Grandfontaine   Mollkirch   Eschau
N 420   Ottrott   Obernai   Fegersheim-Ohnheim
Fréconrupt   Schirmeck   N 83   Shaeffersheim
les Quelles   Natzwiller   D 426
Gertwiller   Erstein

ALLEMAGNE

St-Blaise-la-Roche   Fouday   D 425   Barr   Sand
le Hohwald   Mittelbergheim   Benfeld
Saulxures   Itterswiller
Lalaye   Villé   Hüttenheim
Scherwiller   N 59   *Rhinau*

439

88 - VOSGES

Châtenois
la Vancelle   Haut-Kœnigsbourg   **Sélestat**
Orschwiller   D 424

3

N

Marckolsheim   D 468   D 20
D 10   RHIN

68 - HAUT-RHIN

0   10 km

Légende p 21

71

61

BARR (A2-3)
67140 Bas Rhin
4800 hab. 🇮

✳ DU CHATEAU D'ANDLAU ★★
113, vallée St Ulrich.
M. Weisgerber
☎ 03 88 08 96 78 FAX 03 88 08 00 93
🛏 23 ⬡ 260/400 F. ⬛ 37 F.
🇮 🅳 ☎ 🖥 🚗 🌳 🔌 CB

▲▲ LE BROCHET ★★
9, place de l'Hôtel de Ville. M. Mutzig
☎ 03 88 08 92 42 FAX 03 88 08 48 15
100F 🛏 23 ⬡ 280/320 F. ⬛ 40 F.
🍽 98/160 F. 🍴 60 F. 🍲 270/290 F.
✉ 6 janv./2 fév.
🇮 🅳 ☎ 🚗 ♿ 🔌 🏠

▲▲ MAISON ROUGE ★★
1, av. de la Gare. M. Eichenberger
☎ 03 88 08 90 40 FAX 03 88 08 90 85
100F 🛏 10 ⬡ 120/260 F. ⬛ 35 F.
🍽 85/140 F. 🍴 45 F. 🍲 240/250 F.
✉ fév., dim. soir et lun.
🇮 🅳 ☎ 🖥 🚗 CV 🔌 🏠 CB

BENFELD (B3)
67230 Bas Rhin
4330 hab. 🇮

... à proximité

HUTTENHEIM (B3)
67230 Bas Rhin
2035 hab.

500 m. Sud Benfeld par N 83

▲▲▲ SUD HOTEL ★★
Rue du 1er décembre.
M. Thomann
☎ 03 88 74 30 65 FAX 03 88 74 06 78
120F 🛏 42 ⬡ 280/380 F. ⬛ 35/ 42 F.
🍽 85/135 F. 🍴 50 F. 🍲 265/310 F.
✉ rest. lun. midi.
🇮 🅳 SP 🖥 ☎ 🖥 🚗 🌳 🔌 ♿
🔌 ♿ CV 🔌 🏠 CB 📷 CR

BIRKENWALD (A2)
67440 Bas Rhin
220 hab.

▲▲▲ AU CHASSEUR ★★
8, rue du Cimetière. M. Gass
☎ 03 88 70 61 32 FAX 03 88 70 66 02
🛏 26 ⬡ 280/450 F. ⬛ 55 F.
🍽 95/380 F. 🍲 350/450 F.
✉ janv., 30 juin/7 juil., lun. et mar. midi.
🇮 🅳 ☎ 🖥 🚗 🌳 🔌 ♿ CV 🔌
🏠 CB

BRUMATH (B2)
67170 Bas Rhin
8000 hab.

▲▲▲ L'ECREVISSE ★★
4, av. de Strasbourg. M. Orth
☎ 03 88 51 11 08 FAX 03 88 51 89 02

🛏 21 ⬡ 320/360 F. ⬛ 40 F.
120F 🍽 160/420 F. 🍴 60 F.
✉ 12 jours fin juil./début août, lun. soir
et mar.
🇮 🅳 🖥 🖥 ☎ 🚗 🚗 🌳 🌳 🔌 ♿
CV 🔌 🏠 CB

CHATENOIS (A3)
67730 Bas Rhin
3200 hab. 🇮

▲▲ DONTENVILLE ★★
M. Dontenville
☎ 03 88 92 02 54
🛏 13 ⬡ 220/375 F. ⬛ 35 F.
🍽 80/150 F. 🍴 35 F. 🍲 250/300 F.
✉ fév. et mar.
🇮 🅳 ☎ 🖥 🚗 🔌 🏠

CLEEBOURG (B1)
67160 Bas Rhin
597 hab.

▲▲ AU TILLEUL ★★
94, rue Principale.
M. Frank
☎ 03 88 94 52 15 FAX 03 88 94 52 63
100F 🛏 13 ⬡ 250 F. ⬛ 35 F. 🍽 80/185 F.
🍴 50 F. 🍲 220 F.
✉ 20 fév./8 mars, 20 déc./8 janv., et
mar.
🅳 🖥 ☎ 🚗 🌳 CV 🏠 CB

CLIMBACH (B1)
67510 Bas Rhin
500 hab.

▲▲ CHEVAL BLANC ★★
M. Frey
☎ 03 88 94 41 95 FAX 03 88 94 21 96
100F 🛏 12 ⬡ 275/295 F. 🍴 50 F. 🍲 295 F.
✉ 15 janv./15 fév., 1er/10 juil., mar.
soir et mer.
🇮 🅳 ☎ 🖥 🚗 ♿ 🔌 🏠 CB

ECKBOLSHEIM (B2)
67201 Bas Rhin

>>> *voir STRASBOURG*

ENTZHEIM (B2)
67960 Bas Rhin
2593 hab.

▲▲▲ PERE BENOIT Rest. STEINKELLER ★★
34, route de Strasbourg.
M. Masse
☎ 03 88 68 98 00 FAX 03 88 68 64 56
100F 🛏 60 ⬡ 260/370 F. ⬛ 35 F.
🍽 100/148 F. 🍴 40 F.
✉ Noël/Nouvel An, sam. midi, dim. et
lun. midi.
🇮 🅳 🖥 ☎ 🚗 🌳 🔌 ♿ 🔌
🏠 CB

ERSTEIN (B2-3)
67150 Bas Rhin
8600 hab. 🛈

▲▲ AU BROCHET ★★
94, rue du Général de Gaulle.
Mme Meyer
☎ 03 88 98 03 70 ⒻⒶⓍ 03 88 98 09 49
🍽 30 ⊠ 210/250 F. ▤ 35/ 50 F.
🍴 42/135 F. ⏶ 55 F. ⚏ 210/250 F.
Ⓔ Ⓓ 🗇 ☎ 🚗 🚙 ⛱ ♿ ⅃ CV ♠ CB

ESCHAU (B2)
67114 Bas Rhin
4500 hab.

▲ AU CYGNE ★
38, rue de la 1ère DB. MM. Bouyoud
☎ 03 88 64 04 79 ⒻⒶⓍ 03 88 64 33 83
🍽 21 ⊠ 160/250 F. ▤ 35 F.
🍴 80/160 F. ⏶ 45 F. ⚏ 185/200 F.
Ⓔ Ⓓ 🗇 ☎ 🚗 ⅃ CV ♠ CB

FEGERSHEIM OHNHEIM (B2)
67640 Bas Rhin
3005 hab.

▲▲ AUBERGE AU CHASSEUR ★★
19, rue de la Liberté. MeM. Grimm
☎ 03 88 64 03 78 ⒻⒶⓍ 03 88 64 05 49
🍽 24 ⊠ 250/280 F. ▤ 35 F.
🍴 58/135 F. ⏶ 65 F. ⚏ 220/230 F.
⊠ août. Rest. ven. soir et sam.
Ⓔ Ⓓ 🗇 ☎ 🚗 ⛱ ▥ ♠

FOUDAY (A2-3)
67130 Bas Rhin
250 hab. 🛈

▲▲▲ CHEZ JULIEN ★★
M. Goetz
☎ 03 88 97 30 09 ⒻⒶⓍ 03 88 97 36 73
🍽 30 🍴 92/120 F. ⏶ 45 F.
⚏ 270/350 F.
⊠ mar.
Ⓓ 🗇 ☎ 🚗 ⇕ ⛱ ⅃ CV ▥ ♠ CB

FRECONRUPT (A2)
67130 Bas Rhin
700 m. ● 2628 hab. 🛈

▲▲ BELLE VUE ★★
20, rue Principale. M. Mathieu
☎ 03 88 97 02 96 ⒻⒶⓍ 03 88 49 66 90
🍽 11 ⊠ 250/270 F. ▤ 32 F.
🍴 70/160 F. ⏶ 50 F. ⚏ 240/260 F.
Ⓓ 🗇 ☎ 🚗 ⊷ ⛱ ⅃ CV ▥ ♠ CB

GERTWILLER (A-B2)
67140 Bas Rhin
1000 hab.

▲ AUX DELICES
176, route de Sélestat. Mme Habsiger
☎ 03 88 08 95 17 ⒻⒶⓍ 03 88 08 17 41
🍽 9 ⊠ 195/271 F. ▤ 25 F. 🍴 60/180 F.
⏶ 28 F. ⚏ 235/287 F.
⊠ jeu.
Ⓔ Ⓓ ☎ 🚗 ⅃ CV ♠ CB

GEUDERTHEIM (B2)
67170 Bas Rhin
2000 hab.

▲▲ DE LA COURONNE ★★
47, rue Général de Gaulle.
Mme Faullimmel
☎ 03 88 51 82 93
🍽 26 ⊠ 150/250 F. ▤ 30 F.
🍴 65/200 F. ⏶ 45 F. ⚏ 200/250 F.
⊠ ven. et dim. soir.
Ⓔ Ⓓ 🗇 ☎ 🚗 ⛱ ♿ CV ▥ ♠ CB
🗎 ⒸⓇ

GRANDFONTAINE (A2)
67130 Bas Rhin
727 m. ● 300 hab. 🛈

▲▲ DU DONON ★★
(Au Col). M. Ley
☎ 03 88 97 20 69 ⒻⒶⓍ 03 88 97 20 17
🍽 22 ⊠ 200/310 F. ▤ 35 F.
🍴 60/220 F. ⏶ 39 F. ⚏ 245/290 F.
⊠ 10/15 mars, 17 nov./7 déc. et jeu. hs.
Ⓔ Ⓓ 🗇 ☎ 🚗 🚙 ➘ ⅃ ⏱ ▶.
♿ CV ▥ ♠ CB 🚗 ⒸⓇ

HAGUENAU (B1)
67500 Bas Rhin
27675 hab. 🛈

▲▲ LES PINS ★★
112, route de Strasbourg.
M.Me Oberlé
☎ 03 88 93 68 40 ⒻⒶⓍ 03 88 93 34 14
🍽 18 ⊠ 290 F. ▤ 35 F. 🍴 100 F.
⏶ 50 F. ⚏ 250 F.
⊠ rest. dim.
Ⓔ Ⓓ 🗇 ⒸⒼ ☎ 🚗 🚙 ⊷ ⛱ CV ▥
CB ⒸⓇ

Le HOHWALD (A3)
67140 Bas Rhin
750 m. ● 400 hab. 🛈

▲ AU PAVILLON DE CHASSE
16, rue du Herrenhaus. Mme Knobloch
☎ 03 88 08 30 08 ⒻⒶⓍ 03 88 08 32 13
🍽 20 ⊠ 200/245 F. ▤ 38 F.
🍴 100/120 F. ⏶ 40 F. ⚏ 258 F.
⊠ 20 oct./30 nov.
Ⓔ Ⓓ SP ☎ 🚗 ⛱ ▦ ✚ ⅃ CV
▥ ♠

▲▲ MARCHAL ★★
12, rue Wittertalhof.
M. Marchal
☎ 03 88 08 31 04 ⒻⒶⓍ 03 88 08 34 05
🍽 15 ⊠ 275/330 F. ▤ 35 F.
🍴 98/190 F. ⏶ 50 F. ⚏ 275 F.
⊠ 15 nov./15 déc. Rest. dim. soir et lun.
midi sauf juil./août .
Ⓔ Ⓓ ☎ 🚗 ⛱ ▦ ⅃ ⊘ ▥ ♠ CB

HUTTENHEIM (B3)
67230 Bas Rhin
>>> *voir BENFELD*

INNENHEIM (B2)
67880 Bas Rhin
870 hab.

▲▲▲ AU CEP DE VIGNE ★★
Route de Barr.
Mme Schaal
☎ 03 88 95 75 45 FAX 03 88 95 79 73
🛏 40 ⊗ 180/400 F. ☰ 38 F.
🍴 95/235 F. 🛏 55 F. ⚑ 220/300 F.
⊠ 15/28 fév. Rest. lun.

ITTENHEIM (B2)
67117 Bas Rhin
1700 hab.

▲▲ AU BOEUF ★★
17, route de Paris.
M. Colin
☎ 03 88 69 01 42 FAX 03 88 69 08 28
🛏 10 ⊗ 250 F. ☰ 28 F. 🍴 80/185 F.
🛏 55 F. ⚑ 250 F.
⊠ 24 déc./6 janv., 2/16 juil. et lun.

ITTERSWILLER (A3)
67140 Bas Rhin
280 hab. 🆈

▲▲▲ ARNOLD ★★★
Route du Vin.
Mme Arnold
☎ 03 88 85 50 58 FAX 03 88 85 55 54
🛏 28 ⊗ 350/690 F. ☰ 48 F.
🍴 130/395 F. 🛏 65 F. ⚑ 340/700 F.
⊠ rest. dim. soir et lun. 1er nov./
31 mai, lun. 1er juin/31 oct.

LALAYE (A3)
67220 Bas Rhin
350 hab.

▲ DES SAPINS
Sur N.19.
M. Adrian
☎ 03 88 57 13 10
🛏 6 ⊗ 150/200 F. ☰ 30 F. 🍴 55/150 F.
🛏 65 F. ⚑ 200 F.
⊠ 1er/15 fév. et lun.

MITTELBERGHEIM (A3)
67140 Bas Rhin
640 hab.

▲▲ GILG ★★
1, route du Vin.
M. Gilg
☎ 03 88 08 91 37 FAX 03 88 08 45 17
🛏 11 ⊗ 250/400 F. ☰ 35 F.
🍴 102/350 F.
⊠ 23 juin/9 juil., 5/28 janv., mar. soir
et mer.

MITTELHAUSBERGEN (B2)
67206 Bas Rhin
1425 hab.

▲▲ AU TILLEUL ★★
5, route de Strasbourg. M.Me Lorentz
☎ 03 88 56 18 31 FAX 03 88 56 07 23
🛏 12 ⊗ 300/340 F. ☰ 30 F.
🍴 45/200 F. 🛏 45 F. ⚑ 230/260 F.
⊠ rest. mer.

MITTELHAUSEN (B2)
67170 Bas Rhin
485 hab.

▲▲▲ A L'ETOILE ★★
12, rue de la Hey. M. Bruckmann
☎ 03 88 51 28 44 FAX 03 88 51 24 79
🛏 23 ⊗ 230/270 F. ☰ 27 F.
🍴 60/210 F. 🛏 50 F. ⚑ 240 F.
⊠ rest. 2/10 janv., 13 juil./6 août, dim.
soir et lun.

MOLLKIRCH (A2)
67190 Bas Rhin
500 hab.

▲▲ FISCHHUTTE ★★
Route de Grendelbruch. M. Schahl
☎ 03 88 97 42 03 FAX 03 88 97 51 85
🛏 17 ⊗ 200/340 F. ☰ 38 F.
🍴 72/300 F. 🛏 70 F. ⚑ 245/330 F.
⊠ 10 fév./14 mars et 23 juin/4 juil. Rest.
lun. soir et mar.

MOLSHEIM (A2)
67120 Bas Rhin
8000 hab. 🆈

▲▲ AU CHEVAL BLANC ★★
Place de l'Hôtel de Ville. M. Ferrenbach
☎ 03 88 38 16 87 FAX 03 88 38 20 96
🛏 13 ⊗ 160/260 F. ☰ 33 F.
🍴 65/165 F. 🛏 38 F.
⊠ 10 fév./3 mars, 18 nov./2 déc., dim.
soir et lun.

▲▲ DU CENTRE ★★
1, rue Saint-Martin. Mme Heiligenstein
☎ 03 88 38 54 50 FAX 03 88 49 82 57
🛏 29 ⊗ 180/280 F. ☰ 40 F.
⚑ 200/250 F.

MORSBRONN LES BAINS (B1)
67360 Bas Rhin
540 hab.

▲▲ RITTER HOFT ★★
23, rue Principale. Mme Ritter
☎ 03 88 54 07 37 FAX 03 88 09 33 39
🛏 16 ⊗ 220/260 F. ☰ 32 F.
🍴 60/260 F. 🛏 25 F. ⚑ 280 F.

MOTHERN (B1)
67470 Bas Rhin
1721 hab.

A L'ANCRE ★★
2, route de Lauterbourg.
Mme Paul
☎ 03 88 94 81 99 FAX 03 88 54 67 74
13 ⌧ 270 F. ⬛ 35 F. ⫟ 75/200 F.
45 F.
⌧ rest. mar. soir et mer.

MUTZIG (A2)
67190 Bas Rhin
5000 hab.

HOSTELLERIE DE LA POSTE ★★
4, place de la Fontaine.
Mlle Pfeiffer
☎ 03 88 38 38 38 FAX 03 88 49 82 05
19 ⌧ 210/315 F. ⬛ 38 F.
100/310 F. 45 F. 263/325 F.
⌧ rest. 6/24 janv.

NATZWILLER (A2)
67130 Bas Rhin
650 m. • 800 hab.

METZGER ★★
55, rue Principale.
M. Metzger
☎ 03 88 97 02 42 FAX 03 88 97 93 59
10 ⌧ 260/280 F. ⬛ 40 F.
60/280 F. 45 F. 270/290 F.
⌧ 7/20 janv., 23/30 juin, dim. soir et
lun. sauf juil./août.

NIEDERBRONN LES BAINS (B1)
67110 Bas Rhin
5000 hab.

MULLER ★★★
16, av. de la Libération. M. Muller
☎ 03 88 63 38 38 FAX 03 88 09 02 79
44 ⌧ 250/415 F. 39/ 50 F.
56/218 F. 46 F. 275/328 F.
⌧ rest. janv. et lun.

NIEDERSCHAEFFOLSHEIM (B2)
67500 Bas Rhin
1220 hab.

AU BOEUF ROUGE ★★
39, rue Général de Gaulle. M. Golla
☎ 03 88 73 81 00 FAX 03 88 73 89 71
15 ⌧ 270/330 F. 40 F.
120/320 F. 55 F. 260/280 F.
⌧ 15 juil./4 août, vac. scol. fév., dim.
soir et lun. sauf fêtes.

NIEDERSTEINBACH (B1)
67510 Bas Rhin
200 hab.

CHEVAL BLANC ★★
11, rue principale. M. Zinck
☎ 03 88 09 55 31 FAX 03 88 09 50 24
26 ⌧ 250/330 F. 46 F.
93/295 F. 35 F. 270/310 F.
⌧ 27 janv./6 mars, 15 jours mi-juin, 10
jours déc. et jeu.

OBERNAI (A-B2)
67210 Bas Rhin
10000 hab.

DE LA CLOCHE ★★
90, rue Général Gouraud.
Mme Drendel
☎ 03 88 95 52 89 FAX 03 88 95 07 63
20 ⌧ 260/290 F. 35 F. 35 F.
245/260 F.
⌧ 1ère quinzaine janv.

DES VOSGES ★★
5, place de la Gare. M. Weller
☎ 03 88 95 53 78 FAX 03 88 49 92 65
20 ⌧ 290/300 F. 45 F.
85/300 F. 50 F. 310 F.
⌧ 13 janv./3 fév. et 22 juin/7 juil. Rest.
dim. soir et lun. hs, lun. en saison.

HOSTELLERIE DUC D'ALSACE ★★★
6, place de la Gare.
M. Rothenburger
☎ 03 88 95 55 34 FAX 03 88 95 00 92
19 ⌧ 300/460 F.
⌧ janv./fév. Rest. dim. soir et lun.

HOSTELLERIE LA DILIGENCE ★★
23, place de la Mairie.
Mme Fritz-Garstecki
☎ 03 88 95 55 69 FAX 03 88 95 42 46
41 ⌧ 168/450 F. 50 F.

OBERSTEINBACH (B1)
67510 Bas Rhin
201 hab.

ALSACE VILLAGES ★★
49, rue Principale.
MeM. Zérafa/Ullmann
☎ 03 88 09 50 59 FAX 03 88 09 53 56
10 ⌧ 165/245 F. 39 F.
85/118 F.
⌧ 10 nov./10 déc. et janv. Rest. lun.

ORSCHWILLER (A3)
67600 Bas Rhin
650 m. • 605 hab. 🛈

🏨 DU HAUT KOENIGSBOURG ★★
Route du Haut Koenigsbourg.
Mme Springinsfeld
☎ 03 88 92 10 92 📠 03 88 82 50 04
🛏 26 ⬡ 200/285 F. 🍴 40 F.
🍽 55/195 F. 🏃 50 F. 🅿 285 F.
✉ janv.
[E] [D] 🖥 🖨 🚗 ⬍ 🌳 🏃 🚲 [CV] ▮▮ [CR]

OTTROTT (A2)
67530 Bas Rhin
1600 hab. 🛈

🏨 A L'AMI FRITZ ★★
8, rue du Vignoble. M. Fritz
☎ 03 88 95 80 81 \ 03 88 95 87 39
📠 03 88 95 84 85
🛏 17 ⬡ 235/450 F. 🍽 125/295 F.
🏃 50 F. 🅿 335/365 F.
✉ 4/19 janv. et mer.
[E] [D] 🖥 🖨 🚗 🌳 🛗 🚲 ▮▮ ▸ [CB]

🏨🏨 BEAU SITE ★★★
A Ottrot le Haut. Place de l'Eglise.
M.Me Schaetzel
☎ 03 88 95 80 61 📠 03 88 95 86 41
🛏 18 ⬡ 440/800 F. 🍽 55 F.
🍽 100/200 F. 🏃 50 F. 🅿 475/700 F.
✉ 31 janv./1er mars.
[E] [D] 🖥 🖨 🚗 🚗 🖨 🌳 🏃 🚲 ▮▮
▸ [CB]

🏨🏨 DOMAINE LE MOULIN ★★
32, route de Klingenthal. M. Schreiber
☎ 03 88 95 87 33 📠 03 88 95 98 03
🛏 20 ⬡ 295/400 F. 🍴 40 F.
🍽 120/250 F. 🏃 65 F. 🅿 310/360 F.
✉ 20 déc./15 janv. Rest. sam. midi.
[D] 🖥 🖨 🚗 🚗 ⬍ 🌳 🏹 🏃 🚲 🛗 ▮▮
▸ [CB]

La PETITE PIERRE (A1)
67290 Bas Rhin
640 hab. 🛈

🏨🏨 AU LION D'OR ★★
15, rue Principale. M. Velten
☎ 03 88 70 45 06 📠 03 88 70 45 56
🛏 40 ⬡ 200/450 F. 🍽 50 F.
🍽 98/300 F. 🏃 65 F. 🅿 255/390 F.
✉ 4/25 janv.
[E] [D] 🖥 🖨 🚗 ⬍ 🌳 🏹 🛗 🏹 🏃 🚲
[CV] ▮▮ ▸ [CB]

🏨🏨 AUBERGE D'IMSTHAL ★★
Route Forestière d'Imsthal. M. Michaely
☎ 03 88 01 49 00 📠 03 88 70 40 26
🛏 23 ⬡ 300/640 F. 🍽 50 F.
🍽 85/240 F. 🏃 60 F. 🅿 300/500 F.
[E] [D] 🖥 🖨 🚗 ⬍ 🌳 🏹 🏃 🛗 🏃 🚲
▸ 🚲 [CV] ▮▮ ▸ [CB]

Les QUELLES (A2)
67130 Bas Rhin

>>> *voir SCHIRMECK*

SAINT BLAISE LA ROCHE (A3)
67420 Bas Rhin
245 hab. 🛈

🏨🏨 AUBERGE DE LA BRUCHE ★★
Rue Principale. M. Debut
☎ 03 88 97 68 68 📠 03 88 47 22 22
🛏 10 ⬡ 235/275 F. 🍽 38 F.
🍽 55/260 F. 🏃 60 F. 🅿 250/290 F.
✉ 22 déc./22 janv. et lun.
[E] 🖥 🖨 🚗 🚗 🏹 🌳 🏃 🏃 [CV]
▸ [CB] ⟿

SAINT JEAN SAVERNE (A2)
67700 Bas Rhin
563 hab.

🏨🏨 KLEIBER ★★
37, Grande Rue. M. Lorentz
☎ 03 88 91 11 82 📠 03 88 71 09 64
🛏 16 ⬡ 280/350 F. 🍽 35 F.
🍽 100/250 F. 🏃 50 F. 🅿 265/350 F.
✉ 22 déc./15 janv. et dim. soir.
[E] [D] 🖥 🖨 🖨 🚗 🚗 🛗 🏹 🚲 [CV]
▮▮ ▸ [CB] ▮

SAND (B3)
67230 Bas Rhin
950 hab.

🏨🏨 HOSTELLERIE DE LA CHARRUE ★★
4, rue du 1er décembre. M. Neeff
☎ 03 88 74 42 66 📠 03 88 74 12 02
🛏 20 ⬡ 290/320 F. 🍽 35 F.
🍽 75/250 F. 🏃 50 F. 🅿 260 F.
✉ 22 déc./7 janv., Noël, Nouvel An,
lun. et mar. midi.
[E] [D] 🖥 🖨 🚗 🏹 🌳 [CV] ▮▮

SARRE UNION (A1)
67260 Bas Rhin
3130 hab. 🛈

🏨🏨 AU CHEVAL NOIR ★★
16, rue de Phalsbourg. M. Hetzel
☎ 03 88 00 12 71 📠 03 88 00 19 09
🛏 20 ⬡ 130/250 F. 🍽 28 F.
🍽 60/250 F. 🏃 45 F. 🅿 180/220 F.
✉ 1er/21 oct. et lun.
[D] 🖥 🖨 🚗 🌳 🏹 [CV] ▮▮ ▸ [CB]

SAULXURES (A3)
67420 Bas Rhin
400 hab. 🛈

🏨🏨 BELLE-VUE ★★
M. Boulanger
☎ 03 88 97 60 23 📠 03 88 47 23 71
🛏 14 ⬡ 205/300 F. 🍽 36 F.
🍽 99/145 F. 🏃 45 F. 🅿 220/270 F.
✉ mi-janv./mi-fév. et mer.
[E] [D] 🖥 🚗 🏹 🏹 🏃 🚲 🛗 [CV] ▸ [CB]

SAVERNE (A2)
67700 Bas Rhin
11000 hab. [i]

▲▲▲ CHEZ JEAN WINSTUB
S'ROSESTIEBEL ★★
3, rue de la Gare.
M. Harter
☎ 03 88 91 10 19 [FAX] 03 88 91 27 45
[100F] [↑] 20 ▨ 365/450 F. ▤ 45/ 52 F.
[††] 95/220 F. [↯] 55 F. [☎] 330/398 F.
⊠ dim. soir et lun. matin sauf juil./sept.
[E] [D] [▭] [☎] [▤] [↑] [╳] [♨] [CV] [▦] [♠] [CB]

SCHAEFFERSHEIM (B2)
67150 Bas Rhin
580 hab.

▲ A LA COURONNE ★
32, rue Principale.
M. Scheeck
☎ 03 88 98 02 48 [FAX] 03 88 98 09 79
[100F] [↑] 9 ▨ 160/220 F. ▤ 30 F. [††] 40/200 F.
[↯] 45 F. [☎] 180/205 F.
⊠ 1ère quinz. juil., Noël/Nouvel An.
Rest. ven. soir et sam.
[D] [▭] [☎] [▤] [CV] [▦]

SCHERWILLER (A3)
67750 Bas Rhin
2800 hab. [i]

▲▲ AUBERGE RAMSTEIN ★★
1, rue du Riesling.
M.Me Ramstein
☎ 03 88 82 17 00 [FAX] 03 88 82 17 02
[100F] [↑] 10 ▨ 275/345 F. ▤ 40 F.
[††] 100/260 F. [↯] 55 F. [☎] 270/290 F.
⊠ 16 fév./2 mars, 24/25 déc., dim. soir
et mer.
[E] [D] [▭] [☎] [▤] [⊘] [♿] [CV] [▦] [♠] [CB] [▬]

SCHIRMECK (A2)
67130 Bas Rhin
2167 hab.

... *à proximité*

Les QUELLES (A2)
67130 Bas Rhin
600 m. • 15 hab. [i]

6 km S.O. Schirmeck par D 126

▲▲ NEUHAUSER ★★
M. Neuhauser
☎ 03 88 97 06 81 [FAX] 03 88 97 14 29
[↑] 14 ▨ 290/320 F. ▤ 45 F.
[††] 110/300 F. [↯] 80 F. [☎] 320/340 F.
[D] [▭] [☎] [▭] [↑] [╲] [♿] [CV] [♠] [CB]

SELESTAT (A-B3)
67600 Bas Rhin
16000 hab. [i]

▲▲▲ AUBERGE DES ALLIES ★★ & ★★
39, rue des Chevaliers. M. Roesch
☎ 03 88 92 09 34 [FAX] 03 88 92 12 88

[100F] [↑] 17 ▨ 280/360 F. ▤ 35/ 55 F.
[††] 98/145 F. [↯] 45 F. [☎] 300/350 F.
⊠ rest. dim. soir et lun.
[E] [D] [▭] [☎] [▭] [↑] [╳] [♿] [CV] [▦] [♠] [CB] [GR]

▲▲ VAILLANT ★★
Place de la République. Mme Faller
☎ 03 88 92 09 46 [FAX] 03 88 82 95 01
[↑] 47 ▨ 250/380 F. ▤ 30/ 50 F.
[††] 88/225 F. [↯] 48 F. [☎] 250/315 F.
⊠ rest. sam. midi et dim. soir.
[E] [D] [SP] [i] [▭] [cd] [☎] [▭] [▭] [↑] [⛄] [✦]
[╲] [CV] [▦] [♠] [CB]

SOUFFELWEYERSHEIM (B2)
67460 Bas Rhin
6000 hab.

▲ HOSTELLERIE DU CERF BLANC ★★
12, route de Bischwiller. Mme Fristch
☎ 03 88 20 05 07 [FAX] 03 88 20 10 42
[↑] 6 ▨ 250/300 F. ▤ 30 F. [††] 80/150 F.
[↯] 40 F.
⊠ rest. mer.
[E] [D] [▭] [☎] [▭] [▭] [CV] [♠] [CB]

STRASBOURG (B2)
67000 Bas Rhin
300000 hab. [i]

▲▲ AU CERF D'OR ★★
6, place de l'Hôpital.
M. Erb
☎ 03 88 36 20 05 [FAX] 03 88 36 68 67
[100F] [↑] 37 ▨ 300/400 F. ▤ 35 F.
[††] 58/250 F. [↯] 49 F. [☎] 280/335 F.
⊠ 24 déc./2 janv.
[E] [D] [i] [▭] [☎] [↑] [╳] [♨] [♨] [CV] [▦]

▲▲ CAVEAU DE LA TOUR
Rest. TERRASSE ★★
18, rue de la Tour. M. Oesterlé
☎ 03 88 29 41 41 [FAX] 03 88 29 57 70
[120F] [↑] 38 ▨ 260/340 F. ▤ 42 F.
[††] 69/145 F. [↯] 65 F. [☎] 245/265 F.
⊠ rest. sam./dim. sauf mai/juin.
[E] [D] [i] [▭] [cd] [☎] [▭] [▭] [↑] [♿] [CV] [▦]
[♠] [CB] [GR]

▲▲ LE SAINT CHRISTOPHE ★★
2, place de la Gare.
MeM. Le Quellec
☎ 03 88 22 30 30 [FAX] 03 88 32 17 11
[100F] [↑] 70 ▨ 350/380 F. ▤ 39 F.
[††] 64/100 F. [↯] 35 F.
[E] [D] [i] [▭] [☎] [↑] [♿] [CV] [▦] [♠] [CB]
[▬] [GR]

▲ VENDOME Rest. EXPRESSO ★★
17-19, rue du Maire Kuss
M.Me Du Jonchay
☎ 03 88 32 45 23 [FAX] 03 88 32 23 02
[100F] [↑] 48 ▨ 340/410 F. ▤ 35 F.
[††] 60/ 80 F. [↯] 40 F. [☎] 265/315 F.
⊠ rest. 25/26 déc.
[E] [D] [▭] [☎] [↑] [╳] [CV] [♠] [CB] [GR]

... à proximité

ECKBOLSHEIM (B2)
67201 Bas Rhin
5263 hab.

limite Ouest Strasbourg par A 351 sortie N°4

⌂⌂⌂ YG HOTEL ★★
14, rue Jean Monnet. M. Gilbert
☎ 03 88 77 85 60 FAX 03 88 77 85 33
🍲 120F 🔑 67 🛏 270/450 F. ☕ 35 F.
🍴 56/125 F. 👪 40 F. ½ 260/310 F.
E D i ⌂ C+ ☎ 🚗 ⋈ ⛱ 🏊 🎾 🏃 ♿ CV ⁙ 🐕 CB ☎CR

URMATT (A2)
67280 Bas Rhin
1243 hab.

⌂⌂ DE LA POSTE ★★
74, rue Genéral de Gaulle. M. Gruber
☎ 03 88 97 40 55 FAX 03 88 47 38 32
🔑 13 🛏 220/240 F. ☕ 36 F.
½ 240/270 F.
☒ 9/23 fév., 1er/15 juil., 23/31 déc. et lun.
E D ⌂ ☎ 🚗 ⋈ ⛱ 🏃 ⁙ 🍴 CB

⌂⌂⌂ LE CLOS DU HAHNENBERG ★★★
65, rue du Général de Gaulle M. Baur
☎ 03 88 97 41 35 FAX 03 88 47 36 51
🍲 100F 🔑 33 ☕ 46 F. 🍴 60/180 F. 👪 39 F.
½ 295 F.
E D i ⌂ C+ ☎ 🚗 ↕ ⋈ ⛱ 🏊 👥 ✱ 🎾 🏃 🚲 ♿ CV ⁙ 🐕 CB 💼 ☎CR

La VANCELLE (A3)
67730 Bas Rhin
244 hab.

⌂⌂ ELISABETH ★★
5, rue Général de Gaulle. M. Hertling
☎ 03 88 57 90 61 FAX 03 88 57 91 51
🍲 120F 🔑 12 🛏 230/250 F. ☕ 45 F.
🍴 128/240 F. 👪 45 F. ½ 220/260 F.
☒ 3/20 janv., dim. soir et lun.
E D ⌂ ☎ 🚗 ⛱ 🏃 ♿ CV ⁙ 🐕 CB 💼

⌂⌂ FRANKENBOURG ★★
13, rue du Général de Gaulle.
M. Buecher
☎ 03 88 57 93 90 FAX 03 88 57 91 31
🍲 100F 🔑 11 🛏 235/255 F. ☕ 36 F.
🍴 54/265 F. 👪 60 F. ½ 235/255 F.
☒ 15 fév./8 mars, 1er/10 juil. et mer.
D ⌂ ☎ 🚗 ⛱ 🏃 ♿ CV 🐕 CB

VENDENHEIM (B2)
67550 Bas Rhin
3539 hab.

⌂ DE LA FORET
Sur D. 64. Mme Eckly
☎ 03 88 20 01 15 FAX 03 88 20 55 09
🍲 100F 🔑 8 🛏 220 F. ☕ 25 F. 🍴 40/188 F.
👪 40 F. ½ 180/200 F.
☒ 25 déc./3 janv. Rest. lun.
E D ⌂ ☎ 🚗 ⛱ CV

VILLE (A3)
67220 Bas Rhin
1601 hab. ⓘ

⌂⌂ LA BONNE FRANQUETTE ★★
6, place du Marché. M. Schreiber
☎ 03 88 57 14 25 FAX 03 88 57 08 15
🍲 100F 🔑 10 🛏 225/335 F. ☕ 40 F.
🍴 46/350 F. 👪 55 F. ½ 245/285 F.
☒ 15/25 nov. et 10/28 fév. Rest. mer. soir et jeu.
E D ⌂ ☎ ⋈ CV ⁙ 🐕 CB

WANGENBOURG (A2)
67710 Bas Rhin
350 hab. ⓘ

⌂⌂⌂ DU FREUDENECK ★★
(3 Freudeneck). M. Wagner
☎ 03 88 87 32 91 FAX 03 88 87 36 78
🍲 120F 🔑 9 🛏 310/330 F. ☕ 40 F. 🍴 56/255 F.
👪 50 F. ½ 300 F.
D ⌂ ☎ 🚗 ♨ ⛱ 🏃 ♿ CV ⁙ 🐕 CB 💼

⌂⌂⌂ PARC HOTEL ★★★
M. Gihr
☎ 03 88 87 31 72 FAX 03 88 87 38 00
🍲 120F 🔑 21 🛏 308/415 F. ☕ 50 F.
🍴 110/265 F. 👪 60 F. ½ 315/380 F.
☒ 3 nov./22 déc. et 3 janv./22 mars.
E D i ⌂ ☎ 🚗 🚗 ↕ ⛱ 🏊 👥 ✱ 🎾 🏃 🚲 ⁙ CB

WASSELONNE (A2)
67310 Bas Rhin
5000 hab. ⓘ

⌂⌂ AU SAUMON ★★
69, rue Général de Gaulle. M. Welty
☎ 03 88 87 01 83 FAX 03 88 87 46 69
🍲 120F 🔑 12 🛏 140/240 F. ☕ 33 F.
🍴 90/170 F. 👪 45 F. ½ 210/260 F.
☒ 20 déc./4 janv., dim. soir et lun. hs.
E D ⌂ ☎ 🚲 ♿ CV ⁙ 🐕 CB

⌂⌂ RELAIS DE WASSELONNE ★★
Route de Romanswiller, Centre de Loisirs. M. Hemery
☎ 03 88 87 29 10 FAX 03 88 87 22 67
🍲 100F 🔑 18 🛏 260/270 F. ☕ 35 F.
🍴 100/170 F. 👪 50 F. ½ 245/260 F.
E D ⌂ ☎ ⛱ 👥 🏃 🚲 ♿ CV ⁙ 🐕 CB

WISSEMBOURG (B1)
67160 Bas Rhin
7000 hab. ⓘ

⌂⌂ DE LA WALK ★★
2, rue de la Walk. M. Schmidt
☎ 03 88 94 06 44 FAX 03 88 54 38 03
🔑 25 🛏 270/360 F. ☕ 40 F.
🍴 120/220 F. 👪 60 F. ½ 340/380 F.
☒ 10 janv./1er fév., 16 juin/2 juil., dim. soir et lun.
E D ⌂ ☎ 🚗 ⋈ ⛱ ♿ CV ⁙ 🍴 CB

WISSEMBOURG (B1) (suite)

▲▲ DU CYGNE ★★
3, rue du Sel. M. Kientz
☎ 03 88 94 00 16 FAX 03 88 54 38 28
🛏 16 ⊗ 275/400 F. ☲ 35 F.
🍴 120/350 F. 🍽 65 F. 🛏 300/320 F.
⊠ fév., 1er/16 juil., mer. et jeu. midi.
🄴 🄳 ⌂ ☎ 🚗 ⋈ 🦮 CB

WOLFISHEIM (A-B2)
67202 Bas Rhin
2186 hab.

▲ AU LION ROUGE ★★
29, rue des Seigneurs. M. Fuchs
☎ 03 88 78 18 19 FAX 03 88 77 33 85
🛏 14 ⊗ 200 F. ☲ 27 F. 🍴 70 F.
🛏 190/195 F.
⊠ 14 juil./8 août. Rest. ven. et
sam. midi.
🄴 🄳 ⌂ ☎ 🚗 CV 🦮 CB

**Pour réserver votre séjour selon vos critères et
bénéficier des promotions spéciales, appelez la centrale
de réservation Logis de France. Tél. : 01 45 84 83 84.**

**Liste des
hôtels-restaurants**

Haut-Rhin

C.R.T Alsace

Association départementale
des Logis de France du Haut-Rhin
C.C.I.
2, rue Georges Lasch
B.P. 7
68001 Colmar
Téléphone 03 89 20 20 20

ALSACE

67 BAS-RHIN

Strasbourg

Colmar

68 HAUT-
RHIN

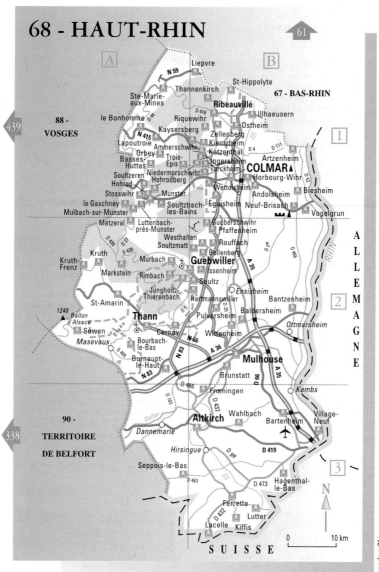

68 - HAUT-RHIN

61

A   **B**

Liepvre

N 59

St-Hippolyte

Thannenkirch

67 - BAS-RHIN

Ste-Marie-
aux-Mines

Ribeauvillé

D 416

Illhaeusern

88 -
VOSGES

439

le Bonhomme

D 48

Riquewihr

Ostheim

Zellenberg

Kaysersberg

1

N 415

Kientzheim

D 111

Lapoutroie

Ammerschwihr

Katzenthal

D 4

Artzenheim

Orbey

Trois-
Epis

Jngersheim

COLMAR

Basses-
Huttes

Niedermorschwihr

Turckheim

Horbourg-Wihr

D 52

Soultzeren

Hohrodberg

Wettolsheim

Blesheim

Hohrod

Stosswihr

Munster

Andolsheim

Neuf-Brisach

le Gaschney

Soultzbach-
les-Bains

Eguisheim

Mulbach-sur-Munster

Vogelgrun

Metzeral

Luttenbach-
près-Munster

Buebenschwihr

Pfaffenheim

A

D 430

D 27

Westhalten

Rouffach

L

Kruth

D 430

Soultzmatt

L
E

Kruth-
Frenz

Murbach

Bollenberg

D 28

D 468

M

Markstein

Rimbach

Guebwiller

A 35

A

Issenheim

G

Jungholtz-
Thierenbach

Soultz

D 5

Ensisheim

D 30

Bantzenheim

2

N

St-Amarin

Hartmannswiller

Baldersheim

1248

Ballon
d'Alsace

Thann

Pulversheim

RHIN

Ottmarsheim

Sewen

Cernay

Wittenheim

A 36

N 66

Masevaux

Bourbach-
le-Bas

N 83

Mulhouse

Kembs

A 35

Burnaupt-
le-Haut

N 83

Brunstatt

99

D 466

Froeningen

Village-
Neuf

90 -
TERRITOIRE
DE BELFORT

338

Dannemarie

Altkirch

Wahlbach

D 103

D 432

Bartenheim

D 419

Doller

Hirsingue

D 98

3

Seppois-le-Bas

Hagenthal-
le-Bas

D 463

D 473

N

Ferrette

D 432

Lutter

Lucelle

Kiffis

0   10 km

Légende p 21

S U I S S E

A
L
L
E
M
A
G
N
E

ALTKIRCH (B3)
68130 Haut Rhin
6000 hab. ℹ️

AUBERGE SUNDGOVIENNE ★★
Direction Rte de Belfort, sortie Altkirch
M. Keller
☎ 03 89 40 97 18 FAX 03 89 44 67 73
🛏 29 ⬜ 220/310 F. ▤ 30 F.
🍴 97/210 F. 🍽 65 F. ⬛ 210/270 F.
✉ 23 déc./1er fév., lun., mar. jusqu'à
17h.

AMMERSCHWIHR (A-B1)
68770 Haut Rhin
1500 hab. ℹ️

A L'ARBRE VERT ★★
MM. Gebel/Tournier
☎ 03 89 47 12 23 FAX 03 89 78 27 21
🛏 17 ⬜ 220/350 F. ▤ 35 F.
🍴 80/225 F. 🍽 45 F. ⬛ 280/360 F.
✉ mar.(permanence hôtel mar.
17h30/19h).

ANDOLSHEIM (B1)
68280 Haut Rhin
1800 hab.

DU SOLEIL ★★
1, rue de Colmar. M. Carbonnel
☎ 03 89 71 40 53 FAX 03 89 71 40 36
🛏 18 ⬜ 120/250 F. ▤ 32 F.
🍴 120/240 F. 🍽 75 F. ⬛ 210/275 F.
✉ 25 janv./7 mars, mer., mar. et mer.
nov./janv.

ARTZENHEIM (B1)
68320 Haut Rhin
510 hab.

AUBERGE D'ARTZENHEIM ★★
30, rue du Sponeck.
Mme Husser-Schmitt
☎ 03 89 71 60 51 FAX 03 89 71 68 21
🛏 10 ⬜ 255/340 F. ▤ 40 F.
🍴 120/335 F. 🍽 68 F. ⬛ 275/350 F.
✉ 15 fév./15 mars, lun. soir et mar. soir.

BALDERSHEIM (B2)
68390 Haut Rhin

>>> *voir MULHOUSE*

BANTZENHEIM (B2)
68490 Haut Rhin
1500 hab.

DE LA POSTE ★★
1, rue de Bâle. M. Behe
☎ 03 89 26 04 26
🛏 19 ⬜ 180/250 F. ▤ 25 F.
🍴 75/120 F. 🍽 30 F. ⬛ 180/200 F.
✉ 23 déc./2 janv. Rest. sam. soir et dim.

BARTENHEIM (B3)
68870 Haut Rhin
2452 hab.

AU LION ROUGE
1, rue Général de Gaulle.
M. Koenig
☎ 03 89 68 30 29 FAX 03 89 68 26 98
🛏 20 ⬜ 150/250 F. ▤ 30 F.
🍴 100/280 F. 🍽 45 F.
✉ 24 juil./13 août.

BASSES HUTTES (A1)
68370 Haut Rhin

>>> *voir ORBEY*

BIESHEIM (B1)
68600 Haut Rhin
3000 hab.

2 CLEFS ★★★
50, Grand'Rue. M. Groff
☎ 03 89 72 51 20 FAX 03 89 72 92 94
🛏 28 ⬜ 280/420 F. ▤ 40 F.
🍴 120/270 F. 🍽 60 F. ⬛ 300/350 F.
✉ 1er/15 janv. Dîner 24 et 25 déc.

BOLLENBERG ROUFFACH (B2)
68250 Haut Rhin
5102 hab. ℹ️

DU BOLLENBERG ★★★
(Domaine du Bollenberg).
Mme Holtzheyer
☎ 03 89 49 62 47 \ 03 89 49 60 04
FAX 03 89 49 77 66
🛏 45 ⬜ 300/360 F. ▤ 50 F. ⬛ 370 F.

Le BONHOMME (A1)
68650 Haut Rhin
700 m. • 628 hab. ℹ️

DE LA POSTE ★★
Rue du 5ème Spahi.
MM. Toscani/Petitdemange
☎ 03 89 47 51 10 FAX 03 89 47 23 85
🛏 23 ⬜ 200/300 F. ▤ 40 F.
🍴 65/220 F. 🍽 50 F. ⬛ 220/280 F.
✉ nov., 10 jours janv., 10 jours mars,
mar. soir et mer. hors vac. scol., mer.
midi en saison.

TETE DES FAUX ★★
M.Me Secourgeon
☎ 03 89 47 51 11
🛏 11 ⬜ 165/250 F. ▤ 36 F.
🍴 80/150 F. 🍽 60 F. ⬛ 175/240 F.
✉ nov. et mar. hs.

BOURBACH LE BAS (A2)
68290 Haut Rhin
520 hab.

⌂ LA COURONNE D'OR ★★
9, rue Principale. M. Muninger
☎ 03 89 82 51 77 FAX 03 89 82 58 03
🛏 7 ◈ 280 F. 🍽 30 F. 🍴 50/205 F.
45 F. 220 F.
✉ lun.

BRUNSTATT (B2)
68350 Haut Rhin

>>> *voir MULHOUSE*

BURNHAUPT LE HAUT (A2)
68520 Haut Rhin
1426 hab.

⌂⌂ DE L'AIGLE D'OR
Rest. LE COQUELICOT ★★
24, rue du Pont d'Aspach. M. Gebel
☎ 03 89 83 10 10 FAX 03 89 83 10 33
🛏 26 ◈ 275/350 F. 🍽 42 F.
🍴 79/265 F. 42 F. 255/285 F.
✉ sam. midi.

CERNAY (A2)
68700 Haut Rhin
11000 hab. 🅸

⌂⌂ BELLE-VUE ★★
10, rue Maréchal Foch. M. Rietsch
☎ 03 89 75 40 15 FAX 03 89 75 74 81
🛏 24 ◈ 150/390 F. 🍽 40 F.
🍴 70/220 F. 50 F. 210/280 F.
✉ dim. et sam. midi. Hôtel 20 déc./
10 janv. Rest. 20 déc./20 janv.

⌂⌂ DES TROIS ROIS ★★★
2, rue de Thann. Mme Zampieri
☎ 03 89 75 40 54 FAX 03 89 39 91 78
🛏 10 ◈ 270/280 F. 🍽 35 F.
🍴 56/170 F. 40 F. 210/220 F.
✉ 14 janv./10 fév., ven. et dim. soir.

⌂⌂ HOSTELLERIE D'ALSACE ★★
61, rue Poincaré. M. Liermann
☎ 03 89 75 59 81 FAX 03 89 75 70 22
🛏 10 ◈ 245/280 F. 🍽 38 F.
🍴 98/305 F. 60 F. 200/230 F.
✉ 21 juil./12 août, 26 déc./5 janv., dim.
soir et lun.

COLMAR (B1)
68000 Haut Rhin
63700 hab. 🅸

⌂⌂ BEAUSEJOUR ★★
25, rue du Ladhof. Mme Keller
☎ 03 89 41 37 16 FAX 03 89 41 43 07

🛏 44 ◈ 250/520 F. 🍽 45 F.
🍴 110/210 F. 45 F. 280/450 F.

⌂⌂ RAPP HOTEL ★★
1-3-5, rue Weinemer.
M. Dorffer
☎ 03 89 41 62 10 FAX 03 89 24 13 58
🛏 42 ◈ 330/415 F. 🍽 40 F.
🍴 95/315 F. 50 F. 325/350 F.
✉ rest. 15/31 janv., 25 juin/10 juil.,
mar. et sam. midi.

EGUISHEIM (B1)
68420 Haut Rhin
1500 hab. 🅸

⌂⌂ AUBERGE ALSACIENNE ★★★
12, Grand Rue. Mme Peter
☎ 03 89 41 50 20 FAX 03 89 23 89 32
🛏 19 ◈ 245/300 F. 🍽 35 F.
🍴 69/198 F. 45 F. 260/280 F.
✉ 15/30 juin et 21 déc./15 janv.

⌂⌂ AUBERGE DES COMTES ★★
1, place Charles de Gaulle. M. Stoffel
☎ 03 89 41 16 99 FAX 03 89 24 97 10
🛏 18 ◈ 170/315 F. 🍽 38/ 52 F.
🍴 70/220 F. 45 F. 200/290 F.
✉ fin juin-début juillet, mer. en saison,
mar. soir et mer.hs.

⌂⌂⌂ HOSTELLERIE DU PAPE ★★★
10 Grand'Rue. M. Huber
☎ 03 89 41 41 21 FAX 03 89 41 41 31
🛏 33 ◈ 340/490 F. 🍽 50 F.
🍴 90/290 F. 55 F. 360 F.
✉ 6 janv./10 fév., dim. soir et lun.

FERRETTE (B3)
68480 Haut Rhin
1100 hab. 🅸

⌂ COLLIN ★★
M. Collin
☎ 03 89 40 40 72 FAX 03 89 40 38 26
🛏 9 ◈ 280/300 F. 🍽 32 F. 🍴 55/220 F.
45 F. 250/270 F.
✉ 6/30 sept., 16/31 janv. Rest. mar.
et mer.

⌂⌂ LE FELSENECK ★★
42, rue du Château. Mme De Bessa
☎ 03 89 40 41 54 FAX 03 89 70 70 87
🛏 8 ◈ 240/280 F. 🍽 30 F. 🍴 50/200 F.
40 F. 230 F.
✉ rest. lun.

FROENINGEN (B3)
68720 Haut Rhin
496 hab.

▲▲▲ AUBERGE DE FROENINGEN ★★★
Route d'Illfurth N°2. M. Renner
☎ 03 89 25 48 48 ℻ 03 89 25 57 33
🛏 7 ⌷ 350/400 F. 🍴 42 F. 🍴 80/345 F.
🍴 75 F.
✉ 6/27 janv., 11/25 août, dim. soir et lun.
[E] [D] 🕾 🚗 🚙 🚗 ⬆ 🎿 🌴 🚲 CB

Le GASCHNEY (A1)
68380 Haut Rhin
1100 m. • 50 hab.

▲ SCHALLERN ★
M. Braesch
☎ 03 89 77 61 85 ℻ 03 89 77 63 61
🛏 9 ⌷ 220/280 F. 🍴 32 F. 🍴 70/150 F.
🍴 40 F. 🚙 180/210 F.
✉ 1er/12 avr., 23/28 juin, 12 nov./ 20 déc. et mar.
[E] [D] 🕾 CV 🚗 CB

GUEBERSCHWIHR (B2)
68420 Haut Rhin
727 hab.

▲▲ AU RELAIS DU VIGNOBLE ★★
13, rue des Forgerons. M. Roth
☎ 03 89 49 22 22 ℻ 03 89 49 27 82
🛏 30 ⌷ 240/450 F. 🍴 45 F.
🍴 80/250 F. 🍴 45 F. 🚙 260/280 F.
✉ 1er fév./7 mars. Rest. jeu. et mer. soir 15 nov./15 avr.
[E] [D] 🖥 🕾 🚗 🚙 ⬆ 🎿 🚲 CV 🔌 🚗 CB 📠

GUEBWILLER (A-B2)
68500 Haut Rhin
13000 hab. 🛈

▲▲ D'ALSACE ★★
140, rue de la République. M. Riefle
☎ 03 89 76 83 02 ℻ 03 89 74 17 15
🛏 28 ⌷ 200/450 F. 🍴 45 F.
🍴 55/250 F. 🍴 50 F. 🚙 220/280 F.
[E] [D] 🛈 🖥 🕾 🚗 🚙 CV 🚗 CB

▲▲ DU LAC ★★
Rue de la République. M. Mas
☎ 03 89 76 63 10 ℻ 03 89 74 24 84
🛏 43 ⌷ 220/280 F. 🍴 30 F.
🍴 50/170 F. 🍴 40 F. 🚙 260 F.
✉ rest. lun.
[E] [D] SP 🖥 🕾 🚗 🚙 ⬆ 🎿 🌴 🚲 🎿
🔌 🚗 CB

HAGENTHAL LE BAS (B3)
68220 Haut Rhin
800 hab.

▲▲▲ JENNY ★★★
84, rue de Hegenheim.
Mme Dirrig-Koehl
☎ 03 89 68 50 09 ℻ 03 89 68 58 64
🛏 26 ⌷ 380/490 F. 🍴 50 F.

🍴 55/490 F. 🍴 50 F. 🚙 370/420 F.
✉ 20/30 déc.
[E] [D] SP 🛈 🖥 🕾 🚗 🚙 ⬆ 🎿 🌴 🎿
🚲 🔌 🚿 🎿 🔌 CB 🚗

HARTMANNSWILLER (B2)
68500 Haut Rhin
520 hab.

▲▲ MEYER ★★
49, route de Cernay. M. Meyer
☎ 03 89 76 73 14 ℻ 03 89 76 79 57
🛏 12 ⌷ 260/300 F. 🍴 38 F.
🍴 70/300 F. 🍴 40 F. 🚙 220/285 F.
✉ 15/31 janv., 15/31 oct., sam. midi et ven.
[E] [D] 🖥 🕾 🚗 🚙 🎿 🎿 ✚ 🎿 🎿 🔌 CB

HOHROD (A1)
68140 Haut Rhin
350 hab.

▲ BEAU SITE ★★
3, rue Principale. M. Burger
☎ 03 89 77 31 55
🛏 13 ⌷ 215/270 F. 🍴 30 F.
🍴 72/120 F. 🍴 38 F. 🚙 195/230 F.
✉ 15 nov./1er fév. et mar. hs.
[E] [D] 🕾 🚗 🎿 🎿 CV 🚗 CB

... *à proximité*

HOHRODBERG (A1)
68140 Haut Rhin
750 m. • 120 hab.

4 km Nord Hohrod par D 5 bis

▲▲▲ PANORAMA ★★
3, route du Linge. M. Mahler
☎ 03 89 77 36 53 ℻ 03 89 77 03 93
🛏 30 ⌷ 204/360 F. 🍴 35 F.
🍴 95/215 F. 🍴 42 F. 🚙 200/300 F.
✉ 12 nov./18 déc.
[E] [D] 🖥 🕾 🚗 🚙 ⬆ 🍴 🎿 🎿 🎿
🎿 CV 🔌 🚗 CB

▲▲ ROESS ★★
16, route du Linge. M. Roess
☎ 03 89 77 36 00 ℻ 03 89 77 01 95
🛏 31 ⌷ 220/300 F. 🍴 35 F.
🍴 102/198 F. 🍴 64 F. 🚙 240/290 F.
🍴 7 nov./19 déc.
[E] [D] 🖥 🕾 🚗 🚙 ⬆ 🌴 🎿 🎿 🔌 🚗 CB

HOHRODBERG (A1)
68140 Haut Rhin
⋙ *voir HOHROD*

HORBOURG WIHR (B1)
68180 Haut Rhin
5000 hab.

▲▲ DU CERF ★★
9, Grand'Rue. M. Hagenmuller
☎ 03 89 41 20 35 ℻ 03 89 24 24 98
🛏 25 ⌷ 260/325 F. 🍴 39 F.
🍴 100/195 F. 🍴 55 F. 🚙 255/285 F.
✉ 15 janv./15 mars, mar. soir et mer. hs.
[E] [D] 🖥 🕾 🚗 🚙 🎿 🎿 🎿 CB

ILLHAEUSERN (B1)
68970 Haut Rhin
557 hab.

LES HIRONDELLES ★★
33, rue du 25 Janvier. Mme Muller
☎ 03 89 71 83 76 📠 03 89 71 86 40
🛏 19 ⬡ 250/270 F. 🍽 35 F. 🔆 60 F.
📷 246/275 F.
⊠ hôtel 1er fév./10 mars. Rest.
10 oct./20 mars et dim. soir.
🖃 🅳 🔲 ☎ 🚗 🕸 ▶ 🚶 🔧 ♿ CV 🐾 CB

INGERSHEIM (B1)
68040 Haut Rhin
4500 hab.

KUEHN ★★★
Quai de la Fecht. M. Kuehn
☎ 03 89 27 38 38 📠 03 89 27 00 77
🛏 28 ⬡ 250/380 F. 🍽 38 F.
🍴 140/380 F. 🔆 55 F. 📷 325/365 F.
⊠ 1er/28 fév., dim. soir et lun. hs,
lun. midi et mar. midi en saison.
🖃 🅳 🔲 ☎ 🚗 🛏 🔧 ▶ 🔧 🐾 CB

ISSENHEIM (B2)
68500 Haut Rhin
3000 hab.

DEMI LUNE
9, route de Rouffach. M. Barth
☎ 03 89 76 83 63
🛏 12 ⬡ 130/195 F. 🍽 25 F.
🍴 43/190 F. 🔆 50 F. 📷 160/185 F.
⊠ 22 déc./1er janv. et sam. midi,
ven. soir hiver.
🖃 🅳 ☎ 🚗 ▶ 🔧 CV 🐾 CB

JUNGHOLTZ THIERENBACH (A2)
68500 Haut Rhin
700 hab.

BIEBLER ★★
2, rue de Rimbach. M. Biebler
☎ 03 89 76 85 75 📠 03 89 74 91 45
🛏 7 ⬡ 250/350 F. 🍽 40 F. 🍴 80/280 F.
🔆 50 F. 📷 260 F.
⊠ jeu. soir et ven. hs.
🖃 🅳 🔲 ☎ 🚗 🚗 ▶ 🖊 🔧 CV 🔅
🐾 CB

HOSTELLERIE LES IRIS ★★★
M. Vonesch
☎ 03 89 76 93 01 📠 03 89 74 37 45
🛏 16 ⬡ 350/530 F. 🍽 48 F.
🍴 85/260 F. 🔆 50 F. 📷 310/430 F.
⊠ 15 déc./1er mars et lun.
🖃 🅳 🔲 ☎ 🚗 🚗 ▶ 🔧 CV 🔅 🐾 CB

LES VIOLETTES ★★★
M. Munsch
☎ 03 89 76 91 19 📠 03 89 74 29 12
🛏 24 ⬡ 220/750 F. 🍽 65 F.
🍴 170/410 F. 🔆 95 F.
⊠ rest. lun. soir et mar. sauf fériés.
🖃 🅳 🔲 ☎ 🚗 🚗 🛏 ▶ 🏖 🏕 ♿ 🔅
🐾 CB

KATZENTHAL (B1)
68230 Haut Rhin
505 hab.

A L'AGNEAU ★★
16, Grand Rue.
Mme Meyer
☎ 03 89 80 90 25 📠 03 89 27 59 58
🛏 11 ⬡ 260/290 F. 🍽 35 F.
🍴 70/280 F. 🔆 45 F. 📷 260/290 F.
⊠ 2 janv./26 fév., 9/30 juin, lun. et mar.
midi, lun. et mar. nov./mars.
🖃 🅳 🔲 ☎ 🚗 ▶ 🔧 CV 🐾 CB

KAYSERSBERG (A-B1)
68240 Haut Rhin
3000 hab. 🅸

LES REMPARTS ★★★
4, rue Flieh. Mme Keller
☎ 03 89 47 12 12 📠 03 89 47 37 24
🛏 35 ⬡ 320/420 F. 🍽 40 F.
🖃 🅳 SP 🅸 🔲 ☎ 🚗 🚗 ▶ 🖊 ▶ 🏖 🏖
♿ CV 🔅 🐾 CB 🄲🅁

... à proximité

KIENTZHEIM (B1)
68240 Haut Rhin
933 hab.

3 km Est Kaysersberg par D 28

HOSTELLERIE SCHWENDI ★★
2, place Schwendi. M. Schille
☎ 03 89 47 30 50 📠 03 89 49 04 49
120F
🛏 17 ⬡ 305/350 F. 🍽 35 F.
🍴 90/300 F. 🔆 46 F. 📷 318/340 F.
⊠ 23 déc./15 mars et mar. soir.
🖃 🅳 🔲 ☎ 🚗 🚗 ▶ 🖊 🐾 CB

KIENTZHEIM (B1)
68240 Haut Rhin

>>> *voir KAYSERSBERG*

KIFFIS (B3)
68480 Haut Rhin
600 m. • 220 hab.

AUBERGE DU JURA ★★
45, rue Principale. M. Frank
☎ 03 89 40 33 33 📠 03 89 40 47 81
120F
🛏 8 ⬡ 250/300 F. 🍽 55 F. 🍴 48/300 F.
🔆 48 F. 📷 220/250 F.
⊠ lun.
🖃 🅳 🅸 ☎ 🚗 🚗 ▶ 🖊 CV 🔅 🐾 CB

KRUTH (A2)
68820 Haut Rhin
1100 hab.

AUBERGE DE FRANCE ★★
20, Grande Rue. M. Ruffenach
☎ 03 89 82 28 02 📠 03 89 82 24 05
100F
🛏 16 ⬡ 220/230 F. 🍽 35 F.
🍴 85/210 F. 🔆 50 F. 📷 190/210 F.
⊠ 2 nov./10 déc., 16/29 juin et jeu.
🖃 🅳 🔲 ☎ 🚗 ▶ 🖊 🔧 🐾 CB

KRUTH FRENZ (A2)
68820 Haut Rhin
850 m. • 20 hab.

⚑ DES QUATRE SAISONS ⋆⋆
(Le Frenz). M. Lang
☎ 03 89 82 28 61 📠 03 89 82 21 42
🛏 10 ⊠ 210/250 F. ☰ 43 F.
🍴 75/140 F. 🍽 45 F. 🛏 210/240 F.
⊠ mer. hs.

LAPOUTROIE (A1)
68650 Haut Rhin
750 m. • 2000 hab. ℹ

⚑ A L'OREE DU BOIS ⋆⋆
(N°6 - Faudé).
M. Marchand
☎ 03 89 47 50 30 📠 03 89 47 24 02
🛏 9 ⊠ 230/250 F. ☰ 30 F. 🍴 90/140 F.
🍽 50 F. 🛏 235 F.
⊠ 12 nov./20 déc. Rest.lun. midi

⚑ DU BOUTON D'OR ⋆⋆
31, Bermont.
M. Pierrevelcin
☎ 03 89 47 50 95
🛏 12 ⊠ 260/280 F. ☰ 35 F.
🍴 70/150 F. 🍽 50 F. 🛏 270 F.
⊠ 2 janv./2 fév. et mer.

⚑⚑⚑ DU FAUDE ⋆⋆⋆
M. Baldinger
☎ 03 89 47 50 35 📠 03 89 47 24 82
🛏 25 ⊠ 310/475 F. ☰ 45 F.
🍴 75/375 F. 🍽 40 F. 🛏 300/380 F.
⊠ début nov./début déc. et mi-mars/fin mars.

LIEPVRE (B1)
68660 Haut Rhin
1500 hab.

⚑⚑ AUX DEUX CLEFS ⋆⋆
9, rue de la Gare.
Mlle Herment
☎ 03 89 58 93 29 📠 03 89 58 44 54
🛏 10 ⊠ 235/300 F. ☰ 35 F.
🍴 100/180 F. 🍽 65 F. 🛏 235/350 F.
⊠ 1er/20 mars, 1er/9 juil., 22/31 déc.,
sam. midi, dim. soir et lun., lun. midi
juil./août.

LUCELLE (B3)
68480 Haut Rhin
700 m. • 64 hab.

⚑⚑ LE PETIT KOHLBERG ⋆⋆
Mme Gasser
☎ 03 89 40 85 30 📠 03 89 40 89 40

🛏 35 ⊠ 295 F. ☰ 60 F. 🍴 85/300 F.
🍽 65 F. 🛏 295 F.
⊠ 12/26 fév. Rest. mar.

LUTTENBACH PRES MUNSTER (A1-2)
68140 Haut Rhin
720 hab.

⚑ LE CHALET ⋆⋆
1, route du Ried. M. Spenle
☎ 03 89 77 38 33 📠 03 89 77 15 65
🛏 20 ⊠ 150/300 F. ☰ 40 F.
🍴 60/210 F. 🍽 40 F. 🛏 220/250 F.
⊠ 15 déc./fin janv.

LUTTER (B3)
68480 Haut Rhin
260 hab.

⚑⚑ AUBERGE ET HOSTELLERIE
PAYSANNE ⋆⋆
Mme Litzler
☎ 03 89 40 71 67 📠 03 89 07 33 38
🛏 16 ⊠ 290/430 F. ☰ 38 F.
🍴 48/300 F. 🍽 50 F. 🛏 275/330 F.
⊠ lun.

MARKSTEIN (A2)
68610 Haut Rhin
1240 m. • 640 hab. ℹ

⚑⚑ WOLF ⋆⋆
M. Wolf
☎ 03 89 82 61 80 📠 03 89 38 72 06
🛏 20 ⊠ 175/315 F. ☰ 48 F.
🍴 75/180 F. 🍽 43 F. 🛏 235/325 F.
⊠ 10 nov./10 déc.

METZERAL (A2)
68380 Haut Rhin
1000 hab.

⚑⚑ DU PONT ⋆⋆
M. Kempf
☎ 03 89 77 60 84
🛏 13 ⊠ 260/350 F. ☰ 40 F.
🍴 90/360 F. 🍽 50 F. 🛏 275/300 F.
⊠ 15 nov./20 déc. Rest. lun. hs.

MUHLBACH SUR MUNSTER (A1)
68380 Haut Rhin
600 m. • 950 hab.

⚑⚑⚑ PERLE DES VOSGES ⋆⋆
22, route du Gaschney. Mme Ertle
☎ 03 89 77 61 34 📠 03 89 77 74 40
🛏 40 ⊠ 210/400 F. ☰ 35 F.
🍴 70/200 F. 🍽 35 F. 🛏 200/265 F.
⊠ 3 janv./2 fév.

MULHOUSE (B2)
68100 Haut Rhin
150000 hab. [i]

⚑ CENTRAL ★★
15-17, Passage Central. M. Mathieu
☎ 03 89 46 18 84 [FAX] 03 89 56 31 66
100F ♨ 71 ⊗ 265/320 F. ⬛ 35 F.
[†] 71/130 F. [🍴] 40 F. ⬛ 180/230 F.
⊠ rest. dim. et jours fériés sauf
réservation groupe.
[E][D][🅶][📺][☎][⬆][CV][▮][🔺][CB][GR]

... *à proximité*

BALDERSHEIM (B2)
68390 Haut Rhin
2238 hab.

6 km Nord Mulhouse par D 422

⚑⚑⚑ AU CHEVAL BLANC ★★
MM. Landwerlin
☎ 03 89 45 45 44 [FAX] 03 89 56 28 93
♨ 83 ⊗ 270/355 F. ⬛ 40 F.
[†] 87/236 F. [🍴] 52 F. ⬛ 240/265 F.
⊠ 22 déc./4 janv. Rest. dim. soir.
[E][D][🅶][📺][☎][⬆][♨][🔺][⬆][CV][▮]
[🔺][CB][GR]

BRUNSTATT (B2)
68350 Haut Rhin
5160 hab.

Sortie direction Altkirch, D. 432

⚑ LE RELAIS DE BRUNSTATT ★★
293, av. d'Altkirch. M. Grangladen
☎ 03 89 06 40 49 [FAX] 03 89 06 46 97
120F ♨ 9 ⊗ 190/290 F. ⬛ 30 F. [†] 57/178 F.
[🍴] 45 F. ⬛ 360/380 F.
[E][D][🅶][📺][☎][⬆][🔺][CV][🔺][CB]

PULVERSHEIM (B2)
68840 Haut Rhin
2100 hab.

Sortie direction Guebwiller, D.430

⚑⚑ NIEMERICH ★★
M. Weiss
☎ 03 89 48 11 03 [FAX] 03 89 48 25 06
100F ♨ 30 ⊗ 190/240 F. ⬛ 30 F.
[†] 48/145 F. [🍴] 45 F. ⬛ 210/250 F.
⊠ 1er/15 août, 26 déc./1er janv. et ven.
[E][D][🅶][📺][☎][⬆][♨][🔺][CV][▮][🔺]
[CB][▮]

MUNSTER (A1)
68140 Haut Rhin
5000 hab. [i]

⚑⚑ AU VAL SAINT GREGOIRE ★★
M. Weinryb
☎ 03 89 77 36 22 [FAX] 03 89 77 13 76
100F ♨ 50 ⊗ 240/320 F. ⬛ 35 F. [🍴] 48 F.
⬛ 240/275 F.
⊠ 3/29 janv., mer. et jeu. midi.
[E][D][🅶][📺][☎][⬆][♨][🔺][🔺][🔺]
[CV][▮][🔺][CB]

⚑⚑ AUX DEUX SAPINS ★★
49, rue du 9ème Zouaves. M. Rousselet
☎ 03 89 77 33 96 [FAX] 03 89 77 03 90
100F ♨ 25 ⊗ 230/320 F. ⬛ 30 F.
[†] 70/200 F. [🍴] 42 F. ⬛ 230/300 F.
⊠ 20 nov./20 déc., lun. et dim. soir
oct./avr.
[E][D][📺][☎][⬆][🔺][🔺][🔺][CV][▮][🔺][CB]

⚑ DES VOSGES ★★
58, Grand'Rue. M. Wendling
☎ 03 89 77 31 41 [FAX] 03 89 77 59 86
♨ 13 ⊗ 180/260 F. ⬛ 30 F.
⊠ 10/25 mars, 2/10 juin, dim. après-
midi et lun. matin sauf vac. scol.
[E][D][🅶][📺][🍴][CV][🔺][CB]

⚑ DEYBACH ★★
4, rue du Badischhof. Mme Deybach
☎ 03 89 77 32 71 [FAX] 03 89 77 52 41
♨ 16 ⊗ 180/260 F. ⬛ 30 F.
[†] 45/128 F. [🍴] 40 F. ⬛ 235 F.
⊠ 23 déc./4 janv. et lun.
[D][📺][☎][⬆][🔺][🔺][🔺][CV][🔺][CB]

⚑⚑⚑ VERTE VALLEE ★★★
10, rue Alfred Hartmann. M. Gautier
☎ 03 89 77 15 15 [FAX] 03 89 77 17 40
100F ♨ 107 ⊗ 350/400 F. ⬛ 55 F.
[†] 85/260 F. [🍴] 70 F. ⬛ 320/350 F.
[E][D][🅶][📺][☎][⬆][♨][🔺][🔺][🔺]
[🔺][CV][▮][🔺][CB]

MURBACH (A2)
68530 Haut Rhin
750 m. • *90 hab.*

⚑⚑⚑ DOMAINE LANGMATT ★★★
Langmatt-Murbach. M. Bisel
☎ 03 89 76 21 12 [FAX] 03 89 74 88 77
120F ♨ 22 ⊗ 480/720 F. ⬛ 50 F.
[†] 85/326 F. [🍴] 85 F. ⬛ 470/590 F.
⊠ rest. lun. midi.
[E][D][🅶][📺][☎][⬆][⬆][🔺][🔺][🔺][🔺]
[🔺][▮][🔺][CB][GR]

NEUF BRISACH (B1)
68600 Haut Rhin
2092 hab. [i]

⚑ DE FRANCE ★★
17, rue de Bâle. M. Decker
☎ 03 89 72 56 06 [FAX] 03 89 72 99 26
♨ 20 ⊗ 160/185 F. ⬛ 32 F. [†] 52 F.
⬛ 160/188 F.
[E][D][🅶][📺][☎][CV][🔺][CB]

... *à proximité*

VOGELGRUN (B1)
68600 Haut Rhin
420 hab. [i]

4 km Est Neuf Brisach par N 415

⚑⚑⚑ L'EUROPEEN ★★★
(Ile du Rhin). M. Daegele
☎ 03 89 72 51 57 [FAX] 03 89 72 74 54
100F ♨ 45 ⊗ 370/1000 F. ⬛ 60 F.
[†] 235/360 F. [🍴] 80 F. ⬛ 370/500 F.
[E][D][▮][🅶][📺][☎][⬆][⬆][🔻][🔺][🔺]
[🔺][🔺][🔺][CV][▮][🔺][CB]

NIEDERMORSCHWIHR (A-B1)
68230 Haut Rhin
500 hab.

▲▲ DE L'ANGE ★★
  M. Boxler
  ☎ 03 89 27 05 73 **FAX** 03 89 27 01 44
  🛏 14 ◹ 270/355 F. 🍽 38 F.
  🍴 90/188 F. 🛏 40 F. 🖼 260/305 F.
  ⊠ hôtel 12 nov./1er avr. Rest. mer.
  Ⓓ 🗂 ☎ ☂ CV ⯐ ◗ CB

ORBEY (A1)
68370 Haut Rhin
700 m. • 3140 hab. 🅘

▲▲▲ AUX BRUYERES ★★
  35, rue Général de Gaulle.
  M. Beaulieu
  ☎ 03 89 71 20 36 **FAX** 03 89 71 35 30
  🛏 29 ◹ 230/300 F. 🍽 38 F.
  🍴 75/165 F. 🛏 48 F. 🖼 245/280 F.
  ⊠ 5 nov./20 déc.
  Ⓔ Ⓓ 🅘 🗂 ☎ 🛏 ♨ ☂ 🌴 ♣ 🎿 ᵹ
  CV ◗ CB

▲▲ BON REPOS ★★
  235, Orbey Pairis.
  Mme Hermann
  ☎ 03 89 71 21 92 **FAX** 03 89 71 24 51
  🛏 18 ◹ 220/230 F. 🍽 32 F.
  🍴 80/160 F. 🛏 48 F. 🖼 235/245 F.
  ⊠ 12 nov./20 déc. et mer., mer. midi
  juil./août.
  ☎ 🛏 ☂ 🎿 CV ◗ CB

▲▲ DE LA CROIX D'OR ★★
  13, rue de l'Eglise.
  M. Thomann
  ☎ 03 89 71 20 51 **FAX** 03 89 71 35 60
  🛏 16 ◹ 230/300 F. 🍽 45 F.
  🍴 60/160 F. 🛏 60 F. 🖼 240/300 F.
  ⊠ 24 nov./19 déc., 6/31 janv. et mer. hs.
  Ⓔ Ⓓ 🗂 ☎ 🛏 ᵹ ♣ CV ⯐ ◗ CB

▲▲▲ HOSTELLERIE MOTEL AU BOIS LE
  SIRE ★★★
  20, rue Général de Gaulle.
  Mme Florence
  ☎ 03 89 71 25 25 **FAX** 03 89 71 30 75
  🛏 36 ◹ 230/380 F. 🍽 50 F.
  🍴 53/300 F. 🛏 50 F. 🖼 270/350 F.
  ⊠ 5 janv./5 fév., 12/20 nov. et lun. sauf
  juil./août.
  Ⓔ Ⓓ 🗂 ☎ 🛏 ☂ ᵹ ᵹ CV ◗ ⯐
  CB 🅒🅡

▲▲ LE SAUT DE LA TRUITE ★★
  (A Remomont).
  Mme Gaudel
  ☎ 03 89 71 20 04 **FAX** 03 89 71 31 52
  🛏 21 ◹ 205/310 F. 🍽 40 F.
  🍴 75/210 F. 🛏 50 F. 🖼 250/310 F.
  ⊠ 6 janv./8 fév., 1er/22 déc. et mer.
  sauf juil./sept.
  Ⓔ Ⓓ ☎ 🛏 ☂ CV ⯐ ◗ CB

... à proximité

BASSES HUTTES (A1)
68370 Haut Rhin
700 m. • 150 hab. 🅘

4 km S.O. Orbey par D 48

▲▲ WETTERER ★★
  Mme Wetterer
  ☎ 03 89 71 20 28 **FAX** 03 89 71 36 50
  🛏 16 ◹ 230/270 F. 🍽 38 F.
  🍴 78/150 F. 🖼 245/250 F.
  ⊠ 4 nov./15 déc. et mer.
  Ⓔ Ⓓ ☎ 🛏 ⊁ ☂ ᵹ CB

OSTHEIM (B1)
68150 Haut Rhin
1500 hab.

▲▲▲ AU NID DE CIGOGNES ★★★
  2, route de Colmar. M. Utzmann
  ☎ 03 89 47 91 44 **FAX** 03 89 47 99 88
  🛏 47 ◹ 180/390 F. 🍽 35 F.
  🍴 75/185 F. 🛏 50 F. 🖼 265/285 F.
  ⊠ 10 fév./21 mars. Rest. dim. soir et lun.
  Ⓔ Ⓓ 🗂 ☎ 🛏 🛏 ♨ ⊁ CV ᵹ

▲▲ BALTZINGER ★★
  16, route de Colmar. M. Meinrad
  ☎ 03 89 47 95 51 **FAX** 03 89 49 02 45
  🛏 36 ◹ 250/300 F. 🍽 35 F.
  🍴 65/148 F. 🛏 35 F. 🖼 240/280 F.
  ⊠ 1er/31 janv. et mar.
  Ⓔ Ⓓ 🅘 🗂 ☎ 🛏 ☂ CV ⯐ ◗ CB

PFAFFENHEIM (B2)
68250 Haut Rhin
1250 hab.

▲ RELAIS AU PETIT PFAFFENHEIM
  1, rue de la Chapelle. M. Bass
  ☎ 03 89 49 62 06 **FAX** 03 89 49 75 34
  🛏 6 ◹ 170/220 F. 🍽 28 F. 🍴 50/280 F.
  🛏 45 F. 🖼 240 F.
  ⊠ lun. soir et mar.
  Ⓔ Ⓓ SP 🅘 🛏 ☂ CV ᵹ ◗

PULVERSHEIM (B2)
68840 Haut Rhin
>>> *voir MULHOUSE*

RIBEAUVILLE (B1)
68150 Haut Rhin
4300 hab. 🅘

▲ AU CHEVAL BLANC ★★
  122, Grande Rue. M. Leber
  ☎ 03 89 73 61 38 **FAX** 03 89 73 37 03
  🛏 25 ◹ 200/280 F. 🍽 35 F.
  🍴 50/200 F. 🛏 40 F. 🖼 230/250 F.
  ⊠ 1er/28 janv. Rest. lun.
  Ⓔ Ⓓ ☎ ⊁ ☂ ᵹ CV ⯐ CB

🦶 DE LA TOUR ★★
  1, rue de la Mairie. Mme Alt
  ☎ 03 89 73 72 73 **FAX** 03 89 73 38 74
  🛏 35 ◹ 340/420 F. 🍽 40 F.
  ⊠ 1er janv./15 mars.
  Ⓔ Ⓓ 🗂 ☎ 🛏 ♨ 🌴 🔍 CV CB

RIMBACH (A2)
68500 Haut Rhin
600 m. • 110 hab.

A L'AIGLE D'OR ★
M. Marck
☎ 03 89 76 89 90 FAX 03 89 74 32 41
100F ☎ 20 ⌷ 175/250 F. ☲ 22 F.
⑪ 55/170 F. Ⅺ 40 F. ⚄ 175/235 F.
☒ 17 fév./13 mars et lun. oct./juin.
🄴 🄳 ⌂ ☎ 🚗 ⛵ ⚓ ⚘ ⚙ CV ⓘ ☎
CB ▣

RIQUEWIHR (A-B1)
68340 Haut Rhin
1045 hab. ⓘ

DU CERF ★★
5, rue Général de Gaulle.
M. Schmidt
☎ 03 89 47 92 18 FAX 03 89 49 04 58
☎ 16 ⌷ 280/340 F. ☲ 44 F.
⑪ 70/310 F. Ⅺ 47 F. ⚄ 284/334 F.
☒ lun. et mar., 6 janv./17 fév.
🄴 🄳 ⌂ ☎ ☎ CB

LE SARMENT D'OR ★★
4, rue du Cerf.
M. Merckling
☎ 03 89 47 92 85 FAX 03 89 47 99 23
☎ 9 ⌷ 290/430 F. ☲ 48 F.
⑪ 110/290 F. Ⅺ 50 F. ⚄ 340/420 F.
☒ 8 janv./15 fév. Rest. dim. soir et lun.
🄳 ⌂ ☎ ☎ CB

SCHOENENBOURG ★★★
Rue du Schoenenbourg.
M. Kiener
☎ 03 89 49 01 11 FAX 03 89 47 95 88
☎ 45 ⌷ 390/540 F. ☲ 49 F.
⑪ 195/400 F. Ⅺ 120 F. ⚄ 474/549 F.
☒ rest. mi-janv./mi-fév., mer. et jeu.
midi.
🄴 🄳 ⌂ ☎ 🚗 ☎ ⛵ ⚓ ⚘ ⚙
ⓘ ☎ CB

ROUFFACH (B2)
68250 Haut Rhin
5000 hab. ⓘ

A LA VILLE DE LYON ★★
1, rue Poincaré.
M. Bohrer
☎ 03 89 49 65 51 ╲ 03 89 49 62 49
FAX 03 89 49 76 67
80F ☎ 43 ⌷ 270/450 F. ☲ 45 F.
⑪ 50/405 F. Ⅺ 100 F. ⚄ 345/405 F.
☒ 17 fév./10 mars.
🄴 🄳 ⓘ ⌂ ☎ ☎ ⛵ ⚙ CV ⓘ ☎
CB ▣

LE RELAIS D'ALSACE ★★
(N.83) M. Imhoff
☎ 03 89 49 66 32 FAX 03 89 49 77 51
☎ 32 ⌷ 210/260 F. ☲ 38 F.
⑪ 56/295 F. Ⅺ 38 F. ⚄ 255 F.
☒ 20 janv./10 fév. Rest. dim. soir.
🄳 ⌂ 🚗 ⛵ ⚓ ⚘ CV ⓘ ☎ CB

SAINT AMARIN (A2)
68550 Haut Rhin
700 m. • 2035 hab. ⓘ

AUBERGE DU MEHRBAECHEL
Route de Geishouse. M.Me Kornacker
☎ 03 89 82 60 68 FAX 03 89 82 66 05
80F ☎ 23 ⌷ 270/300 F. ☲ 45 F.
⑪ 70/260 F. Ⅺ 55 F. ⚄ 240/270 F.
☒ 6/27 janv., 25 oct./3 nov. et ven.
🄴 🄳 ⌂ ☎ 🚗 ⚘ ⚙ ⚄ CV ☎ CB

SAINT HIPPOLYTE (B1)
68590 Haut Rhin
1250 hab. ⓘ

A LA VIGNETTE ★★
66, route du Vin. M. Humbrecht
☎ 03 89 73 00 17 FAX 03 89 73 05 69
☎ 25 ⌷ 190/360 F. ☲ 35 F.
⑪ 95/250 F. Ⅺ 55 F. ⚄ 235/320 F.
☒ 21 déc./15 fév., 30 juin/5 juil. et mer.
🄴 🄳 ⓘ ⌂ ☎ 🚗 ⚓ ⚘ ⚙ ⓘ ☎ CB

DU PARC ★★★
6, rue du Parc. M. Kientzel
☎ 03 89 73 00 06 FAX 03 89 73 04 30
120F ☎ 38 ⌷ 300/600 F. ☲ 55 F.
⑪ 120/300 F. Ⅺ 65 F. ⚄ 350/450 F.
☒ rest. lun.
🄴 🄳 ⌂ ☎ 🚗 ⚓ ⚘ ⛵ ☎ ⛵ ⚙ ⚘
⚓ ⚘ ⚙ ⓘ ☎ CB

MUNSCH. AUX DUCS DE
LORRAINE ★★★
16, route du Vin. M. Meyer
☎ 03 89 73 00 09 FAX 03 89 73 05 46
100F ☎ 40 ⌷ 350/700 F. ☲ 60 F.
⑪ 95/300 F. ⚄ 450/600 F.
☒ 13 janv./20 fév., 24 nov./9 déc. Rest.
dim. soir nov./mi-mai et lun.
🄴 🄳 ⌂ ☎ 🚗 🚗 ⚓ ⑪ ☎ ⛵ CV ⓘ ☎
CB ⓖ

SAINTE MARIE AUX MINES (A1)
68160 Haut Rhin
6000 hab. ⓘ

DU TUNNEL ★
23, les Halles. M. Tonon
☎ 03 89 58 74 25 FAX 03 89 58 60 33
120F ☎ 5 ⌷ 160/200 F. ☲ 28 F. ⑪ 50/240 F.
Ⅺ 40 F. ⚄ 180/210 F.
☒ 21 déc./5 janv., 30 juin/20 juil., ven.
soir, sam. et dim. soir.
🄴 🄳 ⓘ ⌂ ☎ ⚓ ⛵ ⚘ CV ☎ CB

SEPPOIS LE BAS (A3)
68580 Haut Rhin
836 hab. ⓘ

BOUTILLY - LA COURONNE ★★
6, rue du RICM. M. Boutilly
☎ 03 89 25 60 05 FAX 03 89 07 64 93
120F ☎ 7 ⌷ 280/350 F. ☲ 30 F. ⑪ 50/220 F.
Ⅺ 50 F. ⚄ 300 F.
☒ 23 déc./6 janv. et lun. sauf fériés.
🄳 ⌂ 🚗 ☎ ⛵ CV ☎ CB

SEWEN (A2)
68290 Haut Rhin
564 hab.

⌂ AUBERGE DU LANGENBERG
Route du Ballon d'Alsace. M. Fluhr
☎ 03 89 48 96 37
🛏 8 ▬ 25 F. 🍴 60/160 F. ⫞ 38 F.
▦ 200/250 F.
⊠ 15 oct./5 nov. et jeu. hs.

▣ 🛏 🚗 ⇆ 🧍 ♿ ▸ ⫞ ▮ CB

AA DES VOSGES ★★
38, Grand'rue. M. Kieffer
☎ 03 89 82 00 43 FAX 03 89 82 08 33
🛏 17 ◯ 250/295 F. ▬ 35 F.
🍴 90/260 F. ⫞ 55 F. ▦ 250/290 F.
⊠ 20 nov./26 déc., 20 fév./1er mars,
jeu. et dim. soir sept./juin, mer. midi
janv./mars.

▣ ▣ 🛏 ☎ 🚗 ⇆ ⫞ ▮ 🧍 ♿ CV ▮
▮ CB

AA HOSTELLERIE AU RELAIS DES LACS ★★
M. Fluhr
☎ 03 89 82 01 42 FAX 03 89 82 09 29
🛏 12 ◯ 190/300 F. ▬ 40 F.
🍴 75/210 F. ⫞ 70 F. ▦ 240/310 F.
⊠ 25 août/6 sept., 6 janv./6 fév., mar.
soir et mer.

▣ ▣ 🛏 ☎ 🚗 ⇆ ⫞ ▮ 🧍 ♿ ⫞
CV ▮ ▮ CB

SOULTZ (B2)
68360 Haut Rhin
6400 hab. ⓘ

⌂ BELLE VUE ★★
28, route de Wuenheim M. Ziegler
☎ 03 89 76 95 82 FAX 03 89 83 06 09
🛏 6 ◯ 250 F. ⫞ 30 F. 🍴 170/260 F.
⫞ 40 F. ▦ 225 F.
⊠ 15/28 fév., dim. soir 1er avr./1er oct.,
dim. soir et lun. 1er oct./1er avr.

▣ ▣ ⓘ 🛏 ☎ 🚗 ⇆ ⫞ CV ▮ ▮ CB

SOULTZBACH LES BAINS (A-B1)
68230 Haut Rhin
650 hab.

⌂ SAINT CHRISTOPHE ★
4, rue de l'Eglise. M. Guthleben
☎ 03 89 71 13 09
🛏 10 ◯ 145/215 F. ▬ 35 F.
🍴 54/100 F. ⫞ 38 F. ▦ 165/200 F.

▣ ▣ 🛏 ☎ CV ▮ CB

SOULTZEREN (A1)
68140 Haut Rhin
700 m. • 1200 hab. ⓘ

⌂ DU PONT ★
50, route de la Schlucht. M. Fritsch
☎ 03 89 77 35 23
🛏 11 ◯ 175/255 F. ▬ 29 F.
🍴 70/140 F. ⫞ 42 F. ▦ 180/250 F.
⊠ dim. soir et lun. hors vac. scol.

▣ 🛏 ⫞ CV ▮ CB

SOULTZMATT (A-B2)
68570 Haut Rhin
1924 hab.

AAA DE LA VALLEE NOBLE ★★
M. Better
☎ 03 89 47 65 65 FAX 03 89 47 65 04
🛏 32 ◯ 350/370 F. ▬ 50 F.
🍴 150/320 F. ⫞ 75 F. ▦ 350/370 F.
▣ ▣ SP 🛏 ☎ 🚗 ⇆ ⫞ ▮ ▮ ♣ ✈ ▮
⫞ CV ▮ ▮ CB

AA KLEIN ★★
44, rue de la Vallée.
M. Klein
☎ 03 89 47 00 10 FAX 03 89 47 65 03
🛏 11 ◯ 250/350 F. ⫞ 40 F.
🍴 70/250 F. ⫞ 65 F. ▦ 270/300 F.
⊠ 15 nov./1er déc. et lun.

▣ ▣ SP 🛏 ☎ CV ▮ ▮ CB

STOSSWIHR (A1)
68140 Haut Rhin
1300 hab.

AA AUBERGE DU MARCAIRE ★★
Rue Saegmatt. M. Peter
☎ 03 89 77 44 89 FAX 03 89 77 04 14
🛏 15 ◯ 200/350 F. ▬ 35 F.
🍴 68/145 F. ⫞ 48 F. ▦ 200/280 F.
⊠ 6 janv./15 fév., 3/22 mars et
3 nov./20 déc.

▣ 🛏 🚗 ⇆ ▮ ⫞ ▮ ✈ ▮ 🧍 ⫞
CV ▮ CB

THANN (A2)
68800 Haut Rhin
7751 hab. ⓘ

AA AUX SAPINS ★★
3, rue Jeanne d'Arc.
Mme Arnold
☎ 03 89 37 10 96 FAX 03 89 37 23 83
🛏 17 ◯ 250 F. ▬ 35 F. 🍴 50/160 F.
⫞ 40 F. ▦ 245 F.
⊠ 23 déc.97/2 janv.98. Rest.sam.

▣ ▣ 🛏 ☎ 🚗 ▮ 🧍 CV ▮ CB

⌂ DE FRANCE ★★
22, rue du Général de Gaulle.
M. Seltz
☎ 03 89 37 02 93 FAX 03 89 37 47 99
🛏 14 ◯ 240/550 F. ▬ 35 F.
🍴 58/280 F. ⫞ 38 F. ▦ 200 F.
▣ 🛏 ☎ ⇆ ⫞ CV ▮ ▮ CB

AA DE LA CIGOGNE ★★
35-37, rue du Général de Gaulle.
M. Mangel
☎ 03 89 37 47 33 FAX 03 89 37 40 18
🛏 27 ◯ 300/320 F. ▬ 50 F.
🍴 75/200 F. ⫞ 45 F. ▦ 300 F.
⊠ dim. soir et lun. Rest. fév.
▣ ▣ 🛏 ☎ 🚗 ▮ ⇆ 🧍 ▮ CB

THANN (A2) (suite)

▲▲ DU PARC ★★
23, rue Kléber. M.Me Martin
☎ 03 89 37 37 47 FAX 03 89 37 56 23
🛏 20 ◻ 210/445 F. ▦ 45 F.
🍴 98/195 F. 🚶 65 F. 🚗 255/345 F.
✉ rest. fév.
[icons]

▲▲ KLEBER ★★
39, rue Kléber. M. Mangel
☎ 03 89 37 13 66 FAX 03 89 37 39 67
🛏 25 ◻ 195/300 F. ▦ 50 F.
🍴 90/200 F. 🚶 45 F. 🚗 290/300 F.
✉ rest. fév., sam. et dim. soir.
[icons]

▲ MOSCHENROSS ★★
42, rue Général de Gaulle. M. Thierry
☎ 03 89 37 00 86 FAX 03 89 37 52 81
🛏 24 ◻ 150/250 F. ▦ 33 F.
🍴 65/190 F. 🚶 45 F. 🚗 185/240 F.
✉ 15 jours nov., 15 jours fév.,
dim. soir et lun.
[icons]

THANNENKIRCH (A-B1)
68590 Haut Rhin
600 m.' • 400 hab.

▲ AU TAENNCHEL
12, rue du Taennchel. Mme Bitzenhoffer
☎ 03 89 73 10 15
🛏 12 ◻ 190/240 F. ▦ 28 F.
🍴 68/180 F. 🚶 42 F. 🚗 240/280 F.
✉ rest. mer.
[icons]

▲▲▲ LA MEUNIERE ★★
30, rue Sainte Anne. M. Dumoulin
☎ 03 89 73 10 47 FAX 03 89 73 12 31
🛏 15 ◻ 280/380 F. ▦ 35 F.
🍴 95/195 F. 🚶 40 F. 🚗 240/300 F.
✉ 20 nov./20 mars.
[icons]

▲▲ TOURING-HOTEL ★★
Route du Haut-Koenigsbourg.
M. Stoeckel
☎ 03 89 73 10 01 FAX 03 89 73 11 79
🛏 48 ◻ 208/338 F. ▦ 36 F.
🍴 69/169 F. 🚶 47 F. 🚗 240/315 F.
✉ 15 nov./25 mars sauf réservations
(groupes, séminaires et banquets).
[icons]

TROIS EPIS (A1)
68410 Haut Rhin
650 m. • 150 hab.

▲▲ LA CHENERAIE ★★
M. Rinn
☎ 03 89 49 82 34 FAX 03 89 49 86 70
🛏 19 ◻ 270 F. ▦ 48 F. 🚗 305 F.
✉ 1er janv./5 fév. et mer.
[icons]

▲▲ VILLA ROSA ★★
Mme Denis
☎ 03 89 49 81 19 FAX 03 89 78 90 45
🛏 10 ◻ 280/340 F. ▦ 25/ 48 F.
🍴 100/150 F. 🚶 50 F. 🚗 285/315 F.
✉ 3 janv./12 fév. et jeu.
[icons]

TURCKHEIM (B1)
68230 Haut Rhin
3700 hab.

▲▲ AUBERGE DU BRAND ★★
8, Grand'Rue.
M. Zimmerlin
☎ 03 89 27 06 10 FAX 03 89 27 55 51
🛏 9 ◻ 206/340 F. ▦ 29 F. 🍴 80/265 F.
🚶 44 F. 🚗 236/303 F.
✉ 5 janv./28 fév., 25 juin/5 juil., mar.
soir et mer. hs.
[icons]

▲▲ AUX PORTES DE LA VALLEE ★★
29, rue Romaine.
Mme Graff
☎ 03 89 27 27 15 FAX 03 89 27 40 71
🛏 16 ◻ 180/400 F. ▦ 35 F. 🍴 90 F.
🚶 60 F. 🚗 215/325 F.
✉ rest. dim. soir.
[icons]

▲▲ DES DEUX CLEFS ★★
3, rue du Conseil.
Mme Planel-Arnoux
☎ 03 89 27 06 01 FAX 03 89 27 18 07
🛏 45 ◻ 190/450 F. ▦ 45 F.
🍴 138/225 F. 🚶 55 F. 🚗 510/770 F.
[icons]

▲▲ DES VOSGES ★★
Place de la République M. Ehrhart
☎ 03 89 27 02 37 FAX 03 89 27 23 40
🛏 32 ◻ 240/310 F. ▦ 42 F.
🍴 54/180 F. 🚶 33 F. 🚗 240/270 F.
✉ 5 janv./10 fév.
[icons]

VILLAGE NEUF (B3)
68128 Haut Rhin
3000 hab.

▲ LE CHEVAL BLANC ★★
6a, rue de Rosenau. M. Cataldi
☎ 03 89 69 79 15 FAX 03 89 69 86 63
🛏 12 ◻ 160/220 F. ▦ 30 F.
🍴 135/240 F. 🚶 90 F. 🚗 170/250 F.
✉ 1er/30 juil., dim. soir et lun.
[icons]

VOGELGRUN (B1)
68600 Haut Rhin

>>> *voir NEUF BRISACH*

WAHLBACH (B3)
68130 Haut Rhin
211 hab.

⚑⚑ AU SOLEIL ★★
10, rue du Maréchal Foch. M. Martin
☎ 03 89 07 81 48 ⬛ 03 89 07 40 26
🛏 14 ⬒ 150/200 F. ⬛ 50/250 F.
🍴 40 F. ⬛ 180/260 F.
⬛ rest. jeu.
🄳 ☎ 🚗 ♿ ▮▮ ♠ CB

WESTHALTEN (A-B2)
68250 Haut Rhin
800 hab.

⚑⚑⚑ AUBERGE DU CHEVAL BLANC ★★★
20, rue de Rouffach. M. Koehler
☎ 03 89 47 01 16 ⬛ 03 89 47 64 40
🛏 12 ⬒ 380/460 F. ⬛ 55 F. 🍴 75 F.
⬛ 440/500 F.
⬛ 3/27 fév., 24 juin/3 juil., dim. soir et
lun.
🄴 🄳 ☐ ☎ 🚗 🚲 ✈ 🧍 ♿ ▮▮ ♠ CB

WETTOLSHEIM (B1)
68920 Haut Rhin
1600 hab.

⚑ AU SOLEIL ★★
20, rue Sainte Gertrude. Mme Dietrich
☎ 03 89 80 62 66
🛏 11 ⬒ 210 F. ⬛ 35 F. 🍴 48 F.
⬛ 225 F.
⬛ 16 juin/7 juil., 22 déc./5 janv. et jeu.
🄳 ☐ ☎ 🚗 🍴 CV CB

⚑⚑⚑ AUBERGE DU PERE FLORANC ★★ & ★★★
9, rue Herzog. M. Floranc
☎ 03 89 80 79 14 ⬛ 03 89 79 77 00
🛏 32 ⬒ 240/600 F. ⬛ 55 F.
🍴 185/390 F. 🍴 70 F. ⬛ 460/595 F.
⬛ 2 janv./7 fév., 30 juin/14 juil., dim.
soir hs et lun.
🄴 🄳 ☐ ☎ 🚗 🚗 🍴 🧍 ♿ ▮▮ CB

WITTENHEIM (B2)
68270 Haut Rhin
13380 hab.

⚑ LA POSTE ★★
48, rue d'Ensisheim. M. Demarche
☎ 03 89 52 77 89 \ 03 89 52 43 73
⬛ 03 89 53 12 02
🛏 21 ⬒ 225/245 F. ⬛ 28 F.
🍴 50/220 F. 🍴 40 F. ⬛ 190/220 F.
⬛ 10/31 août, 23 déc./6 janv., sam. et
dim. soir.
🄴 🄳 ☐ ☎ 🚗 🚗 🍴 CV ▮▮ ♠ CB

ZELLENBERG (B1)
68340 Haut Rhin
350 hab.

⚑⚑ AU RIESLING ★★
5, route du Vin. Mme Rentz
☎ 03 89 47 85 85 ⬛ 03 89 47 92 08
🛏 36 ⬒ 310/450 F. ⬛ 45 F. 🍴 100 F.
🍴 58 F. ⬛ 300 F.
⬛ dim. soir et lun.
🄴 🄳 ☎ 🚗 🚗 🍴 🍴 CB

To reserve accomodation meeting with your
requirements and to take advantage of special offers,
please call the Logis de France Central reservations
service. Tél. : 01 45 84 83 84.

"Chez Julien" 67 - Fouday

Association interdépartementale des Logis de France des Pyrénées de l'Atlantique à la Méditerranée
Pour les Pyrénées-Atlantiques :
14, rue Bayard - 31 000 Toulouse
Tél. 05 61 99 44 00 - Fax 05 61 99 44 19

J.-J. Brochard / C.R.T. Aquitaine

C.R.T. Aquitaine

Photos C.R.T. Aquitaine

REGION

AQUITAINE

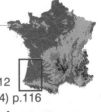

Photos C.R.T. Aquitaine

Aquitaine

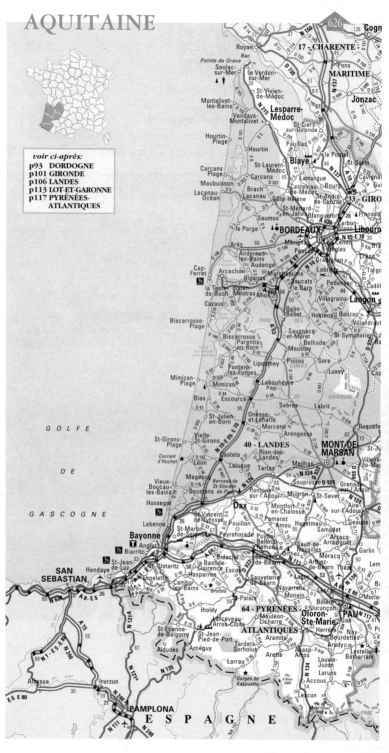

AQUITAINE

voir ci-après:
p93 DORDOGNE
p101 GIRONDE
p106 LANDES
p113 LOT-ET-GARONNE
p117 PYRÉNÉES-
    ATLANTIQUES

17 - CHARENTE
MARITIME
Jonzac
Cogn

Pointe de Grave
Royan
Bac
Soulac-
sur-Mer
le Verdon-
sur-Mer
St-Vivien-
de-Médoc
Pons
Montalivet-
les-Bains
Vendays-
Montalivet
Lesparre-
Médoc
St-Ciers-
sur-Gironde
Hourtin-
Plage
Hourtin
Pauillac
Blaye
le Pontet
St-Savin
Carcans-
Plage
St-Laurent-
Médoc
Lamarque
Bourg
Cavignal
Maubuisson
Carcans
Castelnau-
de-Médoc
St-André-
de-Cubzac
33 - GIRO
Lacanau-
Océan
Brach
Lacanau
Ste-Hélène
St-Médard-
en-Jalles
Blanquefort
Carbon-
Blanc
Fronsac
Libourn
Saumos
le Porge
BORDEAUX
Cenon
Bègles
Bra
Ares
Mérignac
Pessac
Gradignan
Créon
Andernos-
les-Bains
Audenge
Labrède
Targon
Cap-
Ferret
Arcachon
Marcheprime
Saucats
le Barp
Podensac
Cadill
la Teste-
de-Buch
Gujan-
Mestras
Biganos
Mios
Villagrains
Langon
Cazaux
Belin-
Béliet
Hostens
Balizac
Biscarrosse-
Plage
Saugnacq-
et-Muret
Belhade
St-Symphorien
Villandraut
Cap
Biscarrosse
Parentis-
en-Born
Moustey
Pissos
Sore
Luxey
Pontenx-
les-Forges
Liposthey
Mimizan-
Plage
Mimizan
Labouheyre
Escource
Sabres
Labrit
Bias
St-Julien-
en-Born
Onesse-
et-Laharie
Morcenx
Arengosse
Roquefo
St-Girons-
Plage
Vielle-
St-Girons
40 - LANDES
MONT-DE-
MARSAN
St-Ju
Courant
d'Huchet
Léon
Castets
Rion-des-
Landes
Villene
de-M
Vieux-
Boucau-
les-Bains
Magescq
Laluque
Tartas
Soustons
St-Vincent-
de-Paul
Grenade-
sur-l'Adour
Hossegor
Souprosse
St-Sever
Montfort-
en-Chalosse
Aire-
sur-l'Adour
Dax
Pontonx-
sur-l'Adour
Mugron
Labenne
St-Vincent-
de-Tyrosse
Pouillon
Pomarez
Amou
Hagetmau
Geaune
Bayonne
Anglet
Biarritz
St-Martin-
de-Seignanx
Peyrehorade
Puyoo
Belloc
Montfort-
Amou
Sault-de-
Navailles
Samadet
Arzacq-
Arraziguet
Garlin
Ustaritz
Bidache
la Bastide-
Clairence
Escos
Salies-
de-Béarn
Orthez
Méracq
Artiez-de-Béarn
Thèze
SAN
SEBASTIAN
Hendaye
St-Jean-
de-Luz
Espelette
Hasparren
Cambo-
les-Bains
Grottes
Sauveterre-
de-Béarn
Navarrenx
Monein
Lagor
Billère
Morla
Iholdy
Larceveau-
Arros-Cibits
Palais
64 - PYRÉNÉES -
ATLANTIQUES
Mauléon-
Licharre
Oloron-
Ste-Marie
Jurançon
PAU
Gan
Aramits
Nay
St-Étienne-
de-Baigorry
St-Jean-
Pied-de-Port
Tardets-
Sorholus
Arette
Bourdettes-
Arudy
Lestelle-
Bétharram
Aldudes
Arnéguy
Larrau
Gorges
de
Kakouetta
Pic
d'Any
2505
Asasp-
Arros
Louvie-
Juzon
Laruns
Accous
Lescun
Pic du
Midi d'Ossau
PARC

GOLFE
DE
GASCOGNE

Irurzun
Alsasua
Arakil
PAMPLONA

E S P A G N E

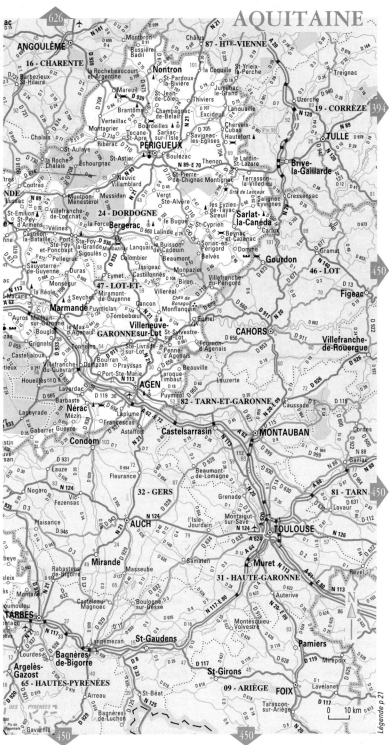

Légende p 21

LA PASSION DES CONTRASTES
A Passion for Contrasts

C.R.T. Aquitaine

SUR L'ATLANTIQUE, LA CÔTE SABLEUSE DE LA GIRONDE ET DES LANDES, BORDÉE DE FORÊTS DE PINS, PUIS LA CÔTE BASQUE PLUS ROCHEUSE... DANS LES TERRES, DE FIÈRES BASTIDES, DES VESTIGES PRÉHISTORIQUES ET D'INNOMBRABLES ÉTAPES GOURMANDES... AUTANT DE PREUVES QU'IL N'EXISTE PAS "UNE", MAIS "DES" AQUITAINES.

La mer à la campagne

Du phare de Cordouan à la chaîne des Pyrénées, du bassin d'Arcachon aux grottes de Lascaux, l'Aquitaine propose ses mille et une facettes : océan, forêts, vignes, campagne et montagne, bastides et châteaux ayant bravé les siècles, orgueilleuses propriétés viticoles...

ON THE ATLANTIC COAST, YOU HAVE THE SANDY BEACHES OF THE GIRONDE AND LANDES REGIONS, BORDERED BY PINE FORESTS; GOING SOUTH, THE BASQUE COAST BECOMES ROCKIER... INLAND, YOU WILL FIND PROUD FORTIFIED TOWNS, PREHISTORIC REMAINS AND COUNTLESS GOURMET FOOD STOPS... THESE CONTRASTS PROVE THAT THERE IS NOT JUST ONE AQUITAINE, BUT SEVERAL.

From the Sea to the Countryside

From the Cordouan lighthouse to the Pyrenees mountains, from the Arcachon Bassin to the Lascaux caves, Aquitaine has one hundred and one different faces: ocean, forests, vines, countryside and mountains, fortified towns, châteaux which have survived the centuries and proud wine-

Les modes de vie, les coutumes,
les physionomies, l'accent et même le port
du béret changent imperceptiblement au fil
des routes et des départements.
A la côte rectiligne de la Gironde et
des Landes, paradis des naturistes, s'oppose
la côte basque plus rocheuse et découpée.
Aux portes des stations balnéaires
qui s'égrènent de Soulac à Hendaye s'étend
une campagne paisible, jalonnée de vignes,
de villages pittoresques et de châteaux
qui séduiront les amoureux de la nature.
L'occasion leur est offerte de découvrir
le Périgord et le Lot-et-Garonne, mais aussi
ces régions méconnues que sont
l'Entre-Deux-Mers en Gironde, la Chalosse
dans les Landes, le Béarn dans les Pyrénées-
Atlantiques. Qu'y a-t-il de commun entre
l'architecture de Bordeaux et celle de Sarlat,
entre les grottes préhistoriques de la vallée
de la Vézère et les airials landais,
sinon la beauté des formes en harmonie
avec les paysages.
Visitez les bastides fondées aux XIIIe et XIVe
siècles : Villeneuve-sur-Lot, Monpazier,
Eymet Monflanquin… Parcourez les ruelles
des cités médiévales et de la Renaissance
à Brantôme, Sarlat, Saint-Emilion. Retournez
quelques milliers d'années en arrière
en découvrant les grottes et les peintures
rupestres de Lascaux ou le zoo préhistorique
de Fontirou. Profitez du parc naturel
des Pyrénées, de sa flore et de sa faune
qui prospèrent dans un cadre
encore préservé.

*producing domains. As you pass through the
region you will see everything change
imperceptibly: ways of life and customs,
people's physiognomy and their accents,
even the way the beret is carried worn.
The straight coastline of the Gironde and
Landes departments, a nature-lover's
paradise, contrasts sharply with the more
rugged and uneven Basque coastline. Inland
from the many seaside resorts that pepper the
coast from Soulac to Hendaye, the
countryside is tranquil, marked by vineyards,
picturesque villages and châteaux, all of
which will attract the nature enthusiast. You
will have the opportunity to enjoy the
Périgord and the Lot-et-Garonne departments
but also the less well-known areas of L'Entre-
Deux-Mers or "between two seas" in the
Gironde, La Chalosse in the Landes and the
Béarn in the Pyrénées-Atlantique
department. What links the architecture of
the city of Bordeaux and that of Sarlat, the
prehistoric caves of the Vézère Valley and the
"airial" oak groves of the Landes, if it is not
the harmony between the beauty of the forms
and the surrounding countryside?
Make sure you visit the fortified town founded
in the 13th and 14th centuries: Villeneuve-sur-
Lot, Monpazier, Eymet, Monflanquin… And
explore the narrow streets of the Medieval and
Renaissance towns of Brantôme, Sarlat and
Saint-Émilion. Go back a few thousand years
and discover the caves and rock paintings of
the Lascaux caves or the prehistoric zoo at
Fontirou. Take full advantage of the nature*

DIE PASSION DER KONTRASTE

Die Atlantikküste mit den Sandstränden
der Gironde und der Landes, umrahmt
von Pinienwäldern, und die etwas
felsigere Baskenküste…
Im Landesinneren, stolze Festungen,
Überreste der Vorgeschichte
und unzählige Feinschmeckeretappen…
All dies sind die Gründe dafür, daß es
sich um nicht ein "einziges" sondern
ein "vielfaches" Aquitanien handelt.

MET EEN PASSIE
VOOR CONTRASTEN

Aan de Atlantische Oceaan, zandige
kusten van de Gironde en de Landes,
afgezoomd door dennenwouden, en dan
de meer rotsachtige Baskische kust …
In het binnenland, trotse vestingen,
prehistorische overblijfselen
en ontelbare haltes voor lekkerbekken …
Zoveel bewijzen dat er niet "één"
Aquitaine is, maar "vele" Aquitaines.

L'eau, la glisse et la gastronomie

Les sportifs, quant à eux, se laisseront
aller aux joies du rafting sur
les gaves pyrénéens, du canoë-kayak
sur la paisible Dordogne, à moins
qu'ils ne préfèrent surfer sur les lames
de l'océan à Lacanau, Hossegor et Biarritz,
ou encore hisser les voiles sur les grands
lacs qui doublent le littoral.

Plus calmement, d'autres choisiront
de découvrir la région, des faux-plats
landais aux cols pyrénéens, à pied
ou à bicyclette sur les pistes et les sentiers
balisés.

A l'heure du déjeuner et du dîner, les tables
d'Aquitaine vous surprendront
par la diversité de leurs spécialités.
Car, si confits et foies gras sont sur toutes
les cartes, sachez que les Bordelais
ont un faible pour la lamproie,
les Périgourdins pour la truffe, les Basques
pour le jambon de Bayonne, le chocolat,
le tourron et l'Izarra… Un bon menu
vous permettra sans doute de déguster
des huîtres d'Arcachon et un salmis
de palombe, arrosé d'un de ces
"princes des vins" qui ont pour
noms médoc, saint-émilion, pomerol
ou graves. Tout en sachant que le monde
entier, qui nous envie ces délicieux
bordeaux, succombe aussi au parfum
de prune ou de violette d'un armagnac
hors d'âge.

reserve of the Pyrenees, with its animal and
vegetable life which thrives in this well-
preserved setting.

Water, Rafting and Gastronomy

*Sportsmen will be delighted to go rafting on the
torrents of the Pyrenees or to go canoeing on the
calm waters of the Dordogne, unless their
preference goes to surfing on the breakers at
Lacanau, Hossegor and Biarritz or to sailing on
the large lakes that lie just inland up and down
the coast. Others may chose more quiet ways of
discovering the region by taking to the slightly
hilly plains of the Landes or the slopes of the
Pyrenees on marked trails by foot or by bicycle.
At lunch and dinner time, the offerings of
Aquitaine's local apecialities will surprise
you by their diversity. You may find conserves
and foie gras on every menu, but you should
be aware of each area's special preferences:
the inhabitants of the Bordeaux region have
a weakness for lampreys, those of the
Périgord for truffles, those of the Basque
country for Bayonne ham, chocolates,
"tourron" nougat and the herb liqueur
Izarra… A good menu will certainly allow
you to try a dozen Arcachon oysters and a
dove paté washed down with one of those
"princes of wines," the Médoc, Saint-Émilion,
Pomerol or Graves. It is well-known that the
whole world is jealous of these delicious
Bordeaux wines, and you may find yourself
also succumbing to the pleasures of a vintage
Armagnac with its whiff of plum or of violet.*

LA PASIÓN DE LOS CONTRASTES

En el Atlántico, la costa arenosa
de la Gironda y de las Landas, rodeada
de bosques de pinos, y después la costa
vasca, más rocosa… Tierra adentro,
orgullosas bastidas, vestigios prehistóricos
e innumerables etapas gastronómicas…
Otras tantas pruebas de que no existe
"una", sino "varias" Aquitanias.

LA PASSIONE DEI CONTRASTI

Situata sull'Atlantico, lungo la costa
sabbiosa della Gironda e delle Lande,
contornata da foreste di pini e con la costa
basca più rocciosa, l'Aquitania rappresenta
le terre di fieri bastioni, di vestigia
preistoriche e… di numerose tappe da
buongustai, per dimostrare che non esiste
una sola Aquitania, ma più Aquitanie.

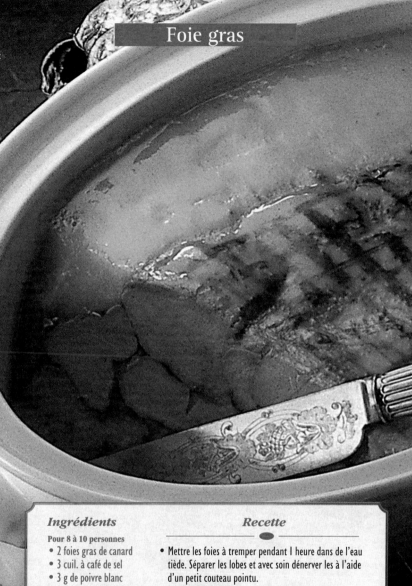

Foie gras

Ingrédients

Pour 8 à 10 personnes

- 2 foies gras de canard
- 3 cuil. à café de sel
- 3 g de poivre blanc
- 1 pointe de muscade râpée
- 2 cl de porto
- 2 cl de xérès
- 2 cl d'armagnac

Recette

- Mettre les foies à tremper pendant 1 heure dans de l'eau tiède. Séparer les lobes et avec soin dénerver les à l'aide d'un petit couteau pointu.
- Assaisonner les foies avec le sel, le poivre et la noix de muscade. Arroser avec le porto, le xérès et l'armagnac. Laisser mariner 12 heures au réfrigérateur.
- Le lendemain, disposer les lobes dans la terrine en les tassant bien. Versez 2 cm d'eau dans le plat du bain-marie. Chauffer le four à 150° et amener l'eau précisément à 70°. Installer la terrine dans le bain marie. Laisser cuire 40 minutes. L'eau doit rester à 70° et ne jamais varier d'un degré.
- Après la cuisson, laissez la terrine refroidir avant de la placer au réfrigérateur.

**Liste des
hôtels-restaurants**

Dordogne

JJ Bouchard - CRT Aquitaine

Association départementale
des Logis de France de la Dordogne
C.D.T. - 25, Rue du Président Wilson
24009 Périgueux Cedex
Téléphone 05 53 35 50 30

AQUITAINE

33 GIRONDE
Bordeaux

24 DORDOGNE
Périgueux

47 LOT-ET-GARONNE
Agen

40 LANDES
Mont-de-Marsan

64 PYRÉNÉES-ATLANTIQUES Pau

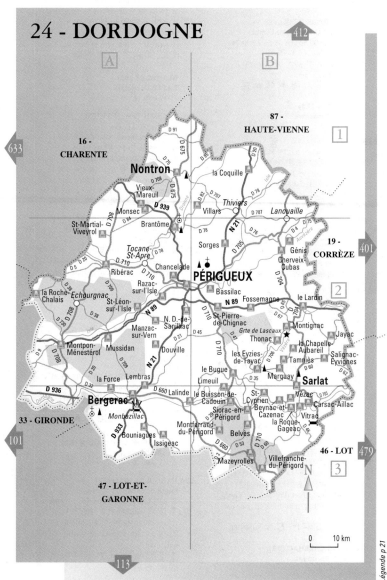

24 - DORDOGNE

A   B

1

16 - CHARENTE

87 - HAUTE-VIENNE

633

D 91

D 675

la Coquille

Nontron

D 708
Vieux-Mareuil

D 675

D 82

D 707

D 78

D 720

Thiviers

Lanouaille

D 707

401

19 - CORRÈZE

Monsec
D 84

Villars

St-Martial-Viveyrol

D 708

Brantôme

D 78

N 21

D 76

D 4

Génis

D 939

D 78

Sorges

D 705

Cherveix-Cubas

Tocane-St-Apre

D 78

Chancelade

le Lardin

2

Ribérac

D 710

D 710

PÉRIGUEUX

D 704

D 5

D 20

Razac-sur-l'Isle

Bassilac

Montignac

la Roche-Chalais

Echourgnac

St-Léon-sur-l'Isle

N 89

Fossemagne

N 89

Jayac

D 708

D 38

N. D.-de-Sanilhac

St-Pierre-de-Chignac

D 67

Grte de Lascaux

la Chapelle-Aubareil

Salignac-Eyvignes

D 730

Manzac-sur-Vern

D 710

Thonac

D 60

D 9

Mussidan

Douville

D 21

D 45

les Eyzies-de-Tayac

D 705

Tamniès

D 62

Montpon-Ménestérol

D 708

D 20

D 708

N 21

Lembras

la Force

le Bugue

Marquay

Sarlat

D 936

Limeuil

D 35

D 32

Bergerac

D 660

Lalinde

le Buisson-de-Cadouin

St-Cyprien

Vézac

Carsac-Aillac

D 703

33 - GIRONDE

Monbazillac

D 933

Siorac-en-Périgord

Beynac-et-Cazenac

la Roque-Gageac

Vitrac

101

Bouniagues

Montferrand-du-Périgord

Belvès

D 710

46 - LOT

479

Issigeac

D 660

D 53

D 60

3

Mazeyrolles

Villefranche-du-Périgord

N

47 - LOT-ET-GARONNE

412

0   10 km

Légende p 21

113

BASSILLAC (B2)
24330 Dordogne
1547 hab.

⚐ L'ESCALE
M. Pean
☎ 05 53 54 42 95 **FAX** 05 53 07 60 34
🛏 5 ▢ 215/245 F. ■ 32 F. 🍽 95/200 F.
🎿 55 F. 🅿 200/230 F.
[icons] CB

BELVES (B3)
24170 Dordogne
1553 hab. 🛈

⚐⚐ LE BELVEDERE DE BELVES ★★
1, av. Paul Crampel. M. Lombard
☎ 05 53 29 90 50 **FAX** 05 53 29 90 74
🛏 20 ▢ 280/365 F. ■ 35 F.
🍽 78/220 F. 🎿 39 F. 🅿 230/280 F.
⊠ fév. et mar. hs.
[icons] SP CV CB CR

BERGERAC (A3)
24100 Dordogne
28000 hab. 🛈

⚐⚐⚐ DE BORDEAUX ★★★
38, place Gambetta. M. Maury
☎ 05 53 57 12 83 **FAX** 05 53 57 72 14
🛏 40 ▢ 290/395 F. ■ 46 F.
🍽 99/190 F. 🎿 50 F. 🅿 320/375 F.
[icons] SP CV CB CR

⚐⚐ DU COMMERCE LA CREMAILLERE ★★
36, place Gambetta. Mme Chassagne
☎ 05 53 27 30 50 **FAX** 05 53 58 23 82
🛏 35 ▢ 200/380 F. ■ 40 F.
🍽 88/150 F. 🎿 48 F. 🅿 245/260 F.
[icons] CV CB CR

⚐⚐⚐ RELAIS DE LA FLAMBEE ★★★
153, av. Pasteur Marceau Feyry.
M. Bournizel
☎ 05 53 57 52 33 **FAX** 05 53 61 07 57
🛏 20 ▢ 270/480 F. ■ 48 F.
🍽 100/350 F. 🎿 80 F. 🅿 370 F.
⊠ 2 janv./2 avr. Rest. dim. soir et lun.
[icons] CB

... *à proximité*

LEMBRAS (A2-3)
24100 Dordogne
1174 hab.

4 km N.E. Bergerac par N 21

⚐ RELAIS DE LA RIBEYRIE ★★
74, route de Périgueux. M. Domet
☎ 05 53 27 01 92 **FAX** 05 53 58 43 59
🛏 8 ▢ 230 F. ■ 25 F. 🍽 65/160 F.
🎿 35 F. 🅿 390 F.
⊠ 2/31 janv. Hôtel dim. soir hs. Rest.
dim. soir et lun. midi hs, dim. soir en
saison.
[icons] CB

BEYNAC CAZENAC (B3)
24220 Dordogne
411 hab. 🛈

⚐ PONTET HOSTELLERIE MALEVILLE ★★
Mme Maleville
☎ 05 53 29 50 06 **FAX** 05 53 28 28 52
🛏 13 ▢ 220/290 F. ■ 35 F.
🍽 78/280 F. 🎿 48 F. 🅿 260/280 F.
[icons] CV CB

BOUNIAGUES (A3)
24560 Dordogne
300 hab.

⚐⚐ DES VOYAGEURS ★★
Sur N. 21. Mme Feytout
☎ 05 53 58 32 26 **FAX** 05 53 58 32 26
🛏 8 ▢ 145/280 F. 🍽 70/180 F. 🎿 50 F.
🅿 200/250 F.
⊠ janv./fév., dim. soir et lun. hs.
[icons] CV CB

BRANTOME (A2)
24310 Dordogne
2000 hab. 🛈

⚐⚐⚐ CHABROL Rest. LES FRERES
CHARBONNEL ★★★
57, rue Gambetta. MM. Charbonnel
☎ 05 53 05 70 15 **FAX** 05 53 05 71 85
🛏 21 ▢ 250/400 F. ■ 45 F.
🍽 160/400 F. 🎿 70 F. 🅿 360/460 F.
⊠ 15 nov./15 déc., 3/21 fév., dim. soir
et lun. 1er oct./30 juin sauf jours fériés.
[icons] SP CB

⚐⚐ HOSTELLERIE DU PERIGORD VERT ★★
6, av. André Maurois. M. Conseil
☎ 05 53 05 70 58
🛏 17 ▢ 255/305 F. ■ 35 F.
🍽 95/250 F. 🎿 55 F. 🅿 260/290 F.
⊠ 6 janv./28 fév., ven. et dim. soir
mars/avr. et oct./nov.
[icons] CV CB

Le BUGUE (B2)
24260 Dordogne
2800 hab. 🛈

⚐⚐ LE CYGNE ★★
(Le Cingle). M. Denis
☎ 05 53 07 17 77 **FAX** 05 53 03 93 74
🛏 11 ▢ 260/280 F. ■ 35 F.
🍽 88/225 F. 🎿 45 F. 🅿 240 F.
⊠ 20 déc./20 janv., dim. soir et lun. hs.
[icons] CV CB CR

Le BUISSON DE CADOUIN (B3)
24480 Dordogne
2003 hab. 🛈

⚐⚐⚐ MANOIR DE BELLERIVE ★★★
Route de Siorac. M. Clevenot
☎ 05 53 27 16 19 **FAX** 05 53 22 09 05
🛏 16 ▢ 420/850 F. ■ 50/ 70 F.
🍽 98/280 F. 🎿 70 F. 🅿 420/650 F.
⊠ 15 nov./15 mars et mer. sauf
juil./août.
[icons] CB

CARSAC AILLAC (B3)
24200 Dordogne
1000 hab.

♠ DELPEYRAT
M. Delpeyrat
☎ 05 53 28 10 43
🛏 13 ⊗ 100/260 F. 🍽 28 F.
🍴 75/150 F. 🏨 42 F.
[E] [🚗] [🛏] [🏨] [⬚] [CB]

CHANCELADE (A2)
24650 Dordogne
>>> *voir PERIGUEUX*

La CHAPELLE AUBAREIL (B2)
24290 Dordogne
320 hab.

♠♠ LA TABLE DU TERROIR ★★
(A Fougeras). M. Gibertie
☎ 05 53 50 72 14 🅵 05 53 51 16 23
🛏 24 ⊗ 220/280 F. 🍽 30 F.
🍴 65/220 F. 🏨 40 F. 🍱 250/280 F.
⊠ 30 nov./1er mars.
[E] [SP] [⬚] [☎] [🚗] [🛏] [🏨] [CV]
[⬚] [⬚] [CB]

CHERVEIX CUBAS (B2)
24390 Dordogne
800 hab. ⓘ

♠♠ R. FAVARD ★★
M. Favard
☎ 05 53 50 41 05 🅵 05 53 51 35 69
🛏 13 ⊗ 155/250 F. 🍽 40 F.
🍴 70/160 F. 🏨 40 F. 🍱 210/250 F.
[E] [⬚] [☎] [🚗] [🛏] [🏨] [⬚] [⬚] [⬚]
[CB]

La COQUILLE (B1)
24450 Dordogne
1800 hab. ⓘ

♠ DES VOYAGEURS ★★
12, rue de la République M. Marko
☎ 05 53 52 80 13 🅵 05 53 62 18 29
🛏 9 ⊗ 170/320 F. 🍽 38 F.
🍴 100/210 F. 🏨 58 F. 🍱 260 F.
⊠ 2/19 janv, 7/20 fév. et dim. soir
oct./fin mars.
[⬚] [☎] [🚗] [🏨] [⬚] [CB]

DOUVILLE (A2)
24140 Dordogne
380 hab. ⓘ

♠♠ LE TROPICANA ★★
Sur N. 21 Maison Jeannette. Mme Tytgat
☎ 05 53 82 98 31 🅵 05 53 80 45 50
🛏 20 ⊗ 240/300 F. 🍽 40 F.
🍴 70/240 F. 🏨 50 F. 🍱 220/260 F.
⊠ 20 déc./6 janv., vac. Pâques et ven.
15h/dim. 9h hs.
[E] [SP] [⬚] [☎] [🚗] [🏨] [⬚] [⬚] [CB]

Les EYZIES DE TAYAC (B2)
24620 Dordogne
800 hab. ⓘ

♠♠ DE FRANCE AUBERGE DU MUSEE ★★
Rue du Musée. Mme Monceaud-Preux
☎ 05 53 06 97 23 \ 05 53 06 92 80
🅵 05 53 06 90 97
🛏 21 ⊗ 200/350 F. 🍽 35 F.
🍴 80/240 F. 🏨 50 F. 🍱 230/330 F.
⊠ 1er nov./Pâques. Rest. 1er
oct./Pâques.
[E] [☎] [🚗] [🛏] [🏨] [⬚] [CV] [⬚] [CB]

♠♠ DU CENTRE ★★
M. Brun
☎ 05 53 06 97 13 🅵 05 53 06 91 63
🛏 19 ⊗ 250/300 F. 🍽 38 F.
🍴 80/210 F. 🏨 55 F. 🍱 280/325 F.
⊠ 5 nov./1er avr.
[E] [⬚] [☎] [🚗] [🏨] [⬚] [⬚] [CB]

La FORCE (A2-3)
24130 Dordogne
1950 hab.

♠♠ HOSTELLERIE DES DUCS ★★
Place du Château. Mme Lengereau
☎ 05 53 58 95 63 🅵 05 53 61 31 42
🛏 12 ⊗ 150/300 F. 🍽 30 F.
🍴 55/150 F. 🏨 40 F. 🍱 180/250 F.
⊠ 1ère quinzaine oct./fév. Rest. dim.
soir et lun. midi.
[E] [D] [⬚] [☎] [🏨] [⬚] [CV] [⬚] [CB] [⬚] [⬚]

FOSSEMAGNE (B2)
24210 Dordogne
544 hab.

♠ VILLA ★
M. Villa
☎ 05 53 04 42 08
🛏 7 ⊗ 150/240 F. 🍽 35 F. 🍴 55/220 F.
🏨 55 F. 🍱 200/230 F.
⊠ 20 jours fin oct., 8 jours en fév. et lun.
[☎] [🛏] [CV] [⬚] [CB]

GENIS (B2)
24160 Dordogne
600 hab.

♠ RELAIS SAINT PIERRE ★
M. Jarjanette
☎ 05 53 52 47 11 🅵 05 53 62 49 91
🛏 7 ⊗ 140/260 F. 🍽 30 F. 🍴 60/220 F.
🏨 48 F. 🍱 200/270 F.
[E] [⬚] [☎] [CV] [⬚] [⬚] [CB]

ISSIGEAC (A3)
24560 Dordogne
686 hab.

♠♠ LA BRUCELIERE ★★
Place Capelle. Mme Bernu
☎ 05 53 58 72 28
🛏 6 ⊗ 200/320 F. 🍽 35 F. 🍴 65/190 F.
🏨 50 F. 🍱 205/265 F.
⊠ nov., fév., dim. soir et lun.
[E] [⬚] [☎] [🛏] [CV] [⬚] [CB]

JAYAC (B2)
24590 Dordogne
>>> *voir SALIGNAC EYVIGNES*

LALINDE (A-B3)
24150 Dordogne
3000 hab. [i]

▲▲▲ DU CHATEAU ★★★
1, rue de la Tour. M. Gensou
☎ 05 53 61 01 82 [FAX] 05 53 24 74 60
[120F] [1] 7 ▣ 270/820 F. ▨ 65 F.
[11] 105/220 F. [1] 100 F. ▨ 320/620 F.
⊠ janv., 3ème semaine sept., dim. soir
et lun. hiver, lun. automne et printemps,
lun. midi juil./août.
[E] [D] [î] [🚗] [⋈] [🌂] [♦] [CB]

▲▲ DU PERIGORD ★★
1, place du 14 Juillet. M. Amagat
☎ 05 53 61 19 86 [FAX] 05 53 61 27 49
[120F] [1] 16 ▣ 200/400 F. ▨ 40 F.
[11] 75/260 F. [1] 45 F. ▨ 240/320 F.
⊠ 15 jours fin déc., 1 semaine mars,
ven. soir et dim. soir hs.
[E] [D] [Cd] [î] [🚗] [m] [⋈] [🌂] [🌴] [▯] [♦]
[CB]

Le LARDIN (B2)
24570 Dordogne
2000 hab.

▲▲▲ SAUTET ★★★ & ★★
M. Sautet
☎ 05 53 51 45 00 [FAX] 05 53 51 45 09
[100F] [1] 33 ▣ 250/390 F. ▨ 40 F.
[11] 100/215 F. [1] 60 F. ▨ 295/355 F.
⊠ déc./fév., 14 nov. et sam. midi.
[E] [SP] [▯] [î] [🚗] [🌴] [🔧] [🏃] [♿]
[CV] [▯] [♦] [CB] [▣] [GR]

LEMBRAS (A2-3)
24100 Dordogne

>>> *voir BERGERAC*

LIMEUIL (B2-3)
24510 Dordogne
360 hab. [i]

▲▲ BEAU REGARD ET LES TERRASSES ★★
Route de Tremolat. M. Darnet
☎ 05 53 63 30 85 [FAX] 05 53 24 53 55
[100F] [1] 8 ▣ 220/280 F. ▨ 40 F. [11] 90/280 F.
[1] 60 F. ▨ 300/330 F.
⊠ fin sept./1er mai. Rest. mar. midi et
ven. midi.
[E] [SP] [▯] [î] [🚗] [🌴] [CV] [♦] [CB] [GR]

MANZAC SUR VERN (A2)
24110 Dordogne
450 hab.

▲▲ DU LION D'OR ★★
Place de l'Eglise. M. Beauvais
☎ 05 53 54 28 09 [FAX] 05 53 54 25 50
[100F] [1] 7 ▣ 130/200 F. ▨ 32 F. [11] 70/200 F.
[1] 52 F. ▨ 250 F.
⊠ 25 oct./10 nov., vac. scol. fév., dim.
soir sauf juil./août et lun.
[E] [D] [î] [🚗] [🌴] [🔧] [CV] [▯] [♦]

MARQUAY (B2)
24620 Dordogne
420 hab.

▲▲▲ DES BORIES ★★
M. Dalbavie
☎ 05 53 29 67 02 [FAX] 05 53 29 64 15
[100F] [1] 28 ▣ 145/280 F. ▨ 33 F.
[11] 85/150 F. [1] 50 F. ▨ 200/280 F.
⊠ 2 nov./31 mars. Rest. lun. midi.
[E] [î] [🚗] [🌴] [🔧] [CV] [▯] [♦]

MAZEYROLLES (B3)
24550 Dordogne

>>> *voir VILLEFRANCHE DU PERIGORD*

MONSEC (A1)
24340 Dordogne
270 hab.

▲ BEAUSEJOUR
M. Biche
☎ 05 53 60 92 45 [FAX] 05 53 56 39 88
[100F] [1] 13 ▣ 150/200 F. ▨ 30 F.
[11] 75/150 F. [1] 35 F. ▨ 150/200 F.
⊠ Noël/1er janv., ven. soir et sam.
oct./mars.
[E] [D] [î] [🚗] [🌴] [🔧] [🏃] [CV] [▯] [♦] [CB]

MONTFERRAND DU PERIGORD (A-B3)
24440 Dordogne
220 hab.

▲ LOU PEYROL
La Barrière. Mme Mori
☎ 05 53 63 24 45 [FAX] 05 53 63 24 45
[80F] [1] 7 ▣ 170/230 F. ▨ 30 F. [11] 75/200 F.
[1] 40 F. ▨ 190/240 F.
⊠ 30 sept./Pâques, mar. midi avr., mai,
juin et sept.
[E] [D] [î] [🚗] [🌴] [🔧] [🌂] [♦] [CB]

MONTIGNAC (B2)
24290 Dordogne
3200 hab. [i]

▲ LE LASCAUX ★★
109, av. Jean Jaurès. M. Brégégière
☎ 05 53 51 82 81 [FAX] 05 53 50 04 73
[100F] [1] 14 ▣ 170/260 F. ▨ 32 F.
[11] 68/199 F. [1] 30 F. ▨ 210/250 F.
[E] [D] [î] [🚗] [🌴] [🔧] [CV] [♦] [CB]

MONTPON MENESTEROL (A2)
24700 Dordogne
5940 hab. [i]

▲▲ DU PUITS D'OR ★★
7, rue Carnot. M. Lovato
☎ 05 53 80 33 07 [FAX] 05 53 81 52 47
[100F] [1] 20 ▣ 210/220 F. ▨ 35 F.
[11] 65/175 F. [1] 65 F. ▨ 260 F.
⊠ rest. dim. soir et lun. midi hs.
[E] [D] [î] [🚗] [🌴] [🔧] [CV] [▯]

MUSSIDAN (A2)
24400 Dordogne
3000 hab. [i]

DU MIDI ★★
Av. de la Gare. M. Gasis
☎ 05 53 81 01 77 FAX 05 53 82 90 14
[100F] 🛏 10 ☒ 200/300 F. 🍽 32 F.
🍴 70/170 F. 🛏 48 F. 🖼 230/250 F.
☒ ven. soir et sam. hs.
[E] 🛏 ☎ 🚗 🌴 🏊 🔥 [CV] [CB]

NONTRON (A1)
24300 Dordogne
4100 hab. [i]

GRAND HOTEL ★★
Mme Pelisson
☎ 05 53 56 11 22 FAX 05 53 56 59 94
🛏 25 ☒ 185/300 F. 🍽 34 F.
🍴 80/250 F. 🛏 55 F. 🖼 200/280 F.
[E] 🛏 ☎ 🚗 🛗 🌴 🏊 🔥 ♿ [CV]
[🍴] ♠ [CB] ■ [CR]

NOTRE DAME DE SANILHAC (A2)
24660 Dordogne
2300 hab.

AUBERGE NOTRE DAME ★
Route de Vergt. M. Debacker
☎ 05 53 07 60 69
[100F] 🛏 5 ☒ 130/230 F. 🍽 30 F. 🍴 58/130 F.
🛏 38 F. 🖼 200/230 F.
[E] [SP] ☎ 🚗 🌴 🔥 [CV] ♠ [CB]

PERIGUEUX (A-B2)
24000 Dordogne
43000 hab. [i]

DU PERIGORD ★★
74, rue Victor Hugo. Mme Vallejo
☎ 05 53 53 33 63 FAX 05 53 08 19 74
[100F] 🛏 20 ☒ 35 F. 🍴 75/165 F. 🛏 50 F.
🖼 235/240 F.
☒ 19 oct./3 nov., semaine Carnaval.
Hôtel ven. oct./mars. Rest. sam. et dim.
soir oct./mars.
[SP] 🛏 ☎ 🚗 🌴 [🍴] ♠ [CB]

L'UNIVERS ★★
18, cours Montaigne. M. Cadol
☎ 05 53 53 34 79 FAX 05 53 06 70 76
[120F] 🛏 12 ☒ 180/280 F. 🍽 35 F.
🍴 85/185 F. 🛏 60 F. 🖼 250 F.
☒ vac. scol. Noël, dim. soir hs et jours
fériés.
[E] [SP] 🛏 ☎ 🌴 🔥 [CV] ♠ [CB]

... à proximité

CHANCELADE (A2)
24650 Dordogne
3295 hab.

Entrée Périgueux Ouest par D 939 - D 710

DU PONT DE LA BEAURONNE ★★
A la sortie Périgueux.4,route de Ribérac
M. Mousnier
☎ 05 53 08 42 91 FAX 05 53 03 97 69

[100F] 🛏 30 ☒ 135/270 F. 🍽 32 F.
🍴 72/200 F. 🛏 50 F. 🖼 200/260 F.
☒ 20 sept./20 oct. Rest. dim. soir et
lun. midi.
[E] [SP] 🛏 ☎ 🚗 [CV] [🍴] ♠ [CB]

RAZAC SUR L'ISLE (A2)
24430 Dordogne
1702 hab.

11 km S.O. Périgueux par N 2089

CHATEAU DE LALANDE ★★★
(Annesse et Beaulieu). M. Sicard
☎ 05 53 54 52 30 FAX 05 53 07 46 67
🛏 22 ☒ 265/460 F. 🍽 40 F.
🍴 98/300 F. 🛏 47 F. 🖼 330/400 F.
☒ rest. mer. midi hs.
[E] [D] 🛏 ☎ 🚗 🌴 🏊 🔥 [🍴] ■ [CR]

RAZAC SUR L'ISLE (A2)
24430 Dordogne
>>> *voir PERIGUEUX*

RIBERAC (A2)
24600 Dordogne
4444 hab. [i]

DE FRANCE ★★
3, rue Marc Dufraisse. Mlle Jauvin
☎ 05 53 90 00 61 FAX 05 53 91 06 05
[100F] 🛏 20 ☒ 150/230 F. 🍽 30 F.
🍴 70/200 F. 🛏 45 F. 🖼 180/215 F.
[E] [D] 🛏 ☎ 🌴 ♿ [🍴] ♠ [CB] [CR]

La ROCHE CHALAIS (A2)
24490 Dordogne
2860 hab. [i]

LE SOLEIL D'OR ★★★
14, rue de l'Apre Côte. M. Volpe
☎ 05 53 90 86 71 FAX 05 53 90 28 21
🛏 15 ☒ 325/350 F. 🍽 37 F.
🍴 90/240 F. 🛏 55 F. 🖼 225/300 F.
[E] [D] 🛏 ☎ 🚗 🌴 🔥 [🍴] ♠ [CB]

La ROQUE GAGEAC (B3)
24250 Dordogne
500 hab. [i]

BELLE ETOILE ★★
M. Lorblanchet-Ongaro
☎ 05 53 29 51 44 FAX 05 53 29 45 63
🛏 16 ☒ 160/380 F. 🍽 35 F.
🍴 115/250 F. 🛏 50 F. 🖼 330 F.
☒ 1er avr./15 oct.
[E] [SP] [i] ☎ 🚗 ■ ♠ [CB]

LE PERIGORD ★★
M. Delrieu
☎ 05 53 28 36 55 FAX 05 53 28 38 73
🛏 40 ☒ 250/360 F. 🍽 35 F.
🍴 98/260 F. 🛏 50 F. 🖼 290/340 F.
☒ janv., fév. et dim. soir/mar. matin
2 nov./1er avr.
[E] [SP] 🛏 ☎ 🚗 🌴 🏊 ✎ 🔥 🚣 [🍴] ♠
[CB]

SAINT CYPRIEN (B3)
24220 Dordogne
2000 hab. 🛈

AA DE LA TERRASSE ★★
Place Jean Ladignac. M. Vincent
☎ 05 53 29 21 69 📠 05 53 29 60 88
🛏 17 💷 150/350 F. 🍽 35 F.
🍴 80/150 F. 🍷 40 F. 🍲 205/400 F.
✉ 15 déc./31 janv., dim. soir et lun. hs.
[icons]

SAINT LEON SUR L'ISLE (A2)
24110 Dordogne
1941 hab.

AA LE GUE DES MEUNIERS ★★
Mme Sicard
☎ 05 53 80 64 06 📠 05 53 80 40 19
🛏 10 💷 240/350 F. 🍽 35 F.
🍴 65/220 F. 🍷 40 F. 🍲 260/320 F.
✉ janv., dim. soir et lun. hs.
[icons]

SAINT MARTIAL VIVEYROL (A2)
24320 Dordogne
267 hab. 🛈

AAA HOSTELLERIE LES AIGUILLONS ★★★
Le Beuil. M. Beeuwsaert
☎ 05 53 91 07 55 📠 05 53 90 40 97
🛏 8 🍽 40 F. 🍴 120/250 F. 🍷 60 F.
🍲 300/350 F.
✉ janv., fév., dim. soir et lun. hs.
[icons]

SAINT PIERRE DE CHIGNAC (B2)
24330 Dordogne
718 hab.

A LE SAINT PIERRE ★★
Place de la Halle. M. Dumas
☎ 05 53 07 55 04 📠 05 53 08 26 47
🛏 11 💷 195/290 F. 🍽 28 F.
🍴 65/200 F. 🍷 50 F. 🍲 175/255 F.
✉ 10 fév./10 mars.
[icons]

SALIGNAC EYVIGNES (B2)
24590 Dordogne
964 hab. 🛈

AA LA TERRASSE ★★
Place de la Poste. Mme Brégégère
☎ 05 53 28 80 38 📠 05 53 28 99 67
🛏 13 💷 200/350 F. 🍽 42 F.
🍴 88/195 F. 🍷 50 F. 🍲 240/290 F.
✉ mer. midi.
[icons]

... *à proximité*

JAYAC (B2)
24590 Dordogne
194 hab.

7 km Nord Salignac par D 60

AA COULIER ★★
M. Coulier
☎ 05 53 28 86 46 📠 05 53 28 26 33

🛏 15 💷 200/260 F. 🍽 38 F.
🍴 65/230 F. 🍷 40 F. 🍲 260 F.
✉ 15 déc./15 janv. et sam. 1er oct./
1er avr.
[icons]

SARLAT (B2)
24200 Dordogne
11000 hab. 🛈

A HOSTELLERIE LA VERPERIE ★★
M. Chopin
☎ 05 53 59 00 20 📠 05 53 28 58 94
🛏 25 💷 220/300 F. 🍽 37 F.
🍴 90/230 F. 🍷 50 F.
✉ 15 nov./15 fév.
[icons]

AA LA COULEUVRINE ★★
1, place de la Bouquerie.
Mme Lebon-Henault
☎ 05 53 59 27 80 📠 05 53 31 26 83
🛏 25 💷 165/340 F. 🍽 38 F.
🍴 98/210 F. 🍷 58 F. 🍲 230/320 F.
✉ rest. 11/31 janv., 16/30 nov., mar. et
mer. midi nov./mars.
[icons]

AAA LA HOIRIE ★★★
Lieu dit la Giragne.
Mme Sainneville de Vienne
☎ 05 53 59 05 62 📠 05 53 31 13 90
🛏 15 💷 370/570 F. 🍽 55 F.
🍴 120/195 F. 🍷 50 F. 🍲 335/435 F.
✉ 15 nov./15 mars.
[icons]

AAA SAINT ALBERT ET MONTAIGNE ★★
Place Pasteur. M. Garrigou
☎ 05 53 31 55 55 📠 05 53 59 19 99
🛏 63 💷 260/320 F. 🍽 32 F.
🍴 97/180 F. 🍷 50 F. 🍲 290/320 F.
✉ dim. soir et lun. 3 nov./24 mars.
[icons]

SIORAC EN PERIGORD (B3)
24170 Dordogne
875 hab. 🛈

AAA AUBERGE DE LA PETITE REINE ★★
M. Duc
☎ 05 53 31 60 42 📠 05 53 31 69 60
🛏 39 💷 255/315 F. 🍽 38 F.
🍴 80/170 F. 🍷 35 F. 🍲 265/317 F.
✉ 4 nov./11 avr.
[icons]

SORGES (B2)
24420 Dordogne
1075 hab. 🛈

AAA AUBERGE DE LA TRUFFE ★★
Mme Leymarie
☎ 05 53 05 02 05 📠 05 53 05 39 27
🛏 18 💷 240/300 F. 🍽 35 F.
🍴 80/260 F. 🍷 50 F. 🍲 275 F.
✉ dim. soir en hiver.
[icons]

SORGES (B2) (suite)

DE LA MAIRIE ★★
Mme Leymarie
☎ 05 53 05 02 11 **FAX** 05 53 05 39 27
8 ⏅ 240/300 F. ▥ 35 F. ▯ 75/200 F.
▤ 50 F. ▦ 275 F.
⊠ dim. soir et lun.

TAMNIES (B2)
24620 Dordogne
310 hab.

LABORDERIE ★★
M. Laborderie
☎ 05 53 29 68 59 **FAX** 05 53 29 65 31
35 ⏅ 150/470 F. ▥ 35 F.
▯ 95/240 F. ▤ 50 F. ▦ 220/380 F.
⊠ 1er nov./1er avr.

THONAC (B2)
24290 Dordogne
250 hab.

ARCHAMBEAU ★★
Place de l'Eglise. M. Archambeau
☎ 05 53 50 73 78 **FAX** 05 53 50 78 88
12 ⏅ 250/260 F. ▥ 33 F.
▯ 72/160 F. ▤ 45 F. ▦ 255/260 F.
⊠ mi-oct./début déc.

VEZAC (B3)
24220 Dordogne
620 hab.

LE RELAIS DES 5 CHATEAUX ★★
M. Vasseur
☎ 05 53 30 30 72 **FAX** 05 53 31 19 39
10 ⏅ 190/275 F. ▥ 36 F.
▯ 80/330 F. ▤ 45 F. ▦ 285/310 F.
⊠ 16/28 fév. et mer. 11 nov./1er mars.

VIEUX MAREUIL (A1)
24340 Dordogne
400 hab. **ℹ**

**HOSTELLERIE DE L'AUBERGE DE
L'ETANG BLEU** ★★★
Sur D 93 à 2kms de Vieux Mareuil.
M. Colas
☎ 05 53 60 92 63 **FAX** 05 53 56 33 20
11 ⏅ 240/300 F. ▥ 38 F.
▯ 90/200 F. ▤ 65 F. ▦ 325/300 F.
⊠ dim. soir et lun. 8 nov./Pâques.

VILLARS (B1)
24530 Dordogne
568 hab. **ℹ**

LE RELAIS DE L'ARCHERIE ★★
M. Boulanger
☎ 05 53 54 88 64 **FAX** 05 53 54 21 92
7 ⏅ 190/260 F. ▥ 30 F. ▯ 80/170 F.
▤ 45 F. ▦ 210/230 F.
⊠ 15 janv./15 fév., ven. soir, sam. midi
et dim. soir hs.

VILLEFRANCHE DU PERIGORD (B3)
24550 Dordogne
800 hab. **ℹ**

LES BRUYERES ★★
Route de Cahors. M. Davy
☎ 05 53 29 97 97 **FAX** 05 53 31 28 51
10 ⏅ 210/230 F. ▥ 30 F.
▯ 48/230 F. ▤ 45 F. ▦ 260/300 F.
⊠ 2ème quinzaine nov., dernière
semaine janv., 1ère quinzaine mars et
lun.

... *à proximité*

MAZEYROLLES (B3)
24550 Dordogne
380 hab. **ℹ**

8 km N.O. Villefranche par D 660

LA CLE DES CHAMPS ★★
M. Pinchelimouroux
☎ 05 53 29 95 94 **FAX** 05 53 28 42 96
13 ⏅ 300/360 F. ▥ 40 F.
▯ 98/275 F. ▤ 40 F. ▦ 520/640 F.
⊠ 1er nov./30 avr.

VITRAC (B3)
24200 Dordogne
676 hab.

DE PLAISANCE ★★
Le Port. M. Taverne
☎ 05 53 28 33 04 **FAX** 05 53 28 19 24
42 ⏅ 210/350 F. ▥ 38 F.
▯ 75/230 F. ▤ 50 F. ▦ 270/310 F.

**Liste des
hôtels-restaurants**

Gironde

J.J. Brochard - C.R.T. Aquitaine

Association départementale
des Logis de France de la Gironde
Maison du Tourisme
21 Cours de l'Intendance
33000 Bordeaux
Téléphone 05 56 52 61 40

AQUITAINE

33 - GIRONDE

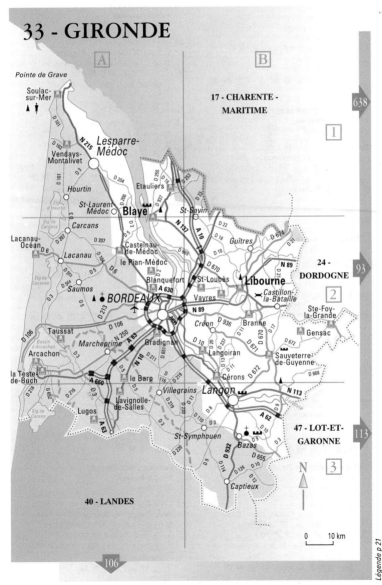

ARCACHON (A2)
33120 Gironde
11770 hab. ⓘ

▲▲▲ LES VAGUES ★★★
9, bld de l'Océan. M. Thé
☎ 05 56 83 03 75 ⓕⓐⓧ 05 56 83 77 16
🛏 30 ⌨ 360/796 F. ⬛ 58 F.
🍽 140/168 F. 🍴 70 F. 🍴 421/624 F.
Ⓔ Ⓓ 🖥 ☎ 🛏 ⬍ 🕭 ⬛ 🅿 CB ⒸⓇ

Le BARP (A2)
33114 Gironde
2240 hab.

▲ LE RESINIER ★★
Sur N.10. M. Balleton
☎ 05 56 88 60 07
🛏 9 ⬛ 35 F. 🍴 72/150 F. 🍴 45 F.
🍴 260/320 F.
☒ dim. soir.
Ⓔ Ⓓ SP 🖥 ☎ �car 🏭 🛏 🌴 CV ⬛
🅿 CB

BLANQUEFORT (A2)
33290 Gironde
12843 hab. ⓘ

▲▲▲ HOSTELLERIE LES CRIQUETS ★★★
130, av. du 11 Novembre. M. Molle
☎ 05 56 35 09 24 ⓕⓐⓧ 05 56 57 13 83
🛏 20 ⌨ 310 F. ⬛ 42 F. 🍴 145/365 F.
🍴 85 F. 🍴 290 F.
Ⓔ 🖥 ☎ 🚗 🛏 🌴 🌊 ♿ CV ⬛ 🅿
CB

BLAYE (A1-2)
33390 Gironde
4286 hab. ⓘ

▲▲ LA CITADELLE ★★
Place d'Armes. M. Chaboz
☎ 05 57 42 17 10 ⓕⓐⓧ 05 57 42 10 34
🛏 21 ⌨ 320/380 F. ⬛ 36 F.
🍴 130/300 F. 🍴 58 F. 🍴 670 F.
Ⓔ 🖥 ☎ 🌴 🌊 🏃 ⊘ ⬛ 🅿 CB

BRANNE (B2)
33420 Gironde
850 hab. ⓘ

▲ DE FRANCE ★★
7-9, place du Marché. Mme Lespine
☎ 05 57 84 50 06 ⓕⓐⓧ 05 57 74 99 51
🛏 13 ⌨ 210/300 F. 🍴 85/145 F.
🛏100F
🍴 35 F. 🍴 190 F.
☒ 1er janv. après-midi/22 janv., dim.
soir et lun. 1er oct./30 avr.
Ⓔ SP 🖥 ☎ 🚗 🏃 ⬛ 🅿 CB

CASTELNAU DE MEDOC (A2)
33480 Gironde
2773 hab.

▲ LES LANDES ★★
7, Place Romain Videau. Mme Baron
☎ 05 56 58 73 80 ⓕⓐⓧ 05 56 58 11 59
🛏120F
🛏 11 ⌨ 190/330 F. ⬛ 30 F.
🍴 85/160 F. 🍴 45 F. 🍴 230/280 F.
☒ dim.
Ⓔ ⓘ 🖥 ☎ 🛏 🏃 CV ⬛ 🅿 CB

CERONS (B2)
33720 Gironde
1300 hab.

▲▲▲ GRILLOBOIS ★★
Sur N.113. Mme Fleury
☎ 05 56 27 11 50 ⓕⓐⓧ 05 56 27 04 04
🛏 10 ⌨ 220/290 F. 🍴 40 F.
🍴 90/180 F. 🍴 55 F.
☒ 2/28 janv., dim. soir et lun.
Ⓔ Ⓓ SP 🖥 ☎ 🚗 🛏 🌴 🌊 🎣 🏃
⬛ 🅿

ETAULIERS (A1)
33820 Gironde
1550 hab.

▲▲ DES PLATANES ★★
4, route de Saint-Savin. M. Cuilie
☎ 05 57 64 70 42 ⓕⓐⓧ 05 57 64 60 94
🛏120F
🛏 10 ⌨ 210/250 F. ⬛ 30 F.
🍴 80/220 F. 🍴 45 F. 🍴 240/260 F.
☒ rest. dim. soir.
Ⓔ SP 🖥 ☎ 🚗 🌴 ⊘ CV ⬛ 🅿

▲ RELAIS DE L'ESTUAIRE
Place de la Halle. M. Petoin
☎ 05 57 64 70 36 ⓕⓐⓧ 05 57 64 56 51
🛏100F
🛏 25 ⌨ 230/285 F. ⬛ 32 F.
🍴 56/158 F. 🍴 35 F. 🍴 195/230 F.
Ⓔ SP ⓘ 🖥 ☎ 🚗 🛏 🌴 🏃 🏃 CV ⬛
🅿 CB

GENSAC (B2)
33890 Gironde
752 hab. ⓘ

▲▲ LES REMPARTS ★★
16, rue du Château. M.Me Poveromo
☎ 05 57 47 43 46 ⓕⓐⓧ 05 57 47 46 76
🛏 7 ⌨ 260/300 F. ⬛ 35 F. 🍴 90/240 F.
🍴 50 F. 🍴 290 F.
☒ 15 jours fév., 15 jours nov. Rest. dim.
soir et lun.
Ⓔ Ⓓ 🖥 ☎ 🛏 🌴 ⊘ ⬛ 🅿 CB 🖨
ⒸⓇ

GRADIGNAN (A2)
33170 Gironde
21727 hab.

▲ AU COMTE D'ORNON ★★
Allée de Mégevie. M. Galland
☎ 05 56 75 26 85 ⓕⓐⓧ 05 56 75 38 78
🛏100F
🛏 32 ⌨ 195/265 F. 🍴 69/135 F.
🍴 44 F.
Ⓔ Ⓓ SP 🖥 ☎Ⓖ ☎ 🚗 🛏 🌴 🏃 ♿ CV
⬛ 🅿 CB 🖨 ⒸⓇ

LACANAU OCEAN (A2)
33680 Gironde
2500 hab. ⓘ

▲▲ ETOILE D'ARGENT ★★
Place Europe. M. Dautrey
☎ 05 56 03 21 07 ⓕⓐⓧ 05 56 03 25 29
🛏120F
🛏 14 ⌨ 250/350 F. ⬛ 35 F.
🍴 70/250 F. 🍴 50 F. 🍴 270/350 F.
☒ déc./janv. et lun.
Ⓔ 🖥 ☎ 🌴 CV 🅿 CB

LANGOIRAN (B2)
33550 Gironde
2024 hab. [i]

⚐ LE SAINT MARTIN ★
Le Port. M. Neukirch
☎ 05 56 67 02 67 [FAX] 05 56 67 15 75
[100F] ⚑ 13 ◎ 240/290 F. ▬ 30 F.
⚐ 65/218 F. ⚑ 50 F. ⚑ 210/230 F.
⊠ janv.
[E] [D] [☎] [⇌] [⚑] [⚐] [CB]

LAVIGNOLLE DE SALLES (A3)
33770 Gironde
3645 hab.

⚐⚐ LE RELAIS TOURISTIQUE ★★
Mme Baron
☎ 05 56 88 62 09 [FAX] 05 56 88 68 69
[100F] ⚑ 9 ◎ 240/290 F. ▬ 35 F. ⚐ 97/240 F.
⚑ 50 F. ⚑ 250 F.
⊠ mi-oct./mi-nov., dim. soir et lun.
[E] [SP] [☎] [⚑] [⚐] [CB]

LIBOURNE (B2)
33500 Gironde
21012 hab. [i]

⚐⚐ AUBERGE LES TREILLES ★★
13-17, rue des Treilles. M. Grellier
☎ 05 57 25 02 52 [FAX] 05 57 25 29 70
[100F] ⚑ 20 ◎ 230/270 F. ▬ 30 F.
⚐ 85/250 F. ⚑ 55 F. ⚑ 195/215 F.
[☎] [☎] [⚑] [CV] [⚐] [CB]

LUGOS (A3)
33830 Gironde
392 hab.

⚐ LA BONNE AUBERGE
Mme Hoechstetter
☎ 05 57 71 95 28 [FAX] 05 57 71 94 32
[120F] ⚑ 12 ▬ 30 F. ⚐ 65/190 F. ⚑ 50 F.
⚑ 230/250 F.
⊠ nov., dim. soir et lun. sauf juil./août.
[E] [⚑] [⚐] [CB]

Le PIAN MEDOC (A2)
33290 Gironde
5078 hab.

⚐⚐⚐ LE PONT BERNET ★★★
A Louens, route du Verdon. M. Sauvage
☎ 05 56 70 20 19 [FAX] 05 56 70 22 90
[120F] ⚑ 18 ◎ 350 F. ▬ 40 F. ⚐ 158/300 F.
⚑ 350 F.
⊠ rest. lun. oct./avr.
[E] [☎] [⚑] [⚐] [CB]

SAINT LOUBES (B2)
33450 Gironde
6269 hab.

⚐⚐ AU VIEUX LOGIS ★★
92, av. de la République. M. Belot
☎ 05 56 78 92 99 [FAX] 05 56 78 91 18
[120F] ⚑ 6 ▬ 35 F. ⚐ 69/260 F. ⚑ 60 F.
⚑ 320 F.
⊠ 16/24 août, sam. midi et lun. midi hs
et hors vac. scol.
[E] [☎] [⚑] [CV] [⚐] [CB]

SAINTE FOY LA GRANDE (B2)
33220 Gironde
3218 hab. [i]

⚐ GRAND HOTEL ★★★
117-119, rue de la République
M.Me Vallet/Sabourin
☎ 05 57 46 00 08 [FAX] 05 57 46 50 70
[100F] ⚑ 17 ◎ 280/480 F. ▬ 35 F.
⚐ 68/232 F. ⚑ 50 F. ⚑ 250/450 F.
⊠ rest. sam. midi.
[E] [☎] [⚑] [⚐] [CB]

SAUVETERRE DE GUYENNE (B2)
33540 Gironde
1715 hab. [i]

⚐ DE GUYENNE ★
route de Libourne
Mme Daldoss-Veillon
☎ 05 56 71 54 92
[80F] ⚑ 15 ◎ 130/190 F. ▬ 20 F.
⚐ 80/160 F. ⚑ 30 F. ⚑ 180/240 F.
[E] [SP] [☎] [⚑] [CV]

SOULAC SUR MER (A1)
33780 Gironde
2590 hab. [i]

⚐ DAME DE COEUR ★★
103, rue de la Plage. M. Rouyer
☎ 05 56 09 80 80 [FAX] 05 56 09 97 47
[120F] ⚑ 12 ◎ 180/220 F. ▬ 30 F.
⚐ 65/220 F. ⚑ 45 F. ⚑ 250 F.
⊠ dim. soir.
[E] [D] [☎] [⚑] [CV] [⚐] [CB]

⚐⚐ DES PINS ★★
Lieu-dit l'Amélie à 4 km.
Mme Moulin
☎ 05 56 73 27 27 [FAX] 05 56 73 60 39
⚑ 31 ◎ 185/410 F. ▬ 43 F.
⚐ 95/250 F. ⚑ 55 F. ⚑ 235/395 F.
⊠ 15 janv./15 mars et 15 nov./15 déc.
[E] [☎] [⚑] [CV] [⚐] [CB]

⚐ L'HACIENDA ★★
4, rue Périer de Larsan. M. Richard
☎ 05 56 09 81 34 [FAX] 05 56 73 65 57
⚑ 11 ◎ 230/340 F. ⚐ 65/140 F.
⚑ 40 F. ⚑ 240/280 F.
[E] [SP] [i] [☎] [⚑] [CV] [⚐] [CB]

TAUSSAT (A2)
33148 Gironde
3060 hab. [i]

⚐ DE LA PLAGE ★★
20, bld de la Plage.
M. Georgelin
☎ 05 56 82 06 01 [FAX] 05 56 82 51 61
[100F] ⚑ 15 ◎ 200/320 F. ▬ 35 F.
⚐ 80/145 F. ⚑ 55 F. ⚑ 210/280 F.
⊠ 15 nov./15 fév. sauf réservation, lun.
sauf vac. scol. et été.
[E] [D] [☎] [⚑] [CV] [⚐] [CB]

La TESTE DE BUCH (A2)
33260 Gironde
22000 hab. ⓘ

⚑ BASQUE ★★
36, rue Maréchal Foch. Mme Goudriaan
☎ 05 56 66 26 04 📠 05 56 54 24 67
🛏 11 ⌧ 200/310 F. ☵ 38 F. 🍴 50 F.
🍽 265/290 F.
[E] [SP] 🗔 ☎ ☂ [CV] ← [CB]

VAYRES (B2)
33870 Gironde
2491 hab.

⚑⚑ GANGLOFF HOTEL Rest. LE VATEL ★★
M. Gangloff
☎ 05 57 74 80 79 📠 05 57 74 71 38
🛏 12 ⌧ 290 F. ☵ 35 F. 🍴 100 F.
🍽 60 F. 🍽 270 F.
[E] ⓘ 🗔 ☎ ← ☂ ☂ ↺ [CV] [⦂] ▦ ☏

VENDAYS MONTALIVET (A1)
33930 Gironde
1636 hab. ⓘ

⚑⚑ L'ARBERET ★★
Route de Soulac.
Mme Grams/Barthélémy
☎ 05 56 41 71 29 📠 05 56 41 77 77
🛏 25 ⌧ 256/300 F. ☵ 31 F.
🍴 80/243 F. 🍽 60 F. 🍽 259/335 F.
⊠ ven. soir et dim. soir 1er oct./
1er juin.
[E] [D] 🗔 ☎ ← ☂ ⚱ ↺ ⚒ [CV] [⦂]
← [CB]

Wenn Sie einen Aufenthalt nach Ihren Wünschen reservieren und unsere Sonderangebote nützen möchten, rufen Sie einfach die Reservierungszentrale Logis de France an. Tél. : 01 45 84 83 84.

**Liste des
hôtels-restaurants**

Landes

C.R.T Aquitaine

Association départementale
des Logis de France des Landes
C.C.I. - B.P. 137
40003 Mont-de-Marsan Cedex
Téléphone 05 58 05 44 72

AQUITAINE

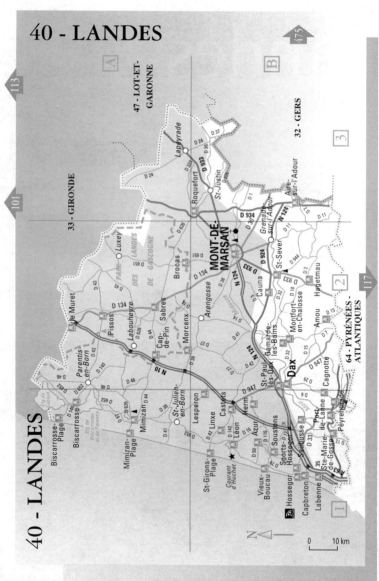

Légende p 21

AIRE SUR L'ADOUR (B3)
40800 Landes
8000 hab. [i]

▲ DU COMMERCE ★★
3, bld des Pyrénées. M. Labadie
☎ 05 58 71 60 06
[▮] 15 [◈] 110/180 F. [▬] 25 F.
[▯] 66/180 F. [▮] 85 F. [▬] 165/225 F.
[✉] dim. soir et lun.
[E] [i] [◻] [☎] [🛏] [T] [♠]

▲▲ LES PLATANES ★★
Place de la Liberté. M. Dedeban
☎ 05 58 71 60 36
[▮] 12 [◈] 150/290 F. [▬] 25 F.
[▯] 70/180 F. [▮] 45 F. [▬] 170/230 F.
[✉] nov. et ven.
[E] [◻] [☎] [⋈] [CV] [♠] [CB]

AMOU (B2)
40330 Landes
1500 hab. [i]

▲▲ LE COMMERCE ★★
Place de la Poste. M. Darracq
☎ 05 58 89 02 28 [FAX] 05 58 89 24 45
[▮] 18 [◈] 240/260 F. [▬] 35 F.
[▯] 80/220 F. [▮] 60 F. [▬] 240 F.
[✉] 12/30 nov.
[E] [◻] [☎] [🛏] [🛏] [♂] [CV] [🍽] [♠] [CB]

▲▲ LES VOYAGEURS ★★
Place de la Tecouère. Mme Laffitau
☎ 05 58 89 02 31 [FAX] 05 58 89 25 12
[▮] 9 [◈] 200/280 F. [▬] 26 F. [▯] 60/200 F.
[▮] 50 F. [▬] 200/220 F.
[✉] 30 janv./5 mars et ven. soir
[◻] [☎] [🛏] [T] [🚶] [CV] [♠] [CB]

AZUR (B1)
40140 Landes
365 hab.

▲ AUBERGE DU SOLEIL
M. Verdoux
☎ 05 58 48 10 17
[▮] 8 [◈] 210/230 F. [▬] 30 F. [▯] 70/165 F.
[▮] 50 F. [▬] 210/230 F.
[✉] 15 jours oct., 3 semaines mars, dim.
soir et lun. hs, sam. midi en saison.
[SP] [🛏] [T] [CB]

BISCARROSSE (A1)
40600 Landes
8600 hab. [i]

▲▲ LA CARAVELLE (BAIE D'ISPE) ★★
Rte des Lacs, N. 5314, Lac Nord, Direct.
Golf. MeM. Meurice/Charlotteaux
☎ 05 58 09 82 67 [FAX] 05 58 09 82 18
[120F] [▮] 11 [◈] 200/390 F. [▬] 35 F.
[▯] 88/250 F. [▮] 40 F. [▬] 290/320 F.
[✉] rest. 15 nov./15 fév. et lun. midi hs.
[E] [D] [SP] [◻] [☎] [🛏] [T] [♿] [♠] [CB]

BISCARROSSE PLAGE (A1)
40600 Landes
7000 hab. [i]

▲▲ LA FORESTIERE ★★★
1300, av. du Pyla. M. Petiteville
☎ 05 58 78 24 14 [FAX] 05 58 78 26 40
[120F] [▮] 34 [◈] 195/730 F. [▬] 45 F.
[▯] 85/250 F. [▮] 48 F. [▬] 225/495 F.
[✉] 1er oct./1er avr.
[E] [◻] [☎] [🛏] [T] [🚶] [CV] [♠] [CB]

BROCAS (A2)
40420 Landes
616 hab. [i]

▲ DE LA GARE ★
Route de Bélis. M. Taris
☎ 05 58 51 40 67
[100F] [▮] 7 [◈] 200/250 F. [▬] 30 F.
[▯] 100/250 F. [▮] 50 F. [▬] 200 F.
[✉] lun. sauf juil./août
[☎] [🛏] [⋈] [T] [🍽] [♠] [CB]

CAGNOTTE (B1-2)
40300 Landes

>>> *voir PEYREHORADE*

CAP DE PIN (A2)
40210 Landes
486 hab.

▲ RELAIS NAPOLEON III ★★
(N.10 sortie N°15). M. Goudin
☎ 05 58 07 20 52 [FAX] 05 58 04 26 24
[▮] 10 [◈] 150/250 F. [▬] 36 F.
[▯] 75/160 F. [▮] 50 F. [▬] 185/235 F.
[✉] 15 oct./5 nov., dim. soir et lun. sauf
juil./août.
[E] [SP] [☎] [🛏] [T] [🚶] [▶] [♿]

CAPBRETON (B1)
40130 Landes
5000 hab. [i]

▲▲ ATLANTIC ★★
75, av. du Mal de Lattre de Tassigny.
M. Peteilh
☎ 05 58 72 11 14 [FAX] 05 58 72 29 01
[▮] 29 [◈] 220/450 F. [▬] 30 F.
[▯] 71/135 F. [▮] 40 F. [▬] 215/345 F.
[E] [SP] [◻] [☎] [🛏] [⋈] [⋈] [🚶] [CV] [🍽] [♠] [CB]

▲▲▲ L'OCEAN Rest. LA MARINE ★★★
85, av. Georges Pompidou. Mme Gelos
☎ 05 58 72 10 22
[▮] 22 [◈] 320/520 F. [▬] 40 F. [▯] 79 F.
[▮] 50 F.
[✉] 10 oct./Rameaux.
[E] [SP] [◻] [☎] [🛏] [↕] [CV] [🍽] [♠] [CB]

CASTETS (B1)
40260 Landes
1750 hab. [i]

▲ LE RELAIS LANDAIS ★
Sur N.10. M. Lesbats
☎ 05 58 89 40 28 [FAX] 05 58 55 00 56
[120F] [▮] 8 [◈] 200/220 F. [▬] 35 F. [▯] 70/270 F.
[▮] 43 F. [▬] 210/270 F.
[✉] dim. soir.
[E] [SP] [◻] [☎] [🛏] [🛏] [♿] [CV] [🍽] [♠] [CB]

CAUNA (B2)
40500 Landes
410 hab.

▲▲ LE RELAIS DE LA CHALOSSE ★
M. Costedoat
☎ 05 58 76 10 47 〽 05 58 76 32 84
🛏 9 ◔ 160/220 F. 🍽 30 F. ⏹ 80/180 F.
⧖ 45 F. 🅿 220 F.
⊠ sam. et dim. soir hs.
[E] [SP] 🖵 🕿 🚗 🛥 🛩 🏃 CV 🐾 CB

DAX (B2)
40100 Landes
19309 hab. ⓘ

▲ AU FIN GOURMET ★★
3, rue des Pénitents. MM. Cagnati
☎ 05 58 74 04 26
🛏 16 ◔ 180/300 F. 🍽 30 F.
⏹ 60/220 F. ⧖ 60 F. 🅿 180/230 F.
⊠ 15 déc./15 janv.
[SP] ⓘ 🖵 🕿 🚗 ♿ CV 🐾 CB

✳ DU NORD ★
68, av. Saint-Vincent de Paul.
M. Tachoires
☎ 05 58 74 19 87 〽 05 58 74 21 63
🛏 19 ◔ 150/220 F. 🍽 35 F.
⊠ 20 déc./15 janv.
🖵 🕿 🚗 🛥 🛩 CV 🐾 CB

▲▲ JEAN LE BON ★★
12-14, rue Jean le Bon. M. Dutauzia
☎ 05 58 74 90 68 \ 05 58 74 29 14
〽 05 58 90 03 04
🛏 20 ◔ 150/250 F. 🍽 30 F.
⏹ 75/220 F. ⧖ 50 F. 🅿 220/255 F.
⊠ 20 déc./4 janv., sam. soir et dim.
nov./avr.
[E] [SP] ⓘ 🖵 🕿 🚗 🛩 🎍 ⃠ ♿ CV 🐾
CB 🖴 🄲🅁

▲ LA BONNE AUBERGE ★★
27, bld Saint-Pierre. Mme Lapeyre
☎ 05 58 74 05 55
🛏 25 ◔ 145/220 F. 🍽 27 F.
⏹ 55/98 F. ⧖ 30 F. 🅿 150/175 F.
[E] [SP] 🖵 🕿 🛥 ♿ CV 🐾 CB

... à proximité

SAINT PAUL LES DAX (B2)
40990 Landes
10000 hab. ⓘ

1 km Nord de Dax

▲▲▲ ADOUROTEL Rest. LES ALIZES ★★
A 500m. route de Bordeaux, av. Foch.
Mme Lamathe et Fils
☎ 05 58 91 64 37 〽 05 58 91 93 54
🛏 20 ◔ 240/300 F. 🍽 30 F.
⏹ 70/200 F. ⧖ 45 F. 🅿 225/260 F.
⊠ janv. Hôtel dim. soir hiver. Rest. lun.
midi hiver.
[E] [SP] 🖵 🕿 🚗 🛥 ⃠ 🎍 ⃠ 🏃 ♿
CV 🖴 CB 🐾

▲▲▲ RELAIS DES PLAGES ★★
A 1km,rte de Bayonne,158 av. de
l'Océan.
Mme Lageyre
☎ 05 58 91 78 86
🛏 10 ◔ 220/300 F. 🍽 30 F.
⏹ 70/200 F. ⧖ 50 F. 🅿 250/300 F.
⊠ rest. lun.
[E] [SP] 🖵 🕿 🚗 🛥 📺 🛩 🎍 ⃠ ♿ CV
🖴 🐾 CB

GAMARDE LES BAINS (B2)
40380 Landes
900 hab. ⓘ

▲ L'AUBERGE ★★
Mme Camjouan
☎ 05 58 98 62 27 〽 05 58 98 51 62
🛏 11 ◔ 200/210 F. 🍽 25 F.
⏹ 65/150 F. ⧖ 45 F. 🅿 230/240 F.
[E] 🖵 🕿 CV 🖴 🐾 CB

HAGETMAU (B2)
40700 Landes
5000 hab. ⓘ

▲▲ LA CREMAILLERE ★★
Route d'Orthez.
Mme Bourdieu
☎ 05 58 79 31 93 〽 05 58 79 54 09
🛏 8 ◔ 200/220 F. 🍽 30 F. ⏹ 75/140 F.
⧖ 45 F. 🅿 210/220 F.
⊠ 20 déc./2 janv., ven. soir et sam.
oct./mai.
[E] [SP] 🖵 🕿 🚗 🛥 🛩 🎍 ⃠ 🏃 ♿ CV 🖴
🐾 CB

▲▲ LE JAMBON ★★
27, rue Carnot.
M. Labadie
☎ 05 58 79 32 02 〽 05 58 79 34 78
🛏 7 ◔ 230/450 F. 🍽 35 F. ⏹ 98/230 F.
⧖ 50 F. 🅿 320 F.
⊠ dim. soir et lun.
[E] 🖵 🕿 🚗 🛥 🛩 CB

HERM (B1)
40990 Landes
700 hab. ⓘ

▲▲ DE LA PAIX ★★
128, av. de l'Océan.
M. Junca
☎ 05 58 91 52 17 〽 05 58 91 34 25
🛏 11 ◔ 180/240 F. 🍽 30 F.
⏹ 80/220 F. ⧖ 60 F. 🅿 210/240 F.
[E] 🖵 🕿 🚗 🛥 🛩 🏃 ♿ 🛥 CV 🖴 🐾 CB

▲ LA BERGERIE
Mme Puyobrau
☎ 05 58 91 52 28
🛏 8 ◔ 220/250 F. 🍽 29 F. ⏹ 70/140 F.
⧖ 50 F. 🅿 250 F.
⊠ 24 déc./12 janv.
🕿 🛥 🛩 🎍 🐾

HOSSEGOR (B1)
40150 Landes
2548 hab. ⓘ

▲▲▲ LACOTEL ★★
3058, av. du Touring Club de France.
M. Bretelle
☎ 05 58 43 93 50 📠 05 58 43 49 49
☞ 🛏 42 ◈ 290/460 F. ➥ 40 F.
⌖⌖⌖ 90/150 F. 🍴 55 F. 🍽 290/400 F.
⊠ 15 déc./15 janv. Rest. dim. soir et
lun. hs.
E D SP 🖥 ☎ 🚗 ↕ ⋈ ⌐ ♿ CV ▥
🐾 CB

▲ LE NEPTUNE ★
1053, av. du Touring Club de France.
M. Bretelle
☎ 05 58 43 51 09 📠 05 58 43 49 49
☞ 🛏 20 ◈ 170/200 F. ➥ 25 F.
🍴 80/120 F. 🍽 50 F. 🍽 220/250 F.
⊠ 30 sept./1er juin et lun. hs.
D SP 🚗 ♿ CV 🐾 CB

▲ LE ROND-POINT ★★
Av. du Touring Club de France.
Mme Vergez
☎ 05 58 43 53 11 📠 05 58 43 85 85
🛏 12 ◈ 200/220 F. ➥ 30 F.
🍴 68/120 F. 🍽 30 F. 🍽 230 F.
SP 🖥 ☎ 🚗 ⋈ 🏊 ⚓ CV

⚹ LES HELIANTHES ★★
156, av. de la Côte d'Argent. M. Benoît
☎ 05 58 43 52 19 📠 05 58 43 95 19
🛏 18 ◈ 180/480 F. ➥ 32 F.
⊠ 15 oct./20 mars.
E D SP ⓘ 🖥 ☎ ⌐ CV 🐾 CB ⚑

▲ LES HUITRIERES DU LAC ★★
1187, av. du Touring Club. M. Lalanne
☎ 05 58 43 51 48 📠 05 58 41 73 11
🛏 8 ◈ 300/550 F. ➥ 45 F. 🍴 95/135 F.
🍽 60 F. 🍽 340/500 F.
E SP ⓘ 🖥 ☎ 🚗 ♿ CV ▥ 🐾 CB

... *à proximité*

SOORTS HOSSEGOR (B1)
40150 Landes
2500 hab. ⓘ

2 km Ouest Hossegor par D 33

▲ HOSTELLERIE DE LA FORET ★★
Av. du Centre. Mme Noël
☎ 05 58 43 88 23 📠 05 58 43 80 01
☞ 🛏 13 ◈ 250/320 F. ➥ 36 F.
🍴 99/190 F. 🍽 50 F. 🍽 250/320 F.
⊠ janv., dim. soir et lun.
E SP 🖥 ☎ 🚗 🚗 🛥 ♿ ▥ 🐾 CB

LABENNE (B1)
40530 Landes
2884 hab. ⓘ

▲ CHEZ LEONIE ★★
Sur N.10 M. Daramy
☎ 05 59 45 41 64 📠 05 59 45 78 30

☞ 🛏 9 ◈ 180/240 F. ➥ 24 F. 🍴 70/220 F.
120F 🍽 55 F. 🍽 220/250 F.
⊠ 23 oct./2 nov. et 24 déc./2 janv.
E SP 🖥 ☎ 🚗 🚗 ♿ CV ▥ 🐾 CB

▲ EUROPEEN ★★
Mme Lopez
☎ 05 59 45 41 49 📠 05 59 45 72 91
🛏 24 ◈ 180/240 F. ➥ 30 F.
🍴 80/130 F. 🍽 220 F.
⊠ 6/19 janv., sam. et dim. soir.
E SP 🖥 ⌐ ☎ 🚗 🚗 🛥 CV ▥ 🐾 CB

LEON (B1)
40550 Landes
1360 hab. ⓘ

▲ DU CENTRE
Sur D. 652. Mme Dumora
☎ 05 58 48 74 09
🛏 10 ◈ 175/250 F. 🍴 55/200 F.
🍽 30 F.
CV ▥

LESPERON (B1)
40260 Landes
1200 hab. ⓘ

▲▲ CHEZ DARMAILLACQ ★ ★
M. Darmaillacq
☎ 05 58 89 61 45 📠 05 58 89 64 96
🛏 10 ◈ 130/230 F. ➥ 45 F.
🍴 70/190 F. 🍽 210/260 F.
⊠ 2ème quinzaine sept., 1 semaine
Noël, dim. soir et lun.
E SP 🖥 ☎ 🚗

LINXE (B1)
40260 Landes
980 hab. ⓘ

▲ AUBERGE DES 2 ANES ★★
25, route de l'océan Mme Fauthoux
☎ 05 58 42 92 08 📠 05 58 42 95 40
☞ 🛏 9 ◈ 220/260 F. ➥ 30 F. 🍴 60/250 F.
100F 🍽 40 F. 🍽 250/290 F.
E D 🖥 ☎ 🚗 🛥 ♿ CV ▥ 🐾 CB

MIMIZAN (A1)
40200 Landes
7672 hab. ⓘ

▲▲ HOTEL CLUB ATLANTIS ★★
19, rue de l'Abbaye. M. Taris
☎ 05 58 09 02 18 📠 05 58 09 36 60
☞ 🛏 10 ◈ 140/485 F. ➥ 36 F.
120F 🍴 70/150 F. 🍽 45 F. 🍽 200/395 F.
E D SP ⓘ 🖥 ☎ 🚗 ⋈ 🛥 ⌐ 🔦 ⚑
♿ ⚹ ▶ CV ▥ CB

MIMIZAN PLAGE (A1)
40200 Landes
7672 hab. ⓘ

▲▲ BELLEVUE ★★
Mme Lartigue
☎ 05 58 09 05 23 📠 05 58 09 19 15
🛏 36 ◈ 157/306 F. ➥ 34 F.
🍴 70/135 F. 🍽 40 F. 🍽 202/280 F.
⊠ fin oct./15 mars.
E SP ⓘ 🖥 ☎ 🚗 🛥 ♿ CV 🐾 CB

MIMIZAN PLAGE (A1) (suite)

DE LA FORET ★★
39, av. Maurice Martin.
Mme Guerry-Barraud
☎ 05 58 09 09 06 ☎ 05 58 09 29 81
120F ⬛ 8 ◫ 170/290 F. ⬛ 32 F. ⬛ 70/220 F.
⬛ 45 F. ⬛ 220/280 F.
◫ 7/22 fév.
⬛ ⬛ ⬛ ⬛ ⬛ ⬛ ⬛ CV CB

EMERAUDE DES BOIS ★★
68, av. du Courant. M. Brassenx
☎ 05 58 09 05 28
120F ⬛ 16 ◫ 198/330 F. ⬛ 34 F.
⬛ 98/160 F. ⬛ 55 F. ⬛ 240/300 F.
◫ 25 sept./22 mars.
⬛ SP ⬛ ⬛ ⬛ ⬛ CB

MONT DE MARSAN (B2)
40000 Landes
30161 hab. ⓘ

DES PYRENEES ★
Rue du 34ème Régiment d'Infanterie.
Mme Masson
☎ 05 58 46 49 49 ☎ 05 58 06 43 57
⬛ 22 ◫ 110/220 F. ⬛ 27 F.
⬛ 65/195 F. ⬛ 40 F. ⬛ 210 F.
◫ dim. juil./août et ven. soir.
⬛ SP ⬛ ⬛ ⬛ ⬛ CB

MONTFORT EN CHALOSSE (B2)
40380 Landes
1026 hab. ⓘ

AUX TOUZINS ★★
M. Lincontang
☎ 05 58 98 60 22＼05 58 98 61 09
☎ 05 58 98 45 79
100F ⬛ 16 ◫ 245/265 F. ⬛ 30 F.
⬛ 100/185 F. ⬛ 45 F. ⬛ 240/250 F.
◫ 1er/15 oct., 8/31 janv. et lun.
1er sept./30 juin.
⬛ ⬛ ⬛ ⬛ ⬛ ⬛ ⬛ ⬛ ⬛ ⬛ ⬛ ⬛ CB

MORCENX (A-B2)
40110 Landes
6000 hab. ⓘ

BELLEVUE ★★
Mme Ardouin-Caupenne
☎ 05 58 07 85 07
⬛ 20 ◫ 230/410 F. ⬛ 32 F.
⬛ 56/145 F. ⬛ 45 F. ⬛ 215/307 F.
◫ 1er janv./2 mars, sam. et dim.
oct./mai. sauf réservations hôtel.
⬛ SP ⬛ ⬛ ⬛ ⬛ ⬛ ⬛ ⬛ CV ⬛
⬛ CB CR

Le MURET (A2)
40410 Landes
655 hab.

LE CARAVANIER ★
Mme Lafargue
☎ 05 58 09 62 14
⬛ 10 ◫ 130/220 F. ⬛ 26 F.
⬛ ⬛ ⬛ ⬛ ⬛ ⬛ ⬛ ⬛ CB

LE GRANDGOUSIER ★★
Sur N.10. Mme Bardot
☎ 05 58 09 62 17＼05 58 09 62 19
☎ 05 58 09 60 29
120F ⬛ 24 ◫ 230/400 F. ⬛ 29 F.
⬛ 60/250 F. ⬛ 42 F. ⬛ 265/295 F.
◫ mer. hs.
⬛ ⬛ ⬛ ⬛ ⬛ ⬛ ⬛ ⬛ CV ⬛ ⬛ CB
⬛

PEYREHORADE (B1)
40300 Landes
3000 hab. ⓘ

... *à proximité*

CAGNOTTE (B1-2)
40300 Landes
500 hab.

6 km Nord Peyrehorade par D 29

BONI Rest. LE FOURNIL ★★
M. Demen
☎ 05 58 73 03 78 ☎ 05 58 73 13 48
100F ⬛ 10 ◫ 170/250 F. ⬛ 40 F.
⬛ 100/240 F. ⬛ 60 F. ⬛ 230/300 F.
◫ janv., dim. soir et lun. hs.
⬛ SP ⬛ ⬛ ⬛ ⬛ ⬛ ⬛ ⬛ CV ⬛ ⬛ CB ⬛

PISSOS (A2)
40410 Landes
970 hab. ⓘ

DU COMMERCE
Rest. LE CAFE DE PISSOS
M. Clavé
☎ 05 58 08 90 16
100F ⬛ 5 ◫ 200/300 F. ⬛ 30 F. ⬛ 75/235 F.
⬛ 55 F. ⬛ 220/290 F.
◫ 10/30 nov., mar. soir et mer. sauf
juil./août.
⬛ SP ⬛ ⬛ ⬛ CV ⬛ ⬛ CB

PORT DE LANNE (B1)
40300 Landes
650 hab.

LA VIEILLE AUBERGE ★★★
Place de l'Eglise. M. Lataillade
☎ 05 58 89 16 29 ☎ 05 58 89 12 89
120F ⬛ 10 ◫ 320/400 F. ⬛ 45 F.
⬛ 120/250 F. ⬛ 60 F. ⬛ 320/400 F.
◫ fin oct./fin avr. Rest. lun. et mar.
midi.
⬛ ⬛ SP ⬛ ⬛ ⬛ ⬛ ⬛ ⬛ ⬛ ⬛

ROQUEFORT (B3)
40120 Landes
2112 hab. ⓘ

DU COMMERCE Rest.
LE TOURNEBROCHE
M. Labat
☎ 05 58 45 50 13 ☎ 05 58 45 62 52
⬛ 9 ◫ 160/265 F. ⬛ 30 F. ⬛ 69/130 F.
⬛ 46 F. ⬛ 150/200 F.
◫ dim. soir et lun. sauf juil./août.
⬛ ⬛ ⬛ ⬛ ⬛ CV ⬛ ⬛ CB

ROQUEFORT (B3) (suite)

▲▲ LE COLOMBIER ★

M. Deyts

☎ 05 58 45 50 57 **FAX** 05 58 45 59 63

⌂ 100F ▮ 15 ◇ 140/220 F. ▩ 25 F.

▯ 60/130 F. ▨ 40 F. ◩ 180/200 F.

SABRES (A2)
40630 Landes
1100 hab. ⓘ

▲▲▲ AUBERGE DES PINS ★★

Route de la Piscine. M. Lesclauze

☎ 05 58 07 50 47 **FAX** 05 58 07 56 74

⌂ 100F ▮ 19 ▯ 100/340 F. ▨ 60 F.

⊠ dim. soir et lun. hs.

SAINT GIRONS PLAGE (B1)
40560 Landes
900 hab. ⓘ

▲ DE LA PLAGE ★

M. Duplaa

☎ 05 58 47 93 07

▮ 12 ◇ 190/260 F. ▩ 29 F. ▯ 69 F.

◩ 220/240 F.

⊠ 30 sept./30 avr.

SAINT PAUL LES DAX (B2)
40990 Landes

>>> *voir DAX*

SAINT SEVER (B2)
40500 Landes
5000 hab. ⓘ

▲▲▲ RELAIS DU PAVILLON ★★

M. Dumas

☎ 05 58 76 20 22 **FAX** 05 58 76 25 81

▮ 14 ◇ 250/280 F. ▩ 40 F.

▯ 85/160 F. ▨ 50 F. ◩ 300/350 F.

⊠ dim. soir sept./juin.

SAINTE MARIE DE GOSSE (B1)
40390 Landes
850 hab. ⓘ

▲ LES ROUTIERS ★

N. 117. M. Deloube

☎ 05 59 56 32 02 \ 05 59 56 34 17

FAX 05 59 56 36 06

▮ 15 ◇ 140/190 F. ▩ 25 F.

▯ 55/155 F. ◩ 150/180 F.

SAUBUSSE (B1)
40180 Landes
620 hab. ⓘ

▲▲▲ THERMAL ★★

M. Laborde

☎ 05 58 57 40 00 **FAX** 05 58 57 37 37

⌂ 80F ▮ 48 ◇ 300/350 F. ▩ 36 F.

▯ 78/200 F. ▨ 40 F. ◩ 182/217 F.

⊠ 29 nov./9 mars.

SOORTS HOSSEGOR (B1)
40150 Landes

>>> *voir HOSSEGOR*

SOUSTONS (B1)
40140 Landes
5500 hab. ⓘ

▲▲ DU LAC ★★

63, av. Galleben. Pointe des Vergnes.

M. Nougué

☎ 05 58 41 18 80 **FAX** 05 58 41 29 84

▮ 12 ◇ 193/298 F. ▯ 89/185 F.

▨ 58 F. ◩ 225/298 F.

⊠ 25 sept./30 mars.

VIEUX BOUCAU (B1)
40480 Landes
1200 hab. ⓘ

▲▲ COTE D'ARGENT ★★

4, Grande Rue. M. Dulon

☎ 05 58 48 13 17 **FAX** 05 58 48 01 15

▮ 36 ◇ 260/330 F. ▩ 30 F.

▯ 92/180 F. ◩ 280/330 F.

⊠ 1er oct./15 nov. et lun.
15 nov./31 mai.

▲ D'ALBRET

18, av. de la Plage. M. Houttekint

☎ 05 58 48 14 09 **FAX** 05 58 48 04 14

⌂ 120F ▮ 16 ◇ 180/300 F. ▩ 28 F.

▯ 87/170 F. ▨ 40 F. ◩ 520 F.

⊠ 16 oct./31 mars.

▲▲ LA POMME DE PIN ★★

39, av. de la Plage. M. Audu

☎ 05 58 48 00 57 **FAX** 05 58 48 18 48

▮ 30 ◇ 300/600 F. ▩ 35 F.

▯ 98/148 F. ▨ 40 F. ◩ 280/398 F.

⊠ dim. soir en hiver.

▲▲ LE MOISAN Rest. CHEZ SOI ★★

Av. de Moisan. M. Brocas

☎ 05 58 48 10 32 **FAX** 05 58 48 37 84

⌂ 100F ▮ 19 ◇ 150/350 F. ▩ 30 F.

▯ 59/166 F. ▨ 49 F. ◩ 250/280 F.

⊠ 18 sept./1er avr.

**Liste des
hôtels-restaurants**

Lot-et-
Garonne

J.J. Brochard / C.R.T. Aquitaine

**Association départementale
des Logis de France du Lot-et-Garonne**
Syndicat Hôtelier
42 rue Lamouroux
47000 Agen
Téléphone 05 53 66 88 39

33
GIRONDE
Bordeaux

24
DORDOGNE
Périgueux

47 LOT-ET-
GARONNE
Agen

40 LANDES
Mont-
de-Marsan

64 PYRÉNÉES-
ATLANTIQUES Pau

47 - LOT-ET-GARONNE

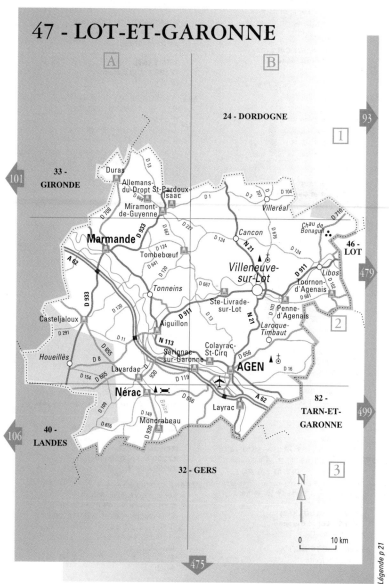

A   B

24 - DORDOGNE

1

93

33 -
GIRONDE

101

Duras

Allemans-
du-Dropt St-Pardoux-
Isaac

Miramont-
de-Guyenne

D 108
D 13
D 668
D 1
D 2
D 201
D 104

Villeréal

D 710

Marmande

D 933
D 667
D 220
D 124

Cancon

D 676

Ch^au de
Bonaguil

46 -
LOT

Tombebœuf

D 124

A 62

D 124

N 21

Villeneuve-
sur-Lot

D 911

Libos

479

Tonneins

D 933
D 641
D 120

D 667

Ste-Livrade-
sur-Lot

Tournon-
d'Agenais

D 102
D 661

Casteljaloux

D 120

Aiguillon

D 911

D 13

N 21

Penne-
d'Agenais

D 103

2

D 291

D 11

N 113

Laroque-
Timbaut

Houeillès

D 655
D 8

Sérignac-
sur-Garonne

Colayrac-
St-Cirq

D 656

Lavardac

D 930

D 119

AGEN

D 16

82 -
TARN-ET-
GARONNE

Nérac

D 665
D 154

D 656

Layrac

A 62

D 109

Moncrabeau

D 149
D 930

D 656

499

40 -
LANDES

106

32 - GERS

3

N

0   10 km

475

Légende p 21

AGEN (B2)
47000 Lot et Garonne
32800 hab. ℹ️

🏨 LE PERIGORD ★★
42, cours du 14 Juillet. Mme Barrat
☎ 05 53 66 10 01 📠 05 53 47 47 31
🛏 21 ⬚ 180/240 F. 🍽 28 F.
🍴 106/175 F. 🛏 58 F. 🅿 300/330 F.
Ⓔ SP ⬚ ⬚ ☎ ⬚ ♨ ⬚ ⬚ CV ⬚ ⬚

🍴 LE PROVENCE ★★★
22, cours du 14 Juillet. M. Garrigues
☎ 05 53 47 39 11 📠 05 53 68 26 24
🛏 23 ⬚ 310/330 F. 🍽 35 F.
Ⓔ SP ℹ️ ⬚ ☎ ⬚ ♨ ⬚ ⬚

... à proximité

COLAYRAC SAINT CIRQ (B2)
47450 Lot et Garonne
2653 hab.

5 km Ouest Agen par N 113

🏩 LA CORNE D'OR ★★
M. Loisillon
☎ 05 53 47 02 76 📠 05 53 66 87 23
🛏 14 ⬚ 260/320 F. 🍽 35 F.
🍴 100/230 F. 🛏 35 F. 🅿 225/245 F.
⊠ 12 juil./12 août et dim. soir.
Ⓔ SP ⬚ ☎ ⬚ ⬚ ⬚ CV ⬚

AIGUILLON (A2)
47190 Lot et Garonne
4800 hab. ℹ️

🏠 LA TERRASSE DE L'ETOILE ★★
8, cours Alsace Lorraine. M. Jeanroy
☎ 05 53 79 64 64 📠 05 53 79 46 48
🛏 18 ⬚ 220/250 F. 🍽 28 F.
🍴 75/150 F. 🛏 45 F. 🅿 430 F.
Ⓔ SP ⬚ ☎ ⬚ ♨ ⬚ ⬚ ⬚ ⬚ CB

🏨 LE JARDIN DES CYGNES ★★
Route de Villeneuve. M. Benito
☎ 05 53 79 60 02 📠 05 53 88 10 22
🛏 24 ⬚ 170/300 F. 🍽 35 F.
🍴 75/155 F. 🛏 42 F. 🅿 245/298 F.
⊠ 25/31 août, 15 déc./15 janv., sam. et
dim. soir sauf juil./août.
Ⓔ SP ⬚ ☎ ⬚ ⬚ ⬚ ⬚ ⬚ CV ⬚
⬚ CB ⬚

ALLEMANS DU DROPT (A1)
47800 Lot et Garonne
600 hab. ℹ️

🏨 ETAPE GASCONNE ★★
M. Fournier
☎ 05 53 20 23 55 📠 05 53 93 51 42
🛏 20 ⬚ 180/320 F. 🍽 35 F.
🍴 60/230 F. 🛏 48 F. 🅿 210/260 F.
⊠ sam. midi et dim. soir hs.
⬚ ☎ ⬚ ⬚ ⬚ ⬚ CV ⬚ ⬚ CB

CASTELJALOUX (A2)
47700 Lot et Garonne
5048 hab. ℹ️

🏨 CHATEAU DE RUFFIAC ★★★
Mme Etancelin
☎ 05 53 93 18 63 📠 05 53 89 67 93

🛏 20 ⬚ 380/480 F. 🍽 40/ 50 F.
🍴 150/190 F. 🛏 90 F. 🅿 350/390 F.
⊠ fév. Rest. mer. hs.
Ⓔ Ⓓ SP ℹ️ ⬚ ☎ ⬚ ⬚ ♨ ⬚ ⬚
⬚ ⬚ CB

🍴 DES CORDELIERS ★★
1, rue des Cordeliers. Mme Wicky
☎ 05 53 93 02 19
🛏 24 ⬚ 150/290 F. 🍽 35 F.
⊠ 4/30 nov. et dim. soir 1er oct./
31 mars.
Ⓔ ⬚ ☎ ⬚ ⬚ ♨ ⬚ ⬚ CB

COLAYRAC SAINT CIRQ (B2)
47450 Lot et Garonne
>>> *voir* AGEN

DURAS (A1)
47120 Lot et Garonne
1245 hab. ℹ️

🏩 HOSTELLERIE DES DUCS ★★
Bld Jean Brisseau. M. Blanchet
☎ 05 53 83 74 58 📠 05 53 83 75 03
🛏 15 ⬚ 260/410 F. 🍽 40 F.
🍴 80/225 F. 🛏 47 F. 🅿 280/345 F.
⊠ rest. dim. soir et lun. sauf juil./sept.
Ⓔ ⬚ ☎ ⬚ ⬚ ♨ ⬚ ⬚ CV ⬚ ⬚
CB ⬚ ⬚

LAVARDAC (A2)
47230 Lot et Garonne
2450 hab. ℹ️

🏠 LA CHAUMIERE D'ALBRET ★
Route de Nérac. M. Pedronie
☎ 05 53 65 51 75 📠 05 53 97 23 17
🛏 8 ⬚ 170/235 F. 🍽 25 F. 🍴 70/165 F.
🛏 50 F. 🅿 170/200 F.
⊠ 23 fév./10 mars, 5/19 oct., dim. soir
et lun. hs.
Ⓔ Ⓓ ⬚ ☎ ⬚ ♨ CV ⬚ CB

LAYRAC (B3)
47390 Lot et Garonne
2983 hab. ℹ️

🏠 LA TERRASSE
Place de la Mairie. M. Dutour
☎ 05 53 87 01 69 📠 05 53 87 14 13
🛏 5 ⬚ 165 F. 🍽 35 F. 🍴 85/210 F.
🛏 50 F. 🅿 240/280 F.
⊠ dim. soir et lun. sauf juil./août.
Ⓔ SP ℹ️ ♨ ⬚ CV ⬚ ⬚ CB

MARMANDE (A2)
47200 Lot et Garonne
19000 hab. ℹ️

🏩 LE CAPRICORNE ★★
Route d'Agen. Mme Millecam
☎ 05 53 64 16 14 📠 05 53 20 80 18
🛏 34 ⬚ 280 F. 🍽 36 F. 🍴 78/220 F.
🛏 50 F. 🅿 240 F.
⊠ 19 déc./4 janv. Rest. sam. midi et
dim. soir.
Ⓔ ⬚ ☎ ⬚ ⬚ ⬚ ♨ ⬚ ♨ ⬚ CV ⬚
⬚ CB ⬚

MARMANDE (A2) (suite)

AA LE LION D'OR ★★
Av. de la République. M. Beaulieu
☎ 05 53 64 21 30 **FAX** 05 53 64 77 39
🛏 37 ⬚ 180/350 F. 🍽 35 F.
🍴 62/195 F. 🏊 49 F. 🐾 190/250 F.
E D SP 🗖 🗔 🗇 🗋 🗎 🏊 ♿ **CV**
🎱 ♠ **CB**

MIRAMONT DE GUYENNE (A1)
47800 Lot et Garonne
3490 hab. 🛈

A DE LA POSTE
31, place Martignac. M. Quai
☎ 05 53 93 20 03 **FAX** 05 53 89 64 55
🛏 12 ⬚ 195 F. 🍴 88/230 F. 🏊 46 F.
🐾 225 F.
⬚ 1 semaine oct. et sam. en hiver.
E 🗖 🗇 🗋 🗎 🏊 ♿ **CV** 🎱 ♠ **CB**

... à proximité

SAINT PARDOUX ISAAC (A1)
47800 Lot et Garonne
1348 hab. 🛈

*3 km Nord Miramont de Guyenne
par D 1*

A LE RELAIS DE GUYENNE ★★
Route de Paris. Mme Rodes
☎ 05 53 93 20 76 **FAX** 05 53 20 91 95
🛏 8 ⬚ 190 F. 🍽 25 F. 🍴 65/100 F.
🏊 40 F. 🐾 170/200 F.
⬚ 20 nov./5 déc. et sam. hs.
🗖 🗇 🗋 🗎 🏊 **CV** 🎱

MONCRABEAU (A3)
47600 Lot et Garonne
900 hab. 🛈

AA LE PHARE ★★
M. Lestrade
☎ 05 53 65 42 08 **FAX** 05 53 97 04 87
🛏 8 ⬚ 255/385 F. 🍽 32 F. 🍴 60/198 F.
🏊 45 F. 🐾 260/340 F.
⬚ oct., fév., dim. soir et lun.
E SP 🗖 🗇 🗋 ♿ 🎱 ♠ **CB**

NERAC (A3)
47600 Lot et Garonne
7015 hab. 🛈

AA D'ALBRET ★★
40, allée d'Albret. M. Capes
☎ 05 53 97 41 10 **FAX** 05 53 65 20 26
🛏 23 ⬚ 250/460 F. 🍽 35 F.
🍴 65/250 F. 🏊 60 F. 🐾 260/350 F.
⬚ 3/10 mars, 17 nov./8 déc. et lun.
sept./mai.
🛈 🗖 🗇 🗋 🗎 🏊 🐾 **CV** 🎱 ♠ **CB**

A LE CHATEAU Rest. DU ROY ★★
7, av. Mondenard. M. Cellie
☎ 05 53 65 09 05 **FAX** 05 53 65 89 78
🛏 17 ⬚ 250 F. 🍽 28 F. 🍴 65/240 F.
🏊 55 F. 🐾 225 F.

⬚ 2/16 janv., ven. soir , sam. midi et
dim. soir 16 janv./1er juin et 1er oct./
2 janv.
SP 🗖 🗇 🗋 **CV** 🎱 ♠ **CB**

PENNE D'AGENAIS (B2)
47140 Lot et Garonne
2250 hab. 🛈

A LE MOULIN ★★
(A Port de Penne). Mme Paltrie
☎ 05 53 41 21 34
🛏 10 ⬚ 240 F. 🍽 30 F. 🍴 60/120 F.
🏊 40 F. 🐾 240 F.
⬚ dim. soir et lun.
E 🗖 🗋 🗎 **CB**

SAINT PARDOUX ISAAC (A1)
47800 Lot et Garonne
>>> *voir MIRAMONT DE GUYENNE*

SAINTE LIVRADE SUR LOT (B2)
47110 Lot et Garonne
6000 hab. 🛈

A LE MIDI ★★
1, rue Malfourat. M. Bidegaray
☎ 05 53 01 00 32 **FAX** 05 53 49 43 97
🛏 14 ⬚ 160/250 F. 🍽 25 F.
🍴 70/120 F. 🏊 45 F. 🐾 260/360 F.
🗖 🗇 **CV** 🎱 ♠ **CB**

SERIGNAC SUR GARONNE (A-B2)
47310 Lot et Garonne
768 hab. 🛈

AAA LE PRINCE NOIR ★★★
Sur D. 119, route de Mont de Marsan.
M. Vich
☎ 05 53 68 74 30 **FAX** 05 53 68 71 93
🛏 23 ⬚ 290/520 F. 🍽 35 F.
🍴 100/220 F. 🏊 50 F. 🐾 260/340 F.
⬚ dim. soir.
E SP 🗖 🗇 🗋 🗎 🏊 🗎 🐾 ♿ 🗋
♿ **CV** 🎱 ♠ **CB**

TOMBEBOEUF (A2)
47380 Lot et Garonne
600 hab.

AA DU NORD ★★
M. Ajas
☎ 05 53 88 83 15 **FAX** 05 53 88 25 28
🛏 12 ⬚ 200/240 F. 🍽 26 F.
🍴 55/150 F. 🏊 38 F. 🐾 180/190 F.
⬚ 4/17 janv. et ven. soir sauf juil./août.
SP 🗖 🗇 🗋 🗎 🐾 🗎 ♿ **CV** 🎱
♠ **CB**

TOURNON D'AGENAIS (B2)
47370 Lot et Garonne
839 hab. 🛈

A LES VOYAGEURS ★
Route de Cahors. M. Peresse
☎ 05 53 40 70 28
🛏 8 ⬚ 140/170 F. 🍽 28 F. 🍴 65/130 F.
🏊 40 F. 🐾 210/250 F.
⬚ 4/16 nov., 26/31 déc., dim. soir et
lun. midi.
E 🗇 🐾 ♿ **CV** 🎱 ♠ **CB**

**Liste des
hôtels-restaurants**

Pyrénées-
Atlantiques

J.J. Brochard / C.R.T. Aquitaine

Association départementale
des Logis de France des Pyrénées-Atlantiques
C.C.I.
1 rue de Donzac
64100 Bayonne
Téléphone 05 59 46 59 57

AQUITAINE

33 GIRONDE
Bordeaux

24 DORDOGNE
Périgueux

47 LOT-ET-GARONNE
Agen

40 LANDES
Mont-de-Marsan

64 PYRÉNÉES-ATLANTIQUES
Pau

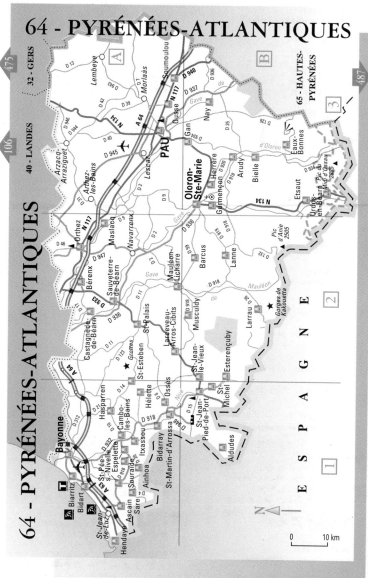

64 - PYRÉNÉES-ATLANTIQUES

64 - PYRÉNÉES-ATLANTIQUES

475
106
487

32 - GERS
40 - LANDES
65 - HAUTES-PYRÉNÉES

A
B
3
2
1

ESPAGNE

Lembeye
Morlaàs
Soumoulou
Arzacq-Arraziguet
Arthez-les-Bains
Orthez
Pau
Lescar
Nay
Gan
Oloron-Ste-Marie
Herrère
Gurmençon
Arudy
Bielle
Eaux-Bonnes
Pic du Midi d'Ossau 2885
Urdos-en-Béarn
Etsaut
Pic d'Anie 2505
Maslacq
Navarrenx
Bérenx
Sauveterre-de-Béarn
Mauléon-Licharre
Barcus
Lanne
Castagnède-de-Béarn
St-Palais
Gotein
Larrau
Gorges de Kakouetta
Ossès
Hasparren
Cambo-les-Bains
Espelette
Itxassou
Hélette
Ostabat
Larceveau-Arros-Cibits
Musculdy
St-Jean-le-Vieux
Esterençuby
St-Esteben
Bidarray
St-Martin-d'Arrossa
St-Michel
St-Jean-Pied-de-Port
Aldudes
Bayonne
Biarritz
Bidart
St-Jean-de-Luz
Hendaye
Ascain
Sare
Ainhoa
Souraïde
St-Pée-s.-Nivelle

Gave de Pau
Gave d'Oloron
Mauléon
Nive

N
0   10 km

Légende p 21

117

AINHOA (A1)
64250 Pyrénées Atlantiques
544 hab. ℹ️

▲▲▲ OPPOCA **

M. Massonde
☎ 05 59 29 90 72 ᴲᴬˣ 05 59 29 81 03
🛏 12 ▧ 220/320 F. ▦ 35 F.
🍴 95/175 F. 🍽 50 F. 🍲 240/275 F.
⊠ 15 janv./15 fév. et lun.
ᴱ ⬚ ☎ 🚗 🛰 CV 🈑 🈯 CB

ALDUDES (B1)
64430 Pyrénées Atlantiques
1690 hab.

▲ SAINT SYLVESTRE **
(Quartier Esnazu). M. Baudour
☎ 05 59 37 58 13
🛏 10 ▧ 160 F. ▦ 25 F. 🍴 45/ 98 F.
🍽 45 F. 🍲 170 F.
⊠ janv.
SP ☎ 🚗 CV 🈑

ARUDY (B3)
64260 Pyrénées Atlantiques
2960 hab. ℹ️

▲▲ DE FRANCE **
1, place de l'Hôtel de Ville. M. Berneteix
☎ 05 59 05 60 16 ᴲᴬˣ 05 59 05 70 06
🛏 19 ▧ 168/275 F. ▦ 31 F.
🍴 69/112 F. 🍽 50 F. 🍲 180/230 F.
⊠ mai., sam. hs et vac. scol.
ᴱ SP ⬚ ☎ 🚗 CV 🈯 CB

ASCAIN (A1)
64310 Pyrénées Atlantiques
2880 hab. ℹ️

▲▲▲ DU PARC «TRINQUET-LARRALDE» **
M. Salha
☎ 05 59 54 00 10 ᴲᴬˣ 05 59 54 01 23
🛏 24 ▧ 280/400 F. ▦ 40 F.
🍴 75/200 F. 🍽 40 F. 🍲 280/350 F.
⊠ 2 janv./15 fév., dim. soir et lun.
oct./juin.
ᴱ SP ⬚ ☎ 🚗 🛰 🚶 🈯 🈑 CB

BARCUS (B2)
64130 Pyrénées Atlantiques
920 hab.

▲▲ DU FRONTON **
Place du Fronton. M. Ilharreguy
☎ 05 59 28 91 88 ᴲᴬˣ 05 59 28 91 09
🛏 20 ▧ 180/250 F. ▦ 30 F.
🍴 70/220 F. 🍽 45 F. 🍲 200/250 F.
⊠ 10 fév./10 mars, lun. soir et mar. soir.
ᴱ ☎ 🚗 🛰 🚶 CV 🈯

BAYONNE (A1)
64100 Pyrénées Atlantiques
40051 hab. ℹ️

▲ LE VAUBAN **
Place Sainte Ursule. M.Me Fouquet
☎ 05 59 55 11 31 ᴲᴬˣ 05 59 55 86 40
🛏 12 ▧ 195/260 F. ▦ 30 F.
🍴 65/130 F. 🍽 50 F. 🍲 210/250 F.
ᴱ SP ⬚ 🈯 ☎ 🚗 🛰 🚶 🈯 CV 🈯 🈑
CB 🈴 🈺

BERENX (A2)
64300 Pyrénées Atlantiques
471 hab.

▲▲ AUBERGE DU RELAIS **
Route de Saliès. M. Larrouture
☎ 05 59 65 30 56 ᴲᴬˣ 05 59 65 36 39
🛏 18 ▧ 200/260 F. ▦ 30 F.
🍴 60/145 F. 🍽 40 F. 🍲 180/220 F.
⊠ 10/24 fév., 24 déc./2 janv. et sam.
sauf juin/sept.
ᴱ SP ⬚ 🈯 ☎ 🚗 🛰 🚶 🈯 🈯 CV 🈯 🈑
CB 🈴 🈺

BIARRITZ (A1)
64200 Pyrénées Atlantiques
26650 hab. ℹ️

▲▲ DU CENTRE **
7, rue de Gascogne. Mme Bilek
☎ 05 59 24 36 42 ᴲᴬˣ 05 59 22 36 54
🛏 21 ▧ 250/355 F. ▦ 40 F.
🍴 85/100 F. 🍽 50 F. 🍲 300/635 F.
ᴱ SP 🈯 ⬚ ☎ 🈯 🚶 CV 🈑 CB 🈴 🈺

▲▲ VAL FLORES **
48, av. de la Marne. Mme Dosset
☎ 05 59 24 07 94 ᴲᴬˣ 05 59 24 09 06
🛏 19 ▧ 230/360 F. ▦ 34 F.
🍴 80/95 F. 🍽 50 F. 🍲 270/290 F.
⊠ 1er/20 janv. Rest. lun. et mar. midi hs
sauf pensionnaires.
ᴱ ⬚ 🈯 ☎ 🚗 🈯 CV 🈑 CB

BIDARRAY (A1)
64780 Pyrénées Atlantiques
630 hab.

▲ NOBLIA **
Route de Saint-Jean Pied de Port.
M. Larrart
☎ 05 59 37 70 89
🛏 18 ▧ 170/250 F. ▦ 25 F.
🍴 60/140 F. 🍽 45 F. 🍲 190/210 F.
⊠ 15 déc./15 janv. et mer.
SP ☎ 🈯 🚗 🛰 🚶 🈯 CV 🈯 🈑 CB

BIDART (A1)
64210 Pyrénées Atlantiques
4000 hab. ℹ️

▲▲ YPUA **
Rue de la Chapelle. Mme Rousseau
☎ 05 59 54 93 11 ᴲᴬˣ 05 59 54 95 14
🛏 12 ▧ 200/330 F. ▦ 40 F.
🍴 90/230 F. 🍽 45 F. 🍲 300/350 F.
ᴱ SP ⬚ 🈯 ☎ 🚗 🛰 CV 🈯 🈑 CB 🈴 🈺

BIELLE (B3)
64260 Pyrénées Atlantiques
420 hab.

▲▲ L'AYGUELADE ★★
M. Lartigau
☎ 05 59 82 60 06 📠 05 59 82 61 17
🛏 10 🕭 170/250 F. 🍽 28 F.
🍴 78/165 F. 🍴 38 F. 🛏 180/220 F.
✉ 6/29 janv., lun. soir et mar. hs.
E SP 🗇 ☎ 🚗 🚗 📺 ⍢ 🕇 🕭 CV 🐵
🐾 CB

CAMBO LES BAINS (A1)
64250 Pyrénées Atlantiques
5000 hab. 🅸

▲▲ AUBERGE CHEZ TANTE URSULE ★★
Quartier du Bas Cambo. M. Bort
☎ 05 59 29 78 23 📠 05 59 29 28 57
🛏 17 🕭 165/280 F. 🍽 30 F.
🍴 80/200 F. 🍴 50 F. 🛏 195/250 F.
✉ mar.
E SP 🗇 ☎ 🚗 ⍢ 🕭 CV 🐵 🐾 CB

CASTAGNEDE DE BEARN (A2)
64270 Pyrénées Atlantiques
192 hab.

▲▲ LA BELLE AUBERGE ★★
Mme Vicassiau
☎ 05 59 38 15 28 📠 05 59 65 03 57
🛏 8 🕭 190/240 F. 🍽 25 F. 🍴 65/110 F.
🍴 50 F. 🛏 220 F.
✉ mi-déc./fin janv. et dim. soir sauf
juil./août.
E SP 🗇 ☎ 🚗 🕇 🕭 CV 🐵 🐾

EAUX BONNES (B3)
64440 Pyrénées Atlantiques
750 m. • 526 hab. 🅸

▲▲ DE LA POSTE ★★
M. Ricard
☎ 05 59 05 33 06 📠 05 59 05 43 03
🛏 18 🕭 190/295 F. 🍽 35 F.
🍴 88/190 F. 🍴 40 F. 🛏 215/270 F.
✉ 15 oct./25 déc. et 20 avr./10 mai.
E ☎ 🛏 CV

ESPELETTE (A1)
64250 Pyrénées Atlantiques
1700 hab. 🅸

▲▲ EUZKADI ★★
M. Darraidou
☎ 05 59 93 91 88 📠 05 59 93 90 19
🛏 32 🕭 270 F. 🍽 37 F. 🍴 95/175 F.
🍴 65 F. 🛏 280 F.
✉ 5 nov./15 déc., lun. et mar. hs.
E SP ☎ 🚗 🕇 🕭 🕭 CV 🐵 🐾 CB

ESTERENCUBY (B2)
64220 Pyrénées Atlantiques
428 hab.

▲▲ ANDREINIA ★★
Mme Larramendy
☎ 05 59 37 09 70 📠 05 59 37 36 05
🛏 25 🕭 170/240 F. 🍽 30 F.
🍴 58/170 F. 🍴 40 F. 🛏 170/220 F.
✉ 15 nov./15 déc.
SP 🗇 ☎ 🚗 ⍢ CV 🐵

▲▲▲ ARTZAIN-ETCHEA ★★
(Route d'Iraty). M. Arriaga
☎ 05 59 37 11 55 ⟍ 05 59 37 04 08
📠 05 59 37 20 16
🅿100F 🛏 17 🕭 185/290 F. 🍽 36 F.
🍴 95/130 F. 🍴 58 F.
✉ 15 nov./20 déc. et mer. hs.
E SP 🗇 ☎ 🚗 🚗 ⍢ 🕇 🕭 CV 🐵 🐾

▲▲ AUBERGE DES SOURCES DE LA
NIVE ★★
M. Tihista
☎ 05 59 37 10 57
🛏 26 🕭 200/220 F. 🍽 30 F.
🍴 50/160 F. 🍴 40 F. 🛏 200 F.
✉ janv. et mar. hs.
SP 🗇 ☎ 🚗 ⍢ 🕇 🕭 🕭 🐵 🐾 CB

ETSAUT (B3)
64490 Pyrénées Atlantiques
650 m. • 81 hab.

▲ DES PYRENEES ★★
M. Droit
☎ 05 59 34 88 62 📠 05 59 34 86 95
🛏 15 🕭 150/220 F. 🍽 30 F.
🍴 70/190 F. 🍴 40 F. 🛏 180/200 F.
SP ☎ 🚗 CV

GAN (B3)
64290 Pyrénées Atlantiques
4206 hab.

▲▲ LE CLOS GOURMAND ★★
40, av. Henri IV. Mme Bussière
☎ 05 59 21 50 43 📠 05 59 21 56 63
🅿100F 🛏 7 🕭 220/250 F. 🍽 35 F. 🍴 78/152 F.
🍴 49 F. 🛏 436/584 F.
✉ vac. scol. Noël et sam.
E D SP 🗇 ☎ 🚗 ⍢ 🕇 🕭 CV 🐵 🐾
🍴

GURMENCON (B3)
64400 Pyrénées Atlantiques
>>> *voir OLORON SAINTE MARIE*

HASPARREN (A1)
64240 Pyrénées Atlantiques
5400 hab. 🅸

▲▲ ARGIA ★★
Rue du Docteur Jean Lissar. M. Barbace
☎ 05 59 29 60 24 ⟍ 05 59 29 51 20
📠 05 59 29 41 87
🛏 20 🕭 180/250 F. 🍽 30 F.
🍴 75/140 F. 🍴 45 F. 🛏 420/480 F.
✉ 24 oct./16 nov. et lun. sauf juil./août.
E SP ☎ 🚗 🕇 🕭 CV 🐵 CB

HELETTE (A1)
64640 Pyrénées Atlantiques
573 hab. [i]

▲▲▲ AGUERRIA ★★
M. Etcheverry
☎ 05 59 37 62 90 [FAX] 05 59 37 66 60
[🛏] 26 [◇] 210/280 F. [🍽] 30 F.
[🍴] 80/150 F. [🛏] 40 F. [🖼] 220/250 F.
[E] [SP] [▢] [☎] [🛏] [↕] [🛉] [🕇] [CV] [🅾] [🅿] [CB]

HENDAYE (A1)
64700 Pyrénées Atlantiques
13000 hab. [i]

▲▲ CHEZ ANTOINETTE ★★
Place Pellot. Mme Haramboure
☎ 05 59 20 08 47 [FAX] 05 59 48 11 64
[🛏] 16 [◇] 180/260 F. [🍽] 30 F. [🍴] 130 F.
[🛏] 50 F. [🖼] 270/280 F.
[⊠] oct./Pâques.
[E] [D] [SP] [▢] [☎] [🛏] [🕇] [CV] [🅿] [CB]

HERRERE (B3)
64680 Pyrénées Atlantiques
374 hab. [i]

▲▲▲ L'ARAGON ★★
R.N. 134. Mme Bordelongue
☎ 05 59 39 23 28 [FAX] 05 59 36 04 33
[🛏] 9 [◇] 280/320 F. [🍽] 30 F. [🛏] 50 F.
[🖼] 280/380 F.
[⊠] dim. soir et lun.
[E] [D] [▢] [☎] [🛏] [🕇] [🛉] [🕇] [🅾] [🅿] [🖼] [CR]

ITXASSOU (A1)
64250 Pyrénées Atlantiques
1580 hab.

▲▲ DU CHENE ★★
Mlle Salaberry
☎ 05 59 29 75 01 [FAX] 05 59 29 27 39
[🛏] 16 [◇] 230 F. [🍽] 32 F. [🍴] 80/200 F.
[🛏] 45 F. [🖼] 250 F.
[⊠] 1er janv./1er mars, lun. et mar. hs.
[E] [SP] [▢] [☎] [🛏] [🕇] [🛉] [🅿] [CB]

▲▲▲ DU FRONTON ★★
M. Bonnet
☎ 05 59 29 75 10 [FAX] 05 59 29 23 50
[🛏] 14 [◇] 230/335 F. [🍽] 29 F.
[🍴] 85/170 F. [🛏] 45 F. [🖼] 258/290 F.
[E] [SP] [▢] [☎] [🛏] [🕇] [🛉] [🛉] [CV] [🅾]

LANNE (B2)
64570 Pyrénées Atlantiques
542 hab.

▲ LACASSIE ★
Mme Lacassie
☎ 05 59 34 62 05
[🛏] 8 [◇] 200 F. [🍽] 20 F. [🍴] 55/143 F.
[🛏] 40 F. [🖼] 195 F.
[⊠] lun.
[SP] [🛏] [🕇] [CV] [🅾]

LARCEVEAU ARROS CIBITS (A2)
64120 Pyrénées Atlantiques
404 hab.

▲▲ DU TRINQUET ★★
Mme Olharan
☎ 05 59 37 81 57 [FAX] 05 59 37 80 06
[80F] [🛏] 10 [◇] 130/220 F. [🍽] 25 F.
[🍴] 58/140 F. [🛏] 35 F. [🖼] 185/210 F.
[⊠] 12 nov./2 déc., lun. sauf juil./août et
jours fériés.
[E] [SP] [▢] [☎] [🛏] [🛏] [🕇] [🛉] [CV] [🅾] [🅿] [CB] [CR]

▲▲ ESPELLET ★★
M. Espellet
☎ 05 59 37 81 91 [FAX] 05 59 37 86 09
[🛏] 19 [◇] 180/250 F. [🍽] 30 F.
[🍴] 58/140 F. [🛏] 45 F. [🖼] 190/220 F.
[⊠] 3/31 déc., mar. sauf juil./sept. et
jours fériés.
[E] [SP] [▢] [☎] [🛏] [🛏] [🕇] [🛉] [CV] [🅾] [🅿] [CB] [CR]

LARRAU (B2)
64560 Pyrénées Atlantiques
636 m. ● 298 hab.

▲▲ ETCHEMAITE ★★
M. Etchemaïte
☎ 05 59 28 61 45 [FAX] 05 59 28 72 71
[100F] [🛏] 16 [◇] 160/340 F. [🍽] 30 F.
[🍴] 75/140 F. [🛏] 45 F. [🖼] 190/235 F.
[⊠] 15/31 janv., dim. soir et lun.
15 nov./1er juin.
[E] [SP] [☎] [🛏] [🕇] [🛉] [🛉] [CV] [🅿]

MASLACQ (A2)
64300 Pyrénées Atlantiques
738 hab.

▲▲▲ MAUGOUBER ★★
Rue du Fronton. Mme Maugouber
☎ 05 59 38 78 00 [FAX] 05 59 38 78 29
[🛏] 22 [◇] 280/320 F. [🍽] 33 F.
[🍴] 60/180 F. [🛏] 45 F. [🖼] 215/240 F.
[⊠] rest. 23 déc./2 janv., ven. soir et sam.
sauf 1er juin/15 sept.
[E] [D] [SP] [▢] [☎] [🛏] [🕇] [🛉] [🛉] [🅾] [🅿] [CB]

MAULEON LICHARRE (A2)
64130 Pyrénées Atlantiques
5000 hab. [i]

▲▲ HOSTELLERIE DU CHATEAU ★★
25, rue de la Navarre. M. Anso
☎ 05 59 28 19 06 [FAX] 05 59 28 43 27
[🛏] 30 [◇] 190/250 F. [🍽] 30 F.
[🍴] 60/130 F. [🛏] 45 F. [🖼] 210 F.
[⊠] 18 janv./28 fév.
[▢] [☎] [🛏] [🕇] [🛉] [🅾]

MUSCULDY (B2)
64130 Pyrénées Atlantiques
289 hab. [i]

▲▲ DU COL D'OSQUICH ★★
Mme Idiart
☎ 05 59 37 81 23 [FAX] 05 59 37 86 81
[🛏] 18 [◇] 160/220 F. [🍽] 26 F.
[🍴] 70/200 F. [🛏] 50 F. [🖼] 210 F.
[⊠] 20 nov./1er juin.
[▢] [☎] [🛏] [🛏] [🕇] [🛉] [🛉] [🅾] [🅿] [CB]

NAY (B3)
64800 Pyrénées Atlantiques
3500 hab. [i]

🅰 DES VOYAGEURS ★★
12, place Marcadieu. M. Larruhat
☎ 05 59 61 04 69 [FAX] 05 59 61 15 68
[•] 22 🛏 170/250 F. 🍽 30 F.
[‖] 80/200 F. 🍴 50 F. 🍷 190/240 F.
[E] [SP] ⬜ ☎ [‡] ⤨ [&] [:0:] ◄ [CB]

OLORON SAINTE MARIE (B3)
64400 Pyrénées Atlantiques
12237 hab. [i]

🅰🅰 BRISTOL ★★
9, rue Carrerot M. Barreix
☎ 05 59 39 43 78 [FAX] 05 59 39 08 19
[•] 14 🛏 200/230 F. 🍽 25 F.
[‖] 65/130 F. 🍴 45 F. 🍷 195 F.
☒ dim. midi.
[E] [SP] ⬜ ☎ 🚗 [&] [CV] [:0:] ◄ [CB]

... *à proximité*

GURMENCON (B3)
64400 Pyrénées Atlantiques
763 hab. [i]

3 km Sud Oloron Sainte Marie par N 134 et D 55

🅰🅰 AU RELAIS ASPOIS ★★
A Gurmençon Village, direction Somport. M. Casenave
☎ 05 59 39 09 50 [FAX] 05 59 39 02 33
[•]₁₀₀F [•] 15 🛏 160/250 F. 🍽 35 F.
[‖] 55/120 F. 🍴 40 F. 🍷 200/220 F.
☒ 2ème quinzaine nov.
[E] [SP] ⬜ ☎ 🚗 ⤨ [♈] [👤] [&] [CV] [:0:]
◄ [CB] [CR]

ORTHEZ (A2)
64300 Pyrénées Atlantiques
11542 hab. [i]

🅰🅰🅰 AU TEMPS DE LA REINE JEANNE ★★
44, rue Bourg Vieux. M. Couture
☎ 05 59 67 00 76 [FAX] 05 59 69 09 63
[•]₁₀₀F [•] 20 🛏 265/290 F. 🍽 30 F.
[‖] 85/180 F. 🍴 40 F. 🍷 245/265 F.
[E] [SP] ⬜ [G] ☎ ⤨ [&] [CV] [:0:] ◄ [CB]

OSSES (A1)
64780 Pyrénées Atlantiques
800 m. • 700 hab.

🅰🅰🅰 MENDI-ALDE ★★
Mme Minaberry
☎ 05 59 37 71 78 [FAX] 05 59 37 77 22
[•]₈₀F [•] 16 🛏 180/260 F. 🍽 35 F.
[‖] 55/180 F. 🍴 40 F. 🍷 210/270 F.
[E] [D] [SP] ⬜ ☎ 🚗 [♨] [👤] [&] [&] [CV]
[:0:] ◄ [CB]

OUSSE (A3)
64320 Pyrénées Atlantiques
3800 hab.

🅰🅰 DES PYRENEES ★★
2, route de Pau. M. Daugas
☎ 05 59 81 71 51 [FAX] 05 59 81 78 47

[•]₁₂₀F [•] 20 🛏 260/295 F. 🍽 30 F.
[‖] 85/185 F. 🍴 45 F. 🍷 225/250 F.
☒ 3/24 nov. et dim. soir oct./juin.
[E] [SP] ⬜ ☎ 🚗 ⤨ [♈] [👤] [&] [CV] [:0:] ◄ [CB]

PAU (A3)
64000 Pyrénées Atlantiques
82157 hab. [i]

🅰🅰 DU COMMERCE ★★
9, rue Maréchal Joffre M. Courchinoux
☎ 05 59 27 24 40 [FAX] 05 59 83 81 74
[•]₁₀₀F [•] 51 🛏 255/320 F. 🍽 35 F.
[‖] 90/150 F. 🍴 45 F. 🍷 253/265 F.
[E] [D] [SP] ⬜ ☎ 🚗 [‡] ⤨ [CV] [:0:] ◄ [CB] [CR]

SAINT ESTEBEN (A1-2)
64640 Pyrénées Atlantiques
420 hab.

🅰🅰 DU FRONTON ★★
M. Mendivil
☎ 05 59 29 64 82
[•] 8 🛏 240/280 F. 🍽 28 F. [‖] 80/120 F.
🍴 40 F. 🍷 240/260 F.
☒ 15 janv./20 fév. et lun.
[E] [SP] ⬜ ☎ 🚗 [♨] [👤] [&] ◄ [CB]

SAINT JEAN LE VIEUX (B2)
64220 Pyrénées Atlantiques
910 hab. [i]

🅰🅰 MENDY ★★
route d'Iraty M. Hiriart
☎ 05 59 37 11 81 [FAX] 05 59 37 27 49
[•] 10 🛏 185/250 F. 🍽 30 F.
[‖] 70/185 F. 🍴 40 F. 🍷 220/260 F.
[SP] ⬜ ☎ 🚗 ⤨ [♈] [👤] [&] [♂] [:0:] ◄ [CB]

SAINT JEAN PIED DE PORT (B1)
64220 Pyrénées Atlantiques
2000 hab. [i]

🅰🅰 CAMOU ★★
Route de Bayonne. M. Camou
☎ 05 59 37 02 78 [FAX] 05 59 37 12 23
[•] 27 🛏 200/280 F. 🍽 35 F.
[‖] 75/150 F. 🍴 45 F.
☒ 1er déc./1er fév.
[SP] ⬜ ☎ 🚗 [♈] [👤] [♂] [&] [:0:] [CB]

🅰🅰 RAMUNTCHO ★★
1, rue de France. M. Bigot
☎ 05 59 37 03 91 [FAX] 05 59 37 35 17
[•] 17 🛏 265/355 F. 🍽 40 F.
[‖] 78/160 F. 🍴 55 F. 🍷 255/295 F.
☒ 20 nov./20 déc. et mer.
[E] [SP] ⬜ ☎ 🚗 [CV] ◄ [CB]

SAINT MARTIN D'ARROSSA (A1)
64780 Pyrénées Atlantiques
479 hab.

🅰🅰🅰 ESKUALDUNA ★★
M. Lagourgue
☎ 05 59 37 71 72 [FAX] 05 59 37 73 39
[•] 20 🛏 180/350 F. 🍽 30 F.
[‖] 60/160 F. 🍴 40 F. 🍷 200/280 F.
☒ 15 janv./26 fév.
⬜ ☎ 🚗 🚗 [‡] [👤] [&] [CV] [:0:] ◄ [CB]

SAINT MICHEL (B1)
64220 Pyrénées Atlantiques
300 hab.

▲▲ XOKO-GOXOA ★★
Mme Sabalcagaray
☎ 05 59 37 06 34 ⅢⅢ 05 59 37 34 63
🛏 14 ⌖ 180/250 F. 🍽 30 F.
🍴 65/150 F. 🍽 40 F. 🛏 210/230 F.
⊠ 15 janv./31 mars et mar.
🕾 🚗 🎠 🐾 🖳 CV 🔕 🐾 CB

SAINT PALAIS (A2)
64120 Pyrénées Atlantiques
2205 hab. ⅈ

▲▲▲ LE TRINQUET ★★
31, rue du Jeu de Paume. M. Salaberry
☎ 05 59 65 73 13 ⅢⅢ 05 59 65 83 84
🛏 12 ⌖ 200/300 F. 🍽 30 F.
🍴 80/140 F. 🍽 40 F. 🛏 250 F.
⊠ 30 sept./15 oct., dim. soir et lun.
SP 🔲 🕾 🖳 CV 🐾 CB

SAINT PEE SUR NIVELLE (A1)
64310 Pyrénées Atlantiques
3500 hab. ⅈ

▲▲▲ DE LA NIVELLE ★★
Centre du Village. M. Berrotaran
☎ 05 59 54 10 27 ⅢⅢ 05 59 54 19 82
🛏 30 ⌖ 200/300 F. 🍽 35 F.
🍴 85/160 F. 🍽 50 F. 🛏 220/300 F.
⊠ 15 nov./15 mars et lun. hs.
Ⓔ 🔲 SP 🔲 🕾 🚗 🏖 🐾 🖳 🚲 CV 🔕
🐾 CB ▣

SARE (A1)
64310 Pyrénées Atlantiques
2000 hab. ⅈ

▲▲ FAGOAGA-BARATCHARTEA ★★
Quartier Ihalar. M. Fagoaga
☎ 05 59 54 20 48 ⅢⅢ 05 59 47 50 84
🛏 15 ⌖ 220/330 F. 🍽 35 F.
🍴 85/160 F. 🍽 50 F. 🛏 220/240 F.
⊠ 1er janv./5 mars.
SP 🔲 🕾 🚗 🏖 🐾 🔕 CB

▲▲▲ PIKASSARIA ★★
M. Arburua
☎ 05 59 54 21 51 ⅢⅢ 05 59 54 27 40
🛏 30 ⌖ 200/270 F. 🍽 30 F.
🍴 90/170 F. 🍽 60 F. 🛏 255 F.
⊠ 15 nov./20 mars et mer. hs.
Ⓔ SP 🔲 🕾 🚗 🕾 🚲 🔕 🐾 CB

SAUVETERRE DE BEARN (A2)
64390 Pyrénées Atlantiques
1350 hab. ⅈ

▲ HOSTELLERIE DU CHATEAU ★
M. Camy
☎ 05 59 38 52 10
🛏 13 ⌖ 110/230 F. 🍽 30 F.
🍴 92/160 F. 🍽 40 F. 🛏 180/230 F.
⊠ 10 janv./15 fév.
Ⓔ SP 🔲 🕾 🚗 🕾 🖳 CV 🔕 🐾 CB

SOUMOULOU (A3)
64420 Pyrénées Atlantiques
1030 hab.

▲▲ DU BEARN ★★
14, rue Las Bordes. Mme Chabat
☎ 05 59 04 60 09 ⅢⅢ 05 59 04 63 33
🛏 14 ⌖ 220/310 F. 🍽 38 F.
🍴 67/195 F. 🍽 50 F. 🛏 208/243 F.
⊠ 15/30 oct., 5/25 janv., dim. soir et
lun. oct./juin.
Ⓔ SP 🔲 🕾 🚗 🚗 🏖 🏝 🐾 CV 🔕 🐾
CB

SOURAIDE (A1)
64250 Pyrénées Atlantiques
950 hab.

▲▲ BERGARA ★★
M. Massonde
☎ 05 59 93 90 58 ⅢⅢ 05 59 93 84 41
🛏 30 ⌖ 180/260 F. 🍽 30 F.
🍴 72/162 F. 🍽 40 F. 🛏 360/420 F.
⊠ lun. midi en hiver.
🕾 🚗 🕾 🐾 ▶ 🚲 CV 🔕 🐾 CB

URDOS EN BEARN (B3)
64490 Pyrénées Atlantiques
784 m. ● 162 hab.

▲ LE PAS D'ASPE ★★
Sur N.134 Col du Somport. M. Cazères
☎ 05 59 34 88 93
🛏 14 ⌖ 200/250 F. 🍽 23 F.
🍴 70/135 F. 🍽 45 F. 🛏 185/200 F.
⊠ 10/30 oct. et lun. hs sauf vac. scol.
Rest. midi lun./sam.
Ⓔ SP 🕾 🚗 🕾 CV 🔕 🐾 CB

**Fédération régionale des Logis de France d'Auvergne
(Allier, Cantal, Haute-Loire, Puy-de-Dôme)**
Chambre régionale de Commerce et d'Industrie
B.P. 25 - 63510 Aulnat
Tél. 04 73 60 46 46 - Fax 04 73 90 89 22

C.R.T. Auvergne / J. Damase

C.R.T. Auvergne / P. Soissons

C.R.T. Auvergne / C. Bouchardy

AUVERGNE

C.R.T. Auvergne / C. Bouchardy

Auvergne

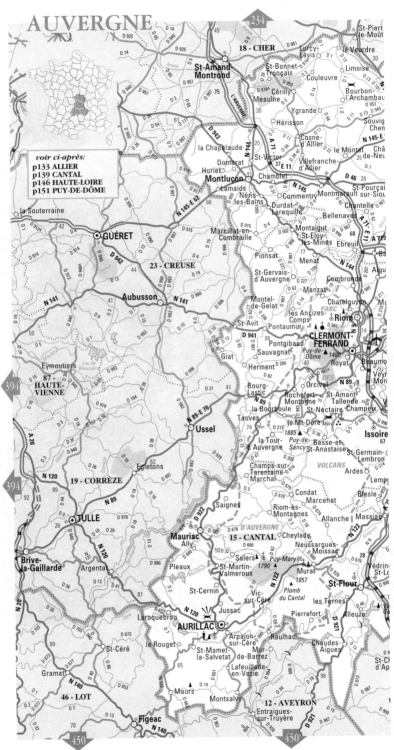

AUVERGNE

voir ci-après:
p133 ALLIER
p139 CANTAL
p146 HAUTE-LOIRE
p151 PUY-DE-DÔME

18 - CHER

23 - CREUSE

87 - HAUTE-VIENNE

19 - CORRÈZE

15 - CANTAL

46 - LOT

12 - AVEYRON

St-Amand-Montrond

Montluçon

GUÉRET

Aubusson

Ussel

CLERMONT-FERRAND

Riom

Issoire

Tulle

Brive-la-Gaillarde

Mauriac

AURILLAC

St-Flour

Figeac

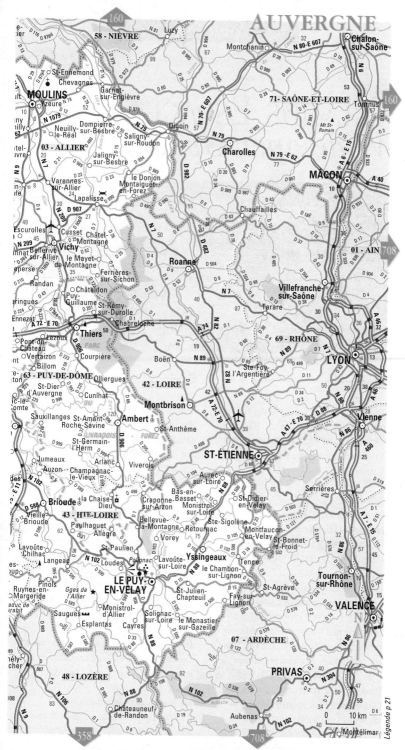

Légende p 21

LES GRANDS ESPACES
Wide open Spaces

C. Bouchardy / C.R.T. Auvergne

AU CŒUR DE LA FRANCE, L'AUVERGNE, PAYS DES VOLCANS, DES PUYS ET DES LACS D'ORIGINE ÉRUPTIVE, A SU PROTÉGER SES ESPACES NATURELS. A DÉCOUVRIR POUR SA BELLE NATURE ENCORE SI SAUVAGE.

Survol

Berceau des ducs de Bourbon, l'Allier abrite la reine des villes d'eaux - Vichy - et produit un vin au goût de terroir inimitable, le saint-pourçain. Du Cantal, on retiendra un majestueux volcan dont l'érosion a démantelé les flancs en de superbes vallées, et des cités au patrimoine conservé dont Salers est le plus bel exemple. La Haute-Loire, aux reliefs volcaniques curieux, notamment au Puy-en-Velay, abrite, quant à elle, des espaces absolument sauvages : le massif du Mézenc, les gorges du Haut-Allier. Dans le Puy-de-Dôme, la chaîne des Puys offre un panorama spectaculaire sur un alignement de quatre-vingts volcans aux cratères merveilleusement conservés.

RIGHT IN THE HEART OF FRANCE, WITH ITS VOLCANOS, LAKES AND PUYS, THE COUNTRYSIDE OF AUVERGNE HAS REMAINED VERY WELL PRESERVED. YOU'LL BE DELIGHTED TO DISCOVER ITS UNTAMED BEAUTY.

An Overview

The Royal Bourbon family hailed from Allier, Vichy - the ultimate spa town - lies within its borders, and the surrounding vineyards produce an inimitable local wine, the Saint-Pourçain. Cantal is distinguished by its mysterious volcano and the superb valleys created by its eruption. Then there are also the old towns, of which Salers is the best example. The Haute-Loire also owes its strange landscape to volcanic activity, particularly at Puy-en-Velay. You will discover nature in its untrammeled beauty around the Mézenc massif and the Haut-Allier gorges. The Puy-de-Dôme department offers a spectacular panorama of eighty volcanos with remarkably well-preserved craters.

Espaces protégés

Diversité des paysages mais aussi des milieux naturels, l'Auvergne a su garder intacts des espaces de vie privilégiés pour la faune et la flore. Montagnes, hautes chaumes, zones alluviales, zones humides ou plaines sont, aujourd'hui encore, des lieux d'observation et de découverte de nombreuses espèces animales : grand cormoran, chamois, marmotte, castor. Ou végétales : saule des Lapons, pavot jaune... Vous découvrirez, au fil de vos promenades, des coulées de lave, des lacs de cratères... car l'Auvergne est une véritable exposition géologique à ciel ouvert. Ses deux parcs naturels régionaux, le parc des Volcans d'Auvergne et le parc du Livradois Forez, d'où l'on peut prendre la route des Métiers, engagent en permanence des actions pour la préservation et la valorisation de ce patrimoine naturel. Adeptes de la grande randonnée ou de la promenade, vous serez chez vous sur les nombreux chemins, balisés selon la difficulté : GR 3, GR 4, Tour des lacs d'Auvergne... Que vous soyez aventurier ou pêcheur philosophe, vous trouverez, dans cette nature généreuse, le cadre idéal pour pratiquer vos loisirs favoris : bases de canoë-kayak et de rafting sur l'Allier et la Sioule, sites de baignade surveillée, bases nautiques, écoles de vol libre et d'escalade... et en hiver, ski de descente et ski de fond sur les pentes enneigées du Sancy ou du Plomb du Cantal.

Art et histoire

L'Auvergne possède un patrimoine de châteaux important, édifié au Moyen-Age,

Protected Spaces

Auvergne is marked by the diversity of its landscapes and its natural habitats, and a great effort has been made to protect these valuable reserves of flora and fauna. Nowadays there are many centres for wildlife observation in the mountains, high grasses, alluvial and wet regions as well as on the plains. You will find species such as the great cormorant, the chamois, the marmot and the beaver. As for plants, look out for the Lapons willow and the yellow poppy... As you wander the countryside you will also encounter lava flows and crater lakes... for Auvergne is a real out-door geology exhibit. The two regional nature parks, the Volcano Park of Auvergne and the ivradois Forez park, where the Métiers road begins, both strive to preserve this natural heritage and make it accessible. If you love hiking you will find yourself quite at home on one of the many paths which are marked according to their difficulty: GR 3, GR 4, tour of the Auvergne lakes... Whether you are the adventurous type or more the contemplative fisherman, you will find the ideal setting for your favourite leisure activites in this accomodating countryside: canoeing and rafting centres on the Allier and the Sioule, supervised swimming places, aquatic centres and gliding and climbing schools... And in winter you can enjoy down-hill and cross-country skiing on the snowy slopes of Sancy and the Plomb du Cantal.

Art and History

Auvergne is home to an important collection of châteaux built during the Middle Ages and

DIE GRÜNE INSEL

Im Herzen Frankreichs hat die Auvergne, das Land der Vulkane, der 'Puys' und Kraterseen, es verstanden, ihre Natur zu erhalten. Die Entdeckung lohnt sich wegen der sehr unbezähmten Natur, der beiden Naturschutzgebiete, ihrer Tradition und der einfachen und großzügigen Küche.

LAND VAN WIJDE RUIMTEN

In het hartje van Frankrijk ligt Auvergne, streek van de vulkanen, Puys en kratermeren, die haar natuurlijke ruimten heeft kunnen beschermen. Te ontdekken voor haar nog wilde natuur, haar natuurparken, haar patrimonium en haar eenvoudige, maar overvloedige keuken.

puis principalement sous les ducs de Bourbon. Le guide de "La Route des Châteaux" vous permet de visiter cinquante des plus beaux édifices au gré de six circuits. Les églises de Saint-Nectaire, d'Orcival, de Notre-Dame du Port à Clermont-Ferrand, d'Issoire, de Châtel-Montagne, de Brioude ou de Mauriac sont les exemples les plus achevés de la célèbre école romane auvergnate.

Goût de vivre

Tous les mois, il se passe quelque chose dans la région. En février, à Clermont-Ferrand, le festival international du court-métrage attire plus de 100 000 spectateurs. D'autres lui succèdent. Parmi les plus renommés : le festival de musique de la Chaise-Dieu, le festival "Eclats" à Aurillac, les Fêtes du Roi de l'Oiseau au Puy-en-Velay. La montée à l'estive est aussi prétexte à réjouissances : ne manquez pas la fête populaire d'Allanche dans le Cantal. Parmi toutes ces festivités, l'Auvergne n'oublie jamais sa tradition gourmande : la cuisine est simple mais généreuse, élaborée à partir de produits régionaux de qualité. Vous vous régalerez de délicieuses spécialités : tripoux, saucisson cuit dans l'alambic, truffade et aligot, truite sauvage au lard à la façon des bergers, gigot "brayaude" qui fond dans la bouche, jambon au foin dans sa croûte de pain... Vous vous désaltérerez d'un verre de saint-pourçain avant de reprendre du fromage : saint-nectaire ? cantal ? salers ? bleu ? fourme d'Ambert ? Voyez comme l'Auvergne aime recevoir.

then continued under the Bourbon Royal family. The guided tour of the "Route of the Châteaux" allows you to visit fifty of the most spectacular edifices depending on the circuit you choose. The churches of Saint-Nectaire, Orcival, Notre-Dame du Port at Clermont-Ferrand, Issoire, Châtel-Montagne, Brioude and Mauriac are the best examples of the famous Auvergne school of Romanesque art.

A Taste for Life

Every month there is something going on in the region. In February the International Festival of the Short Film at Clermont-Ferrand attracts 100 000 visitors. But this is just one of many festivals. Other events of note are the Music Festival of Chaise-Dieu, the "street theatre" festival at Aurillac and the "King of the Birds" medieval pageant at Puy-en-Velay. The beginning of the summer is also a pretext for celebrations. Don't miss the country fair of Allanche in Cantal. During all this festivities the people of Auvergne also celebrate their culinary traditions. The cooking is simple but generous, based around local products of high quality. You'll enjoy the delicious specialities of "tripoux," sausage cooked in alcohol, "truffades" and "aligot," free-range trout cooked country-style with bacon, roast lamb "brayaude" which melts in the mouth and ham wrapped in a bread crust... You should quench your thirst with a glass of Saint-Pourçain before having some cheese: Saint-Nectaire? Cantal? Salers? Bleu? Fourme d'Ambert? You'll understand how well Auvergne treats its visitors.

LOS GRANDES ESPACIOS

En el corazón de Francia, Auvernia, país de volcanes, montes y lagos de cráteres, ha sabido proteger sus espacios naturales. Hay que descubrirla por su naturaleza aún tan salvaje, sus dos parques naturales, su patrimonio y su cocina, sencilla y generosa.

I GRANDI SPAZI

L'Alvernia, situata nel cuore della Francia, paese dei vulcani, dei Puys e dei laghi di crateri, ha saputo proteggere i suoi spazi naturali. E' una regione da scoprire per la sua natura ancora selvaggia, i suoi due parchi naturali, il suo patrimonio e la sua cucina semplice e generosa.

Chou farci

Ingrédients

Pour 4 à 6 personnes
- 1 beau chou
- 250 g de chair à saucisse
- 2 oignons
- 1 carotte, 2 échalotes
- 2 cuil. de persil haché
- 2 dl de bouillon
- 1 verre de vin blanc
- 1 verre de lait
- 1 œuf
- 2 tranches de pain

Recette

- Préparer la farce en mélangeant la chair à saucisse avec le persil, les échalotes, la mie de pain trempée dans le lait. Ajouter l'œuf entier, le sel et le poivre.
- Blanchir le chou à l'eau bouillante. Inciser le trognon, écarter les feuilles et glisser un peu de farce entre chaque, en commençant par le cœur.
- Ficeler le chou et le disposer dans une cocotte, avec oignons et carottes coupées en rondelles. Mouiller avec le bouillon.
- Assaisonner et laisser mijoter doucement entre 3 h et 3 h 30.

Liste des
hôtels-restaurants
Allier

C. Bouchardy / C.R.T. Auvergne

**Association départementale
des Logis de France de l'Allier**
C.D.T. - Hôtel de Rochefort
12 Cours A. France
03000 Moulins
Téléphone 04 70 46 81 50

AUVERGNE

Moulins○
03 ALLIER

Clermont-○
Ferrand *63*
PUY-DE-
DÔME

15 CANTAL *43 HAUTE-LOIRE*
○Aurillac Le Puy-en-Velay
○

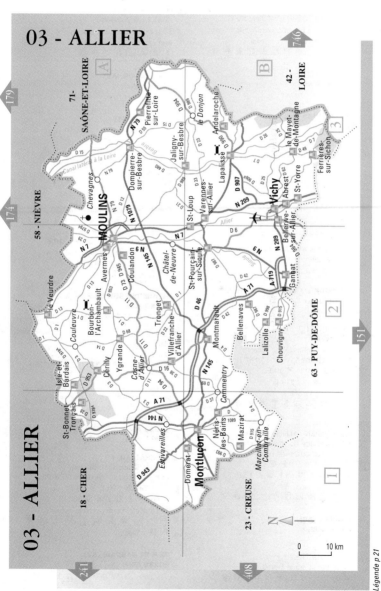

03 - ALLIER

Légende p 21

ABREST (B3)
03200 Allier
>>> *voir VICHY*

ANDELAROCHE (B3)
03120 Allier
300 hab.

▲▲ RELAIS AUBERGE DE LA
MARGUETIERE ★★
Mme Fouilland
☎ 04 70 55 20 32 ⊠ 04 70 55 26 91
🛏 10 ⊗ 200/225 F. 🍽 30 F.
🍴 60/220 F. 🚶 48 F. 🛗 225/240 F.
⊠ 20 janv./8 fév., 12/22 nov., dim. soir
et lun. midi. fin oct./fin mars.
🎫 📷 ☎ 📠 ➤ 🐎 🚶 ♿ CV 🈲 ⟵ CB

AVERMES (A2)
03000 Allier
>>> *voir MOULINS*

BELLENAVES (B2)
03330 Allier
1150 hab.

▲▲ HOSTELLERIE DU CHATEAU ★★
Rue des Fossés. M. Caron
☎ 04 70 58 37 19 ⊠ 04 70 58 37 23
🛏 8 ⊗ 210 F. 🍽 28 F. 🍴 65/150 F.
🚶 45 F. 🛗 250/350 F.
⊠ 27 oct./9 nov., 27 janv./9 fév., lun. et
dim. soir.
🎫 📷 ☎ 🚶 ♿ 🈲 ⟵ CB

BELLERIVE SUR ALLIER (B2-3)
03700 Allier
>>> *voir VICHY*

BOURBON L'ARCHAMBAULT (A2)
03160 Allier
2700 hab. 🈑

▲ GRAND HOTEL ET VILLA DES
FLEURS ★★
2, bld des Solins. Mme Triger
☎ 04 70 67 09 53 ⊠ 04 70 67 18 07
🛏 19 ⊗ 230 F. 🍽 40 F. 🍴 90/170 F.
🚶 50 F. 🛗 420/510 F.
⊠ 26 oct./31 déc.
🎫 📷 ☎ 🚌 🛏 🕴 🐎 ⟵ CB

▲▲▲ GRAND HOTEL
MONTESPAN-TALLEYRAND ★★
1-3, place des Thermes. M. Livertout
☎ 04 70 67 00 24 ⊠ 04 70 67 12 00
🛏 30 ⊗ 170/360 F. 🍽 42 F.
🍴 88/160 F. 🚶 65 F. 🛗 239/310 F.
⊠ 20 oct./5 avr.
🎫 📅 📷 ☎ 🚌 🕴 🐎 📺 🈲 🎞 ⟵ CB

CERILLY (A2)
03350 Allier
1591 hab.

▲▲ CHEZ CHAUMAT
Place Péron. Mme Friaud
☎ 04 70 67 52 21 ⊠ 04 70 67 35 28

🛏 8 ⊗ 200/280 F. 🍽 30 F. 🍴 60/185 F.
🚶 35 F. 🛗 195/280 F.
⊠ 23/31 déc., 1er et 2 janv., et mar.
🎫 📷 📅 ☎ 🚶 CV ⟵ CB

CHOUVIGNY (B2)
03450 Allier
255 hab.

▲ DES GORGES DE CHOUVIGNY ★★
M. Fleury
☎ 04 70 90 42 11
🛏 8 ⊗ 200/300 F. 🍽 30 F. 🍴 95/185 F.
🚶 45 F. 🛗 260/300 F.
⊠ 1er déc./1er mars, mar. soir et mer.
sauf été.
🎫 ☎ 🚌 🚶 CV 🈲 ⟵ CB

COULANDON (A2)
03000 Allier
>>> *voir MOULINS*

DOMERAT (B1)
03410 Allier
>>> *voir MONTLUCON*

DOMPIERRE SUR BESBRE (A3)
03290 Allier
5000 hab. 🈑

▲▲ DE L'OLIVE ★★
Rue de la Gare. M. Corbet
☎ 04 70 34 51 87 ⊠ 04 70 34 61 68
🛏 10 ⊗ 190/250 F. 🍽 25 F.
🍴 60/245 F. 🚶 40 F. 🛗 180/210 F.
⊠ 15 nov./8 déc., 8 jours vac. scol.
fév., ven. sauf juil./août.
🎫 📷 ☎ 🚌 🚶 ⟵

FERRIERES SUR SICHON (B3)
03250 Allier
600 m. ● 640 hab.

▲ CENTRAL HOTEL ★
Place de la Poste. M. Vincent
☎ 04 70 41 10 06
🛏 7 ⊗ 125/160 F. 🍽 27 F. 🍴 85/115 F.
🚶 47 F. 🛗 170/187 F.
⊠ 1er janv./28 fév., déc. et lun.
🚌 🐎 CV 🈲 ⟵

GANNAT (B2)
03800 Allier
7000 hab. 🈑

▲ DU CHATEAU ★
9, place Rantian. M. Busson
☎ 04 70 90 00 88 ⊠ 04 70 90 30 79
🛏 15 ⊗ 220/300 F. 🍽 28 F.
🍴 66/130 F. 🚶 37 F. 🛗 380 F.
⊠ 16 déc./11 janv. et ven. oct./avr.
🎫 📷 📅 ☎ 🚌 🚌 🈳 ➤ 🐎 CV 🈲
⟵ CB

ISLE ET BARDAIS (A2)
03360 Allier
>>> *voir SAINT BONNET TRONCAIS*

JALIGNY SUR BESBRE (A-B3)
03220 Allier
762 hab.

⌂ DE PARIS ★★
Rue des Ecoles. M. Vif
☎ 04 70 34 82 63　📠 04 70 34 81 03
🛢100F 🛏 7 ◫ 210/270 F. ◳ 30 F. 🍽 65/170 F.
🍴 40 F. 🛌 220/250 F.
⊠ ven. soir.
🔲 🖃 ☎ 🚗 ♨ 🚿 CV 🖐 CB

LALIZOLLE (B2)
03450 Allier
620 m. • 375 hab.

⌂ LA CROIX DES BOIS ★★
D.987 accès St Pourçain ou St Eloy
Mines M. Gauriault
☎ 04 70 90 41 55
🛏 7 ◫ 160/240 F. ◳ 35 F. 🍽 60/128 F.
🍴 40 F. 🛌 175/295 F.
🔲 SP 🖃 ☎ 🚗 🖐 ↑ ♨ ⚲ CV 🖐 🖐

LAPALISSE (B3)
03120 Allier
3775 hab. ℹ️

⌂⌂⌂ GALLAND ★★
20, place de la République. M. Duparc
☎ 04 70 99 07 21　📠 04 70 99 34 64
🛏 8 ◫ 250/290 F. ◳ 38 F.
🍽 125/270 F. 🍴 80 F.
⊠ 26 nov./4 déc., 19 fév./11 mars et mer.
🔲 🖃 ☎ 🚗 🖐 🍴 🖐 🖐

Le MAYET DE MONTAGNE (B3)
03250 Allier
1950 hab. ℹ️

⌂⌂ LE RELAIS DU LAC ★★
Route de Laprugne. M. Cazals
☎ 04 70 59 70 23
🛏 7 ◫ 240/270 F. ◳ 33 F. 🍽 63/190 F.
🍴 40 F. 🛌 230/240 F.
🔲 D SP 🖃 ☎ 🚗 🖐 🖐

MAZIRAT (B1)
03420 Allier
300 hab.

⌂ AU CHANT DU GRILLON ★
Mme Desseauves
☎ 04 70 51 71 50
🛢100F 🛏 12 ◫ 180/200 F. ◳ 25 F.
🍽 55/160 F. 🍴 45 F. 🛌 140/150 F.
⊠ 28 oct./10 nov., 1er/25 fév. et mer.
🖃 ☎ 🚗 ♨ CV 🖐

MONTLUCON (B1)
03100 Allier
50000 hab. ℹ️

⌂⌂ DES BOURBONS Rest. AUX DUCS DE
BOURBON ★★
47, av. Marx Dormoy. M. Bujard
☎ 04 70 05 22 79 ＼ 04 70 05 28 93
📠 04 70 05 16 92

🛢120F 🛏 43 ◫ 230/280 F. ◳ 28 F.
🍽 80/200 F. 🍴 48 F. 🛌 220/250 F.
⊠ rest. dim. soir et lun.
🔲 🖃 🖫 ☎ 🚗 ♨ 🖐 🖐 CV 🖐 🖐 CB 🖭

... *à proximité*

DOMERAT (B1)
03410 Allier
8875 hab. ℹ️

4 km N.O. Montluçon par D 916

⌂⌂⌂ LE NOVELTA ★★
R.N. 145. M. Pyron
☎ 04 70 03 34 88　📠 04 70 03 37 09
🛏 30 ◫ 290 F. ◳ 32 F. 🍽 79/185 F.
🍴 45 F. 🛌 225/245 F.
⊠ Rest. dim. soir.
🔲 🖃 ☎ 🚗 🖐 ♨ 🖐 ⛲ 🖐 ⚲ CV
🖐 🖐

MONTMARAULT (B2)
03390 Allier
1900 hab. ℹ️

⌂⌂ CENTROTEL ★★
26, route de Moulins. M. Roullier
☎ 04 70 07 61 23　📠 04 70 07 31 28
🛢100F 🛏 22 ◫ 150/270 F. ◳ 30 F.
🍽 55/140 F. 🍴 45 F. 🛌 180/220 F.
⊠ 1er/5 janv., 6/27 juil., sam. soir et
dim.
🔲 🖃 ☎ 🚗 🖐 ♨ ► ⚲ CV 🖐 🖐 CB

⌂⌂ DE FRANCE ★★
1, rue Marx Dormoy. M. Omont
☎ 04 70 07 60 26　📠 04 70 07 68 45
🛢100F 🛏 8 ◫ 230 F. ◳ 36 F. 🍽 85/230 F.
🍴 48 F. 🛌 230 F.
🔲 D 🖃 ☎ 🚗 ⚲ CV 🖐 🖐 CB

MOULINS (A2-3)
03000 Allier
27408 hab. ℹ️

⌂⌂ LE PARC ★★
31, av. Général Leclerc. M. Barret
☎ 04 70 44 12 25　📠 04 70 46 79 35
🛢100F 🛏 26 ◫ 200/330 F. ◳ 36 F.
🍽 90/220 F. 🍴 50 F. 🛌 250 F.
⊠ 4/18 juil., 27 sept./4 oct., 23 déc./
4 janv. Rest. sam.
🔲 D 🖃 🖫 ☎ 🚗 🖐 ♨ ⚲ 🖐 🖐 CB

... *à proximité*

AVERMES (A2)
03000 Allier
3892 hab.

3 km Nord Moulins par N 7

⌂ DE LA TERRASSE ★★
Sur N.7. M. Menu
☎ 04 70 44 35 10　📠 04 70 34 01 36
🛏 12 ◫ 170/300 F. ◳ 30 F.
🍽 67/150 F. 🍴 40 F. 🛌 170/195 F.
⊠ 2/30 janv., dim. soir et lun. sauf
juil./sept.
🔲 SP 🖃 ☎ 🚗 🖐 ⛲ 🖐 CB

COULANDON (A2)
03000 Allier
554 hab.

7 km Ouest Moulins par D 945

▲▲▲ LE CHALET ★★★
M. Hulot
☎ 04 70 44 50 08 FAX 04 70 44 07 09
👤 28 🛏 360/460 F. 🍴 45 F.
🍽 115/230 F. 🛏 60 F. 🏠 340/395 F.
✉ 16 déc./31 janv.

NERIS LES BAINS (B1)
03310 Allier
3000 hab. 🛈

▲▲ DU PARC DES RIVALLES ★★
7, rue Parmentier. M. Daureyre
☎ 04 70 03 10 50 FAX 04 70 03 11 05
👤 26 🛏 160/240 F. 🍴 33 F.
🍽 82/270 F. 🛏 50 F.
✉ 9 oct./15 avr.

▲▲▲ LA PROMENADE ★★
38, av. Boisrot Desserviers
Mme Gabbero
☎ 04 70 03 26 26 FAX 04 70 03 25 62
👤 40 🛏 275/320 F. 🍴 35 F.
🍽 98/210 F. 🛏 45 F. 🏠 260/310 F.
✉ 19 oct./6 avr.

▲▲ LE CENTRE ET PROXIMA ★
10, rue du Capitaine Migat M. Huguet
☎ 04 70 03 10 74 FAX 04 70 03 15 37
👤 18 🛏 170/200 F. 🍴 29 F.
🍽 66/100 F. 🛏 45 F. 🏠 215/230 F.
✉ 8 oct./2 avr.

▲▲ LE GARDEN ★★
12, av. Marx Dormoy. M. Gasparoux
☎ 04 70 03 21 16 FAX 04 70 03 10 67
👤 19 🍴 32 F. 🍽 78/195 F. 🛏 45 F.
🏠 262/295 F.
✉ 2/19 janv.

PIERREFITTE SUR LOIRE (A3)
03470 Allier
649 hab.

▲ DU PORT ★★
Le Bassin. Mme Talon
☎ 04 70 47 00 68 FAX 04 70 47 04 80
👤 10 🛏 170/250 F. 🍴 25 F.
🍽 70/140 F. 🛏 40 F. 🏠 170/210 F.

SAINT BONNET TRONCAIS (A1)
03360 Allier
1000 hab.

▲▲▲ LE TRONCAIS ★★
Rond de Tronçais-Sur D. 978A. M. Bajard
☎ 04 70 06 11 95 FAX 04 70 06 16 15

👤 12 🛏 268/354 F. 🍴 36 F.
🍽 100/180 F. 🛏 60 F. 🏠 251/295 F.
✉ 15 nov./15 mars, dim. soir et lun.
sauf été.

... à proximité

ISLE ET BARDAIS (A2)
03360 Allier
355 hab.

▲ LE ROND GARDIEN ★
Forêt de Tronçais, inters. N 978A et
D953. M. Labrousse
☎ 04 70 06 11 21 FAX 04 70 06 16 37
👤 7 🛏 250 F. 🍴 28 F. 🍽 100/150 F.
🛏 50 F. 🏠 214/230 F.
✉ 30 nov./1er mars et lun.

SAINT LOUP (B2-3)
03150 Allier
>>> *voir VARENNES SUR ALLIER*

SAINT POURCAIN SUR SIOULE (B2)
03500 Allier
5200 hab. 🛈

▲▲ LE CHENE VERT ★★
35, bld Ledru-Rollin. M. Siret
☎ 04 70 45 40 65 FAX 04 70 45 68 50
👤 32 🛏 165/390 F. 🍴 42 F.
🍽 90/200 F. 🛏 40 F.
✉ janv., dim. soir et lun. hs.

SAINT YORRE (B3)
03270 Allier
>>> *voir VICHY*

TRONGET (A2)
03240 Allier
1050 hab.

▲▲ DU COMMERCE ★★
Sur D. 945. M. Auberger
☎ 04 70 47 12 95 FAX 04 70 47 32 53
👤 11 🛏 195/290 F. 🍴 30 F.
🍽 70/170 F. 🛏 40 F. 🏠 230/280 F.

VARENNES SUR ALLIER (B3)
03150 Allier
5046 hab. 🛈

... à proximité

SAINT LOUP (B2-3)
03150 Allier
619 hab.

5 km Nord Varennes par N 7

▲ LE RELAIS DE LA ROUTE BLEUE ★★
N. 7. M. Navarro
☎ 04 70 45 07 73 FAX 04 70 45 06 36
👤 18 🛏 135/240 F. 🍴 32 F.
🍽 63/105 F. 🛏 40 F. 🏠 265/365 F.
✉ 24 déc./4 janv.

Le VEURDRE (A2)
03320 Allier
720 hab.

▲▲▲ DU PONT NEUF ★★
Rue du Faubourg de Lorette.
M.Me Ducroix
☎ 04 70 66 40 12 ⚐ 04 70 66 44 15
🛏 35 ⬡ 225/330 F. ▣ 40 F.
🍽 82/225 F. 🍴 35 F. ▣ 250/310 F.
⊠ 25/31 oct., 15 déc./15 janv., et dim.
soir 15 oct./30 mars.

VICHY (B3)
03200 Allier
27000 hab. ⓘ

▲▲ DE BIARRITZ ★★
3, rue Grangier. M. Pialasse
☎ 04 70 97 81 20 ⚐ 04 70 97 97 72
🛏 15 ⬡ 160/250 F. ▣ 25/ 35 F.
🍽 55/89 F. 🍴 38 F.
⊠ 15 déc./15 janv.

▲▲▲ DE BREST ET SAINT-GEORGES ★★
27, rue de Paris. M. Soulier
☎ 04 70 98 22 18 ⚐ 04 70 98 28 70
🛏 33 ⬡ 250/295 F. ▣ 32 F.
🍽 80/240 F. 🍴 60 F. ▣ 250/270 F.
⊠ 15/28 fév.

▲ DU RHONE ★★
8, rue de Paris. Mme Gerber
☎ 04 70 97 73 00 ⚐ 04 70 97 48 25
🛏 40 ⬡ 150/260 F. ▣ 29/ 39 F.
🍽 59/180 F. 🍴 34 F. ▣ 200/250 F.
⊠ Toussaint/Pâques.

▲▲ LE FREJUS - LOU RECANTOU ★★
Rue du Presbytère. M. Buraud
☎ 04 70 32 17 22 ⚐ 04 70 32 42 10
🛏 27 ⬡ 160/220 F. ▣ 30 F.
🍽 65/163 F. 🍴 50 F. ▣ 190/250 F.
⊠ 15 oct./1er mai.

▲▲ MIDLAND ★★
2 à 6 rue de l'Intendance. M. Paszkudzki
☎ 04 70 97 48 48 ⚐ 04 70 31 31 89
🛏 50 ⬡ 270/320 F. ▣ 30 F.
🍽 45/155 F. 🍴 45 F. ▣ 215/275 F.
⊠ 15 oct./15 avr.

▲▲▲ PAVILLON D'ENGHIEN ★★★
32, rue Callou. M. Bélabed
☎ 04 70 98 33 30 ⚐ 04 70 31 67 82
🛏 22 ⬡ 325/465 F. ▣ 39 F.
🍽 69/120 F. 🍴 39 F. ▣ 270/350 F.
⊠ 22 déc./1er fév. Rest. dim. soir et lun.

▲▲ TIFFANY ★★
59, av. Paul Doumer. M. Moinel
☎ 04 70 97 92 92 ⚐ 04 70 31 33 40
🛏 8 ⬡ 190/295 F. ▣ 30 F. 🍽 80/165 F.
🍴 50 F. ▣ 245 F.
⊠ rest. ven. soir et sam. hs.

... à proximité

ABREST (B3)
03200 Allier
2544 hab.

4 km Sud Vichy par D 906
▲▲▲ LA COLOMBIERE
Route de Thiers. M. Sabot
☎ 04 70 98 69 15 ⚐ 04 70 31 50 89
🛏 4 ⬡ 220/270 F. ▣ 30 F. 🍽 95/280 F.
🍴 40 F.
⊠ 1 semaine oct., mi-janv./mi-fév., dim.
soir et lun.

BELLERIVE SUR ALLIER (B2-3)
03700 Allier
8543 hab. ⓘ

1 km S.O. Vichy par D 984
▲▲ DU PONT ET DES CHARMILLES ★★
2, av. de la République. M. Rougelin
☎ 04 70 32 29 11 ⚐ 04 70 32 54 34
🛏 16 ⬡ 150/199 F. ▣ 34 F.
🍽 55/165 F. 🍴 39 F. ▣ 168/205 F.
⊠ 2/31 janv., dim. soir 16 avr./15 juin,
dim. soir et lun. 15 oct./15 avr.

SAINT YORRE (B3)
03270 Allier
3100 hab.

8 km Sud Vichy par D 906
▲▲▲ AUBERGE BOURBONNAISE ★★
2, av. de Vichy. M. Debost
☎ 04 70 59 41 79 ⚐ 04 70 59 24 94
🛏 19 ⬡ 200/380 F. ▣ 35 F.
🍽 73/200 F. 🍴 40 F. ▣ 260 F.
⊠ dim. soir et lun. midi oct./mai.

VILLEFRANCHE D'ALLIER (A2)
03430 Allier
1350 hab.

▲▲▲ LE RELAIS BOURBONNAIS ★★
1, rue de la Gare. M. Patet
☎ 04 70 07 40 01 ⚐ 04 70 07 48 36
🛏 14 ⬡ 250/270 F. ▣ 31 F.
🍽 65/220 F. 🍴 45 F. ▣ 250 F.
⊠ dim. soir.

YGRANDE (A2)
03160 Allier
980 hab.

▲ LA TAVERNE ★
Place E. Guillaumin. M. Avignon
☎ 04 70 66 32 67 ⚐ 04 70 66 31 41
🛏 7 ⬡ 130/300 F. ▣ 30 F. 🍽 65/170 F.
🍴 40 F. ▣ 200 F.
⊠ ven. soir et sam.

**Liste des
hôtels-restaurants**

Cantal

P. Soissons - C.R.T Auvergne

**Association départementale
des Logis de France du Cantal**
Fédération Hôtelière
8 rue Marie-Maurel
15000 Aurillac
Téléphone 04 71 48 08 10

AUVERGNE

Moulins ○
03 ALLIER
Clermont-Ferrand ●
63 PUY-DE-DÔME
15 CANTAL
43 HAUTE-LOIRE
Aurillac ○
Le Puy-en-Velay

15 - CANTAL

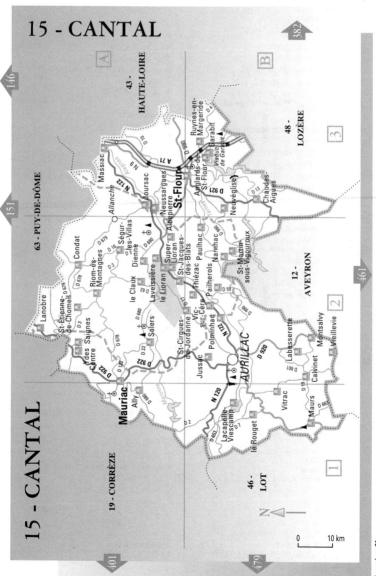

Légende p 21

139

ALBEPIERRE (A2-3)
15300 Cantal
1050 m. • 300 hab.

🅰 LA BELLE ARVERNE
M. Rigal
☎ 04 71 20 02 00
🛏 5 🖼 150/190 F. ■ 30 F. 🍽 70/140 F.
♨ 45 F. 🖬 200/220 F.
⊠ nov.
▨ ▧ ⚹ ⚘ ♿ CV ▥ ➤ CB

ALLY (A1)
15700 Cantal
720 m. • 876 hab.

🅰🅰 AU RELAIS DE POSTE ★
M. Gouvart
☎ 04 71 69 03 44 FAX 04 71 69 03 07
🛏 11 🖼 190/200 F. ■ 28 F.
🍽 60/140 F. ♨ 35 F. 🖬 230/250 F.
E D ▧ ▨ ▤ T ✦ CV ▥ ➤ CB

ANGLARDS DE SAINT FLOUR (B3)
15100 Cantal

>>> *voir SAINT FLOUR*

CALVINET (B2)
15340 Cantal
600 m. • 493 hab.

🅰🅰🅰 BEAUSEJOUR ★★
Route de Maurs. M. Puech
☎ 04 71 49 91 68
🛏 12 🖼 250 F. ■ 40 F. 🍽 95/280 F.
♨ 60 F. 🖬 250/300 F.
⊠ 15 janv./1er mars, dim. soir et lun. hs
sauf jours fériés (déjeuner).
E SP ▧ ▨ ▤ ⊠ T CV ▥

CHAUDES AIGUES (B3)
15110 Cantal
750 m. • 1500 hab. 🅸

🅰🅰🅰 AREV HOTEL ★★
29, place du Gravier.
M. Arévian
☎ 04 71 23 52 43 FAX 04 71 23 59 94
🛏 40 🖼 200/450 F. ■ 37 F.
🍽 59/118 F. ♨ 37 F. 🖬 213/223 F.
⊠ 2 nov./31 mars
E ▧ ▨ ▤ ⚓ ⊠ ♿ CV ▥ ➤ CB

Le CLAUX (A2)
15400 Cantal
1050 m. • 360 hab. 🅸

🅰🅰 LE PEYRE ARSE ★★
M. Delfau
☎ 04 71 78 93 32 FAX 04 71 78 90 37
🛏 29 🖼 220/260 F. 🍽 100/195 F.
♨ 45 F. 🖬 250/290 F.
E ▧ ▨ ▤ ⊠ T ⊡ ⚘ ⚹ ♿ CV
▥ ➤ CB

CONDAT (A2)
15190 Cantal
1570 hab. 🅸

🅰🅰 CENTRAL HOTEL ★★
Grande rue. M. Mouette
☎ 04 71 78 53 02
🛏 12 ■ 33 F. 🍽 60/180 F. ♨ 39 F.
🖬 220/250 F.
E ▧ ▨ ▤ ▨ ⊠ T ⊡ ▥

DIENNE (A2)
15300 Cantal
1050 m. • 493 hab.

🅰🅰 DE LA POSTE ★
M. Brunet
☎ 04 71 20 80 40
🛏 10 🖼 200/240 F. ■ 30 F.
🍽 90/120 F. ♨ 60 F. 🖬 210/230 F.
⊠ 5 janv./5 fév.
E ▨ ▤ ▤ T CB

GARABIT (B3)
15320 Cantal
800 m. • 30 hab. 🅸

🅰🅰🅰 BEAU-SITE ★★
Mme Bigot
☎ 04 71 23 41 46 FAX 04 71 23 46 34
🛏 16 🖼 150/270 F. ■ 35 F.
🍽 71/180 F. ♨ 45 F. 🖬 200/270 F.
⊠ Toussaint/Pâques.
E ▧ ▨ ▤ ▨ ⊠ T ⊡ ⚹ ⚘ ♿ ⚹
CV ▥ ➤ CB ▦

🅰🅰 DU VIADUC ★★
M. Albuisson
☎ 04 71 23 43 20 FAX 04 71 23 45 19
🛏 25 🖼 140/250 F. ■ 30 F.
🍽 58/140 F. ♨ 44 F. 🖬 170/260 F.
⊠ 5 nov./1er avr.
E ▧ ▨ ▤ ▨ ⊠ T ⊡ ⚹ ⚘ ♿ CV
▥ ➤ CB

🅰🅰🅰 GARABIT-HOTEL ★★
M. Cellier
☎ 04 71 23 42 75 FAX 04 71 23 49 60
🛏 45 🖼 185/340 F. ■ 32 F.
🍽 70/180 F. ♨ 42 F. 🖬 210/285 F.
⊠ 10 oct./10 avr.
E D ▧ ▨ ▤ ⚓ T ⊡ ⚹ ✦ ⚘
♿ CV ▥ ➤ CB

🅰🅰 LE PANORAMIC ★★
M. Juillard
☎ 04 71 23 40 24 FAX 04 71 23 48 93
🛏 29 🖼 180/400 F. ■ 32 F.
🍽 85/260 F. 🖬 200/320 F.
⊠ Toussaint/Pâques.
E ▧ ▨ ▤ ▨ ⚓ ⊠ T ⊡ ⚹ ⚘ ✦ ⚹
⚘ ♿ CV ▥ ➤ CB

JOURSAC (A3)
15170 Cantal

>>> *voir NEUSSARGUES*

JUSSAC (B2)
15250 Cantal
632 m. • 1685 hab.

⌂⌂ PRADO ★
M. Arnal
☎ 04 71 46 66 37 FAX 04 71 46 91 78
🍳 80 F 🔑 10 🛏 160/260 F. ☕ 30 F.
🍴 68/150 F. 🧒 40 F. 🏨 190/230 F.
⊠ lun. hs.
[E] [📺] [☎] [🚗] [⋈] [☂] [CV] [🏊] [🐕] [CB]

LABESSERETTE (B2)
15120 Cantal
300 hab. ℹ

⌂ LA GRANGEOTTE ★
Mme Fau
☎ 04 71 49 22 00
🍳 100 F 🔑 19 🛏 160/220 F. ☕ 30 F.
🍴 70/130 F. 🧒 50 F. 🏨 185/215 F.
⊠ janv.
[E] [📺] [☎] [🚗] [⋈] [☂] [⛷] [🚶] [CV] [🐕]

LACAPELLE VIESCAMP (B1)
15150 Cantal
400 hab.

⌂⌂⌂ DU LAC ★★
Mme Teulière
☎ 04 71 46 31 57 FAX 04 71 46 31 64
🍳 120 F 🔑 23 🛏 280/320 F. ☕ 35 F.
🍴 85/195 F. 🧒 40 F. 🏨 210/260 F.
[E] [📺] [☎] [🚗] [⋈] [☂] [⛷] [🚶] [♿] [CV] [🏊] [🐕] [CB]

LANOBRE (A2)
15270 Cantal
670 m. • 1800 hab.

⌂⌂ LA VILLA DE VAL ★★
M. Moulin
☎ 04 71 40 33 40 FAX 04 71 40 36 14
🍳 100 F 🔑 13 🛏 210/260 F. ☕ 28 F.
🍴 65/180 F. 🧒 38 F. 🏨 230 F.
⊠ dim. soir.
[E] [📺] [☎] [🚗] [☂] [🚶] [🚲] [⛳] [♿] [CV] [🏊] [🐕]

LAVEISSIERE (A2)
15300 Cantal
980 m. • 600 hab.

⌂⌂ BELLEVUE ★★
Mme Le Stang
☎ 04 71 20 01 22 FAX 04 71 20 09 55
🔑 16 🛏 210/230 F. ☕ 33 F.
🍴 70/105 F. 🧒 35 F. 🏨 215/275 F.
⊠ 14 oct./27 déc.
[E] [D] [☎] [🚗] [⋈] [☂] [🚲] [CV] [🏊] [🐕] [CB]

LIORAN (LE) (SUPER LIORAN) (A2)
15300 Cantal
1250 m. • 100 hab. ℹ

⌂⌂ LE REMBERTER SAPORTA ★★
6, route Rocher du Cerf. M. Boyer
☎ 04 71 49 50 28 FAX 04 71 49 52 88
🍳 80 F 🔑 32 🛏 230/280 F. ☕ 35 F.
🍴 70/195 F. 🧒 46 F. 🏨 225/260 F.
⊠ 15 avr./20 juin et 16 sept./15 déc.
[E] [📺] [☎] [🚗] [↕] [☂] [⛷] [CV] [🏊] [🐕]

MASSIAC (A3)
15500 Cantal
2100 hab. ℹ

⌂⌂ DE LA MAIRIE ★★
8, rue A. Chalvet. M. Delorme
☎ 04 71 23 02 51 FAX 04 71 23 11 93
🍳 100 F 🔑 20 🛏 180/220 F. ☕ 35 F.
🍴 70/160 F. 🧒 40 F. 🏨 220/260 F.
⊠ janv.,fév., lun. sauf juil./août.
[E] [SP] [📺] [☎] [🚗] [🚲] [CV] [🐕] [CB]

MAURIAC (A1-2)
15200 Cantal
720 m. • 5000 hab. ℹ

⌂ BONNE AUBERGE ET VOYAGEURS ★
Mmes Bac/Escarbassiére
☎ 04 71 68 01 01 FAX 04 71 68 01 56
🍳 120 F 🔑 17 🛏 110/269 F. ☕ 25 F.
🍴 45/160 F. 🧒 35 F. 🏨 125/350 F.
⊠ 23 déc./4 janv., dim. soir et sam. midi Toussaint/1er mai.
[E] [📺] [☎] [CV]

⌂ L'ECU DE FRANCE ★★
6, av. Charles Perie. M. Meynial
☎ 04 71 68 00 75 FAX 04 71 67 31 06
🍳 100 F 🔑 16 🛏 125/295 F. ☕ 30 F.
🍴 75/190 F. 🧒 40 F. 🏨 170/280 F.
⊠ 1er fév./1er mars.
[E] [SP] [📺] [☎] [🚗] [CV] [🏊] [🐕] [CB]

MAURS (B1)
15600 Cantal
2506 hab. ℹ

⌂ LE PLAISANCE
M. Lacam
☎ 04 71 49 02 47
🔑 11 🛏 190/220 F. ☕ 27 F.
🍴 69/225 F. 🧒 40 F. 🏨 205 F.
⊠ 24 déc./2 janv. et sam. oct./juin.
[E] [☂] [CV] [🐕] [CB]

MONTSALVY (B2)
15120 Cantal
800 m. • 1200 hab. ℹ

⌂⌂ DU NORD ★★
M. Cayron
☎ 04 71 49 20 03 FAX 04 71 49 29 00
🍳 120 F 🔑 20 🛏 250/300 F. ☕ 40 F.
🍴 88/240 F. 🧒 42 F. 🏨 230/290 F.
⊠ 1er janv./27 mars.
[E] [📺] [☎] [🚗] [⋈] [☂] [CV] [🏊] [🐕]

NARNHAC (B2)
15230 Cantal
1000 m. • 118 hab.

⌂⌂ AUBERGE DE PONT LA VIEILLE ★★
M. Horwath
☎ 04 71 73 42 60 FAX 04 71 73 42 20
🍳 100 F 🔑 8 🛏 190/250 F. ☕ 25 F. 🍴 59/130 F.
🧒 45 F. 🏨 190/210 F.
⊠ 1er nov./20 déc. et lun. 1er oct./30 avr.
[E] [SP] [i] [📺] [☎] [🚗] [☂] [🚶] [CV] [🏊] [🐕] [CB]

NEUSSARGUES (A3)
15170 Cantal
810 m. • 1300 hab. ℹ️

... à proximité

JOURSAC (A3)
15170 Cantal
743 m. • 194 hab.

2 km Est Neussargues par N 122

🛏 DU MIDI ★★
(Au Pont du Vernet). M. Nurit
☎ 04 71 20 51 20 📠 04 71 20 57 07
🛏 9 ⬡ 150/190 F. ▦ 35 F. ▥ 55/135 F.
🍴 35 F. ▦ 210 F.
✉ 2/12 janv. et lun. hs.
🅴 🆂🅿 ☐ ☎ 🚗 ⌖ 🏖 ⟱ 🏃 🎿 CV ▦
🐾 CB

NEUVEGLISE (B3)
15260 Cantal
938 m. • 1100 hab. ℹ️

🛏🛏🛏 RELAIS DE LA POSTE ★★
(A Cordesse). M. Chadelat
☎ 04 71 23 82 32 📠 04 71 23 86 23
🛏 8 ⬡ 220/330 F. ▦ 35 F. ▥ 70/210 F.
🍴 42 F. ▦ 230/300 F.
✉ 15 nov./15 mars.
🅴 🆂🅿 ☐ ☎ 🚗 ⌖ 🏖 🏃 🎿 CV
🐾 CB

PAILHEROLS (B2)
15800 Cantal
1000 m. • 160 hab.

🛏🛏 AUBERGE DES MONTAGNES ★★
Mme Combourieu
☎ 04 71 47 57 01
🛏 20 ⬡ 208/270 F. ▦ 28 F.
▥ 72/122 F. 🍴 50 F. ▦ 232/270 F.
✉ 13 oct./20 déc. sauf week-end
Toussaint.
🅴 ☐ ☎ 🚗 ⌖ 🏖 ⟱ 🐟 ⚕ 🏃 ⌚ CV ▦
🐾 CB

PAULHAC (B2)
15430 Cantal
1117 m. • 500 hab.

🛏🛏 DE LA PLANEZE ★
M. Jouve
☎ 04 71 73 32 60 📠 04 71 73 30 30
🛏 12 ⬡ 175/235 F. ▦ 28 F.
▥ 70/130 F. 🍴 40 F. ▦ 170/210 F.
✉ mer. hs.
☎ ⌖ CV 🐾 CB

POLMINHAC (B2)
15800 Cantal
650 m. • 1175 hab. ℹ️

🛏🛏 AU BON ACCUEIL ★★
9, allée des Monts d'Auvergne.
Mme Courbeyrotte
☎ 04 71 47 40 21 📠 04 71 47 40 13

🛏 20 ⬡ 180/280 F. ▦ 35 F.
▥ 60/130 F. 🍴 38 F. ▦ 205/245 F.
✉ 15 oct./1er déc., dim. après-midi/lun.
après-midi hors vac. scol.
🅴 ☎ 🚗 ⌖ ⌖ 🏖 ⟱ 🏃 CV ▦ CB

🛏🛏 LES PLANOTTES ★
Cabanes.
M. Chardonnal
☎ 04 71 47 44 88 📠 04 71 47 45 60
🛏 10 ⬡ 165 F. ▦ 30 F. ▥ 65/160 F.
🍴 39 F. ▦ 200 F.
✉ déc. et janv.
🅴 ☐ ☎ 🚗 ⌖ 🏖 🏃 ⚕ CV ▦ 🐾 CB

RIOM ES MONTAGNES (A2)
15400 Cantal
840 m. • 4200 hab. ℹ️

🛏 MODERN'HOTEL ★ & ★★
Mme Couderc
☎ 04 71 78 00 13 📠 04 71 78 12 05
🛏 18 ⬡ 135/225 F. ▦ 30 F.
▥ 68/160 F. 🍴 35 F. ▦ 160/210 F.
✉ ven. soir et sam.
🅴 ☐ ☎ 🚗 ⌖ ⚕ CV ▦ 🐾 CB

Le ROUGET (B1)
15290 Cantal
600 m. • 1000 hab. ℹ️

🛏🛏 DES VOYAGEURS ★★
M. Roussilhe
☎ 04 71 46 10 14
🛏 30 ⬡ 190/220 F. ▦ 22 F.
▥ 65/180 F. 🍴 40 F. ▦ 200 F.
☐ ☎ 🚗 ⌖ ⌖ 🏖 ⟱ 🏃 ⚕ CV ▦ 🐾

RUYNES EN MARGERIDE (B3)
15320 Cantal
900 m. • 600 hab. ℹ️

🛏🛏 MODERNE ★★
M. Rousset
☎ 04 71 23 41 17 📠 04 71 23 49 82
🛏 20 ⬡ 150/210 F. ▦ 32 F.
▥ 62/148 F. 🍴 42 F. ▦ 195/215 F.
✉ oct./début mars.
☐ ☎ 🚗 ⌖ CV ▦ 🐾 CB

SAIGNES (A2)
15240 Cantal
970 hab. ℹ️

🛏 RELAIS ARVERNE ★
Mme Cosnefroy
☎ 04 71 40 62 64 📠 04 71 40 61 14
🛏 10 ⬡ 220/250 F. ▦ 30 F.
▥ 70/220 F. 🍴 45 F. ▦ 207/232 F.
✉ 1ère quinz. oct., 3 semaines fév., ven.
soir, sam. midi et dim. soir.
☐ ☎ 🚗 ⌖ 🏃 CV ▦ 🐾 CB

SAINT CIRGUES DE JORDANNE (A-B2)
15590 Cantal
800 m. • 200 hab.

▲▲ LES TILLEULS ★★
Mme Fritsch
☎ 04 71 47 92 19 FAX 04 71 47 91 06
🛏 14 ⬟ 250 F. 🍴 30 F. 🍽 70/220 F.
🍴 250/270 F.
⊠ dim. soir et lun. Toussaint/Pâques.
E SP ... CV ... CB

SAINT ETIENNE DE CHOMEIL (A2)
15400 Cantal
730 m. • 311 hab.

▲ LA RUCHE CANTALIENNE
M. Chaumeil
☎ 04 71 78 32 04
🛏 7 ⬟ 170 F. 🍴 25 F. 🍽 85/130 F.
🍴 45 F. 🍽 165/185 F.
⊠ 10/31 janv., 15/30 nov., lun. et mer.
sauf vac. scol.
E CV CB

SAINT FLOUR (A-B3)
15100 Cantal
900 m. • 9000 hab. ⓘ

▲▲ AUBERGE DE LA PROVIDENCE ★★
1, rue du Château d'Alleuze.
M. Charbonnel
☎ 04 71 60 12 05 FAX 04 71 60 33 94
🛏 10 ⬟ 265/300 F. 🍽 38 F.
🍽 90/160 F. 🍴 60 F. 🍽 250/320 F.
⊠ 15 oct./15 nov., 1ère quinz. janv.,
dim. soir/lun. soir 17h en hiver. Rest.
midi en été.
E ... CB ...

▲▲▲ DES MESSAGERIES Rest. LE
NAUTILUS ★★
23, av. Charles de Gaulle. M. Giral
☎ 04 71 60 11 36 FAX 04 71 60 46 79
🛏 17 ⬟ 200/430 F. 🍽 50 F.
🍽 80/370 F. 🍴 60 F. 🍽 245/365 F.
⊠ 19 janv./4 fév., ven. et sam. midi
oct./Pâques hors vac. scol.
E ... CV ...
... CB

▲▲ DU NORD ★
18, rue des Lacs. M. Paga
☎ 04 71 60 28 00 FAX 04 71 60 07 33
🛏 30 ⬟ 180/320 F. 🍽 30 F.
🍽 60/140 F. 🍴 40 F. 🍽 180/260 F.
E SP ... CV ... CB

▲▲ L'ANDER ★★
6 bis, av. du Ct. Delorme. M. Quairel
☎ 04 71 60 21 63 FAX 04 71 60 46 40
🛏 38 ⬟ 200/270 F. 🍽 35 F.

🍽 70/180 F. 🍴 40 F. 🍽 200/240 F.
⊠ 15 déc./15 janv.
E SP ... CV ...
... CB ...

... à proximité

ANGLARDS DE SAINT FLOUR (B3)
15100 Cantal
840 m. • 276 hab.

10 km Sud Saint-Flour par N.9

▲ AUBERGE LA MERIDIENNE
Lieu-dit La Gazelle (sortie 30 aut.A 75)
M. Portal
☎ 04 71 23 40 53 FAX 04 71 23 91 05
🛏 7 ⬟ 180/220 F. 🍽 28 F. 🍽 78/210 F.
🍴 48 F. 🍽 220/240 F.
⊠ fév. et dim. soir début nov./début avr.
... CV ... CB

SAINT JACQUES DES BLATS (A-B2)
15800 Cantal
1000 m. • 400 hab.

▲▲ DES CHAZES ★★
M. Serio
☎ 04 71 47 05 68 FAX 04 71 47 00 10
🛏 20 ⬟ 190/260 F. 🍽 32 F.
🍽 70/140 F. 🍴 45 F. 🍽 205/235 F.
E ... CV ... CB

EC L'ESCOUNDILLOU
Route de la Gare. Mme Bruges
☎ 04 71 47 06 42 FAX 04 71 47 00 97
🛏 6 ⬟ 195/215 F. 🍽 30 F. 🍽 59/110 F.
🍴 40 F. 🍽 190/210 F.
E ... CV ... CB

▲▲ LE BRUNET ★★
M. Troupel
☎ 04 71 47 05 86 FAX 04 71 47 04 27
🛏 15 ⬟ 210/270 F. 🍽 30 F.
🍽 75/145 F. 🍴 40 F. 🍽 220/255 F.
⊠ 10 oct./20 déc.
E ... CV ... CB

▲▲ LE GRIOU ★★
M. Troupel
☎ 04 71 47 06 25 FAX 04 71 47 00 16
🛏 18 ⬟ 160/260 F. 🍽 30 F.
🍽 70/170 F. 🍴 45 F. 🍽 230/255 F.
⊠ 15 oct./20 déc.
E ... CV ... CB

**SAINT MARTIN SOUS
VIGOUROUX (B2)**
15230 Cantal
780 m. • 385 hab.

▲ RELAIS DE LA FORGE ★
Mme Plassart
☎ 04 71 23 36 90 FAX 04 71 23 92 48
🛏 10 ⬟ 180/200 F. 🍽 25 F.
🍽 70/150 F. 🍴 40 F. 🍽 160/200 F.
⊠ mer. après-midi.
E ... CV ... CB

SALERS (A2)
15140 Cantal
950 m. • 500 hab. ℹ️

▲▲ DES REMPARTS ET CHATEAU DE LA
BASTIDE ★★
Esplanade de Barrouze. Mme Caby
☎ 04 71 40 70 33 FAX 04 71 40 75 32
🛏️ 31 ⊗ 220/355 F. 🍽️ 35 F.
⏸️ 68/130 F. 🍴 40 F. 🍽️ 260/305 F.
⊠ 20 oct./20 déc.
🅸 📷 ☎ 🚗 ⊤ 🏌️ CV 🔌 🔺 CB

▲▲▲ LE BAILLIAGE ★★
Mme Bancarel
☎ 04 71 40 71 95 FAX 04 71 40 74 90
🛏️ 29 ⊗ 230/380 F. 🍽️ 38 F.
⏸️ 66/165 F. 🍴 40 F. 🍽️ 270/315 F.
⊠ 15 nov./1er fév.
🅸 📷 ☎ 🚗 ⊤ 🔻 🏌️ ⏲️ 🔌

SEGUR LES VILLAS (A2)
15300 Cantal
1045 m. • 404 hab.

▲▲ DE LA SANTOIRE ★★
M. Chabrier
☎ 04 71 20 70 68 FAX 04 71 20 73 44
🛏️ 26 ⊗ 220/250 F. 🍽️ 32 F.
⏸️ 75/150 F. 🍴 45 F. 🍽️ 230/285 F.
⊠ 15 nov./27 déc.
🅸 📷 ☎ 🚗 🎣 ⤴️ ⊤ 🔻 🎿 🦆 🎣 ♿
🏌️ CV 🔌 🔺 CB

THIEZAC (B2)
15800 Cantal
800 m. • 720 hab. ℹ️

▲▲ L'ELANCEZE ET BELLE VALLEE ★★
M. Lauzet
☎ 04 71 47 00 22 FAX 04 71 47 02 08
🛏️ 41 ⊗ 220/260 F. 🍽️ 30 F.
⏸️ 90/185 F. 🍴 45 F. 🍽️ 220/240 F.
⊠ 5 nov./20 déc.
🅸 ☎ 📷 🚗 🎣 ⊤ 🏌️ ♿ CV 🔌 🔺
CB 📦

VIC SUR CERE (B2)
15800 Cantal
680 m. • 2045 hab. ℹ️

▲▲ BEAUSEJOUR ★★
4, rue Basse. M.Me Albouze
☎ 04 71 47 50 27 FAX 04 71 49 60 04
🛏️ 50 ⊗ 210/330 F. 🍽️ 30 F.
⏸️ 75/130 F. 🍴 50 F. 🍽️ 210/290 F.
⊠ 1er oct./début mai.
🅸 📷 ☎ 🚗 🎣 ⊤ 🔻 🏌️ ♿ CV 🔌
🔺 CB

▲▲ BEL HORIZON ★★
Rue Paul Doumer. M. Bouyssou
☎ 04 71 47 50 06 FAX 04 71 49 63 81
🛏️ 24 ⊗ 200/260 F. 🍽️ 30 F.
⏸️ 70/250 F. 🍴 40 F. 🍽️ 220/260 F.
⊠ 15 nov./10 déc.
🅸 🅳 SP 📷 ☎ 🚗 🎣 ⊤ 🔻 🏌️ CV 🔌
🔺 CB

▲▲ FAMILY HOTEL ★★
Av. Emile Duclaux. M. Courbebaisse
☎ 04 71 47 50 49 FAX 04 71 47 51 31
🛏️ 50 ⊗ 200/410 F. 🍽️ 38 F.
⏸️ 85/130 F. 🍴 55 F. 🍽️ 220/345 F.
🅸 📷 ☎ 🚗 🎣 ⊤ 🔻 🎿 🦆 ♿ 🎣 CV
🔌 🔺 CB

VIEILLEVIE (B2)
15120 Cantal
160 hab.

▲▲ LA TERRASSE ★★
Mme Bruel
☎ 04 71 49 94 00 FAX 04 71 49 92 23
🛏️ 26 ⊗ 195/280 F. 🍽️ 40 F.
⏸️ 60/160 F. 🍽️ 180/260 F.
⊠ 15 nov./1er avr.
🅸 ☎ 🚗 ⊤ 🔻 🦆 🏌️ 🎣 🔺 CB

VITRAC (B1)
15220 Cantal
283 hab.

▲▲▲ AUBERGE DE LA TOMETTE ★★
Mme Chausi
☎ 04 71 64 70 94 FAX 04 71 64 77 11
🛏️ 15 ⊗ 230/460 F. 🍽️ 42 F.
⏸️ 68/190 F. 🍴 45 F. 🍽️ 228/308 F.
⊠ 15 déc./1er avr.
🅸 📷 ☎ ⤴️ ⊤ 🔻 🎣 🏌️ 🎣 CV 🔌 🔺
CB CR

YDES CENTRE (A2)
15210 Cantal
2300 hab. ℹ️

▲ DES VOYAGEURS
M. Fayolle
☎ 04 71 40 82 20 FAX 04 71 67 94 10
🛏️ 10 ⊗ 180/230 F. 🍽️ 30 F.
⏸️ 70/120 F. 🍴 42 F. 🍽️ 175/205 F.
🅸 📷 ☎ 🚗 CV 🔺 CB

Liste des
hôtels-restaurants

Haute-Loire

J. Damase - C.R.T. Auvergne

Association départementale
des Logis de France de Haute-Loire

C.C.I. du Puy-Yssingeaux
16 bd du Pdt. Bertrand - B.P. 127
43004 Le Puy-en-Velay Cedex
Téléphone 04 71 09 90 00

AUVERGNE

Moulins ○

03 ALLIER

63
Clermont- ○ PUY-DE-
Ferrand   DÔME

15 CANTAL   43 HAUTE-LOIRE
○ Aurillac   Le Puy-en-Velay

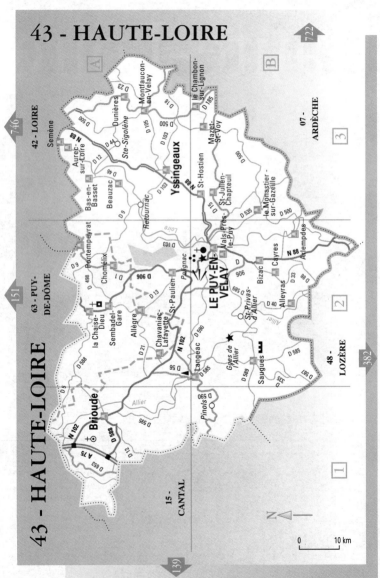

43 - HAUTE-LOIRE

42 - LOIRE

63 - PUY-DE-DÔME

43 - HAUTE-LOIRE

07 - ARDÈCHE

48 - LOZÈRE

15 - CANTAL

Montfaucon-en-Velay
le Chambon-sur-Lignon
Dunières
Mazet-St-Voy
Ste-Sigolène
Semène
Aurec-sur-Loire
Bas-en-Basset
Beauzac
Yssingeaux
St-Hostien
St-Julien-Chapteuil
le Monastier-sur-Gazeille
Retournac
Vals-Près-le-Puy
Artempdes
Pontempeyrat
Chomelix
Palignac
LE PUY-EN-VELAY
Cayres
Bizac
la Chaise-Dieu
Sembadel-Gare
Allègre
Chavaniac-Lafayette
St-Paulien
Alleyras
St-Privas-d'Allier
Langeac
Gges de l'Allier
Saugues
Pinols
Brioude
Allier

N 88
D 23
D 18
D 105
D 500
D 500
D 44
D 12
D 46
D 9
D 103
D 535
D 500
D 500
D 15
D 906
D 13
D 1
D 498
D 9
D 21
D 588
D 5
D 906
D 589
D 585
D 590
D 565
D 56
D 590
D 595
D 33
D 40
D 585
D 589
D 535
D 561
N 88
N 102
A 75
D 653
D 588
Loire
Allier

722
746
151
382
139

0   10 km

N

A   B
3   2   1

Légende p. 21

ALLEGRE (A2)
43270 Haute Loire
1000 m. • 1000 hab.

▲▲ DES VOYAGEURS ★★
M. Leydier
☎ 04 71 00 70 12 📠 04 71 00 20 67
🛏 20 ⬡ 165/280 F. 🍽 35 F.
🍴 65/150 F. 🍴 45 F. 🛏 190/230 F.
✉ 15 déc./15 mars.
🅴 ▢ ☎ 🛏 🚗 ⵣ 🏊 CV ⫶ ◀ CB

ALLEYRAS (B2)
43580 Haute Loire
670 m. • 237 hab.

▲▲ DU HAUT ALLIER ★★
Pont d'Alleyras. Mme Brun
☎ 04 71 57 57 63 📠 04 71 57 57 99
🚗120F 🛏 12 ⬡ 230/350 F. 🍽 35 F.
🍴 120/250 F. 🍴 70 F. 🛏 260/340 F.
✉ 15 nov./1er mars, dim. soir et lun.
sauf juil./août.
🅴 SP ▢ ☎ 🛏 🍴 🏊 ⵣ CV ⫶ CB ᴄ̄ᴿ

ARLEMPDES (B2)
43490 Haute Loire
840 m. • 140 hab.

▲ DU MANOIR ★
M. Celle
☎ 04 71 57 17 14
🛏 15 ⬡ 240/270 F. 🍽 37 F.
🍴 89/200 F. 🍴 50 F. 🛏 235 F.
✉ 1er nov./2ème sam. mars.
🅴 ☎ ⵣ ◀

AUREC SUR LOIRE (A3)
43110 Haute Loire
4510 hab. ⓘ

▲▲ LES CEDRES BLEUS ★★
23, rue la Rivière,Rte de Bas en Basset
M. Duverney
☎ 04 77 35 48 48 📠 04 77 35 37 04
🛏 15 ⬡ 270 F. 🍽 35 F. 🍴 85/288 F.
🍴 65 F. 🛏 260 F.
✉ 19 fév./4 mars, dim. soir et lun. sauf
hôtel lun. soir.
🅴 SP ▢ ☎ 🛏 🍴 🏊 ⵣ CV ⫶ ◀ CB

... à proximité

SEMENE (A3)
43110 Haute Loire
4294 hab. ⓘ

2 km N.O. Aurec sur Loire par D 47

▲ COSTE ★★
Lieu-dit Semène,direction Firminy.
M. Coste
☎ 04 77 35 40 15 📠 04 77 35 39 05
🛏 7 ⬡ 215/280 F. 🍽 32 F. 🍴 89/215 F.
🍴 60 F. 🛏 416/460 F.
✉ 4/24 août, vac. scol. fév., sam. et
dim. soir sauf repas groupes.
🅴 ▢ ☎ 🛏 🍴 CV ⫶ ◀ CB 🖿

BAS EN BASSET (A3)
43210 Haute Loire
2521 hab. ⓘ

▲▲ DE LA LOIRE ★★
zone artisanale
M. Cottier
☎ 04 71 66 72 15 📠 04 71 66 98 85
🛏 10 ⬡ 250/270 F. 🍽 30 F.
🍴 72/160 F. 🍴 45 F. 🛏 215 F.
✉ 1er/16 janv., 19 fév./5 mars et ven.
soir hs.
🅴 SP ▢ ☎ 🛏 🍴 🏊 ⵣ CV ⫶ ◀ CB

BEAUZAC (A3)
43590 Haute Loire
555 m. • 1955 hab. ⓘ

▲▲ L'AIR DU TEMPS ★★
(à Confolens 2 km).
M. Clavier
☎ 04 71 61 49 05 📠 04 71 61 50 91
🚗120F 🛏 8 ⬡ 240/300 F. 🍽 30 F. 🍴 90/320 F.
🍴 60 F. 🛏 210/270 F.
✉ janv., 1ère semaine sept., dim. soir et
lun.
🅴 ▢ ☎ 🛏 CV ◀ CB

BIZAC (B2)
43370 Haute Loire
950 m. • 50 hab.

▲ RELAIS DE LA DILIGENCE ★★
Sur N.88.
Mlle Bonnefoy
☎ 04 71 03 11 50
🛏 19 ⬡ 160/260 F. 🍽 30 F.
🍴 80/150 F. 🍴 35 F. 🛏 175/220 F.
✉ ven. 17h/sam. 18h.
🅳 ▢ ☎ 🛏 🚗 CV ⫶ ◀ CB

BRIOUDE (A1)
43100 Haute Loire
8427 hab. ⓘ

▲ LE BRIVAS ★★
Av. du Velay.
M. Jouve
☎ 04 71 50 10 49 📠 04 71 74 90 69
🚗120F 🛏 28 ⬡ 240/350 F. 🍽 36 F.
🍴 96/220 F. 🍴 56 F. 🛏 262/307 F.
✉ 10/28 déc., ven. et sam. hs.
🅴 SP ▢ ☎ 🛏 🍴 🏊 ⵣ CV ⫶ ◀ CB

CAYRES (B2)
43510 Haute Loire
1100 m. • 511 hab. ⓘ

▲ MODERNE ★★
M. Marion-Lashermes
☎ 04 71 57 33 44 📠 04 71 57 32 44
🚗100F 🛏 13 ⬡ 190/310 F. 🍽 30 F.
🍴 65/140 F. 🍴 30 F. 🛏 200 F.
🅴 SP ▢ ☎ 🛏 🍴 🏊 ⵣ CV ⫶ ◀ CB
🖿 ᴄ̄ᴿ

La CHAISE DIEU (A2)
43160 Haute Loire
1080 m. • 750 hab. 🛈

⌂ DE LA CASADEI ★★
Mme Faure-Liotier
☎ 04 71 00 00 58 [FAX] 04 71 00 01 67
🍴 9 🛏 160/280 F. 🍽 75/110 F. 🛗 45 F.
🚗 230/270 F.
⊠ après vac. Toussaint/vac. Pâques.
[E] 🗄 ☎ CV 🔌 CB

⌂⌂ ECHO ET ABBAYE ★★
Place de l'Echo Mme Chirouze
☎ 04 71 00 00 45 [FAX] 04 71 00 00 22
🍴 11 🛏 300/360 F. 🍽 50 F.
🛗 95/220 F. 🛗 70 F. 🚗 320/350 F.
⊠ 10 oct./1er mai. Rest. midi.
[E] 🗄 ☎ 🛗 CB

⌂ MONASTERE ET TERMINUS ★★
Place de la Gare. M. Sciortino
☎ 04 71 00 00 73 [FAX] 04 71 00 09 18
🍴 12 🛏 145/225 F. 🍽 30 F.
🛗 75/135 F. 🛗 40 F. 🚗 300/400 F.
⊠ 15 janv./1er mars, dim. soir et lun.
hs.
[E] SP 🛈 🗄 ☎ 🚗 🛗 CV 🔌 CB ▪
CR

Le CHAMBON SUR LIGNON (B3)
43400 Haute Loire
1000 m. • 3000 hab. 🛈

⌂ LA PLAGE BEAU RIVAGE ★
Rue de la Grande Fontaine. M. Astier
☎ 04 71 59 70 56
🍴 17 🛏 140/270 F. 🍽 25 F.
🛗 75/110 F. 🛗 50 F. 🚗 170/235 F.
⊠ mi-sept./mi-avr.
[E] ☎ 🚗 🔌 🔌 CB

⌂⌂ LE BOIS VIALOTTE ★★
Route de la Suchère. Mme Cros
☎ 04 71 59 74 03
🍴 17 🛏 160/330 F. 🍽 35 F.
🛗 80/120 F. 🛗 40 F. 🚗 210/280 F.
⊠ 1er oct./30 avr.
[E] ☎ 🚗 🛗 🛗 🛗 CV 🔌 🔌 CB

CHAVANIAC LAFAYETTE (A2)
43230 Haute Loire
740 m. • 425 hab.

⌂ LAFAYETTE ★
par N 102 et D 513. M. Brun
☎ 04 71 77 50 38 [FAX] 04 71 77 54 90
🍴 11 🛏 155/225 F. 🍽 32 F.
🛗 55/130 F. 🛗 42 F. 🚗 190/215 F.
⊠ 20 déc./1er mars.
[E] ☎ 🚗 🚗 🛗 CV 🔌 CB

CHOMELIX (A2)
43500 Haute Loire
900 m. • 438 hab.

⌂⌂ AUBERGE DE L'ARZON ★★
M. Blanc
☎ 04 71 03 62 35 [FAX] 04 71 03 61 62

🍴 9 🛏 235/310 F. 🍽 38 F. 🛗 98/230 F.
🛗 65 F. 🚗 245/285 F.
⊠ 12 nov./28 mars, lun. soir et mar.
sauf juil./août.
[E] SP 🗄 ☎ 🚗 🚗 🔌 🛗 🔌 CB

DUNIERES (A3)
43220 Haute Loire
765 m. • 3009 hab.

⌂⌂ DE LA TOUR ★★
7 ter, route du Fraisse.
M. Roux
☎ 04 71 66 86 66 [FAX] 04 71 66 82 32
🍴 11 🛏 219/249 F. 🍽 35 F.
🛗 60/168 F. 🛗 49 F. 🚗 200 F.
⊠ janv., dim. soir et lun.
[E] 🗄 ☎ 🚗 🛗 🛗 CV 🔌 CB

LANGEAC (B2)
43300 Haute Loire
4733 hab. 🛈

⌂⌂ VAL D'ALLIER ★★
(A Reilhac 2 km).
M. Velay
☎ 04 71 77 02 11 [FAX] 04 71 77 19 20
🍴 22 🛏 300/325 F. 🍽 38 F.
🛗 110/260 F. 🛗 65 F. 🚗 280/300 F.
⊠ 15 déc./15 mars.
[E] 🗄 ☎ 🚗 🚗 🛗 🛗 🔌 🔌 CB

MAZET SAINT VOY (B3)
43520 Haute Loire
1000 m. • 500 hab. 🛈

⌂ L'ESCUELLE ★★
M. Neboit
☎ 04 71 65 00 51
🍴 11 🛏 180/250 F. 🍽 30 F.
🛗 80/150 F. 🚗 200/250 F.
⊠ 3 janv./16 fév., dim. soir et lun.
[E] ☎ 🛗 🛗 🔌

MONASTIER SUR GAZEILLE (Le) (B3)
43150 Haute Loire
950 m. • 1828 hab. 🛈

⌂ LE PROVENCE ★★
Av. des Ecoles. M. Vincent
☎ 04 71 03 82 37
🍴 10 🛏 155/200 F. 🍽 30 F.
🛗 65/120 F. 🛗 40 F. 🚗 160/170 F.
[E] 🗄 🚗 🚗 CV 🔌 🔌 CB

MONTFAUCON EN VELAY (A3)
43290 Haute Loire
930 m. • 1510 hab. 🛈

⌂ DE L'AVENUE ★★
«Les Maisonnettes» N°1.
M. Faure
☎ 04 71 59 90 16 [FAX] 04 71 59 99 39
🍴 7 🛏 145/255 F. 🍽 28 F. 🛗 60/180 F.
🛗 42 F. 🚗 180/280 F.
⊠ 10 déc./10 fév. et ven. hs.
[E] SP 🗄 ☎ 🚗 🚗 🛗 🛗 🔌 CB

MONTFAUCON EN VELAY (A3) (suite)

♨ LES PLATANES ★★
les maisonnettes M. Vachon
☎ 04 71 59 92 44
🛏 8 🍽 110/245 F. 🍴 28 F. 🍽 60/150 F.
🏃 40 F. 🚗 165/220 F.
✉ 20 déc./1er fév. et ven. hs.
[E] [SP] [▭] [☎] [🚗] [🚗] [⛵] [♿] [🐕] [CV] [▦] [✈] [CB]

PONTEMPEYRAT (A2)
43500 Haute Loire
750 m. • 30 hab.

♨♨♨ MISTOU ★★★
M. Roux
☎ 04 77 50 62 46 FAX 04 77 50 66 70
🛏 14 🍽 350/495 F. 🍴 50 F.
🍽 125/310 F. 🏃 75 F. 🚗 430/540 F.
✉ 1er nov./Pâques. Rest. midis sauf
fériés, week-ends et juil./août.
[E] [SP] [▭] [☎] [🚗] [⛵] [▦] [✈] [CB]

Le PUY EN VELAY (B2)
43000 Haute Loire
630 m. • 21743 hab. 🛈

♨♨ BRISTOL Rest. TAVERNE
LYONNAISE ★★
7, av. Foch. M. Mallet
☎ 04 71 09 13 38 FAX 04 71 09 51 70
100F 🛏 37 🍽 215/290 F. 🍴 35 F.
🍽 88/149 F. 🏃 45 F. 🚗 230/270 F.
[E] [D] [▭] [🖥] [☎] [🚗] [♣] [⛵] [♿] [CV] [✈] [CB]

♨♨ LE VAL VERT ★★
6, av. Baptiste Marcet. Mme Minard
☎ 04 71 09 09 30 FAX 04 71 09 36 49
🛏 23 🍽 260/320 F. 🍴 37 F.
🍽 90/150 F. 🏃 50 F. 🚗 260/266 F.
✉ 21/29 déc.
[E] [▭] [🖥] [☎] [🚗] [🚗] [⛵] [♿] [CV] [▦] [✈] [CB] [🍴]

... à proximité

VALS PRES LE PUY (B2-3)
43750 Haute Loire
645 m. • 3426 hab. 🛈

*limitrophe Le Puy en Velay, à proximité
N.88*

♨ LE BRIVAS ★★
av. Charles Massot. M.Me Jouve
☎ 04 71 05 68 66 FAX 04 71 05 65 88
100F 🛏 57 🍽 270/315 F. 🍴 38 F.
🍽 95/185 F. 🏃 56 F. 🚗 265/305 F.
✉ 25/31 déc. et sam. 10h/15h30.
[E] [D] [▭] [🖥] [☎] [♣] [⛵] [🚗] [♿] [CV] [▦]
[✈] [CB]

SAINT HOSTIEN (B3)
43260 Haute Loire
830 m. • 578 hab.

♨ LE MEYGAL ★★
Le Bourg M. Julien
☎ 04 71 57 67 11
100F 🛏 8 🍽 230/270 F. 🍴 25 F. 🍽 60/145 F.
🏃 45 F. 🚗 200/220 F.
✉ dim. soir et lun.
[E] [D] [▭] [☎] [🚗] [⛵] [♿] [✈] [CB]

SAINT JULIEN CHAPTEUIL (B3)
43260 Haute Loire
820 m. • 1700 hab. 🛈

♨♨ BARRIOL ★★
M. Barriol
☎ 04 71 08 70 17 FAX 04 71 08 74 19
100F 🛏 11 🍽 280 F. 🍴 38 F. 🍽 78/200 F.
🏃 56 F. 🚗 248 F.
✉ 3 nov./1er fév., dim. soir et lun. sauf
juil./août.
[E] [▭] [🖥] [☎] [🚗] [♣] [♿] [CV] [CB]

SAINT PAULIEN (A2)
43350 Haute Loire
800 m. • 1950 hab. 🛈

♨♨ DES VOYAGEURS ★★
9, av. de la Rochelambert. M. Berger
☎ 04 71 00 40 47 FAX 04 71 00 51 05
🛏 13 🍽 225 F. 🍴 25 F. 🍽 65/135 F.
🏃 40 F. 🚗 200 F.
[E] [▭] [🖥] [☎] [🚗] [🚗] [▦] [♿] [CV] [▦] [✈] [CB]

SAUGUES (B2)
43170 Haute Loire
960 m. • 2500 hab. 🛈

♨ LA TERRASSE ★★
Cours Gervais. M. Fargier
☎ 04 71 77 83 10 FAX 04 71 77 63 79
100F 🛏 14 🍽 170/290 F. 🍴 35 F.
🍽 95/200 F. 🏃 45 F. 🚗 180/250 F.
✉ janv., dim. soir et lun. hs.
[E] [🛈] [▭] [☎] [☎] [CV] [▦] [✈] [CB]

SEMBADEL-GARE (A2)
43160 Haute Loire
1089 m. • 238 hab.

♨ MODERNE ★★
Mme Maisonneuve
☎ 04 71 00 90 15 FAX 04 71 00 92 97
🛏 20 🍽 230/260 F. 🍴 32 F.
🍽 90/150 F. 🏃 45 F. 🚗 230/250 F.
✉ 2 nov./31 mai.
[E] [☎] [🚗] [🚗] [⛵] [♣] [♿] [✈]

SEMENE (A3)
43110 Haute Loire
⟫⟫⟫ *voir AUREC SUR LOIRE*

VALS PRES LE PUY (B2-3)
43750 Haute Loire
⟫⟫⟫ *voir Le PUY EN VELAY*

YSSINGEAUX (A3)
43200 Haute Loire
860 m. • 6800 hab. 🛈

♨♨♨ LE BOURBON ★★
Place de la Victoire. M. Perrier
☎ 04 71 59 06 54 FAX 04 71 59 00 70
🛏 11 🍽 280/360 F. 🍴 44 F.
🍽 90/320 F. 🏃 70 F. 🚗 255/290 F.
✉ 19/30 juin, dim. soir et lun., dim. soir
juil./août seulement.
[E] [▭] [🖥] [☎] [⛵] [CV] [▦] [✈] [CB] [▦] [🍴]

Liste des
hôtels-restaurants

Puy-de-
Dôme

J. Damase / C.R.T. Auvergne

Association départementale
des Logis de France du Puy-de-Dôme
C.D.T.
26 rue Saint Esprit
63038 Clermont-Ferrand Cedex
Téléphone 04 73 42 21 23

AUVERGNE

03 ALLIER
Moulins ○

63
PUY-DE-DÔME
Clermont-Ferrand ○

15 CANTAL   43 HAUTE-LOIRE
○ Aurillac   Le Puy-en-Velay ○

63 - PUY-DE-DÔME

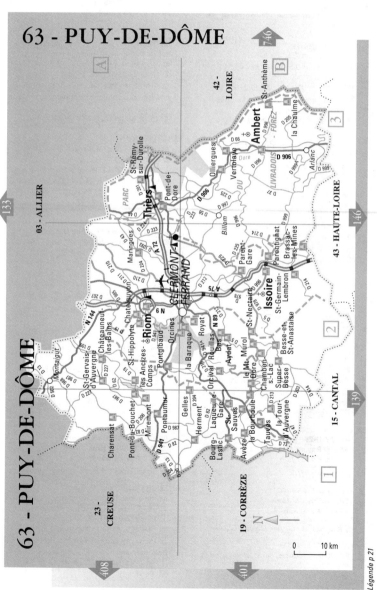

63 - PUY-DE-DÔME

03 - ALLIER

23 - CREUSE

19 - CORRÈZE

15 - CANTAL

43 - HAUTE-LOIRE

42 - LOIRE

A

B

3

2

1

133

146

139

408

401

746

Montaigut
Charensat
Pont-du-Boucher
Miremont
St-Gervais-d'Auvergne
Châteauneuf-les-Bains
Les Ancizes-Comps
Pontaumur
St-Hippolyte
Châteauguyon
Riom
Orcines
Pontgibaud
Gelles
Herment
Laqueuille-Gare
Orcival
St-Sauves
Bourg-Lastic
Avèze
la Bourboule
le Mt-Dore
Murol
Chambon-s.-Lac
Super-Besse
la Tour-d'Auvergne
Tauves
6 N
Royat
Rouillas-Bas
Ayḍat
Besse-et-St-Anastaise
St-Nectaire
St-Germain-Lembron
Issoire
Brassac-les-Mines
Parentignat
Parent-Gare
Billom
CLERMONT-FERRAND
Maringues
Pont-de-Dore
Thiers
St-Rémy-sur-Durolle
Olliergues
Vertolaye
Ambert
St-Anthème
la Chaulme
Arlanc

PARC
DU LIVRADOIS - FOREZ

Dore

N 144
A 72
A 75
N 89
D 941
D 906
D 906

LOIRE

0   10 km

N

Légende p 21

AMBERT (B3)
63600 Puy de Dôme
8000 hab. [i]

▲▲ LA CHAUMIERE ★★
41, av. Maréchal Foch.
M. Ollier
☎ 04 73 82 14 94 [FAX] 04 73 82 33 52
[1] 22 ◎ 320 F. [📺] 42 F. [11] 93/210 F.
[11] 65 F. [⚑] 265 F.
[✉] 26 déc./31 janv. Hôtel sam. oct./fin
mai. Rest. ven. soir nov./fin mars, sam.
sauf juin/sept. et dim. soir.
[E] [🗄] [cd] [☎] [🛏] [🚗] [🛧] [👶] [CV] [≋] [⚓]
[CB] [▬]

▲ LES COPAINS ★★
42, bld Henri-IV. M. Chelle
☎ 04 73 82 01 02 [FAX] 04 73 82 67 34
[1] 11 ◎ 240/300 F. [📺] 34 F.
[11] 65/170 F. [11] 58 F. [⚑] 220/280 F.
[✉] sept., 1ère semaine fév., sam. sauf
juil./août et dim. soir.
[E] [🗄] [☎] [🛏] [👶] [CV] [≋] [⚓] [CB] [▬] [CR]

**Les ANCIZES COMPS (PONT DU
BOUCHET) (A1-2)**
63770 Puy de Dôme
500 m. • 1998 hab. [i]

▲ BELLE VUE ★★
Plan d'eau Pont du Bouchet,à 4km par
D19 M. Chomilier
☎ 04 73 86 80 39 [FAX] 04 73 86 83 41
[1] 15 ◎ 200/270 F. [📺] 30 F.
[11] 65/168 F. [11] 45 F. [⚑] 200 F.
[✉] 1er déc./31 janv. et jeu.
15 sept./15 avr.
[E] [🗄] [☎] [🛏] [🛧] [⏱] [CV] [≋] [⚓] [CB]

AVEZE (B1)
63690 Puy de Dôme
840 m. • 100 hab.

▲ AUDIGIER ★★
Mme Peignier
☎ 04 73 21 10 16 [FAX] 04 73 21 17 43
[1] 8 ◎ 250/360 F. [📺] 30 F. [11] 85/180 F.
[11] 55 F. [⚑] 220/280 F.
[✉] 15 oct./15 fév.
[🗄] [☎] [🛏] [🛧] [01] [⚓] [CB]

AYDAT (B2)
63970 Puy de Dôme
815 m. • 1922 hab.

... à proximité

ROUILLAS BAS (B2)
63970 Puy de Dôme
850 m. • 230 hab. [i]

4 km Nord Aydat par D 90 et D 213

▲ AU VIEUX LOGIS ★
Rue Roland Brousse. Sur D.213.
Mlle Boyer
☎ 04 73 79 37 30 [FAX] 04 73 79 36 98

[1] 12 ◎ 150/230 F. [📺] 24 F.
[11] 60/100 F. [11] 35 F. [⚑] 160/210 F.
[✉] 1er janv./vac. scol. fév., 1er/15 oct.,
dim. soir et lun. sauf juil./août.
[E] [☎] [🚗] [⚓] [CB]

La BARAQUE (B2)
63870 Puy de Dôme
>>> *voir ORCINES*

BESSE ET SAINT ANASTAISE (B2)
63610 Puy de Dôme
1050 m. • 1850 hab. [i]

**▲ DE LA PROVIDENCE ET DE LA
POSTE** ★★
Rue de l'Abbé Blot. Mme Chassard
☎ 04 73 79 51 49
[1] 17 ◎ 230/380 F. [📺] 35 F.
[11] 80/90 F. [11] 45 F. [⚑] 230/270 F.
[✉] week-ends automne et printemps
hors vac. scol.
[E] [🗄] [☎] [🚗] [🛏] [🛧] [👶] [CV] [⚓] [CB]

▲▲ DU LEVANT ★★
20, rue Abbé Blot. M. Crégut
☎ 04 73 79 50 17
[1] 15 ◎ 230/275 F. [📺] 40 F.
[11] 85/150 F. [11] 45 F. [⚑] 260/275 F.
[✉] 31 mars/15 juin et 25 sept./20 déc.
[E] [🗄] [☎] [🚗] [🛧] [01] [⚓] [CB]

▲ LA GAZELLE ★★
1, chemin d'Olpilière. Mme Dufaux
☎ 04 73 79 50 26 [FAX] 04 73 79 50 26
[1] 35 ◎ 250/310 F. [📺] 38 F. [11] 100 F.
[11] 45 F. [⚑] 255/315 F.
[✉] 1er janv./5 fév., 1er/5 avr. et 12 oct./
20 déc.
[E] [i] [🗄] [☎] [🛧] [🍵] [🛏] [✚] [👶] [CV] [≋]
[⚓] [CB]

▲▲▲ LE CLOS ★★
Lieu-dit La Villetour. M. Sugères
☎ 04 73 79 52 77 [FAX] 04 73 79 56 67
[1] 27 ◎ 230/300 F. [📺] 40 F.
[11] 85/155 F. [11] 40 F. [⚑] 235/310 F.
[✉] 31 mars/4 avr., 28 avr./31 mai et
28 sept./19 déc.
[E] [🗄] [☎] [🛧] [🍵] [🛏] [✚] [👶] [⏱] [01] [⚓]
[CB] [CR]

**BESSE ET SAINT ANASTAISE
(SUPER BESSE) (B2)**
63610 Puy de Dôme
1350 m. • 1800 hab. [i]

▲▲ LE CHAMOIS ★★
Av. du Sancy. Mlle Charron
☎ 04 73 79 60 60 [FAX] 04 73 79 65 30
[1] 15 ◎ 220/350 F. [📺] 40 F.
[11] 78/128 F. [11] 50 F. [⚑] 250/320 F.
[✉] 15 avr./15 juin, 15 sept./1er déc.
Rest. lun. midi.
[E] [SP] [🗄] [☎] [🚗] [🛧] [🍵] [🛏] [✚] [👶] [⏱] [CV]
[01] [⚓] [CB]

La BOURBOULE (B1)
63150 Puy de Dôme
850 m. • 2700 hab. 🛈

🏨🏨🏨 AVIATION-HOTEL ✶✶
Mme Nore
☎ 04 73 81 32 32 FAX 04 73 81 02 85
🛏 42 ⌧ 140/360 F. 🍽 33 F.
🍴 90/110 F. 🛌 50 F. 🍽 195/265 F.
⊠ 1er oct./23 déc.
E 🖭 🕿 🚗 ⬧ 🖳 ✣ CV ▯ 🢭

🏨🏨🏨 LE CHARLET ✶✶
94 Bld Louis Choussy. M. Bigot
☎ 04 73 81 33 00 FAX 04 73 65 50 82
🛌100F 🛏 38 ⌧ 220/340 F. 🍽 39 F.
🍴 95/165 F. 🛌 45 F. 🍽 200/320 F.
⊠ 15 oct./15 déc.
E SP 🖭 🕿 🚗 🚗 ⬧ 🖳 🛌 ✣ 🚶
♿ CV ▯ 🢭 CB

🏨🏨 LE PAVILLON ✶✶
Av. d'Angleterre. M. Montrieul
☎ 04 73 65 50 18 FAX 04 73 81 00 93
🛏 24 ⌧ 230/310 F. 🍽 35 F.
🍴 75/90 F. 🛌 45 F. 🍽 200/260 F.
⊠ 1er oct./31 mars.
E SP 🖭 🕿 ⬧ 🖳 CV ▯ CB

🏨🏨 LES FLEURS ✶✶
Av. Gueneau de Mussy. M. Fournier
☎ 04 73 81 09 44 FAX 04 73 65 52 03
🛌100F 🛏 23 ⌧ 235/370 F. 🍽 33 F.
🍴 89/135 F. 🛌 48 F. 🍽 215/320 F.
⊠ 10 oct./1er fév.
E 🖭 🕿 🚗 🚗 🏝 🚶 ♿ CV 🢭 CB CR

🏨🏨 REGINA ✶✶
Av. Alsace-Lorraine. M.Me Quéroux
☎ 04 73 81 09 22 FAX 04 73 81 08 55
🛌100F 🛏 25 ⌧ 300/450 F. 🍽 42 F.
🍴 80/200 F. 🛌 50 F. 🍽 290/375 F.
⊠ 12 nov./26 déc.
E SP 🖭 🕿 🚗 🚗 ⬧ 🖳 🏝 🖼 🛌
🚶 ♿ CV ▯ 🢭 CB

BOURG LASTIC (B1)
63760 Puy de Dôme
750 m. • 1500 hab. 🛈

🏨 LA POMME D'OR
Mlle Gay
☎ 04 73 21 80 18 FAX 04 73 21 84 15
🛌120F 🛏 4 ⌧ 200/280 F. 🍽 27 F. 🍴 60/200 F.
🛌 38 F. 🍽 220/260 F.
⊠ 10 janv./15 fév., 15 nov./10 déc. et
mer. hs.
E 🚗 🏝 ♿ CV 🢭 CB

BRASSAC LES MINES (B2)
63570 Puy de Dôme
4000 hab. 🛈

🏨 LE LIMANAIS ✶✶
11, av. de Sainte-Florine. M. Marcon
☎ 04 73 54 13 98 FAX 04 73 54 39 63

🛏 12 ⌧ 235/265 F. 🍽 34 F.
🍴 80/300 F. 🛌 50 F. 🍽 225/250 F.
⊠ 2/31 janv., 27 sept./3 oct., ven. et
sam. midi sauf juil./ août.
E SP 🛈 🖭 🕿 🚗 🚗 🏝 🚶 ▯ 🢭 CB

CHAMBON SUR LAC (B2)
63790 Puy de Dôme
870 m. • 600 hab. 🛈

🏨🏨 BEAU SITE ✶✶
Lac Chambon.
Mme Meallet
☎ 04 73 88 61 29 \ 04 73 88 65 66
FAX 04 73 88 66 73
🛌120F 🛏 17 ⌧ 220/260 F. 🍽 40 F.
🍴 70/180 F. 🛌 50 F. 🍽 230/250 F.
⊠ 20 oct./1er fév. et 16/28 mars.
E 🖭 🕿 🚗 🚗 CV 🢭 CB

🏨🏨 LE GRILLON ✶✶
Lac Chambon.
M. Planeix
☎ 04 73 88 60 66 FAX 04 73 88 65 55
🛌100F 🛏 22 ⌧ 200/260 F. 🍽 35 F.
🍴 60/180 F. 🛌 40 F. 🍽 220/260 F.
⊠ 4 nov./31 janv.
E 🖭 🕿 🚗 🏝 🚶 ♿ CV ▯ 🢭 CB

CHARENSAT (A1)
63640 Puy de Dôme
685 m. • 559 hab.

🏨 LE CHANCELADE HOTEL
Lieu-dit Chancelade, à 5 km par D 13.
M. Lanouzière
☎ 04 73 52 21 77 FAX 04 73 52 21 77
🛏 7 ⌧ 150/200 F. 🍽 23 F. 🍴 65/150 F.
🛌 45 F. 🍽 200/230 F.
E D SP 🛈 🚗 🢭

CHATEAUNEUF LES BAINS (A2)
63390 Puy de Dôme
400 hab. 🛈

🏨🏨 DU CHATEAU ✶✶
M. Belaud
☎ 04 73 86 67 01 FAX 04 73 86 41 64
🛌120F 🛏 36 ⌧ 220/260 F. 🍽 27 F. 🍴 38 F.
🍽 180/250 F.
⊠ 30 sept./1er mai.
E 🖭 🕿 🚗 🚗 🏝 ♿ CV ▯ 🢭 CB CR

CHATELGUYON (A2)
63140 Puy de Dôme
7000 hab. 🛈

🏨🏨🏨 BELLEVUE ✶✶
4, rue Alfred Punett.
M. Reichmuth
☎ 04 73 86 07 62 FAX 04 73 86 02 56
🛌100F 🛏 38 ⌧ 220/300 F. 🍽 38 F.
🍴 98/110 F. 🛌 42 F. 🍽 228/278 F.
E SP 🛈 🖭 🕿 🚗 🚗 ⬧ 🖼 🏝 🚶 ♿
CV 🢭 ▣ CR

CHATELGUYON (A2) (suite)

CHANTE-GRELET ★★
32, av. Général de Gaulle. M. Alvès
☎ 04 73 86 02 05
35 ⬛ 180/260 F. ■ 28 F.
70/120 F. 45 F. 195/250 F.
⌧ 1er oct./30 avr.
E SP ⬛ ⬛ ⬛ ⬛ CV ⬛

DES BAINS ★★
12-14, av. Baraduc. M. Chalus
☎ 04 73 86 07 97 FAX 04 73 86 11 56
100F 37 ⬛ 200/280 F. ■ 36 F.
E ⬛ ⬛ ⬛ ⬛ ⬛ ⬛ ⬛ CV ⬛ CB

PRINTANIA ★★
12, av. de Belgique.
M. Cistrier
☎ 04 73 86 15 09 FAX 04 73 86 22 87
33 ⬛ 180/290 F. ■ 35 F.
69/169 F. 49 F. 191/255 F.
⬛ ⬛ ⬛ ⬛ ⬛ ⬛ ⬛ CV ⬛ CB

REGENCE CENTRAL ★★
31, av. des Etats-Unis. M. Porte
☎ 04 73 86 02 60 FAX 04 73 86 12 49
27 ⬛ 149/190 F. ■ 38 F.
60/140 F. 45 F. 230/280 F.
⌧ 16 oct./14 avr.
E SP ⬛ ⬛ ⬛ ⬛ CV ⬛ CB ⬛ CR

... à proximité

SAINT HIPPOLYTE (A2)
63140 Puy de Dôme
1100 hab. i

2 Km Sud Chatelguyon par D 985

LE CANTALOU ★
Mme Cheyrouse
☎ 04 73 86 04 67 FAX 04 73 86 24 36
100F 34 ⬛ 160/210 F. ■ 26 F.
63/125 F. 43 F. 170/200 F.
⌧ 15 oct./30 mars. Rest. lun. midi.
E ⬛ ⬛ ⬛ ⬛ CV ⬛ CB

La CHAULME (B3)
63660 Puy de Dôme
1150 m. • 130 hab.

AUBERGE DU CREUX DE L'OULETTE ★★
M. Beraud
☎ 04 73 95 41 16 FAX 04 73 95 80 83
11 ⬛ 210/290 F. ■ 27 F.
62/220 F. 62 F. 200 F.
⌧ 11 nov./15 fév. et mer. hors vac.
⬛ ⬛ ⬛ ⬛ ⬛ ⬛ CV ⬛ ⬛

GELLES (B1-2)
63740 Puy de Dôme
870 m. • 1100 hab. i

DU COMMERCE ★★
M. Monnet
☎ 04 73 87 80 01 FAX 04 73 87 87 09
100F 5 ⬛ 225/245 F. ■ 25 F. 58/150 F.

45 F. 170/185 F.
⌧ 29 oct./12 nov. et ven. soir sauf
juil./août.
E ⬛ ⬛ ⬛ ⬛ ⬛ ⬛ ⬛ CB

HERMENT (B1)
63470 Puy de Dôme
370 hab. i

SOUCHAL ★★
Route de la Bourboule. M. Souchal
☎ 04 73 22 10 55 FAX 04 73 22 13 63
100F 19 ■ 28 F. 60/185 F. 40 F.
190/220 F.
E ⬛ ⬛ ⬛ ⬛ ⬛ ⬛ ⬛ CV ⬛ ⬛ CR

ISSOIRE (B2)
63500 Puy de Dôme
13559 hab. i

... à proximité

PARENTIGNAT (B2)
63500 Puy de Dôme
398 hab.

*2 km S.E. Issoire par D 996. Sortie N° 13
A. 75.*

TOURETTE ★★
M. Tourette
☎ 04 73 55 01 78 FAX 04 73 89 65 62
36 ⬛ 272/300 F. ■ 34 F.
83/205 F. 55 F. 255/305 F.
⌧ vac. scol. Toussaint, vac. scol. Noël,
ven. soir et sam. sauf juil./15 sept.
E D SP ⬛ ⬛ ⬛ ⬛ CV ⬛ ⬛ CB
⬛ CR

LAQUEUILLE GARE (B1)
63820 Puy de Dôme
1000 m. • 580 hab.

LE COMMERCE ★★
Sur D.82. M. Cheyvialle
☎ 04 73 22 00 03 FAX 04 73 22 06 14
11 ⬛ 220/280 F. ■ 30 F.
85/190 F. 60 F. 220/260 F.
⌧ dim. soir sauf juil./août.
⬛ ⬛ ⬛ ⬛ ⬛ ⬛ CV ⬛ CB

LES CLARINES ★★★
Sur D.98. Mme Bertrand
☎ 04 73 22 00 43 FAX 04 73 22 06 10
12 ⬛ 230/320 F. ■ 35 F.
98/150 F. 48 F. 220/280 F.
⌧ 15 nov./22 mars. Rest. midi.
E ⬛ ⬛ ⬛ ⬛ ⬛ ⬛ ⬛ ⬛ ⬛ CB

MARINGUES (A2)
63350 Puy de Dôme
2300 hab. i

LE CLOS FLEURI ★★
18, route de Clermont. Mme Vigier
☎ 04 73 68 70 46 FAX 04 73 68 75 58
100F 15 ⬛ 180/300 F. ■ 36 F.
75/220 F. 50 F. 200/250 F.
⌧ 15 fév./8 mars, dim. soir et lun. hs.
E ⬛ ⬛ ⬛ ⬛ ⬛ ⬛ ⬛ CV ⬛ CB

MIREMONT (PONT DU BOUCHET) (A1)
63380 Puy de Dôme
407 hab.

▲▲ LA CREMAILLERE ★★
Plan d'eau Pont du Bouchet, 8 km par
D19 M. Chefdeville
☎ 04 73 86 80 07 ᖴᗩᕽ 04 73 86 93 17
100F ☖ 15 ⌧ 240/320 F. ▣ 32 F.
⫟ 72/220 F. ⌖ 45 F. ⛭ 220/240 F.
⊠ 15 déc./15 janv., ven. soir et sam. hs.
🄴 ⬚ 🕿 🚗 ⛺ ♿ ▦ CB

Le MONT DORE (B2)
63240 Puy de Dôme
1300 m. • 2000 hab. 🄸

▲▲ DE LA PAIX ★★
8, rue Rigny. M. Crossard
☎ 04 73 65 00 17 ᖴᗩᕽ 04 73 65 00 31
☖ 36 ⌧ 200/250 F. ▣ 32 F.
⫟ 82/140 F. ⌖ 30 F. ⛭ 235 F.
⊠ 10 oct./22 déc.
🄴 ⬚ 🕿 ☖ ♿ CV ♠ CB

▲▲ DU PARC ★★
11, rue Meynadier. M. Bargain
☎ 04 73 65 02 92 ᖴᗩᕽ 04 73 65 28 36
80F ☖ 33 ⌧ 250/280 F. ▣ 35 F.
⫟ 80/110 F. ⌖ 40 F. ⛭ 245/270 F.
⊠ 1er oct./26 déc. et mar.
🄴 ⬚ 🕿 ☖ ☗ CV ▦ ♠ CB CR

▲▲ DU PUY FERRAND ★★
Au pied du Sancy. Mme Guesne
☎ 04 73 65 18 99 ᖴᗩᕽ 04 73 65 28 38
100F ☖ 36 ⌧ 200/365 F. ▣ 38 F.
⫟ 98/245 F. ⌖ 48 F. ⛭ 237/350 F.
⊠ 26 oct./20 déc.
🄴 ⬚ 🕿 🚗 ☖ ▤ ☗ ♿ ⟳ ♿ CV ▦
♠ CB CR

▲▲ LE CASTELET ★★
Av. Michel Bertrand. M. Pilot
☎ 04 73 65 05 29 ᖴᗩᕽ 04 73 65 27 95
☖ 36 ⌧ 323 F. ▣ 35 F. ⫟ 69/228 F.
⌖ 46 F. ⛭ 269/299 F.
⊠ 1er oct./20 déc. et 31 mars/20 mai.
🄴 SP ⬚ 🕿 🚗 ☖ ⛺ ♿ ♿ CV ▦
♠ CB

MUROL (B2)
63790 Puy de Dôme
840 m. • 620 hab. 🄸

▲ DE PARIS ★★
Place de l'Hôtel de Ville.
M. Planeix
☎ 04 73 88 60 09 ᖴᗩᕽ 04 73 88 69 62
☖ 20 ⌧ 160/220 F. ▣ 32 F.
⫟ 60/120 F. ⌖ 38 F. ⛭ 180/210 F.
⊠ 16 sept./30 avr. Rest. midi.
🄴 🕿 ⛺ CV

OLLIERGUES (B3)
63880 Puy de Dôme
1800 hab. 🄸

▲ DES VOYAGEURS
M. Achard
☎ 04 73 95 50 43 ᖴᗩᕽ 04 73 95 59 00
80F ☖ 7 ⌧ 150/230 F. ▣ 25 F. ⫟ 60/190 F.
⌖ 40 F. ⛭ 180/200 F.
⊠ 20 sept./15 oct. et dim. soir hs.
🄴 ⬚ 🕿 🚗 CV

ORCINES (A-B2)
63870 Puy de Dôme
836 m. • 2873 hab.

▲ HOSTELLERIE LES HIRONDELLES ★★
34, route de Limoges. M. Amblard
☎ 04 73 62 22 43 ᖴᗩᕽ 04 73 62 19 12
100F ☖ 18 ⌧ 220/280 F. ▣ 30 F.
⫟ 78/165 F. ⌖ 47 F. ⛭ 195/230 F.
⬚ 🕿 🚗 ⛺ ♿ ♿ CV ▦ ♠ CB

... à proximité

La BARAQUE (B2)
63870 Puy de Dôme
780 m. • 200 hab.

2 km S.E. Orcines par D 941 B

▲▲ RELAIS DES PUYS ★★
Sur D.941 B. M. Esbelin
☎ 04 73 62 10 51 ᖴᗩᕽ 04 73 62 22 09
100F ☖ 28 ⌧ 140/300 F. ▣ 35 F.
⫟ 78/180 F. ⌖ 48 F. ⛭ 200/290 F.
⊠ 10 déc./31 janv. et dim. soir
15 sept./1er juin. Rest. lun. midi.
🄴 ⬚ 🄲 🕿 🚗 🚗 ♿ CV ▦ ♠ CB
CR

ORCIVAL (B2)
63210 Puy de Dôme
860 m. • 360 hab. 🄸

▲▲ DES TOURISTES ★★
M. Gauthier
☎ 04 73 65 82 55 ᖴᗩᕽ 04 73 65 91 11
100F ☖ 8 ⌧ 200/280 F. ▣ 32 F. ⫟ 58/130 F.
⌖ 45 F. ⛭ 220/250 F.
⊠ janv., lun. soir et mar. hs.
🄴 ⬚ 🕿 ⛺ CV ♠ CB

▲ DU MONT DORE ★★
Mme Goyon
☎ 04 73 65 82 06 \ 04 73 65 85 43
ᖴᗩᕽ 04 73 65 80 61
80F ☖ 8 ⌧ 120/180 F. ▣ 28 F. ⫟ 55/120 F.
⌖ 35 F. ⛭ 140/180 F.
⊠ 15 nov./25 déc., jeu. après-midi et
ven.
🄴 🕿 ▦ ♠

▲ NOTRE-DAME ★★
M. Cario
☎ 04 73 65 82 02
☖ 9 ⌧ 150/230 F. ▣ 28 F. ⫟ 68/ 92 F.
⌖ 40 F. ⛭ 175/195 F.
⊠ 1er nov./15 fév. et mer.
🕿 CV ♠ CB

PARENT GARE (B2)
63270 Puy de Dôme
680 hab.

▲▲ MON AUBERGE ★★
Av. de la Gare. M. Favier
☎ 04 73 96 62 06 FAX 04 73 96 90 14
🛏 7 ⌷ 150/250 F. ▤ 30 F. ⁞⁞ 75/240 F.
Ⅲ 50 F. ▣ 170/220 F.
⊠ déc. et lun. sauf juil./août.
E ⎕ ☎ ⇔ ● CB

PARENTIGNAT (B2)
63500 Puy de Dôme
>>> *voir ISSOIRE*

PONT DE DORE (A3)
63920 Puy de Dôme
>>> *voir THIERS*

PONTAUMUR (A1)
63380 Puy de Dôme
980 hab. ⓘ

▲▲ DE LA POSTE ★★
Av. du Marronnier. M. Quinty
☎ 04 73 79 90 15 FAX 04 73 79 73 17
🛏 15 ⌷ 200/260 F. ▤ 35 F.
Ⅲ 90/250 F. ▣▣ 55 F. ▣ 200/220 F.
⊠ 15 déc./1er fév., dim. soir et lun. sauf
juil./août.
E ⎕ ☎ ⇔ CV ⁞⁞ ● CB

PONTGIBAUD (A2)
63230 Puy de Dôme
675 m. • 1000 hab. ⓘ

▲ DE LA POSTE ★★
Place de la République. M. Andant
☎ 04 73 88 70 02 FAX 04 73 88 79 74
🛏 10 ⌷ 175/220 F. ▤ 34 F.
Ⅲ 78/270 F. ▣▣ 50 F. ▣ 200/220 F.
⊠ janv., 1ère quinzaine oct., dim. soir
et lun. sauf juil./août.
E SP ⎕ ☎ ⇔ CV ● CB

RIOM (A2)
63200 Puy de Dôme
18793 hab. ⓘ

▲▲ ANEMOTEL ★★
Les Portes de Riom. Mme Gorce
☎ 04 73 33 71 00 FAX 04 73 64 00 60
🛏 43 ⌷ 290 F. ▤ 36 F. Ⅲ 79/170 F.
▣▣ 38 F. ▣ 240 F.
E D SP ⎕ ☎ ⇔ ⁞ ⓜ ⊁ ⅍
⅍ CV ⁞⁞ ● CB

ROUILLAS BAS (B2)
63970 Puy de Dôme
>>> *voir AYDAT*

ROYAT (B2)
63130 Puy de Dôme
4000 hab. ⓘ

▲▲ BELLE MEUNIERE ★★
25, av. de la Vallée. M. Bon
☎ 04 73 35 80 17

🛏 7 ⌷ 280 F. ▤ 32 F. Ⅲ 120/260 F.
▣▣ 65 F. ▣ 280/300 F.
⊠ dim. soir et mer.
SP ⓘ ⎕ ☎ ⇔ ⁞⁞ ● CB

▲▲▲ LE CHATEL ★★
20, av. de la Vallée. M. Hureau
☎ 04 73 35 82 78 FAX 04 73 35 79 49
🛏 25 ⌷ 160/320 F. ▤ 33 F.
Ⅲ 75/215 F. ▣▣ 45 F. ▣ 240/275 F.
⊠ 25 oct./20 mars.
E SP ⎕ ☎ ⇔ ⇔ ⁞ ⅂ CV ● CB
⌷ CR

SAINT ANTHEME (B3)
63660 Puy de Dôme
940 m. • 950 hab. ⓘ

▲ DES VOYAGEURS ★★
M. Colomb
☎ 04 73 95 40 16 FAX 04 73 95 80 94
🛏 32 ⌷ 240/270 F. ▤ 35 F.
Ⅲ 50/160 F. ▣▣ 50 F. ▣ 220/240 F.
⊠ 1er nov./23 déc., 5 janv./vac. fév.,
dim. soir et lun. sauf 15 juin/15 sept.
E ⎕ ☎ ⇔ ⇔ ⁞ ⊁ CV ⁞⁞ ● CB

▲▲ LE PONT DE RAFFINY ★★
(A Saint-Romain). M. Beaudoux
☎ 04 73 95 49 10 FAX 04 73 95 80 21
🛏 12 ⌷ 210/240 F. ▤ 32 F.
Ⅲ 85/160 F. ▣▣ 55 F. ▣ 210/225 F.
⊠ 1er janv./15 fév., dim. soir et lun.
E D ⎕ ☎ ⇔ ⊁ ⅃ CV ● CB

SAINT GERMAIN LEMBRON (B2)
63340 Puy de Dôme
1800 hab.

▲ LA POSTE ★★
M. Gouzon
☎ 04 73 96 41 21
🛏 18 ⌷ 140/250 F. ▤ 30 F.
Ⅲ 80/150 F. ▣▣ 45 F. ▣ 165/220 F.
⊠ 2 nov./2 déc., sam. et dim. soir hs.
E ⎕ ☎ ⇔ ⇔ ⅀ ● CB

SAINT GERVAIS D'AUVERGNE (A2)
63390 Puy de Dôme
725 m. • 2000 hab. ⓘ

▲▲ CASTEL-HOTEL 1904 ★★
Rue du Castel. M. Mouty
☎ 04 73 85 70 42 FAX 04 73 85 84 39
🛏 16 ⌷ 295 F. ▤ 40 F. Ⅲ 79/259 F.
▣▣ 70 F. ▣ 270 F.
⊠ 1er janv./29 mars, 30 nov./31 déc.
Rest. dim. midi, lun. et mar. midi.
E ⎕ ☎ ⇔ ⅂ ⁞⁞ CB

▲ LE RELAIS D'AUVERGNE ★★
Route de Châteauneuf les Bains.
M. Chabert
☎ 04 73 85 70 10 FAX 04 73 85 85 66
🛏 12 ⌷ 130/210 F. ▤ 28 F.
Ⅲ 55/138 F. ▣▣ 50 F. ▣ 155/185 F.
⊠ 1er janv./1er fév.
E D SP ⓘ ⎕ ☎ ⇔ ⇔ CV ⁞⁞ ● CR

SAINT HIPPOLYTE (A2)
63140 Puy de Dôme

>>> *voir CHATELGUYON*

SAINT NECTAIRE (B2)
63710 Puy de Dôme
760 m. • 600 hab. 🛈

⌂ LE BEL AIR ★
M. Delpeux
☎ 04 73 88 50 42
🛏 11 ⌕ 29 F. 🍽 80/130 F. 🍴 50 F.
🍷 205/215 F.
⊠ 1er janv./8 fév. et 12 nov./31 déc.
[E] [☎] [⌂] [CB] [▣] [GR]

SAINT REMY SUR DUROLLE (A3)
63550 Puy de Dôme
680 m. • 2300 hab. 🛈

⌂ LE VIEUX LOGIS
Route de Palladuc (Pommier).
M. Mantelet
☎ 04 73 94 30 78 ⚏ 04 73 94 04 70
🛏 4 ⌕ 160 F. ⊟ 20 F. 🍽 90/165 F.
🍴 38 F.
⊠ 2ème quinzaine sept., fév., dim. soir
et lun.
[E] [⌂] [T]

SAINT SAUVES D'AUVERGNE (B1)
63950 Puy de Dôme
850 m. • 1300 hab. 🛈

⌂ DE LA GARE ★
Mme Brugière
☎ 04 73 81 11 80
🛏 9 ⌕ 150/200 F. ⊟ 28 F. 🍽 58/ 90 F.
🍴 35 F. 🍷 170/190 F.
⊠ sam. nov./déc.
[E] [☎] [⌂] [T] [♿] [CV] [♠]

⌂⌂ DE LA POSTE ★★
Mme Boivin
☎ 04 73 81 10 33 ⚏ 04 73 81 02 27
🛏 15 ⌕ 130/230 F. ⊟ 29 F.
🍽 65/165 F. 🍴 38 F. 🍷 160/210 F.
⊠ 1er/20 déc.
[E] [☎] [⌂] [CV] [▤] [♠] [CB]

TAUVES (B1)
63690 Puy de Dôme
840 m. • 1344 hab. 🛈

⌂ LE LION D'OR ★
M. Aubert
☎ 04 73 21 10 11
🛏 17 ⌕ 180/240 F. ⊟ 29 F.
🍽 68/125 F. 🍴 48 F.
[E] [D] [☎] [⌂] [⇋] [♠]

THIERS (A3)
63300 Puy de Dôme
14832 hab. 🛈

⌂⌂ CHEZ LA MERE DEPALLE ★★
Le Chambon RN 89 M. Dailloux
☎ 04 73 80 10 05 ⚏ 04 73 80 52 22
🛏 10 ⌕ 240/290 F. ⊟ 35 F.
🍽 98/230 F. 🍴 35 F. 🍷 240/260 F.
⊠ dim. soir sept./juin.
[E] [☎] [⌂] [⇋] [T] [♿] [♿] [CV] [▤] [♠] [CB]

... à proximité

PONT DE DORE (A3)
63920 Puy de Dôme
1500 hab.

3 km Ouest Thiers par N 89

⌂⌂ ELIOTEL ★★
Route de Maringues. Mme Crespy
☎ 04 73 80 10 14 ⚏ 04 73 80 51 02
🛏 13 ⌕ 220/260 F. ⊟ 32 F.
🍽 90/168 F. 🍴 50 F. 🍷 240 F.
⊠ 22 déc./10 janv. Rest. sam. et dim.
soir.
[E] [SP] [⌂] [☎] [⇋] [⇋] [T] [♠] [CB]

La TOUR D'AUVERGNE (B1)
63680 Puy de Dôme
950 m. • 1000 hab. 🛈

⌂⌂ LA TERRASSE ★★
M. Mampon
☎ 04 73 21 50 29 ⚏ 04 73 21 56 60
🛏 28 ⌕ 145/270 F. ⊟ 28 F.
🍽 55/120 F. 🍴 38 F. 🍷 210/230 F.
⊠ 1er oct./30 avr. sauf vac. scol.
[E] [SP] [⌂] [☎] [⋈] [CV] [♠] [CB]

VERTOLAYE (B3)
63480 Puy de Dôme
602 hab.

⌂ DES VOYAGEURS ★★
Dore, D. 906. M. Asnar-Blondelle
☎ 04 73 95 20 16 ⚏ 04 73 95 23 85
🛏 27 ⌕ 160/295 F. ⊟ 38 F.
🍽 90/198 F. 🍴 58 F. 🍷 220/250 F.
⊠ 3/26 oct., ven. soir et sam. hs.
[E] [⌂] [☎] [⇋] [⇋] [T] [♿] [▤] [♠] [CB]

Fédération régionale des Logis de France de Bourgogne
(Côte-d'Or, Nièvre, Saône-et-Loire, Yonne)
Chambre régionale de Commerce et d'Industrie
68, rue Chevreul - B.P. 209
21006 Dijon Cedex
Tél. 03 80 63 52 51 - Fax 03 80 63 52 53

C.R.T. Bourgogne

C.R.T. Bourgogne / A. Doire

C.R.T. Bourgogne / Ph. Doire

CONSEIL
RÉGIONAL
DE BOURGOGNE

Bourgogne

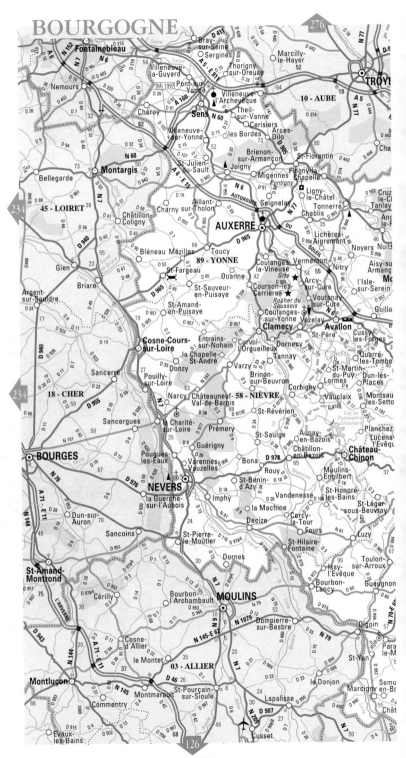

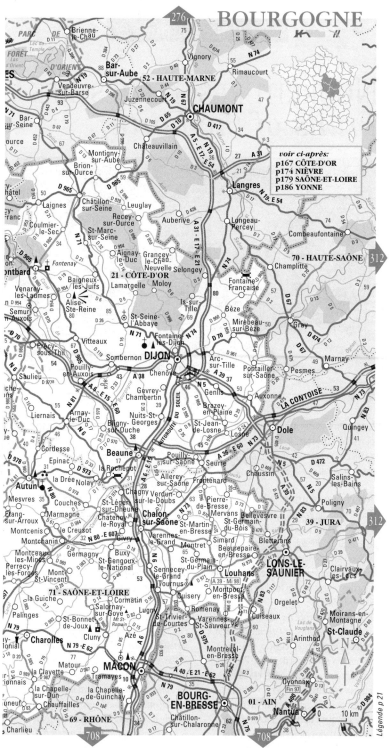

BOURGOGNE

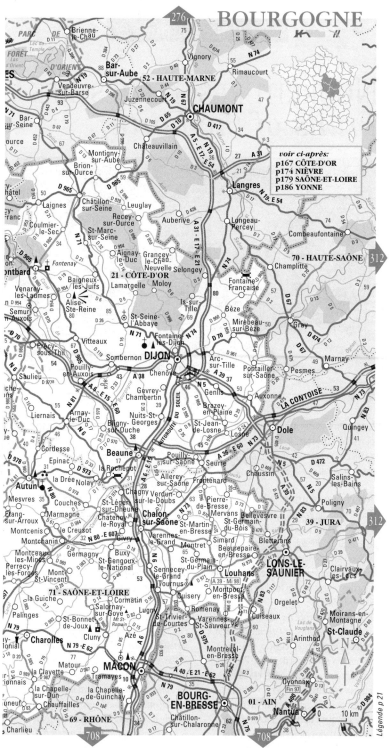

voir ci-après:
p167 CÔTE-D'OR
p174 NIÈVRE
p179 SAÔNE-ET-LOIRE
p186 YONNE

52 - HAUTE-MARNE

CHAUMONT

70 - HAUTE-SAÔNE

21 - CÔTE-D'OR

DIJON

LA CONTOISE

39 - JURA

LONS-LE-SAUNIER

71 - SAÔNE-ET-LOIRE

01 - AIN

BOURG-EN-BRESSE

69 - RHÔNE

MACON

Autun

Beaune

Chalon-sur-Saône

St-Claude

0   10 km

Légende p 21

161

NOURRITURES TERRESTRES
Fruits of the Earth

C.R.T. Bourgogne / Martin-Shulte

PLACES FORTES, MERVEILLES ROMANES, VIGNOBLES SOUVERAINS... TÉNÉBREUSE POUR QUI CONNAÎT SES FORÊTS, LA BOURGOGNE SE RÉVÈLE TERRE DE LA BONNE CHÈRE.

FORTS, ROMANESQUE SPLENDOURS, MAJESTIC VINEYARDS, SHADOWY FORESTS, BURGUNDY IS THE LAND OF GOOD LIVING.

Pèlerinage roman

Elue des rois de France, la région reste la gardienne des plus belles pierres de France qu'elle doit aux moines bâtisseurs du Xᵉ au XIIᵉ siècles : les Bénédictins de Cluny, dont l'ascétisme n'eut d'égal que celui des Cisterciens du fond de la vallée de l'Absinthe.

De la plus décharnée des abbayes, cachée au creux de Favigny-sur-Ozerain, au joyau de Cluny, cet horizon religieux offre au visiteur, un panorama de ce que l'art roman a su générer comme courbes et voûtes, sobres vaisseaux et éloquents vitraux. De là, tout est possible : grimper sur la roche de Vézelay pour déambuler dans le cloître de Sainte-Madeleine, cette basilique rose

Roman Pilgrimage

Favoured by the kings of France, this region remains the home of the country's most beautiful buildings. Its architectural wealth began with the monks in the 10th and 11th centuries when the Benedictins built the abbey at Cluny, which is only equaled by the Cistercian abbey in the valley of Absinthe.

From the most gaunt abbey hidden in the hollow at Favigny-sur-Ozerain to the gem of Cluny, the visitor will discover a panorama of romanesque art that shows the range of curves and vaults, sober naves and eloquent stained-glass developed during this period. From here anything is possible. You could climb the rock

et ocre, un des meilleurs exemples de l'art roman ; gagner le sud en direction de Cluny, la seconde Rome et marcher sur les pas de Richelieu et Mazarin, qui furent abbés des lieux, voir Fontenay, la fille de Cîteaux, maintes fois pillée, mais dont les actuels gardiens ont retrouvé pour nous la noble élégance. Sans oublier : les Grottes de Saint-Germain à Auxerre, la collégiale Notre-Dame de Beaune, la cathédrale Sainte-Begigne à Dijon, et toute une pléiade d'églises rurales perdues dans les paysages rudes du Morvan et du vert Auxois.

Livre d'histoire

La Bourgogne, intarissable d'anecdotes et d'intrigues, nourrit les livres d'histoire. Pour beaucoup, tout commence à Alésia, aujourd'hui Alise-Sainte-Reine, un plateau lunaire en surplomb de la plaine des Laumes, dominé par la statue d'un Vercingétorix en bronze. A côté, il ne faut pas manquer l'illumination nocturne des remparts de Semur-en-Auxois l'imprenable, bâtie à pic et dont les eaux se jettent dans l'Yonne, à quelques kilomètres d'Auxerre. Berceau de l'huissier Cadet Roussel, la cité se visite à partir des quais. C'est en empruntant une ruelle, véritable chemin à remonter le temps, que l'on accède à la cathédrale Saint-Etienne, non sans avoir croisé, près de la Tour de l'horloge, le chant de Marie-Noëlle, la poétesse immortalisée. Puis on arrive en Côte-d'Or, dans ces villes bénies des Rois que sont Beaune et Dijon. On y lit maintes traces de la grande aventure de ses ducs, même si du Palais Ducal ne subsiste

of Vézelay to explore the cloister of Sainte-Madeleine with its pink and ochre basilica, one of the best examples of romanesque art; or head south in the direction of Cluny, the second Rome, where you can follow the footsteps of Richelieu and Mazarin, both of whom were abbots here; or you could go on to Fontenay founded by the Cîteaux movement, which was pillaged many a time but which has been restored to its noble elegance by the current occupants. Then there is also the Saint-Germain caves at Auxerre, the collegiate Notre-Dame of Beaune, the Sainte-Begigne cathedral at Dijon and a whole host of other rural churches lost in the rugged countryside of Morvan and Auxois.

A History Book

Burgundy, with its endless anecdotes and intrigues, is the stuff of history books. For many, everything begins at Alésia, now Alise-Sainte-Reine, a moonlike plateau overlooking the Laumes plain, dominated by a bronze statue of Vercingétorix. Just nearby you must not miss the evening illumination of the invincible ramparts at Semur-en-Auxois, with their sheer walls. The water from this stronghold drains into the Yonne just a few kilometres from Auxerre. This city was the birth-place of the bailiff Cadet Roussel and we recommend you start your visit at the embankments. From here follow a little road through time towards the Saint-Etienne cathedral, passing

NAHRUNG DER ERDE

Festungen, romanische Schmuckstücke, unübertroffene Weinberge... Von den Königen erwählt, ist diese Region der Hüter der schönsten Steine Frankreichs. Diejenigen, die Wälder des Burgunds kennen, finden es mysteriös, und es ist außerdem die Region des guten Essens.

LANDELIJK ETEN

Versterke steden, romaanse wonderen, de beste wijngaarden ... In deze streek, eens uitgekozen door koningen, bleven de mooiste bouwwerken van Frankrijk bewaard. Een duistere streek voor diegenen die haar wouden kent, maar ook een streek, bekend voor haar lekker eten.

que peu de choses, même si de la Toison d'Or il ne reste que le souvenir d'un joyau. Quant à Beaune, elle a été jusqu'au XIVe siècle la résidence favorite des ducs de Bourgogne. Sur place, gargouilles, platanes, échauguettes, tours de garde, et une promenade sur les boulevards extérieurs, qui mène droit au bastion de l'Hôtel-Dieu, au bas duquel court un ruisseau aboutissant à un ancien lavoir. Et dans l'enfilade d'une porte : le plus bel hôpital de France…

La Route des vins

Ils s'appellent gevrey-chambertin, vougeot, vosne-romanée, nuits saint-georges, aloxe-corton… On les connaît partout dans le monde. C'est pourquoi la Route des grands vins de Bourgogne, entre Dijon et Nuits Saint-Georges, cumule les escales à ne pas manquer. D'abord la Mecque viticole : le château du Clos-de-Vougeot, propriété de la confrérie des chevaliers du Tastevin. Ensuite la route est longue… Elle vous emmènera, d'une saveur à l'autre, d'un cépage de pinot noir au langoureux aligoté. De quoi préparer finement vos meurettes pour accompagner tanche, coq, pauchouse, jambon et saucisson "de ménage".

by the clock tower where the poetess Marie-Noëlle's song is immortalised. Then we come to the "Côte d'Or" and the royal towns of Beaune and Dijon. There are many traces of the great adventures of the local dukes to be discovered, even if there is not much left of the Ducal Palace and the golden fleece is nothing more than the memory of a jewel. As for Beaune, until the 14th century it was the favourite residence of the dukes of Burgundy. You will find gargoyles, plane trees, ornate watch-towers, and if you walk down the outer avenues you will come to the bastion of the "Hotel Dieu" beyond which runs a little stream that leads to an ancient laundry. And through a door you see the most beautiful hospital in France…

The Wine Trail

They're called Gevrey-Chambertin, Vougeot, Vosne-Romanée, Nuits Saint-Georges, Aloxe-Corton… known to everyone the world over. This is why the Burgundy wine trail from Dijon to Nuits Saint-Georges is a series of essential stopping places. First you come to the mecca of wine, the château du Clos de Vougeot, owned by the "chevaliers du Tastevin." From there the road is long… It will take you from one flavour to another, from the "pinot noir" grape to the sensual "aligoté." Just what you need to prepare the egg-dish known as "meurettes," which goes with tenches, "coq pauchouse", sausage and ham.

C.R.T. Bourgogne / E. Spiegelhalter

ALIMENTOS DE LA TIERRA

Plazas fuertes, maravillas románicas, viñedos soberanos… Elegida por los reyes, la región sigue siendo la guardiana de las más hermosas piedras de Francia. Tenebrosa para quien conoce sus bosques, se revela también como tierra de la buena comida.

CIBI TERRESTRI

Rocche forti, meraviglie romane, vigneti, ricordi ecc. Eletta dai re, la Borgogna rimane guardiana di stupendi edifici in pietra francesi. Tenebrosa per chi conosce le sue foreste, la regione è anche terra di buongustai.

Œufs en Meurette

Ingrédients

Pour 6 personnes

- 6 œufs
- 3/4 l de bourgogne
- 1 oignon, 1 échalote
- 15 g de farine
- 70 g de beurre
- 1 bouquet garni

Recette

- Faire bouillir le vin rouge avec l'oignon, l'échalote et le bouquet garni. Laisser réduire de moitié et ajouter la farine maniée avec 25 g de beurre. Battre au fouet.
- Laisser bouillir une minute. Ajouter le reste de beurre et passer au chinois. Nappez les œufs pochés et posés sur des croûtons frits avec cette sauce.

Liste des hôtels-restaurants
Côte-d'Or

Association départementale
des Logis de France de la Côte-d'Or
C.R.C.I. - 68 rue de Chevreul
B.P. 209
21006 Dijon Cedex
Téléphone 03 80 63 52 51

BOURGOGNE

Auxerre
89 YONNE
58 NIÈVRE
Nevers
21
CÔTE- D'OR
Dijon
71
SAÔNE-ET-LOIRE
Mâcon

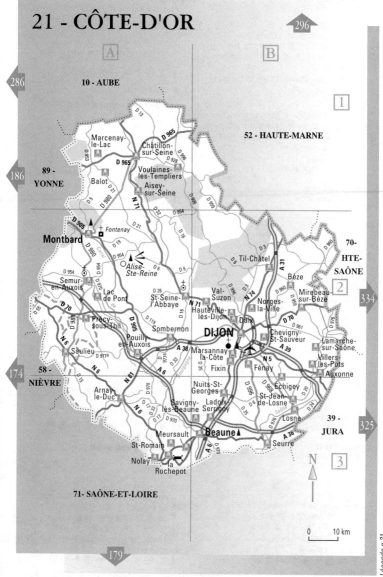

21 - CÔTE-D'OR

296

286

A

B

1

10 - AUBE

52 - HAUTE-MARNE

D 13

Marcenay-le-Lac

Châtillon-sur-Seine

D 965

D 928

D 996

186

89 - YONNE

D 953

D 965

Balot

D 21

Voulaines-les-Templiers

Aisey-sur-Seine

D 959

D 954

D 5

D 980

N 71

D 32

D 996

70- HTE-SAÔNE

D 905

Fontenay

D 21

D 954

D 16

D 3

D 960

Montbard

D 980

Canal

D 19

D 954

D 6

Alise-Ste-Reine

D 6

D 6

Til-Châtel

D 6

A 31

Béze

2

334

Semur-en-Auxois

D 954

Lac de Pont

D 26

St-Seine-l'Abbaye

D 16

Val-Suzon

D 996

N 74

D 980

D 955

Mirebeau-sur-Bèze

D 70

Norges-la-Ville

D 978

Lamarche-sur-Saône

Précy-sous-Thil

D 988

D 905

D 119

Sombernon

Hauteville-lès-Dijon

Daix

N 71

DIJON

Chevigny-St-Sauveur

D 961

D 70

Villers-les-Pots

N 6

Pouilly-en-Auxois

A 38

Marsannay-la-Côte

D 35

A 39

Auxonne

Saulieu

D 977B

Fixin

N 5

Fénay

174

58 - NIÈVRE

D 6

N 81

A 6

Nuits-St-Georges

Echigey

D 996

D 968

D 20

St-Jean-de-Losne

D 24

Arnay-le-Duc

D 17 33

D 970

N 6

Savigny-lès-Beaune

Ladoix-Serrigny

D 35

Losne

39 - JURA

325

D 17

D 970

Meursault

D 973

Beaune

D 976

A 36

Seurre

St-Romain

A 6

Nolay

la Rochepot

N

3

71- SAÔNE-ET-LOIRE

0   10 km

Légende p 21

179

167

AISEY SUR SEINE (A1)
21400 Côte d'Or
150 hab.

▲▲ DU ROY ★★
MeM. Martin/Beaufort
☎ 03 80 93 21 63 [FAX] 03 80 93 25 74
🛏 9 ⊗ 160/260 F. 🍽 30 F. 🍴 70/230 F.
♨ 40 F. 🍲 250/290 F.
⊠ janv., lun. soir et mar. sauf juil./sept.
📷 ➡ 🛏 🐕 📺 🐾

ARNAY LE DUC (A3)
21230 Côte d'Or
2500 hab. [i]

▲ DU DAUPHINE
Rue René Laforge. M. Thierry
☎ 03 80 90 14 25 [FAX] 03 80 90 14 21
[100F] 🛏 8 ⊗ 110/175 F. 🍽 26 F. 🍴 60/155 F.
♨ 40 F. 🍲 175 F.
⊠ 1er/15 juin, 25 nov./15 déc. et lun. hs.
🛏 📷 ➡ CV 🐾 CB

▲ TERMINUS ★★
2, rue de l'Arquebuse, sur N.6. M. Prefot
☎ 03 80 90 00 33 [FAX] 03 80 90 01 30
[120F] 🛏 8 ⊗ 180/300 F. 🍽 30 F. 🍴 89/210 F.
♨ 45 F. 🍲 250/320 F.
⊠ 7 janv./6 fév., 1er/15 oct. et mer.
📷 🛏 📷 🦽 CV 🐾 CB

AUXONNE (B2)
21130 Côte d'Or
7000 hab. [i]

▲▲ DU CORBEAU ★★
Place de l'Eglise. M. Henderyckx
☎ 03 80 31 11 88 [FAX] 03 80 31 17 01
[100F] 🛏 10 ⊗ 200/240 F. 🍽 40 F.
🍴 65/155 F. ♨ 45 F. 🍲 250 F.
⊠ dim. soir hors vac. été.
📷 🛏 📷 CV 🐾 CB

... à proximité

VILLERS LES POTS (B2)
21130 Côte d'Or
855 hab.

4 km N.O. Auxonne par N 5 et D 976

▲▲ AUBERGE DU CHEVAL ROUGE ★★
Rue Armand Roux. M. Henderyckx
☎ 03 80 31 44 88 [FAX] 03 80 31 17 01
[120F] 🛏 10 ⊗ 200/240 F. 🍽 40 F.
🍴 98/220 F. ♨ 55 F. 🍲 250 F.
⊠ dim. soir hors vac. été.
📷 [D] 🛏 📷 ➡ 🐕 📺 🐾 CB

BALOT (A1)
21330 Côte d'Or
96 hab.

▲▲ AUBERGE DE LA BAUME ★★
Mme Prieur
☎ 03 80 81 40 15 [FAX] 03 80 81 62 87
[100F] 🛏 10 ⊗ 190/250 F. 🍽 35 F.
🍴 65/155 F. ♨ 54 F. 🍲 230 F.
⊠ 20 déc./5 janv. et ven. soir
1er oct./31 mars.
📷 🛏 [CV] 📷 🦽 CV 🐾 CB 🍲

BEAUNE (B3)
21200 Côte d'Or
20000 hab. [i]

▲▲ AUBERGE BOURGUIGNONNE ★★
4, place Madeleine. M. Autin
☎ 03 80 22 23 53 [FAX] 03 80 22 51 64
🛏 8 ⊗ 270/280 F. 🍽 33 F. 🍴 89/205 F.
♨ 62 F.
⊠ lun. sauf jours fériés, dim. soir et lun.
fin nov./fin fév.
📷 [D] 🛏 📷 ➡ CV 🐾 CB

▲▲▲ GRILLON ★★
21, route Seurre. M. Grillon
☎ 03 80 22 44 25 [FAX] 03 80 24 94 89
[120F] 🛏 18 ⊗ 258/298 F. 🍽 32 F.
🍴 85/175 F. ♨ 50 F.
⊠ 1er fév./1er mars. Rest. mer. et jeudi
midi.
📷 [D] 🛏 📷 ➡ ➡ 🐕 🦽 CV 📺 🐾 CB

... à proximité

SAVIGNY LES BEAUNE (A-B3)
21420 Côte d'Or
1422 hab. [i]

5 km N.O. Beaune par D. 18

▲▲ L'OUVREE ★★
Route de Bouilland.
M. Pierrat
☎ 03 80 21 51 52 [FAX] 03 80 26 10 04
[80F] 🛏 22 ⊗ 270/300 F. 🍽 33 F.
🍴 95/250 F. ♨ 50 F. 🍲 260/275 F.
⊠ 1er fév./13 mars.
📷 🛏 📷 ➡ 🐕 🦽 🦽 CV 🐾 CB

BEZE (B2)
21310 Côte d'Or
550 hab.

▲▲ AUBERGE DE LA QUATR'HEURIE ★★
Mme Feuchot
☎ 03 80 75 30 13 [FAX] 03 80 75 32 92
🛏 14 ⊗ 180/300 F. 🍽 35 F.
🍴 130/300 F. ♨ 50 F. 🍲 300 F.
📷 [D] 🛏 📷 ➡ 🐕 🦽 CV 🐾 CB

▲▲ LE BOURGUIGNON ★★
Rue de la Porte de Bessey. M. Bourgeois
☎ 03 80 75 34 51 [FAX] 03 80 75 37 06
[100F] 🛏 25 ⊗ 150/305 F. 🍽 33 F.
🍴 60/190 F. ♨ 45 F. 🍲 195/245 F.
📷 [D] 🛏 📷 ➡ ➡ 🦽 📺 🐾 CB 🍲

CHATILLON SUR SEINE (A1)
21400 Côte d'Or
6862 hab. [i]

▲▲ DE LA COTE D'OR ★★★
2, rue Charles Ronot. M.Me Chalut/Natal
☎ 03 80 91 13 29 [FAX] 03 80 91 29 15
🛏 10 ⊗ 320/600 F. 🍽 38 F.
🍴 95/185 F. ♨ 70 F. 🍲 245/340 F.
⊠ 15 déc./31 janv., lun. après-midi et
mar. 15 oct./15 avr.
📷 🛏 [CV] 📷 ➡ ➡ 🐕 🐾 CB 🍲

CHEVIGNY SAINT SAUVEUR (B2)
21800 Côte d'Or
9000 hab.

♨ AU BON ACCUEIL ★★
17, av. de la République. M. Marc
☎ 03 80 46 13 40 FAX 03 80 46 50 97
🛏 28 ⬜ 132/195 F. 🍽 25 F.
🍴 60/150 F. 🍴 37 F. 🏨 165/269 F.
⊠ 9/20 août, 24 déc./3 janv. et dim. soir.
E D 🖨 ☎ ➡ ♨ ☎ 🚶 CV 🔌 🐾 CB 🖥

DAIX (B2)
21121 Côte d'Or
⟫⟫ *voir DIJON*

DIJON (B2)
21000 Côte d'Or
150000 hab. 🅸

♨♨ DU PARC DE LA COLOMBIERE ★★
49, cours du Parc et 156 rue Longvic.
M. Petit
☎ 03 80 65 18 41 FAX 03 80 36 42 56
🛏 35 ⬜ 250/310 F. 🍽 40 F.
🍴 68/198 F. 🍴 95 F. 🏨 260/280 F.
E D 🅸 🖨 🖨 ☎ ➡ ♨ ➡ 🚶 ♿ CV
🔌 🐾 CB 🖥

... à proximité

DAIX (B2)
21121 Côte d'Or
862 hab. 🅸

5 km N.O. Dijon par D 107

♨♨♨ CASTEL BURGOND ★★
3, rte de Troyes, N71 (à 3 km Centre
Dijon). Mme Barthelet
☎ 03 80 56 59 72 FAX 03 80 57 69 48
🛏 38 ⬜ 250/280 F. 🍽 35 F.
🍴 99/249 F. 🍴 60 F.
⊠ rest. dim. soir.
E D 🅸 🖨 🖨 ☎ ➡ ♨ ➡ 🚶 ♿
CV 🔌 🐾 CB 🖥

ECHIGEY (B2-3)
21110 Côte d'Or
250 hab.

♨ DE LA PLACE ★★
Rue de l'Eglise. M. Rey
☎ 03 80 29 74 00 FAX 03 80 29 79 55
🛏 13 ⬜ 120/210 F. 🍽 30 F.
🍴 70/220 F. 🍴 55 F. 🏨 230/250 F.
⊠ 6 janv./4 fév., dim. soir et lun.
🖨 ☎ ♨ CV 🐾 CB

FENAY (B2)
21600 Côte d'Or
1346 hab.

♨♨ RELAIS DE LA SANS FOND ★★
Route de Seurre. M. Samiez
☎ 03 80 36 61 35 FAX 03 80 36 94 89
🛏 14 ⬜ 210/280 F. 🍽 32 F.
🍴 75/260 F. 🍴 52 F. 🏨 230 F.
⊠ dim. soir.
E D 🖨 🖨 ☎ ➡ ♨ 🚶 🚴 ♿ CV
🔌 🐾 CB 🖥

FIXIN (B2)
21220 Côte d'Or
1026 hab.

♨ CHEZ JEANNETTE
7, rue Noisot.
M. Gerber
☎ 03 80 52 45 49 FAX 03 80 51 30 70
🛏 11 ⬜ 218/258 F. 🍽 28 F.
🍴 100/188 F. 🍴 45 F. 🏨 299 F.
⊠ 1er déc./5 janv. et mar. janv./juin.
E SP ♨ 🚶 🔌 🐾 CB

HAUTEVILLE LES DIJON (B2)
21121 Côte d'Or
1150 hab.

♨♨ LA MUSARDE ★★
7, rue des Riottes. M. Oge
☎ 03 80 56 22 82 FAX 03 80 56 64 40
🛏 11 ⬜ 200/285 F. 🍽 48 F.
🍴 100/320 F. 🍴 65 F. 🏨 300/360 F.
⊠ 15 déc/15 janv. Rest. lun.
E D 🖨 ☎ ➡ ♨ 🚶 CV 🔌 🐾 CB 🖥

LADOIX SERRIGNY (B3)
21550 Côte d'Or
1310 hab.

♨♨ LA GREMELLE ★★★
Sur N. 74.
M. Donno
☎ 03 80 26 40 56 FAX 03 80 26 48 23
🛏 20 ⬜ 250/300 F. 🍽 45 F.
🍴 120/250 F. 🍴 60 F. 🏨 350 F.
⊠ 1er déc./28 fév.
E 🅸 🖨 ☎ ➡ ♨ 🚶 🔌 🐾 CB

LAMARCHE SUR SAONE (B2)
21760 Côte d'Or
1500 hab.

♨♨♨ HOSTELLERIE LE SAINT-ANTOINE ★★
Route de Vonges.rue de Franche Comté
M. Jagla
☎ 03 80 47 11 33 FAX 03 80 47 13 56
🛏 12 ⬜ 260/300 F. 🍽 35 F.
🍴 98/250 F. 🍴 38 F. 🏨 285/310 F.
E D SP 🖨 ☎ ➡ ♨ ➡ 🔌 🐾 🚶
🚴 🔌 🐾 CB

LOSNE (B3)
21170 Côte d'Or
⟫⟫ *voir SAINT JEAN DE LOSNE*

MARCENAY LE LAC (A1)
21330 Côte d'Or
200 hab.

♨♨ LE SANTENOY ★★
MM. Roblot
☎ 03 80 81 40 08 FAX 03 80 81 43 05
🛏 18 ⬜ 140/248 F. 🍽 30/ 40 F.
🍴 72/195 F. 🍴 55 F. 🏨 165/220 F.
E D 🖨 ☎ ➡ ♨ 🚶 ▶ 🔌 CV 🔌 🐾
CB 🖥

MARSANNAY LA COTE (B2)
21160 Côte d'Or
5216 hab. ⓘ

▲▲ L'HOTELLERIE DE LA COTE ★★
Route de Beaune M.Me Lapierre
☎ 03 80 51 10 00 FAX 03 80 58 82 97
120F 🛏 41 ⊟ 265/275 F. 🍽 38 F.
🍴 85/155 F. 🍷 45 F. 🚗 250 F.
⊠ rest. ven. soir, sam. midi et dim. soir
5 nov./1er avr.

E D 🗄 🔒 ☎ 🚗 🏨 🎾 🚴 CV ▯
◄ CB ▣ GR

MEURSAULT (A3)
21190 Côte d'Or
1550 hab. ⓘ

▲▲ DU CENTRE ★★
4, rue de Lattre de Tassigny. M. Forêt
☎ 03 80 21 20 75 FAX 03 80 21 68 73
100F 🛏 7 ⊟ 150/380 F. 🍽 28 F. 🍴 69/145 F.
🍷 47 F. 🚗 205/320 F.
⊠ 18 nov./1er déc., 25 janv./1er mars,
dim. soir et lun. midi.

E D ☎ 🚗 🏨 CV ◄ CB

▲ LE CHEVREUIL ★★
Place de l'Hôtel de Ville. M. Parize
☎ 03 80 21 23 25 FAX 03 80 21 65 51
100F 🛏 17 ⊟ 250/270 F. 🍽 35 F.
🍴 85/205 F. 🍷 40 F. 🚗 255 F.
⊠ 4 déc./4 janv., mer. et jeu. midi.

E 🗄 ☎ 🚗 CV ◄ CB ▣ GR

▲ LES ARTS ★
4, place de l'Hôtel de Ville. M. Laroche
☎ 03 80 21 20 28 FAX 03 80 21 63 58
100F 🛏 18 ⊟ 135/350 F. 🍽 25 F.
🍴 90/170 F. 🍷 45 F.
⊠ 20 déc./31 janv. et mer.

E 🗄 ☎ ◄ CB

MIREBEAU SUR BEZE (B2)
21310 Côte d'Or
1200 hab.

▲▲ AUBERGE DES MARRONNIERS ★★
Place Général Viard. Mme Perrin
☎ 03 80 36 71 05 FAX 03 80 36 75 92
120F 🛏 16 ⊟ 200/230 F. 🍽 25 F.
🍴 60/165 F. 🍷 35 F. 🚗 184/209 F.
⊠ 22 déc./8 janv., dim. soir et ven. soir
1er oct./30 avr.

E D SP 🗄 ☎ 🚗 🏨 🎾 🌴 🚴 🚙
▯ CB

MONTBARD (A2)
21500 Côte d'Or
7749 hab. ⓘ

▲▲▲ DE L'ECU ★★★
7, rue Auguste Carré. M. Coupat
☎ 03 80 92 11 66 FAX 03 80 92 14 13
120F 🛏 24 ⊟ 280/420 F. 🍽 45 F.
🍴 95/250 F. 🍷 60 F. 🚗 320/380 F.

E D 🗄 G 🔒 ☎ 🚗 CV ▯ ◄ CB GR

NOLAY (A3)
21340 Côte d'Or
1686 hab. ⓘ

▲▲ SAINTE MARIE ★★
M. Fechoz-Trouillat
☎ 03 80 21 73 19 FAX 03 80 21 81 80
100F 🛏 11 ⊟ 200/285 F. 🍽 35 F.
🍴 75/185 F. 🍷 45 F. 🚗 240/280 F.
⊠ 20 déc./20 janv., dim. soir et lun. hs.

E D 🗄 ☎ 🚗 🚗 🏨 ◄ CB ▣ GR

NORGES LA VILLE (B2)
21490 Côte d'Or
600 hab.

▲▲ DE LA NORGES ★★
M. Tebaldini
☎ 03 80 35 72 17 FAX 03 80 35 75 78
100F 🛏 19 ⊟ 230/255 F. 🍽 28 F.
🍴 75/155 F. 🍷 37 F. 🚗 220 F.
⊠ 25 janv./20 fév., 23 déc./2 janv., dim.
et lun. midi hs, dim. midi et lun. midi
saison.

E 🗄 G ☎ 🚗 🚗 🎾 🚴 CV ▯ ◄ CB

NUITS SAINT GEORGES (B3)
21700 Côte d'Or
6000 hab. ⓘ

▲▲▲ LE SAINT GEORGES ★★ & ★★★
Carrefour de l'Europe. Mme Robyn
☎ 03 80 61 15 00 FAX 03 80 61 23 80
120F 🛏 47 ⊟ 300/345 F. 🍽 50 F.
🍴 85/250 F. 🍷 50 F. 🚗 295/310 F.
E SP 🍴 🗄 ☎ 🚗 🚗 m 🏨 ◄ ◣
🚴 CV ◄ CB GR

POUILLY EN AUXOIS (A2)
21320 Côte d'Or
1500 hab. ⓘ

▲ DE LA POSTE ★★
M. Bonnardot
☎ 03 80 90 86 44 FAX 03 80 90 75 99
100F 🛏 7 ⊟ 200 F. 🍽 30 F. 🍴 68/180 F.
🍷 45 F. 🚗 220 F.
⊠ dim. soir et lun., lun. soir juil./août.

E 🗄 ☎

▲ DU COMMERCE ★★
M. Mazilly
☎ 03 80 90 88 23 FAX 03 80 90 60 02
100F 🛏 18 ⊟ 220/290 F. 🍽 30 F.
🍴 70/190 F. 🍷 44 F. 🚗 180 F.
⊠ rest. mer.
🗄 ☎ ◄

PRECY SOUS THIL (A2)
21390 Côte d'Or
610 hab. ⓘ

▲▲▲ LORIOT ★★
4, rue de l'Eglise. M. Pagny
☎ 03 80 64 56 33 FAX 03 80 64 47 50
80F 🛏 11 ⊟ 250/330 F. 🍽 35 F.
🍴 85/170 F. 🍷 45 F. 🚗 230 F.
⊠ dim. soir et lun. midi.

E 🗄 ☎ 🏨 🎾 🚴 CV ▯ ◄ CB

La ROCHEPOT (A3)
21340 Côte d'Or
241 hab.

⌂ LE RELAIS DU CHATEAU ★★
M. Treffot
☎ 03 80 21 71 32 📠 03 80 21 86 85
🛏 12 ⌷ 180/290 F. 🍴 34/ 36 F.
🍴 85/160 F. 🛏 40 F. 🚗 220/240 F.
⊠ fév., lun. soir et mar. hs.
🏠 ☎ 🚗 CV 🐾 CB

SAINT JEAN DE LOSNE (B3)
21170 Côte d'Or
1342 hab. 𝑖

... *à proximité*

LOSNE (B3)
21170 Côte d'Or
1334 hab.

0,4 km Sud Saint-Jean de Losne par D 968

⌂⌂ AUBERGE DE LA MARINE ★★
M.Me Grandvuillemin
☎ 03 80 29 05 11 📠 03 80 29 10 45
🛏 16 ⌷ 220/300 F. 🍴 33 F.
🍴 56/190 F. 🛏 50 F. 🚗 200/260 F.
⊠ rest. lun.
E D 🏠 ☎ CV 🐾 CB

SAINT ROMAIN (A3)
21190 Côte d'Or
241 hab.

⌂⌂ LES ROCHES ★★
Place de la Mairie M. Poulet
☎ 03 80 21 21 63 📠 03 80 21 66 93
🛏 8 ⌷ 250/300 F. 🍴 35 F. 🍴 95/180 F.
🛏 47 F. 🚗 280/300 F.
⊠ 17 nov./10 mars, mer. et jeu. midi
10 mars/30 juin et 15 sept./17 nov.,
uniquement mer.midi 1er juil/14 sept.
E D ☎ 🐾 CB

SAINT SEINE L'ABBAYE (A2)
21440 Côte d'Or
340 hab. 𝑖

⌂ CHEZ GUITE
Rue Carnot. Mme Frelet
☎ 03 80 35 01 46
🛏 12 ⌷ 140/225 F. 🍴 30 F.
🍴 72/150 F. 🛏 48 F. 🚗 245/330 F.
⊠ 25 déc. et 1er janv.
E 🏠 🚗 🕆 🛏 🔱 🐾 CB

⌂⌂ DE LA POSTE ★★
17, rue Carnot. Mme Bony-Jacquand
☎ 03 80 35 00 35 📠 03 80 35 07 64
🛏 19 ⌷ 150/300 F. 🍴 40 F.
🍴 75/220 F. 🛏 40 F. 🚗 230/350 F.
⊠ 15 nov./1er mars.
E 𝑖 🏠 ☎ 🚗 🕆 🕆 🔱 🛏 CV
🐾 CB

SAULIEU (A2)
21210 Côte d'Or
600 m. ● 2900 hab. 𝑖

⌂ AUBERGE DU RELAIS
8, rue d'Argentine. Mme Taverna
☎ 03 80 64 13 16 📠 03 80 64 08 33
🛏 5 ⌷ 240/280 F. 🍴 34 F.
🍴 105/200 F. 🛏 62 F. 🚗 240/290 F.
E 🏠 ☎ 🔱 CV 🕆 🐾 CB

⌂⌂ DE BOURGOGNE ★★
9, rue Courtépée. M. Letard
☎ 03 80 64 08 41 📠 03 80 64 02 02
🛏 13 ⌷ 190 F. 🍴 37 F. 🍴 75/225 F.
🛏 42 F. 🚗 238 F.
⊠ 11 nov./1er avr., mer. et jeu. midi hs.
E 🏠 ☎ 🚗 🕆 🕆 🔱 🐾 CB 🖼 🌐

⌂⌂ DE LA POSTE ★★★
1, rue Grillot. M. Virlouvet
☎ 03 80 64 05 67 📠 03 80 64 10 82
🛏 38 ⌷ 200/485 F. 🍴 40 F.
🍴 98/188 F. 🛏 60 F. 🚗 300/450 F.
⊠ 25 nov./1er mars.
E D 🏠 🚗 ☎ 🚗 🕆 🕆 🔱 🕆 🐾 CB

SAVIGNY LES BEAUNE (A-B3)
21420 Côte d'Or

>>> *voir BEAUNE*

SEMUR EN AUXOIS (A2)
21140 Côte d'Or
6000 hab. 𝑖

⌂ DE LA COTE D'OR ★★
3, place Gaveau. M. Chene
☎ 03 80 97 03 13 📠 03 80 97 29 83
🛏 14 ⌷ 160/320 F. 🍴 35 F.
🍴 96/190 F. 🛏 40 F. 🚗 290/320 F.
⊠ 15 déc./20 janv. Rest. mer. sauf
1er juil./30 sept.
E 🏠 ☎ 🚗 🕆 🔱 🛏 CV 🐾 CB

⌂⌂ HOSTELLERIE D'AUSSOIS ★★★
Route de Saulieu. Mme Jobic
☎ 03 80 97 28 28 📠 03 80 97 34 56
🛏 43 ⌷ 290/360 F. 🍴 35 F.
🍴 85/240 F. 🛏 45 F. 🚗 270/310 F.
⊠ rest. 27 janv./17 fév., 6, 13 et 20
janv., 24 fév., 3 et 10 mars.
E D SP 𝑖 🏠 🚗 ☎ 🚗 🕆 🕆 🔱 🖼
🕆 🔱 🕆 🔱 🕆 CB 🌐

SEMUR EN AUXOIS
(LAC DE PONT) (A2)
21140 Côte d'Or
105 hab.

⌂⌂ DU LAC ★★
(A Pont et Massene). M. Laurençon
☎ 03 80 97 11 11 📠 03 80 97 29 25
🛏 21 ⌷ 240/300 F. 🍴 35 F.
🍴 87/195 F. 🛏 55 F. 🚗 260/320 F.
⊠ 15 déc./10 janv., dim. soir et lun.
15 oct./15 avr.
E D 🏠 ☎ 🚗 🔱 CV 🕆 🐾 CB 🖼 🌐

SEURRE (B3)
21250 Côte d'Or
3200 hab. [i]

⌂ LE CASTEL ★★
20, av. de la Gare. Mme Deschamps
☎ 03 80 20 45 07 [FAX] 03 80 20 33 93
[T] 22 ◈ 160/300 F. ☲ 35 F.
[†] 98/240 F. [⚤] 50 F. ⊠ 480 F.
⊠ 2 janv./7 fév., lun. oct./avr.
[E] [⌂] [☎] [⚗] [T] [CV] [▦] [◗] [CB]

SOMBERNON (A2)
21540 Côte d'Or
600 m. ● 960 hab. [i]

⌂ LE SOMBERNON ★★
M. Blondelle
☎ 03 80 33 41 23 [FAX] 03 80 33 36 60
[T] 14 ◈ 120/240 F. ☲ 27 F.
[†] 60/155 F. [⚤] 40 F. ⊠ 180/260 F.
⊠ 15 janv./15 fév. et mer.
[E] [i] [⌂] [☎] [⚗] [⚤] [CV] [▦] [◗] [CB]

TIL CHATEL (B2)
21120 Côte d'Or
755 hab.

⌂⌂ DE LA POSTE ★★
Rue d'Aval. M. Girodet
☎ 03 80 95 03 53 [FAX] 03 80 95 19 90
[T] 9 ◈ 230/300 F. ☲ 28 F. [†] 70/180 F.
[⚤] 54 F. ⊠ 201/236 F.
⊠ 10/30 nov.,24 déc./5 janv. Hôtel sam.
dim. 1er nov./31 mars. Rest. sam. midi
1er avr./31 oct.,sam. & dim. soir
1 nov./31 mars
[E] [⌂] [☎] [⚗] [▦] [CB]

VAL SUZON (B2)
21121 Côte d'Or
194 hab.

⌂⌂⌂ HOSTELLERIE DU VAL SUZON ★★★
Rue du Fourneau. M. Perreau
☎ 03 80 35 60 15 [FAX] 03 80 35 61 36
[T] 16 ◈ 400/650 F. ☲ 60 F.
[†] 130/420 F. [⚤] 85 F. ◗ 460/585 F.
⊠ dim. soir et lun. 1er oct./30 avr.
[E] [SP] [⌂] [☎] [⚗] [T] [▦] [◗] [CB] [CR]

VILLERS LES POTS (B2)
21130 Côte d'Or

>>> *voir AUXONNE*

VOULAINES LES TEMPLIERS (A1)
21290 Côte d'Or
400 hab.

⚸ LA FORESTIERE ★★
(Lieu-dit Le Fourneau). Mme Langinieux
☎ 03 80 81 80 65
[T] 10 ◈ 200/300 F. ☲ 26/ 30 F.
[E] [⌂] [☎] [⚗] [T] [CV] [◗] [CB]

Om uw verblijf te reserveren volgens uw criteria en
om te kunnen genieten van speciale promoties, bel
naar de centrale voor reserveringen Logis de France.
Tél. : 01 45 84 83 84 rtabel en schoon zijn.

**Liste des
hôtels-restaurants**

Nièvre

C.R.T Bourgogne

**Association départementale
des Logis de France de la Nièvre**
Nièvre Tourisme
3 rue du Sort
58000 Nevers
Téléphone 03 86 36 39 80

BOURGOGNE

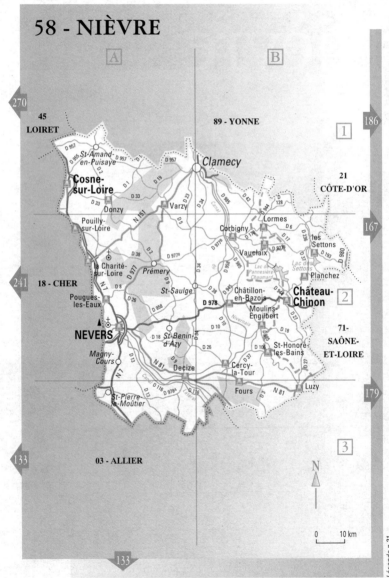

58 - NIÈVRE

A   B

270

45
LOIRET

89 - YONNE

186

1

D 957 St-Amand-
en-Puisaye

Clamecy

21
CÔTE-D'OR

**Cosne-
sur-Loire**

D 957

D 957

D 1

D 19

D 23

D 34

D 985

D 42

D 128

D 944

167

D 33

D 33

Donzy

Varzy

Canal

Corbigny

D 977

Lormes

D 6

D 236

les
Settons

D 193

D 980

Pouilly-
sur-Loire

N 151

D 5

D 977a

Vauclaix

D 977a

Lac des
Settons

241

18 - CHER

D 38

Prémery

D 34

D 958

D 985

Lac de
Pannesière-
Chaumard

Planchez

la Charité-
sur-Loire

D 977

St-Saulge

D 9

D 38

Châtillon-
en-Bazois

D 945

D 944

**Château-
Chinon**

2

Pougues-
les-Eaux

D 8

D 26

D 978

D 978

Moulins-
Engilbert

71-
SAÔNE-
ET-LOIRE

NEVERS

D 18

St-Benin-
d'Azy

D 10

D 18

Nivernais

D 978

D 985

St-Honoré-
les-Bains

*Magny-
Cours*

D 13

N 81

D 26

D 9

D 26

D 37

D 106

D 27

St-Pierre-
le-Moûtier

N 7

D 116

D 978a

Décize

Canal

*Cercy-
la-Tour*

D 37

D 18

Luzy

179

133

03 - ALLIER

Fours

D 3

N 81

N

0   10 km

3

Légende p 21

133

174

CERCY LA TOUR (B2)
58340 Nièvre
2258 hab. ℹ️

🔼🔼 DU VAL D'ARON ★★★
5, rue des Ecoles. M. Terrier
☎ 03 86 50 59 66 📠 03 86 50 04 24
🛏️ 12 ⬡ 300/370 F. 🍽️ 50 F.
🍴 95/250 F. 🛏️ 60 F. 🏠 280/320 F.
[E] 🗄️ 📷 ☎ 🚗 🍹 🔧 ♿ 🚭 📷

La CHARITE SUR LOIRE (A2)
58400 Nièvre
6422 hab. ℹ️

🔼🔼 LE GRAND MONARQUE ★★
33, quai Clémenceau. M. Grennerat
☎ 03 86 70 21 73 📠 03 86 69 62 32
🛏️ 9 ⬡ 295/460 F. 🍽️ 38 F.
🍴 118/268 F. 🛏️ 70 F. 🏠 344 F.
✉️ vac. scol. fév., ven. soir et dim. soir
12 nov./31 mars.
[E] [D] 📷 ☎ 🚗 🍹 🛏️ 🏂 🔧 ♿ 📷 CB

CHATEAU CHINON (B2)
58120 Nièvre
3500 hab. ℹ️

🔼🔼 AU VIEUX MORVAN ★★
8, place Gudin. M. Duriatti
☎ 03 86 85 05 01 📠 03 86 85 02 78
🛏️ 23 ⬡ 260/350 F. 🍽️ 34 F.
🍴 90/200 F. 🛏️ 65 F. 🏠 260/350 F.
✉️ 15 déc./fin janv.
📷 ☎ 🚗 🔧 🚭 📷 CB

🔼 LE LION D'OR ★
10, rue des Fosses. M. Dangelser
☎ 03 86 85 13 56
🛏️ 8 ⬡ 150/250 F. 🍽️ 25 F. 🍴 69/135 F.
🛏️ 45 F. 🏠 190/210 F.
✉️ dim. soir et lun.
📷 ☎ 🔧 CV 📷 CB

CHATILLON EN BAZOIS (B2)
58110 Nièvre
1150 hab. ℹ️

🔼 AUBERGE DE L'HOTEL DE FRANCE ★★
Mme Chauvière
☎ 03 86 84 13 10 📠 03 86 84 14 32
🛏️ 14 ⬡ 180/300 F. 🍽️ 30/ 35 F.
🍴 108/158 F. 🛏️ 58 F. 🏠 180/290 F.
✉️ 20 déc./6 janv., dim. soir et
lun. midi hs.
[D] 📷 ☎ 🚗 🚭 📷 CB

CORBIGNY (B2)
58800 Nièvre
1802 hab. ℹ️

🔼 LA BUISSONNIERE ★★
Place Saint-Jean. M. De Souza
☎ 03 86 20 02 13 📠 03 86 20 13 85
🛏️ 23 ⬡ 290 F. 🍽️ 30 F. 🍴 80/230 F.

🛏️ 230 F.
✉️ rest. 3 dernières semaines fév., dim.
soir et lun.
[E] [D] [SP] ℹ️ 📷 ☎ ♿ CV 🚭 📷 CB 📷

COSNE SUR LOIRE (A1)
58200 Nièvre
12000 hab. ℹ️

🔼 LE VIEUX RELAIS ★★★
Rue Saint-Agnan. M.Me Carlier
☎ 03 86 28 20 21 📠 03 86 26 71 12
🛏️ 11 ⬡ 300/360 F. 🍽️ 38 F.
🍴 100/300 F. 🛏️ 60 F. 🏠 280/350 F.
✉️ ven. soir et sam. midi hs.
📷 CV ☎ 🚗 🛏️ 🚭 📷 CB

DECIZE (A2)
58300 Nièvre
10000 hab. ℹ️

🔼 AGRICULTURE ★★
20, route des Moulins.
Mme Stoltz
☎ 03 86 25 05 38 📠 03 86 77 16 52
🛏️ 18 ⬡ 190/270 F. 🍽️ 40 F.
🍴 70/170 F. 🛏️ 45 F. 🏠 240/280 F.
✉️ 1er/20 oct., dim. soir et lun.
[D] 📷 ☎ 🚗 📷 CB

DONZY (A1)
58220 Nièvre
1500 hab. ℹ️

🔼🔼🔼 GRAND MONARQUE ★★
10, rue de l'Etape. M. Lesort
☎ 03 86 39 35 44 📠 03 86 39 37 09
🛏️ 11 ⬡ 245/330 F. 🍽️ 36 F.
🍴 100/200 F. 🛏️ 58 F.
✉️ dim. soir et lun. hs. sauf fériés.
[E] 📷 ☎ 🚗 🍹 🏂 CV 🚭 📷 CB 📷

FOURS (B3)
58250 Nièvre
780 hab. ℹ️

🔼🔼 DE LA POSTE ★★
Sur N.81. M. Buffenoir
☎ 03 86 50 21 12
🛏️ 8 ⬡ 200/390 F. 🍽️ 30 F. 🍴 65/155 F.
🛏️ 40 F. 🏠 220/280 F.
✉️ ven.
[E] 📷 ☎ 🚗 🔧 CV 📷 CB

LORMES (B2)
58140 Nièvre
1350 hab. ℹ️

🔼🔼 PERREAU ★★
8, route d'Avallon. M. Girbal
☎ 03 86 22 53 21 📠 03 86 22 82 15
🛏️ 17 ⬡ 260 F. 🍽️ 30 F. 🍴 75/210 F.
🛏️ 50 F. 🏠 220 F.
✉️ 10 janv./20 fév., dim. soir et lun. hs.
[E] 📷 ☎ 🚗 🍹 🚭 📷 CB

LUZY (B3)
58170 Nièvre
2735 hab. [i]

♨ DU CENTRE ★★
26, rue de la République. M. Ciraldo
☎ 03 86 30 01 55 [FAX] 03 86 30 11 91
[80F] ♦ 11 ◇ 145/270 F. ■ 28 F.
[†] 72/130 F. [†] 42 F. ☒ 170/220 F.
☒ 15 déc./5 janv., dim. soir et lun.
matin 1er oct./1er mai.
[E] [D] [SP] [i] [▢] [☎] [♨] [CV] [▤] [♠] [▦]

♨ DU MORVAN ★★
73, rue Docteur Dollet. M. Tisserand
☎ 03 86 30 00 66 [FAX] 03 86 30 04 92
[100F] ♦ 12 ◇ 160/280 F. ■ 30 F.
[†] 75/140 F. [†] 40 F. ☒ 150/240 F.
☒ 20 déc./10 janv.
[E] [▢] [☎] [♨] [►] [☂] [🏃] [▤] [♠] [CB]

MOULINS ENGILBERT (B2)
58290 Nièvre
1730 hab. [i]

♨♨ AU BON LABOUREUR ★★
15-17, place Boucaumont. Mme Loreau
☎ 03 86 84 20 55 [FAX] 03 86 84 35 52
[100F] ♦ 23 ◇ 120/350 F. ■ 32 F.
[†] 65/235 F. [†] 50 F. ☒ 160/265 F.
☒ 15 janv./1er fév.
[▢] [☎] [♨] [♨] [▥] [CV] [▤] [♠] [CB]

NEVERS (A2)
58000 Nièvre
45500 hab. [i]

♨♨ LA FOLIE ★★
Route des Saulaies. M. Rosier
☎ 03 86 57 05 31 [FAX] 03 86 57 66 99
♦ 37 ◇ 270/285 F. ■ 35 F.
[†] 92/153 F. [†] 45 F. ☒ 250 F.
☒ 15 jours vac.scol.Noël,1 semaine
vac.scol.fév./mars et ven. nov./mars.
Rest. ven. et dim. soir en avr., mai,
sept., oct.
[E] [D] [▢] [▦] [☎] [♨] [☂] [▧] [🏃] [♻] [▥]
[▤] [♠] [CB]

♨♨ LE MORVAN ★★
28, rue du Petit Mouesse. M. Pastout
☎ 03 86 61 14 16 [FAX] 03 86 21 47 75
[100F] ♦ 8 ◇ 250/340 F. ■ 40 F.
[†] 100/215 F. [†] 50 F. ☒ 245/285 F.
☒ 23 déc./5 janv. et dim. soir hs.
[E] [▢] [☎] [♨] [♨] [▥] [▤] [♠] [CB]

PLANCHEZ (B2)
58230 Nièvre
630 m. • 450 hab.

♨♨ LE RELAIS DES LACS ★★
M. Dumarais
☎ 03 86 78 41 68 [FAX] 03 86 78 44 11
♦ 32 ◇ 200/320 F. ■ 32 F.
[†] 94/232 F. [†] 46 F. ☒ 220/250 F.
☒ 4 janv./1er mars, 16 nov./15 déc.
et lun. hs.
[E] [i] [▢] [☎] [☂] [▥] [CV] [▤] [♠] [CB]

POUGUES LES EAUX (A2)
58320 Nièvre
2800 hab.

♨ CENTRAL HOTEL ★
Route de Paris. M. Beaufils
☎ 03 86 68 85 00
[120F] ♦ 8 ◇ 150/240 F. ■ 40 F. [†] 85/190 F.
[†] 45 F. ☒ 240/320 F.
☒ 15 nov./15 déc., 7 janv./7 fév. et
mer. hors vac. scol.
[E] [D] [♨] [▥] [▤] [CB]

POUILLY SUR LOIRE (A2)
58150 Nièvre
1800 hab. [i]

♨ ECU DE FRANCE ★★
64, rue Waldeck Rousseau. Mme Reyssie
☎ 03 86 39 10 97 [FAX] 03 86 39 16 17
[80F] ♦ 10 ◇ 165/215 F. ■ 30 F.
[†] 60/150 F. [†] 40 F. ☒ 230/250 F.
☒ 25 juin/8 juil., 24 déc./4 janv., lun. et
dim. soir.
[▢] [☎] [♨] [CV] [♠] [CB]

♨♨♨ LE RELAIS DE POUILLY ★★★
Quai de Loire. M. Fischer
☎ 03 86 39 03 00 [FAX] 03 86 39 07 47
♦ 24 ◇ 320/360 F. ■ 39 F.
[†] 79/155 F. [†] 45 F. ☒ 275/295 F.
[E] [D] [▢] [▦] [☎] [♨] [►] [☂] [🏃] [♻] [▥] [CV]
[▤] [♠] [CB] [CR]

♨♨♨ LE RELAIS FLEURI Rest. LE COQ
HARDI ★★★
42, av. de la Tuilerie. MeM. Astruc
☎ 03 86 39 12 99 [FAX] 03 86 39 14 15
[100F] ♦ 9 ◇ 200/300 F. ■ 36 F.
[†] 105/250 F. [†] 40 F. ☒ 300/320 F.
☒ 15 janv./15 fév., mar. soir et mer.
oct./Pâques.
[E] [D] [SP] [▢] [☎] [♨] [♨] [☂] [🏃] [CV] [▤] [CR]

SAINT HONORE LES BAINS (B2)
58360 Nièvre
800 hab. [i]

♨ LE CENTRE
Mmes Le Poulain/Néant
☎ 03 86 30 73 55
♦ 8 ◇ 200 F. ■ 25 F. [†] 68/115 F.
[†] 45 F.
☒ oct. et mer. hiver.
[☎] [†] [♠]

SETTONS (Lac des) (B2)
58230 Nièvre
600 m. • 825 hab. [i]

♨ LA MORVANDELLE ★★
Lac des Settons à 4 km de Montsauche.
M. Payen
☎ 03 86 84 50 62 [FAX] 03 86 84 57 23
♦ 10 ◇ 260/320 F. ■ 45 F.
[†] 95/220 F. [†] 48 F. ☒ 285/315 F.
☒ 15 nov./10 avr.
[E] [i] [▢] [☎] [♨] [☂] [🏃] [♻] [▤]
[♠] [CB]

VARZY (A1)
58210 Nièvre
1600 hab. 🛈

⌂ DE LA GARE ★★
9, av. de la Charité. M. Fourmestreaux
☎ 03 86 29 44 16 ᴛᴀx 03 86 29 46 85
☞ 🛏 5 🍳 240 F. 🍽 30 F. 🍴 57/157 F.
100F
🚶 42 F. 🛌 390 F.
✉ janv., dim. soir et lun.
🅴 ☎ 🚗 🚶 ⚓ CB

⌂ DE LA POSTE ★★
Faubourg de Marcy. M. Langlois
☎ 03 86 29 41 89 ＼03 86 29 41 72
ᴛᴀx 03 86 29 72 67
☞ 🛏 10 🍳 160/270 F. 🍽 35 F.
100F
🍴 120/260 F. 🚶 60 F. 🛌 310/320 F.
✉ fév., dim. soir et lun. hs.
🔲 ☎ 🚗 🍴 ⚓ CB

VAUCLAIX (B2)
58140 Nièvre
143 hab.

⌂⌂ DE LA POSTE ★★
M. Desbruères
☎ 03 86 22 71 38 ᴛᴀx 03 86 22 76 00
🛏 8 🍳 335 F. 🍽 46 F. 🍴 98/250 F.
🚶 50 F. 🛌 310 F.
🅴 🔲 ☎ 🚗 🍴 🚩 🌳 🚶 〓

Per prenotare il vostro soggiorno secondo le vostre preferenze e beneficiare delle promozioni speciali, rivolgetevi alla Centrale Prenotazioni Logis de France. Tél. : 01 45 84 83 84.

36 15 LOGIS DE FRANCE

**Liste des
hôtels-restaurants**

Saône-
et-Loire

Association départementale
des Logis de France de la Saône-et-Loire
C.C.I. - place G. Genevès
B.P. 531
71010 Mâcon Cedex
Téléphone 03 85 21 53 00

Auxerre
89 YONNE
21 CÔTE-D'OR
Dijon
58 NIÈVRE
Nevers
71 SAÔNE-ET-LOIRE
Mâcon

71 - SAÔNE-ET-LOIRE

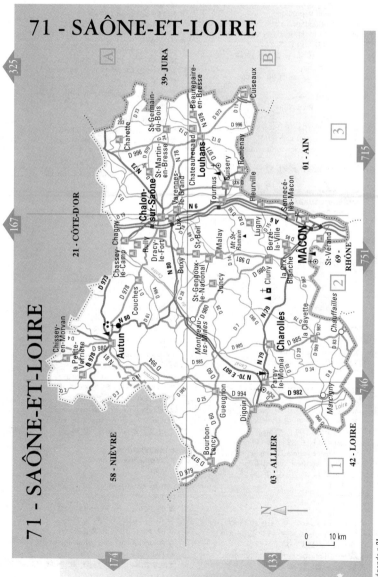

Légende p 21

0   10 km

AUTUN (A2)
71400 Saône et Loire
20000 hab. ⓘ

▲▲ DE LA TETE NOIRE ★★
1-3, rue de l'Arquebuse.
M. Maugé
☎ 03 85 86 59 99 FAX 03 85 86 33 90
🛏 19 ◈ 155/320 F. 🍽 35 F.
🍴 60/180 F. 🍴 40 F. 🅿 190/260 F.
⊠ 15/20 déc.
Ⓔ 📷 ⅭⅤ ☎ 🚗 🚙 CV ‖⦂ ☂ CB

▲ DU COMMERCE ET TOURING ★★
20, av. de la République.
Mme Alix-Coudray
☎ 03 85 52 17 90 FAX 03 85 52 37 63
🛏 20 ◈ 150/240 F. 🍽 27 F.
🍴 65/140 F. 🍴 40 F. 🅿 190/220 F.
⊠ déc. Rest. lun.
Ⓔ Ⓓ 📷 ☎ 🚗 🚙 CV ‖⦂ ☂ CB

⚹ LES ARCADES ★★
22, av. de la République.
Mme Lapierre
☎ 03 85 52 30 03 FAX 03 85 86 39 09
🛏 28 ◈ 150/300 F. 🍽 30 F.
⊠ 30 nov./1er mars et dim. midi/lun.
18h.
Ⓔ 📷 ☎ 🚙 CV ☂ CB ⅭⓇ

BEAUREPAIRE EN BRESSE/LOUHANS (B3)
71580 Saône et Loire
505 hab.

▲▲▲ AUBERGE DE LA CROIX BLANCHE ★★
Mme Poulet
☎ 03 85 74 13 22 FAX 03 85 74 13 25
🛏 13 ◈ 215/280 F. 🍽 40 F.
🍴 86/205 F. 🍴 58 F. 🅿 247/282 F.
⊠ 12 nov./5 déc., 2ème semaine mai,
4ème semaine sept., dim. soir et lun. hs.
Ⓔ Ⓓ 📷 ☎ 🚗 🚙 ☂ 🚶 ⛱ ♿ CV ‖⦂ ☂
CB 🏧 ⅭⓇ

BOURBON LANCY (B1)
71140 Saône et Loire
7000 hab. ⓘ

▲▲▲ LE MANOIR DE SORNAT ★★★
Allée de Sornat.
M. Raymond
☎ 03 85 89 17 39 FAX 03 85 89 29 47
🛏 13 ◈ 350/700 F. 🍽 60 F.
🍴 160/400 F. 🍴 85 F. 🅿 450/600 F.
⊠ 3 semaines après 15 janv. et dim.
soir. oct./mai. Rest. lun. midi.
Ⓔ 📷 ☎ 🚗 🚙 ☂ 🚶 ‖⦂ ☂ CB

▲▲ VILLA DU VIEUX PUITS ★★
7, rue de Bel Air.
M. Perraudin
☎ 03 85 89 04 04 FAX 03 85 89 13 87
🛏 7 ◈ 230/310 F. 🍽 45 F. 🍴 95/250 F.
🍴 60 F. 🅿 250/300 F.
⊠ fév., dim. soir et lun. sauf juin/sept.
📷 ☎ 🚙 ☂ 🚶 ☂ CB

BUXY (A2)
71390 Saône et Loire
2000 hab. ⓘ

▲▲ LE RELAIS DU MONTAGNY ★★
M. Girardot
☎ 03 85 92 19 90 FAX 03 85 92 07 19
🛏 37 ◈ 300/365 F. 🍽 40 F.
🍴 75/218 F. 🍴 52 F. 🅿 250/315 F.
⊠ dim. soir nov./fév. Rest. fév.
Ⓔ 📷 📷 ☎ 🚗 🚙 ☂ ⛱ 🚶 ♿ ‖⦂
☂ CB 📷 ⅭⓇ

CHAGNY (A2)
71150 Saône et Loire
6000 hab. ⓘ

▲ BONNARD ★★
Sur N.6. Mme Bonnard
☎ 03 85 87 21 49 FAX 03 85 87 06 54
🛏 20 ◈ 225 F. 🍽 35 F. 🍴 79/180 F.
🍴 50 F. 🅿 250 F.
⊠ 1er janv./1er mars et mer. hs.
Ⓔ 📷 🚙 🚶

▲ LA MUSARDIERE ★★
30, route de Chalon. M. Rebillard
☎ 03 85 87 04 97 FAX 03 85 87 20 51
🛏 15 ◈ 190/225 F. 🍽 30 F.
🍴 61/183 F. 🍴 45 F. 🅿 210/255 F.
⊠ lun. midi, dim. soir 1er oct./1er mai
et dim. soir 1er nov./15 mars.
📷 ☎ 🚙 ☂ CV ☂ CB

CHALON SUR SAONE (A2-3)
71100 Saône et Loire
72000 hab. ⓘ

⚹ AUX VENDANGES DE BOURGOGNE ★★
21, rue Général Leclerc. Mme Thomas
☎ 03 85 48 01 90
🛏 15 ◈ 150/310 F. 🍽 35/ 40 F.
Ⓔ 📷 ☎ 🚗 🚙 CV ☂ CB

... *à proximité*
LUX (A2)
71100 Saône et Loire
1620 hab.

3 km Sud Chalon sur Saône par N 6

▲ LES CHARMILLES ★★
Sortie A6 Châlon Sud. M. Bellia
☎ 03 85 48 58 08 FAX 03 85 93 04 49
🛏 29 ◈ 200/260 F. 🍽 35 F.
🍴 80/138 F. 🍴 50 F. 🅿 230/250 F.
⊠ dim. 27 oct./16 mars. Rest. midi.
Ⓔ ⓘ 📷 ☎ 🚗 🚙 ☂ ‖⦂ ☂ CB

CHARETTE (A3)
71270 Saône et Loire
360 hab.

▲▲ DOUBS RIVAGE ★★
M. Reau
☎ 03 85 76 23 45 FAX 03 85 72 89 18
🛏 10 ◈ 210/240 F. 🍽 36 F.
🍴 87/240 F. 🍴 50 F. 🅿 240/260 F.
⊠ 20 déc./8 janv., fév., dim. soir et lun.
sauf juil./août et lun. fériés.
Ⓔ 📷 ☎ 🚙 ☂ 🚶 ♿ CV ‖⦂ ☂ CB

CHAROLLES (B2)
71120 Saône et Loire
4850 hab. ⓘ

▲▲▲ MODERNE ★★★
Av. J. Furtin.
M. Bonin
☎ 03 85 24 07 02 FAX 03 85 24 05 21
🛏 17 ⬛ 45 F. 🍽 110/310 F. 🍴 65 F.
🏨 290/350 F.
✉ fin déc./1er fév., dim. soir et lun. hs.
[E] 🖨 ☎ 🚗 🛗 ⓣ 🔍 ⛷ 🔆 ● CB 🖥

CHASSEY LE CAMP (A2)
71150 Saône et Loire
258 hab.

▲▲▲ AUBERGE DU CAMP ROMAIN ★★
M. Dressinval
☎ 03 85 87 09 91 FAX 03 85 87 11 51
🛏 40 ⬛ 320/390 F. 🍽 38 F.
🍽 125/210 F. 🍴 50 F. 🏨 326/360 F.
✉ janv.
[E] 🖨 ☎ 🚗 🛗 ⓣ 🔍 🔆 🛁 ✈ 🔍
⛷ ♨ ▶ 🔆 🔆 ● CB

CHATEAURENAUD (B3)
71500 Saône et Loire
>>> *voir LOUHANS*

CHISSEY EN MORVAN (A2)
71540 Saône et Loire
368 hab.

▲▲ L'AUBERGE FLEURIE ★★
Mme Bessière
☎ 03 85 82 62 05 FAX 03 85 82 62 19
100F 🛏 7 ⬛ 180/370 F. 🍽 30 F. 🍽 85/185 F.
🍴 55 F. 🏨 163/280 F.
✉ 16 déc./7 janv. et dim. soir
12 nov./Pâques.
[E] 🖨 ☎ 🚗 ⓣ CV ● CB

La CLAYETTE (B2)
71800 Saône et Loire
2710 hab. ⓘ

▲▲ DE LA GARE ★★
38, av. de la Gare. M. Thoral
☎ 03 85 28 01 65 FAX 03 85 28 03 13
100F 🛏 8 ⬛ 250/370 F. 🍽 36 F.
🍽 100/270 F. 🍴 60 F. 🏨 280/300 F.
✉ 20 déc./20 janv., dim. soir et lun. hs.
[E] 🖨 ☎ 🚗 🛗 🔍 ⓣ 🔆 🔆 ♨ 🔆 CV
● CB

CLUNY (B2)
71250 Saône et Loire
4500 hab. ⓘ

▲ DE L'ABBAYE ★★
av. Charles de Gaulle. M. Lassagne
☎ 03 85 59 11 14 FAX 03 85 59 09 76
🛏 16 ⬛ 150/320 F. 🍽 35 F.
🍽 98/210 F. 🍴 50 F. 🏨 208/288 F.
✉ 1er janv./15 fév., dim. soir, lun. et
lun. midi 15 juin/15 sept.
[E] [D] 🖨 ☎ 🚗 🚗 ● CB

COUCHES (A2)
71490 Saône et Loire
1600 hab.

▲▲ DES TROIS MAURES ★★
M. Tolfo
☎ 03 85 49 63 93 FAX 03 85 49 50 29
100F 🛏 16 ⬛ 150/260 F. 🍽 35 F.
🍽 78/180 F. 🍴 50 F. 🏨 235/245 F.
✉ 17 fév./17 mars et lun. hs.
[E] ⓘ 🖨 ☎ 🚗 ⓣ 🔆 🔆 ● CB 🖥

CROIX BLANCHE (LA)
(BERZE LA VILLE) (B2)
71960 Saône et Loire
300 hab.

▲▲▲ RELAIS DU MACONNAIS ★★
M. Lannuel
☎ 03 85 36 60 72 FAX 03 85 36 65 47
🛏 10 ⬛ 290/500 F. 🍽 37 F.
🍽 135/290 F. 🍴 70 F. 🏨 350 F.
✉ 10/31 janv., dim. soir et lun. hs.
[E] 🖨 ☎ 🔍 ⓣ 🔍 🔆 🔆 🔆

CUISEAUX (B3)
71480 Saône et Loire
1900 hab. ⓘ

▲▲▲ VUILLOT ★★
M. Vuillot
☎ 03 85 72 71 79 FAX 03 85 72 54 22
100F 🛏 16 ⬛ 190/270 F. 🍽 32 F.
🍽 78/250 F. 🍴 45 F. 🏨 215/250 F.
✉ janv. et dim. soir hs.
[E] 🖨 ☎ 🚗 🖨 🏠 🔆 🔆 🔆 ● CB
🖥 CR

CUISERY (B3)
71290 Saône et Loire
1680 hab.

▲▲▲ HOSTELLERIE BRESSANE ★★★
M. Bèche
☎ 03 85 40 11 63 FAX 03 85 40 14 96
120F 🛏 15 ⬛ 200/400 F. 🍽 45 F. 🍴 60 F.
✉ 15 nov./15 janv., mar. et mer. midi
[E] 🖨 ☎ 🚗 🚗 ⓣ 🔆 🔆 🔆 ● CB 🖥

DIGOIN (B1)
71160 Saône et Loire
11402 hab. ⓘ

▲▲ DES DILIGENCES ET DU COMMERCE ★★
14, rue Nationale.
☎ 03 85 53 06 31 FAX 03 85 88 92 43
120F 🛏 6 ⬛ 250/400 F. 🍽 35 F. 🍽 98/330 F.
🍴 50 F.
✉ 17/24 juin, 17 nov./10 déc., lun. soir
et mar. sauf juil./août.
[E] SP 🖨 ☎ 🚗 🚗 ⓣ 🔆 🔆 CB

▲ LE MERLE BLANC ★★★
36-38, route de Gueugnon. M. Régnault
☎ 03 85 53 17 13 FAX 03 85 88 91 71
120F 🛏 16 ⬛ 175/260 F. 🍽 35 F.
🍽 77/210 F. 🍴 50 F. 🏨 180/260 F.
✉ dim. soir et lun. midi oct./mars
[E] 🖨 ☎ 🔍 🔍 🔆 🔆 ● CB

DRACY LE FORT (A2)
71640 Saône et Loire
1103 hab. ℹ️

▲▲▲ LE DRACY ★★★
M. Lanier
☎ 03 85 87 81 81 FAX 03 85 87 77 49
🛏 41 ◎ 290/440 F. 🍽 45 F.
🍴 95/175 F. 🛏 60 F. 🅿 350 F.
[icons]

FLEURVILLE (B3)
71260 Saône et Loire
310 hab.

▲▲ LE FLEURVIL ★★
M. Badoux
☎ 03 85 33 10 65 FAX 03 85 33 10 37
🛏 9 ◎ 180/250 F. 🍽 35 F. 🍴 90/220 F.
🛏 59 F. 🅿 285 F.
⊠ 2/10 juin, 15 nov./15 déc., lun. soir
et mar.
[icons]

GUEUGNON (B1)
71130 Saône et Loire
10456 hab. ℹ️

▲ DU CENTRE ★★
34, rue de la Liberté.
M. Vezant
☎ 03 85 85 21 01 FAX 03 85 85 02 67
🛏 19 ◎ 140/270 F. 🍽 35 F.
🍴 79/180 F. 🛏 60 F. 🅿 200/240 F.
⊠ rest. dim. soir.
[icons]

▲▲ RELAIS BOURGUIGNON ★★
47, rue de la Convention. M. Van Den
Abeele
☎ 03 85 85 25 23 FAX 03 85 84 47 22
🛏 8 ◎ 160/210 F. 🍽 35 F. 🍴 95/240 F.
🛏 70 F.
⊠ 14 juil./5 août, dim. soir et lun.
[icons]

JONCY (B2)
71460 Saône et Loire
500 hab.

▲▲ DU COMMERCE ★★
M. Rougeot
☎ 03 85 96 27 20 FAX 03 85 96 21 76
🛏 9 ◎ 240/330 F. 🍽 32 F. 🍴 70/290 F.
🛏 58 F. 🅿 250/300 F.
⊠ 12 nov./10 déc. et ven.
[icons]

LOUHANS (B3)
71500 Saône et Loire
7500 hab. ℹ️

▲▲ CHEVAL ROUGE ★★
5, rue d'Alsace.
M. Aubry
☎ 03 85 75 21 42 FAX 03 85 75 44 48
🛏 12 ◎ 150/280 F. 🍽 35 F.
🍴 96/220 F. 🛏 50 F. 🅿 225/265 F.
⊠ 25 déc./13 janv., lun. et mar. midi.
[icons]

... *à proximité*

CHATEAURENAUD (B3)
71500 Saône et Loire
7000 hab. ℹ️

limitrophe Est Louhans par N 78

▲ LA POULARDE ★★
5, rue du Jura.
M. Thomas
☎ 03 85 75 03 06 FAX 03 85 75 47 54
🛏 8 ◎ 245/300 F. 🍽 34 F. 🍴 79/190 F.
🛏 50 F. 🅿 220/250 F.
⊠ 25 déc./25 janv. et mer.
[icons]

LUGNY (B2)
71260 Saône et Loire
900 hab.

▲ DU CENTRE ★★
Mlle Giroud
☎ 03 85 33 22 82 FAX 03 85 33 02 20
🛏 8 ◎ 160/400 F. 🍽 37 F. 🍴 87 F.
🛏 50 F. 🅿 230/250 F.
⊠ janv., dim. soir et lun. 1er sept./
30 juin.
[icons]

LUX (A2)
71100 Saône et Loire
>>> *voir CHALON SUR SAONE*

MACON (B2-3)
71000 Saône et Loire
45000 hab. ℹ️

▲▲ DE GENEVE ★★
1, rue Bigonnet (Direction Gare).
M. Ploteau
☎ 03 85 38 18 10 FAX 03 85 38 22 32
🛏 58 ◎ 285/385 F. 🍽 39 F.
🍴 72/235 F. 🛏 37 F. 🅿 282/332 F.
[icons]

▲▲ TERMINUS ★★
91, rue Victor Hugo.
M. Masriera
☎ 03 85 39 17 11 FAX 03 85 38 02 75
🛏 48 ◎ 330/390 F. 🍽 41 F.
🍴 92/175 F. 🛏 48 F. 🅿 298/305 F.
[icons]

... *à proximité*

SENNECE LES MACON (B2-3)
71000 Saône et Loire
750 hab. ℹ️

4 km Nord Macon par D 103

▲▲ DE LA TOUR ★★
(Sortie Péage A6 Macon Nord).
M. Gatinet
☎ 03 85 36 02 70 FAX 03 85 36 03 47
🛏 24 ◎ 210/300 F. 🍽 35 F.
🍴 70/190 F. 🛏 55 F. 🅿 205/245 F.
⊠ fév.
[icons]

MALAY (B2)
71460 Saône et Loire
219 hab. ⓘ

🏨 LA PLACE ★★
M. Litaudon
☎ 03 85 50 15 08 FAX 03 85 50 13 23
🛏 30 ⬓ 275 F. 🛏 43 F. 🍽 75/180 F.
🍴 50 F. 🛏 250 F.
⊠ 13 janv./17 fév., dim. soir et lun.
nov./avr.
🅴 ⬚ ☎ 🛏 🛌 🉐 🕯 🚶 ♿ ▶ 🚻 CV
🔆 ♥ CB

PARAY LE MONIAL (B1-2)
71600 Saône et Loire
10000 hab. ⓘ

🏨 AUX VENDANGES DE BOURGOGNE ★★
5, rue Denis Papin. M. Thomas
☎ 03 85 81 13 43 FAX 03 85 88 87 59
100F 🛏 17 ⬓ 175/260 F. 🍽 33 F.
🍴 72/185 F. 🍴 55 F. 🛏 220/260 F.
⊠ 6 janv./6 fév. et dim. soir hs.
🅴 ⬚ ☎ 🛏 🛏 🉐 CV 🔆 ♥ CB

🏨 DU NORD ★
1, av. de la Gare. M. Levite
☎ 03 85 81 05 12 FAX 03 85 81 58 93
🛏 13 🛏 140/250 F.
SP ⬚ ☎ 🛏 🛌 ♥ CB

🏨 LE VAL D'OR ★★
M. Rouzeau
☎ 03 85 81 05 07 FAX 03 85 88 84 46
120F 🛏 15 ⬓ 140/260 F. 🍽 30 F.
🍴 60/175 F. 🍴 40 F. 🛏 175/225 F.
⊠ 27 janv./3 fév., 13/20 oct., dim. soir
et lun. 1er oct./Pâques.
⬚ ☎ 🛏 🛏 CV ♥ CB

La PETITE VERRIERE (A2)
71400 Saône et Loire
75 hab.

🏨 AU BON ACCUEIL ★★
M. Menart
☎ 03 85 54 14 10 FAX 03 85 54 15 21
120F 🛏 7 ⬓ 210/380 F. 🍽 40 F. 🍴 65/150 F.
🍴 45 F. 🛏 170/200 F.
⊠ 20 déc./5 janv.
⬚ ☎ 🛏 🉐 🕯 CV CB

ROMENAY (B3)
71470 Saône et Loire
1691 hab.

🏨 DU LION D'OR ★★
Place Occidentale. M. Chevauchet
☎ 03 85 40 30 78 FAX 03 85 40 80 55
100F 🛏 9 ⬓ 150/230 F. 🍽 25 F. 🍴 73/210 F.
🍴 45 F. 🛏 170 F.
⊠ 1ère quinzaine juin et nov., mar. soir
et mer.
🅴 ⬚ ☎ ♥ CB

RULLY (A2)
71150 Saône et Loire
1635 hab.

🏨 LE VENDANGEROT ★★
Place Sainte Marie. Mme Lollini
☎ 03 85 87 20 09 FAX 03 85 91 27 18
🛏 12 ⬓ 150/280 F. 🍽 35 F.
🍴 80/195 F. 🍴 55 F. 🛏 188/238 F.
⊠ 18 fév./17 mars, mar. soir 1er
oct./1er avr. et mer.
🅴 ⬚ ☎ 🛏 🛏 🕯 🉐 ♥ CB

SAINT BOIL (B2)
71390 Saône et Loire
300 hab.

🏨 AUBERGE DU CHEVAL BLANC ★★★
M. Cantin
☎ 03 85 44 03 16 FAX 03 85 44 07 25
🛏 13 ⬓ 370/470 F. 🍴 60 F.
🍴 95/250 F. 🍴 52 F. 🛏 450/520 F.
⊠ 12 fév./12 mars et mer.
⬚ ☎ 🛏 🛏 🛌 🕯 🉐 ♿ 🔆 CB

SAINT GENGOUX LE NATIONAL (B2)
71460 Saône et Loire
1050 hab. ⓘ

🏨 DE LA GARE ★
M. Piedoie
☎ 03 85 92 66 39 FAX 03 85 92 64 45
80F 🛏 10 ⬓ 125/250 F. 🍽 30 F.
🍴 65/140 F. 🍴 40 F. 🛏 150/190 F.
⊠ 6 janv./3 fév.
🛏 🛏 🛌 🕯 🉐 🚶 CV 🔆 ♥ CB

SAINT GERMAIN DU BOIS (A3)
71330 Saône et Loire
1952 hab. ⓘ

🏨 HOSTELLERIE BRESSANE ★★
M. Picardat
☎ 03 85 72 04 69 FAX 03 85 72 07 75
100F 🛏 9 ⬓ 135/230 F. 🍽 25 F. 🍴 55/135 F.
🍴 36 F. 🛏 175/205 F.
⊠ 12/21 avr., 20 déc./13 janv., dim. soir
sauf juil./août et lun.
🅴 ☎ 🛏 🛏 🕯 CV ♥ CB

SAINT MARTIN EN BRESSE (A3)
71620 Saône et Loire
1500 hab.

🏨 AU PUITS ENCHANTE ★★
Route de Verdun
M. Château
☎ 03 85 47 71 96 FAX 03 85 47 74 58
100F 🛏 13 ⬓ 170/280 F. 🍽 38 F.
🍴 95/220 F. 🍴 55 F. 🛏 210/265 F.
⊠ 15/31 janv., 2ème semaine vac. fév.,
2/9 sept., mar. et dim. soir sauf
juil./août.
🅴 ⬚ ☎ 🛏 🛏 🕯 🉐 CV 🔆 ♥ CB 🈁

SAINT VERAND (B2)
71570 Saône et Loire
191 hab.

⚑ AUBERGE DU SAINT VERAN ★
La Roche. M. Brierre
☎ 03 85 37 16 50 〈FAX〉 03 85 37 49 27
⬧ 11 ⬨ 250 F. ⬛ 35 F. ⬚ 95/205 F.
⬧ 55 F. ⬚ 225/360 F.
🄴 🗔 ☎ 🚗 ⬧ 🏃 ▮▮ ➤ CB ⬛

SENNECE LES MACON (B2-3)
71000 Saône et Loire

>>> *voir MACON*

TOURNUS (B3)
71700 Saône et Loire
7800 hab. 🄸

⚑⚑ AUX TERRASSES ★★
18, av. du 23 Janvier. M. Carrette
☎ 03 85 51 01 74 〈FAX〉 03 85 51 09 99
⬧ 18 ⬨ 270/300 F. ⬛ 38 F.
⬚ 98/235 F. ⬧ 55 F. ⬚ 260/300 F.
⬛ 6 janv./6 fév., dim. soir et lun.
🄴 SP 🗔 ☎ 🚗 🚗 ▥ ▶◀ ➤ CB

⚑⚑ DE LA PAIX ★★
9, rue Jean-Jaurès. M. Giger
☎ 03 85 51 01 85 〈FAX〉 03 85 51 02 30
⬧ 24 ⬨ 258/320 F. ⬛ 38 F.
⬚ 88/255 F. ⬧ 48 F. ⬚ 257/299 F.
⬛ 25 oct./4 nov., 13 janv./3 fév. et mar.
soir 15 sept./15 juin.
🄴 🄳 🄸 🗔 ☎ 🚗 ▶◀ 🏃 ▮▮ ➤ CB
⬛ CR

LE SAUVAGE ★★★
Place du Champ de Mars.
M. Pariaut
☎ 03 85 51 14 45 〈FAX〉 03 85 32 10 27
⬧ 30 ⬨ 290/430 F. ⬛ 40 F.
⬚ 85/198 F. ⬧ 42 F. ⬚ 300/415 F.
🄴 🄳 🗔 ☎ 🚗 ⬧ 🏃 ➤ CB ⬛ CR

⚑⚑ LE TERMINUS ★★
21, av. Gambetta.
M. Rigaud
☎ 03 85 51 05 54 〈FAX〉 03 85 32 55 15
⬧ 13 ⬨ 200 F. ⬛ 35 F. ⬚ 95/280 F.
⬧ 55 F. ⬚ 270 F.
⬛ 20 nov./10 déc., mar. soir et mer.
sauf juil./août.
🗔 ☎ 🚗 ▥ CV ➤ CB

VARENNES LE GRAND (A3)
71240 Saône et Loire
1000 hab.

⚑⚑ LE VIRAGE FLEURI ★★
(Au Pont de Grosne).
M. Dressler
☎ 03 85 44 21 07 〈FAX〉 03 85 44 17 02
⬧ 28 ⬨ 245 F. ⬛ 32 F. ⬚ 92/156 F.
⬧ 56 F. ⬚ 275 F.
🄴 🗔 ☎ 🚗 ▥ ⛱ ⬧ 🏃 🚲 ▮▮ ➤
CB CR

**Liste des
hôtels-restaurants**

Yonne

C.R.T. Bourgogne - Ph. Chastel

Association départementale
des Logis de France de l'Yonne
C.D.T. - 1/2 quai de la République
89000 Auxerre
Téléphone 03 86 52 26 27

BOURGOGNE

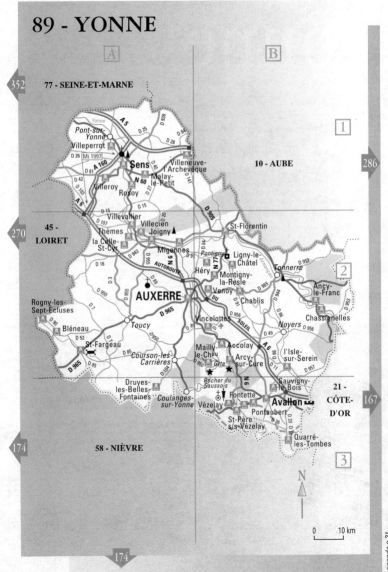

89 - YONNE

| A | B |

77 - SEINE-ET-MARNE

352

286

270

174

174

167

Yonne

Pont-sur-Yonne
Villeperrot
D 26 Mi 1997
A 160
Sens
Villeneuve-l'Archevêque
Malay-le-Petit
Villeroy
Rosoy
N 60
D 42
A 6
D 103

Villevallier
Thèmes
la Celle-St-Cyr
Villecien
Joigny
St-Florentin

10 - AUBE

Migennes
Héry
Ligny-le-Châtel
Pontigny
Montigny-la-Resle
Venoy
Chablis
Tonnerre
Ancy-le-Franc
Chassignelles

45 - LOIRET

AUTOROUTE

AUXERRE

D 965

Vincelottes
Noyers
l'Isle-sur-Serein

Rogny-les-Sept-Écluses
Bléneau
Toucy
St-Fargeau
Courson-les-Carrières
Mailly-le-Chau
Accolay
Arcy-sur-Cure

Gîte
Druyes-les-Belles-Fontaines
Coulanges-sur-Yonne
Rocher du Saussois
Vézelay
Fontette
Sauvigny-le-Bois
Pontaubert
Avallon

58 - NIÈVRE

St-Père s/s-Vézelay
Quarré-les-Tombes

21 - CÔTE-D'OR

N

0   10 km

Légende p 21

1

2

3

ACCOLAY (B2)
89460 Yonne
384 hab.

🏨 HOSTELLERIE DE LA FONTAINE
D'ACCOLAY ★★
16, rue de Reigny.
M. Guedon
☎ 03 86 81 54 02 🅵🅰🆇 03 86 81 52 78
🛏 11 🕙 230/310 F. 🍽 32 F.
🍴 95/240 F. 🍴 55 F. 🎱 260 F.
✉ janv., dim. soir et lun. hs.
🄴 ☎ 🚗 🛎 ⛱ 🔢 ◀ 🅲🅱

ANCY LE FRANC (B2)
89160 Yonne
1188 hab. 🛈

🏨 HOSTELLERIE DU CENTRE ★★
Grande Rue.
M. Rollet
☎ 03 86 75 15 11 🅵🅰🆇 03 86 75 14 13
100F 🛏 18 🕙 250/350 F. 🍽 40 F.
🍴 78/260 F. 🍴 48 F. 🎱 200/250 F.
🄴 🄳 🔲 ☎ 🚗 🚙 🛎 ⛱ 🔢 🚶 ♿ CV
🔢 ◀ 🅲🅱 ▪ 🅶🆁

... *à proximité*

CHASSIGNELLES (B2)
89160 Yonne
300 hab. 🛈

2 km Sud Ancy le Franc par D 905

🏨 DE L'ECLUSE 79
Mme Fricant
☎ 03 86 75 18 51 🅵🅰🆇 03 86 75 02 04
80F 🛏 7 🕙 225/250 F. 🍽 30 F. 🍴 78/150 F.
🍴 50 F. 🎱 230 F.
🄴 🔲 ☎ ♿ CV ◀ 🅲🅱

ARCY SUR CURE (B2)
89270 Yonne
509 hab. 🛈

🏨 DES GROTTES ★
M. Nolle
☎ 03 86 81 91 47 🅵🅰🆇 03 86 81 96 22
100F 🛏 7 🕙 130/220 F. 🍽 28 F. 🍴 75/160 F.
🍴 45 F.
✉ 15 déc./25 janv. et mer.
☎ 🚗 🛎 ♿ CV ◀ 🅲🅱

AUXERRE (A2)
89000 Yonne
40698 hab. 🛈

🏨 LES CLAIRIONS ★★
Av. de Worms Sur N.6.
M. Faron
☎ 03 86 46 85 64
🛏 62 🕙 260/530 F. 🍽 30/ 44 F.
🍴 90/170 F. 🍴 55 F. 🎱 250/280 F.
🄴 🄳 🔲 ☎ 🚗 🛎 ⛱ 🚶 🔢
◀ 🅲🅱 ▪ 🅶🆁

... *à proximité*

VENOY (B2)
89290 Yonne
1879 hab.

7 km Est Auxerre par D 965, sortie A 6
Auxerre Sud à 1 km

🏨 LE MOULIN
(La Coudre).
M. Vaury
☎ 03 86 40 23 79 🅵🅰🆇 03 86 40 23 55
🛏 7 🕙 250/300 F. 🍽 40 F.
🍴 108/275 F. 🍴 60 F. 🎱 250/285 F.
🄴 🔲 ☎ 🚗 ⛱ 🚶 🔢 ◀ 🅲🅱

VINCELOTTES (B2)
89290 Yonne
288 hab.

10 km Sud Auxerre par N 6

🏨 LES TILLEULS
12, quai de l'Yonne.
M. Renaudin
☎ 03 86 42 22 13 🅵🅰🆇 03 86 42 23 51
🛏 5 🕙 280/420 F. 🍽 40 F.
🍴 135/285 F. 🍴 85 F. 🎱 380 F.
✉ 23 déc./20 fév., mer. soir et jeu.
fin sept./Pâques.
🄴 🄳 🔲 ☎ 🔢

AVALLON (B3)
89200 Yonne
10000 hab. 🛈

🏨 HOSTELLERIE DU MOULIN DES
RUATS ★★★
Vallée du Cousin
M. Rossi
☎ 03 86 34 07 14 🅵🅰🆇 03 86 31 65 47
🛏 25 🕙 340/650 F. 🍽 50 F.
🍴 150/230 F. 🍴 70 F. 🎱 440/595 F.
✉ 15 nov./1er fév. Rest. lun.
🄴 🄳 🛈 🔲 ☎ 🚗 ⛱ 🚶 🔢 ◀ 🅲🅱

🏨 LES CAPUCINS ★★
6, av. Paul Doumer.(Direction GARE).
M. Aublanc
☎ 03 86 34 06 52 🅵🅰🆇 03 86 34 58 47
100F 🛏 8 🕙 290 F. 🍽 33 F. 🍴 100/250 F.
🍴 55 F. 🎱 280 F.
✉ 15 déc./31 janv., mar. soir hs et mer.
🔲 ☎ 🚗 ⛱

... *à proximité*

SAUVIGNY LE BOIS (B3)
89200 Yonne
641 hab.

4 km Nord Avallon par D 957

🏨 LE RELAIS FLEURI ★★★
Sur N.6. M. Schiever
☎ 03 86 34 02 85 🅵🅰🆇 03 86 34 09 98
🛏 48 🕙 270/450 F. 🍽 50 F.
🍴 112/250 F. 🍴 65 F. 🎱 375 F.
🄴 🄳 🔲 🔲 ☎ 🚗 ⛱ 🚶 🔢 ◀
🅲🅱 🅶🆁

BLENEAU (A2)
89220 Yonne
1600 hab. 🛈

▲▲▲ HOSTELLERIE BLANCHE DE
CASTILLE ★★
17, rue d'Orléans. M. Gaspard
☎ 03 86 74 92 63 ⟪FAX⟫ 03 86 74 94 43
🛏 13 ⊗ 250/720 F. ⊟ 40 F.
🍴 85/175 F. ⌖ 65 F. ▨ 295/350 F.
⊠ rest. janv. et dim. soir.
⫾ D ⫾ SP ⫾ i ⫾ ⬚ ⫾ ⌷ ⫾ ☎ ⫾ ⊟ ⫾ ⇔ ⫾ ⛵ ⫾ ⬚ ⫾ ♿
⫾ CV ⫾ ▨ ⫾ ☞ ⫾ CB ⫾ ⌷

La CELLE SAINT CYR (A2)
89116 Yonne
600 hab.

▲▲▲ AUBERGE DE LA FONTAINE AUX
MUSES ★★
M. Pointeau-Langevin
☎ 03 86 73 40 22 ⟪FAX⟫ 03 86 73 48 66
🛏 17 ⊗ 345/630 F. ⊟ 38 F. 🍴 185 F.
⌖ 60 F. ▨ 370/525 F.
⊠ hôtel lun. sauf saison. Rest. lun. et
mar. midi.
⫾ D ⫾ ⬚ ⫾ ☎ ⫾ ⊟ ⫾ ⇔ ⫾ ⛵ ⫾ T ⫾ ⚓ ⫾ ○ ⫾ ♿
⫾ ▨ ⫾ CB

CHABLIS (B2)
89800 Yonne
2414 hab. 🛈

▲▲ DE L'ETOILE Rest. BERGERAND ★ & ★★
4, rue des Moulins. M. Prévost
☎ 03 86 42 10 50 ⟪FAX⟫ 03 86 42 81 21
🛏 12 ⊗ 195/290 F. ⊟ 35 F.
🍴 75/280 F. ⌖ 50 F. ▨ 228/268 F.
⊠ 20 déc./10 janv., dim. soir et lun.
nov./Pâques.
⫾ D ⫾ SP ⫾ ☎ ⫾ ⊟ ⫾ ⇔ ⫾ ○ ⫾ ☞ ⫾ CB

▲▲▲ HOSTELLERIE DES CLOS ★★★
Rue Jules Rathier. M. Vignaud
☎ 03 86 42 10 63 ⟪FAX⟫ 03 86 42 17 11
🛏 26 ⊗ 288/530 F. ⊟ 55 F.
🍴 175/420 F. ⌖ 100 F. ▨ 470/670 F.
⊠ 22 déc./9 janv., mer. et jeu. midi
oct./avr.
⫾ D ⫾ ⬚ ⫾ ⌷ ⫾ ☎ ⫾ ⊟ ⫾ ⇔ ⫾ ⤉ ⫾ ⛵ ⫾ T ⫾ ♿
⫾ ▨ ⫾ ☞ ⫾ CB

CHASSIGNELLES (B2)
89160 Yonne

⟫⟫⟫ *voir ANCY LE FRANC*

DRUYES LES BELLES
FONTAINES (A3)
89560 Yonne
350 hab. 🛈

▲▲ AUBERGE DES SOURCES ★★
M. Portal
☎ 03 86 41 55 14 ⟪FAX⟫ 03 86 41 90 31
🛏 17 ⊗ 230/430 F. ⊟ 37 F.
🍴 85/220 F. ⌖ 48 F. ▨ 236/276 F.
⊠ 12 janv./15 mars, lun. et mar. midi.
⬚ ⫾ ☎ ⫾ ⊟ ⫾ ⇔ ⫾ ♿ ⫾ ○ ⫾ ☞ ⫾ CB

FONTETTE (B3)
89450 Yonne

⟫⟫⟫ *voir SAINT PERE SOUS VEZELAY*

HERY (B2)
89550 Yonne
1520 hab.

▲▲ LES BAUDIERES ★★
A 3km d'Héry, Hameau les Baudières.
M. Dauthereau
☎ 03 86 40 11 51 ⟪FAX⟫ 03 86 40 14 45
🛏 8 ⊗ 200 F. ⊟ 35 F. 🍴 80/220 F.
⌖ 50 F. ▨ 290 F.
⫾ D ⫾ ⬚ ⫾ ☎ ⫾ ⊟ ⫾ ⇔ ⫾ ⛵ ⫾ ⬚ ⫾ ☞ ⫾ CB

L'ISLE SUR SEREIN (B2)
89440 Yonne
524 hab.

▲▲ AUBERGE DU POT D'ETAIN ★★
24, rue Bouchardat. Mme Péchery
☎ 03 86 33 88 10 ⟪FAX⟫ 03 86 33 90 93
🛏 9 ⊗ 170/420 F. ⊟ 38 F. 🍴 98/298 F.
⌖ 55 F. ▨ 290/350 F.
⊠ fév., 3ème semaine oct., dim. soir et
lun. hs.
⫾ D ⫾ ⬚ ⫾ ☎ ⫾ ⊟ ⫾ ⇔ ⫾ ▥ ⫾ ⛵ ⫾ ▨ ⫾ ☞ ⫾ CB

JOIGNY (A2)
89300 Yonne
11925 hab. 🛈

▲ LE PARIS-NICE ★
Rond-Point de la Résistance. M. Godard
☎ 03 86 62 06 72 ⟪FAX⟫ 03 86 62 44 33
🛏 11 ⊗ 190/230 F. ⊟ 25 F.
🍴 75/160 F. ⌖ 60 F. ▨ 250/300 F.
⊠ 7 janv./3 fév., dim. soir et lun.
⫾ D ⫾ ⬚ ⫾ ☎ ⫾ ⊟ ⫾ ⇔ ⫾ ⛵ ⫾ T ⫾ ♿ ⫾ ♿ ⫾ CV
⫾ ☞ ⫾ CB

LIGNY LE CHATEL (B2)
89144 Yonne
1200 hab. 🛈

▲▲▲ RELAIS SAINT VINCENT ★★
14, Grande Rue. Mme Cointre
☎ 03 86 47 53 38 ⟪FAX⟫ 03 86 47 54 16
🛏 15 ⊗ 235/390 F. ⊟ 43 F.
🍴 78/160 F. ⌖ 50 F. ▨ 235/320 F.
⫾ D ⫾ SP ⫾ ⬚ ⫾ ☎ ⫾ ⊟ ⫾ ⇔ ⫾ ⛵ ⫾ T ⫾ ♿ ⫾ CV
⫾ ▨ ⫾ CB

MAILLY LE CHATEAU (B2)
89660 Yonne
500 hab.

▲▲ LE CASTEL ★★
M. Breerette
☎ 03 86 81 43 06 ⟪FAX⟫ 03 86 81 49 26
🛏 12 ⊗ 150/400 F. ⊟ 37 F.
🍴 75/170 F. ⌖ 50 F. ▨ 330/360 F.
⊠ 15 nov./15 mars et mer.
⫾ E ⫾ SP ⫾ ☎ ⫾ ○ ⫾ ⬚ ⫾ ☞ ⫾ CB

MALAY LE PETIT (A1)
89100 Yonne

⟫⟫⟫ *voir SENS*

MIGENNES (A2)
89400 Yonne
12000 hab. [i]

▲▲▲ DE PARIS ★★
57, av. Jean Jaurès. M. Chauvin
☎ 03 86 80 23 22 FAX 03 86 80 31 04
[100F] [♟] 9 ◎ 180/350 F. ➨ 30 F. [II] 85/165 F.
[⌘] 55 F. [▨] 280/350 F.
⊠ 2/16 janv., 25 juil./26 août, ven. soir,
sam. midi.et dim. soir.
[E] [SP] [☐] [☎] [➨] [⋈] [CV] [⋙] [♠]

MONTIGNY LA RESLE (B2)
89230 Yonne
450 hab.

▲▲▲ LE SOLEIL D'OR ★★
Sur N.77. Mme Pajot
☎ 03 86 41 81 21 FAX 03 86 41 86 88
[100F] [♟] 16 ◎ 195/325 F. ➨ 39 F.
[II] 79/325 F. [⌘] 58 F. [▨] 270 F.
[E] [☐] [☎] [➨] [⋈] [T] [⚒] [♿] [⋙] [♠] [CB] [▨] [CR]

PONTAUBERT (B3)
89200 Yonne
337 hab.

▲▲ LES FLEURS ★★
M. Gauthier
☎ 03 86 34 13 81 FAX 03 86 34 23 32
[♟] 7 ◎ 250/350 F. ➨ 35 F. [II] 88/250 F.
[⌘] 60 F. [▨] 260/280 F.
⊠ 10 déc./10 fév., jeu. midi hs et mer.
[E] [☐] [☎] [➨] [T] [CV] [♠] [CB]

QUARRE LES TOMBES (B3)
89630 Yonne
735 hab. [i]

▲▲▲ AUBERGE DE L'ATRE ★★
Les Lavaults. M.Me Salamolard
☎ 03 86 32 20 79 FAX 03 86 32 28 25
[120F] [♟] 7 ◎ 380/600 F. ➨ 50 F.
[II] 145/295 F. [⌘] 70 F. [▨] 550/650 F.
⊠ fin janv./début mars, 25 nov./10 déc.,
mar. soir et mer. 15 sept./15 juin.
[E] [D] [☐] [☎] [➨] [⋈] [T] [⚒] [♿] [CV] [⋙]
[♠] [CB]

ROGNY LES SEPT ECLUSES (A2)
89220 Yonne
725 hab. [i]

▲▲ AUBERGE DES 7 ECLUSES ★
1, rue Gaspard de Coligny. M. Jacqmin
☎ 03 86 74 52 90 FAX 03 86 74 56 77
[120F] [♟] 7 ◎ 190/250 F. ➨ 35 F. [II] 75/195 F.
[⌘] 55 F. [▨] 380/400 F.
⊠ 13 janv./28 fév., lun. soir et mar.
1er oct./30 mars.
[E] [D] [SP] [☎] [T] [⚒] [⊘] [CV] [♠] [CB.] [▨] [CR]

ROSOY (A1)
89100 Yonne
>>> *voir SENS*

SAINT FARGEAU (A2)
89170 Yonne
1920 hab. [i]

▲▲ LE RELAIS DU CHATEAU ★★
25, rue St-Martin. Promenade du Grillon.
M. Robert
☎ 03 86 74 01 75 FAX 03 86 74 09 73
[100F] [♟] 28 ◎ 280/330 F. ➨ 35 F.
[II] 100/230 F. [⌘] 50 F. [▨] 300 F.
⊠ 15 janv./15 mars., dim. soir et lun. hs.
[E] [i] [☐] [☎] [➨] [⋈] [T] [CV] [⋙] [♠] [▨]

SAINT FLORENTIN (B2)
89600 Yonne
7000 hab. [i]

▲▲ LES TILLEULS ★★
3, rue Descourtives. Mme Hubert
☎ 03 86 35 09 09 FAX 03 86 35 36 90
[♟] 9 ◎ 270/295 F. ➨ 38 F. [II] 85/250 F.
[⌘] 60 F.
⊠ 29 déc./6 janv., 10 fév./3 mars, dim.
soir. Rest. lun.
[D] [☐] [☎] [➨] [T] [CV] [♠] [CB]

SAINT PERE SOUS VEZELAY (B3)
89450 Yonne
348 hab. [i]

... *à proximité*

FONTETTE (B3)
89450 Yonne
50 hab.

3 km Est St-Père sous Vézelay par D 250

▲▲ LES AQUARELLES ★★
Mme Basseporte
☎ 03 86 33 34 35 FAX 03 86 33 29 82
[♟] 10 ◎ 255/295 F. ➨ 32 F.
[II] 98/175 F. [⌘] 35 F. [▨] 305 F.
⊠ 1er janv./15 mars, mar. soir et mer.
15 nov./30 mars.
[E] [i] [☐] [☎] [➨] [T] [⚒] [♿] [⋙] [♠] [CB]

SAUVIGNY LE BOIS (B3)
89200 Yonne
>>> *voir AVALLON*

SENS (A1)
89100 Yonne
30000 hab. [i]

▲▲ LA CROIX BLANCHE ★★
9, rue Victor Guichard. M. Suchot
☎ 03 86 64 00 02 FAX 03 86 65 29 19
[♟] 25 ◎ 152/263 F. [II] 80/180 F.
[⌘] 50 F. [▨] 310/380 F.
[☐] [☎] [➨] [T] [CV] [CB]

... *à proximité*

MALAY LE PETIT (A1)
89100 Yonne
308 hab.

8 km Est Sens par N 60

▲ AUBERGE LE RABELAIS ★★
55, route de Genève. M. Lelu
☎ 03 86 88 21 44
[♟] 6 ◎ 165/260 F. ➨ 32 F. [II] 99/260 F.
[⌘] 45 F. [▨] 210/260 F.
⊠ 1er/15 fév., 1er/15 nov., mer. soir et
jeu. sauf fériés.
[E] [☎] [➨] [T] [CV] [⋙]

ROSOY (A1)
89100 Yonne
1000 hab.

5 km Sud Sens par N 6

▲▲ AUBERGE DE L'HELIX ★★
52, Nationale 6. M.Me Eimery/Halluin
☎ 03 86 97 92 10 FAX 03 86 97 19 00
🛏 10 🕙 170/340 F. 🍽 29 F.
🍴 95/198 F. 🛏 50 F. 🚗 260 F.
⊠ 17 fév./3 mars, 4/25 août, dim. soir
et lun.
[i] 🔲 ☎ 🚗 🚗 🐾 CB

VILLEROY (A1)
89100 Yonne
227 hab.

5 km Ouest Sens par D 81

▲▲ RELAIS DE VILLEROY ★★
Route de Nemours. M. Clément
☎ 03 86 88 81 77 FAX 03 86 88 84 04
🛏 8 🕙 195/270 F. 🍽 35 F. 🍴 80/330 F.
🛏 65 F. 🚗 260/380 F.
⊠ 15 déc./15 janv. et dim. soir
15 nov./1er mai.
🔲 ☎ 🚗 🕌 👤 🍴 🐾 CB

THEMES (A2)
89410 Yonne
210 hab. [i]

▲▲ LE P'TIT CLARIDGE ★★
2, route de Joigny. M. Balduc
☎ 03 86 63 10 92 FAX 03 86 63 01 34
🛏 7 🕙 160/200 F. 🍽 20 F. 🍴 85/260 F.
🛏 60 F. 🚗 190/200 F.
⊠ fév., dim. soir et lun.
[i] 🔲 ☎ 🚗 🕌 👤 🍴 🐾 CB

VENOY (B2)
89290 Yonne

>>> *voir AUXERRE*

VEZELAY (B3)
89450 Yonne
580 hab. [i]

▲▲ RELAIS DU MORVAN ★★
M. Lopez
☎ 03 86 33 25 33 FAX 03 86 33 36 98
🛏 16 🕙 245/340 F. 🍴 88/190 F.
🛏 50 F.
⊠ 1er janv./15 fév., mar. soir et mer.
[i] [D] SP 🔲 ☎ 👤 CV 🐾 CB

VILLECIEN (A2)
89300 Yonne
243 hab. [i]

▲▲ LA GRILLADE AU FEU DE BOIS ★★
Sur N.6 Mme Boise
☎ 03 86 63 11 74 FAX 03 86 63 11 64
🛏 10 🕙 170/270 F. 🍽 30 F.
🍴 98/190 F. 🛏 60 F. 🚗 290 F.
[i] 🔲 ☎ 🚗 👤 🕌 👤 CV 🐾 CB

VILLENEUVE L'ARCHEVEQUE (A-B1)
89190 Yonne
1300 hab. [i]

▲▲ AUBERGE DES VIEUX MOULINS
BANAUX ★★
18, route des Moulins Banaux.
M. Dronne
☎ 03 86 86 72 55 FAX 03 86 86 78 94
🛏 16 🕙 230/310 F. 🍽 35 F.
🍴 88/175 F. 🛏 75 F. 🚗 295 F.
⊠ dim. soir et lun. nov./mars.
[i] 🔲 ☎ 🚗 🚗 👤 🍴 🐾 CB 🚌

VILLEPERROT (A1)
89140 Yonne
177 hab.

▲▲▲ LE MANOIR DE L'ONDE ★★
33, rue du Barrage. M. Lablonde
☎ 03 86 67 05 93 FAX 03 86 96 37 25
🚗 120F
🍴 120/250 F. 🛏 80 F. 🚗 340/410 F.
[i] 🔲 ☎ 🚗 👤 🕌 👤 🕌 CV 🍴 🐾 CB

VILLEROY (A1)
89100 Yonne

>>> *voir SENS*

VILLEVALLIER (A2)
89330 Yonne
359 hab.

▲▲ LE PAVILLON BLEU ★★
31, rue de la République. Mme Millet
☎ 03 86 91 12 17 FAX 03 86 91 17 74
🛏 13 🕙 150/260 F. 🍽 30 F.
🍴 65/205 F. 🛏 65 F. 🚗 190/245 F.
⊠ 4 semaines janv., dim. soir et lun.
midi.
🔲 ☎ 🚗 👤 CV 🕌 🐾

VINCELOTTES (B2)
89290 Yonne

>>> *voir AUXERRE*

Fédération régionale des Logis de France de Bretagne
(Côtes-d'Armor, Finistère, Ille-et-Vilaine, Morbihan)
B.P. 94 - 35413 Saint-Malo Cedex
Tél. 02 99 81 31 46 - Fax 02 99 81 82 11

C.R.T. Bretagne

C.R.T. Bretagne / Schulte-Kellinghaus

C.R.T. Bretagne

BRETAGNE
NOUVELLE
VAGUE

C.R.T. Bretagne / Schulte-Kellinghaus

Bretagne

C.R.T. Bretagne

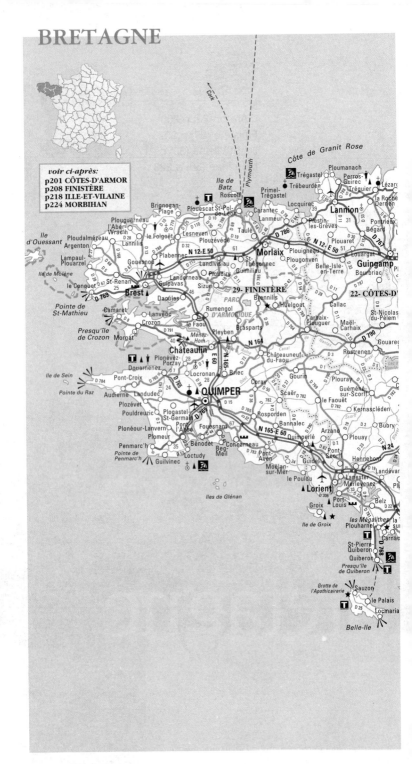

BRETAGNE

voir ci-après:
p201 CÔTES-D'ARMOR
p208 FINISTÈRE
p218 ILLE-ET-VILAINE
p224 MORBIHAN

Côte de Granit Rose

Cork

Plymouth

Ile d'Ouessant

Ile de Batz
Roscoff
St-Pol-de-Léon
Ploumanach
Perros-Guirec
Trégastel
Trébeurden
Lézardrieux
Tréguier
la Roche-Derrien
Plouescat
Brignogan-Plage
Carantec
Locquirec
Lannion
Plestin-les-Grèves
Pontrieux
Bégard
Plouguerneau
l'Aber-Wrac'h
le Folgoët
Lesneven
Plouézévédé
Taulé
Plouigneau
Plouaret
Louargat
Guingamp
Ploudalmézeau
Argenton
Lannilis
Plabennec
Landivisiau
St-Thégonnec
Guimiliau
Plougonven
Belle-Isle-en-Terre
Bourbriac
Lampaul-Plouarzel
Gouesnou
Landerneau
Ploudiry
Morlaix

Ile de Molène

le Conquet
St-Renan
Guipavas
Sizun
29- FINISTERE
22- CÔTES-D'

Pointe de St-Mathieu
Brest
Daoulas
Brennilis
Huelgoat
Callac
St-Nicolas-du-Pélem

Camaret
Lanvéoc
Crozon
Rumengol
PARC D'ARMORIQUE
Carhaix-Plouguer
Maël-Carhaix

Pointe de St-Mathieu
le Faou
Pleyben
Brasparts
Gouarec
D 790

Presqu'île de Crozon
Morgat
Ménez-Hom
Châteaulin
Châteauneuf-du-Faou
Rostrenen

Ile de Sein
Douarnenez
Plonévez-Porzay
Locronan
Briec
Gourin
Guéméné-sur-Scorff
Kernascléden

Pointe du Raz
Pont-Croix
QUIMPER
Coray
Scaër
le Faouët
Bubry

Audierne
Landudec
Plozévet
Rosporden
Bannalec
Arzano
Plouay
N 24

Pouldreuzic
Plogastel-St-Germain
Fouesnant
Quimperlé
Hennebont
Landévant

Plonéour-Lanvern
Plomeur
Pont-l'Abbé
Bénodet
Concarneau
Pont-Aven
Guidel
Plouhinec
Merlevenez
Port-Louis
Belz

Penmarc'h
Loctudy
Beg-Meil
Moëlan-sur-Mer
le Pouldu
Lorient

Pointe de Penmarc'h
Guilvinec

Iles de Glénan

Groix
Ile de Groix
les Mégalithes
Plouharnel
Carnac

St-Pierre-Quiberon
Quiberon
Presqu'île de Quiberon

Grotte de l'Apothicairerie
Sauzon
le Palais
Locmaria

Belle-Ile

NOUVELLE VAGUE
The New Wave

C.R.T. Bretagne

CÔTES ESCARPÉES, SITES NATURELS, CHAPELLES ET CALVAIRES, SENTIERS ET LÉGENDES... APRÈS PLUSIEURS VOYAGES, QUEL PLAISIR DE SAVOIR QUE L'ON N'A JAMAIS FINI DE DÉCOUVRIR LA BRETAGNE.

SHEER CLIFFS, NATURAL SPLENDOURS, CHAPELS AND ANCIENT CROSSES, WINDING PATHS AND LEGENDS... HOW PLEASED WE ARE THAT THERE IS ALWAYS MORE TO DISCOVER IN BRITTANY.

L'Armor ou L'Argoat ?

Une proue barbare, sculptée par la mer. Finis terrae... là où finit la terre. C'est par la mer - l'Armor - qu'il faudrait aborder la Bretagne bleue, celle des estuaires profonds, des phares plantés sur des cailloux, des plages de sable et de galets, des falaises escarpées, des caps et des chapelets d'îles. De Dinard à Nantes, 1 700 kilomètres de littoral vivent à l'heure de la météo marine et du va-et-vient de l'océan. Un paradis pour les navigateurs de plaisance, les amateurs de plongée sous-marine, les citadins que revigorent les cures de thalassothérapie dont la région s'est fait une spécialité. Plus terrien

Armor or Argoat?

Brittany presents a savage prow, sculpted by the sea. Finis terrae... the land's end. Ideally you would come upon blue Brittany from the sea - Armor - appreciating its deep estuaries, its lighthouses perched on rocks, its sandy and stony beaches, its sheer cliffs, its headlands and its strings of small islands. From Dinard to Nantes there are 1700 kilometres of coastline where life follows the constant flux of the tides and the weather - paradise for amateur yachtsmen, diving enthusiasts and those land-lovers in search of thalassotherapy, which is a speciality of the region. If you are more

que marin, vous préférerez, peut-être, commencer votre incursion en pays breton par Rennes. La capitale régionale mérite une étape, le temps de visiter le musée de Bretagne, de profiter de l'animation qui règne le soir autour de la Place Sainte-Anne… et de sélectionner la route de vos nouvelles aventures. En direction du nord, vous partirez vers les Pays de la Rance, Dinan et Saint-Malo - la vieille cité corsaire -, descendrez vers la côte d'Emeraude et celle de Granit rose qui fait face aux Sept îles, traverserez les pays du Trégor et de Léon pour gagner Ouessant.

A moins que vous ne choisissiez de pénétrer au cœur de l'Armorique via Loudéac, et de rejoindre Brest en traversant les terres du Finistère. Un périple qui permet, au fil de routes paresseuses, de s'imprégner de cette Bretagne de l'intérieur : courtes forêts et petits étangs, hameaux gris et bleus, fontaines et chapelles. Une occasion d'arpenter la lande et la forêt de Brocéliande à la recherche de Merlin l'enchanteur, de descendre l'Odet en bateau depuis Bénodet, d'assister à la criée du port d'Audierne, d'embarquer pour l'île de Sein, de suivre la route des peintres de Douarnenez à Pont-Aven.

Le patrimoine religieux

Plus au sud, Carnac, le plus connu et le plus mystérieux des sites mégalithiques conserve 4 000 menhirs, souvenirs de rituels très anciens. Preuve qu'en Bretagne, la ferveur religieuse sut traverser les siècles et les rites. L'art chrétien est aussi très présent : neuf cathédrales, des églises romanes et

C.R.T. Bretagne

inclined to remain on solid ground, you can begin your stay in Brittany with Rennes. This regional capital is worth visiting, especially to stop off at the Museum of Brittany and to enjoy the bustle of the Place Sainte-Anne. From here you can also map out the direction of your next adventures. To the north you can head towards the Rance region, Dinan and the old pirate city of Saint-Malo. Then you can continue down to the "Emerald" coast and the "pink granite" coast, which face the Seven Islands, and finally across the Trégor and Léon regions to arrive in Ouessant. Otherwise you could discover the heart of Armorique via Loudéac, heading towards Brest by crossing the countryside of Finistère. This route would allow you to absorb the atmosphere of inland Brittany as you follow its meandering roads through small forests and around little ponds, grey and blue hamlets, fountains and chapels. This would be the chance to wander the countryside and the forests of Brocéliande in search of the wizard Merlin, to travel down the river Odet from Benodet, to watch the fishmarket at the port of Audierne, to venture off to the island of Sein, to follow the paths of famous painters from Douarnenez to Pont-Aven.

NEUE WELLE

Zerklüftete Küsten, Naturschauplätze, Kapellen und Kalvarien, Pfade und Legenden… Im Sommer klingt in allen Dörfern die "fest-noz". Welch ein Glück zu wissen, daß man mit der Entdeckung der Bretagne nie fertig wird und daß die Schönheit und das Licht die Zugvögel zur Rast einladen.

NIEUWE STROMING

Steile kusten, natuurlandschappen, kapellen en kruisbeelden, wandelpaden en legenden … In de zomer is er in alle dorpen de "fest-noz" te horen. Wat een genoegen te weten dat je nooit ophoudt met het ontdekken van Bretagne en de schoonheid van haar licht, waardoor vele trekvogels worden aangetrokken.

gothiques, de modestes chapelles, d'innombrables calvaires. A l'intérieur de tous ces lieux saints : jubés, vitraux, ex-voto, buffets d'orgue, baptistères, bannières et retables nous font revivre la vie des saints. Tout comme les cérémonies traditionnelles des "Pardons", prétextes à de grands rassemblements, et qui sont autant d'occasions de festoyer, danser et chanter.

Le sens de la fête

En été, tous les villages résonnent de leur "fest-noz" : au son du biniou, de la bombarde et de l'accordéon, passé et traditions resurgissent, le temps d'une fête pleine de convivialité. Et c'est dans ces moments privilégiés que vous savourerez, au hasard de vos pérégrinations, les galettes de blé noir, la charcuterie de Plaiharnel, l'andouille de Guéméné, les huîtres de Belon, le far breton ou le goût de noisette du pur beurre qui fait le Kouign amann. Reste la lumière - celle toute particulière de la Bretagne où le bleu chasse le gris et vice-versa, le temps d'un "crachin". Celle dont les peintres s'inspirèrent, celle qui retient les oiseaux de passage…

Religious Heritage

Further to the south lies Carnac, the best-known and most mysterious megalithic site with over 4000 standing stones, remnants of ancient rituals. Further proof that Brittany retained its religious fervour through the centuries can be found in the abundant Christian art - nine cathedrals, Roman and Gothic churches, modest chapels and countless wayside crosses. Inside all these holy places you will find jubes, stained glass, ex-voto, organ chests, baptisteries, banners and altarpieces all of which remind us of the lives of the saints. Then there is also the traditional ceremonies known as "Pardons," which provide a pretext for great gatherings when people celebrate by dancing and singing.

A Festive Spirit

In the summer months all the villages have their local evening music festival. The sounds of the accordeon, the bagpipes and the "bombarde" evoke past traditions, creating a festive atmosphere. During these special occasions you will have a chance to enjoy whole-wheat pancakes, Plaiharnel pork meats, Guéméné sausages, Belon oysters, Brittany "far breton" and the taste of pure butter in "Kouign Ammann" cakes. And then there is the light, that very particular light of Brittany when blue competes with grey during the drizzly spells. It inspired painters and stops many a migratory bird on its travels…

C.R.T. Bretagne

NUEVA OLA

Costas escarpadas, parajes naturales, capillas y viacrucis, senderos y leyendas… En verano, todos los pueblos resuenan con su "fest-noz". ¡Qué placer saber que nunca se descubre del todo la Bretaña ni la belleza de su luz que retiene a las aves de paso!

ONDE NUOVE

Coste ripidi, siti naturali, cappelle e calvari, sentieri e leggende… In estate tutti i villaggi risuonano della loro "fest-noz". Che piacere sapere di non aver mai finito di scoprire la Bretagna e la bellezza della sua luce che intrattiene gli uccelli migratori.

Kouign amann

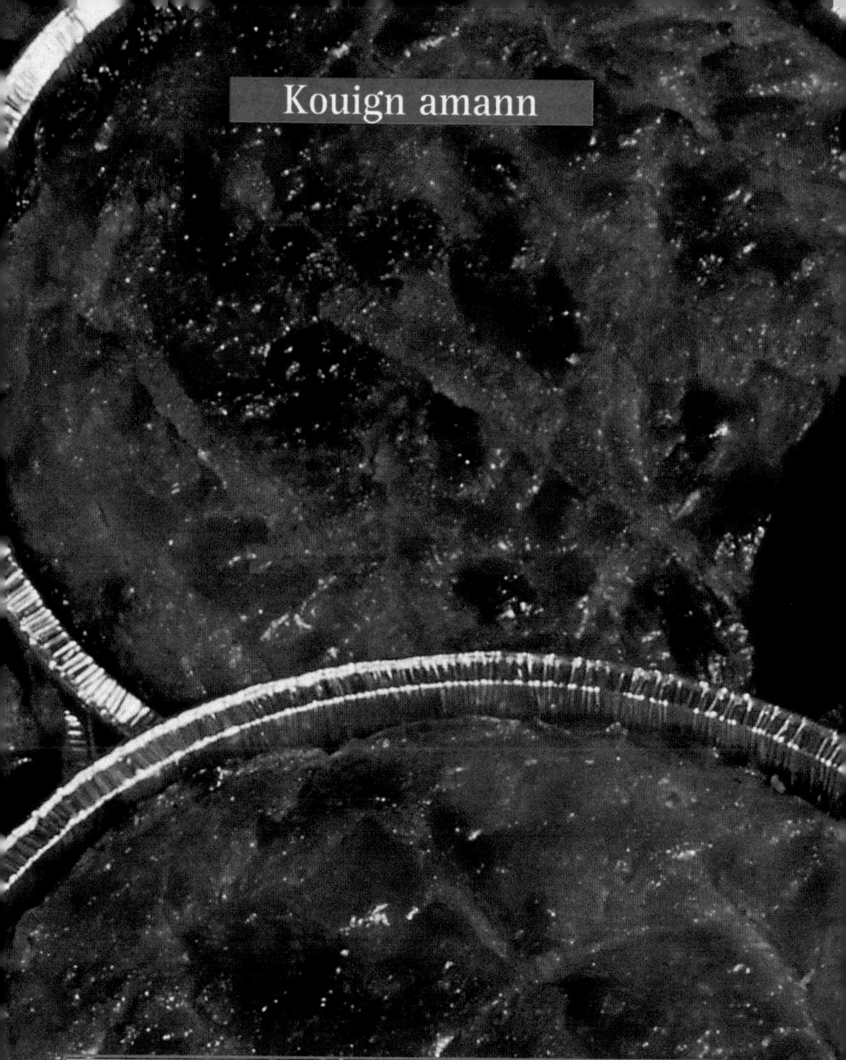

Ingrédients

Pour 6 à 8 personnes
- 250 g de farine
- 10 g de levure de boulanger
- 1 pincée de sel
- 2,5 dl d'eau
- 250 g de beurre
- 250 g de sucre

Recette

- Délayer la levure dans 5 cuil. à soupe d'eau tiède. Mettre la farine dans une terrine. Pétrir en ajoutant la levure et l'eau pour obtenir une pâte légère et souple. Laisser doubler de volume dans un endroit tempéré.
- Etendre la pâte et lui donner la forme d'un carré. Poser le beurre ramolli au centre, verser le sucre. Rabattre les bords de la pâte sur le beurre et le sucre. Aplatir en tapotant. Faire épouser à la pâte la forme du moule. Mettre au four (th. 7) jusqu'à ce que le dessus ait pris couleur.
- Saupoudrer alors de sucre. Baisser le four à 220° puis à 200°. La cuisson est terminée quand la galette ne se plie plus.

Liste des
hôtels-restaurants

Côtes-
d'Armor

C.R.T Bretagne Schulte-Kellinghaus

Association départementale
des Logis de France des Côtes-d'Armor
Hôtel de Diane
22240 Sables-d'Or-les-Pins
Téléphone 02 96 41 42 07

BRETAGNE

29 FINISTÈRE

22 CÔTES-D'ARMOR ○ St-Brieuc

Quimper ○

Rennes ○

56 MORBIHAN

35 ILLE-ET-VILAINE

Vannes ○

22 - CÔTES-D'ARMOR

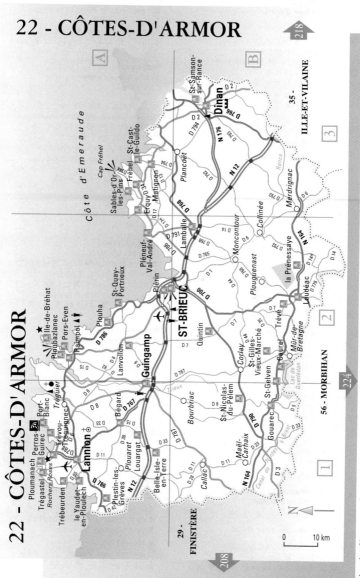

BEGARD (A1)
22140 Côtes d'Armor
5000 hab.

AA LA POMME D'OR **
7, rue Pierre Perron. M. Le Goff
☎ 02 96 45 21 68 FAX 02 96 45 23 21
🛏 9 ◈ 190/250 F. 🍽 25 F. 🍴 60/200 F.
🍴 38 F. 🛏 200/250 F.
⌧ 25 août/15 sept. et lun.
🄴 🄳 🕾 🚗 🔧 ⅲ CB

BELLE ISLE EN TERRE (A1)
22810 Côtes d'Armor
1100 hab. 🄘

AA LE RELAIS DE L'ARGOAT **
Rue du Guic. M. Marais
☎ 02 96 43 00 34 FAX 02 96 43 00 76
120F 🛏 8 ◈ 185/240 F. 🍽 42 F.
🍴 120/250 F. 🍴 75 F. 🛏 260/280 F.
⌧ fév., dim. soir et lun.
🄴 🕾 🚗 🔧 CV ⅲ CB

CAUREL (B2)
22530 Côtes d'Armor
376 hab.

AA LE BEAU RIVAGE **
M. Le Roux
☎ 02 96 28 52 15 FAX 02 96 26 01 16
🛏 8 ◈ 250/320 F. 🍽 35 F. 🍴 85/270 F.
🍴 65 F. 🛏 225/275 F.
⌧ 15/30 nov., 10/31 janv., lun. soir et
mar.
🄴 🄳 🕾 🚗 🔧 ⅲ CB

DINAN (B3)
22100 Côtes d'Armor
18000 hab. 🄘

AA DE FRANCE **
7, place du 11 Novembre. M. Gaultier
☎ 02 96 39 22 56 FAX 02 96 39 08 96
🛏 14 ◈ 190/300 F. 🍽 35 F.
🍴 90/200 F. 🍴 75 F. 🛏 385/400 F.
⌧ 23 déc./7 janv., sam. hs et dim. soir.
🄴 SP 🄳 🕾 🏨 ⅲ ⌂ CB ▣

AA DES ALLEUX **
Rte de Ploubalay-Taden. M. Sillou
☎ 02 96 85 16 10 FAX 02 96 85 11 40
🛏 29 ◈ 260/300 F. 🍽 34 F.
🍴 70/160 F. 🍴 45 F. 🛏 250/350 F.
🄴 🄳 🕾 🚗 🏨 🍴 🚶 ♿ CV ⅲ
⌂ CB ▣ CR

... à proximité

SAINT SAMSON SUR RANCE (B3)
22100 Côtes d'Armor
1180 hab. 🄘

5 km Nord Dinan par D 766

A AUBERGE DU VAL DE RANCE **
(à La Hisse). M. Lemoine
☎ 02 96 39 16 07 FAX 02 96 39 99 29

100F 🛏 27 ◈ 190/300 F. 🍽 30 F.
🍴 90/180 F. 🍴 50 F. 🛏 180/250 F.
⌧ vac. scol. fév., 15 sept./22 oct., ven.
soir et dim. soir.
🄴 🄳 🕾 🚗 🚗 🍴 🚶 🚶 ♿ ♿ CV
⌂ CB

ERQUY (A3)
22430 Côtes d'Armor
3500 hab. 🄘

AA BEAUSEJOUR **
Rue de la Corniche. M. Thebault
☎ 02 96 72 30 39 FAX 02 96 72 16 30
120F 🛏 16 ◈ 220/300 F. 🍽 36 F.
🍴 78/168 F. 🍴 48 F. 🛏 275/315 F.
🄴 🄳 🕾 🚗 🍴 🍴 🚶 ♿ CV ⌂ CB

FREHEL (A3)
22240 Côtes d'Armor
1500 hab. 🄘

AA DE LA PLAGE et FREHEL **
Plage du Vieux-Bourg. Mme Girard
☎ 02 96 41 40 04 FAX 02 96 41 57 96
🛏 27 ◈ 165/298 F. 🍽 36 F.
🍴 80/235 F. 🍴 50 F. 🛏 225/295 F.
⌧ 1er janv./27 mars, 1er/24 oct.,
12 nov./31 déc.
🄴 🕾 🚗 🍴 🏨 🔧 CV ⌂ CB

GOUAREC (B1)
22570 Côtes d'Armor
1101 hab.

AA DU BLAVET **
Sur N.164 bis. M. Le Loir
☎ 02 96 24 90 03 FAX 02 96 24 84 85
🛏 15 ◈ 160/350 F. 🍽 35 F.
🍴 82/300 F. 🍴 50 F. 🛏 215/395 F.
⌧ dim. soir et lun. sauf juil./août.
🄴 🄳 🕾 🚗 🍴 🏨 🔧 CV ⅲ ⌂ CB

GUINGAMP (A1-2)
22200 Côtes d'Armor
7905 hab. 🄘

AAA LE RELAIS DU ROY ***
42, place du Centre. M. Mallegol
☎ 02 96 43 76 62 FAX 02 96 44 08 01
100F 🛏 7 ◈ 400/800 F. 🍽 52 F.
🍴 100/300 F. 🍴 75 F. 🛏 450/550 F.
⌧ 20 déc./7 janv., dim. hs.
🄴 🄘 🄳 🕾 🔧 ⅲ ⌂

ILE DE BREHAT (A2)
22870 Côtes d'Armor
500 hab. 🄘

AA LA VIEILLE AUBERGE **
Mme Lamidon
☎ 02 96 20 00 24 FAX 02 96 20 05 12
🛏 14 ◈ 90/300 F. 🍴 55 F.
🛏 360/450 F.
⌧ nov./vac. scol. Pâques.
🄴 🄳 🕾 🚗 CV ⅲ ⌂ CB

ILE DE BREHAT (A2) (suite)

▲▲ LES TERRASSES ET BELLEVUE ★★
Le Port Clos. M. Enriore
☎ 02 96 20 00 05 **FAX** 02 96 20 06 06
🛏 17 🍴 430/470 F. ■ 40 F.
🍴 94/175 F. 🍴 68 F. 🛏 395/420 F.
✉ 4 janv./15 fév.
E D SP i 🗄 🕿 🛎 🍴 🌴 ⅀ 🚹 ♿ **CV**
‖0 ♠ **CB**

LAMBALLE (B2)
22400 Côtes d'Armor
11000 hab. *i*

▲▲▲ D'ANGLETERRE ★★★
29, bld Jobert. M. Toublanc
☎ 02 96 31 00 16 **FAX** 02 96 31 91 54
🛏 19 🍴 280/340 F. ■ 38 F.
🍴 92/300 F. 🍴 50 F. 🛏 280 F.
✉ 20 janv./10 fév. Rest. dim. soir et lun.
sauf juil/août.
E SP 🗄 🕿 🛎 🍴 ⅀ 🔲 🍴 **CV** **‖0** ♠
CB 🖼

▲▲ LA TOUR D'ARGENT ★★
2, rue Docteur Lavergne. M. Mounier
☎ 02 96 31 01 37 **FAX** 02 96 31 37 59
🛏 31 🍴 190/350 F. ■ 38 F.
🍴 82/205 F. 🍴 52 F. 🛏 230/280 F.
✉ sam. sept/mai.
E 🗄 🕿 🛎 🍴 ♿ **CV** **‖0** ♠ **CB**

LANNION (A1)
22300 Côtes d'Armor
20000 hab. *i*

▲▲ DE BRETAGNE ★★
32, av. Général de Gaulle.
M. Le Toumelin
☎ 02 96 37 00 33 **FAX** 02 96 37 46 25
🛏 28 ■ 40 F. 🍴 100/195 F. 🍴 45 F.
🛏 255/295 F.
E 🗄 🕿 🛎 🍴 🍴 ♿ **CV** **‖0** ♠ **CB**

LANVOLLON (A2)
22290 Côtes d'Armor
1483 hab. *i*

▲▲▲ LUCOTEL ★★
34, rue des Fontaines. M. Landel
☎ 02 96 70 01 17 **FAX** 02 96 70 08 84
🛏 20 🍴 250/320 F. ■ 35 F.
🍴 72/230 F. 🍴 44 F. 🛏 280 F.
E 🗄 🕿 🛎 🍴 🍴 ⅀ 🚹 ♿ ▶
♿ **CV** **‖0** ♠ **CB** 🖼 🗄

LOUARGAT (A1)
22540 Côtes d'Armor
2128 hab.

▲▲▲ MANOIR DU CLEUZIOU ★★
M. Costan
☎ 02 96 43 14 90 **FAX** 02 96 43 52 59
🛏 28 🍴 320/480 F. ■ 40 F.
🍴 90/215 F. 🍴 60 F. 🛏 335/380 F.

✉ 17 févr./20 mars. Rest. mer. et sam.
midi.
E D i 🗄 🕿 🛎 🍴 ⅀ 🚹 ♿ ▶
CV **‖0** ♠ **CB** **GR**

LOUDEAC (B2)
22600 Côtes d'Armor
10000 hab. *i*

▲▲ DE FRANCE ★★
Place de l'Eglise. M.Me Le Boudec
☎ 02 96 66 00 15 **FAX** 02 96 28 61 94
🛏 35 🍴 130/300 F. ■ 35 F.
🍴 74/165 F. 🍴 42 F. 🛏 190/240 F.
✉ Noël/Nouvel An et dim. soir oct./juin.
E 🗄 🕿 🛎 🍴 ⅀ 🍴 🍴 ♿ 🚹 **CV**
‖0 ♠ **CB** 🖼 **GR**

▲▲ DES VOYAGEURS ★★
10, rue de Cadelac. M. Gautier
☎ 02 96 28 00 47 **FAX** 02 96 28 22 30
🛏 28 🍴 220/290 F. ■ 32 F.
🍴 70/250 F. 🍴 50 F. 🛏 195/240 F.
✉ rest. sam.
E 🗄 🕿 🛎 🍴 ⅀ 🍴 ♿ **CV** **‖0** ♠
CB 🖼

... à proximité

La PRENESSAYE (B2)
22210 Côtes d'Armor
854 hab.

8 km Est Loudéac par N 164

▲▲ MOTEL D'ARMOR Rest. LE BOLERO ★★
Sur N.164, direction Rennes.
M. Fraboulet
☎ 02 96 25 90 87 **FAX** 02 96 25 76 72
🛏 10 🍴 245/280 F. ■ 35 F.
🍴 78/230 F. 🍴 50 F. 🛏 240/280 F.
✉ vac. scol. fév. Rest. dim. soir.
E 🗄 🕿 🛎 🍴 🍴 🚹 **‖0** ♠ **CB** 🖼

MATIGNON (A3)
22550 Côtes d'Armor
1609 hab. *i*

▲ DE LA POSTE
11, place Gouyon M. Girard
☎ 02 96 41 02 20 **FAX** 02 96 41 18 21
🛏 14 🍴 145/250 F. ■ 32 F.
🍴 68/160 F. 🍴 40 F. 🛏 185/250 F.
✉ 10 janv./15 fév., dim. soir et lun. hs.
E 🗄 🕿 🍴 🍴 ♿ **CV** ♠ **CB**

PAIMPOL (A2)
22500 Côtes d'Armor
8498 hab. *i*

▲▲ DE LA MARNE ★★
30, rue de la Marne.
M. Kokoszka
☎ 02 96 20 82 16 **FAX** 02 96 20 92 07
🛏 12 🍴 300/420 F. ■ 40 F.
🍴 98/430 F. 🍴 70 F. 🛏 270/310 F.
✉ jeu. soir et ven. sauf juil./août.
E 🗄 🕿 🛎 🍴 🍴 **CV** **‖0** ♠ **CB**

... à proximité

PLOUBAZLANEC (A2)
22620 Côtes d'Armor
3725 hab.

6 km Nord Paimpol par D 789

▲▲▲ LE BARBU ★★★
Pointe de l'Arcouest.
M. Bothorel
☎ 02 96 55 86 98 FAX 02 96 55 73 87
📞 19 ⊗ 450/700 F. ☷ 60 F.
🍽 90/200 F. 🛏 70 F. 🛎 500/600 F.
⊠ 3 janv./14 fév.
[E] [📷] [☎] [🚗] [🚤] [⚓] [🎾] [🏇] [👤] [♿] [CV] [⊞]
[🌴] [CB]

▲ LE RELAIS DE LAUNAY ★★
Route de l'Arcouest.
M. Escaillet
☎ 02 96 55 86 30 FAX 02 96 55 73 87
📞 9 ⊗ 200/330 F. ☷ 40 F.
🍽 100/150 F. 🛏 50 F. 🛎 250/300 F.
⊠ fin sept./Pâques.
[E] [☎] [🚗] [🏇] [♿] [CV] [🌴] [CB]

PERROS GUIREC (A1)
22700 Côtes d'Armor
8500 hab. [i]

▲▲ AU SAINT YVES ★★
Rue Saint-Yves.
M. Ledieu
☎ 02 96 23 21 31 FAX 02 96 23 05 24
📞 20 ⊗ 200/245 F. ☷ 30 F.
🍽 65/285 F. 🛏 48 F. 🛎 220/275 F.
⊠ 15 janv./14 fév. et 1er/23 nov.
[E] [📷] [☎] [🚗] [▶] [CV] [🌴] [CB] [📺] [GR]

▲▲ HERMITAGE HOTEL ★★
20, rue le Montreer.
Mme Cariou
☎ 02 96 23 21 22 FAX 02 96 91 16 56
📞 23 ⊗ 250/295 F. ☷ 32 F.
🍽 98/128 F. 🛏 48 F. 🛎 250/285 F.
⊠ 20 sept./1er mai.
[E] [📷] [☎] [🚗] [▶] [CV] [⊞] [🌴] [CB]

▲▲ KER MOR ★★
38, rue du Maréchal Foch.
Mme Nouailhac
☎ 02 96 23 14 19 FAX 02 96 23 18 49
📞 29 ⊗ 240/560 F. ☷ 30 F.
🍽 78/208 F. 🛏 40 F. 🛎 270/430 F.
⊠ 3 nov./6 fév., 26 fév./22 mars et
2 nov./fév.
[E] [SP] [📷] [☎] [🚗] [▶] [CV] [⊞] [🌴] [CB]

▲▲▲ LES FEUX DES ILES ★★★
53, bld Clemenceau.
M. Le Roux
☎ 02 96 23 22 94 FAX 02 96 91 07 30
📞 15 ⊗ 400/610 F. ☷ 46 F.
🍽 125/325 F. 🛏 82 F. 🛎 400/560 F.
⊠ 1er/8 oct., 24 fév./5 mars, dim. soir
et lun. midi.
[E] [SP] [📷] [☎] [🚗] [🎣] [▶] [🌴] [🐕] [🏇] [CV]
[⊞] [CB]

... à proximité

PLOUMANACH (A1)
22700 Côtes d'Armor
7793 hab. [i]

5 km Ouest Perros Guirec par D 788

▲▲ DU PARC ★★
Parking Saint-Guirec Mme Salvi
☎ 02 96 91 40 80 FAX 02 96 91 60 48
📞 11 ⊗ 165/280 F. ☷ 30 F.
🍽 75/155 F. 🛏 46 F. 🛎 200/280 F.
⊠ 15 janv./16 fév.
[E] [📷] [☎] [🚗] [CV] [🌴] [CB]

▲ LE PHARE ★★
39, rue Saint-Guirec. M. Pesci
☎ 02 96 91 41 19 FAX 02 96 91 42 68
📞 24 ⊗ 200/265 F. ☷ 32 F.
🍽 77/195 F. 🛏 47 F. 🛎 200/245 F.
⊠ 1er janv./14 fév., 29 sept./18 oct.,
12 nov./31 déc. et mer.
[E] [SP] [📷] [☎] [🚗] [▶] [CV] [🌴] [CB] [⊞]

▲▲ LES ROCHERS ★★
Chemin de la Pointe. M. Justin
☎ 02 96 91 44 49 FAX 02 96 91 43 64
📞 14 ⊗ 270/420 F. ☷ 50 F.
🍽 120/390 F. 🛏 80 F. 🛎 385/415 F.
⊠ 30 sept./6 avr. et mer. jusqu'au
11 juin.
[E] [🚪] [☎] [🌴] [CB] [📺] [GR]

▲▲ SAINT GUIREC ET DE LA PLAGE ★★
162, rue Saint Guirec. Mme Hardouin
☎ 02 96 91 40 89 FAX 02 96 91 49 27
📞 24 ⊗ 170/330 F. ☷ 30 F.
🍽 70/250 F. 🛏 39 F. 🛎 214/318 F.
⊠ 3/28 mars et 3 nov./7 fév.
[E] [🚪] [📷] [☎] [🚗] [CV] [🌴] [CB]

PLENEUF VAL ANDRE (A2)
22370 Côtes d'Armor
3600 hab. [i]

▲▲ DE FRANCE ET DU PETIT PRINCE ★★
Face Eglise de Pleneuf. M. Pottier
☎ 02 96 72 22 52 FAX 02 96 72 91 67
📞 36 ⊗ 210/250 F. ☷ 29 F.
🍽 77/168 F. 🛏 40 F. 🛎 220/280 F.
⊠ janv., dim. soir et lun.
[E] [SP] [📷] [☎] [🚗] [▶] [🌴] [CB]

PLERIN (A2)
22190 Côtes d'Armor
>>> *voir SAINT BRIEUC*

PLESTIN LES GREVES (A1)
22310 Côtes d'Armor
3237 hab. [i]

▲▲ LES COTES D'ARMOR ★★
Corniche du Douron.
MeM. Gestin/Le Berre
☎ 02 96 35 63 11 FAX 02 96 35 67 04
📞 20 ⊗ 265/370 F. ☷ 42 F.
🍽 120/195 F. 🛏 55 F. 🛎 270/360 F.
⊠ 15 nov./15 mars et lun.
[E] [🚪] [📷] [☎] [🚗] [▶] [🏇] [🔑] [CV] [🌴] [CB]

PLOUBAZLANEC (A2)
22620 Côtes d'Armor

>>> *voir PAIMPOL*

PLOUHA (A2)
22580 Côtes d'Armor
4197 hab. [i]

⌂ LE RELAIS D'ARMOR ★★
Place de Bretagne. M. Cals
☎ 02 96 22 44 88
[🛏] 15 ◎ 240/440 F. ▣ 40 F.
[🍴] 95/225 F. [🛏] 50 F. ▣ 260/275 F.
⊠ 15 janv./5 fév., 15 nov./15 déc., dim.
soir et lun. 1er oct./1er avr.
[E] [D] [⌂] [☎] [🚗] [🛏] [◆] [CB] [▣] [CR]

PLOUMANACH (A1)
22700 Côtes d'Armor

>>> *voir PERROS GUIREC*

PORS EVEN (A2)
22620 Côtes d'Armor
3507 hab.

⌂ PENSION BOCHER ★★
44, rue Pierre Loti. Mme Le Roux
☎ 02 96 55 84 16
[🛏] 15 ◎ 160/400 F. ▣ 32 F.
[🍴] 110/230 F. [🛏] 50 F. ▣ 240/320 F.
⊠ 5 nov./Rameaux.
[E] [D] [⌂] [☎] [🚗] [🛏] [CV] [▦] [CB]

PORT BLANC (A1)
22710 Côtes d'Armor
3000 hab. [i]

⌂ GRAND HOTEL ★★
Bld de la Mer. Mme Monfrance
☎ 02 96 92 66 52 [FAX] 02 96 92 81 57
[🛏] 29 ◎ 220/315 F. ▣ 28 F.
[🍴] 80/220 F. [🛏] 45 F. ▣ 245/295 F.
⊠ oct./Pâques.
[E] [⌂] [🚗] [▦] [☎] [🔧] [🛏] [⌚] [CV] [CB]

La PRENESSAYE (B2)
22210 Côtes d'Armor

>>> *voir LOUDEAC*

QUINTIN (B2)
22800 Côtes d'Armor
3500 hab. [i]

⌂⌂ DU COMMERCE ★★
2, rue Rochonen. M. Adam
☎ 02 96 74 94 67 [FAX] 02 96 74 00 94
[🛏] 13 ◎ 180/270 F. ▣ 32 F.
[🍴] 59/289 F. [🛏] 49 F. ▣ 190/240 F.
⊠ 15 déc./15 janv., dim. soir et lun.
midi sauf juil./août.
[E] [D] [SP] [⌂] [☎] [◆] [CB]

SABLES D'OR LES PINS (A3)
22240 Côtes d'Armor
2116 hab. [i]

⌂⌂ DE DIANE ★★
M. Rolland
☎ 02 96 41 42 07 [FAX] 02 96 41 42 67

[🛏] 28 ◎ 180/375 F. ▣ 35 F.
[🍴] 80/240 F. [🛏] 50 F. ▣ 220/335 F.
⊠ 1er janv./31 mars et 8 oct./31 déc.
[E] [D] [⌂] [☎] [🚗] [🔧] [🛏] [🛏] [🔧] [CV] [CR]

⌂⌂⌂ LA VOILE D'OR - LA LAGUNE ★★★
Allée des Accacias. M. Orio
☎ 02 96 41 42 49 [FAX] 02 96 41 55 45
[🛏] 26 ◎ 210/400 F. ▣ 41 F.
[🍴] 105/260 F. [🛏] 52 F. ▣ 255/400 F.
⊠ 15 nov./15 mars et lun. oct.
[E] [⌂] [🚗] [🚗] [✖] [🔧] [🛏] [🔧] [⌚] [◆] [CB]

SAINT BRIEUC (A-B2)
22000 Côtes d'Armor
44752 hab. [i]

... à proximité

PLERIN (A2)
22190 Côtes d'Armor
12108 hab. [i]

3 km Nord Saint Brieuc par N 12

⌂⌂ LE CHENE VERT ★★
Route Saint-Laurent de la Mer sur N.12.
M. Parcheminer
☎ 02 96 79 80 20 [FAX] 02 96 79 80 21
[🛏] 55 ◎ 290 F. ▣ 36 F. [🍴] 75/160 F.
[🛏] 40 F. ▣ 260 F.
⊠ rest. dim. midi.
[E] [D] [SP] [⌂] [CR] [☎] [🚗] [🚗] [✖] [🔧] [CV]
[⌚] [◆] [CB] [CR]

SAINT CAST (A3)
22380 Côtes d'Armor
3246 hab. [i]

⌂ BON ABRI ★★
4, rue du Sémaphore. M. Isambert
☎ 02 96 41 85 74 [FAX] 02 96 41 99 11
[🛏] 42 ◎ 185/290 F. ▣ 35 F.
[🍴] 100/145 F. [🛏] 50 F. ▣ 220/270 F.
⊠ 11 sept./30 avr.
[E] [⌂] [🚗] [🔧] [🛏] [CV] [◆] [CB]

⌂⌂ DES ARCADES ★★★
15, rue du Duc d'Aiguillion. M. Thebault
☎ 02 96 41 80 50 [FAX] 02 96 41 77 34
[🛏] 32 ◎ 300/480 F. ▣ 40 F.
[🍴] 78/158 F. [🛏] 39 F. ▣ 300/390 F.
⊠ 15 sept./31 mars.
[E] [D] [SP] [i] [⌂] [☎] [🔧] [✖] [🔧] [CV] [◆] [CB]

⌂⌂ DES DUNES ★★
MM. Feret
☎ 02 96 41 80 31 [FAX] 02 96 41 85 34
[🛏] 29 ◎ 340/400 F. ▣ 40 F.
[🍴] 110/380 F. [🛏] 75 F. ▣ 350/370 F.
⊠ 4 nov./26 mars, dim. soir et lun. oct.
[E] [D] [⌂] [🚗] [🔧] [✖] [CB]

⌂ DES MIELLES ★★
3, rue du Duc d'Aiguillion. M. Thebault
☎ 02 96 41 80 95 [FAX] 02 96 41 77 34
[🛏] 19 ◎ 250/330 F. ▣ 40 F.
[🍴] 75/115 F. [🛏] 37 F. ▣ 275/315 F.
⊠ 8 sept./31 mars.
[E] [D] [SP] [i] [⌂] [☎] [🔧] [🛏] [CV] [⌚] [◆] [CB]

SAINT GELVEN (B1-2)
22570 Côtes d'Armor
332 hab. ⓘ

▲ HOTELLERIE DE L'ABBAYE
Lieu-dit Bon Repos. M. Gadin
☎ 02 96 24 98 38
🛏 5 ⊗ 250/280 F. 🍽 32 F. 🍴 70/210 F.
🍴 49 F. 🍴 250/350 F.
⊠ mar. soir et mer.
🄴 🚗 👕 🐾 CB

SAINT GILLES VIEUX MARCHE (B2)
22530 Côtes d'Armor
430 hab.

EC DES TOURISTES ★
Mme Nevo
☎ 02 96 28 53 30
🛏 8 ⊗ 150 F. 🍽 22 F. 🍴 55/110 F.
🍴 40 F. 🍴 200 F.
⊠ fin sept./15 mai et sam.

SAINT NICOLAS DU PELEM (B1)
22480 Côtes d'Armor
1900 hab. ⓘ

▲ AUBERGE KREISKER ★★
11, place Kreisker. M. Le Chevillier
☎ 02 96 29 51 20 📠 02 96 29 53 70
🛏 12 ⊗ 230/260 F. 🍽 28 F.
🍴 72/176 F. 🍴 42 F. 🍴 200/290 F.
⊠ 15 jours fév., dim. soir et lun.
🄴 🄳 🄷 🄰 👕 ♿ CV ⌷ 🐾 CB

SAINT QUAY PORTRIEUX (A2)
22410 Côtes d'Armor
3500 hab. ⓘ

▲▲ LE GERBOT D'AVOINE ★★
2, bld du Littoral. M. Lucas
☎ 02 96 70 40 09 📠 02 96 70 34 06
🛏 20 ⊗ 210/345 F. 🍽 40 F.
🍴 85/285 F. 🍴 48 F. 🍴 260/335 F.
⊠ 6/27 janv., 17 nov./8 déc., dim. soir
et lun. hs.
🄴 🄷 🄰 🚗 ⛆ 👕 ♿ CV 🐾 CB ▦

SAINT SAMSON SUR RANCE (B3)
22100 Côtes d'Armor

>>> *voir DINAN*

TREBEURDEN (A1)
22560 Côtes d'Armor
4000 hab. ⓘ

▲▲ KER AN NOD ★★
Rue de Pors-Termen. M. Le Penven
☎ 02 96 23 50 21 📠 02 96 23 63 30
🛏 21 ⊗ 220/350 F. 🍽 35 F.
🍴 89/155 F. 🍴 59 F. 🍴 245/330 F.
⊠ 8 janv./14 fév. et 17 nov./17 déc.
🄴 🄳 🄷 🄰 ⛆ CV ⌷ 🐾 CB

TREGASTEL (A1)
22730 Côtes d'Armor
2000 hab. ⓘ

▲▲ BEAU SEJOUR ★★
M. Laveant
☎ 02 96 23 88 02 📠 02 96 23 49 73
🛏 16 ⊗ 260/350 F. 🍽 35 F.
🍴 65/250 F. 🍴 50 F. 🍴 280/340 F.
⊠ 15 nov./15 fév.
🄴 🄷 🄰 🚗 ⛆ CV 🐾 CB

▲▲▲ BELLE-VUE ★★★
20, rue des Calculots. Mme Le Goff
☎ 02 96 23 88 18 📠 02 96 23 89 91
🛏 31 ⊗ 330/530 F. 🍽 50 F.
🍴 90/250 F. 🍴 50 F. 🍴 335/515 F.
⊠ 5 oct./1er avr. Rest. lun. midi.
🄴 ⓘ 🄷 🄰 👕 CV 🐾 CB

TREVE (B2)
22600 Côtes d'Armor
1200 hab.

▲ LES GENETS D'OR ★
1, rue Jean Sohier. Mme Legoff
☎ 02 96 28 13 89 📠 02 96 67 71 13
🛏 14 ⊗ 100/220 F. 🍽 25 F.
🍴 60/180 F. 🍴 45 F. 🍴 170/240 F.
⊠ 15 jours déc., ven. soir et sam. midi.
🄴 🄷 🄰 🍴 🐾 CB

TREVOU TREGUIGNEC (A1)
22660 Côtes d'Armor
1210 hab.

▲▲▲ KER BUGALIC ★★
1, Côte de Trestel. M. Meunier
☎ 02 96 23 72 15 📠 02 96 23 74 71
🛏 18 ⊗ 290/425 F. 🍽 35 F.
🍴 108/255 F. 🍴 65 F. 🍴 325/405 F.
🄴 SP 🄷 🄰 🚗 👕 ♿ CV 🐾 CB

Le YAUDET EN PLOULECH (A1)
22300 Côtes d'Armor
850 hab.

▲ AR-VRO ★★
(Le Yaudet). M. Minne
☎ 02 96 46 48 80 📠 02 96 46 48 86
🛏 8 ⊗ 265/300 F. 🍽 48 F.
🍴 108/198 F. 🍴 48 F. 🍴 290 F.
⊠ 10 janv./1er avr., dim. soir et lun. hs.
🄴 🄷 🄰 🚗 ⛆ 🍴 ⌀ CV ⌷ 🐾 CB

**Liste des
hôtels-restaurants**

Finistère

C.R.T Bretagne / Schulte-Kellinghaus

Association départementale
des Logis de France du Finistère
Syndicat Hôtelier
2 rue Frédéric Le Guyader
29000 Quimper
Téléphone 02 98 95 12 31

BRETAGNE

29 - FINISTÈRE

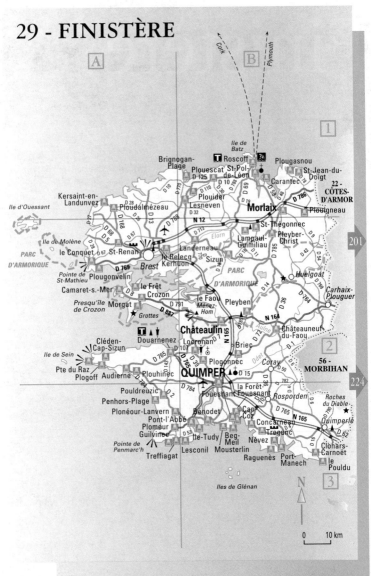

Légende p 21

AUDIERNE (A2)
29770 Finistère
2800 hab. [i]

▲▲ AU ROI GRADLON ★★
Sur la Plage. M. Auclert
☎ 02 98 70 04 51 📠 02 98 70 14 73
[120F] 🛏 19 ◷ 300/360 F. 🍴 40 F.
🍴 120/230 F. 🏃 80 F. 🚗 380/410 F.
✉ 6 janv./15 fév. Rest. 1er oct./1er avr.
[E] [D] [📷] [☎] [🚗] [🏊] [♿] [CV] [⚙] [🐾] [CB]

▲▲ DE LA PLAGE ★★
21, Manu Brusq. Mme Bosser
☎ 02 98 70 01 07 📠 02 98 75 04 69
🛏 27 ◷ 220/420 F. 🍴 40 F. 🍴 160 F.
🏃 80 F. 🚗 330/410 F.
✉ 1er oct./31 déc. Hôtel
1er janv./30 mars. Rest. 1er janv./9 juin.
[E] [D] [📷] [☎] [🚗] [🍴] [🏊] [♿] [CV] [⚙] [🐾]
[CB]

BEG MEIL (B3)
29170 Finistère
>>> *voir FOUESNANT*

BENODET (B3)
29950 Finistère
3000 hab. [i]

▲▲ ARMORIC HOTEL ★★★
3, rue de Penfoul. MM. Clément
☎ 02 98 57 04 03 📠 02 98 57 21 28
🛏 20 ◷ 200/750 F. 🍴 125/165 F.
🏃 65 F. 🚗 270/545 F.
[E] [D] [📷] [📷] [☎] [🚗] [🚗] [🍴] [🏊] [🏃] [♿]
[CV] [⚙] [🐾] [CB]

▲▲ DES BAINS DE MER ★★
11, rue de Kerguelen. M. Paris
☎ 02 98 57 03 41 📠 02 98 57 11 07
🛏 32 ◷ 240/350 F. 🍴 35 F.
🍴 70/150 F. 🏃 35 F. 🚗 260/320 F.
✉ 15 nov./15 mars.
[E] [📷] [☎] [🚗] [🍴] [🍴] [🏊] [⚙] [CV] [🐾] [CB]

▲▲ LE CORNOUAILLE ★★
62, av. de la Plage. M. Després
☎ 02 98 57 03 78 📠 02 98 57 09 80
🛏 30 ◷ 270/420 F. 🍴 39 F.
🍴 78/160 F. 🏃 50 F. 🚗 290/330 F.
✉ 30 sept./1er mai.
[E] [📷] [☎] [🍴] [🍴] [🚗] [CV] [🐾] [CB]

▲▲ LE MINARET ★★
(Corniche de l'Estuaire). Mme Kervran
☎ 02 98 57 03 13 📠 02 98 66 23 72
🛏 20 ◷ 260/430 F. 🍴 43 F.
🍴 95/210 F. 🏃 48 F. 🚗 280/400 F.
✉ 1er oct./3 avr. et mar. midi avr./mai.
[E] [D] [📷] [☎] [🚗] [🍴] [🚗] [🏊] [CV] [🐾] [CB]

BRIEC (B2)
29510 Finistère
4000 hab. [i]

▲▲ DU MIDI ★★
M. Le Long
☎ 02 98 57 90 10 📠 02 98 57 74 82

🛏 14 ◷ 260/280 F. 🍴 35 F.
[100F] 🍴 75/190 F. 🏃 50 F. 🚗 240 F.
✉ 24 déc./2 janv., sam. et dim. soir
sauf juil./août.
[E] [📷] [☎] [🚗] [🍴] [🍴] [♿] [🐾] [⚙]

BRIGNOGAN PLAGE (A-B1)
29890 Finistère
856 hab. [i]

▲ AR REDER MOR ★★
35, rue Général de Gaulle.
MeM. Le Bars/Jaffres
☎ 02 98 83 40 09 📠 02 98 83 56 11
🛏 25 ◷ 164/320 F. 🍴 32 F.
🍴 75/170 F. 🏃 45 F. 🚗 210/290 F.
✉ hôtel 30 nov./1er avr. Rest. 15 sept./
15 juin.
[E] [☎] [🍴] [🏃] [CV] [🐾] [CB]

CAMARET SUR MER (A2)
29570 Finistère
3000 hab. [i]

▲▲ DE FRANCE ★★
Sur le Port. M. Moreau
☎ 02 98 27 93 06 📠 02 98 27 88 14
[100F] 🛏 20 ◷ 190/460 F. 🍴 37 F.
🍴 76/268 F. 🏃 45 F. 🚗 250/350 F.
✉ 11 nov./31 mars.
[E] [D] [📷] [☎] [🍴] [🍴] [🚗] [CV] [⚙] [🐾] [CB]

CAP COZ (B3)
29170 Finistère
>>> *voir FOUESNANT*

CARANTEC (B1)
29660 Finistère
2600 hab. [i]

▲▲ DU PORS POL ★★
7, rue Surcouf. M. Bohic
☎ 02 98 67 00 52 📠 02 98 67 02 17
[120F] 🛏 30 ◷ 247/267 F. 🍴 36 F.
🍴 90/162 F. 🏃 52 F. 🚗 258/268 F.
✉ 22 sept./Pâques.
[E] [☎] [🚗] [🍴] [🏃] [▶] [♿] [🐾] [CB]

CHATEAULIN (B2)
29150 Finistère
5500 hab. [i]

▲▲ AU BON ACCUEIL ★★
A Port Launay. Mme Le Guillou
☎ 02 98 86 15 77 📠 02 98 86 36 25
[100F] 🛏 45 ◷ 160/320 F. 🍴 36 F.
🍴 76/210 F. 🏃 50 F. 🚗 150/320 F.
✉ janv., dim. soir et lun. 1er fév./30 avr.
et 1er oct./31 déc.
[E] [📷] [☎] [🍴] [🚗] [🍴] [🍴] [🏃] [▶] [♿]
[CV] [⚙] [🐾] [CB] [CR]

▲▲ LE CHRISMAS ★★
33, Grand Rue. Mme Feillant
☎ 02 98 86 01 24 📠 02 98 86 37 09
[100F] 🛏 20 ◷ 160/330 F. 🍴 34 F.
🍴 75/180 F. 🏃 46 F. 🚗 200/280 F.
✉ vac. Noël, sam. soir et dim. hs.
[E] [📷] [☎] [♿] [♿] [CV] [⚙] [🐾] [CB]

CHATEAUNEUF DU FAOU (B2)
29520 Finistère
3800 hab. ℹ️

🏨🏨 RELAIS DE CORNOUAILLE ★★
9, rue Paul Serusier M. Gourtay
☎ 02 98 81 75 36 📠 02 98 81 81 32
🛏 29 ◎ 230/270 F. 🍽 32 F.
🍴 68/190 F. 🛗 50 F. 🍽 225/255 F.
⊠ oct. Rest. sam. et dim. soir sauf
pensionnaires.
[E] 🖨 ☎ 🚗 🚙 ⚓ ⛵ 🌴 🎿 ♿ CV
📶 CB

CLEDEN CAP SIZUN (A2)
29770 Finistère
1420 hab.

🏨🏨 LE RELAIS DE LA POINTE DU VAN ★★
(Baie des Trépassés). Mme Brehonnet
☎ 02 98 70 62 79 📠 02 98 70 35 20
🛏 25 ◎ 252/376 F. 🍽 38 F.
🍴 100/210 F. 🛗 43 F. 🍽 307/369 F.
⊠ avr.
[E] [D] SP ☎ 🚗 ⚓ ⛵ 🌴 🎿 🕙 CV 📶
📶 CB

CLOHARS CARNOET (B3)
29360 Finistère
3678 hab.

... *à proximité*

Le POULDU (B3)
29360 Finistère
3330 hab. ℹ️

4,5 km Sud Clohars Carnoët par D 24

🏨🏨🏨 ARMEN ★★★
Route du Port. Mme Decaillet
☎ 02 98 39 90 44 📠 02 98 39 98 69
🛏 38 ◎ 290/460 F. 🍽 55 F.
🍴 90/230 F. 🛗 52 F. 🍽 330/450 F.
⊠ 30 sept./25 avr.
[E] [D] 🖨 ☎ 🚗 🚙 ⚓ ⛵ 🌴 🎿 🕙 CV
📶 CB 🎱

🏨 DES BAINS
Place des Grands Sables. M. Plumer
☎ 02 98 39 90 11 📠 02 98 39 90 88
🛏 25 ◎ 250/380 F. 🍽 35 F.
🍴 35/160 F. 🛗 50 F.
⊠ 25 sept./mai.
[E] 🖨 ☎ ⚓ CV 📶 CB

CONCARNEAU (B3)
29900 Finistère
20000 hab. ℹ️

🏨🏨 DES SABLES BLANCS ★★
Plage des Sables Blancs. M. Chabrier
☎ 02 98 97 01 39 📠 02 98 50 65 88
🛏 44 ◎ 190/350 F. 🍽 35 F.
🍴 85/195 F. 🛗 48 F. 🍽 230/402 F.
⊠ 5 oct./1er avr.
[E] [D] SP 🖨 ☎ 🚗 ⛵ 🌴 CV 📶 📶 CB

🏨 LES OCEANIDES ★★
3, rue au Lin. Mme Le Gac
☎ 02 98 97 08 61 📠 02 98 97 09 13

🛏 26 ◎ 185/270 F. 🍽 30 F.
🍴 70/180 F. 🛗 40 F. 🍽 190/242 F.
⊠ 6 oct./2 nov., dim. 1er nov./30 mars
et dim. soir 1er avr./ 30 juin.
[E] 🖨 ☎ 🕙 CV 📶 ⚓ CB 🎱

Le CONQUET (A2)
29217 Finistère
2007 hab. ℹ️

🏨 DE BRETAGNE ★
16, rue Lieutenant Jourden. M. Daviaud
☎ 02 98 89 00 02
🛏 17 ◎ 185 F. 🍽 35 F. 🍴 65/310 F.
🛗 45 F. 🍽 260/290 F.
⊠ 1er janv./15 mars, dim. soir et lun. hs.
[E] 🖨 ☎ 🚗 🕙 CV 📶 CB

CROZON (A2)
29160 Finistère
7705 hab.

🏨🏨 MODERNE ★★
61, av. Alsace-Lorraine. Mme Varlet
☎ 02 98 27 00 10 📠 02 98 26 19 21
🛏 34 ◎ 158/334 F. 🍽 35 F.
🍴 82/204 F. 🛗 47 F. 🍽 215/304 F.
[E] ℹ️ 🖨 ☎ 🚗 CV

... *à proximité*

Le FRET (A2)
29160 Finistère
300 hab. ℹ️

5 km Nord Crozon par D 155

🏨🏨 HOSTELLERIE DE LA MER ★★
(Sur Le Port). M. Glemot
☎ 02 98 27 61 90 📠 02 98 27 65 89
🛏 25 ◎ 230/350 F. 🍽 46 F.
🍴 105/260 F. 🛗 65 F. 🍽 297/350 F.
⊠ 6 janv./8 fév.
[E] 🖨 ☎ 🕙 CV 📶 ⚓ CB

MORGAT (A2)
29160 Finistère
8000 hab. ℹ️

3 km Sud Crozon par D 887

🏨🏨 JULIA ★
43, rue de Treflez. M. Boutron
☎ 02 98 27 05 89 📠 02 98 27 23 10
🛏 21 ◎ 170/290 F. 🍽 32 F.
🍴 79/295 F. 🛗 47 F. 🍽 250/310 F.
⊠ 13 nov./20 déc., 4 janv./20 fév. et
lun. sauf vac. scol. juil./août.
[E] ☎ 🚗 🌴 CV 📶 CB

DOUARNENEZ (A2)
29100 Finistère
20000 hab. ℹ️

🏨🏨 DE FRANCE ★★
4, rue Jean Jaurès. M. Doyen
☎ 02 98 92 00 02 📠 02 98 92 27 05
🛏 26 ◎ 215/330 F. 🍽 35 F.
🍴 95/225 F. 🛗 60 F. 🍽 250/280 F.
⊠ 6/13 janv., dim. soir et lun. sauf
juil./août.
[E] SP 🖨 ☎ 🚗 🌴 CV 📶 ⚓ CB 🎱 🎱

Le FAOU (B2)
29580 Finistère
1522 hab. 🛈

▲▲ LE RELAIS DE LA PLACE ★★
7, place aux Foires. M. Le Floch
☎ 02 98 81 91 19 🖷 02 98 81 92 58
🛏 34 ⬙ 250/270 F. 🍽 35 F.
🍴 73/250 F. 🍴 46 F. 🍽 225/235 F.
✉ sam. oct./avr.
Ⓔ 🖭 🖾 ☎ 🚗 CV ▮◦▮ � CB 🛆

La FORET FOUESNANT (B3)
29940 Finistère
2850 hab. 🛈

▲ AUX CERISIERS ★★
3, rue des Cerisiers. Mme Grataloup
☎ 02 98 56 97 24
🛏 16 ⬙ 300/380 F. 🍽 35 F.
🍴 85/240 F. 🍴 60 F. 🍽 295 F.
✉ 15 déc./15 janv., sam. et dim. soir
1er oct./30 avr.
Ⓔ 🖾 ☎ 🚗 🌴 🚶 ♦ CB

▲ BEAUSEJOUR ★★
47, place de la Baie. M. Le Lay
☎ 02 98 56 97 18 🖷 02 98 51 40 77
🛏 25 ⬙ 160/300 F. 🍽 35 F.
🍴 75/200 F. 🍴 48 F. 🍽 220/295 F.
✉ 15 oct./15 mars.
Ⓔ 🖾 ☎ 🚗 🌴 🚶 ♿ CV ♦ CB

▲▲ DE L'ESPERANCE ★★
Mme Tudal
☎ 02 98 56 96 58 🖷 02 98 51 42 25
🛏 27 ⬙ 160/340 F. 🍽 35 F.
🍴 90/220 F. 🍴 58 F. 🍽 225/295 F.
✉ 30 sept./25 mars. Rest. mer. midi.
Ⓔ SP 🖾 ☎ 🚗 🚶 CV ♦ 🛆

▲ DU PORT ★★
4, Corniche de la Cale Mme Paugam
☎ 02 98 56 97 33
🛏 10 ⬙ 190/320 F. 🍽 32 F.
🍴 75/175 F. 🍴 50 F. 🍽 230/320 F.
✉ dim. soir oct./Pâques.
Ⓔ 🖾 ☎ 🚗 🌴 🚶 CV ▮◦▮ ♦ CB 🛆

FOUESNANT (B3)
29170 Finistère
6500 hab. 🛈

▲ AUBERGE DU BON CIDRE ★★
37, rue de Cornouaille. Mlle Gléonec
☎ 02 98 56 00 16 🖷 02 98 51 60 15
🛏 28 ⬙ 175/290 F. 🍽 36 F.
🍴 75/150 F. 🍴 45 F. 🍽 226/286 F.
✉ fin nov./mi-fév. et lun. hs.
Ⓔ 🖾 ☎ 🚗 🌴 🚶 CV ♦ CB

▲ DES POMMIERS ★★
40, rue de Cornouaille. M. Boussard
☎ 02 98 56 00 26 🖷 02 98 51 60 33
🛏 11 ⬙ 120/250 F. 🍽 36 F.

🍴 50/140 F. 🍴 45 F. 🍽 199/285 F.
✉ 20 déc./1er fév., dim. soir et lun. hs.
Ⓔ Ⓓ 🖾 ☎ 🚗 🚗 🌴 🚶 ♿ CV ▮◦▮
♦ CB

▲▲ LE ROUDOU ★★
Mme Le Carre-Le Rhun
☎ 02 98 56 01 26 🖷 02 98 56 62 69
🛏 28 ⬙ 230/320 F. 🍽 30 F.
🍴 70/160 F. 🍴 42 F. 🍽 230/300 F.
✉ hôtel 30 sept./20 avr.
Ⓔ Ⓓ 🖾 ☎ 🚗 🌴 🚶 ♿ CV ▮◦▮
♦ CB

... à proximité

BEG MEIL (B3)
29170 Finistère
1000 hab. 🛈

5 km Sud Fouesnant par D 45

▲▲ DE BRETAGNE ★★
M. Jan
☎ 02 98 94 98 04 🖷 02 98 94 90 58
🛏 28 ⬙ 250/400 F. 🍽 35 F.
🍴 100/199 F. 🍴 55 F. 🍽 250/350 F.
✉ 1er oct./30 mars. Rest. mar. hs.
Ⓔ Ⓓ 🖾 ☎ 🚗 🖾 🌴 🚶 ♿ CV ▮◦▮
♦ CB

▲▲ THALAMOT ★★
Le Chemin Creux, Pointe de Beg-Meil.
M. Le Borgne
☎ 02 98 94 97 38 🖷 02 98 94 49 92
🛏 32 ⬙ 285/398 F. 🍽 37 F.
🍴 78/258 F. 🍴 60 F. 🍽 280/365 F.
✉ 1er oct./Pâques.
Ⓔ Ⓓ 🖾 ☎ 🖾 🌴 🚶 ♿ CV ▮◦▮ ♦
CB 🛆 🈺

CAP COZ (B3)
29170 Finistère
200 hab. 🛈

2,5 km S.E. Fouesnant par C 30

▲▲ BELLE-VUE ★★
30, descente de Belle Vue.
Mme Kernevez
☎ 02 98 56 00 33 🖷 02 98 51 60 85
🛏 20 ⬙ 180/370 F. 🍽 37 F.
🍴 85/165 F. 🍴 60 F. 🍽 210/310 F.
✉ hôtel 1er nov./1er mars. Rest. 20
sept./6 avr. et mar. sauf juil./août.
Ⓔ Ⓓ SP 🛈 ☎ 🚗 🌴 🚶 CV CB
🛆 🈺

▲▲ DE LA POINTE ★★
153, av. de la Pointe.
Mme Le Torch
☎ 02 98 56 01 63 🖷 02 98 56 53 20
🛏 18 ⬙ 238/400 F. 🍽 37 F.
🍴 100/255 F. 🍴 60 F. 🍽 248/346 F.
✉ 1er janv./15 fév., mer. et dim. soir
1er sept./30 juin.
Ⓔ Ⓓ ☎ 🖾 🚶 CV ▮◦▮ CB 🛆 🈺

MOUSTERLIN (B3)
29170 Finistère
400 hab.

6 km Sud Fouesnant par D 145

▲▲▲ DE LA POINTE DE MOUSTERLIN ★★
(Pointe de Mousterlin-Plages).
Mme Morvan
☎ 02 98 56 04 12 ℻ 02 98 56 61 02
⬧ 52 ⬨ 265/455 F. ⬛ 42 F.
⫿ 95/200 F. ⫼ 60 F. ⬚ 265/455 F.
⊠ 1er oct./11 avr.
E D ⬚ ☎ ⬛ ⬧ ⊤ ⬚ ⬛ ⬚ ⬚ ⬚
CV ⬚ ⬚ CB ⬚

Le FRET (A2)
29160 Finistère

>>> *voir CROZON*

GUILVINEC (A3)
29730 Finistère
3500 hab. ⓘ

▲▲ DU CENTRE
16, rue Général de Gaulle. M. Le Lann
☎ 02 98 58 10 44 ℻ 02 98 58 31 05
⬧ 17 ⬨ 200/330 F. ⬛ 36 F.
⫿ 65/240 F. ⫼ 45 F. ⬚ 270/320 F.
⊠ dim. soir nov./mars.
E ⬚ ☎ ⬛ ⊤ ⬚ ⬚ CV ⬚ CB

... *à proximité*

TREFFIAGAT (A3)
29730 Finistère
2360 hab. ⓘ

Limitrophe Guilvinec

▲▲ DU PORT ★★
Lieu-dit Lechiagat, 53, av. du Port.
M. Struillou
☎ 02 98 58 10 10 ℻ 02 98 58 29 89
⬧ 38 ⬨ 220/320 F. ⬛ 40 F.
⫿ 85/400 F. ⫼ 55 F. ⬚ 285/345 F.
E D ⬚ ⬚ ⬚ ☎ ⬚ ⬚ CV ⬚ CB
⬚ ⬚

ILE TUDY (B3)
29980 Finistère
500 hab. ⓘ

▲▲ DES DUNES ★★
9, av. de Bretagne. M. Conan
☎ 02 98 56 43 55 ℻ 02 98 56 37 41
⬧ 12 ⬨ 240/300 F. ⬛ 36 F.
⫿ 90/135 F. ⫼ 55 F. ⬚ 255/310 F.
⊠ 15 sept./31 mai.
E ⓘ ⬚ ☎ ⊤ ⬚ CV ⬚ CB

▲ MODERNE HOTEL
9, place de la Cale. M. Huitric
☎ 02 98 56 43 34 ℻ 02 98 51 90 70
⬧ 18 ⬨ 160/250 F. ⬛ 38 F.
⫿ 70/150 F. ⫼ 40 F. ⬚ 230/270 F.
⊠ hôtel 11 nov./1er avr. Rest.
11 nov./20 déc. et sam. hs.
E ⬚ ⬚ CV ⬚ CB

KERSAINT EN LANDUNVEZ (A1)
29840 Finistère
1200 hab. ⓘ

▲ HOSTELLERIE DU CASTEL ★★
Mmes Talarmin
☎ 02 98 48 63 35
⬧ 16 ⬨ 245/305 F. ⬛ 35 F.
⫿ 100/195 F. ⫼ 60 F. ⬚ 245/305 F.
⊠ 30 sept./Pâques et dim. soir/mar.
matin.
☎ ⬚ ⊤ ⬚

LAMPAUL GUIMILIAU (B2)
29400 Finistère
2200 hab. ⓘ

▲▲ DE L'ENCLOS ★★
Mme Caucino
☎ 02 98 68 77 08 ℻ 02 98 68 61 06
⬧ 36 ⬨ 268 F. ⬛ 32 F. ⫿ 69/200 F.
⫼ 48 F. ⬚ 260 F.
⊠ rest. ven. soir, sam. midi et dim. soir
1er nov./31 mars.
E ⬚ ☎ ⬚ ⊤ ⬚ CV ⬚ ⬚ CB ⬚

LANDERNEAU (B2)
29800 Finistère
16000 hab. ⓘ

▲▲▲ LE CLOS DU PONTIC ★★
Rue du Pontic.
M. Saout
☎ 02 98 21 50 91 ℻ 02 98 21 34 33
⬚ ⬧ 32 ⬨ 300/350 F. ⬛ 38 F.
⫿ 100/280 F. ⫼ 60 F. ⬚ 270/290 F.
⊠ entre Noël et Jour de l'An. Rest. sam.
midi, dim. soir et lun. hs.
E D SP ⬚ ☎ ⬚ ⬛ ⊤ ⬚ CV ⬚
⬚ CB

LESCONIL (B3)
29740 Finistère
2500 hab. ⓘ

▲▲ ATLANTIC ★★
11, rue Jean Jaurès.
Mme Toulemont
☎ 02 98 87 81 06 ℻ 02 98 87 88 04
⬚ ⬧ 23 ⬨ 190/300 F. ⬛ 35 F.
⫿ 85/200 F. ⫼ 45 F. ⬚ 250/295 F.
⊠ 1er oct./31 mars.
E ⬚ ☎ ⬚ ⬛ ⊤ ⬚ ⬚ CV ⬚ ⬚ CB

▲▲ DU PORT ★★
4, rue du Port.
M. Stephan
☎ 02 98 87 81 07 ℻ 02 98 87 85 23
⬚ ⬧ 24 ⬨ 240/330 F. ⬛ 35 F.
⫿ 85/240 F. ⫼ 40 F. ⬚ 285/335 F.
⊠ 30 sept./4 avr.
E ⬚ ⬚ CB

LESNEVEN (B1)
29260 Finistère
7000 hab. 𝑖

⛫⛫ LE WEEK-END ★★
(Pont du Châtel).D110 sortie Lesneven.
M. Froger
☎ 02 98 25 40 57 ｜FAX｜ 02 98 25 46 92
🛏 13 ⌂ 210/330 F. 🍴 35 F.
🍽 50/220 F. 🍷 45 F. 🛎 220/250 F.
✉ rest. lun. midi.
[icons]

LOCRONAN (B2)
29180 Finistère
800 hab. 𝑖

⛫⛫ LE PRIEURE ★★
11, rue du Prieuré.
Mme Le Gac
☎ 02 98 91 70 89 ｜FAX｜ 02 98 91 77 60
🛏 14 ⌂ 265/330 F. 🍴 37 F.
🍽 68/190 F. 🍷 40 F. 🛎 270/315 F.
✉ Toussaint/Pâques.
[icons]

MORGAT (A2)
29160 Finistère
>>> *voir CROZON*

MORLAIX (B1)
29600 Finistère
19541 hab. 𝑖

⛫ LE SHAKO ★★
Route de Lannion.
Mme Olivier
☎ 02 98 88 08 44 ｜FAX｜ 02 98 88 80 15
🛏 32 ⌂ 220/295 F. 🍴 32 F.
🍽 69/130 F. 🍷 38 F. 🛎 209/239 F.
✉ rest. dim.
[icons]

MOUSTERLIN (B3)
29170 Finistère
>>> *voir FOUESNANT*

NEVEZ (B3)
29920 Finistère
2574 hab.

... *à proximité*

PORT MANECH (B3)
29920 Finistère
2800 hab. 𝑖

4,5 km S.E. Névez par D 77

⛫⛫ DU PORT ★★
Rue de l'Aven. M. Danielou
☎ 02 98 06 82 17 ｜FAX｜ 02 98 06 62 70
🛏 31 ⌂ 240/400 F. 🍴 36 F.
🍽 86/260 F. 🍷 60 F. 🛎 240/340 F.
✉ fin sept./Pâques. Rest. lun. midi.
[icons]

RAGUENES (B3)
29920 Finistère
100 hab.

4 km Sud Névez par D 77

⛫⛫ CHEZ PIERRE ★★
27, rue des Iles. M. Guillou
☎ 02 98 06 81 06 ｜FAX｜ 02 98 06 62 09
🛏 35 ⌂ 189/418 F. 🍴 34 F.
🍽 100/270 F. 🍷 76 F. 🛎 214/358 F.
✉ 29 sept./27 mars. Rest. mer.
11 juin/10 sept.
[icons]

PENHORS (PLAGE) (A3)
29710 Finistère
>>> *voir POULDREUZIC*

PLEYBEN (B2)
29190 Finistère
3897 hab. 𝑖

⛫ AUBERGE DU POISSON BLANC
(A Pont Coblant).
M. Le Roux
☎ 02 98 73 34 76 ｜FAX｜ 02 98 73 31 21
🛏 6 ⌂ 220/350 F. 🍴 30 F. 🍽 75/250 F.
🍷 45 F. 🛎 225/255 F.
✉ lun. soir sauf juin./sept.
[icons]

PLEYBER CHRIST (B2)
29410 Finistère
2828 hab.

⛫ DE LA GARE ★★
2, rue Parmentier. M. Quillec
☎ 02 98 78 43 76 ｜FAX｜ 02 98 78 49 78
🛏 8 ⌂ 220/230 F. 🍴 30 F. 🍽 61/170 F.
🍷 44 F. 🛎 200/210 F.
✉ 20 déc./10 janv., sam. midi et dim.
soir sauf juil./août.
[icons]

PLOGOFF (A2)
29770 Finistère
2300 hab. 𝑖

⛫⛫ KERMOOR ★★
Route Pointe du Raz.Plage du Loch.
M. Cassegrain
☎ 02 98 70 62 06 ｜FAX｜ 02 98 70 32 69
🛏 16 ⌂ 170/335 F. 🍴 35 F.
🍽 80/285 F. 🍷 50 F. 🛎 255/347 F.
[icons]

PLOGOFF (POINTE DU RAZ) (A2)
29770 Finistère
2300 hab.

⛫⛫ DE LA BAIE DES TREPASSES ★★
Baie des Trépassés. M. Brehonnet
☎ 02 98 70 61 34 ｜FAX｜ 02 98 70 35 20
🛏 27 ⌂ 174/370 F. 🍴 38 F.
🍽 100/285 F. 🍷 43 F. 🛎 275/373 F.
✉ 5 janv./9 fév.
[icons]

PLOGONNEC (B2)
29180 Finistère
3100 hab. ⓘ

⚐ LE RELAIS DU NEVET ★
2, rue de la Mairie. Mme Coadou
☎ 02 98 91 72 36
🛏 9 🛄 180/220 F. 🍽 30 F. 🍴 65/125 F.
🍴 32 F. 🍴 200/220 F.
✉ 4/30 nov. et sam. hs.
🅴 ☎ 🛎 CV CB

PLOMEUR (A3)
29120 Finistère
3600 hab. ⓘ

⚐⚐ RELAIS BIGOUDEN ET LA FERME DU
RELAIS BIGOUDEN ★★
Rue Pen Allée. M. Cariou
☎ 02 98 82 04 79 🅵🅰🆇 02 98 82 09 62
🅿 28 🛄 225/298 F. 🍽 32 F.
🍴 69/230 F. 🍴 49 F. 🍴 265/310 F.
✉ ven. soir et dim. soir nov./mars.
🅴 🖥 ☎ 🛏 🛎 🚹 CV 🔌 ✆

PLONEOUR LANVERN (A3)
29720 Finistère
4800 hab. ⓘ

⚐⚐ DE LA MAIRIE ★★
3, rue Jules Ferry. M. Dilosquer
☎ 02 98 87 61 34 🅵🅰🆇 02 98 87 77 04
🛏 17 🛄 170/290 F. 🍽 35 F.
🍴 68/220 F. 🍴 52 F. 🍴 220/290 F.
✉ 1er/20 janv. et 22/31 déc.
🅴 🖥 ☎ 🛏 🛎 CV 🔌 ✆ CB

⚐⚐ DES VOYAGEURS ★★
(Derrière l'église) M. Legrand
☎ 02 98 87 61 35 🅵🅰🆇 02 98 82 62 82
🛏 12 🛄 165/215 F. 🍽 35 F.
🍴 69/320 F. 🍴 50 F. 🍴 220/275 F.
✉ 1er/15 nov., ven. soir et sam. midi hs.
🅴 🖥 ☎ 🛏 🛎 ⬛ 🚹 CV 🔌 ✆ CB

PLOUDALMEZEAU (A1)
29830 Finistère
4874 hab. ⓘ

⚐ DES VOYAGEURS ★
1, rue Henri Provostic. M. Marzin
☎ 02 98 48 10 13 🅵🅰🆇 02 98 48 19 92
🛏 9 🛄 150/250 F. 🍽 32 F. 🍴 78/200 F.
🍴 50 F. 🍴 195/240 F.
✉ 1er/15 mars, 12 nov./15 déc., dim.
soir et lun., juil./août lun.
🖥 ☎ CV ✆ CB

PLOUESCAT (B1)
29430 Finistère
4000 hab. ⓘ

⚐⚐ LA CARAVELLE ★★
20, rue du Calvaire. Mme Creach
☎ 02 98 69 61 75 🅵🅰🆇 02 98 61 92 61
🛏 17 🛄 240/290 F. 🍽 32 F.
🍴 66/190 F. 🍴 50 F. 🍴 215/245 F.

✉ 13 janv./12 fév. Rest. lun. sauf
1er juil./15 sept.
🅴 🖥 🖥 ☎ 🛏 🚳 🚹 CV 🔌 ✆ CB 🅲🆁

PLOUGASNOU (B1)
29630 Finistère
3530 hab. ⓘ

⚐ L'ABBESSE ★★
20, rue de l'Abbesse. Mme Thomas
☎ 02 98 72 32 43 🅵🅰🆇 02 98 72 41 99
🛏 15 🛄 210/230 F. 🍽 30 F.
🍴 79/250 F. 🍴 47 F. 🍴 210/250 F.
✉ 1er janv./15 mars et 15 oct./31 déc.
🅴 SP ☎ 🛏 🛎 ⬛ 🚹 CV 🔌 ✆ CB

PLOUGONVELIN (A2)
29217 Finistère
2167 hab. ⓘ

⚐⚐⚐ HOSTELLERIE DE LA POINTE SAINT
MATHIEU ★★★
Pointe Saint-Mathieu. M. Corre
☎ 02 98 89 00 19 🅵🅰🆇 02 98 89 15 68
🛏 15 🛄 270/400 F. 🍽 38 F.
🍴 98/400 F. 🍴 50 F. 🍴 285/355 F.
✉ 6 janv./4 fév. Rest. dim. soir sauf
résidents.
🅴 🆅 SP 🖥 ☎ 🛏 ⬛ 🛎 ⬛ 🚹 CV 🔌
✆ CB

PLOUHINEC (A2)
29780 Finistère
5000 hab. ⓘ

⚐⚐ TY-FRAPP ★★
32, rue de Rozavot. M. Urvois
☎ 02 98 70 89 90 🅵🅰🆇 02 98 70 81 04
🛏 16 🛄 240/280 F. 🍽 36 F.
🍴 68/200 F. 🍴 50 F. 🍴 280/320 F.
✉ 6/21 oct., 22 déc./21 janv., dim. soir
et lun.
🅴 🖥 ☎ 🛏 🛎 CV 🔌 ✆ CB

PLOUIDER (B1)
29260 Finistère
1800 hab.

⚐⚐⚐ DE LA BUTTE ★★★
M. Becam
☎ 02 98 25 40 54 🅵🅰🆇 02 98 25 44 17
🛏 25 🛄 260/340 F. 🍽 40 F.
🍴 92/270 F. 🍴 46 F. 🍴 305/335 F.
✉ rest. dim. soir et lun.
🅴 SP ⓘ 🖥 ☎ 🛏 ⬛ 🛎 🚹 ⬛ CV
🔌 ✆ CB ⬛

PLOUIGNEAU (B1)
29234 Finistère
4200 hab.

⚐ AN TY KORN
M. Jacq
☎ 02 98 67 72 72
🛏 7 🛄 200/220 F. 🍽 30 F. 🍴 80/220 F.
🍴 50 F. 🍴 260/280 F.
✉ 15 sept./10 oct., dim. soir et lun. hs.
🅴 🛏 🛎 CV 🔌

PONT L'ABBE (A-B3)
29120 Finistère
8000 hab. 🛈

AA DE BRETAGNE ★★
24, place de la République. Mme Cossec
☎ 02 98 87 17 22 🅵🅰🆇 02 98 82 39 31
🛏 18 ⬚ 250/390 F. 🍽 39 F.
🍴 73/230 F. 🍴 60 F. 🛏 295/365 F.
⊠ 15 janv./5 fév. Rest. lun. hs.
🄴 🗖 🕾 🚗 CV ⚓ CB 📷 CR

PORT MANECH (B3)
29920 Finistère
》》》 *voir NEVEZ*

POULDREUZIC (A3)
29710 Finistère
2300 hab. 🛈

AA KER ANSQUER ★★★
(Lababan). Mme Duduyer
☎ 02 98 54 41 83 🅵🅰🆇 02 98 54 32 24
🛏 11 ⬚ 340/350 F. 🍽 38 F.
🍴 100/300 F. 🍴 65 F. 🛏 340/350 F.
⊠ 1er nov./1er avr.
🄴 🄳 🗖 🕾 🚗 🕇 🐾 ⚓ CB

AA LE CAPRICORNE ★★
15, rue de Pont L'Abbé.
M. Guichaoua
☎ 02 98 54 40 06 🅵🅰🆇 02 98 54 42 92
🛏 12 ⬚ 250/300 F. 🍽 39 F.
🍴 73/195 F. 🍴 40 F. 🛏 270/300 F.
⊠ vac. scol. fév. et ven. après-midi sauf
juil./août.
🄴 🗖 🕾 🚗 🏱 🕇 🐾 🐾 CV CB 📷 CR

... *à proximité*

PENHORS (PLAGE) (A3)
29710 Finistère
170 hab. 🛈

4 km Ouest Pouldreuzic par D 40

AAA BREIZ-ARMOR ★★
Plage de Penhors. M. Segalen
☎ 02 98 51 52 53 🅵🅰🆇 02 98 51 52 30
🛏 26 ⬚ 290/390 F. 🍽 34/ 38 F.
🍴 72/248 F. 🍴 25 F. 🛏 335/390 F.
⊠ janv./fév. Rest. lun. hs. sauf résidents.
🌐 🗖 🕾 🚗 🏱 🕇 🖫 🐾 🐾 CV
🔆 ⚓

Le POULDU (B3)
29360 Finistère
》》》 *voir CLOHARS CARNOET*

QUIMPER (B2-3)
29000 Finistère
60510 hab. 🛈

AA LA TOUR D'AUVERGNE ★★★
13, rue des Reguaires. Mme Le Brun
☎ 02 98 95 08 70 🅵🅰🆇 02 98 95 17 31
🛏 41 ⬚ 470/550 F. 🍽 53 F.
🍴 110/230 F. 🍴 68 F. 🛏 415/455 F.

⊠ hôtel 31 déc./1er janv. Rest. 21 déc./
5 janv., sam. midi 1er mai/15 juil.,sam.
soir et dim 1er oct./30 avr.
🄴 🄳 🗖 🕾 🚗 🚗 ⬚ 🏱 CV 🔆 ⚓ CB CR

RAGUENES (B3)
29920 Finistère
》》》 *voir NEVEZ*

Le RELECQ KERHUON (A-B2)
29480 Finistère
10569 hab.

AA RELAIS CONFORT ★★
Av. du Général de Gaulle. Mme Bellec
☎ 02 98 28 28 44 🅵🅰🆇 02 98 28 05 65
🛏 42 ⬚ 160/260 F. 🍽 32 F. 🍴 57/90 F.
🍴 38 F. 🛏 220/350 F.
⊠ rest. dim. soir hs.
🄴 🄳 🗖 🕾 🚗 🏱 🕇 🐾 🐾 CV 🔆
⚓ CB 📷 CR

ROSCOFF (B1)
29680 Finistère
5000 hab. 🛈

AA BELLEVUE ★★
(Direction Ferry et les Viviers).
M. Pichon
☎ 02 98 61 23 38 🅵🅰🆇 02 98 61 11 80
🛏 18 ⬚ 280/400 F. 🍽 38 F.
🍴 120/265 F. 🍴 65 F. 🛏 270/350 F.
⊠ 12 nov./20 mars. Rest. lun. hors vac.
scol.
🄴 🗖 🕾 🕇 CV ⚓ CB

A DU CENTRE ★★
5, rue Gambetta. Mme Le Dru
☎ 02 98 61 24 25
🛏 15 ⬚ 180/300 F. 🍽 30 F.
🍴 80/175 F. 🍴 42 F. 🛏 210/270 F.
⊠ 1ère quinzaine janv. et jeu.
🄴 🄳 SP 🗖 🕾 ⚓ CB

AA LES CHARDONS BLEUS ★★
4, rue Amiral Reveillère.
M. Kerdiles
☎ 02 98 69 72 03 🅵🅰🆇 02 98 61 27 86
🛏 10 ⬚ 260/310 F. 🍽 38 F.
🍴 85/200 F. 🍴 50 F. 🛏 260/310 F.
⊠ 31 janv./1er mars, jeu. sauf juil./août
et dim. soir nov./ mars.
🄴 🗖 🕾 🍴 CV 🔆 ⚓

SAINT JEAN DU DOIGT (B1)
29630 Finistère
661 hab. 🛈

A LE TY PONT ★★
Place Robert Le Meur. M. Remeur
☎ 02 98 67 34 06 🅵🅰🆇 02 98 67 85 94
🛏 28 ⬚ 196/232 F. 🍽 34 F.
🍴 75/137 F. 🍴 52 F. 🛏 196/232 F.
⊠ 31 oct./19 mars, dim. et lun. sauf
15 juin/13 sept.
🄴 🕾 🕇 🐾 CV CB

b r e t a g n e

SAINT POL DE LEON (B1)
29250 Finistère
7998 hab. 🛈

🏠🏠 DE FRANCE ★★
29, rue des Minimes. Mme Saillard
☎ 02 98 29 14 14 📠 02 98 29 10 57
🛏 22 ⬡ 250/300 F. 🍽 38 F.
🍴 85/200 F. 🍴 50 F. 🍽 260/280 F.
⊠ 1er janv./28 fév. et lun. oct./mai.
🇪 🇩 ⬜ ☎ 🚗 💺 ⛲ 👤 CV ▮ ⬆ CB

SAINT RENAN (A2)
29290 Finistère
6700 hab. 🛈

🏠 DES VOYAGEURS
16, rue St-Yves. M. Le Dot
☎ 02 98 84 21 14 📠 02 98 84 37 84
🛏 18 ⬡ 170/280 F. 🍽 30 F.
🍴 55/235 F. 🍴 55 F. 🍽 175/230 F.
⊠ rest. dim. soir Toussaint/Pâques.
🇪 ⬜ ☎ 🚗 CV ▮ ⬆

SAINT THEGONNEC (B2)
29223 Finistère
2000 hab. 🛈

🏠🏠🏠 AUBERGE SAINT THEGONNEC ★★★
6, place de la Mairie. M. Le Coz
☎ 02 98 79 61 18 📠 02 98 62 71 10
🛏 19 ⬡ 300/400 F. 🍽 35 F.
🍴 80/265 F. 🍴 68 F. 🍽 300/350 F.
⊠ 22 déc./8 janv., dim. soir et lun. sauf juil./août.
🇪 ⬜ ☎ 🚗 ⛲ 👤 CV ▮ ⬆ CB

SIZUN (B2)
29450 Finistère
1811 hab. 🛈

🏠🏠 DES VOYAGEURS ★★
2, rue de l'Argoat. M. Corre
☎ 02 98 68 80 35 📠 02 98 24 11 49
🛏 28 ⬡ 170/265 F. 🍽 35 F.
🍴 70/140 F. 🍴 53 F. 🍽 190/235 F.
⊠ 5/28 sept., sam. soir et dim. soir nov./Pâques.
🇪 ⬜ ☎ 🚗 🏠 ⛲ 💺 CV ⬆ CB

🏠 LE CLOS DES 4 SAISONS ★★
2, rue de la Paix. M. Gillette
☎ 02 98 68 80 19 📠 02 98 24 11 93
🛏 19 ⬡ 120/240 F. 🍽 27 F.
🍴 59/119 F. 🍴 49 F. 🍽 160/215 F.
⊠ 1ère semaine sept.
🇪 ⬜ ☎ 🚗 🏠 ⛲ 🌴 💺 CV ▮ ⬆ CB

TREFFIAGAT (A3)
29730 Finistère
>>> *voir GUILVINEC*

TREGUNC (B3)
29910 Finistère
6200 hab. 🛈

🏠🏠🏠 LES GRANDES ROCHES ★★★
Route de Kerahlon. Mme Henrich
☎ 02 98 97 62 97 📠 02 98 50 29 19
🛏 21 ⬡ 260/550 F. 🍽 45 F.
🍴 98/240 F. 🍴 55 F. 🍽 260/450 F.
⊠ hôtel 15 déc./15 janv., vac. scol. fév. Rest. 12 nov./fin mars, lun. et midis sauf fériés et week-ends.
🇪 🇩 SP 🛈 ☎ 🚗 ⛲ 🌴 ⬆ CB

Para hacer su reserva de acuerdo con sus criterios y beneficiare de las promociones especiales, llame por teléfono a la central de reservas Logis de France. Tél. : 01 45 84 83 84.

**Liste des
hôtels-restaurants**

Ille-
et-Vilaine

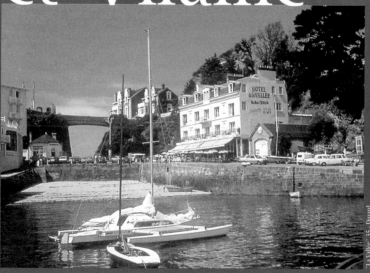

La Vallée - 35 - Dinard

Association départementale
des Logis de France de l'Ille-et-Vilaine
Syndicat Hôtelier
74 bd de Rochebonne
35400 Saint-Malo
Téléphone 02 99 56 60 95

BRETAGNE

29 FINISTÈRE
22 CÔTES-D'ARMOR — St-Brieuc
Quimper
Rennes
56 MORBIHAN
35 ILLE-ET-VILAINE
Vannes

35 - ILLE-ET-VILAINE

538

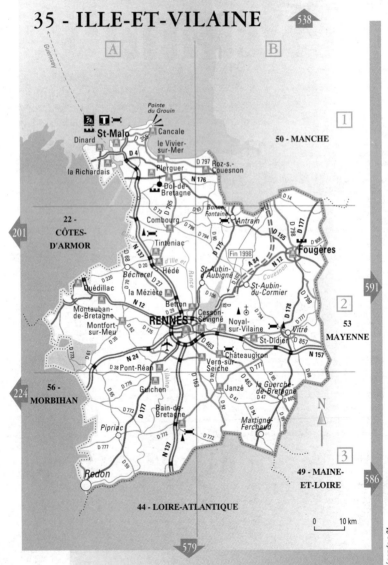

A **B**

Guernesey

Pointe du Grouin

St-Malo
Cancale
Dinard
le Vivier-sur-Mer

50 - MANCHE 1

la Richardais
D 4
Plerguer
D 797
Roz-s.-Couesnon
N 176
Dol-de-Bretagne
D 14

22 -
CÔTES-
D'ARMOR

Bonne Fontaine
Antrain
D 73 D 795
D 63
Combourg
D 796 D 794
D 177
D 155
D 806
Fougères

Tinténiac
D 68
N 137
Hédé
D 20
Fin 1998
A 84
N 12
Couesnon

201

Bécherel
D 27
la Mézière
St-Aubin-d'Aubigné
St-Aubin-du-Cormier
D 178
D 798

Quédillac
D 220
D 106

2
53
MAYENNE

591

Montauban-de-Bretagne
N 12
Betton
D 29
Cesson-Sévigné
D 794
D 777
Vitré
D 857

Montfort-sur-Meu
D 82 D 125
RENNES
Noyal-sur-Vilaine
St-Didier
N 157

D 62 D 35
D 463
Châteaugiron
D 777

56 -
MORBIHAN

224

D 73 D 61
N 24
Pont-Réan
Vern-sur-Seiche
D 92

D 38
D 183
Janzé
D 463
la Guerche-de-Bretagne
D 805

Guichen
D 85
D 776
D 41
D 47

D 772
D 177
Bain-de-Bretagne
N
D 92

Pipriac
D 772
Martigné-Ferchaud
D 805

D 777
D 58
N 137
D 772

3

Redon

49 - MAINE-
ET-LOIRE

586

44 - LOIRE-ATLANTIQUE

0   10 km

Légende p 21

579

BAIN DE BRETAGNE (A3)
35470 Ille et Vilaine
5316 hab. [i]

▲ DES 4 VENTS ★
1-3, route de Rennes. M. Quere
☎ 02 99 43 71 49 FAX 02 99 43 74 80
🛏 20 ⬚ 120/210 F. 🍽 25 F.
🍴 70/180 F. 🍴 45 F. 🛏 170/200 F.
⌧ 20 déc./15 janv., 1er mai, dim. soir et
lun. 15 sept./30 avr.

BETTON (A2)
35830 Ille et Vilaine
9000 hab.

▲ DE LA LEVEE ★
4, rue d'Armorique.
M. Louazel
☎ 02 99 55 81 18 FAX 02 99 55 01 73
🛏 10 ⬚ 120/240 F. 🍽 26 F.
🍴 55/135 F. 🍴 50 F. 🛏 145/185 F.
⌧ 9/22 mars, 29 juin/15 juil. Rest. dim.
soir et lun.

CANCALE (A1)
35260 Ille et Vilaine
5000 hab. [i]

▲▲ DE LA POINTE DU GROUIN ★★
Mme Simon
☎ 02 99 89 60 55 FAX 02 99 89 92 22
🛏 16 ⬚ 390/520 F. 🍽 45 F.
🍴 115/315 F. 🍴 70 F. 🛏 380/445 F.
⌧ 1er oct./28 mars. Rest. mar.

▲▲ EMERAUDE ★★
7, quai Albert Thomas.
M. Chouamier-Grossin
☎ 02 99 89 61 76 FAX 02 99 89 88 21
🛏 11 ⬚ 290/490 F. 🍽 45 F.
🍴 100/290 F. 🍴 60 F. 🛏 310/410 F.
⌧ 24 fév./11 mars, 1er/21 déc. et jeu.

▲▲▲ LE CONTINENTAL ★★★
Sur le Port. M. Chouamier
☎ 02 99 89 60 16 FAX 02 99 89 69 58
🛏 19 ⬚ 350/680 F. 🍽 50 F.
🍴 130/380 F. 🍴 45 F. 🛏 335/500 F.
⌧ 5 janv./15 fév., lun. et mar. midi.

▲▲ LE PHARE ★★
6, quai Albert Thomas. M. Lebret
☎ 02 99 89 60 24 FAX 02 99 89 91 75
🛏 11 ⬚ 250/450 F. 🍽 40 F.
🍴 100/315 F. 🍴 70 F. 🛏 300/400 F.
⌧ 15 nov./15 fév. et mer.

CESSON SEVIGNE (B2)
35510 Ille et Vilaine
18000 hab.

▲▲▲ GERMINAL ★★★
9, cours de la Vilaine. M. Goualin
☎ 02 99 83 11 01 FAX 02 99 83 45 16
🛏 19 ⬚ 325/450 F. 🍽 40/ 45 F.
🍴 92/250 F. 🍴 55 F.
⌧ 22 déc./4 janv. Rest. 3/19 août et
dim.

CHATEAUGIRON (B2)
35410 Ille et Vilaine
5000 hab. [i]

▲▲ AUBERGE DU CHEVAL BLANC ★
7 et 9, rue de la Madeleine
M. Cottebrune
☎ 02 99 37 40 27 FAX 02 99 37 59 68
🛏 11 ⬚ 150/245 F. 🍽 29 F.
🍴 67/168 F. 🍴 55 F. 🛏 160/210 F.
⌧ 26/31 déc., dim. soir et lun. midi.

COMBOURG (A2)
35270 Ille et Vilaine
5000 hab. [i]

▲▲▲ DU CHATEAU ★★
1, place Chateaubriand. Mme Pelé
☎ 02 99 73 00 38 FAX 02 99 73 25 79
🛏 32 ⬚ 250/598 F. 🍽 46 F.
🍴 89/237 F. 🍴 50 F. 🛏 290/450 F.
⌧ 15 déc./15 janv., dim. soir hs et lun.
midi.

▲▲ DU LAC ★★
2, place Chateaubriant. M. Hamon
☎ 02 99 73 05 65 FAX 02 99 73 23 34
🛏 28 ⬚ 220/330 F. 🍽 35 F.
🍴 65/200 F. 🍴 48 F. 🛏 220/275 F.
⌧ nov., ven. et dim. soir hs.

DINARD (A1)
35800 Ille et Vilaine
10000 hab. [i]

▲ ALTAIR ★★
18, bld Féart. Mme Lemenager
☎ 02 99 46 13 58 FAX 02 99 88 20 49
🛏 21 ⬚ 190/400 F. 🍽 35 F.
🍴 88/200 F. 🍴 50 F. 🛏 220/340 F.
⌧ 15 nov./15 déc. Rest. dim. soir et lun.
en hiver.

▲▲ LA VALLEE ★★
6, av. George V. M. Trihan
☎ 02 99 46 94 00 FAX 02 99 88 22 47
🛏 23 ⬚ 200/500 F. 🍽 40 F.
🍴 100/300 F. 🍴 60 F. 🛏 250/370 F.
⌧ 15 nov./20 déc., 3 semaines janv.
et mar. sauf Pâques/fin sept.

DINARD (A1) (suite)

▲▲ LES TILLEULS ★★
36, rue de la Gare. M. Gauvin
☎ 02 99 82 77 00 ⨳ 02 99 82 77 55
🛏 53 ⬡ 200/402 F. ⬛ 36 F.
🍴 75/160 F. 🍽 50 F. 🎪 240/335 F.
⊠ dim. soir 30 sept./30 mars.
[E] [D] 🗔 🖭 🖹 🚗 🛥 👤 [CV] [CB]

... *à proximité*

La *RICHARDAIS* (A1)
35780 Ille et Vilaine
1801 hab.

4 km Sud Dinard par D 114

▲ LE PETIT ROBINSON ★★
38, rue de la Gougeonnais. M. Nicolle
☎ 02 99 46 14 82 ⨳ 02 99 16 05 74
🛏 7 ⬡ 260/350 F. ⬛ 30 F. 🍴 95/180 F.
🍽 50 F. 🎪 240/280 F.
⊠ après vac. Toussaint/1er avr.
[E] [SP] 🗔 🖹 🚗 👤 🛥 ⛵ [CV] [⫼]
⚓ [CB]

DOL DE BRETAGNE (A1)
35120 Ille et Vilaine
5000 hab. 🛈

▲▲ DE BRETAGNE ★★
17, place Chateaubriand.
M. Haelling-Morel
☎ 02 99 48 02 03 ⨳ 02 99 48 25 75
🛏 27 ⬡ 126/295 F. ⬛ 28 F.
🍴 60/155 F. 🍽 37 F. 🎪 147/225 F.
⊠ oct., 1ère semaine vac. fév. et sam.
oct./mars.
[E] 🗔 🖹 🚗 👤 🛥 [CV] ⚓ [CB] 🖵

▲ LA BRESCHE ARTHUR ★★
36, bld Deminiac. M. Martel
☎ 02 99 48 01 44 ⨳ 02 99 48 16 32
🛏 24 ⬡ 160/280 F. ⬛ 38 F.
🍴 78/195 F. ⬛ 60 F. 🎪 200/275 F.
⊠ fév. Rest. dim. soir et lun. sauf
juil./août.
[E] [SP] 🗔 🖹 🚗 👤 🛥 ⛵ [⫼] ⚓ [CB] 🖵

FOUGERES (B2)
35300 Ille et Vilaine
30000 hab. 🛈

▲ TAVERNE HOTEL DU COMMERCE ★
Place de l'Europe. Mme Baudouin
☎ 02 99 94 40 40 ⨳ 02 99 99 17 15
🛏 24 ⬡ 220/250 F. ⬛ 30 F.
🍴 67/130 F. 🍽 42 F. 🎪 185/220 F.
[E] 🗔 🖭 🚗 👤 🛥 [CV] [CB]

GUICHEN (A3)
35580 Ille et Vilaine
5000 hab. 🛈

▲▲ DU COMMERCE ★★
34, rue du Général Leclerc. M. Bertin
☎ 02 99 57 01 14 ⨳ 02 99 57 34 67
🛏 19 ⬡ 198/265 F. ⬛ 28 F.
🍴 55/155 F. 🍽 45 F. 🎪 195/220 F.
⊠ 4/18 août et sam.
[E] 🗔 🖭 🖹 🚗 👤 🛥 [CV] [⫼] ⚓

HEDE (A2)
35630 Ille et Vilaine
749 hab. 🛈

▲▲▲ LE VIEUX MOULIN ★★
Mme Piro
☎ 02 99 45 45 70 ⨳ 02 99 45 44 86
🛏 13 ⬡ 250/280 F. ⬛ 37 F.
🍴 95/240 F. 🍽 65 F. 🎪 250/280 F.
⊠ 20 déc./1er fév., dim. soir et lun. hs
sauf jours fériés.
[E] [D] [SP] 🗔 🖹 🚗 👤 🛥 ⛵ 👤 [⫼] ⚓

JANZE (B3)
35150 Ille et Vilaine
4800 hab.

▲ LE LION D'OR ★
30, rue Aristide Briand. M. Rohr
☎ 02 99 47 03 21 ⨳ 02 99 47 29 88
🛏 8 ⬡ 190/230 F. ⬛ 20 F. 🍴 65/170 F.
🍽 45 F. 🎪 175/230 F.
⊠ 30 août/16 sept., dim. soir et lun.
[E] [D] 🗔 🖹 🚗 🛥 ⚓ [CB]

La MEZIERE (A2)
35520 Ille et Vilaine
1610 hab.

▲ LE BEAUSEJOUR ★★
19, rue de Macéria. M.Me Houeix
☎ 02 99 69 38 12 ⨳ 02 99 69 38 70
🛏 18 ⬡ 150/240 F. ⬛ 28 F.
🍴 51/118 F. 🍽 40 F. 🎪 200/250 F.
⊠ sam. soir/dim. soir.
[E] 🗔 🖹 🚗 👤 [⫼] ⚓ [CB]

MONTAUBAN DE BRETAGNE (A2)
35360 Ille et Vilaine
3500 hab.

▲ DE FRANCE ★★
34, rue Général de Gaulle.
M. Le Metayer
☎ 02 99 06 40 19
🛏 10 ⬡ 125/240 F. ⬛ 35 F.
🍴 68/160 F. 🍽 45 F. 🎪 200/270 F.
⊠ 1er/16 oct., 30 déc./25 janv. et
lun. hs.
[E] [SP] 🗔 🖹 🚗 [CV] ⚓ [CB] 🖵

▲ DE LA HUCHERAIS ★★
La Hucherais. M. Meheust
☎ 02 99 06 54 31 ⨳ 02 99 06 40 29
🛏 14 ⬡ 230/260 F. ⬛ 32 F.
🍴 55/140 F. 🍽 32 F. 🎪 195/205 F.
⊠ rest. sam. soir et dim.
[E] 🗔 🖹 🚗 👤 🖭 👤 [CV] ⚓ [CB]

MONTFORT SUR MEU (A2)
35160 Ille et Vilaine
5000 hab. 🛈

▲▲ LE RELAIS DE LA CANE ★★
2, rue de la Gare. M. Despierre
☎ 02 99 09 00 07 ⨳ 02 99 09 18 77
🛏 13 ⬡ 185/250 F. ⬛ 25 F.
🍴 48/128 F. 🍽 40 F. 🎪 200/280 F.
⊠ sam. et dim. soir sauf juil./août.
[E] [D] 🗔 🖹 🚗 👤 [CV] ⚓ [CB]

NOYAL SUR VILAINE (B2)
35530 Ille et Vilaine
4000 hab.

▲▲ LES FORGES ★★
22, av. Général de Gaulle. M. Pilard
☎ 02 99 00 51 08 [FAX] 02 99 00 62 02
100F 🛏 11 🕙 225/310 F. ▬ 30 F.
🍴 95/198 F. 🍴 65 F.
⊠ 2ème et 3ème semaine août, dim.
soir et soirs fériés.
[E] [D] 🖥 🖥 ☎ 🚗 ⊱ [i•] ◆ [CB] ▪

PLERGUER (A1)
35540 Ille et Vilaine
1853 hab.

▲ AUBERGE DE L'ETRIER
5, rue de la Libération.
Mme Umbdenstock
☎ 02 99 58 13 38
100F 🛏 8 🕙 170/300 F. ▬ 30 F. 🍴 50/120 F.
🍴 35 F. 🚻 180/235 F.
⊠ fév. et lun. soir hs.
[E] [D] [SP] [i] 🚗 [&] [i•] ◆ [CB]

PONT REAN (A2)
35580 Ille et Vilaine
1500 hab.

▲▲ LE GRAND HOTEL ★★
84, rue de Redon.
M. Guillet
☎ 02 99 42 21 72 [FAX] 02 99 42 28 17
🛏 18 🕙 255 F. ▬ 32 F. 🍴 68/215 F.
🍴 45 F. 🚻 215/285 F.
⊠ rest. dim. soir et lun.
[E] 🖥 ☎ 🚗 ⊱ [i•] 🏕 [&] CV [i•] ◆ [CB]

QUEDILLAC (A2)
35290 Ille et Vilaine
1000 hab.

▲▲ RELAIS DE LA RANCE ★★
6, rue de Rennes. MM. Guitton/Chevrier
☎ 02 99 06 20 20 [FAX] 02 99 06 24 01
🛏 13 🕙 230/360 F. ▬ 35 F.
🍴 105/330 F. 🍴 58 F. 🚻 290/360 F.
⊠ 24 déc./8 janv. et dim. soir sauf
juil./août.
[E] 🖥 🖥 ☎ 🚗 [i•] ◆ [CB]

RENNES (A2)
35000 Ille et Vilaine
203533 hab. [i]

▲▲ GARDEN HOTEL ★★
3, rue Duhamel (angle av. Janvier).
Mme Pigeon
☎ 02 99 65 45 06 [FAX] 02 99 65 02 62
🛏 24 🕙 235/300 F. ▬ 32 F.
🍴 88/168 F.
⊠ hôtel 24 déc./4 janv. Rest. sam. midi,
dim. et jours fériés.
[E] [SP] 🖥 🖥 ☎ 🚗 [i] ⊱ 🏕 [&] ◆
[CB] [CR]

La RICHARDAIS (A1)
35780 Ille et Vilaine

>>> *voir DINARD*

ROZ SUR COUESNON (B1)
35610 Ille et Vilaine
1006 hab.

▲ LES QUATRE SALINES ★★
(Les Quatre Salines. D.797). M. Bilheu
☎ 02 99 80 23 80 [FAX] 02 99 80 21 73
100F 🛏 18 🕙 150/280 F. ▬ 32 F.
🍴 60/120 F. 🍴 39 F. 🚻 180/240 F.
[E] 🖥 ☎ 🚗 🏕 [&] [&] CV [i•] ◆ [CB]

SAINT DIDIER (B2)
35220 Ille et Vilaine
1055 hab.

▲▲▲ PEN'ROC ★★★
Lieu-dit «La Peinière». M. Froc
☎ 02 99 00 33 02 [FAX] 02 99 62 30 89
120F 🛏 33 🕙 350/520 F. ▬ 48 F.
🍴 105/260 F. 🍴 70 F. 🚻 350/390 F.
⊠ rest. ven. soir et dim. soir hs.
[E] [SP] 🖥 🖥 ☎ 🚗 [i] ⊱ 🏕 🎾 ⊱
🏕 🕙 [i•] ◆ [CB] [CR]

SAINT MALO (A1)
35400 Ille et Vilaine
48057 hab. [i]

▲ ALPHA-OCEAN Rest. PEN DUICK ★★
93, bd de Rochebonne. M. Dhallenne
☎ 02 99 56 48 48 / 02 99 40 09 93
[FAX] 02 99 40 58 29
100F 🛏 20 🕙 210/380 F. ▬ 30 F.
🍴 80/120 F. 🍴 50 F. 🚻 215/300 F.
⊠ 6 janv./17 fév., 24 nov./17 déc. Rest.
mar. soir et mer.
[E] 🖥 ☎ [i•] ◆ [CB]

▲ ARMOR ★★
8, rue du Pdt Robert Schumann.
M. Colleu
☎ 02 99 56 00 75 [FAX] 02 99 56 96 12
🛏 14 🕙 220/290 F. ▬ 32 F.
🍴 72/160 F. 🍴 52 F. 🚻 260/295 F.
⊠ 15 déc./15 janv.
[E] 🖥 ☎ ⊱ 🚗 CV ◆ [CB] ▪

▲▲ DE LA GROTTE AUX FEES ★★
36, Chaussée du Sillon. M. Ruellan
☎ 02 99 56 83 30 [FAX] 02 99 40 45 91
🛏 42 🕙 200/400 F. ▬ 35 F.
🍴 75/150 F. 🍴 45 F. 🚻 290/315 F.
⊠ 15 nov./24 mars.
[E] [D] 🖥 ☎ 🚗 [i] 🕙 [i•] ◆ [CB]

▲▲ DE LA PORTE SAINT PIERRE ★★
2, place du Guet. Mme Bertonnière
☎ 02 99 40 91 27 [FAX] 02 99 56 06 94
100F 🛏 26 🕙 280/350 F. ▬ 33 F.
🍴 90/150 F. 🍴 50 F. 🚻 280/300 F.
⊠ hôtel 30 nov./25 déc. et 2/25 janv.
Rest. 30 nov./25 janv. et mar.
[E] [D] 🖥 🖥 ☎ 🚗 [&] CV ◆ [CB] ▪ [CR]

SAINT MALO (A1) (suite)

AA LIGNE BLEUE ★★
138, Bld des Talards. M. Tible
☎ 02 99 82 05 10 FAX 02 99 81 79 10
🛏 57 ⊗ 295/395 F. 🍴 38 F.
🍴 85/170 F. ⛹ 45 F. 🛏 270/320 F.
✉ 15 nov./15 mars.
🅴 🅳 ⬜ 📞 🚗 🚙 ⬛ ♿ 📺 📶 🅴 CB

AA MANOIR DE LA GRASSINAIS ★★
12, rue de la Grassinais. M. Bouvier
☎ 02 99 81 33 00 FAX 02 99 81 60 90
🛏 29 ⊗ 230/350 F. 🍴 35 F.
🍴 98/250 F. ⛹ 45 F. 🛏 245/295 F.
✉ hôtel dim. soir hs.
🅴 🅳 ⬜ 📞 🚗 🚙 ⬛ ♿ 📺 📶 🅴 CB

A TERMINUS GARE ★★
8, bld des Talards. M. Bertrand
☎ 02 99 56 14 38 FAX 02 99 56 65 46
🛏 28 ⊗ 160/320 F. 🍴 33 F.
🍴 55/130 F. ⛹ 45 F. 🛏 220/250 F.
✉ 22 déc./2 janv. et dim. soir hs.
🅴 ⬜ 📞 ⬛ ♿ 📺 CB

TINTENIAC (A2)
35190 Ille et Vilaine
3500 hab. 🅸

AA AUX VOYAGEURS ★★
Rue Nationale. M. Couppey
☎ 02 99 68 02 21 FAX 02 99 68 19 58
🛏 15 ⊗ 185/250 F. 🍴 36 F.
🍴 90/205 F. ⛹ 55 F. 🛏 195/235 F.
✉ 21 déc./21 janv., dim. soir et lun.
🅴 ⬜ 📞 🚗 🚙 📶 CB 📶 🅴 🆁

VERN SUR SEICHE (B2)
35770 Ille et Vilaine
5602 hab.

AA LES MARAIS ★★
Place de l'église. Mme Berthier
☎ 02 99 62 71 42 FAX 02 99 62 15 11
🛏 22 ⊗ 190/300 F. 🍴 35 F.
🍴 66/250 F. ⛹ 45 F. 🛏 210/250 F.
🅴 SP ⬜ 📞 🚗 🚙 ⬛ 📶 🛁 ♿ ♿
CV 📶 🅴 CB 🅴 🆁

Le VIVIER SUR MER (A1)
35960 Ille et Vilaine
1000 hab.

AA BEAU RIVAGE ★★
21, rue de la Mairie. M. Bréard
☎ 02 99 48 90 65 FAX 02 99 48 85 40
🛏 30 ⊗ 240/280 F. 🍴 35 F.
🍴 60/190 F. ⛹ 50 F. 🛏 240/280 F.
✉ 12 nov./19 déc. et mer. 1er oct./
1er avr.
🅴 ⬜ 📞 🚙 ⬛ 📶 🛁 🌴 🛏 ♿ CV 📶
🅴 CB 🅴 🆁

AA DE BRETAGNE ★★ & ★
MM. Bunoult
☎ 02 99 48 91 74 FAX 02 99 48 81 10
🛏 26 ⊗ 230/320 F. 🍴 36 F.
🍴 80/210 F. ⛹ 55 F. 🛏 290/350 F.
✉ 20 nov./15 fév., dim. soir et lun. hs.
🅴 🅸 ⬜ 📞 🚗 🚙 📶 🛁 🛏 ♿ 📶 🅴
CB 🅴 🆁

Pour vos affaires, voyagez "Logis de France" toute l'année. Commandez la carte Etape Affaires, grâce à la fiche située en fin de guide.

**Liste des
hôtels-restaurants**

Morbihan

C.R.T Bretagne

**Association départementale
des Logis de France du Morbihan**
C.C.I. du Morbihan
21, quai des Indes
56323 Lorient Cedex
Téléphone 02 97 02 40 85

BRETAGNE

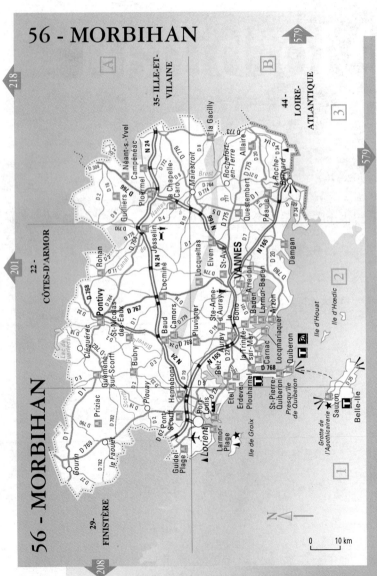

56 - MORBIHAN

ALLAIRE (B3)
56350 Morbihan
2680 hab.

🏠 LE GAUDENCE ★★
2, route de Redon. M. Sebillet
☎ 02 99 71 93 64 📠 02 99 71 92 83
🛏 17 ⊗ 170/199 F. 🍽 28 F.
🍴 55/140 F. 🍷 40 F. 🛏 178/222 F.
⊠ rest. dim.
[E] [SP] 🔲 🖨 ☎ 🚗 🌴 CV 🎱 ➤ CB

ARRADON (B2)
56610 Morbihan
4000 hab. 🛈

🏠🏠🏠 LE STIVELL ★★★
Rue Plessis D'Arradon. M. Chalet
☎ 02 97 44 03 15 📠 02 97 44 78 90
🛏 25 ⊗ 260/435 F. 🍽 38 F.
🍴 55/235 F. 🍷 39 F. 🛏 245/290 F.
⊠ 15 nov./15 déc. et 2ème semaine
janv.
[E] [D] [SP] 🔲 🖨 ☎ 🚗 🍽 🌴 ♿ 🍴 CV
🎱 ➤ CB 📷

ARZON (B2)
56640 Morbihan
1930 hab. 🛈

🏠🏠 ETOILE DE LA MER ★★
Le Rédo. Mme Fermine
☎ 02 97 53 84 46 📠 02 97 53 66 34
🛏 13 ⊗ 180/300 F. 🍽 30 F.
🍴 45/190 F. 🍷 39 F. 🛏 195/270 F.
⊠ ven. soir et dim. soir hs.
[E] 🔲 ☎ 🍽 ♿ 🎱 ➤ CB

AURAY (B2)
56400 Morbihan
12400 hab. 🛈

🏠🏠 DU LOCH Rest. LA STERNE ★★
2, rue Guhur «La Forêt». Mme Claussen
☎ 02 97 56 48 33 📠 02 97 56 63 55
🛏 30 ⊗ 290/390 F. 🍽 38 F.
🍴 99/250 F. 🍷 65 F. 🛏 300/330 F.
⊠ rest. dim. soir oct./Pâques.
[E] [D] 🔲 🖨 ☎ 🚗 ⚡ 🌴 ♿ 🎱 CB

BADEN (B2)
56870 Morbihan
3000 hab. 🛈

🏠🏠🏠 LE GAVRINIS ★★★
Lieu-dit Toulbroch. M. Justum
☎ 02 97 57 00 82 📠 02 97 57 09 47
🛏 20 ⊗ 300/460 F. 🍽 46 F.
🍴 110/350 F. 🍷 65 F. 🛏 315/399 F.
⊠ 15 nov./3 janv. Hôtel lun. soir 1er
oct./30 avr. Rest. lun. 15 sept./15 juin.
[E] 🔲 ☎ 🚗 🌴 ♿ ⛳ ♿ CV 🎱 ➤ CB

BAUD (A2)
56150 Morbihan
4658 hab.

🏠 AUBERGE DU CHEVAL BLANC ★★
16, rue de Pontivy. Mme Le Croller
☎ 02 97 51 00 85
🛏 10 ⊗ 180/240 F. 🍽 30 F.
🍴 70/250 F. 🍷 25 F. 🛏 200 F.
⊠ janv.
[E] 🔲 🖨 ☎ 🍽 CV 🎱 ➤ CB

BELLE ILE EN MER (SAUZON) (B1)
56360 Morbihan
600 hab.

🏠 DU PHARE ★
(A Sauzon). Mlle Pacalet
☎ 02 97 31 60 36 📠 02 97 31 63 94
🛏 15 ⊗ 250/300 F. 🍽 35 F.
🍴 85/195 F. 🍷 50 F. 🛏 240/290 F.
⊠ 2 nov./23 déc et 3 janv./20 fév.
[E] ☎ 🚗 ♿ ➤ CB

BELZ (B2)
56550 Morbihan
3500 hab.

🏠 RELAIS DE KERGOU ★★
Route d'Auray. M. Lorvellec
☎ 02 97 55 35 61 📠 02 97 55 27 69
🛏 11 ⊗ 150/320 F. 🍽 30 F.
🍴 68/125 F. 🍷 42 F. 🛏 190/275 F.
⊠ vac. scol. fév., dim. soir et lun hs.
[E] [D] [SP] 🔲 ☎ 🚗 🌴 CV 🎱 ➤

Le BONO (B2)
56400 Morbihan
1747 hab.

🏠 LE FORBAN ★★
1, rue du Général de Gaulle. M. Le Gall
☎ 02 97 57 88 65 📠 02 97 57 92 76
🛏 19 ⊗ 200/300 F. 🍽 30 F.
🍴 70/190 F. 🍷 38 F. 🛏 225/245 F.
⊠ dim. soir.
🔲 ☎ 🍽 🌴 ♿ CV 🎱 ➤ CB 📷

BUBRY (A2)
56310 Morbihan
2300 hab.

🏠🏠 AUBERGE DE COET DIQUEL ★★
(A Coet-Diquel). M. Romieux
☎ 02 97 51 70 70 📠 02 97 51 73 08
🛏 20 ⊗ 260/340 F. 🍽 40 F.
🍴 79/192 F. 🍷 60 F. 🛏 280/335 F.
⊠ lun. 1er oct./1er mars.
🔲 ☎ 🍽 🌴 ⚡ ♿ 🎱 ➤ CB 📷 🔲

CAMORS (A2)
56330 Morbihan
2300 hab.

🏠 AR BRUG ★
14, rue Principale. M. Audo
☎ 02 97 39 20 10 📠 02 97 39 18 94
🛏 18 ⊗ 158/252 F. 🍽 33 F.
🍴 46/160 F. 🍷 40 F. 🛏 190/226 F.
[E] 🔲 🖨 ☎ 🚗 ♿ CV 🎱 ➤ CB 📷 🔲

CAMPENEAC (A3)
56800 Morbihan

>>> *voir PLOERMEL*

CARNAC (B2)
56340 Morbihan
3735 hab. ⓘ

▲▲ DU TUMULUS ★★
31, rue du Tumulus. Mme Brohon
☎ 02 97 52 08 21 ⓕⱯⱯ 02 97 52 81 88
🛏 25 ⬙ 250/490 F. ▣ 38 F.
🍴 75/140 F. 🛏 42 F. ▥ 250/400 F.
⊠ 30 sept./1er avr.
🄴 🄳 ⬜ ☎ ⬛ 🅟 ⬙ 🕴 ⬙ CV ⦿ ⬛
CB ⬛ ⒼⱤ

▲▲ HOSTELLERIE LES AJONCS D'OR ★★
(Kerbachique - Route de Plouharnel).
Mme Le Maguer
☎ 02 97 52 32 02 ⓕⱯⱯ 02 97 52 40 36
🛏 17 ⬙ 270/380 F. ▣ 38 F.
🍴 98/145 F. 🛏 45 F. ▥ 280/350 F.
⊠ 1er nov./15 mars.
🄴 🄳 ⬜ ☎ ⬛ 🅟 ⬙ 🕴 CV ⦿ CB

▲▲ LANN ROZ ★★
36, rue de la Poste. Mme Le
Calvez-Rousseau
☎ 02 97 52 10 48 ⓕⱯⱯ 02 97 52 24 36
🛏 13 ⬙ 300/400 F. ▣ 38 F.
🍴 95/250 F. 🛏 60 F. ▥ 320/340 F.
⊠ 3 janv./15 fév., lun. hors vac. et saison.
🄴 🄳 ⬜ ☎ ⬛ 🅟 ⬙ 🕴 CV 🕴 CB

▲▲▲ LE PLANCTON ★★★
12, bld de la Plage. Mme Bouchez
☎ 02 97 52 13 65 ⓕⱯⱯ 02 97 52 87 63
🛏 23 ⬙ 308/595 F. ▣ 50 F.
🍴 80/210 F. 🛏 50 F. ▥ 358/473 F.
⊠ oct./22 mars.
🄴 🄳 ⬜ ☎ ⬛ 🅟 ⬙ 🕴 CV 🕴 ⦿ ⒼⱤ

La CHAPELLE CARO (A3)
56460 Morbihan
1104 hab.

▲ LE PETIT KERIQUEL ★★
Place de l'Eglise. M. Havard
☎ 02 97 74 82 44
🛏 7 ⬙ 130/225 F. ▣ 27 F. 🍴 62/175 F.
🛏 45 F. ▥ 150/185 F.
⊠ 1er/21 oct., 1er/15 mars, dim. soir et
lun. hs.
🄴 ⬜ ☎ ⬛ 🅟 ⬙ 🕴 CV ⦿ CB

DAMGAN (B2)
56750 Morbihan
875 hab. ⓘ

▲▲ L'ALBATROS ★★
1, bld de l'Océan. M. Madouas
☎ 02 97 41 16 85 ⓕⱯⱯ 02 97 41 21 34
🛏 28 ⬙ 200/370 F. ▣ 30 F.
🍴 60/240 F. 🛏 50 F. ▥ 215/300 F.
⊠ 6 oct./24 mars.
🄴 ⬜ ⬜ ☎ ⬛ ⬙ 🕴 CV CB

ELVEN (B2)
56250 Morbihan
3025 hab. ⓘ

▲ LE LION D'OR ★★
5, place le Franc. M. Vroylandt
☎ 02 97 53 33 52 ⓕⱯⱯ 02 97 53 55 08
🛏 10 ⬙ 240/280 F. ▣ 25 F.
🍴 68/180 F. 🛏 52 F. ▥ 190/210 F.
⊠ 23 fév./2 mars, 26 oct./12 nov.,
22 déc./26 déc., dim. soir et lun.
1er sept./30 juin.
🄴 ⬜ ☎ 🅟 🕴 ⬙ ⦿ CB

ERDEVEN (B1-2)
56410 Morbihan
2350 hab. ⓘ

▲▲ AUBERGE DU SOUS BOIS ★★
Route de Pont Lorois.
MM. Piot
☎ 02 97 55 66 10 ⓕⱯⱯ 02 97 55 68 82
🛏 21 ⬙ 250/380 F. ▣ 44 F.
🍴 66/184 F. 🛏 36 F. ▥ 280/360 F.
⊠ 1er oct./31 mars.
🄴 ⬜ ☎ ⬛ 🅟 ⬙ 🕴 CV ⦿ CB ⬛ ⒼⱤ

▲ CHEZ HUBERT ★★
1, rue des Menhirs. M. Hubert
☎ 02 97 55 64 50 ⓕⱯⱯ 02 97 55 91 43
🛏 13 ⬙ 200/260 F. ▣ 38 F.
🍴 58/230 F. 🛏 40 F. ▥ 300/372 F.
⊠ 2ème quinzaine janv., oct. et lun.
🄴 ⬜ ☎ ⬛ 🅟 CV ⦿ CB

▲▲ DES VOYAGEURS ★★
14, rue de l'Océan. M. Gouzerh
☎ 02 97 55 64 47 ⓕⱯⱯ 02 97 55 64 24
🛏 18 ⬙ 190/295 F. ▣ 33 F.
🍴 60/140 F. 🛏 40 F. ▥ 230/295 F.
⊠ 1er oct./1er avr.
🄴 ⬜ ☎ ⬛ 🕴 CV ⦿ CB ⒼⱤ

ETEL (B1-2)
56410 Morbihan
2700 hab. ⓘ

▲▲▲ LE TRIANON ★★
14, rue Général Leclerc.
Mme Guezel
☎ 02 97 55 32 41 ⓕⱯⱯ 02 97 55 44 71
🛏 16 ⬙ 280/380 F. ▣ 48 F.
🍴 85/190 F. 🛏 70 F. ▥ 280/360 F.
🄴 ⬜ ☎ ⬛ 🅟 ⬙ 🕴 CV ⦿ CB

La GACILLY (B3)
56200 Morbihan
2000 hab. ⓘ

▲▲ DE FRANCE ★★
Rue de Montauban. M. Priou
☎ 02 99 08 11 15 ⓕⱯⱯ 02 99 08 25 88
🛏 35 ⬙ 120/250 F. ▣ 28 F. 🛏 45 F.
▥ 210/230 F.
⊠ 24 déc./3 janv. et dim. soir oct./avr.
🄴 🄳 ⬜ ☎ ⬛ CV 🕴 ⦿

GUEMENE SUR SCORFF (A2)
56160 Morbihan
2100 hab. 🛈

🏠 LE BRETAGNE ★★
18, rue Péres. M. Hamonic
☎ 02 97 51 20 08 📠 02 97 39 30 49
🛏 13 ⌂ 200/400 F. 🍽 30 F.
🍴 58/165 F. 🍴 35 F. 🛏 188/223 F.
⌧ 1er/16 sept., 20 déc./10 janv. et sam. hs.
[icons]

GUIDEL PLAGES (A1)
56520 Morbihan
8000 hab. 🛈

🏠 L'AUBERGE ★
Mme Cadieu
☎ 02 97 05 98 39 📠 02 97 32 87 31
🛏 17 ⌂ 145/260 F. 🍽 30 F.
🍴 80/165 F. 🍴 40 F. 🛏 205/275 F.
⌧ hôtel 2 nov./1er avr., mar. et dim. soir sauf juil./août.
[icons]

GUILLIERS (A3)
56490 Morbihan
1300 hab.

🏠🏠🏠 AU RELAIS DU PORHOET ★★
11, place de l'Eglise. MM. Courtel
☎ 02 97 74 40 17 📠 02 97 74 45 65
🛏 12 ⌂ 190/250 F. 🍽 35 F.
🍴 60/185 F. 🍴 46 F. 🛏 230 F.
[icons]

HENNEBONT (A1-2)
56700 Morbihan
14000 hab. 🛈

🏠 AUBERGE DE TOUL DOUAR ★★
Ancienne route de Lorient.
Mme Kervarrec
☎ 02 97 36 24 04 📠 02 97 36 37 85
🛏 27 ⌂ 120/250 F. 🍽 35 F.
🍴 70/200 F. 🍴 45 F. 🛏 160/225 F.
⌧ vac. scol. fév., dim. soir et lun. hs.
[icons]

JOSSELIN (A2)
56120 Morbihan
3000 hab. 🛈

🏠🏠 DE FRANCE ★★
6, place Notre-Dame. M. Leray
☎ 02 97 22 23 06 📠 02 97 22 35 78
🛏 20 ⌂ 230/380 F. 🍽 35 F.
🍴 81/205 F. 🍴 52 F. 🛏 255/280 F.
⌧ janv., dim. soir et lun. hs.
[icons]

DU CHATEAU ★★
1, rue du Gal de Gaulle. Mme Thual
☎ 02 97 22 20 11 📠 02 97 22 34 09
🛏 36 ⌂ 215/320 F. 🍽 35 F.
🍴 82/215 F. 🍴 50 F. 🛏 280/350 F.
⌧ fév. et 21/30 déc.
[icons]

LARMOR BADEN (B2)
56870 Morbihan
802 hab.

🏠 AUBERGE PARC FETAN ★★
17, rue de Berder. Mme Gerster
☎ 02 97 57 04 38 📠 02 97 57 21 55
🛏 31 ⌂ 180/375 F. 🍽 35 F.
🍴 85/115 F. 🍴 60 F. 🛏 225/325 F.
⌧ 5 nov./25 mars.
[icons]

LARMOR PLAGE (B1)
56260 Morbihan
8078 hab. 🛈

🏠🏠 LES MOUETTES ★★
Anse de Kerguelen. M. Le Faouder
☎ 02 97 65 50 30 📠 02 97 33 65 33
🛏 21 ⌂ 350/420 F. 🍽 45 F.
🍴 90/230 F. 🍴 55 F. 🛏 330/350 F.
[icons]

LOCMARIAQUER (B2)
56740 Morbihan
1200 hab. 🛈

🏠🏠 L'ESCALE ★★
Sur Le Port. M. Cabelguem
☎ 02 97 57 32 51 📠 02 97 57 38 87
🛏 12 ⌂ 215/358 F. 🍽 35 F.
🍴 80/170 F. 🍴 40 F. 🛏 228/298 F.
⌧ 27 sept./28 mars.
[icons]

🏠 LAUTRAM ★★
M. Lautram
☎ 02 97 57 31 32 📠 02 97 57 37 87
🛏 29 ⌂ 180/330 F. 🍽 35 F.
🍴 75/210 F. 🍴 40 F. 🛏 230/310 F.
⌧ fin sept./fin mars.
[icons]

LOCMINE (A2)
56500 Morbihan
4000 hab. 🛈

🏠🏠 L'ARGOAT ★★
Place Anne de Bretagne. M. Cadieu
☎ 02 97 60 01 02 📠 02 97 44 20 55
🛏 20 ⌂ 230/260 F. 🍽 30 F.
🍴 65/150 F. 🍴 45 F. 🛏 220/250 F.
⌧ 15 déc./15janv. et sam. hs.
[icons]

LOCQUELTAS (B2)
56390 Morbihan

>>> *voir VANNES*

NEANT SUR YVEL (A3)
56430 Morbihan
890 hab. i

⌂ AUBERGE TABLE RONDE
Place de l'Eglise. Mlle Morice
☎ 02 97 93 03 96 FAX 02 97 93 05 26
🛏 9 ⌿ 145/210 F. ⬛ 29 F. ⫯ 48/170 F.
⫯ 35 F. ⬛ 125/175 F.
⊠ 6/28 janv., 15/23 sept., dim. soir et
lun. sauf juil./août.
E D SP ⌂ ⌂ ⌂ ⊤ ⌿ CV ▮ ⬅ CB

PEAULE (B3)
56130 Morbihan
2000 hab.

⌂⌂ AUBERGE ARMOR VILAINE ★★
M. Boeffard
☎ 02 97 42 91 03 FAX 02 97 42 82 27
🛏 15 ⌿ 215/250 F. ⬛ 40 F.
⫯ 68/240 F. ⫯ 50 F. ⬛ 235/285 F.
⊠ 2ème et 3ème semaine janv., dim.
soir et lun. sauf juil./août et fériés.
⌂ ⌂ ⌂ ⊤ CV ⬅ CB

PLOERMEL (A3)
56800 Morbihan
7258 hab. i

⌂ DU COMMERCE Rest. LE CYRANO ★★
70, rue de la Gare. M. Delage
☎ 02 97 74 05 32 FAX 02 97 74 36 41
🛏 19 ⌿ 165/240 F. ⬛ 35 F.
⫯ 65/160 F. ⫯ 45 F. ⬛ 285/337 F.
⌂ ⌂ ⌂ ⌿ CV ⬅ CB

⌂⌂⌂ LE COBH Rest. CRUAUD ★★★
10, rue des Forges.
MeM. Cruaud/Guillouche
☎ 02 97 74 00 49 FAX 02 97 74 07 36
🛏 13 ⌿ 140/325 F. ⬛ 40 F.
⫯ 55/210 F. ⫯ 50 F. ⬛ 195/215 F.
E D SP ⌂ ⌂ ⌂ ⌂ ⊤ ⌿ ⌾ ⌿ CV
▮ ⬅ CB ⌂

... à proximité

CAMPENEAC (A3)
56800 Morbihan
1405 hab.

7 km Est Ploermel par D 724.

⌂⌂ A L'OREE DE LA FORET ★★
Route de Rennes. M. Jourdran
☎ 02 97 93 40 27 FAX 02 97 93 11 75
🛏 14 ⌿ 150/240 F. ⬛ 32 F.
⫯ 63/180 F. ⫯ 47 F. ⬛ 188/225 F.
⊠ 16 fév./2 mars, 28 sept./12 oct. et
ven. hs.
E ⌂ ⌂ ⌂ ⌂ ⊤ ⊤ ⌿ ⌿ CV ▮
⬅ CB

PLOUHARNEL (B1-2)
56340 Morbihan
1700 hab. i

⌂ CHEZ MICHEL ★★
1, av. de l'Océan.
M. Pierre
☎ 02 97 52 31 05 FAX 02 97 52 30 73
🛏 16 ⌿ 150/350 F. ⬛ 32 F.
⫯ 75/150 F. ⫯ 40 F. ⬛ 220/320 F.
⊠ 1er janv./31 mars et 3 nov./31 déc.
E ⌂ ⌂ ⌂ ⊤ CV ⬅ CB

PLUVIGNER (B2)
56330 Morbihan
4727 hab.

⌂⌂ LA CROIX BLANCHE ★
14, rue Saint-Michel.
Mme Durand
☎ 02 97 24 71 03 \ 02 97 24 70 07
🛏 8 ⌿ 150/290 F. ⬛ 30 F. ⫯ 63/170 F.
⫯ 45 F. ⬛ 180/260 F.
⊠ lun. et dim. soir.
E D ⌂ ⌂ ⌂ ⊤ ⌿ CV ▮ ⬅ CB

PONT SCORFF (A1)
56620 Morbihan
2800 hab.

⌂ DU FER A CHEVAL ★★
6, rue Général de Langle de Cary.
Mme Ruello
☎ 02 97 32 60 20
🛏 13 ⌿ 158/240 F. ⬛ 28 F.
⫯ 55/160 F. ⫯ 40 F. ⬛ 180/228 F.
⊠ rest. dim. soir 1er oct./1er mars.
E ⌂ ⌂ ⌂ ⌂ ⌂ ⌿ ▮ ⬅ CB

PONTIVY (A2)
56300 Morbihan
15000 hab. i

⌂⌂ LE VILLENEUVE ★★
(à 5km, route de Vannes. D.767).
Mme Duclos
☎ 02 97 39 83 10 FAX 02 97 39 89 33
🛏 10 ⌿ 200 F. ⬛ 30 F. ⫯ 75/240 F.
⫯ 45 F. ⬛ 220/250 F.
E D SP ⌂ ⌂ ⌂ ⌂ ⊤ ⊤ ⌿ ⌿
CV ▮ ⬅ CB

PORT LOUIS (B1)
56290 Morbihan
2900 hab. i

⌂⌂ DU COMMERCE ★★
1, place du Marché.
M. Boutbien
☎ 02 97 82 46 05 FAX 02 97 82 11 02
🛏 37 ⌿ 160/350 F. ⬛ 39 F.
⫯ 65/250 F. ⫯ 55 F. ⬛ 250/350 F.
⊠ janv., dim. soir et lun. hs.
E D ⌂ ⌂ ⊤ ⌿ ⌿ CV ▮ ⬅ ⌂ CR

PRIZIAC (A1)
56320 Morbihan
1480 hab.

AA DU CHEVAL BLANC ★★
5, rue Albert Saint-Jalmes. M. Brabant
☎ 02 97 34 61 15 FAX 02 97 34 63 10
🛏 13 ◎ 200/300 F. 🍽 30 F.
🍴 52/149 F. 🍴 49 F. 🍴 200/250 F.

QUESTEMBERT (B3)
56230 Morbihan
5213 hab. [i]

A DE LA GARE Rest. LE SAINTE-ANNE ★★
A Bel Air - 19, av. de la Gare.
M. Le Bihan
☎ 02 97 26 11 47 FAX 02 97 26 53 95
🛏 10 ◎ 185/225 F. 🍽 30 F.
🍴 81/225 F. 🍴 45 F. 🍴 210/250 F.
⊠ dim. soir.

QUIBERON (B2)
56170 Morbihan
5000 hab. [i]

AAA BELLEVUE ★★★
Rue de Tiviec. M. Le Quellec-Le Mat
☎ 02 97 30 16 28 FAX 02 97 30 44 34
🛏 36 ◎ 350/695 F. 🍽 48 F.
🍴 100/130 F. 🍴 65 F. 🍴 310/515 F.
⊠ 1er janv./31 mars et 1er oct./31 déc.

AAA DES DRUIDES ★★★
6, rue de Portmaria. M. Machabey
☎ 02 97 50 14 74 FAX 02 97 50 35 72
🛏 31 ◎ 290/520 F. 🍽 40 F.
🍴 80/170 F. 🍴 48 F. 🍴 310/410 F.
⊠ 31 oct./15 fév.

AAA EUROPA ★★★
A Port Haliguen, bld des Immigrés.
M. Leclerc
☎ 02 97 50 25 00 FAX 02 97 50 39 30
🛏 53 ◎ 385/670 F. 🍽 55 F.
🍴 98/180 F. 🍴 60 F. 🍴 370/615 F.
⊠ 15 nov./28 mars.

AA HOCHE ★★
19, place Hoche. Mme Quelven
☎ 02 97 50 07 73 FAX 02 97 50 31 86
🛏 35 ◎ 220/480 F. 🍽 38 F.
🍴 89/285 F. 🍴 50 F. 🍴 270/420 F.
⊠ 30 sept./15 fév.

AA LE NEPTUNE ★★
4, Quai de Houat. M. Naour
☎ 02 97 50 09 62 FAX 02 97 50 41 44
🛏 21 ◎ 300/390 F. 🍽 38 F.
🍴 90/220 F. 🍴 48 F. 🍴 310/360 F.
⊠ 1er/10 janv.

... à proximité

SAINT PIERRE QUIBERON (B1-2)
56510 Morbihan
2184 hab. [i]

4 km Nord Quiberon par D 768

AA AUBERGE DU PETIT MATELOT ★★
(A Penthièvre). M. Porhel
☎ 02 97 52 31 21 FAX 02 97 52 41 38
🛏 25 ◎ 200/380 F. 🍽 35 F.
🍴 88/170 F. 🍴 50 F. 🍴 321/501 F.
⊠ 15 oct./fin mars.

AA DE BRETAGNE ★★
Rue Général de Gaulle. M. Madec
☎ 02 97 30 91 47 FAX 02 97 30 89 78
🛏 21 ◎ 230/275 F. 🍽 37 F.
🍴 80/220 F. 🍴 50 F. 🍴 275/320 F.
⊠ 15 nov./Pâques.

AAA DE LA PLAGE ★★★
Mme Audic-Pichot
☎ 02 97 30 92 10 FAX 02 97 30 99 61
🛏 44 ◎ 230/580 F. 🍽 45 F.
🍴 89/155 F. 🍴 50 F. 🍴 270/450 F.
⊠ mi-oct./Pâques.

AA SAINT PIERRE ★★
34, route de Quiberon. M. Thomas
☎ 02 97 50 26 90 FAX 02 97 50 37 98
🛏 30 ◎ 200/400 F. 🍽 39 F.
🍴 79/180 F. 🍴 50 F. 🍴 220/380 F.
⊠ hôtel 1er nov./1er mars. Rest.
1er nov./31 mars.

ROHAN (A2)
56580 Morbihan
1604 hab. [i]

A DE ROHAN ★★
15, place de la Mairie. M. Chouteau
☎ 02 97 51 50 61 FAX 02 97 51 54 04
🛏 11 ◎ 130/190 F. 🍽 25 F.
🍴 45/ 92 F. 🍴 35 F. 🍴 135/165 F.
⊠ rest. sam. hiver.

SAINT AVE (B2)
56890 Morbihan
>>> *voir VANNES*

SAINT NICOLAS DES EAUX (A2)
56930 Morbihan
300 hab.

AA LE VIEUX MOULIN ★★
M. Troudet
☎ 02 97 51 81 09 FAX 02 97 51 83 12
🛏 9 ◎ 283 F. 🍽 34 F. 🍴 73/160 F.
🍴 57 F. 🍴 280 F.
⊠ fév., dim. soir et lun. hs.

SAINT PIERRE QUIBERON (B1-2)
56510 Morbihan

>>> *voir QUIBERON*

SAINTE ANNE D'AURAY (B2)
56400 Morbihan
1500 hab. i

▲▲▲ L'AUBERGE ★
56, route de Vannes.
M. Larvoir
☎ 02 97 57 61 55
🛏 6 ⊗ 220/290 F. 🍽 35 F. 🍴 88/350 F.
🚶 55 F. 🖿 233/268 F.
⊠ 5/20 janv.,24 fév./3 mars, 6/20 oct.,
mar. soir et mer. sauf juil./août mer.

▲▲ LA CROIX BLANCHE ★★
25, rue de Vannes. M. Labiche
☎ 02 97 57 64 44 FAX 02 97 57 50 60
🛏 23 ⊗ 175/350 F. 🍽 40 F.
🍴 85/275 F. 🚶 60 F. 🖿 239/295 F.
⊠ fév., dim. soir et lun. hs.

La TRINITE SUR MER (B2)
56470 Morbihan
1470 hab. i

▲ DOMAINE DU CONGRE ★★
(Le Congre), St-Philibert.
Mme Boyer-Gibaud
☎ 02 97 55 00 56 FAX 02 97 55 19 77
🛏 23 ⊗ 285/350 F. 🍽 35 F. 🍴 95 F.
🚶 50 F. 🖿 272/305 F.

▲▲ LE ROUZIC ★★
17, cours des Quais.
M. Santamans
☎ 02 97 55 72 06 FAX 02 97 55 82 25
🛏 32 ⊗ 299/380 F. 🍽 38 F.
🍴 75/150 F. 🚶 75 F. 🖿 316/330 F.
⊠ 15 nov./15 déc. et 1ère quinzaine
janv. Rest. dim. soir et lun. fin
sept./début juin.

VANNES (B2)
56000 Morbihan
45397 hab. i

▲▲ A L'IMAGE SAINTE ANNE ★★
8, Place de la Libération. M. Ligeour
☎ 02 97 63 27 36 FAX 02 97 40 97 02
🛏 30 ⊗ 250/400 F. 🍽 45 F.
🍴 78/180 F. 🚶 45 F. 🖿 265/280 F.
⊠ rest. dim. soir 1er nov./Pâques.

▲▲▲ AQUARIUM HOTEL ★★★
Le Parc du Golfe. M. Vigo
☎ 02 97 40 44 52 FAX 02 97 63 03 20
🛏 48 ⊗ 390/500 F. 🍽 45 F.
🍴 90/200 F. 🚶 65 F. 🖿 380/400 F.
⊠ rest. dim. soir 1er oct./15 avr.

... *à proximité*

LOCQUELTAS (B2)
56390 Morbihan
850 hab. i

8 km Nord Vannes par D 767

▲▲ LA VOLTIGE ★★
8,route de Vannes. Sur D.778. M. Tabard
☎ 02 97 60 72 06 FAX 02 97 44 63 01
🛏 10 ⊗ 215/325 F. 🍽 32 F.
🍴 70/230 F. 🚶 55 F. 🖿 220/270 F.
⊠ 1 semaine fév., 10/24 oct., dim. soir
et lun. hs.

SAINT AVE (B2)
56890 Morbihan
6929 hab. i

4 km Nord Vannes par D 126

▲▲ LE TY LANN ★★
11, rue Joseph Le Brix. M. Langlo
☎ 02 97 60 71 79 FAX 02 97 44 58 98
🛏 18 ⊗ 270/310 F. 🍽 35 F.
🍴 80/190 F. 🚶 48 F. 🖿 255/275 F.
⊠ sam. et dim. soir hs.

DÉGUSTATION
VENTE
ICI A LA CAVE

C.R.T.L.

C.R.T.L. / P. Gleizes

RÉGION CENTRE

LE CŒUR DE FRANCE

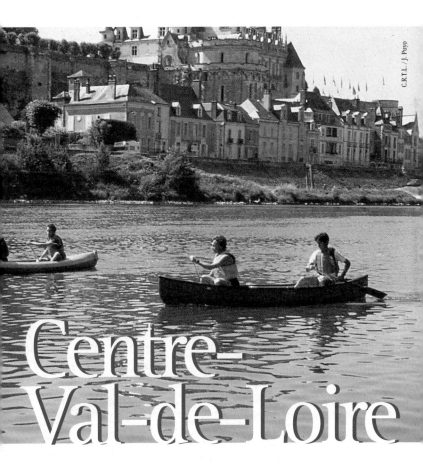

C.R.T.L. / J. Puyo

Centre-Val-de-Loire

CENTRE - VAL-DE-LOIRE

552

27 - EURE

61 - ORNE

voir ci-après:
p241 CHER
p246 EURE-ET-LOIR
p250 INDRE
p255 INDRE-ET-LOIRE
p263 LOIR-ET-CHER
p270 LOIRET

53 - MAYENNE

72 - SARTHE

49- MAINE-ET-LOIRE

37- INDRE-ET-LOIRE

79- DEUX-SEVRES

86 - VIENNE

ANGERS

LE MANS

ALENÇON

Argentan

TOURS

BLOIS

POITIERS

NIORT

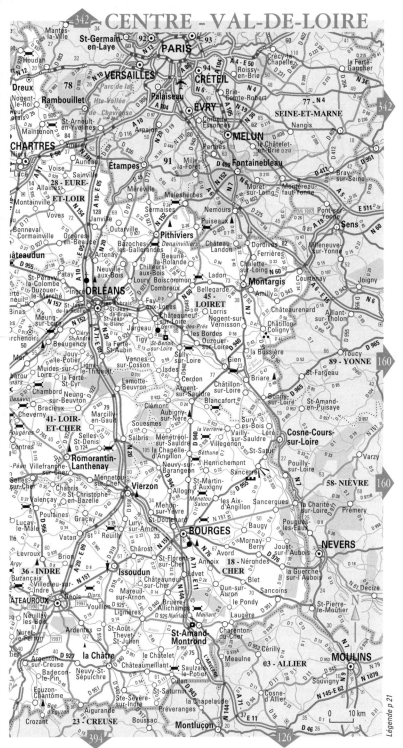

Légende p 21

Le Jardin de la France
The Garden of France

C.R.T.L. / Mayer le Scanff

 ————————————————

 ————————————————

Autrefois vénérée par les rois, souvent
douce et sensuelle, éclatante le temps
d'un printemps à Bourges, la région
Centre-Val-de-Loire sait cultiver son jardin.

*Once venerated by kings, often soft and
sensual, startling in springtime, especially
at Bourges, the region of Centre Val-de-
Loire knows how to make its garden grow.*

La vallée des rois

Merci à François 1er d'avoir su orchestrer,
sur les rives majestueuses de la Loire,
la Renaissance à la française, et de s'être
fait construire Chambord en guise de
rendez-vous de chasse. La cour suivait alors
avec plaisir : il faisait bon vivre dans la vallée,
le long du fleuve, à Amboise, ou plus haut,
à Chenonceau. La région est donc riche
en demeures royales, mais l'on y découvre
aussi, au détour des routes, de robustes
petites forteresses médiévales, comme
Sarzay ou Saint-Chartier que chantait George
Sand. Car ce cœur de France béni des dieux -

The Valley of the Kings

*We should thank François the First for
introducing the French Renaissance
to the majestic banks of the Loire by
building Chambord to accomodate
his hunting parties. The court followed
his initiative with pleasure: life in the
valley was pleasant alongside the river, in
Amboise or higher up at Chenonceau. So
the region has a rich supply of royal
residences, but there are also robust little
medieval forts, such as Sarzay and the
Saint-Chartier of George Sand fame, to be
found along the winding roads. This is the*

Chartres en témoigne - et protégé des envahisseurs, fut de tous temps aimé des puissants. En remerciement d'un accueil quasi maternel, ils lui offrirent, tel Jacques Cœur à qui l'on doit le Palais de Bourges, un exceptionnel patrimoine architectural.

Dans le secret de la terre

Il faut avoir vécu en Sologne, dans le Cher ou en Touraine pour comprendre le silence de la terre, lire dans son odeur boisée la promesse d'un bon feu, d'une souche de champignons ou d'une brassée de lilas. Sur les hauteurs, l'horizon prend *«cette belle couleur bleue qui devient violette et vire au noir les jours d'orage»*. Marchez, sur les traces de Balzac, dans la campagne tourangelle. Survolez, en ballon, ses villages, ses châteaux et ses forêts profondes. Naviguez, sur son fleuve et ses rivières parmi les oiseaux du parc naturel de la Brenne. Jouez les Don Quichotte, à l'assaut de ses moulins à vent. Chantez le printemps, quand Bourges s'enflamme. Profitez, enfin, des plaisirs gourmands que promettent les vergers et les forêts, les rivières poissonneuses et les prairies où caracolent les chèvres.

Le sens du goût

Car ici, on sait ce que manger veut dire. Tirant un parti délicat de leur terroir, les gens du cru savent partager la bonne chère en toutes saisons. Rillettes et rillons, asperges, terrines de gibier, truite et saumon, alose et friture de la Loire, champignons et venaison

C.R.T.L. / D. Davy

heart of France, blessed by the gods - as Chartres shows - protected from invaders and long loved by the powerful. By way of thanks for the region's almost maternal hospitality, those who made it their home, such as Jacques Coeur, to whom we owe the Palace at Bourges, graced it with an exceptional architectural heritage.

The Secrets of the Land

You have to have lived in Sologne, Cher or Touraine to understand the silence of the land, to read in its woody smell the promise of a good fire, a cluster of mushrooms or a spray of lilac. Up in the hills the horizon takes on «that beautiful blue which becomes purple and turns to black on stormy days.» *Follow Balzac's*

DER GARTEN FRANKREICHS

Einst von den Königen verehrt, oft sanft und sinnlich, großartig während des 'Printemps de Bourges': die Region Zentrum-Loiretal versteht es, ihren Garten zu pflegen. In den Hängen, die von dem Holz der Weinberge gewogt werden, läßt die unbeschreibliche Sanftheit bei Ihnen die Lust aufkommen, einige Tage hier zu verbringen oder für immer hier zu bleiben.

DE TUIN VAN FRANKRIJK

In de streek van de Centre-Val-de-Loire, vroeger aanbeden door de koningen, vaak zacht en sensueel, dan weer stralend mooi de tijd van een lente te Bourges, weet men hoe een tuin moet worden onderhouden. In de heuvels, bedwelmend door de vele wijngaarden, hangt er een ondefinieerbare zachtheid die maakt dat je hier enkele dagen wilt doorbrengen, of dat je er voor altijd wilt blijven.

de Sologne, chèvres de Chavignol, Valençay ou Sainte-Maure. Sans compter les desserts inspirés : tarte des sœurs Tatin, pithiviers, prâlines de Montargis, pâté de poire berrichon, mentchikoff de Chartres… Le tout à déguster arrosé des meilleurs crus, en sachant apprécier la vigueur harmonieuse du sancerre, les accents ensoleillés du chinon, la finesse charpentée du bourgueil. Ne serait-ce que pour admirer, avec tout autant de gourmandise, les collines assoupies sous le bois des vignobles et sentir cette douceur qui donne l'envie de vivre, ici, quelques jours, ou pour toujours.

C.R.T.L. / S. Scata

footsteps through the Touraine countryside. Fly over its villages, its châteaux and its deep forests in a hot-air ballon. Navigate its rivers surrounded by the birds of the Brenne nature park. Play at Don Quixote, sparring with windmills. Lift up your voice to spring when Bourges is aflame. And lastly, make the most of the delicacies promised by the forests and the orchards, the rivers and the meadows.

A Sense of Taste

There is no doubt that they appreciate good food in this region. The local people use all the fine things of the land to create delicious specialities all year round. "Rillettes" and "rillons," asparagus, game pâté, trout and salmon, shad and fried fish from the Loire, mushrooms and Sologne venison, Chavignol, Valençay and Sainte-Maure goat cheeses. And that says nothing of the desserts: the Tatin sisters' tart, "pithiviers," Montargis pralines, Berrichon pear jelly and "mentchikoff de Chartres." And all this should be eaten with the best wines, whether it be the well-balanced strength of a Sancerre, the sunny accents of a Chinon or the finely sculpted body of a Bourgueil. And on top of all this, you will enjoy the delicious pleasure of contemplating the rounded hills covered in vineyards and absorbing the soft beauty that will make you want to live here for a few days, or forever.

EL JARDÍN DE FRANCIA

Antaño venerada por los reyes, frecuentemente cálida y sensual, resplandeciente durante la primavera en Bourges, la región Centro Val-de-Loire sabe cultivar su jardín. En las colinas adormecidas por el paisaje de viñedos, una indescriptible dulzura le invitará a pasar unos días o vivir allí para siempre.

IL GIARDINO DELLA FRANCIA

Un tempo venerata dai re, spesso dolce e sensuale, acuta come in primavera a Bourges, la regione Centro Valle della Loira sa coltivare il suo giardino. Nelle colline impregnate dal profumo delle viti, un'incomparabile dolcezza vi convincerà a trascorrere qui alcuni giorni e, perché no, vi invoglia a viverci.

Mijourée à l'angevine

Ingrédients

Pour 6 personnes

- 2 kg de poissons de mer et d'eau douce (perche, sandre, merlu, seiche...) 6 écrevisses
- 6 pommes de terre
- 4 gousses d'ail
- 2 oignons
- 2 échalotes
- 1 bouteille de sauvignon
- 1 bouquet garni avec du céleri, de l'aneth, du cerfeuil
- 2 carottes
- 3 poireaux
- 1 branche d'estragon

Recette

- Faire blondir un oignon haché et une gousse d'ail écrasée. Ajouter le vin, les têtes de poisson, le bouquet garni, du gros sel, du poivre. Couvrir et faire mijoter 1 h 30 toujours à petit feu.
- Couper les poissons en tronçons. Peler les légumes et les émincer ainsi que les oignons restants et les échalotes.
- Dans une autre casserole, faire fondre le reste de beurre, ajouter les légumes et les arroser de 2 louches de bouillon. Après 15 mn de cuisson, ajouter aux légumes les seiches coupées en anneaux et les poissons en tronçons. Mouiller à ras avec le bouillon. Laisser mijoter 10 mn. Laver et châtrer les écrevisses, jetez-les dans le bouillon 5 mn.
- Présenter les poissons, les écrevisses, les légumes dans un plat creux avec le bouillon. Parsemer de feuilles d'aneth, de cerfeuil et d'estragon ciselées, et servir avec des croutons grillés.

Liste des
hôtels-restaurants

Cher

Milena Ercole Pozzili - C.R.T.L.

**Association départementale
des Logis de France du Cher**
C.C.I. - route d'Issoudun
B.P. 54
18001 Bourges Cedex
Téléphone 02 48 67 80 80

CENTRE-VAL-DE-LOIRE

28 EURE-ET-LOIR
Chartres

45 LOIRET
Orléans

Blois
41 LOIR-ET-CHER

Tours

37 INDRE-ET-LOIRE

18 CHER

36 INDRE
Châteauroux

Bourges

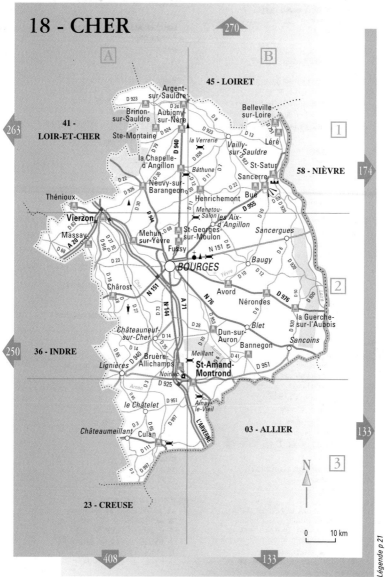

18 - CHER

270

A

B

45 - LOIRET

263

41 -
LOIR-ET-CHER

Argent-sur-Sauldre

D 923

Brinon-sur-Sauldre

Aubigny-sur-Nère

D 24

D 8

Belleville-sur-Loire

Ste-Montaine

D 924

la Verrerie

D 13

Léré

1

la Chapelle-d'Angillon

D 926

Vailly-sur-Sauldre

D 22

Béthune

St-Satur

58 - NIÈVRE

174

Thénioux

Neuvy-sur-Barangeon

D 925

D 12

D 7

Sancerre

D 30

Henrichemont

D 22

Bué

Vierzon

D 63

D 94A

Menetou-Salon

les Aix-d'Angillon

D 955

Massay

D 27

D 918

Mehun-sur-Yèvre

St-Georges-sur-Moulon

Sancergues

2

D 23

Fussy

N 151

D 43

D 6

D 18

Chârost

BOURGES

Baugy

D 920

D 27

Yèvre

D 10

D 12

250

36 - INDRE

N 151

N 144

A 71

N 76

Avord

Nérondes

D 976

la Guerche-sur-l'Aubois

133

D 73

D 953

D 6

D 920

D 30

Châteauneuf-sur-Cher

D 28

Blet

Dun-sur-Auron

D 14

D 35

D 10

Sancoins

Ligničres

Bruère-Allichamps

D 940

D 14

D 86

Meillant

Bannegon

D 41

D 951

le Châtelet

Noirlac

St-Amand-Montrond

D 925

Arnon

D 951

Ainay-le-Vieil

03 - ALLIER

Châteaumeillant

D 3

D 65

Culan

D 957

L'AUVERNE

133

D 3

D 111

D 997

D 3

N

3

23 - CREUSE

0   10 km

408

133

Légende p 21

241

ARGENT SUR SAULDRE (A1)
18410 Cher
3000 hab. 🇮

🏠🏠🏠 RELAIS DE LA POSTE ★★★
3, rue Nationale. M. Pinault
☎ 02 48 73 60 25 📠 02 48 73 30 62
🛏 10 🍽 235/310 F. 🍴 35 F.
🍴 90/330 F. 🍴 65 F. 🛏 240/290 F.
⌧ lun. hs.
Ⓔ Ⓓ 🖵 📺 ☎ 🚗 🛏 ⵌ 🐕 🏃 CV 🈁
📠 CB

AUBIGNY SUR NERE (A1)
18700 Cher
6000 hab. 🇮

🏠🏠 LA FONTAINE ★★
2, av. Général Leclerc.
M. Masse
☎ 02 48 58 02 59 📠 02 48 58 36 80
🛏 16 🍽 260/330 F. 🍴 35 F.
🍴 100/200 F. 🍴 70 F. 🛏 250/280 F.
⌧ 1er/21 mars et dim. soir.
Ⓔ SP 🖵 📺 ☎ 🚗 ⵌ 🏃 CV 📠 CB

AVORD (B2)
18520 Cher
3000 hab.

🏠 PECILE
18, rue Maurice Bourbon.
M. Pecile
☎ 02 48 69 13 09 📠 02 48 69 26 29
🛏 9 🍽 159/189 F. 🍴 23 F. 🍴 77 F.
🍴 39 F. 🛏 160/197 F.
⌧ 21 déc./5 janv., 30 juin/14 juil., ven.,
dim. et fériés.
Ⓔ 🖵 ☎ 🚗 🚗 🌴 CV CB

BANNEGON (B2)
18210 Cher
351 hab.

🏠🏠🏠 AUBERGE DU MOULIN DE
CHAMERON ★★★
M. Candore
☎ 02 48 61 83 80 \ 02 48 61 84 48
📠 02 48 61 84 92
🛏 13 🍽 350/515 F. 🍴 51 F.
🍴 130/200 F. 🍴 58 F.
⌧ 15 nov./1er mars, mar. sauf
15 juin/1er oct.
Ⓔ Ⓓ SP 🖵 📺 ☎ 🚗 🌴 ⵌ 🈁 📠 CB

BELLEVILLE SUR LOIRE (B1)
18240 Cher
1009 hab.

🏠 AUBERGE DE LA BONNE HUMEUR
10, route de Beaulieu. M. Classiot
☎ 02 48 72 64 01 📠 02 48 72 59 98
🛏 6 🍽 160/200 F. 🍴 30 F. 🍴 95/275 F.
🍴 45 F. 🛏 150/160 F.
Ⓔ 🖵 ☎ 🚗 🌴 🏃 CV 🈁 📠 CB

BRINON SUR SAULDRE (A1)
18410 Cher
1200 hab.

🏠🏠🏠 AUBERGE LA SOLOGNOTE ★★
M. Girard
☎ 02 48 58 50 29 📠 02 48 58 56 00
🛏 13 🍽 330/420 F. 🍴 60 F.
🍴 160/330 F. 🍴 90 F. 🛏 430/480 F.
⌧ 15 fév./15 mars, 19/26 mai, mar. soir
et mer. 1er oct./30 juin, mar. midi et
mer. midi 1er juil./30 sept.
Ⓔ 🖵 ☎ 🚗 🌴 🈁 🈁 📠 CB

BRUERE ALLICHAMPS (A2)
18200 Cher
649 hab.

🏠🏠 LES TILLEULS
Route de Noirlac. M. Dauxerre
☎ 02 48 61 02 75 📠 02 48 61 08 41
🛏 10 🍽 175/235 F. 🍴 36 F.
🍴 105/225 F. 🍴 60 F. 🛏 215/257 F.
⌧ 21/31 déc. et lun., dim. soir et lun.
1er nov./1er avr.
Ⓔ 🖵 ☎ 🌴 🈁 📠 CB

BUE (B1)
18300 Cher
360 hab.

🏠🏠 L'ESTERILLE ★★
M. Guery
☎ 02 48 54 21 78
🛏 9 🍽 225/300 F. 🍴 35 F. 🍴 95/210 F.
🍴 57 F. 🛏 290 F.
⌧ 2ème quinzaine déc., mar. soir et
mer.
SP 🖵 ☎ 🚗 🈁 CB

La CHAPELLE D'ANGILLON (A1)
18380 Cher
687 hab. 🇮

🏠🏠 LA BONNE AUBERGE
6, av. Alain Fournier. M. Schneiter
☎ 02 48 73 46 89 📠 02 48 73 43 42
🛏 7 🍽 190/330 F. 🍴 32 F. 🍴 60/160 F.
🍴 40 F. 🛏 190/260 F.
⌧ janv., 3ème semaine sept.,
24/26 déc., mer. soir et jeu.
Ⓔ Ⓓ 🖵 ☎ 🚗 🌴 🈁 🈁 CB

CHAROST (A2)
18290 Cher
1150 hab.

🏠🏠 RELAIS DE CHAROST ★★
11, av. du 8 Mai. M. Guemon
☎ 02 48 26 20 39 📠 02 48 26 29 46
🛏 10 🍽 180/280 F. 🍴 28 F.
🍴 100/260 F. 🍴 70 F. 🛏 270 F.
⌧ 15 fév./15 mars et dim. soir hs.
Ⓔ 🖵 ☎ 🚗 🏃 🈁 🈁 CB

CULAN (A3)
18270 Cher
932 hab.

▲ DE LA POSTE ★
Grande Rue.
M. Ransou
☎ 02 48 56 66 57 📠 02 48 56 66 80
🛏 13 ◎ 130/220 F. 🍽 30 F.
🍴 65/180 F. 🍴 47 F. 🛏 140/185 F.
✉ 6 janv./12 fév. et lun. sauf fériés.
E SP 📺 ☎ 🚗 CV ◈ CB

DUN SUR AURON (B2)
18130 Cher
4211 hab. i

▲▲ LE BEFFROY ★★
13, place Jacques Chartier.
Mme Schmite
☎ 02 48 59 50 72 📠 02 48 59 85 39
🛏 10 ◎ 150/250 F. 🍽 26 F.
🍴 67/150 F. 🍴 51 F. 🛏 220/235 F.
✉ 8 janv./5 fév. Hôtel Toussaint/Pâques.
Rest. ven. soir et lun. sauf fériés.
📺 ☎ ◈ CB

FUSSY (A2)
18110 Cher
2000 hab.

▲▲ L'ECHALIER ★★
30, route de Paris.
M. Gibarroux
☎ 02 48 69 31 72
🛏 8 ◎ 160/250 F. 🍽 25 F. 🍴 75/200 F.
🍴 45 F. 🛏 180/225 F.
✉ 21/28 avr., 24 août/8 sept.,
21 déc./6 janv., dim. soir et lun.
E ☎ 🚗 ◈ CB

La GUERCHE SUR L'AUBOIS (B2)
18150 Cher
3300 hab. i

▲▲ LE BERRY ★★
12, rue Jean Jaurès.
Mme Lefrançois
☎ 02 48 74 00 41 📠 02 48 74 19 96
🛏 7 ◎ 300/350 F. 🍽 32 F. 🍴 75/190 F.
🍴 45 F. 🛏 280/300 F.
✉ 20 déc./5 janv., ven. soir et dim. hs.
E 📺 ☎ 🚗 ◈ CB

HENRICHEMONT (B1)
18250 Cher
1820 hab.

▲▲ LE SOLEIL LEVANT ★★
15, rue de Bourgogne. M. Pinson
☎ 02 48 26 71 38
🛏 8 ◎ 180/220 F. 🍴 65/160 F.
🛏 200 F.
✉ vac. scol. fév., fin août/début sept.,
dim. soir et lun. midi.
E 📺 ☎ 🍴 CV ◈ CB

LERE (B1)
18240 Cher
1161 hab. i

▲▲ LE LION D'OR ★★
10, rue de la Judelle.
M. Ortéga
☎ 02 48 72 60 12 📠 02 48 72 56 18
🛏 7 ◎ 240 F. 🍽 35 F. 🍴 65 F.
🛏 250/290 F.
E SP 📺 ☎ 🚗 🍴 🔌 ◈

MASSAY (A2)
18120 Cher
1300 hab.

▲▲ RELAIS SAINT HUBERT ★★
53, av. Maréchal Foch.
M. Termereau
☎ 02 48 51 91 37
🛏 7 ◎ 210/230 F. 🍽 30 F. 🍴 90/150 F.
🛏 260 F.
✉ 15 jours fév., mar. soir et mer. sauf
fériés.
E ☎ 🚗 🚗 🍴 🏃 🔌 ◈ CB

MEHUN SUR YEVRE (A2)
18500 Cher
7227 hab. i

▲ LA CROIX BLANCHE ★
164, rue Jeanne d'Arc.
M. Badoux
☎ 02 48 57 30 01 📠 02 48 57 29 66
🛏 19 ◎ 148/298 F. 🍽 33 F.
🍴 75/175 F. 🍴 43 F. 🛏 185/240 F.
✉ 20 déc./20 janv., dim. soir fin
sept./Pâques.
E 📺 ☎ 🚗 🍴 🏃 🔌 CV 🔌 ◈ CB

NERONDES (B2)
18350 Cher
1300 hab.

▲▲ LE LION D'OR ★★
Place de l'Hôtel de Ville.
M. Boutillon
☎ 02 48 74 87 81
🛏 11 ◎ 140/265 F. 🍽 32 F.
🍴 85/205 F. 🍴 50 F. 🛏 187/310 F.
✉ 2ème quinzaine fév./1ère semaine
mars, 1 semaine fin oct., mer. et dim.
soir nov./fév.
E D 📺 ☎ 🚗 🔌 🔌 ◈ CB

NEUVY SUR BARANGEON (A1)
18330 Cher
1300 hab.

▲ LE CHEVAL ROUGE ★
2, place du Marché. Mme Pezzali
☎ 02 48 51 62 15 📠 02 48 51 13 67
🛏 9 ◎ 150/230 F. 🍽 35 F. 🍴 75/160 F.
🍴 45 F. 🛏 185/310 F.
✉ 4/24 mars. Rest. dim. soir et lun.
E ☎ 🚗 🔌 ◈ CB

SAINT AMAND MONTROND (B2-3)
18200 Cher
12500 hab. ℹ️

▲▲ CROIX D'OR ★★
   28, rue du 14 Juillet. MM. Moranges
   ☎ 02 48 96 09 41   FAX 02 48 96 72 89
   🛏 11 ◎ 240/300 F. 🍽 40 F.
   🍴 98/300 F. 🎿 40 F.
   ✉ ven. soir nov./mars sauf jours fériés.
   🄴 📷 ☎ 🚗 🚙 🎿 🔌 ⚓ CB

▲▲ DE LA POSTE ★★
   9, rue du Docteur Vallet. M. Laville
   ☎ 02 48 96 27 14   FAX 02 48 96 97 74
   120F 🛏 20 ◎ 170/310 F. 🍽 39 F.
   🍴 99/235 F. 🎿 60 F. 🍷 310 F.
   ✉ 5 janv. soir/21 janv. matin, dim. soir
   et lun. nov./fin mars.
   📷 ☎ 🚗 🚙 🎿 CV 🔌 ⚓ CB

SAINT GEORGES SUR MOULON (A-B2)
18110 Cher
645 hab.   .

▲▲ SAINT GEORGES ★★
   55, route de Bourges. M. Ducat
   ☎ 02 48 64 50 14   FAX 02 48 64 13 67
   120F 🛏 10 ◎ 170/350 F. 🍽 25/ 35 F.
   🍴 80/185 F. 🎿 55 F. 🍷 230/350 F.
   🄴 🄳 📷 ☎ 🚗 🚙 🔌 ⚓ CB 🍴

SAINT SATUR (B1)
18300 Cher
1960 hab. ℹ️

▲▲ LE LAURIER ★★
   29, rue du Commerce. Mme Decreuze
   ☎ 02 48 54 17 20   FAX 02 48 54 04 54
   100F 🛏 8 ◎ 105/280 F. 🍽 35 F. 🍴 75/255 F.
   🎿 50 F. 🍷 145 F.
   ✉ 15/30 nov., 1er/15 mars, dim. soir et
   lun. hs.
   🄴 📷 ☎ 🌴 🔌 ⚓ CB

▲ LE VERGER FLEURI ★★
   22, rue Basse des Moulins.
   Mme Bachelet
   ☎ 02 48 54 31 82   FAX 02 48 54 38 42
   100F 🛏 12 🍽 36 F. 🍴 78/210 F. 🎿 48 F.
   🍷 210/227 F.
   ✉ 1er/6 oct., 15 déc./20 janv. et lun.
   hs. Rest. lun. .
   🄴 📷 ☎ 🚙 🌴 ⚓ CB

SAINTE MONTAINE (A1)
18700 Cher
233 hab.

▲▲ LE CHEVAL BLANC ★
   Place de l'Eglise. M. Camus
   ☎ 02 48 58 06 92   FAX 02 48 58 27 61
   80F 🛏 9 ◎ 195/245 F. 🍽 30 F. 🍴 80/220 F.
   🎿 45 F. 🍷 340/373 F.
   ✉ fév., dim. soir et lun.
   🄴 ℹ️ 📷 🄶 ☎ 🚙 ♿ 🎿 🔌 ⚓ CB

SANCERRE (B1)
18300 Cher
3000 hab. ℹ️

▲▲ LE SAINT MARTIN ★★
   10, rue St-Martin. MM. Sivet/Bragato
   ☎ 02 48 54 21 11   FAX 02 48 54 39 55
   🛏 24 ◎ 205/280 F. 🍽 30 F.
   🍴 65/120 F. 🎿 40 F. 🍷 230/260 F.
   ✉ 11 nov./1er avr.
   🄴 SP 📷 ☎ 🔁 🎿 🔌 ⚓ CB 🍴

THENIOUX (A1)
18100 Cher
584 hab.

▲ AUBERGE DE LA COQUELLE
   Route de Tours. M. Galopin
   ☎ 02 48 52 03 17
   🛏 5 ◎ 160/185 F. 🍽 35 F. 🍴 95/185 F.
   🎿 45 F.
   ✉ 3 premières semaines oct., dim. soir
   et lun.
   🚙 📫 🌴 ⚓ CB

VIERZON (A2)
18100 Cher
32235 hab. ℹ️

▲▲ LE CHALET DE LA FORET ★★
   143, av. Edouard Vaillant. M. Verroeulst
   ☎ 02 48 75 35 84   FAX 02 48 71 59 36
   🛏 13 ◎ 165/275 F. 🍽 30 F.
   🍴 94/260 F. 🎿 50 F. 🍷 206/261 F.
   ✉ 24 déc./7 janv., dim. soir et lun. hs.
   🄴 📷 ☎ 🚗 🚙 🌴 🔽 🎿 🔌 ⚓ CB

**Liste des
hôtels-restaurants**

Eure-et-Loir

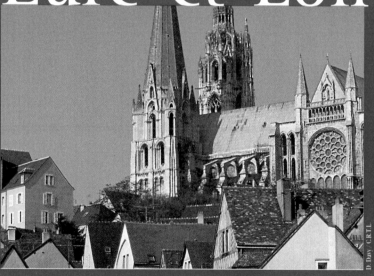

D. Davy C.R.T.L.

Association départementale
des Logis de France de l'Eure-et-loir
C.D.T. - 10 rue Docteur Maunoury
B.P. 67
28002 Chartres Cedex
Téléphone 02 37 84 01 03

CENTRE-VAL-DE-LOIRE

28 EURE-ET-LOIR
Chartres

41 LOIR-ET-CHER
Tours
Blois

45 LOIRET
Orléans

37 INDRE-ET-LOIRE

18 CHER
Bourges

36 INDRE
Châteauroux

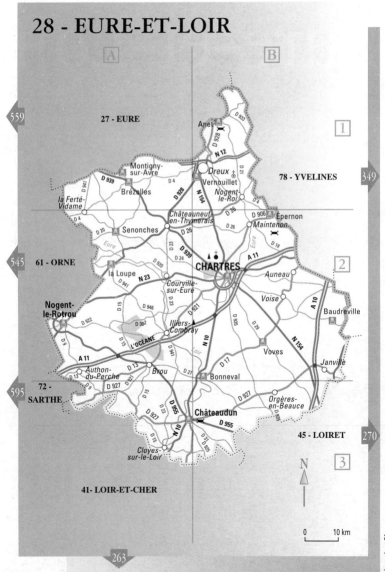

28 - EURE-ET-LOIR

A   B

559

27 - EURE

Anet   D 933

D 929
N 12

D 21

Montigny-sur-Avre   Dreux
Vernouillet

78 - YVELINES   349

D 4
Brézolles

D 941   D 928   N 154   Nogent-le-Roi

D 4

D 906

la Ferté-Vidame   Châteauneuf-en-Thymerais   Épernon
Maintenon

D 4   D 26   D 26

D 20   Senonches   D 18

Eure   D 23   D 939

545   61 - ORNE   D 24   CHARTRES   A 11

la Loupe   N 23   Auneau

D 920   Courville-sur-Eure   Voise

Nogent-le-Rotrou   D 15   D 946   D 23   D 921   A 10   Baudreville

D 922   D 302   Illiers-Combray   D 935   D 29   N 154

L'OCÉANE   D 341   N 10   Loir

A 11   D 13   Voves   Janville

Authon-du-Perche   Brou   D 17
D 13   D 921   D 27   Bonneval

595
72 - SARTHE   D 927   D 15   D 927   Orgères-en-Beauce

D 955   D 15   D 23   Châteaudun   D 955   45 - LOIRET   270

N 10
D 921   D 15   D 31 925

Cloyes-sur-le-Loir

N
↑

41 - LOIR-ET-CHER

0   10 km

263

Légende p 21

ANET (B1)
28260 Eure et Loir
2300 hab. [i]

⌂ AUBERGE DE LA ROSE ★
6, rue Charles Lechevrel. M. Zanga
☎ 02 37 41 90 64
[†] 7 ⊗ 190/240 F. ▤ 35 F.
[‖] 153/240 F. [⚏] 55 F.
⊠ dim. soir et lun.
[i] [☎] [🚗] [▮]

BAUDREVILLE (B2)
28310 Eure et Loir
250 hab.

⌂ LE RELAIS D'OC
3, rue de la Revanche.
M. Rouzies
☎ 02 37 99 56 50
[†] 10 ⊗ 190/240 F. ▤ 30 F.
[‖] 55/250 F. [⚏] 50 F. [▦] 190 F.
⊠ vac. scol. fév. dim. soir et lun. sauf
pensionnaires.
[0] [☎] [🚗] [⋈] [⚏] [CV] [↞] [CB]

BONNEVAL (B2)
28800 Eure et Loir
4420 hab. [i]

⌂⌂⌂ HOSTELLERIE DU BOIS GUIBERT ★★★
Hameau de Guibert.
M. Leluc
☎ 02 37 47 22 33 [FAX] 02 37 47 50 69
[†] 14 ⊗ 280/550 F. ▤ 50 F.
[‖] 139/310 F. [⚏] 60 F. [▦] 340/475 F.
⊠ 13/27 janv.
[0] [0] [SP] [□] [☎] [🚗] [⋈] [⵿] [⚘] [⚏] [▮]
[↞] [CB]

BREZOLLES (A1)
28270 Eure et Loir
1900 hab.

⌂⌂ LE RELAIS DE BREZOLLES ★★
Route de Chartres et Dreux. M. Marteau
☎ 02 37 48 20 84 [FAX] 02 37 48 28 46
[†] 20 ⊗ 170/240 F. ▤ 25/ 30 F.
[‖] 74/180 F. [⚏] 52 F. [▦] 225 F.
⊠ 1er/5 janv., août, ven. soir, dim. et
soirs fériés.
[0] [□] [☎] [🚗] [⋈] [⵿] [⚘] [⚙] [⚏] [CV] [▮]
[↞] [CB]

CHARTRES (B2)
28000 Eure et Loir
41251 hab. [i]

⌂⌂ DE LA POSTE ★★
3, rue Général Koenig. M. Sevetre
☎ 02 37 21 04 27 [FAX] 02 37 36 42 17
[†] 57 ⊗ 290/330 F. ▤ 41 F.
[‖] 80/170 F. [⚏] 47 F. [▦] 260/300 F.
[0] [0] [SP] [□] [⌗] [☎] [🚗] [‡] [⋈] [⚏] [▮]
[↞] [CB] [▭] [CR]

DU BOEUF COURONNE ★★
15, place Châtelet. Mme Vinsot
☎ 02 37 18 06 06\02 37 18 07 07
[FAX] 02 37 21 72 13
[†] 21 ⊗ 157/289 F. ▤ 30 F.
[‖] 93/155 F. [⚏] 54 F. [▦] 210/260 F.
⊠ dim. soir Noël/Pâques.
[0] [D] [SP] [□] [☎] [‡] [CV] [↞] [CB]

CHATEAUDUN (A-B3)
28200 Eure et Loir
16000 hab. [i]

⌂⌂ DE LA ROSE ★★
12, rue Lambert Licors
M. Mérau
☎ 02 37 45 21 83 [FAX] 02 37 45 21 83
[†] 11 ⊗ 225/245 F. ▤ 32 F.
[‖] 87/150 F. [⚏] 65 F. [▦] 215/235 F.
⊠ dim. soir et lun. hs, dim. soir saison.
[□] [☎] [🚗]

⌂⌂ SAINT LOUIS ★★
41, rue de la République. M. Maamar
☎ 02 37 45 00 01 [FAX] 02 37 45 16 09
[†] 22 ⊗ 170/260 F. ▤ 30 F.
[‖] 90/190 F. [⚏] 60 F. [▦] 270 F.
[0] [□] [☎] [🚗] [CV] [↞] [CB]

EPERNON (B2)
28230 Eure et Loir
5200 hab.

⌂ DE LA MADELEINE ★
M. Bardot
☎ 02 37 83 42 06 [FAX] 02 37 83 57 34
[†] 7 ⊗ 180/200 F. ▤ 26 F. [‖] 90/220 F.
[⚏] 48 F. [▦] 205/240 F.
⊠ 1er/26 août., 8 jours vac. scol. fév.,
dim. soir et lun.
[0] [□] [☎] [🚗] [⵿] [⚏] [↞] [CB]

La LOUPE (A2)
28240 Eure et Loir
5000 hab. [i]

⌂⌂ LE CHENE DORE ★★
12, place de l'Hôtel de Ville.
Mme Castan
☎ 02 37 81 06 71
[†] 10 ⊗ 246 F. ▤ 28 F. [‖] 96/135 F.
[⚏] 46 F. [▦] 280 F.
[0] [0] [□] [☎] [🚗] [⋈] [⚏] [CV] [▮] [↞]

MONTIGNY SUR AVRE (A1)
28270 Eure et Loir
350 hab. [i]

⌂⌂ LE MOULIN DES PLANCHES ★★
M. Langlois
☎ 02 37 48 25 97 [FAX] 02 37 48 35 63
[†] 19 ⊗ 300/390 F. ▤ 45 F.
[‖] 98/196 F. [⚏] 75 F. [▦] 263/288 F.
⊠ 2/31 janv., dim. soir et lun.
[0] [□] [☎] [🚗] [⋈] [⵿] [⚘] [⚙] [⚏] [▮] [CB]

NOGENT LE ROTROU (A2)
28400 Eure et Loir
13586 hab. ⓘ

▲▲ DU LION D'OR ★★
Place Saint-Pol. M. Drouet
☎ 02 37 52 01 60 FAX 02 37 52 23 82
120F ♦ 14 ◎ 270/380 F. ▣ 38 F.
⑪ 105/230 F. ⑪ 68 F. ▣ 300/350 F.
⊠ 4/25 août, 23 déc./5 janv., lun. et
dim. soir.
▯ ▯ SP ▯ ▯ ▯ ▯ ▯ ▯ ▯ ▯ CB

SENONCHES (A2)
28250 Eure et Loir
3100 hab. ⓘ

▲▲▲ AUBERGE DE LA POMME DE PIN ★★
15, rue Michel Cauty. M. Bauer
☎ 02 37 37 76 62 FAX 02 37 37 86 61
100F ♦ 10 ◎ 280/380 F. ▣ 35 F.
⑪ 88/180 F. ⑪ 48 F. ▣ 255/270 F.
⊠ 24 déc./23 janv., 10/27 oct., dim. soir
et lun.
▯ ▯ ▯ ▯ ▯ ▯ ▯ ▯ ▯ ▯ CV ▯
▯ CR

▲▲ DE LA FORET ★★
Place du Champ de Foire. M. Venier
☎ 02 37 37 78 50 FAX 02 37 37 74 98
120F ♦ 13 ◎ 200/350 F. ▣ 35 F.
⑪ 75/250 F. ⑪ 50 F. ▣ 210/260 F.
▯ ▯ ▯ ▯ ▯ CB CR

VERNOUILLET (B1)
28500 Eure et Loir
12000 hab.

▲▲▲ AUBERGE DE LA VALLEE VERTE ★★
6, rue L. Dupuis. M. Paillé
☎ 02 37 46 04 04 FAX 02 37 42 91 17
♦ 11 ◎ 280/310 F. ▣ 38 F.
⑪ 140/240 F. ⑪ 55 F. ▣ 280/350 F.
⊠ 26 déc./10 janv., 4/26 août., ven.
soir, dim. soir et lun.
▯ ▯ ▯ ▯ ▯ ▯ ▯ ▯ CB

VOVES (B2)
28150 Eure et Loir
2800 hab.

▲▲▲ AU QUAI FLEURI ★★★
15, rue Texier Gallas. M. Chadorge
☎ 02 37 99 15 15 FAX 02 37 99 11 20
120F ♦ 17 ◎ 245/440 F. ▣ 45 F.
⑪ 79/260 F. ⑪ 52 F. ▣ 255/320 F.
⊠ 20 déc./10 janv., dim. soir et soirs
fériés.
▯ ▯ ▯ ▯ ▯ ▯ ▯ ▯ ▯ ▯ ▯ CV ▯
▯ CB ▯ CR

When on business in France, travel "Logis de
France". Use the form at the back of the guidebook
to order now your "Etape Affaires" business travel
card and take advantage of special rates year round.

**Liste des
hôtels-restaurants**

Indre

C.I.G. CRTL

Association départementale
des Logis de France de l'Indre
C.C.I.
24 place Gambetta
36028 Châteauroux Cedex
Téléphone 02 54 53 52 51

CENTRE-VAL-DE-LOIRE

28 EURE-ET-LOIR
Chartres

45 LOIRET
Blois
Orléans
41 LOIR-ET-CHER
Tours

37 INDRE-ET-LOIRE

18 CHER
36 INDRE
Bourges
Châteauroux

36 - INDRE

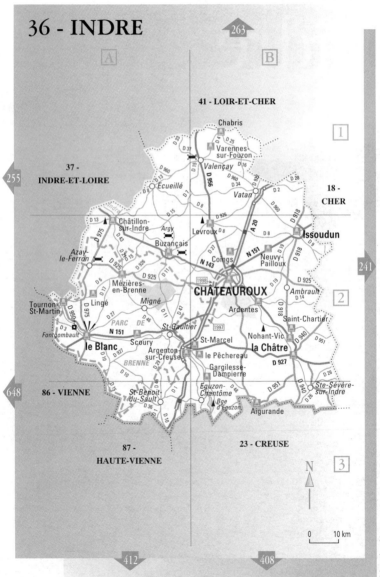

263

A   B

41 - LOIR-ET-CHER

Chabris

1

37 -
INDRE-ET-LOIRE

255

D 35
D 37
Varennes-
sur-Fouzon
D 25
D 15
Valençay
D 16
D 960
D 13
D 960
D 34
D 925
Écueillé
D 8
D 7
D 960
Vatan
D 28
D 2

18 -
CHER

241

D 13
Châtillon-
sur-Indre
D 975
D 15
Argy
D 8
D 926
Levroux
D 8
A 20
D 8
Issoudun
D 918

Azay-
le-Ferron
D 925
D 15
Buzançais
D 27
Coings
N 151
Neuvy-
Pailloux
D 918

Mézières-
en-Brenne
D 925
D 11
N 143
D 19

D 8
D 17
CHÂTEAUROUX
D 925
Ambrault
D 14

Tournon-
St-Martin
D 975
Lingé
Migné
D 11
D 47
Ardentes
D 918
Saint-Chartier

D 3
Fontgombault
PARC
DE
N 151
St-Gaultier
1997
Nohant-Vic
D 940
D 951

le Blanc
D 927
Scoury
Argenton-
sur-Creuse
St-Marcel
la Châtre

BRENNE
D 29
le Pêchereau
Gargilesse-
Dampierre
D 927

648

D 10
St-Benoît-
du-Sault
D 36
Éguzon-
Chantôme
Bge
d'Éguzon
D 48
D 951
D 940
Ste-Sévère-
sur-Indre
D 26

86 - VIENNE
Aigurande

2

87 -
HAUTE-VIENNE

23 - CREUSE

3

N

0   10 km

412   **408**

Légende p 21

AIGURANDE (B3)
36140 Indre
1952 hab. [i]

⌂ RELAIS DE LA MARCHE ★★
Place du Champ de Foire. M. Chambon
☎ 02 54 06 31 58 FAX 02 54 06 46 70
[🛏] 7 ⌾ 210/280 F. ▣ 35 F.
[🍽] 100/199 F. [🛏] 50 F. [🅿] 260/290 F.
⌧ rest. sam.
[E] [SP] [📷] [☎] [🍴] [IOI] [🖤] [CB]

ARDENTES (B2)
36120 Indre
3500 hab.

⌂⌂ LE CHENE VERT ★★
22, route de la Châtré. M. Mimault
☎ 02 54 36 22 40 FAX 02 54 36 64 33
[🛏] 7 ⌾ 190/410 F. ▣ 40 F.
[🍽] 100/230 F. [🛏] 60 F. [🅿] 290/355 F.
⌧ 1er/20 janv., 3/12 août, dim. soir et
lun.
[E] [D] [📷] [☎] [🛏] [🖤] [CB]

ARGENTON SUR CREUSE (A2)
36200 Indre
6921 hab. [i]

⌂ DE LA GARE ET DU TERMINUS ★★
7, rue de la Gare. M. Leron
☎ 02 54 01 10 81 FAX 02 54 24 02 54
[🛏] 14 ⌾ 100/250 F. ▣ 28 F.
[🍽] 75/160 F. [🛏] 40 F. [🅿] 230/320 F.
⌧ 10/27 janv., dim. soir et lundi hs, lun.
saison.
[E] [SP] [📷] [☎] [🚗] [🛏] [CV] [IOI] [🖤] [CB] [🖼]

⌂⌂ LE CHEVAL NOIR ★★
27, rue Auclert Descottes. M. Jeanrot
☎ 02 54 24 00 06 FAX 02 54 24 11 22
[🛏] 20 ⌾ 220/350 F. ▣ 35 F.
[🍽] 88/240 F. [🛏] 50 F. [🅿] 230/255 F.
[E] [D] [📷] [🖳] [☎] [🚗] [CV] [IOI] [🖤] [CB]

... à proximité

Le PECHEREAU (B2)
36200 Indre
1930 hab. [i]

2 km S.O. Argenton sur Creuse par D.48

⌂⌂ L'ESCAPADE ★★
Route de Gargilesse,(Le Vivier).
Mme Arnaud
☎ 02 54 24 26 10 FAX 02 54 24 33 16
[🛏] 8 ⌾ 200 F. ▣ 25 F. [🍽] 65/200 F.
[🛏] 50 F. [🅿] 400 F.
⌧ mer. après-midi et soir.
[E] [📷] [☎] [🚗] [🛏] [CV] [IOI] [CB]

SAINT MARCEL (B2)
36200 Indre
1800 hab. [i]

*1 km N. Argenton sur Creuse par
ancienne N. 20*

⌂⌂ LA GRANGE A MAS ★
Route de Chateauroux. M. Tondu
☎ 02 54 24 12 33 FAX 02 54 24 45 89

[🛏] 6 ⌾ 200/250 F. ▣ 30 F. [🍽] 80/170 F.
[🛏] 40 F. [🅿] 260/300 F.
⌧ 13 janv./5 fév., 24 nov./4 déc., mar.
soir et mer. hs.
[E] [D] [📷] [🖳] [🛏] [🍴] [🚴] [🖤] [CB] [CR]

⌂⌂ LE PRIEURE ★★
Rue du Président Fruchon.
M. Pavy
☎ 02 54 24 05 19 FAX 02 54 24 32 28
[🛏] 12 ⌾ 160/260 F. ▣ 35 F.
[🍽] 75/185 F. [🛏] 45 F. [🅿] 230/250 F.
⌧ 10 janv./10 fév. et lun.
[📷] [☎] [🖳] [🍴] [IOI]

Le BLANC (A2)
36300 Indre
7361 hab. [i]

⌂ L'ILE D'AVANT ★★
69, av. Pierre Mendès France.
Mme Chéroute
☎ 02 54 37 01 56 FAX 02 54 37 38 06
[🛏] 15 ⌾ 210/300 F. ▣ 32 F.
[🍽] 65/120 F. [🛏] 30 F. [🅿] 180/225 F.
⌧ 18 déc./15 janv., dim. soir et lun. hs.
[E] [📷] [☎] [🖳] [CV] [IOI] [🖤] [CB]

BUZANCAIS (A2)
36500 Indre
5000 hab. [i]

⌂⌂ DU CROISSANT ★★
53, rue Grande.
M. Desroches
☎ 02 54 84 00 49 FAX 02 54 84 20 60
[🛏] 14 ⌾ 225/265 F. ▣ 32 F.
[🍽] 82/230 F. [🛏] 58 F. [🅿] 290/320 F.
⌧ 6 fév./6 mars, ven. après-midi/sam.
18h.
[E] [📷] [☎] [🛏] [🍴] [IOI] [🖤] [CB]

⌂⌂⌂ HERMITAGE ★★
Route d'Argy.
M. Sureau
☎ 02 54 84 03 90 FAX 02 54 02 13 19
[🛏] 14 ⌾ 160/335 F. ▣ 29 F.
[🍽] 88/290 F. [🛏] 60 F. [🅿] 250/275 F.
⌧ 14/23 sept., 2/17 janv., dim. soir et
lun. sauf hôtel juil./août.
[E] [📷] [☎] [🖳] [🚗] [🍴] [🚴] [♿] [CV] [IOI] [🖤] [CB]
[🖼] [CR]

CHABRIS (B1)
36210 Indre
3000 hab. [i]

⌂ DE LA PLAGE ★★
42, rue du Pont.
M. Pinault
☎ 02 54 40 02 24 FAX 02 54 40 08 59
[🛏] 7 ⌾ 194 F. ▣ 31 F. [🍽] 95/230 F.
[🛏] 60 F. [🅿] 220/240 F.
⌧ 23 déc./5 fév., dim. soir et lun.
[E] [D] [📷] [☎] [🖳] [🍴] [⏲] [IOI] [🖤] [CB]

CHATEAUROUX (B2)
36000 Indre
55620 hab. 🛈

⚐⚐ DE LA GARE ★★
5, place de la Gare.
M.Me Neuville
☎ 02 54 22 77 80   ⁜ 02 54 22 83 72
🛏 37 ⊗ 150/320 F. ▧ 25 F.
⫼ 75/150 F. ⫪ 38 F. 🖾 350/520 F.
🄴 🗇 ᴄᴅ ☎ 🚗 ⛱ 🏊 ♿ CV ⦿ 🐾 CB
🄱 ᴄʀ

⚐⚐ LE CONTINENTAL ★★
17, rue du Palais de Justice.
M. Cosnier
☎ 02 54 34 36 12   ⁜ 02 54 27 37 10
🛏 21 ⊗ 200/260 F. ▧ 27 F.
⫼ 73/150 F. 🖾 200/307 F.
⊠ entre Noël et Jour de l'An, dim.
🄴 🗇 ᴄᴅ ☎ ⋈ 🐾 CB

⚐⚐⚐ MANOIR DU COLOMBIER ★★★
232, rue de Chatellerault.
M. Moineau
☎ 02 54 29 30 01   ⁜ 02 54 27 70 90
🛏 11 ⊗ 370/500 F. ▧ 50 F.
⫼ 100/300 F. ⫪ 60 F. 🖾 650/750 F.
⊠ rest. dim. soir et lun.
🄴 🗇 ᴄᴅ ☎ 🚗 🚗 ⛱ ♿ ⦿ 🐾 CB

... *à proximité*

COINGS (B2)
36130 Indre
821 hab.

5 km Nord Châteauroux par A20 sortie N° 12, direction Aéroport

⚐ LA PROMENADE ★★
Lieu-dit Céré.
MM. Broussin
☎ 02 54 22 04 00   ⁜ 02 54 07 53 18
🛏 16 ⊗ 150/240 F. ▧ 25 F.
⫼ 65/150 F. ⫪ 35 F. 🖾 220 F.
⊠ 24/31 déc., sam. midi et dim. soir hs.
🄴 🗇 ☎ 🚗 ⛱ ♿ ⦿ 🐾 CB

CHATILLON SUR INDRE (A2)
36700 Indre
3200 hab. 🛈

⚐ AUBERGE DE LA TOUR ★★
2, route du Blanc.
M. Pipelier
☎ 02 54 38 72 17   ⁜ 02 54 38 74 85
🛏 10 ⊗ 140/260 F. ▧ 26 F.
⫼ 80/220 F. ⫪ 50 F. 🖾 300/440 F.
⊠ lun. oct./juin.
🗇 ☎ 🚗 ⛱ CV ⦿ 🐾 CB

La CHATRE (B2)
36400 Indre
5005 hab. 🛈

⚐⚐ DU LION D'ARGENT ET DES TANNERIES ★★
M. Audebert
☎ 02 54 48 11 69   ⁜ 02 54 06 02 24

🛏 34 ⊗ 235/330 F. ▧ 35 F.
⫼ 72/135 F. ⫪ 35 F. 🖾 240/260 F.
🄴 🗇 🗇 ☎ 🚗 ⋈ ⛱ 🏊 ♿ CV ⦿ CB
🄱 ᴄʀ

COINGS (B2)
36130 Indre
>>> *voir CHATEAUROUX*

GARGILESSE DAMPIERRE (B2)
36190 Indre
347 hab. 🛈

⚐ DES ARTISTES
Mme Desormière
☎ 02 54 47 84 05   ⁜ 02 54 47 72 41
🛏 10 ⊗ 170/200 F. ▧ 30 F.
⫼ 75/160 F. ⫪ 45 F. 🖾 220/240 F.
⊠ ven. soir et dim. soir hs.
🄴 🐾 CB

ISSOUDUN (B2)
36100 Indre
16548 hab. 🛈

⚐ DE LA GARE ★★
7, bld Pierre Favreaux.
M. Venin-Bernard
☎ 02 54 21 11 59   ⁜ 02 54 21 73 01
🛏 16 ⊗ 140/220 F. ▧ 28 F.
⫼ 62/170 F. ⫪ 62 F. 🖾 160/250 F.
⊠ 21 déc./6 janv. et dim.
🗇 ☎ ⫪ 🐾 CB

⚐ LES 3 ROIS ★★
3, rue Pierre Brossolette.
Mme Blanchandin
☎ 02 54 21 00 65   ⁜ 02 54 21 50 61
🛏 17 ⊗ 210/270 F. ▧ 40 F.
⫼ 85/160 F. ⫪ 60 F. 🖾 225/275 F.
⊠ 1ère semaine fév., 15 sept./3 oct.,
dim. soir et mar.
🄴 🗇 ☎ 🚗 ♿ CV 🐾 CB ᴄʀ

LEVROUX (B2)
36110 Indre
3200 hab. 🛈

⚐ DE LA CLOCHE ★★
3 rue nationale
M. Capelli
☎ 02 54 35 70 43   ⁜ 02 54 35 67 43
🛏 10 ⊗ 170/320 F. ▧ 28 F.
⫼ 85/230 F. ⫪ 45 F. 🖾 215/245 F.
⊠ fév., lun. soir et mar.
🄴 🗇 🚗 CV 🐾 CB

LINGE (A2)
36220 Indre
276 hab.

⚐ AUBERGE DE LA GABRIERE ★★
Etang de la Gabrière.
M. Marechau
☎ 02 54 37 80 97   ⁜ 02 54 37 70 66
🛏 9 ⊗ 195 F. ▧ 25 F. ⫼ 60/130 F.
⫪ 40 F. 🖾 170 F.
🄴 🗇 ☎ 🚗 ♿ ⦿ 🐾 CB

MEZIERES EN BRENNE (A2)
36290 Indre
1190 hab. [i]

▲▲ AU BOEUF COURONNE ★★
Place Charles de Gaulle. M. Brossier
☎ 02 54 38 04 39   FAX 02 54 38 02 84
[100F] ⌞ 8 ⌟ 220 F. 🍽 32 F. 🍴 70/242 F.
🛏 40 F. 🖼 190 F.
⌧ 2/16 janv., 23/30 juin, 28 sept./
16 oct., dim. soir et lun.
[E] [⌂] [☎] [CV] [♥] [CB]

NEUVY PAILLOUX (B2)
36100 Indre
1422 hab.

▲ BERRY RELAIS ★★
9, RN. 151. M. Vermeulen
☎ 02 54 49 50 57
⌞ 10 ⌟ 150/250 F. 🍽 28 F.
🍴 68/250 F. 🛏 50 F. 🖼 200/220 F.
⌧ 1ère quinzaine janv. et lun.
[E] [D] [⌂] [☎] [🚗] [🛥] [🛏] [♥] [CB]

NOHANT (B2)
36400 Indre
481 hab. [i]

▲▲ AUBERGE DE LA PETITE FADETTE ★★
Place du Château. M. Chapleau
☎ 02 54 31 01 48   FAX 02 54 31 10 19
⌞ 8 ⌟ 280/450 F. 🍽 40 F. 🍴 82/198 F.
🛏 55 F. 🖼 270/350 F.
[E] [⌂] [☎] [🚗] [🛥] [⫶] [♥] [CB]

Le PECHEREAU (B2)
36200 Indre

>>> *voir ARGENTON SUR CREUSE*

SAINT CHARTIER (B2)
36400 Indre
560 hab.

▲▲▲ CHATEAU LA VALLEE BLEUE ★★★
Route de Verneuil. M. Gasquet
☎ 02 54 31 01 91   FAX 02 54 31 04 48
⌞ 13 ⌟ 350/600 F. 🍽 50 F.

🍴 140/295 F. 🛏 70 F. 🖼 420/530 F.
⌧ fév., dim. soir et lun. oct./Pâques.
[E] [D] [SP] [⌂] [☎] [🚗] [🛥] [🏖] [⫶] [🐾] [♿] [⫶] [♥] [CB]

SAINT MARCEL (B2)
36200 Indre

>>> *voir ARGENTON SUR CREUSE*

SCOURY (A2)
36300 Indre
350 hab.

▲ HOSTELLERIE DES RIVES DE LA CREUSE
M. Joly
☎ 02 54 37 98 01   FAX 02 54 37 64 77
[120F] ⌞ 7 ⌟ 160/250 F. 🍽 30 F. 🍴 68/250 F.
🛏 45 F. 🖼 190/240 F.
⌧ 12/26 fév., dim. soir et lun. hs.
[E] [⌂] [☎] [🚗] [🚗] [🛥] [⫶] [🛏] [CV] [⫶] [♥] [CB]

TOURNON SAINT MARTIN (A2)
36220 Indre
1506 hab.

▲▲ AUBERGE DU CAPUCIN
GOURMAND ★★
8, rue Bel Air. 7bis, route de Le Blanc.
M. Pelegrin
☎ 02 54 37 66 85   FAX 02 54 37 87 54
[80F] ⌞ 7 ⌟ 175/270 F. 🍽 37 F. 🍴 80/195 F.
🛏 45 F. 🖼 173/220 F.
⌧ 1 semaine oct., 2 semaines fév., dim.
soir et lun. hs.
[E] [⌂] [☎] [🚗] [🚗] [🛥] [⫶] [♿] [🛏] [CV] [♥] [CR]

VARENNES SUR FOUZON (B1)
36210 Indre
679 hab.

▲ DE FRANCE ET MON REPOS ★★
M. Guilpain
☎ 02 54 41 10 23   FAX 02 54 41 14 05
[100F] ⌞ 10 ⌟ 160/350 F. 🍽 32 F.
🍴 70/190 F. 🖼 250/320 F.
⌧ fév. et mer.
[E] [⌂] [☎] [🚗] [🚗] [🛥] [⫶] [🛏] [CV] [⫶] [♥] [CB]

Das ganze Jahr über Geschäftsreisen mit "Logis de France". Bestellen Sie Ihre Karte "Etape Affaires" dank des Formulars am Ende dieses Reiseführers.

36 15 LOGIS DE FRANCE

**Liste des
hôtels-restaurants**

Indre-
et-Loire

J. Puyo C.R.T.L.

Association départementale
des Logis de France de l'Indre-et-Loire
C.C.I.
4 bis rue Jules Favre
37010 Tours Cedex
Téléphone 02 47 47 20 88

CENTRE-VAL-DE-LOIRE

28 EURE-ET-LOIR
Chartres

45 LOIRET
Blois
Orléans
Tours
41 LOIR-ET-CHER
37 INDRE-ET-LOIRE
18 CHER
36 INDRE
Bourges
Châteauroux

37 - INDRE-ET-LOIRE

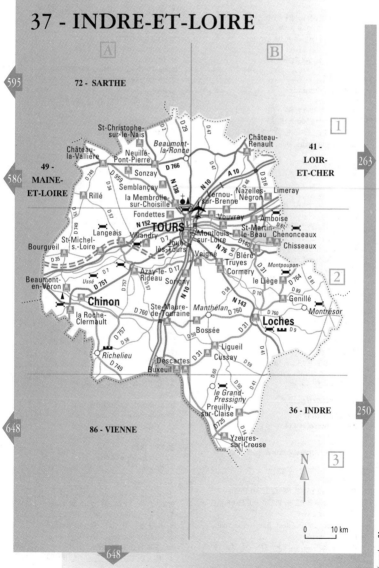

A   B

72 - SARTHE

595

49 -
MAINE-
ET-LOIRE

586

648

41 -
LOIR-
ET-CHER

263

250

St-Christophe-
sur-le-Nais
Château-
la-Vallière
Neuillé-
Pont-Pierre
Beaumont-
la-Ronce
Château-
Renault
Limeray
Sonzay
Rillé
Semblançay
la Membrolle-
sur-Choisille
Fondettes
Nazelles-
Négron
Vernou-
sur-Brenne
Vouvray
Amboise
TOURS
Villandry
Joué-
lès-Tours
Montlouis-
sur-Loire
St-Martin-
le-Beau
Chenonceaux
Chisseaux
Langeais
St-Michel-
s.-Loire
Bourgueil
Veigné
Blére
Truyes
Cormery
Montpoupon
le Liège
Azay-le-
Rideau
Savigny
Beaumont-
en-Véron
Ussé
Chinon
Manthelan
Génillé
Montrésor
la Roche-
Clermault
Ste-Maure-
de-Touraine
Loches
Richelieu
Bossée
Descartes
Buxeuil
Ligueil
Cussay
le Grand-
Pressigny
Preuilly-
sur-Claise
36 - INDRE
Yzeures-
sur-Creuse

86 - VIENNE

N

648

D 29
D 47
D 766
N 138
A 10
N 10
D 31B
N 152
D 749
D 959
D 34
D 57
D 749
N 76
D 45
D 140
D 81
D 31
D 764
D 89
D 35
D 751
D 757
D 17
D 57
N 10
D 58
D 10
N 143
D 760
D 760
D 9
D 31
D 760
D 757
D 58
D 749
D 31
D 59
D 41
D 60
D 50
D 725
D 14

0   10 km

Légende p 21

255

AMBOISE (B2)
37400 Indre et Loire
12000 hab. ⓘ

⚹ BELLEVUE ★★★
12, quai Charles Guinot et N.152.
Mme Levesque
☎ 02 47 57 02 26 FAX 02 47 30 51 23
🛏 32 ⚄ 280/350 F. ▭ 35 F.
✉ déc./fév.
🄴 ⬜ 🕾 ⬆ CB

🄰 DE FRANCE ET DU CHEVAL BLANC ★
6 et 7 quai du Général de Gaulle.
M. Coursin
☎ 02 47 57 02 44 FAX 02 47 57 69 54
🛏 21 ⚄ 150/265 F. ▭ 32 F.
🍽 59/135 F. 🍴 45 F. 🍲 210 F.
✉ 11 nov./1er mars.
🄴 SP 🕾 🚗 CV ⌂ CB

🄰🄰 L'ARBRELLE ★★
Route des Ormeaux.
Mme Gallois
☎ 02 47 57 57 17 FAX 02 47 57 64 89
🚗 100F 🛏 11 ⚄ 280/360 F. ▭ 35 F.
🍽 77/165 F. 🍴 45 F. 🍲 275/315 F.
✉ 24 déc./6 mars, dim. soir et lun. sauf
saison.
🄴 ⬜ 🕾 🚗 🌴 ⛏ ♿ CV ▦
⌂ CB

🄰🄰 LA BRECHE ★★
26, rue Jules Ferry, rive droite.
M. Girard
☎ 02 47 57 00 79 FAX 02 47 57 65 49
🛏 13 ⚄ 160/310 F. ▭ 35 F.
🍽 75/170 F. 🍴 49 F. 🍲 180/255 F.
✉ 22 déc./1er fév., dim. soir et lun.
15 oct./1er avr.
🄴 ⬜ 🕾 🚗 🌴 ⛏ CV ▦ ⌂
CB 🖥

🄰🄰 LE LION D'OR ★★
17, quai Charles Guinot.
M. Renard
☎ 02 47 57 00 23 FAX 02 47 23 22 49
🛏 22 ⚄ 183/316 F. ▭ 37 F.
🍽 66/190 F. 🍴 38 F. 🍲 287/298 F.
✉ 1er janv./15 fév., dim. soir et lun. hs.
🄴 🕾 🚗 ⌂ CB 🄶🄡

... *à proximité*

LIMERAY (B1)
37530 Indre et Loire
972 hab.

6 km N.E. Amboise par N 152

🄰🄰🄰 AUBERGE DE LAUNAY ★★
M.Me Bail
☎ 02 47 30 16 82 FAX 02 47 30 15 16
🚗 120F 🛏 7 ⚄ 290 F. ▭ 40 F. 🍽 100/230 F.
🍴 60 F. 🍲 285 F.
✉ 16 déc./15 fév. Rest. lun. soir et mar.
midi oct./avr.
🄴 ⬜ 🕾 🚗 🚗 ✉ 🌴 ⛏ ♿
CV ⌂

NAZELLES NEGRON (B1-2)
37530 Indre et Loire
3547 hab.

2 km N.O. Amboise par D 75

🄰 LES PLATANES
7,bld des Platanes, 1,5km centre
Amboise Mme Bonachéra
☎ 02 47 57 08 60 FAX 02 47 30 55 16
🛏 18 ⚄ 160/195 F. ▭ 30 F.
🍽 75/135 F. 🍴 40 F. 🍲 160/190 F.
✉ week-ends 1er nov./1er avr. sauf vac.
scol., dim. soir 1er avr./30 oct. sauf
réserv.Rest. midi et dim.soir sauf réserv.
🄴 SP ⓘ ⬜ 🕾 🕾 🚗 🌴 ⛏ CV ▦ ⌂
CB 🄶🄡

⚹ PETIT LUSSAULT ★★
(à 2 km O. Amboise, N. 152).
M. Levesque
☎ 02 47 57 30 30 FAX 02 47 57 77 80
🛏 20 ⚄ 255/295 F. ▭ 29 F.
✉ nov./mars.
🄴 ⓘ 🕾 🚗 🌴 ⛏ ♿ 🄵 ⌂ CB

AZAY LE RIDEAU (A2)
37190 Indre et Loire
3200 hab. ⓘ

⚹ DE BIENCOURT ★★
7, rue Balzac (rue piétonne).
Mme Marioton
☎ 02 47 45 20 75
🛏 16 ⚄ 210/380 F. ▭ 36 F.
✉ 15 nov./1er mars.
🄴 D SP 🕾 🚗 🌴 ♿

🄰 LE BALZAC ★
4-6, rue Adélaïde Riche. Mme Thireau
☎ 02 47 45 42 08 FAX 02 47 45 29 87
🛏 11 ⚄ 190/250 F. ▭ 33 F.
🍽 70/150 F. 🍴 40 F. 🍲 420 F.
✉ lun. oct./fin mars.
SP 🕾 🚗 CV ⌂ CB

🄰🄰🄰 LE GRAND MONARQUE ★★
Place de la République. Mme Forest
☎ 02 47 45 40 08 FAX 02 47 45 46 25
🛏 25 ⚄ 250/650 F. ▭ 39 F.
🍽 95/275 F. 🍴 59 F. 🍲 320/560 F.
✉ janv., 16/31 déc., dim. soir et lun. hs.
🄴 D ⬜ 🕾 🚗 🚗 🌴 ▦ ⌂ CB

BEAUMONT EN VERON (A2)
37420 Indre et Loire

≫≫ *voir CHINON*

BLERE (B2)
37150 Indre et Loire
4400 hab. ⓘ

🄰🄰🄰 DU CHEVAL BLANC ★★
Place Charles Bidault. M. Bleriot
☎ 02 47 30 30 14 FAX 02 47 23 52 80
🛏 12 ⚄ 300/390 F. ▭ 38 F.
🍽 99/280 F. 🍴 50 F. 🍲 350/400 F.
✉ janv./mi-fév. Rest. dim. soir et lun.,
lun. juil./août seulement.
🄴 D ⬜ 🕾 🚗 🚗 🌴 ⛏ ⌂ CB

BOSSEE (B2)
37240 Indre et Loire
308 hab.

▲▲ AUBERGE DES GOURMANDEURS
Mme Mangeot
☎ 02 47 92 20 03 [FAX] 02 47 92 20 03
🛏 4 ▣ 210/240 F. ▤ 32 F. 🍽 65/190 F.
🛁 40 F. 🚗 200/220 F.
⊠ 15 janv./31 mars, 13/19 oct. Rest.
mer. hs et dim. soir.
[E] 🚗 CV 🔶 CB

BOURGUEIL (A2)
37140 Indre et Loire
4185 hab. 🛈

▲ L'ECU DE FRANCE
Rue de Tours. Mme Royer
☎ 02 47 97 70 18
🛏 9 ▣ 130/190 F. ▤ 28 F. 🍽 75/170 F.
🛁 48 F. 🚗 180/200 F.
⊠ 9/15 juin, 20/26 oct., 22/31 déc.,
dim. soir et lun. sauf juil./août.
[E] 🚗 CV 🔶 CB

BUXEUIL (A2)
37160 Indre et Loire
951 hab.

▲ AUBERGE DE L'ISLETTE
Lieu-dit Lilette, 1km O. Buxeuil, sur D.5.
M. Marchenoir
☎ 02 47 59 72 22
🛏 17 ▣ 100/250 F. ▤ 27 F.
🍽 57/160 F. 🛁 57 F. 🚗 200/250 F.
⊠ 15 déc./15 janv. et sam. hs.
🚗 🔶 CB

CHATEAU LA VALLIERE (A1)
37330 Indre et Loire
1482 hab. 🛈

▲▲ HOSTELLERIE DU GRAND CERF ★★
La Porrerie, 7km N.O. par D 959, Rte du
Lude M. Meunier
☎ 02 47 24 11 06 [FAX] 02 47 24 18 95
🛏 23 ▣ 200/260 F. ▤ 27 F.
🍽 68/170 F. 🛁 45 F. 🚗 240/260 F.
⊠ 22 fév./9 mars, 25 oct./16 nov., sam.
hs et dim. soir.
[E] 🚗 🔶 CB

CHATEAU RENAULT (B1)
37110 Indre et Loire
5787 hab. 🛈

▲▲ LE LION D'OR ★
166, rue de la République.
Mme Guignard
☎ 02 47 29 66 50 [FAX] 02 47 56 99 92
🛏 7 ▣ 220 F. ▤ 40 F. 🍽 80/155 F.
🛁 60 F. 🚗 245/273 F.
⊠ 27 oct./12 nov., 9/24 fév., dim. soir
et lun.
[E] 🚗 🔶 CB

CHENONCEAUX (B2)
37150 Indre et Loire
313 hab. 🛈

▲▲ HOSTELLERIE DE LA RENAUDIERE ★★
24, rue du Docteur Bretonneau.
M. Camus
☎ 02 47 23 90 04 [FAX] 02 47 23 90 51
🛏 15 ▣ 210/420 F. ▤ 20/ 40 F.
🍽 89/189 F. 🛁 50 F. 🚗 295/505 F.
⊠ 15 nov./15 mars sauf week-ends et
vac. scol. Rest. mer. 1er sept./15 avr.
[E] 🚗 🔶 CB 🛈

... *à proximité*

CHISSEAUX (B2)
37150 Indre et Loire
522 hab. 🛈

1 km Est Chenonceaux par D 176

▲▲ CLAIR COTTAGE ★★
27, rue de l'Europe. M. Bourbonnais
☎ 02 47 23 90 69 [FAX] 02 47 23 87 07
🛏 21 ▣ 170/280 F. ▤ 35 F.
🍽 78/150 F. 🛁 50 F. 🚗 250/370 F.
⊠ 1er déc./1er mars, dim. soir et lun.
[E] 🚗 CV 🔶 CB 🛈

CHINON (A2)
37500 Indre et Loire
8627 hab. 🛈

▲▲ GRAND HOTEL DE LA BOULE D'OR ★★
66, quai Jeanne-d'Arc. Mme Delaveau
☎ 02 47 93 03 13 [FAX] 02 47 93 24 25
🛏 13 ▣ 190/310 F. ▤ 40 F.
🍽 90/168 F. 🛁 45 F. 🚗 250/300 F.
⊠ 15 déc./3 fév., dim. soir et lun.
15 oct./15 avr.
[E] SP 🚗 CV 🔶 CB 🛈

... *à proximité*

BEAUMONT EN VERON (A2)
37420 Indre et Loire
2569 hab. 🛈

6 km N.O. Chinon par D 8 et D 749

▲▲ MANOIR DE LA GIRAUDIERE Rest. LE
PETIT PIGEONNIER ★★
Route de Savigny. M. Daviet
☎ 02 47 58 40 36 [FAX] 02 47 58 46 06
🛏 25 ▣ 200/430 F. ▤ 38 F.
🍽 98/230 F. 🛁 55 F. 🚗 230/305 F.
⊠ rest. janv. et midi en semaine sauf
réservations.
[E] D SP 🚗 CV
🔶 CB

La ROCHE CLERMAULT (A2)
37500 Indre et Loire
456 hab.

5 km Sud Chinon par D 749 et D 759

▲▲ LE HAUT CLOS ★★
M. Bordeau
☎ 02 47 95 94 50 [FAX] 02 47 95 82 80
🛏 9 ▣ 240 F. ▤ 40 F. 🍽 75/230 F.
🛁 50 F. 🚗 285 F.
⊠ 1er oct./30 mars, ven. et dim. soir.
[E] D 🚗 CV
🔶 CB

CHISSEAUX (B2)
37150 Indre et Loire

>>> *voir CHENONCEAUX*

CORMERY (B2)
37320 Indre et Loire
1323 hab.

... à proximité

TRUYES (B2)
37320 Indre et Loire
1588 hab. 🛈

1 km Nord Cormery par N 143

▲▲ AUBERGE DE LA PECHERAIE ★★
13, rue Nationale. M. Barrassin
☎ 02 47 43 40 15 📠 02 47 43 04 58
🛏 7 🍽 180/290 F. 🍽 35 F. 🍴 90/260 F.
🕙 55 F. 🏨 220/260 F.
⊠ 14/21 avr., 1er/29 déc., dim. soir et lun. sauf juil./août.
[E] 🗔 ☎ 🚗 🏨 🎿 🍴 CV ● CB ▣ CR

CUSSAY (B2)
37240 Indre et Loire
551 hab.

▲▲ AUBERGE DU PONT NEUF ★★
Rue Principale. M. Gellot
☎ 02 47 59 66 37
🛏 7 🍽 235/260 F. 🍽 35 F. 🍴 78/380 F.
🕙 50 F. 🏨 225 F.
⊠ fév. et lun.
[E] 🗔 ☎ 🚗 🎿 🎿 🍴 📶

DESCARTES (A2)
37160 Indre et Loire
4120 hab. 🛈

▲▲ MODERNE ★★
15, rue Descartes. Mme Champelovier
☎ 02 47 59 72 11 📠 02 47 92 44 90
🛏 11 🍽 258/305 F. 🍽 38 F.
🍴 80/155 F. 🕙 38 F. 🏨 285/305 F.
⊠ 23 déc./6 janv., sam. après-midi et dim. soir hs.
[E] [D] 🗔 ☎ 🚗 🏨 🎿 🍴 CV ● CB

FONDETTES (A2)
37230 Indre et Loire
7325 hab.

▲▲ PONT DE LA MOTTE ★★
4 quai de la Guignière. RN152 bord
Loire Mme Cattoën
☎ 02 47 42 15 44 📠 02 47 49 95 90
🛏 15 🍽 190/295 F. 🍽 30 F.
🍴 82/205 F. 🕙 45 F. 🏨 192/245 F.
⊠ dim. soir 30 nov./31 mars.
[E] 🗔 ☎ 🚗 🚗 🎿 CV 📶 ● CB

GENILLE (B2)
37460 Indre et Loire
1428 hab. 🛈

▲ AGNES SOREL
M. Le Hay
☎ 02 47 59 50 17

🛏 3 🍽 185/235 F. 🍽 36 F.
🍴 105/252 F. 🕙 52 F. 🏨 260/290 F.
⊠ janv., dim. soir et lun. sauf juil./août et jours fériés.
[E] 🗔 ☎ 🚗 🚗 ● CB

JOUE LES TOURS (A2)
37300 Indre et Loire
36800 hab. 🛈

✳ ARIANE ★★
8, av. du Lac. M. Mikaleff
☎ 02 47 67 67 60 📠 02 47 67 33 36
🛏 31 🍽 259/279 F. 🍽 32 F.
⊠ 23 déc./3 janv.
[E] SP 🗔 ☎ 🚗 🚗 🎿 🎿 🎿 CV 📶 ● CB 🗔

▲▲ LE GRILL DU LAC ★★
Les Bretonnières, 6 av. du Lac.
M. Loukidis
☎ 02 47 67 37 87 📠 02 47 67 85 43
🛏 21 🍽 230 F. 🍽 32 F. 🍴 62/125 F.
🕙 45 F.
⊠ 17 nov./2 déc., 16 fév./4 mars, dim. soir et lun.
[E] SP 🗔 ☎ 🚗 🎿 🎿 CV 📶 ● CB

LANGEAIS (A2)
37130 Indre et Loire
4000 hab. 🛈

▲▲▲ HOSTEN ★★★
2, rue Gambetta. M. Errard
☎ 02 47 96 82 12 📠 02 47 96 56 72
🛏 10 🍽 280/550 F. 🍽 55 F.
🍴 125/235 F. 🕙 85 F. 🏨 335/470 F.
⊠ 3/28 fév., dim. soir et lun. oct./avr.
[E] 🗔 ☎ 🚗 📶 ● CB

▲▲ LA DUCHESSE ANNE ★★
10, route de Tours.
M. Billi
☎ 02 47 96 82 03 📠 02 47 96 68 60
🛏 15 🍽 230/310 F. 🍽 37 F.
🍴 55/195 F. 🕙 48 F. 🏨 240/268 F.
⊠ 16 nov./2 déc., vac. scol. fév., dim. soir et lun. 1er oct./2 mars.
[E] 🗔 ☎ 🚗 🚗 🎿 🎿 CV 📶 ● CB 🗔 CR

... à proximité

SAINT MICHEL SUR LOIRE (A2)
37130 Indre et Loire
535 hab.

5 km Ouest Langeais par N 152

▲▲ AUBERGE DE LA BONDE ★★
Sur N. 152 (La Bonde) route de Saumur.
M. Thibault
☎ 02 47 96 83 13 📠 02 47 96 85 72
🛏 13 🍽 200/275 F. 🍽 32 F.
🍴 82/190 F. 🕙 55 F. 🏨 215/250 F.
⊠ 21 déc./19 janv., ven. soir et sam. 15 nov./15 mars. Rest. sam. 15 mars/15 nov.
🗔 ☎ 🚗 CV ● CB

Le LIEGE (B2)
37460 Indre et Loire
209 hab.

⌂ LE CROISSANT
Sur D. 764 M. Métivier
☎ 02 47 59 52 05
🛏 6 ⌷ 160/180 F. 🍽 26 F. 🍴 70/150 F.
🛏 35 F. 🅿 200 F.
[icons]

LIGUEIL (B2)
37240 Indre et Loire
2200 hab. ⓘ

⌂⌂ LE COLOMBIER ★★
4, place Général Leclerc.
M. Gaultier
☎ 02 47 59 60 83
🛏 11 ⌷ 115/250 F. 🍽 30 F.
🍴 60/190 F. 🅿 210/250 F.
🚫 2 janv./15 fév., 1er/15 sept., ven.
et dim. soir hs.
[icons]

LIMERAY (B1)
37530 Indre et Loire
>>> *voir AMBOISE*

LOCHES (B2)
37600 Indre et Loire
7000 hab. ⓘ

⌂⌂ DE FRANCE ★★
6, rue Picois.
M. Barrat
☎ 02 47 59 00 32 ⓕ 02 47 59 28 66
🛏 19 ⌷ 180/345 F. 🍽 35 F.
🍴 85/160 F. 🅟 53 F. 🅿 265/295 F.
🚫 6 janv./12 fév., dim. soir et lun.
sept./juin.
[icons]

⌂⌂ GEORGE SAND ★★★
39, rue Quintefol.
M. Fortin
☎ 02 47 59 39 74 ⓕ 02 47 91 55 75
🛏 20 ⌷ 260/650 F. 🍽 38 F.
🍴 120/290 F. 🅟 60 F. 🅿 245/410 F.
🚫 soir de Noël.
[icons]

⌂ GRILL MOTEL ★
Rue des Lézards.
M. Valton
☎ 02 47 91 30 40 ⓕ 02 47 91 30 45
🛏 27 ⌷ 175 F. 🍽 28 F. 🍴 49/ 80 F.
🅟 40 F. 🅿 155 F.
🚫 20 déc./4 janv. Rest. dim. et jours
fériés.
[icons]

⌂⌂⌂ LUCCOTEL ★★
Rue des Lézards.
M. Valton
☎ 02 47 91 30 30 ⓕ 02 47 91 30 35
🛏 42 ⌷ 250/330 F. 🍽 35 F.

🍴 95/240 F. 🅟 50 F. 🅿 275 F.
🚫 rest. 20 déc./11 janv. et sam. midi
sauf réservation.
[icons]

La MEMBROLLE SUR CHOISILLE (A1)
37390 Indre et Loire
2644 hab. ⓘ

⌂⌂ HOSTELLERIE CHATEAU DE
L'AUBRIERE ★★
Route des Fondettes.
M. Brisou
☎ 02 47 51 50 35 ⓕ 02 47 51 34 69
🛏 12 ⌷ 400/1000 F. 🍽 55 F.
🍴 200/320 F. 🅟 80 F. 🅿 560/700 F.
🚫 rest. lun. et mar. midi.
[icons]

MONTLOUIS SUR LOIRE (B2)
37270 Indre et Loire
8309 hab. ⓘ

⌂⌂ DE LA VILLE ★★
Place de la Mairie. M. Chalopin
☎ 02 47 50 84 84 ⓕ 02 47 45 08 43
🛏 29 ⌷ 210/350 F. 🍽 30 F.
🍴 90/240 F. 🅟 50 F. 🅿 205/255 F.
🚫 rest. 20 déc./13 janv.
[icons]

NAZELLES NEGRON (B1-2)
37530 Indre et Loire
>>> *voir AMBOISE*

NEUILLE PONT PIERRE (A1)
37360 Indre et Loire
1560 hab.

... *à proximité*

SONZAY (A1)
37360 Indre et Loire
1085 hab.

7 km S.O. Neuillé Pont Pierre par D 68

⌂ AUBERGE DU CHEVAL BLANC ★
5, place de la Mairie. M. Godeau
☎ 02 47 24 70 14 ⓕ 02 47 24 54 30
🛏 9 ⌷ 180/265 F. 🍽 30 F. 🍴 85/120 F.
🅟 45 F. 🅿 195/235 F.
🚫 21 déc./12 janv. et dim. sauf dim.
soir juil./août.
[icons]

PREUILLY SUR CLAISE (B3)
37290 Indre et Loire
1427 hab. ⓘ

⌂⌂ AUBERGE SAINT NICOLAS
6, Grande Rue. M. Bertrand
☎ 02 47 94 50 80 ⓕ 02 47 94 41 77
🛏 9 ⌷ 180/280 F. 🍽 33 F.
🍴 110/195 F. 🅟 45 F. 🅿 200/220 F.
🚫 15 sept./7 oct., dim. soir et lun. hs.
[icons]

RILLE (A1)
37340 Indre et Loire
275 hab.

▲▲ LOGIS DU LAC ★★
D.49 Lac de Rillé. M. Dufresne
☎ 02 47 24 66 61
🛏 6 ⬦ 35 F. 🍴 70/140 F. 🍴 45 F.
🍴 198 F.
✉ 26 oct./4 nov., 11 fév. soir/3 mars,
mer. et dim. soir hs.
[E] 🕿 🛏 🛏 🛏 🍴 🖫 🐾 CB

La ROCHE CLERMAULT (A2)
37500 Indre et Loire

>>> *voir CHINON*

SAINT CHRISTOPHE SUR LE
NAIS (A1)
37370 Indre et Loire
925 hab.

▲ LES GLYCINES ★
5, place Jéhan d'Alluye M. Bellami
☎ 02 47 29 37 50 📠 02 47 29 37 54
🛏 7 ⬦ 140/250 F. 🍴 27 F. 🍴 80/135 F.
🍴 50 F. 🍴 340/460 F.
✉ vac. fév., dim. soir et lun.
[E] 🕿 🕿 CV 🐾 CB

SAINT MARTIN LE BEAU (B2)
37270 Indre et Loire
2500 hab. 🅻

▲▲ AUBERGE DE LA TREILLE ★★
M. Coucke
☎ 02 47 50 67 17 📠 02 47 50 20 14
🛏 8 ⬦ 180/260 F. 🍴 33 F. 🍴 68/260 F.
🍴 50 F. 🍴 235/250 F.
✉ fév., dim. soir et lun. hs.
[E] 🕿 🕿 🛏 🛏 CV 🖫 🐾 CB 🆑

SAINT MICHEL SUR LOIRE (A2)
37130 Indre et Loire

>>> *voir LANGEAIS*

SAINTE MAURE DE TOURAINE (A2)
37800 Indre et Loire
3983 hab. 🅻

▲▲ LA GUEULARDIERE ★★
R.N. 10. MM. Chapron
☎ 02 47 65 40 71 📠 02 47 65 69 47
🛏 16 ⬦ 150/250 F. 🍴 34 F.
🍴 69/179 F. 🍴 50 F.
✉ 6/27 janv., dim. soir et lun. sauf
juil./août.
[E] SP 🕿 🕿 🛏 🍴 🖫 🐾 CB

▲▲ LE CHEVAL BLANC ★★
Sur N. 10. M. Gauvin
☎ 02 47 65 40 27\02 47 65 40 31
📠 02 47 65 58 90
🛏 12 ⬦ 120/260 F. 🍴 29 F.
🍴 67/185 F. 🍴 45 F. 🍴 140/200 F.
✉ jeu. et dim. soir en hiver.
[E] 🕿 🕿 🛏 🛏 🍴 CV 🖫 🐾 CB

▲▲ LE VEAU D'OR ★★
13, rue du Docteur Patry.
M. Lalubin
☎ 02 47 65 40 41 📠 02 47 72 00 43
🛏 10 ⬦ 160/230 F. 🍴 35 F.
🍴 80/200 F. 🍴 50 F. 🍴 220 F.
✉ 3 premières semaines fév., mar. soir
et mer. sauf juil./août.
[E] 🕿 🛏 🛏 🛏 🐾 CB

SEMBLANCAY (A1)
37360 Indre et Loire
1489 hab.

▲▲ HOSTELLERIE DE LA MERE HAMARD ★★
2, rue du Petit Bercy. M. Pegue
☎ 02 47 56 62 04 📠 02 47 56 53 61
🛏 9 ⬦ 190/265 F. 🍴 39 F. 🍴 99/260 F.
🍴 58 F. 🍴 275/285 F.
[E] [D] 🕿 🕿 🛏 🍴 🐾 CB

SONZAY (A1)
37360 Indre et Loire

>>> *voir NEUILLE PONT PIERRE*

SORIGNY (A2)
37250 Indre et Loire
1800 hab.

▲▲ AUBERGE DE LA MAIRIE ★★
Place Marcel Gaumont. M. Baffos
☎ 02 47 26 07 23 📠 02 47 26 91 12
🛏 11 ⬦ 220/260 F. 🍴 30 F.
🍴 52/225 F. 🍴 45 F. 🍴 170/235 F.
✉ ven. soir 20 sept./20 mai et dim. soir.
[E] 🕿 🕿 🛏 🛏 🛏 CV 🖫 🐾 CB 🔲 🆑

TOURS (A-B2)
37000 Indre et Loire
130000 hab. 🅻

▲▲ MODERNE ★★
1-3, rue Victor Laloux. M.Me Malliet
☎ 02 47 05 32 81 📠 02 47 05 71 50
🛏 23 ⬦ 196/330 F. 🍴 35 F.
🍴 72/92 F. 🍴 65 F. 🍴 240/270 F.
✉ rest. 20 déc./25 janv. et dim.
[E] 🕿 🕿 CV 🐾 CB

TRUYES (B2)
37320 Indre et Loire

>>> *voir CORMERY*

VEIGNE (B2)
37250 Indre et Loire
4500 hab. 🅻

▲▲ LE MOULIN FLEURI ★★
Route du Ripault. M.Me Chaplin
☎ 02 47 26 01 12 📠 02 47 34 04 71
🛏 12 ⬦ 190/285 F. 🍴 43/ 65 F.
🍴 175/310 F. 🍴 60 F. 🍴 255/345 F.
✉ 1er fév./8 mars et lun. sauf fériés.
[E] SP 🕿 🕿 🛏 🛏 🍴 🍴 CV 🖫
🐾 CB

VERNOU SUR BRENNE (B1-2)
37210 Indre et Loire
2000 hab. ⓘ

AA HOSTELLERIE LES PERCE-NEIGE ★★
13, rue Anatole France. Mme Chemin
☎ 02 47 52 10 04 **FAX** 02 47 52 19 08
🛏 15 ⓢ 150/280 F. 🍽 32 F.
🍴 98/155 F. 🍴 55 F. 🍴 175/250 F.
⊠ 13 janv./24 fév., dim. soir et lun.
1er janv./22 mars et 5 oct./31 déc.
E 📷 ☎ 🚗 ⑂ 🐾 ⛷ **CV** ⑩ ♠ **CB**

VILLANDRY (A2)
37510 Indre et Loire
776 hab.

AA LE CHEVAL ROUGE ★★
Rue Principale. M. Rody
☎ 02 47 50 02 07 **FAX** 02 47 50 08 77
🛏 19 ⓢ 300/320 F. 🍽 38 F.
🍴 95/200 F. 🍴 55 F. 🍴 380/390 F.
⊠ 1er fév./15 mars et lun. sauf fériés.
E ☎ 🚗 ⑂ 🍴 ⑩ ♠ **CB**

VOUVRAY (B2)
37210 Indre et Loire
2950 hab. ⓘ

AA AUBERGE DU GRAND VATEL ★★
8, rue Brule. M. Copin
☎ 02 47 52 70 32 **FAX** 02 47 52 74 52
🛏 7 ⓢ 230/280 F. 🍽 40 F.
🍴 125/230 F. 🍴 80 F. 🍴 270/290 F.
⊠ 1er/15 mars, 1er/15 déc., dim. soir et
lun.
E ☎ 🚗 ⛷ ♠ **CB**

YZEURES SUR CREUSE (B3)
37290 Indre et Loire
1800 hab. ⓘ

AAA LA PROMENADE ★★★
Mme Bussereau
☎ 02 47 91 49 00 **FAX** 02 47 94 46 12
🛏 15 ⓢ 250/305 F. 🍽 35 F.
🍴 100/255 F. 🍴 45 F. 🍴 280 F.
⊠ 15 janv./15 fév. et mar.
E Ⅾ 📷 ☎ ♨ 🍴 ⑩ ♠ **CB**

Achterin de gids is een bijsluiter, waarmee U de
Zaken etappe-kaart kunt aanvragen. Voor Uw
zakenreizen, het hele jaar door.

**Liste des
hôtels-restaurants**

Loir-
et-Cher

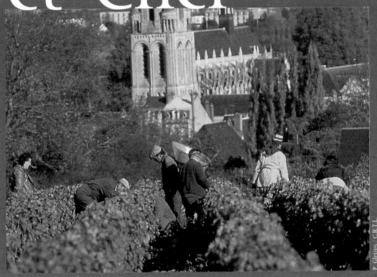

P. Gleizes / C.R.T.L.

Association départementale
des Logis de France du Loir-et-Cher
C.D.T.
5 rue de la Voûte du Château
41000 Blois
Téléphone 02 54 78 55 50

CENTRE-VAL-DE-LOIRE

28 EURE-ET-LOIR
Chartres

45 LOIRET
Blois
Orléans

Tours
41 LOIR-ET-CHER

37 INDRE-ET-LOIRE

18 CHER

36 INDRE
Bourges

Châteauroux

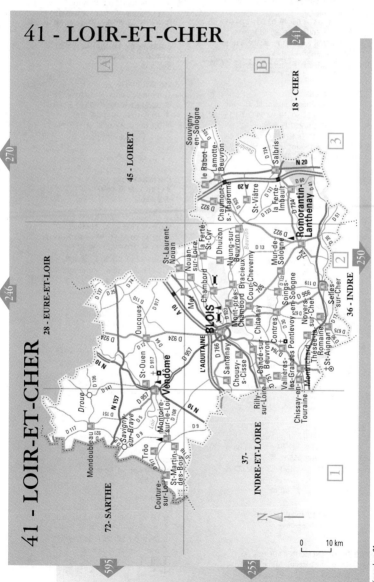

41 - LOIR-ET-CHER

A — B

3

2

1

18 - CHER

45 - LOIRET

28 - EURE-ET-LOIR

41 - LOIR-ET-CHER

72-SARTHE

37-
INDRE-ET-LOIRE

36 - INDRE

Souvigny-en-Sologne
Salbris
N 20
le Rabot
Lamotte-Beuvron
la Ferté-Imbault
Chaumont-s.-Tharonne
A 20
St-Viâtre
Romorantin-Lanthenay
St-Laurent-Nouan
la Ferté St-Cyr
Nouan-sur-Loire
Dhuizon
Neung-sur-Beuvron
Mur-de-Sologne
Chambord
Mer
Cour-Cheverny
Bracieux
Soings-en-Sologne
Selles-sur-Cher
Mont-près-Chambord
Noyers-sur-Cher
BLOIS
Chitenay
St-Ouen
Ouzouer
Contres
Oucques
Santenay
Candé-sur-Beuvron
Chousy-s-Cisse
Vendôme
Montoire-sur-le-Loir
Rilly-sur-Loire
Vallières-les-Grandes
Pontlevoy
Thésée
Montrichard
St-Aignan
Droue
Mondoubleau
Savigny-sur-Braye
Tréo
St-Martin-des-Bois
Couture-sur-Loir
Chissay-en-Touraine

L'AQUITAINE

N

0   10 km

Légende p 21

BLOIS (B2)
41000 Loir et Cher
55000 hab. 🛈

✳ ANNE DE BRETAGNE ★★
31, av. J. Laigret. Mme Loyeau
☎ 02 54 78 05 38 🅵🅰🆇 02 54 74 37 79
🛏 28 🛏 220/370 F. 🍽 36 F.
⊠ 16 fév./16 mars.
🅴 🅳 📠 📷 🆑🅱

▲▲▲ LE MEDICIS ★★★
2, allée François 1er - Route d'Angers.
M. Garanger
☎ 02 54 43 94 04 🅵🅰🆇 02 54 42 04 05
🛏 12 🛏 300/500 F. 🍽 50 F.
🍴 100/208 F. 🅷 60 F. 🚗 380/440 F.
⊠ 2/20 janv.
🅴 🆂🅿 📷 📠 🕑 💺 🚕 🆅🅲 📠
🔌 🆑🅱

▲ LE VIENNOIS
5 Quai Amédée Contant. M. Heuze
☎ 02 54 74 12 80 🅵🅰🆇 02 54 74 64 13
🛏 11 🛏 120/250 F. 🍽 26 F.
🍴 66/138 F. 🅷 43 F.
⊠ 15 déc./15 janv. et dim. soir.
🅴 📷 🚗 🔌 🆑🅱

BRACIEUX (B2)
41250 Loir et Cher
1200 hab. 🛈

▲▲ LE CYGNE ★★
20, Rue Roger Brun. M. Autebert
☎ 02 54 46 41 07 🅵🅰🆇 02 54 46 04 87
🛏 13 🛏 200/400 F. 🍽 32 F.
🍴 82/170 F. 🅷 60 F. 🚗 225 F.
⊠ janv./mi-fév., dim. soir et mer. hs.
🅴 📷 📠 🚗 🛏 🚲 🚕 🔌 🆑🅱

CANDE SUR BEUVRON (B2)
41120 Loir et Cher
1000 hab. 🛈

▲▲ LA CAILLERE ★★
36, route des Montils. M. Guindon
☎ 02 54 44 03 08 🅵🅰🆇 02 54 44 00 95
🛏 14 🛏 330/360 F. 🍽 45 F.
🍴 88/278 F. 🅷 60 F. 🚗 408/428 F.
⊠ janv./fév. Rest. mer.
🅴 📷 📠 🚗 🛏 🚲 🚕 🔌 🆑🅱

▲▲ LE LION D'OR ★★
1, rue de Blois. M. Pigoreau
☎ 02 54 44 04 66 🅵🅰🆇 02 54 44 06 19
🛏 10 🛏 100/255 F. 🍽 30 F.
🍴 72/195 F. 🅷 45 F. 🚗 150/227 F.
⊠ 15 déc./1er fév. et mar.
🅴 📷 🚗 📠 🕑 🆅🅲 🆑🅱

CHAMBORD (B2)
41250 Loir et Cher
360 hab. 🛈

▲▲ DU GRAND SAINT MICHEL ★★
(Face au Château). M. Le Meur
☎ 02 54 20 31 31 🅵🅰🆇 02 54 20 36 40

🛏 38 🛏 290/450 F. 🍽 40 F.
🍴 130/210 F. 🅷 70 F.
⊠ 12 nov./20 déc.
🅴 📷 📠 🚗 📠 🕑 💺 📠 🔌 🆑🅱

CHAUMONT SUR THARONNE (B3)
41600 Loir et Cher
1000 hab. 🛈

▲▲▲ LA CROIX BLANCHE DE SOLOGNE ★★★
Place de l'Eglise. M. Goacolou
☎ 02 54 88 55 12 🅵🅰🆇 02 54 88 60 40
🛏 12 🛏 300/580 F. 🍽 45 F.
🍴 118/250 F. 🅷 70 F. 🚗 420/520 F.
🅴 📷 📠 🚗 📠 🕑 💺 🚲 🚕 🆅🅲 🔌 🔌 🆑🅱

CHISSAY EN TOURAINE (B1-2)
41400 Loir et Cher
847 hab.

▲ LES TOURISTES ★
1, route de Tours. M. Carré
☎ 02 54 32 32 09 🅵🅰🆇 02 54 32 60 06
🛏 10 🛏 160/350 F. 🍽 30 F.
🍴 70/165 F. 🅷 45 F. 🚗 190/290 F.
⊠ 2 à 3 semaines à partir 23 déc. et mer. hs.
📷 📠 🚗 🚕 🔌 🆑🅱

CHITENAY (B2)
41120 Loir et Cher
919 hab.

▲▲▲ AUBERGE DU CENTRE ★★
Place de l'Eglise. M. Martinet
☎ 02 54 70 42 11 🅵🅰🆇 02 54 70 35 03
🛏 23 🛏 270/370 F. 🍽 40 F.
🍴 105/375 F. 🅷 50 F. 🚗 288/305 F.
⊠ 12/27 fév., dim. soir et lun. hs.
🅴 🅳 🛈 📷 📠 🚗 📠 🕑 🚲 🚕 🆅🅲 📠
🔌 🆑🅱 📠 🆌🆁

CHOUZY SUR CISSE (B2)
41150 Loir et Cher
1619 hab. 🛈

▲▲ HOSTELLERIE LES COURONNES Rest.
LA CARTE ★★★
N.152. M. Boutet
☎ 02 54 20 49 00 🅵🅰🆇 02 54 20 43 78
🛏 20 🛏 360/650 F. 🍽 45 F.
🍴 80/160 F. 🅷 50 F.
⊠ 2 janv./15 mars, dim. soir et lun.
2 nov./31 déc. sauf jours fériés.
🅴 📷 📠 🚗 📠 🕑 💺 🔌 🛏 🚕 📠 🔌 🆑🅱

CONTRES (B2)
41700 Loir et Cher
2811 hab.

▲▲▲ DE FRANCE ★★★
Rue Pierre H. Mauger. M. Metivier
☎ 02 54 79 50 14 🅵🅰🆇 02 54 79 02 95
🛏 30 🛏 290/450 F. 🍽 50 F.
🍴 98/270 F. 🅷 75 F. 🚗 335/395 F.
⊠ rest. 1er fév./10 mars.
🅴 🅳 🛈 📷 📠 🚗 📠 🕑 🛏 🌴 📠 📠
📠 🔌 🚲 🚕 🆅🅲 🔌 🆑🅱 🆌🆁

COUR CHEVERNY (B2)
41700 Loir et Cher
2000 hab.

▲▲ SAINT-HUBERT ★★
M.Me Pillault
☎ 02 54 72 99 60 ᶠᴬˣ 02 54 79 21 17
🛏 18 ⬡ 190/350 F. ☐ 35 F.
🍽 95/280 F. 🍴 58 F. ⬛ 245/330 F.
✉ 6 janv./20 fév. et mer. hs.
[icons]

COUTURE SUR LOIR (A1)
41800 Loir et Cher
450 hab.

▲▲ LE GRAND SAINT VINCENT ★★
14, rue Pasteur.
M. Bardet
☎ 02 54 72 42 02 ᶠᴬˣ 02 54 72 41 55
🛏 7 ⬡ 210/290 F. ☐ 25 F. 🍽 60/110 F.
🍴 40 F. ⬛ 240/280 F.
✉ dim. soir./lun. soir.
[icons]

DHUIZON (B2)
41220 Loir et Cher
1100 hab.

▲▲ AUBERGE DU GRAND DAUPHIN ★★
17, place Saint-Pierre.
M. Sauger
☎ 02 54 98 31 12
🛏 9 ⬡ 200/240 F. ☐ 25 F. 🍽 90/235 F.
🍴 50 F. ⬛ 215/235 F.
✉ 15 janv./15 fév., dim. soir et lun.
[icons]

La FERTE IMBAULT (B3)
41300 Loir et Cher
1200 hab. 𝑖

▲▲ AUBERGE A LA TETE DE LARD ★★
13, place des Tilleuls.
M. Benni
☎ 02 54 96 22 32 ᶠᴬˣ 02 54 96 06 22
🛏 11 ⬡ 260/460 F. ☐ 40 F.
🍽 95/290 F. 🍴 60 F. ⬛ 260/330 F.
✉ 15 jours sept., 3 semaines fév., dim.
soir et lun.
[icons]

La FERTE SAINT CYR (B2)
41220 Loir et Cher
750 hab. 𝑖

▲▲ SAINT CYR ★★
15, Fg Bretagne.
M. Chamaillard
☎ 02 54 87 90 51 ᶠᴬˣ 02 54 87 95 17
🛏 20 ⬡ 200/270 F. ☐ 32 F.
🍽 75/210 F. 🍴 48 F. ⬛ 220/265 F.
✉ 14 janv./23 mars, dim. soir et lun.
23 mars/18 juin et 15 sept./14 janv.
Rest. lun. midi 18 juin/15 sept.
[icons]

LAMOTTE BEUVRON (B3)
41600 Loir et Cher
4500 hab. 𝑖

▲▲ TATIN ★★
5, av. de Vierzon. M. Caille
☎ 02 54 88 00 03 ᶠᴬˣ 02 54 88 96 73
🛏 14 ⬡ 280/450 F. ☐ 45 F.
🍽 135/280 F. 🍴 55 F.
✉ 15 janv./6 fév., 10/20 mars, dim. soir
et lun.
[icons]

... *à proximité*

Le RABOT (B3)
41600 Loir et Cher
1250 hab.

7 km Nord Lamotte Beuvron par N 20

▲▲ MOTEL DES BRUYERES ★★
M. Marot
☎ 02 54 88 05 70 ᶠᴬˣ 02 54 88 98 21
🛏 46 ⬡ 215/333 F. ☐ 28 F.
🍽 89/197 F. 🍴 44 F. ⬛ 251/319 F.
✉ 24 déc./2 janv.
[icons]

MER (A-B2)
41500 Loir et Cher
5950 hab. 𝑖

▲ AUBERGE MEROISE
5, place de la Halle. M. Destouches
☎ 02 54 81 00 51
🛏 7 ⬡ 210/250 F. ☐ 30 F. 🍽 70/150 F.
🍴 55 F. ⬛ 210 F.
✉ 7 jours fév., dim. après-midi et lun.
hs.
[icons]

MONDOUBLEAU (A1)
41170 Loir et Cher
1800 hab. 𝑖

▲▲ LE GRAND MONARQUE ★★
2, rue Chrétien. MM. Chachuat/Delmond
☎ 02 54 80 92 10 ᶠᴬˣ 02 54 80 77 40
🛏 13 ⬡ 230/260 F. ☐ 30 F.
🍽 85/165 F. 🍴 50 F. ⬛ 205/220 F.
✉ 23 déc./6 janv., dim. soir et lun. hs.
[icons]

MONT PRES CHAMBORD (B2)
41250 Loir et Cher
2415 hab. 𝑖

▲▲▲ LE SAINT FLORENT ★★
14, rue de la Chabardière..
M.Me Gillmett/Pilleboue
☎ 02 54 70 81 00 ᶠᴬˣ 02 54 70 78 53
🛏 18 ⬡ 195/350 F. ☐ 31 F.
🍽 81/215 F. 🍴 52 F. ⬛ 255/295 F.
✉ 13 janv./3 fév. Rest. lun. midi.
[icons]

MONTOIRE SUR LE LOIR (A1)
41800 Loir et Cher
4243 hab. ⓘ

🏠🏠 DU CHEVAL ROUGE ★★
1, place Foch.
M. Velasco
☎ 02 54 85 07 05 📠 02 54 85 17 42
🛏 15 🕲 148/260 F. 🍽 30 F.
🍴 126/240 F. 🛏 48 F. 🖻 223/270 F.
⊠ 15/30 nov., 5/23 fév., mar. soir et
mer.
🄴 🗀 🕾 🚗 🚗 🌴 🕴 ⛟ CV ⬟ CB

MONTRICHARD (B2)
41400 Loir et Cher
3857 hab. ⓘ

🏠🏠 DE LA GARE ★
20, av. de la Gare.
M.Me Rousselet
☎ 02 54 32 04 36 📠 02 54 32 78 17
🛏 13 🕲 185/214 F. 🍽 26 F.
🍴 65/120 F. 🛏 48 F. 🖻 190/200 F.
⊠ 22 déc./25 janv. et dim. soir
15 oct./30 avr.
🄴 🗀 🕾 🚗 CV CB 🛢

🏠🏠 LE BELLEVUE ★★★ & ★★
M. Cocozza
☎ 02 54 32 06 17 📠 02 54 32 48 06
🛏 29 🕲 225/375 F. 🍽 35 F.
🍴 80/250 F. 🛏 45 F. 🖻 255/305 F.
🄴 🄳 🗀 🕼 🕾 🚗 🛟 ⬧ CV 🍴 ⬟ CB
🛢 CR

🏠🏠 TETE NOIRE ★★★
24, rue de Tours. Famille Coutant
☎ 02 54 32 05 55 📠 02 54 32 78 37
🛏 36 🕲 200/330 F. 🍽 36 F.
🍴 96/260 F. 🛏 55 F. 🖻 280/345 F.
⊠ 4 semaines janv. après les fêtes.
🄴 🗀 🕾 🚗 🌴 🕴 ⛟ CV 🍴 ⬟ CB

MUR DE SOLOGNE (B2)
41230 Loir et Cher
1100 hab. ⓘ

🏠🏠 DU BROCARD ★★
Rue de Blois M. Girault
☎ 02 54 83 90 29 📠 02 54 83 80 99
🛏 23 🕲 150/320 F. 🍽 40 F.
120F
🍴 70/200 F. 🛏 40 F. 🖻 251/281 F.
⊠ 15 déc./15 janv. et lun. hs.
🄴 🗀 🕾 🚗 🌴 🕴 CV CB

NEUNG SUR BEUVRON (B2)
41210 Loir et Cher
1195 hab.

🏠🏠 LES TILLEULS ★★
Place Albert Prudhomme. M. Lerck
☎ 02 54 83 63 30 📠 02 54 83 74 91
🛏 7 🕲 200/280 F. 🍽 35 F. 🍴 75/210 F.
🛏 55 F. 🖻 225 F.
⊠ 15 fév./15 mars, mar. soir et mer. hs.
🄴 🕾 🌴 ⬟ CB

NOUAN SUR LOIRE (B2)
41220 Loir et Cher

>>> *voir SAINT LAURENT NOUAN*

NOYERS SUR CHER (B2)
41140 Loir et Cher
2000 hab. ⓘ

🏠🏠 LE MANOIR DES GRANDES VIGNES ★★★
16-18, rue Général de Gaulle. M. Letrone
☎ 02 54 75 40 77
🛏 7 🕲 290/440 F. 🍽 40 F. 🍴 68/210 F.
🛏 60 F. 🖻 290/320 F.
⊠ 15 nov./15 mars.
🄴 🕾 🚗 🌴 🕴 🍴 ⬟ CB

🏠 RELAIS TOURAINE SOLOGNE ★★
Lieu-dit le Boeuf Couronné. Rte de
Tours M. Marchand
☎ 02 54 75 15 23 📠 02 54 75 18 77
🛏 12 🕲 140/245 F. 🍽 30 F.
🍴 55/94 F. 🛏 35 F. 🖻 230 F.
⊠ mar. soir et mer. hs.
🄴 🚗 🌴 ⬟ CB

OUCQUES (A2)
41290 Loir et Cher
1480 hab.

🏠🏠 DU COMMERCE ★★
M. Lanchais
☎ 02 54 23 20 41 📠 02 54 23 02 88
🛏 12 🕲 240/290 F. 🍽 39 F.
🍴 95/265 F. 🛏 62 F. 🖻 330 F.
⊠ 20 déc./15 janv., dim. soir et lun.
sauf juil./août et fêtes.
🄴 🗀 🕾 🚗 ⬟ CB

PONTLEVOY (B2)
41400 Loir et Cher
1700 hab. ⓘ

🏠🏠 DE L'ECOLE ★★
12, route de Montrichard. M. Preteseille
☎ 02 54 32 50 30 📠 02 54 32 33 58
🛏 11 🕲 270/400 F. 🍽 42 F.
🍴 98/270 F. 🛏 65 F. 🖻 340 F.
⊠ fév. et mar. sauf juil./août.
🗀 🕾 🚗 🌴 CB

Le RABOT (B3)
41600 Loir et Cher

>>> *voir LAMOTTE BEUVRON*

RILLY SUR LOIRE (B1-2)
41150 Loir et Cher
360 hab.

🏠🏠 AUBERGE DES VOYAGEURS ★★
M. Guilbert
☎ 02 54 20 98 85 📠 02 54 20 98 48
100F
🛏 16 🕲 200/270 F. 🍽 30 F.
🍴 75/130 F. 🛏 50 F. 🖻 220/255 F.
⊠ 15 déc./15 janv., 1er/20 fév., mar.
soir et mer.
🄴 🕾 🚗 🍴 🔅 🕴 ⬟ CB CR

RILLY SUR LOIRE (B1-2) (suite)

♨ CHATEAU DE LA HAUTE BORDE ★★
6, hameau de la Haute Borde. Mme Very
☎ 02 54 20 98 09 FAX 02 54 20 97 16
100F ⬛ 18 ◈ 125/300 F. 🍽 32 F.
🍴 64/170 F. 🛏 215/295 F.
⊠ 15 déc./31 janv.
E 🔊 🚗 🍵 CV ⬛ CB

ROMORANTIN LANTHENAY (B2-3)
41200 Loir et Cher
18150 hab. 🇮

♨♨ AUBERGE LE LANTHENAY ★★
9, rue Notre-Dame du Lieu. M. Talmon
☎ 02 54 76 09 19 FAX 02 54 76 72 91
⬛ 10 ◈ 250/300 F. 🍽 36 F.
🍴 105/295 F. 🛏 70 F. 🛏 255/280 F.
⊠ 15/29 juil., 21 déc./15 janv., dim. soir
et lun.
E 🗖 🔊 🍵 🚻 ⬛ CB

♨ D'ORLEANS ★★
2, Place Général de Gaulle.
Mme Maratrey-Petit
☎ 02 54 76 01 65
⬛ 10 ◈ 160/250 F. 🍽 30 F.
🍴 95/215 F. 🛏 55 F. 🛏 225 F.
⊠ dim. soir.
E 🗖 🔊 🍽 🍵 ⬛ CB

SAINT AIGNAN (B2)
41110 Loir et Cher
4000 hab. 🇮

♨♨ GRAND HOTEL SAINT-AIGNAN ★★
7-9, quai J.J. Delorme. M. Chapelot
☎ 02 54 75 18 04 FAX 02 54 75 12 59
⬛ 21 ◈ 110/340 F. 🍽 30 F.
🍴 85/195 F. 🛏 50 F. 🛏 185/300 F.
⊠ 16 fév./10 mars, 16 nov./1er déc.,
dim. soir et lun. nov./fin mars.
E D 🗖 🔊 🚗 🚗 🍽 🍵 🚻 CV ⬛
⬛ CB

SAINT LAURENT NOUAN (A2)
41220 Loir et Cher
3230 hab. 🇮

♨♨ RELAIS DES SAPINS ★★
203, route de Blois. M. Gracia
☎ 02 54 87 70 71 FAX 02 54 87 21 99
100F ⬛ 42 ◈ 190/280 F. 🍽 30 F.
🍴 60/160 F. 🛏 35 F. 🛏 250/300 F.
E D SP 🗖 🔊 🚽 🍵 🚻 🔋 🛩 🐕
🚻 CV ⬛ ⬛ CB ⬛ CR

... à proximité

NOUAN SUR LOIRE (B2)
41220 Loir et Cher
1000 hab.

3 km S.O. Saint Laurent Nouan par D 951

♨ AUBERGE DES CHATEAUX ★★
M. Caillavet
☎ 02 54 87 51 69

⬛ 12 ◈ 190/340 F. 🍽 30 F.
🍴 58/150 F. 🛏 45 F. 🛏 220/250 F.
🗖 🔊 🚗 🍵 🚻 ⬛ CB

SAINT MARTIN DES BOIS (A1)
41800 Loir et Cher
603 hab. 🇮

♨ HOSTELLERIE DU MOULIN A BOIS
Route de Saint-Jacques.
M. de Sanglier de la Bastie
☎ 02 54 85 06 17
⬛ 6 ◈ 200/380 F. 🍽 30 F.
⊠ janv. et fév. sauf réservations.
E 🗖 🔊 🍵 🚻 ⬛ CB

SAINT OUEN (A2)
41100 Loir et Cher

>>> *voir VENDOME*

SAINT VIATRE (B3)
41210 Loir et Cher
1160 hab.

♨♨ AUBERGE DE LA CHICHONE ★★
M. Clément
☎ 02 54 88 91 33 FAX 02 54 96 18 06
⬛ 7 ◈ 290/320 F. 🍽 35 F. 🍴 85/195 F.
🛏 60 F. 🛏 350/380 F.
⊠ mars, mar. soir hs et mer.
E 🗖 🔊 🍵 🚻 ⬛ ⬛ CB

SALBRIS (B3)
41300 Loir et Cher
6134 hab. 🇮

♨♨ LA SAULDRAIE ★★
81, av. d'Orléans.
M. Thomas
☎ 02 54 97 17 76 FAX 02 54 97 29 67
⬛ 11 ◈ 255/300 F. 🍽 43 F.
🍴 105/255 F. 🛏 60 F.
⊠ 17/24 fév., 15/24 sept., dim. soir et
lun. hiver.
E 🗖 🔊 🚗 🍵 🚻 🔋 ⬛ CB

♨♨ LE DAUPHIN ★★
57, bld de la République.
M. Ciszewski
☎ 02 54 97 04 83 FAX 02 54 97 12 65
⬛ 8 ◈ 240/350 F. 🍴 85/250 F. 🛏 50 F.
🛏 230/275 F.
E SP 🗖 🔊 🚗 🍵 🔋

SANTENAY (B2)
41190 Loir et Cher
262 hab.

♨ L'UNION ★
M. Nivault
☎ 02 54 46 11 03 FAX 02 54 46 18 57
100F ⬛ 5 ◈ 180/240 F. 🍽 28 F. 🍴 70/220 F.
🛏 50 F. 🛏 220/260 F.
⊠ 1er/30 mars, dim. soir et lun.
E 🚗 🍵 🔋 ⬛ ⬛ CB

SELLES SUR CHER (B2)
41130 Loir et Cher
4800 hab. 🛈

🛌 LA BOULE D'OR
1, av. du T.P.G. Albert. M. Barre
☎ 02 54 97 56 22 ☎ 02 54 97 45 24
🛏 7 🛏 125/225 F. 🍽 29 F. 🍴 57/160 F.
🛏 40 F. 🖼 160/260 F.
✉ mar. après-midi et mer.
Ⓔ 🗄 🚗 🚙 ⋈ 🛌 ◆ CB

🛌🛌 LE LION D'OR ★★
14, place de la Paix. M. Blandin
☎ 02 54 97 40 83 ☎ 02 54 97 72 36
🛏 9 🛏 188/268 F. 🍽 35 F. 🍴 85/228 F.
🛏 50 F. 🖼 214/254 F.
Ⓔ 🗄 🖻 🚗 🚙 CV ▧ CB

SOINGS EN SOLOGNE (B2)
41230 Loir et Cher
1289 hab.

🛌 LES 4 VENTS ★
Route de Contres. M. André
☎ 02 54 98 71 31 ☎ 02 54 98 75 61
🛏 12 🛏 130/290 F. 🍽 28 F.
🍴 58/130 F. 🛏 40 F. 🖼 180/225 F.
✉ dernière semaine août, 3 semaines
janv./fév. Rest. sam. midi hs, ven. soir
et dim. soir.
🗄 🚗 🚙 🚗 ⋈ 🍴 🕐 CV ▧ ◆ CB

SOUVIGNY EN SOLOGNE (B3)
41600 Loir et Cher
400 hab.

🛌🛌 AUBERGE CROIX BLANCHE ★★
Place de l'Eglise. Mme Marois
☎ 02 54 88 40 08 ☎ 02 54 88 91 06
🛏 9 🛏 180/280 F. 🍽 35 F. 🍴 76/235 F.
🛏 60 F. 🖼 220/270 F.
✉ mi-janv./début mars, mar. soir et mer.
Ⓔ 🚗 🚙 ▧ ◆ CB

THESEE LA ROMAINE (B2)
41140 Loir et Cher
1200 hab. 🛈

🛌🛌 HOSTELLERIE DU MOULIN DE LA
RENNE ★★
11, route de Vierzo. M. Suraud
☎ 02 54 71 41 56
🛏 14 🛏 135/295 F. 🍽 30 F.
🍴 85/220 F. 🛏 45 F. 🖼 255/375 F.
✉ mi-janv./mi-fév., dim. soir et lun.
Ⓔ 🚗 🚗 🛤 🍴 🕐 ◆

TROO (A1)
41800 Loir et Cher
337 hab.

🛌🛌🛌 DU CHEVAL BLANC ★★
Rue Auguste Arnault. M. Coyault
☎ 02 54 72 58 22 ☎ 02 54 72 55 44
🛏 9 🛏 270/440 F. 🍽 40 F.
🍴 120/280 F. 🛏 65 F. 🖼 320 F.
✉ 15/30 nov., lun. et mar. midi
🗄 🚗 ⋈ 🍴 🛤 ◆ CB

VALLIERES LES GRANDES (B2)
41400 Loir et Cher
556 hab.

🛌🛌 LES CLOSEAUX ★★
à 4 km sur route de Mosnes à Souvigny.
Mme Vivien
☎ 02 47 57 32 73 ☎ 02 47 30 50 37
🛏 10 🛏 190/250 F. 🍽 29 F.
🍴 65/150 F. 🛏 45 F. 🖼 220 F.
✉ mar. et mer. midi.
Ⓔ 🚗 🚙 🍴 🛠 🍴 ▶ ♿ CV ▧ ◆

VENDOME (A1-2)
41100 Loir et Cher
20000 hab. 🛈

🛌🛌 AUBERGE DE LA MADELEINE
Rest. LE JARDIN DU LOIR
6, place de la Madeleine. M. Maubouet
☎ 02 54 77 20 79 ☎ 02 54 80 00 02
🛏 8 🛏 200/290 F. 🍽 30 F. 🍴 80/210 F.
🛏 46 F. 🖼 225/240 F.
✉ vac. scol. fév. et mer.
Ⓔ 🗄 🚙 🍴 ▧ ◆ CB

🛌🛌 CAPRICORNE ★★
8, bld de Tremault. M. Beauvallet
☎ 02 54 80 27 00 ☎ 02 54 77 30 63
🛏 31 🛏 210/300 F. 🍽 37 F.
🍴 78/220 F. 🛏 50 F. 🖼 245/275 F.
✉ 20 déc./5 janv. et sam. 15 nov./
15 mars
Ⓔ 🛈 🗄 🚗 🚙 🍴 🛤 🍴 ♿ CV
▧ ◆ CB

🛌 MERCATOR ★★
Route de Blois, N.10.
M. Van Der Straeten
☎ 02 54 72 28 38 ☎ 02 54 77 73 88
🛏 51 🛏 269 F. 🍽 33 F. 🍴 89/144 F.
🛏 35 F.
Ⓔ 🛙 🗄 🚗 🚗 🚙 ⋈ 🍴 🛤 🍴 CV ▧ ◆

... à proximité

SAINT OUEN (A2)
41100 Loir et Cher
2958 hab.

1 km,5 Vendôme par N 10

🛌 DE BEL AIR Rest. FLORALIE ★★
Allée du Parc de Bel Air.
M. Leroy
☎ 02 54 72 20 20 ☎ 02 54 73 24 41
🛏 31 🛏 230 F. 🍽 28 F. 🍴 38/105 F.
🛏 38 F. 🖼 210 F.
✉ 15 jours à Noël et dim. soir hiver.
Ⓔ 🗄 🖻 🚗 🚙 ⋈ 🍴 🛤 🍴 🕐 CV ▧
◆ CB

Loiret

P. Gleizes - C.R.T.L.

Association départementale
des Logis de France du Loiret
C.C.I.
23 place du Martroi
45044 Orléans Cedex 01
Téléphone 02 38 77 77 77

CENTRE-VAL-DE-LOIRE

28 EURE-ET-LOIR
Chartres

45 LOIRET
Blois
Orléans
Tours
41 LOIR-ET-CHER
37 INDRE-ET-LOIRE
18 CHER
Bourges
36 INDRE
Châteauroux

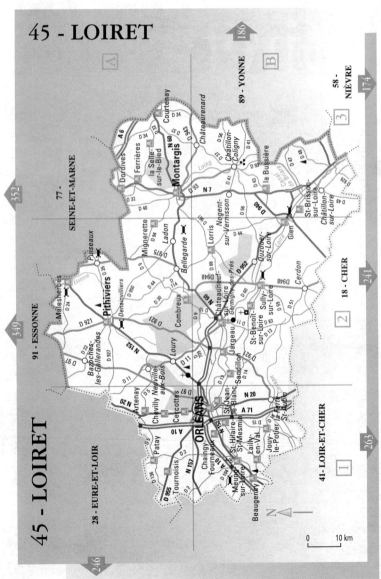

45 - LOIRET

45 - LOIRET

28 - EURE-ET-LOIR

91 - ESSONNE

77 - SEINE-ET-MARNE

89 - YONNE

58 - NIÈVRE

18 - CHER

41 - LOIR-ET-CHER

Courtenay
Châteaurenard
Montargis
Châtillon-Coligny
la Bussière
Dordives
Ferrières
la Selle-sur-le-Bied
St-Brisson-sur-Loire
Châtillon-sur-Loire
Puiseaux
Mignerette
Ladon
Nogent-sur-Vernisson
Lorris
Ouzouer-sur-Loire
Ghien
Bellegarde
Germigny-des-Prés
Cerdon
Maiesherbes
Pithiviers
Dambiyiliers
Combreux
Châteauneuf-sur-Loire
Sully-sur-Loire
Bazoches-les-Gallerandes
Loury
Jargeau
St-Benoît-sur-Loire
Artenay
Chevilly
Neuville-aux-Bois
Cepcottes
Sandillon
Chaingy-Fourneaux
St-Jean-le-Blanc
Jouy-le-Potier
la Ferté-St-Aubin
Patay
Tournoisis
St-Hilaire-St-Mesmin
Lailly-en-Val
Meung-sur-Loire
Beaugency

ORLÉANS

0   10 km

N

Légende p 21

58 - NIÈVRE

ARTENAY (A1)
45410 Loiret
2003 hab.

⌂ DE LA FONTAINE ★
2, place de l'Hôtel de Ville. M. Julien
☎ 02 38 80 00 06   📠 02 38 80 09 79
🛏 10 ⌧ 100/195 F. ▤ 25 F.
🍽 85/165 F. 🍴 42 F. 🛌 210/385 F.
⌧ nov., dim. soir et lun.
[icons]

BEAUGENCY (B1)
45190 Loiret
7000 hab. ℹ

⌂⌂ HOSTELLERIE DE L'ECU DE
BRETAGNE ★★
Place du Martroi. Mme Renucci
☎ 02 38 44 67 60   📠 02 38 44 68 07
🛏 25 ⌧ 200/365 F. ▤ 40 F.
🍽 95/200 F. 🍴 45 F. 🛌 270/322 F.
⌧ dim. soir et lun. 15 oct./1er avr.
[icons]

La BUSSIERE (B3)
45230 Loiret
656 hab.

⌂⌂ LE NUAGE ★★
95 bis, rue de Briare. M. Karbowski
☎ 02 38 35 90 73   📠 02 38 35 90 62
🛏 16 ⌧ 275 F. ▤ 35 F. 🍽 71/140 F.
🍴 35 F. 🛌 225 F.
[icons]

CERCOTTES (A1)
45520 Loiret
684 hab. ℹ

⌂⌂ AUBERGE DE LA FORET ★
68, route nationale 20. M. Rousselle
☎ 02 38 75 41 11   📠 02 38 75 46 31
🛏 7 ⌧ 220 F. ▤ 35 F. 🍽 99/270 F.
🍴 73 F.
⌧ dernière semaine fév., mar. soir et
mer. sauf juil./août.
[icons]

CHAINGY FOURNEAUX (B1)
45380 Loiret
3200 hab. ℹ

⌂ LES PETITES ARCADES ★★
42, route de Blois. Mme Kelagopian
☎ 02 38 88 85 11 \ 02 38 88 87 43
🛏 21 ⌧ 125/235 F. ▤ 30 F.
🍽 80/100 F. 🍴 40 F. 🛌 330/360 F.
[icons]

CHATEAUNEUF SUR LOIRE (B2)
45110 Loiret
7000 hab. ℹ

⌂ NOUVEL HOTEL DU LOIRET ★★
4, place Aristide Briand. Mme Laine
☎ 02 38 58 42 28   📠 02 38 58 43 99

🛏 16 ⌧ 220/260 F. ▤ 32 F.
🍽 80/195 F. 🍴 50 F. 🛌 222/242 F.
⌧ 23 déc./24 janv., dim. soir et lun.
oct./juin.
[icons]

CHEVILLY (A1)
45520 Loiret
2626 hab.

⌂⌂ LA GERBE DE BLE ★★
2, av. du Château.
M. Perdereau
☎ 02 38 80 10 31   📠 02 38 74 12 92
🛏 11 ⌧ 210/240 F. ▤ 30 F.
🍽 112/185 F. 🍴 60 F. 🛌 240 F.
⌧ 6/19 janv., dim. soir et lun.
[icons]

COMBREUX (A2)
45530 Loiret
150 hab.

⌂⌂⌂ L'AUBERGE DE COMBREUX ★★
Mme Gangloff
☎ 02 38 46 89 89   📠 02 38 59 36 19
🛏 19 ⌧ 315/495 F. ▤ 35 F.
🍽 90/204 F. 🍴 35 F. 🛌 340/455 F.
⌧ 20 déc./15 janv.
[icons]

⌂⌂ LA CROIX BLANCHE ★★
46, rue du Gâtinais, face à l'Eglise.
MeM. Dodard
☎ 02 38 59 47 62   📠 02 38 59 41 35
🛏 7 ⌧ 260 F. ▤ 32 F. 🍽 125/200 F.
🍴 50 F. 🛌 300 F.
⌧ 15 janv./15 fév. Rest. mar. soir et
mer.
[icons]

COURTENAY (A3)
45320 Loiret
3150 hab. ℹ

⌂⌂ LE RELAIS ★★
34, rue Nationale.
M. Martin
☎ 02 38 97 41 60   📠 02 38 97 30 43
🛏 8 ⌧ 250/370 F. ▤ 38 F.
🍽 100/240 F. 🍴 58 F. 🛌 300/340 F.
⌧ dim. soir, lun. et soirs fériés.
[icons]

DORDIVES (A3)
45680 Loiret
1800 hab.

✱ CESAR ★★
8, rue de République sortie autoroute A6.
Mme Valade
☎ 02 38 92 73 20   📠 02 38 92 76 67
🛏 18 ⌧ 130/260 F. ▤ 25 F.
[icons]

FERRIERES (A3)
45210 Loiret
2417 hab.

▲▲ DE L'ABBAYE ★★
   M. Paris
   ☎ 02 38 96 53 12 🖷 02 38 96 57 63
   🛏 20 🖾 270 F. 🛌 40 F. 🍽 96/230 F.
   🍴 60 F. 🛎 215 F.
   🄴 📺 🗗 ☎ 🚗 🖂 ⚓ 🛅 ♿ CV 🎮 ☔ CB

GIEN (B2)
45500 Loiret
18000 hab. ⓘ

▲▲ LA POULARDE ★★
   13, quai de Nice. M. Danthu
   ☎ 02 38 67 36 05 🖷 02 38 38 18 78
   🛏 9 🖾 270/290 F.
   ⊠ 1er/15 janv. et dim. soir.
   🄴 🗗 ☎ CV 🎮 ⚓ CB

JARGEAU (B2)
45150 Loiret
3500 hab. ⓘ

▲ AUBERGE DU CLAIR DE LUNE
   5, bld Carnot. M. Lejeune
   ☎ 02 38 59 70 25 🖷 02 38 59 80 85
   🛏 14 🖾 135/210 F. 🛌 31 F.
   🍴 75/135 F. 🛅 42 F. 🛎 170/225 F.
   ⊠ 15 déc./15 janv. et lun.
   🄴 SP 🗗 ☎ 🚗 ⚓ CV

JOUY LE POTIER (B1)
45370 Loiret
1187 hab.

▲▲ AUBERGE SAINTE MARGUERITE ★★
   17, place de la Mairie. MM. Tondu
   ☎ 02 38 45 89 89
🚗
120F 🛏 15 🖾 230/350 F. 🛌 35 F.
   🍴 95/180 F. 🛅 55 F. 🛎 265 F.
   ⊠ dim. soir et lun.
   🗗 ☎ 🎮 ⚓ CB

LAILLY EN VAL (B1)
45740 Loiret
2054 hab. ⓘ

▲ AUBERGE DES 3 CHEMINEES ★★
   59, route de Blois. Mme Paris
   ☎ 02 38 44 74 20 🖷 02 38 44 26 59
   🛏 12 🖾 130/290 F. 🛌 35 F.
   🍴 75/200 F. 🛅 50 F. 🛎 200/260 F.
   ⊠ dim. soir et lun. sauf 1er juin/30 sept.
   🄴 📺 🗗 ☎ 🚗 ⛱ 🛅 🎮 ⚓ CB

LORRIS (B2)
45260 Loiret
2600 hab. ⓘ

▲▲ DU SAUVAGE ★★
   2, place du Martroi. M. Coutenceau
   ☎ 02 38 92 43 79 🖷 02 38 94 82 46
   🛏 8 🖾 260/350 F. 🍴 115/280 F.
   🛅 50 F. 🛎 275/300 F.
   ⊠ 6/28 fév. et 1er/17 oct.
   🄴 📺 🗗 ☎ 🚗 🖂 🛅 CV 🎮 ⚓ CB

MALESHERBES (A2)
45330 Loiret
6000 hab. ⓘ

▲▲ ECU DE FRANCE ★★
   10, place du Martroy. M. Grosmangin
   ☎ 02 38 34 87 25 🖷 02 38 34 68 99
   🛏 13 🖾 140/350 F. 🛌 35 F.
   🍴 100/240 F. 🛅 40 F. 🛎 180/265 F.
   ⊠ rest. jeu. soir.
   🄴 📺 ☎ 🚗 ⛱ ♿ ⚓ CB

MEUNG SUR LOIRE (B1)
45130 Loiret
6000 hab. ⓘ

▲▲ AUBERGE SAINT JACQUES ★★
   60, rue Général de Gaulle. M. Le Gall
   ☎ 02 38 44 30 39 🖷 02 38 45 17 02
   🛏 12 🖾 220/260 F. 🛌 28 F.
   🍴 95/220 F. 🛅 50 F. 🛎 205 F.
   🄴 📺 ☎ 🚗 CV 🎮 ⚓ CB

MIGNERETTE (A2)
45490 Loiret
247 hab.

▲ AUBERGE DE MIGNERETTE
   2, rue de la Mairie M. Stepien
   ☎ 02 38 96 40 51 🖷 02 38 96 40 67
   🛏 7 🖾 120/180 F. 🛌 25 F. 🍴 75/190 F.
   🛅 50 F. 🛎 160 F.
   ⊠ dim. soir et lun.
   🚗 ⛱ CB

MONTARGIS (A3)
45200 Loiret
20000 hab. ⓘ

▲▲▲ DE LA GLOIRE ★★★
   74, av. du Général de Gaulle. M. Jolly
   ☎ 02 38 85 04 69 🖷 02 38 98 52 32
   🛏 12 🖾 250/350 F. 🛌 35 F.
   🍴 160/250 F. 🛅 60 F.
   ⊠ 12/26 fév., 15/27 août, mar. soir et
   mer.
   🗗 ☎ 🚗 🖂 ♿ ⚓ CB

ORLEANS (B1)
45000 Loiret
105110 hab.

... à proximité

SAINT HILAIRE SAINT MESMIN (B1)
45160 Loiret
2025 hab.

6 km S.O. Orléans par D 951

▲▲▲ L'ESCALE DU PORT ARTHUR ★★
   A St-Hilaire St-Mesmin, rue de l'Eglise.
   M. Marquet
   ☎ 02 38 76 30 36 🖷 02 38 76 37 67
   🛏 17 🖾 283/325 F. 🛌 35 F.
   🍴 108/232 F. 🛅 80 F. 🛎 325/345 F.
   ⊠ 5/24 fév., dim. soir et lun. 1er oct./
   31 mars.
   🄴 SP 🗗 ☎ 🚗 🖂 ⛱ 🛅 ♿ CV 🎮 ⚓
   CB 🛎

SAINT JEAN LE BLANC (B1)
45650 Loiret
6806 hab. ⓘ

2 km Sud Orléans par D 951

🛏 LE MARJANE ★★
121, route de Sandillon. Mme Leclerc
☎ 02 38 66 35 13 ℻ 02 38 56 51 01
🛏 22 ⊗ 150/290 F. ▭ 30 F. ⫽ 80 F.
⫽ 50 F. 🍽 150/205 F.
🇪 ☎ 🚗 🌴 ♿ CV ▥ ♠

PATAY (A1)
45310 Loiret
2000 hab.

🛏 DU CHEVAL BLANC
5, rue de la Gare. M. Vaslier
☎ 02 38 80 80 11 ℻ 02 38 80 88 01
🛏 7 ⊗ 170/270 F. ▭ 32 F. ⫽ 70/170 F.
⫽ 40 F. 🍽 185/240 F.
⊠ 2ème quinzaine fév., sam. et dim.
soir.
🇪 ⓘ 🖵 🚗 🌴 ⏱ ♠ CB

PITHIVIERS (A2)
45300 Loiret
10000 hab. ⓘ

🛏🛏 RELAIS SAINT GEORGES ★★
Av. du 8 Mai.(Dir. Fontainebleau).
M. Levassort
☎ 02 38 30 40 25 ℻ 02 38 30 09 05
🛏 42 ⊗ 280/360 F. ▭ 36 F.
⫽ 98/140 F. ⫽ 48 F. 🍽 248/288 F.
⊠ rest. dim. soir et soirs de fêtes.
🇪 🖵 ☎ 🚗 🌴 ♿ CV ▥ ♠ CB

SAINT BENOIT SUR LOIRE (B2)
45730 Loiret
1800 hab. ⓘ

❄ LE LABRADOR ★★
7, place de l'Abbaye. Mme Labrette
☎ 02 38 35 74 38 ℻ 02 38 35 72 99
🛏 44 ⊗ 175/355 F. ▭ 40 F.
⊠ 1er janv./15 fév.
🇪 🖵 ☎ 🚗 ⤢ 🌴 ▥

SAINT BRISSON (B3)
45500 Loiret
1050 hab. ⓘ

🛏 CHEZ HUGUETTE ★
7, rue du Bizoir M. Carreau
☎ 02 38 36 70 10
🛏 10 ⊗ 180 F. ▭ 30 F. ⫽ 60/200 F.
⫽ 50 F. 🍽 200 F.
⊠ dim. soir et lun.
☎ ♠ CB

SAINT HILAIRE SAINT MESMIN (B1)
45160 Loiret

>>> *voir ORLEANS*

SAINT JEAN LE BLANC (B1)
45650 Loiret

>>> *voir ORLEANS*

SANDILLON (B2)
45640 Loiret
2560 hab. ⓘ

🛏 AU LION D'OR ★
2, rue F. Baubault. Mme Berneau
☎ 02 38 41 00 22 ℻ 02 38 41 07 74
🛏 20 ⊗ 180/300 F. ▭ 40 F.
⫽ 60/250 F. ⫽ 45 F. 🍽 180/280 F.
⊠ rest. dim. soir.
🇪 🖵 ☎ 🚗 🚗 🌴 CV ▥ ♠

la SELLE SUR LE BIED (A3)
45210 Loiret
625 hab.

🛏 LE MOULIN DU BIEF
1, rue de Bretagne. M. Blin
☎ 02 38 87 34 04
🛏 5 ⊗ 180 F. ▭ 25 F. ⫽ 98/190 F.
⫽ 42 F. 🍽 210 F.
⊠ 2ème quinzaine août, 2ème quinzaine
fév. et lun.
🇪 🇩 ⓘ 🖵 ⤢ ⤢ CV ▥ ♠ CB

SULLY SUR LOIRE (B2)
45600 Loiret
5500 hab. ⓘ

🛏🛏 LE CONCORDE ★★
1, rue Porte de Sologne. M. Loisel
☎ 02 38 36 24 44 ╲ 02 38 36 24 29
℻ 02 38 36 62 40
🛏 22 ⊗ 190/250 F. ▭ 32 F.
⫽ 85/180 F. ⫽ 50 F. 🍽 290 F.
🇪 🇩 🖵 ☎ 🚗 ▦ ⤢ ⏱ ♠ CB

TOURNOISIS (A1)
45310 Loiret
344 hab.

🛏 RELAIS SAINT-JACQUES ★
M. Pinsard
☎ 02 38 80 87 03 ℻ 02 38 80 81 46
🛏 5 ⊗ 180/220 F. ▭ 28 F. ⫽ 69/189 F.
⫽ 47 F. 🍽 270/380 F.
⊠ 16 fév./7 mars, dim. soir et lun. sauf
juil./août.
🇪 🖵 🚗 CV ▥ ♠ CB

C.R.T. Champagne-Ardenne / B. Sivade

C.R.T. Champagne-Ardenne / B. Sivade

C.R.T. Champagne-Ardenne / V. Lett

REGION
CHAMPAGNE ARDENNE

Champagne-Ardenne

C.R.T. Champagne-Ardenne

CHAMPAGNE-ARDENNE

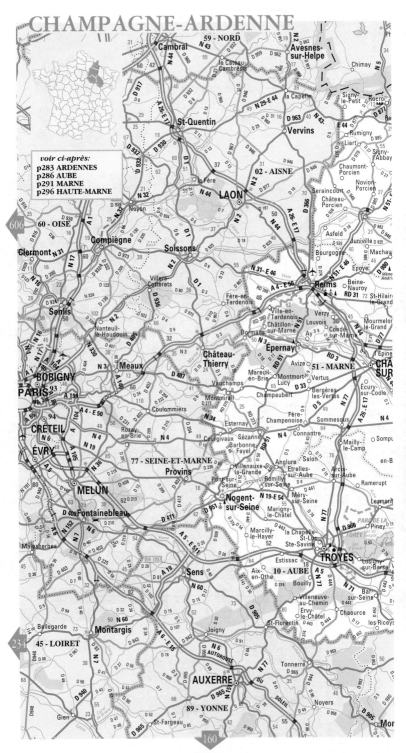

voir ci-après:
p283 ARDENNES
p286 AUBE
p291 MARNE
p296 HAUTE-MARNE

SI PÉTILLANTE
Authentic and Bubbly

A L'EST DE PARIS, ENTRE BELGIQUE
ET BOURGOGNE, LA CHAMPAGNE-ARDENNE
FAIT DES BULLES. A DÉCOUVRIR DANS L'EUPHORIE
D'UNE COUPE DE CHAMPAGNE MILLÉSIMÉ...

Nature et oxygène

Deux villes ouvrent les portes de la région.
Reims la royale et Troyes la lumineuse.
A l'une les ors du sacre, à l'autre
les camaïeux de lumière filtrés
par les vitraux de ses neuf églises. Entre
les deux, quelque 600 kilomètres de voies
navigables, 240 000 hectares de forêts
giboyeuses, quatre lacs et deux parcs
naturels, celui de la Montagne de Reims et
celui de la Forêt d'Orient... De quoi renaître
à la nature en ouvrant grand ses poumons
et ses yeux, pour ne pas manquer les oiseaux
migrateurs, les gibiers les plus sauvages
et les délicates orchidées.

*TO THE EAST OF PARIS, BETWEEN BELGIUM AND
BURGUNDY, CHAMPAGNE-ARDENNE IS BUBBLING
OVER WITH POSSIBILITIES. EXPLORE IT WITH THE
EUPHORIA PROCURED BY A GLASS OF VINTAGE
CHAMPAGNE...*

Nature and Oxygen

*Two towns open the doors to this region:
Royal Reims and luminous Troyes.
The first is home to the royal gold,
the second to the patterns of light filtered
through the stained glass of its nine
churches. Between the two lie some
600 kilometres of navigable waters,
240 hectares of forest rich in game,
four lakes and two nature parks,
the Mountain of Reims Park and the Forest
of the Orient Park. More than enough
to help you return to nature by breathing
deeply and opening your eyes wide to spot*

C.R.T. Champagne-Ardenne / B. Sivade

A certaines périodes de l'année, la nature se donne en spectacle : le cerf brame au parc de Belval dans les Ardennes, la grue cendrée prend son envol sur le lac du Der-Chantecoq.

Au fil de l'eau

Du nord au sud, découvrez les méandres encaissés de la vallée de la Meuse, les bords de la Marne au milieu du vignoble de Champagne… Paradis des pêcheurs, les quelque 500 rivières de la Haute-Marne leur promettent de belles prises : brochet, perche, truite, ombre commun… La carte des bons coins de pêche évitera aux amateurs de rentrer "bredouilles". Entre Troyes et Saint-Dizier, les quatre grands lacs - le lac de la Forêt d'Orient, le lac Temple, le lac Amance et le lac du Der-Chantecoq - offrent des plans d'eau aussi propices à la baignade qu'à la voile et au ski nautique.

Sur les traces de l'histoire

Les amoureux des vieilles pierres ne manqueront ni la forteresse de Rocroi, ni celle de Langres que protègent trois kilomètres de remparts. Ils passeront

the migratory birds, the wild animals and the delicate orchids.
At certain times of the year, nature becomes a true spectacle when the stags bray in the Belval Park in Ardennes and the grey crane takes off over the Der-Chantecoq lake.

Along the Water's Edge
From the north to the south you can explore the deep twists of the Meuse valley and the banks of the Marne amongst the Champagne vineyards… The 500 rivers of the Upper Marne, with their rich waters, make this a fisherman's paradise: pike, perch, trout, grayling… The map of good fishing spots will ensure that the amateur does not go home with his tail between his legs. Between Troyes and Saint-Dizier the four lakes - Forêt d'Orient, Temple, Amance and Der-Chantecoq - all offer opportunities for swimming, sailing and water-skiing.

Following the Path of History
If you love old buildings then you must not miss the Rocroi and Langres fortresses, the latter which is protected by three kilometres of ramparts. Another essential stopping place is Sedan with its gigantic stronghold, and you will, of course, be overwhelmed by the Gothic masterpieces of the Notre-Dame de l'Epine basilica and Reims cathedral. Along the way you'll pass many châteaux which were formerly the homes of famous men: Voltaire lived at Cirey-sur-Blaise,

SO SPRUDELND
Im Osten von Paris gelegen, zwischen Belgien und dem Burgund, gleicht die Champagne einem Glas des sprudelnden Getränkes. Zu entdecken in der Euphorie eines Glases Jahrgangschampagner, oder in der Natur ihrer wildreichen Wälder, ihrer Naturschutzgebiete oder an den Ufern des Sees von Der-Chantecoq.

ZO BRUISEND
Ten oosten van Parijs, tussen België en Bourgogne, bruist de Champagne-Ardennenstreek. Een streek om te ontdekken in de euforie van een glas champagne voorzien van een jaartal, of om opnieuw te worden geboren in een natuur van wildrijke bossen, in de natuurparken of aan de oevers van het meer van Der-Chantecoq.

Champagne-Ardenne

à Sedan, fière de son gigantesque château fort, avant de s'émouvoir des chefs-d'oeuvre de l'art gothique que sont la basilique Notre-Dame de l'Epine et la cathédrale de Reims. Ils croiseront aussi de nombreux châteaux, habités un temps par des célébrités : Voltaire vécut à Cirey-sur-Blaise, Louis XIV aimait faire étape à l'hôtel d'Etoges, Milos Forman choisit la Motte-Tilly comme décor pour tourner "Valmont". A qui traverse la région, l'architecture donne des points de repère. Pierre dorée couverte d'ardoise noire… vous êtes dans les Ardennes, peut-être même sur la place ducale de Charleville-Mézières, sœur jumelle de la place des Vosges à Paris. Craie et briques rouges annoncent Reims, Châlons-en-Champagne ou Sainte-Ménéhould. Torchis et pans de bois sont typiques du bocage champenois et du vieux coeur de Troyes qui date du XVIe siècle. Enfin, plus au sud, la pierre blanche témoigne de l'influence de la Bourgogne toute proche.

600 kilomètres de bulles

Sillonnant la montagne de Reims, la vallée de la Marne, la côte des Blancs et la côte des Bars, la route touristique du Champagne vous ouvre les caves de plus de soixante producteurs. Un itinéraire pétillant au cours duquel le plaisir des bulles se marie avec les saveurs des spécialités : tarte au Quemeu, jambon sec des Ardennes voisines, andouillette de Troyes, pieds de porc à la Sainte-Ménéhould, croquignoles de Reims…

Louis XIV loved stopping off at the mansion Etoges, and Roman Polanski chose Motte-Tilly as the setting for his film "Valmont." The local architecture provides a series of landmarks for your travels. Golden stone and black slate roofs signal that you are in the Ardennes, perhaps even in the Ducal square of Charleville-Mézières, which is the sister square of the Places des Vosges in Paris. Chalk and red brick indicates that you are either in Reims, Châlons-en-Champagne or Sainte-Ménéhould. Cobs and wood paneling are typical of the Champagne bocage and the old heart of Troyes, which dates from the 16th century. And lastly, towards the south, the white stone points to the influence of nearby Burgundy.

600 Kilometres of Bubbles

Winding its way around the mountain of Reims, along the Marne valley, down the Blancs and Bars hillsides, the tourist trail through Champagne takes you to the cellars and vineyards of more than sixty Champagne producers. A sparkling journey on which you can mix the pleasure of some bubbly with the local specialities: Quemeu tart, ham from the nearby Ardennes, Troyes sausage, Sainte-Ménéhould-style pigs trotters and the small crunchy biscuits of Reims.

TAN CHISPEANTE

Al este de París, entre Bélgica y Borgoña, la Champaña Ardenas burbujea. Para descubrir en la euforia de una copa de champaña de añada, o para volver a la naturaleza en los bosques con abundante caza, los parques naturales y las orillas del lago de Der-Chantecoq.

COSÌ VIVACE

Ad est di Parigi, fra la Bretagna e la Borgogna, la Champagne Ardenna fa le bollicine. E' una regione da scoprire nell'atmosfera di un'eccellente coppa di champagne che vi darà l'impressione di rinascere nei boschi ricchi di cacciagione, nei parchi naturali e lungo le rive del lago del Der Chantecoq.

Boudin blanc

Ingrédients

Pour 6 personnes

- 750 g de porc
- 250 g de blanc de volaille
- 500 g mie de pain
- 3 oignons
- 50 g saindoux
- 1/2 l de lait
- 1/2 l de crème
- 4 œufs
- 150 g de saindoux

Recette

- Mettre la mie de pain dans le lait. Faire cuire les oignons finement hachés dans le saindoux pendant 1 h 30.
- Hacher le porc et la chair de volaille. Ajouter à cette farce la mie de pain, les oignons, la crème, les œufs entiers, du sel, du poivre et de la muscade. Entonner dans un boyau.
- Faire cuire le boudin 20 minutes dans de l'eau à peine frémissante. Egoutter et laisser refroidir à l'abri d'un torchon afin d'obtenir un boudin bien blanc.

**Liste des
hôtels-restaurants**

Ardennes

Association départementale
des Logis de France des Ardennes
C.D.T. - Résidence Arduinna
18 avenue G. Corneau
08000 Charleville-Mézières
Téléphone 03 24 59 46 78

CHAMPAGNE-ARDENNE

Charleville-Mézières ○
08 ARDENNES
51 MARNE
Châlons-sur-Marne ●
10 AUBE
○ Troyes
52 HAUTE-MARNE
Chaumont ○

08 - ARDENNES

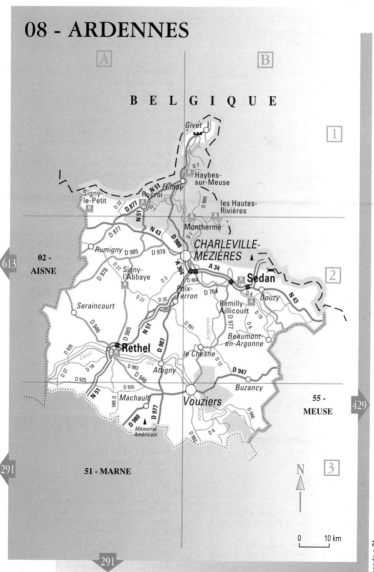

A   B

BELGIQUE

1

Givet

Haybes-sur-Meuse

D 7

Signy-le-Petit
Fumay
Rocroi
N 51
les Hautes-Rivières
D 989
D 32
D 877
N 57
D 1

D 877
N 43
Monthermé
D 988

Rumigny
D 985
CHARLEVILLE-MÉZIÈRES
D 978
A 34
Sedan
02 -
AISNE
613
D 978
D 27
Signy-l'Abbaye
A 304
Douzy
2
D 3
D 764
N 43
Seraincourt
D 35
Poix-Terron
Remilly-Aillicourt
D 4
D 19
D 946
D 27
D 977
D 6
Beaumont-en-Argonne
D 985
N 51
D 891
D 926
Rethel
D 987
le Chesne
D 12
D 37
D 18
D 983
Attigny
D 947
Buzancy
D 925
D 946
55 -
MEUSE
429
D 925
Machault
N 51
D 985
Vouziers
D 980
D 977
291
Mémorial Américain
D 6
D 982
D 946

51 - MARNE

N
3

0   10 km

291

Légende p 21

Les HAUTES RIVIERES (B1-2)
08800 Ardennes
2200 hab.

⌂ AUBERGE EN ARDENNE ★★
15, rue de l'Hôtel de Ville.
Mme Lallouette
☎ 03 24 53 41 93 FAX 03 24 53 60 10
🅿 12 ⬙ 205/285 F. ▪ 33 F.
🍽 65/200 F. 🍴 55 F. ▪ 215/255 F.
⌧ 29 déc./12 janv. Rest. dim. soir sauf
juil./août.
D 🗇 ☎ 🏕 🛠 ➤ CB

HAYBES SUR MEUSE (B1)
08170 Ardennes
2500 hab. ℹ

⌂ SAINT HUBERT ★★
47, Grande Rue.
M. Jacques
☎ 03 24 41 11 38 FAX 03 24 40 01 56
🅿 10 ⬙ 200/250 F. ▪ 25 F.
🍽 70/200 F. 🍴 50 F. ▪ 220/270 F.
⌧ fév., dim. soir et lun. hs.
D SP 🗇 ☎ 🔌 ➤ CB

MONTHERME (B1-2)
08800 Ardennes
2700 hab. ℹ

⌂ DE LA PAIX ★
M. Capelli
☎ 03 24 53 01 55
🅿 9 ⬙ 155/250 F. ▪ 32 F. 🍽 80/200 F.
🍴 45 F. ▪ 210/280 F.
⌧ 21 déc./7 janv. et sam. oct./mars sauf
groupes.
E ℹ 🗇 ☎ 🚗 ➤ CB

⌂⌂ FRANCO-BELGE ★★
M.Me Leguay
☎ 03 24 53 01 20 FAX 03 24 53 54 49
🅿 15 ⬙ 246/320 F. ▪ 35 F.
🍽 92/280 F. 🍴 50 F. ▪ 250/280 F.
⌧ 15 déc./15 janv., ven. soir et dim.
soir 15 déc./30 avr., dim. soir 30 avr./
14 déc. sauf juil./août.
E ℹ 🗇 ☎ 🚗 🏕 CV CB 🅖

REMILLY AILLICOURT (B2)
08450 Ardennes
780 hab.

⌂⌂ LA SAPINIERE ★★
1, rue de Sedan
M. Perin-Movet
☎ 03 24 26 75 22 FAX 03 24 26 75 19
🅿 9 ⬙ 265/316 F. ▪ 32 F. 🍽 90/200 F.
🍴 60 F. ▪ 275 F.
⌧ 2/20 janv., dim. soir et lun.
D 🗇 ☎ 🚗 ⋈ 🔌 🛠 ♿ CV 🔆 ➤ CB
🅖 🅖

RETHEL (A2)
08300 Ardennes
8500 hab. ℹ

⌂⌂⌂ LE MODERNE ★★
Place de la Gare. MM. Nicolle/Dogna
☎ 03 24 38 44 54 FAX 03 24 38 37 84
🅿 22 ⬙ 210/260 F. ▪ 35 F.
🍽 89/290 F. 🍴 45 F. ▪ 225 F.
E D 🗇 ☎ 🚗 🚗 🍴 🔆 ➤ CB 🅖

⌂⌂ SANGLIER DES ARDENNES ★★
1, rue Pierre Curie. Mme Faucheux
☎ 03 24 38 45 19 FAX 03 24 38 45 14
🅿 14 ⬙ 180/260 F. ▪ 35 F.
🍽 85/140 F. 🍴 50 F. ▪ 190/250 F.
⌧ fêtes Noël.
E D SP 🗇 ☎ 🚗 CV 🔆 ➤ CB 🅖 🅖

ROCROI (A1)
08230 Ardennes
2555 hab. ℹ

⌂ DU COMMERCE ★★
Place A. Briand. M. Voltolini
☎ 03 24 54 11 15 FAX 03 24 54 95 31
🅿 9 ⬙ 170/200 F. 🍽 60/180 F. 🍴 45 F.
▪ 200/220 F.
⌧ dim. soir 1er oct./31 mars.
ℹ 🚗 🛠 CV 🔆 ➤ CB

SEDAN (B2)
08200 Ardennes
24535 hab. ℹ

⌂⌂ LE SAINT-MICHEL ★
3, rue Saint-Michel. M. Copine
☎ 03 24 29 04 61 FAX 03 24 29 32 67
🅿 19 ▪ 30 F. 🍽 65/150 F. 🍴 35 F.
▪ 245/275 F.
ℹ D 🗇 ☎ 🚗 🚗 ⋈ 🐾 CV 🔆 ➤ CB
🅖 🅖

SIGNY L'ABBAYE (A2)
08460 Ardennes
1500 hab. ℹ

⌂⌂ AUBERGE DE L'ABBAYE ★★
Place A. Briand Mme Lefèbvre
☎ 03 24 52 81 27 FAX 03 24 53 71 72
🅿 10 ⬙ 180/350 F. ▪ 30 F.
🍽 75/150 F. 🍴 60 F. ▪ 250/300 F.
⌧ 2 janv./28 fév., mer. 16h/ven. 9h.
E D 🗇 ☎ 🚗 CV 🔆 ➤ CB 🅖

SIGNY LE PETIT (A1)
08380 Ardennes
1280 hab. ℹ

⌂⌂ AU LION D'OR ★★
2, rue N. de Rumigny et place l'église
Mme Bertrand
☎ 03 24 53 51 76 FAX 03 24 53 36 96
🅿 10 ⬙ 310/350 F. ▪ 60 F.
🍽 70/260 F. 🍴 45 F. ▪ 285 F.
⌧ 2/10 janv., 17/23 mars et 22/28 déc.
E D 🗇 ☎ 🚗 🖐 ♿ CV 🔆 ➤ CB

Liste des
hôtels-restaurants
Aube

C.R.T. Champagne-Ardenne

Association départementale
des Logis de France de l'Aube
C.D.T.
34 quai Dampierre
10003 Troyes Cedex
Téléphone 03 25 42 50 94

CHAMPAGNE-ARDENNE

Charleville-Mézières ○
08 ARDENNES

51 MARNE
○ Châlons-sur-Marne

10 AUBE
○ Troyes

52 HAUTE-MARNE
○ Chaumont

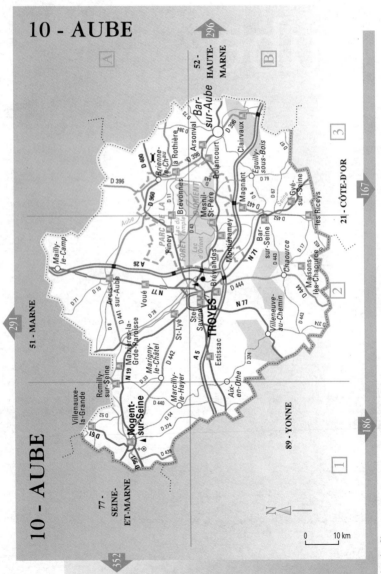

10 - AUBE

Légende p 21

ARCIS SUR AUBE (A2)
10700 Aube
3260 hab. [i]

⌂ DU PONT DE L'AUBE
Sortie A26, Vallée de l'Aube.
M. Leboucher
☎ 03 25 37 84 81
[🛏] 10 [◇] 125/205 F. [▭] 20 F.
[🍽] 72/ 84 F. [🛏] 37 F. [▦] 165/185 F.
[⊠] dim. et jours fériés.
[📺][🚗][CV][🐾]

ARSONVAL (B3)
10200 Aube
340 hab.

⌂ HOSTELLERIE DE LA CHAUMIERE
Sur N.19.
M. Guillerand
☎ 03 25 27 91 02 [FAX] 03 25 27 90 26
[🛏] 3 [◇] 180/250 F. [▭] 35 F.
[🍽] 100/270 F. [🛏] 60 F. [▦] 210/260 F.
[⊠] dim. soir et lun. sauf juil./août et
jours fériés.
[E][📺][☎][🚗][🛏][🐾][CB]

BAR SUR SEINE (B2)
10110 Aube
3850 hab. [i]

⌂ LE CERES ★★
11, faubourg de Champagne.
Mme Delsaux
☎ 03 25 29 86 65 [FAX] 03 25 29 77 51
[🛏] 8 [◇] 190/210 F. [▭] 25 F. [🍽] 68/114 F.
[🛏] 37 F. [▦] 166/176 F.
[⊠] rest. dim. soir et hôtel ouvert sur
réservations.
[E][📺][☎][🚗][⤫][🛏][CV][▦][🐾][CB]

BREVIANDES (B2)
10450 Aube
1685 hab.

⌂⌂ DU PAN DE BOIS ★★
35, av. Général Leclerc, route de Dijon.
Mme Vadrot
☎ 03 25 75 02 31 [FAX] 03 25 49 67 84
[🛏] 31 [◇] 280/290 F. [▭] 35 F.
[🍽] 86/160 F. [🛏] 68 F. [▦] 250 F.
[⊠] dim. soir. Rest. lun.
[E][📺][☎][🚗][🚗][🛏][♿][▦][🐾][CB]

BREVONNES (A2-3)
10220 Aube
600 hab.

⌂⌂ LE VIEUX LOGIS
Rue de Piney.
M. Baudesson
☎ 03 25 46 30 17 [FAX] 03 25 46 37 20
[🛏] 5 [◇] 205/275 F. [▭] 34 F. [🍽] 75 F.
[🛏] 47 F. [▦] 200/233 F.
[⊠] dim. soir et lun. 15 sept./30 mai.
[E][📺][☎][🚗][🛏][♿][CV][▦][🐾][CB]

CLAIRVAUX (B3)
10310 Aube
350 hab.

⌂ DE L'ABBAYE
Route D. 396, sortie A5 péage N° 23.
M. Deloisy
☎ 03 25 27 80 12 [FAX] 03 25 27 75 79
[🛏] 14 [◇] 150/230 F. [▭] 25 F.
[🍽] 66/125 F. [🛏] 44 F. [▦] 175/210 F.
[E][📺][☎][🚗][🚗][🐾][🛏][CB]

DOLANCOURT (B3)
10200 Aube
169 hab.

⌂⌂⌂ LE MOULIN DU LANDION ★★★
5, rue Saint-Leger M. Bajolle
☎ 03 25 27 92 17 [FAX] 03 25 27 94 44
[🛏] 16 [◇] 375/430 F. [▦] 44 F.
[🍽] 99/325 F. [🛏] 65 F. [▦] 375/395 F.
[⊠] 1er déc./15 fév., dim. soir et lun.
15 nov./1er mai.
[E][D][📺][☎][🚗][🛏][♿][🖐][CV][▦][🐾][CB]

ESTISSAC (B2)
10190 Aube
1770 hab. [i]

⌂ LA MARMITE ★
Place de la Halle. Mme Chevassu
☎ 03 25 40 40 19 [FAX] 03 25 40 62 92
[🛏] 12 [◇] 135/195 F. [▭] 23 F.
[🍽] 60/138 F. [🛏] 39 F. [▦] 160/210 F.
[⊠] 25 déc./2 janv., dim. soir
1er sept./Pâques.
[☎][🚗][CV][🐾][CB][🚗][🚗]

GYE SUR SEINE (B3)
10250 Aube
495 hab.

⌂ DES VOYAGEURS ★
Grande Rue. Mme Schruoffeneger
☎ 03 25 38 20 09 [FAX] 03 25 38 25 37
[🛏] 8 [▭] 30 F. [🍽] 72/180 F. [▦] 160/230 F.
[☎][🚗][🐾]

MAGNANT (B3)
10110 Aube
200 hab.

⌂⌂ LE VAL MORET ★★.
Sortie autoroute A5, N° 22. Mme Marisy
☎ 03 25 29 85 12 [FAX] 03 25 29 70 81
[🛏] 30 [◇] 190 F. [▭] 25 F. [🍽] 79/210 F.
[🛏] 36 F.
[E][D][📺][🚗][☎][🚗][⤫][🛏][♿][🖐][
CV][▦][🐾][CB]

MAISONS LES CHAOURCE (B2)
10210 Aube
180 hab. [i]

⌂⌂ AUX MAISONS ★★
M. Enfert
☎ 03 25 70 07 19 [FAX] 03 25 70 07 75
[🛏] 13 [◇] 160/250 F. [▭] 30 F.
[🍽] 100/160 F. [🛏] 45 F. [▦] 250/300 F.
[E][D][📺][☎][🚗][⤫][🖐][♿][CV][▦][🐾][CB]

MAIZIERES LA GRANDE
PAROISSE (A2)
10510 Aube
1722 hab.

🔒🔒 DES GRANGES ★★
84, av. Général de Gaulle. Mme Pinal
☎ 03 25 39 46 00 📠 03 25 39 46 13
🛏 20 🛌 27 F. 🍽 63/145 F. 🍴 50 F.
🛎 178/237 F.
⊠ 2/19 août et sam. sauf hôtel sur
réservations.
🄴 🗔 🕾 🛗 🚗 ⛵ 🚹 🐾

MESNIL SAINT PERE (B2-3)
10140 Aube
370 hab. 🛈

🔒🔒🔒 AUBERGE DU LAC ★★★
(Sortie A.5 n°22, A.26 n°32). M. Gublin
☎ 03 25 41 27 16 📠 03 25 41 57 59
🛌 15 🛌 330/450 F. 🍽 48 F.
🍴 170/310 F. 🍴 85 F. 🛎 350/430 F.
⊠ 6/24 janv., 12/28 nov., dim. soir et
lun. 21 sept./18 mars.
🄴 🗔 🕾 🚗 ⛱ ♿ 🔅 🐾 CB

MONTIERAMEY (B2)
10270 Aube
400 hab.

🔒 DU CENTRE
Mme Sbrovazzo
☎ 03 25 41 21 64 📠 03 25 41 20 56
🛏 10 🛌 150/180 F. 🍽 25 F.
🍴 70/150 F. 🍴 35 F. 🛎 190/200 F.
🄴 🗔 🚗 ⛱ 🐾 CB

NOGENT SUR SEINE (A1)
10400 Aube
5000 hab. 🛈

🔒🔒 LE BEAU RIVAGE ★★
20, rue Villiers aux Choux. M. Duhayer
☎ 03 25 39 84 22 📠 03 25 39 18 32
🛏 7 🛌 280/290 F. 🍽 34 F. 🍴 78/190 F.
🍴 60 F. 🛎 320/330 F.
⊠ 10/28 fév., dim. soir et lun. sauf
fériés.
🄴 🗔 🕾 ⛵ ⛱ 🐾 CB

PINEY (A2)
10220 Aube
1112 hab.

🔒🔒 LE TADORNE ★★
3, Place de la Halle. M. Carillon
☎ 03 25 46 30 35 📠 03 25 46 36 49
🔒 100F 🛏 15 🛌 150/275 F. 🍽 30 F.
🍴 59/190 F. 🍴 38 F. 🛎 260 F.
⊠ 1er/15 fév. et dim. soir 1er oct./
15 avr.
🄴 🗔 🗔 🕾 🚗 ⛵ 🚹 🐾 ♿ 🔅 CV 🔅
🐾 CB 📷 ☎

Les RICEYS (B2-3)
10340 Aube
1558 hab. 🛈

🔒🔒 LE MAGNY ★★
Route de Tonnerre. M. Oliveau
☎ 03 25 29 38 39 📠 03 25 29 11 72
🔒 100F 🛏 7 🛌 220/240 F. 🍽 35 F. 🍴 70/210 F.
🍴 45 F. 🛎 215/225 F.
⊠ 26 janv./20 fév., 25 août/5 sept., mar.
soir et mer.
🄴 🗔 🕾 🚗 ⛵ ⛱ 🚹 CV 🔅 🐾 CB

ROMILLY SUR SEINE (A1-2)
10100 Aube
16291 hab.

🔒🔒🔒 AUBERGE DE NICEY ★★★
24, rue Carnot. M. Féry
☎ 03 25 24 10 07 📠 03 25 24 47 01
🛏 23 🛌 380/410 F. 🍽 48 F.
🍴 105/200 F. 🍴 60 F. 🛎 320 F.
⊠ 4/24 août et dim. soir.
🄴 🄳 🗔 🕾 🛏 🍴 ⛵ ⛱ 🔅 ♿ 🔅
♿ 🔅 🐾 CB

La ROTHIERE (A3)
10500 Aube
120 hab.

🔒🔒 AUBERGE DE LA PLAINE ★★
Sur D.396. Mme Galton
☎ 03 25 92 21 79 📠 03 25 92 26 16
🔒 100F 🛏 16 🛌 175/260 F. 🍽 30 F.
🍴 78/250 F. 🍴 45 F. 🛎 215/240 F.
⊠ 19/28 déc., ven. soir et sam. midi
oct./mars.
🄴 🗔 🕾 🚗 ⛵ ⛱ 🚹 ♿ CV 🔅
🐾 CB

SAINT LYE (A2)
10180 Aube
2593 hab.

🔒🔒 LA PERRIERE ★★
Sur R.N. 19. M. Dubois
☎ 03 25 76 61 38 📠 03 25 76 54 69
🔒 120F 🛏 12 🛌 175/250 F. 🍽 25 F.
🍴 75/149 F. 🍴 45 F. 🛎 285/355 F.
⊠ dernière semaine août, ven. soir/dim.
soir, sam. midi hs.
🄴 🗔 🕾 🚗 ⛱ CV 🔅 🐾 CB 📷 ☎

SAINTE SAVINE (B2)
10300 Aube
10700 hab. 🛈

🔒🔒 MOTEL SAVINIEN ★★
87, rue Jean de La Fontaine. M. Lanord
☎ 03 25 79 24 90 📠 03 25 78 04 61
🛏 60 🛌 210/240 F. 🍽 32 F.
🍴 60/120 F. 🍴 42 F. 🛎 210 F.
🄴 🗔 🕾 🚗 ⛵ 🍴 ♿ 🔅 ♿ CV 🔅
🐾 CB

TROYES (A2)
10000 Aube
59255 hab. [i]

♦♦♦ ROYAL HOTEL ★★★
22, bld Carnot. M. De Vos
☎ 03 25 73 19 99 [FAX] 03 25 73 47 85
[100F] [♀] 37 [◇] 330/430 F. [☕] 40 F.
[†] 105/160 F.
[⊠] 20 déc./12 janv. Rest. dim. soir et lun. midi.
[E] [D] [□] [CB] [☎] [♪] [⋈] [⬛] [♠] [CB] [GR]

VILLENAUXE LA GRANDE (A1)
10370 Aube
2000 hab. [i]

♦ DU CHATEAU
50, rue du Château. M. Seydoux
☎ 03 25 21 31 66 [FAX] 03 25 21 31 66
[♀] 5 [◇] 170/240 F. [☕] 28 F. [†] 55/148 F.
[⋇] 39 F. [⬛] 190/220 F.
[⊠] mer. soir et jeu.
[□] [⬛] [♠] [CB]

VOUE (A2)
10150 Aube
373 hab. [i]

♦♦ LE MARAIS ★★★
39, route Impériale M. Grenet
☎ 03 25 37 55 33 [FAX] 03 25 37 53 29
[120F] [♀] 20 [◇] 295 F. [☕] 40 F. [†] 80/240 F.
[⋇] 45 F. [⬛] 260/280 F.
[⊠] sam. midi, dim. soir et lun. midi
15 sept./31 mai, lun. midi et sam. midi
1er juin/14 sept.
[E] [D] [□] [CB] [☎] [⬛] [⋈] [♈] [⤴] [⋇] [♿] [CV]
[▦] [♠] [CB] [⬛]

Liste des
hôtels-restaurants

Marne

C.R.T. Champagne-Ardenne

Association départementale
des Logis de France de la Marne
C.D.T.
13 bis rue Carnot
51000 Châlons-en-Champagne
Téléphone 03 26 68 37 52

CHAMPAGNE-ARDENNE

Charleville-Mézières
08 ARDENNES

51 MARNE
Châlons-sur-Marne

10 AUBE
Troyes

52 HAUTE-MARNE
Chaumont

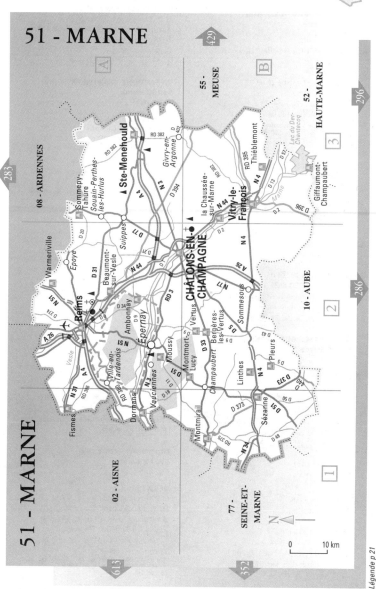

51 - MARNE

51 - MARNE

08 - ARDENNES

02 - AISNE

77 - SEINE-ET-MARNE

55 - MEUSE

52 - HAUTE-MARNE

10 - AUBE

Reims
Épernay
Ste-Menehould
Givry-en-Argonne
la Chaussée-sur-Marne
Vitry-le-François
Thiéblemont
Giffaumont-Champaubert
Lac du Der-Chantecoq
Sommepy-Tahure
Souain-Perthes-les-Hurlus
Warmeriville
Époye
Beaumont-sur-Vesle
Suippes
CHÂLONS-EN-CHAMPAGNE
Ambonnay
Vertus
Bergères-les-Vertus
Sommesous
Mourmelon-Lucy
Champaubert
Moussy
Ville-en-Tardenois
Dormans
Vauciennes
Fismes
Montmirail
Linthes
Pleurs
Sézanne

429
296
283
286
613
352
3
2
1
A
B

0   10 km

N

AMBONNAY (A2)
51150 Marne
820 hab.

▲▲▲ AUBERGE SAINT VINCENT ★★
1, rue Saint-Vincent.
M. Pelletier
☎ 03 26 57 01 98 ℻ 03 26 57 81 48
🛢100F 🛏 10 ⊠ 300/380 F. 🍽 40 F.
🍴 100/300 F. 🕮 50 F. 🚗 345/365 F.
⊠ dim. soir et lun.
Ⓔ 🛖 ☎ 🚗 🕎 🕮 ⚓ CB

BEAUMONT SUR VESLE (A2)
51360 Marne
700 hab.

▲▲ LA MAISON DU CHAMPAGNE ★★
2, rue du Port.
Mme Boulard
☎ 03 26 03 92 45 ╲ 03 26 03 97 27
℻ 03 26 03 97 59
🛏 11 ⊠ 240/270 F. 🍽 35 F.
🍴 76/195 F. 🕮 40 F. 🚗 231/246 F.
⊠ 15/30 nov., dim. soir et lun.
Ⓔ Ⓓ 🛖 ☎ 🚗 🚙 ⛵ 🍴 🕎 🕮
⚓ CB

BERGERES LES VERTUS (B2)
51130 Marne
>>> *voir VERTUS*

CHALONS EN CHAMPAGNE (A-B2)
51000 Marne
48423 hab. ⓘ

▲▲ LE RENARD ★★★
24, place de la République.
M. Pignot
☎ 03 26 68 03 78 ℻ 03 26 64 50 07
🛢100F 🛏 35 ⊠ 320/500 F. 🍽 41 F.
🍴 92/280 F. 🕮 50 F. 🚗 295/460 F.
⊠ sam. midi et dim. soir.
Ⓔ SP 🛖 ☎ 🚗 🚙 CV 🕮 ⚓ CB

La CHAUSSEE SUR MARNE (B3)
51240 Marne
550 hab. ⓘ

▲ DU MIDI ★
M. Caby
☎ 03 26 72 94 77 ℻ 03 26 72 96 01
🛢100F 🛏 11 ⊠ 120/210 F. 🍽 25 F.
🍴 85/170 F. 🕮 42 F. 🚗 175/190 F.
⊠ 25 déc./2 janv. et dim.
🛖 ☎ 🚗 ⛵ 🕮 CV 🕮 ⚓ CB

DORMANS (A1)
51700 Marne
3125 hab. ⓘ

▲ LE CHAMPENOIS
14, rue de Châlons.
M. Mahé
☎ 03 26 58 20 44
🛏 12 ⊠ 160/260 F. 🍽 24 F.
🍴 57/160 F. 🕮 35 F. 🚗 180/200 F.
⊠ ven. soir et dim. janv./fév.
🛖 ☎ 🚗 CV 🕮 ⚓ CB

FISMES (A1)
51170 Marne
5286 hab. ⓘ

▲ A LA BOULE D'OR ★
Route de Laon. M. Blanquet
☎ 03 26 48 11 24 ℻ 03 26 48 17 08
🛢120F 🛏 7 ⊠ 160/220 F. 🍽 35 F. 🍴 64/190 F.
🕮 45 F. 🚗 270/310 F.
⊠ dim. soir et lun.
Ⓔ 🛖 ☎ CV CB

▲ L'ESPLANADE ★
8, rue des Chailleaux. M. Rossi
☎ 03 26 48 03 31 ℻ 03 26 48 17 33
🛢120F 🛏 7 ⊠ 170/280 F. 🍽 28 F. 🍴 68/155 F.
🕮 38 F. 🚗 230/260 F.
⊠ mar. soir et mer.
Ⓔ Ⓓ 🛖 ☎ 🚗 ⛵ 🕮 CV 🕮 ⚓ CB

GIFFAUMONT CHAMPAUBERT (B3)
51290 Marne
227 hab. ⓘ

▲▲ LE CHEVAL BLANC ★★
Rue du Lac. M. Gérardin
☎ 03 26 72 62 65 ℻ 03 26 73 96 97
🛏 16 ⊠ 280/320 F. 🍽 35 F.
🍴 115/250 F. 🕮 55 F. 🚗 260/280 F.
⊠ 2/14 janv., 8/30 sept., dim. soir et
lun.
Ⓔ Ⓓ SP ⓘ 🛖 ☎ 🚗 ⛵ 🕮 🕎 ⚓ CB

LINTHES (B2)
51230 Marne
101 hab. ⓘ

▲▲ FLOROTEL ★★
Sur N.4 (La Raccroche). M. Ozérée
☎ 03 26 80 18 19 ℻ 03 26 80 17 84
🛏 28 ⊠ 220/270 F. 🍽 35 F.
🍴 65/220 F. 🕮 40 F. 🚗 185/350 F.
Ⓔ Ⓓ 🛖 ☎ 🚗 🚙 ⛵ 🍴 ⚓ 🕮 CV
🕮

MONTMIRAIL (B1)
51210 Marne
3420 hab.

▲ LA TOUR D'AUVERGNE ★
2, av. Général de Gaulle. M. Pitois
☎ 03 26 81 20 38 ℻ 03 26 80 15 53
🛢100F 🛏 5 ⊠ 160/250 F. 🍽 25 F. 🍴 65/100 F.
🕮 50 F.
⊠ 16/31 juil., ven., sam. et dim. soir.
Ⓔ 🛖 ☎ 🕮 ⚓ CB

MONTMORT - LUCY (B2)
51270 Marne
600 hab.

▲▲ DE LA PLACE ★★
(à 800 m. autoroute A. 20, sortie 41).
M. Thiroux-Viellard
☎ 03 26 59 10 38 ℻ 03 26 59 11 60
🛢120F 🛏 26 ⊠ 150/300 F. 🍽 35 F.
🍴 62/230 F. 🕮 60 F. 🚗 200/280 F.
⊠ 20 fév./10 mars.
Ⓔ Ⓓ 🛖 ☎ 🚗 ⛵ 🍴 🕮 CV 🕮 ⚓
CB 🕮

MONTMORT - LUCY (B2) (suite)

DU CHEVAL BLANC ★★
Rue de la Libération. M. Cousinat
☎ 03 26 59 10 03 FAX 03 26 59 15 88
120F 🛏 19 ⊗ 160/320 F. 🍽 35 F.
🍴 78/300 F. 🔆 50 F. 🅿 270/400 F.

MOUSSY (A2)
51530 Marne
800 hab.

AUBERGE CHAMPENOISE ★★
M. Arthozoul
☎ 03 26 54 03 48 FAX 03 26 51 87 25
120F 🛏 50 ⊗ 140/280 F. 🍽 38 F.
🍴 58/200 F. 🔆 40 F. 🅿 195 F.
⊠ Noël.

PLEURS (B2)
51230 Marne
700 hab.

DE LA PAIX ★★
4, rue Général Leclerc. M. Champy
☎ 03 26 80 10 14 FAX 03 26 80 12 69
🛏 7 ⊗ 180 F. 🍽 24 F. 🍴 68/260 F.
🔆 50 F.
⊠ 15/28 fév., 19 juil./8 août, dim. soir
et lun.

REIMS (A2)
51100 Marne
181990 hab. ℹ

AU TAMBOUR ★★
63, rue de Magneux. M. Platteaux
☎ 03 26 40 59 22 FAX 03 26 88 34 33
🛏 14 ⊗ 285/310 F. 🍽 32 F. 🍴 80 F.
🔆 35 F. 🅿 250/260 F.
⊠ rest. 20 déc./6 janv., 1er/15 août,
ven., sam. et dim.

SAINTE MENEHOULD (A3)
51800 Marne
6000 hab. ℹ

DU CHEVAL ROUGE ★★
1, rue Chanzy. M. Fourreau
☎ 03 26 60 81 04 FAX 03 26 60 93 11
🛏 20 ⊗ 240/260 F. 🍽 35 F.
🍴 90/210 F. 🔆 50 F. 🅿 260/290 F.
⊠ 17 nov./8 déc. et lun. sept./Pâques.

SEZANNE (B1)
51120 Marne
6200 hab. ℹ

DE LA CROIX D'OR ★★
53, rue Notre-Dame. M. Dufour
☎ 03 26 80 61 10 FAX 03 26 80 65 20
120F 🛏 12 ⊗ 200/300 F. 🍽 35 F.

🍴 60/190 F. 🔆 55 F. 🅿 280 F.
⊠ 2/17 janv.

**LE RELAIS CHAMPENOIS ET DU LION
D'OR** ★★
157, rue Notre-Dame.
M. Fourmi
☎ 03 26 80 58 03 FAX 03 26 81 35 32
120F 🛏 15 ⊗ 230/360 F. 🍽 38 F.
🍴 80/220 F. 🔆 48 F. 🅿 250/380 F.
⊠ 23 déc./3 janv.

SOMMEPY TAHURE (A3)
51600 Marne
537 hab.

LA SOURCE DU PY
43, rue Foch. M. Piot
☎ 03 26 68 21 64 FAX 03 26 68 21 64
100F 🛏 4 ⊗ 145/230 F. 🍽 28 F. 🍴 60/160 F.
🔆 40 F. 🅿 150/230 F.
⊠ 6/10 janv., 18/27 août. Hôtel dim.
soir et lun. sauf juin/27 août. Rest. lun.

THIEBLEMONT (B3)
51300 Marne
490 hab. ℹ

LE CHAMPENOIS ★★
Sur N.4. M. Vie
☎ 03 26 73 81 03 FAX 03 26 73 80 95
100F 🛏 9 ⊗ 220/330 F. 🍽 30 F. 🍴 98/195 F.
🔆 49 F. 🅿 280/330 F.
⊠ 1er/15 fév., 1er/15 oct., dim. soir et
lun. sauf fériés.

VERTUS (B2)
51130 Marne
2870 hab.

LE THIBAULT IV ★★
M. Lepissier
☎ 03 26 52 01 24 FAX 03 26 52 16 59
120F 🛏 17 ⊗ 250/280 F. 🍽 40 F.
🍴 100/195 F. 🔆 39 F. 🅿 265 F.
⊠ 12/26 fév.

... *à proximité*

BERGERES LES VERTUS (B2)
51130 Marne
536 hab.

3 km Sud Vertus par D 9

HOSTELLERIE DU MONT AIME ★★★
M. Sciancalepore
☎ 03 26 52 21 31 FAX 03 26 52 21 39
🛏 30 ⊗ 340/420 F. 🍽 55 F.
🍴 110/300 F. 🔆 60 F. 🅿 395 F.
⊠ dim. soir.

VITRY LE FRANCOIS (B3)
51300 Marne
18820 hab. [i]

⚑⚑ DE LA CLOCHE ★★
34, rue Aristide Briand. M. Sautet
☎ 03 26 74 03 84 [FAX] 03 26 74 15 52
[1] 24 ◷ 210/400 F. 🍽 32 F.
[¶] 110/280 F. [⚏] 67 F.
⊠ 2/20 janv. et dim. soir 21 janv./
30 avr.
[E] [▦] [G] [☎] [🚗] [⛨] [▦] [♠] [CB]

⚑⚑ DE LA POSTE ★★★
Place Royer Collard. M. Latriche
☎ 03 26 74 02 65 [FAX] 03 26 74 54 71
[1] 31 ◷ 240/480 F. 🍽 45 F.
[¶] 98/220 F. [⚏] 60 F. [▦] 523/543 F.
⊠ 21 déc. soir/5 janv. et dim.
[E] [D] [▦] [G] [☎] [🚗] [🚗] [↕] [⤢] [⛵] [♿]
[▦] [♠] [CB]

WARMERIVILLE (A2)
51110 Marne
2000 hab.

⚑⚑ AUBERGE DU VAL DES BOIS ★★
3, rue du 8 Mai 1945. M. Capitaine
☎ 03 26 03 32 09 [FAX] 03 26 03 37 84
[1] 21 ◷ 210/300 F. 🍽 35 F.
[¶] 60/170 F. [⚏] 45 F. [▦] 210/260 F.
⊠ 15 déc./15 janv.
[D] [▦] [☎] [🚗] [⛨] [▦] [♠] [CB] [GR]

**Para sus negocios, viaje todo el año con Logis de
France. Pida su tarjeta Etape affaires rellenando y
enviando la ficha que está al final de esta guía.**

**Liste des
hôtels-restaurants**

Haute-Marne

C.R.T. Champagne-Ardenne / B. Sivade

Association départementale
des Logis de France de la Haute-Marne
C.D.T.
40 bis avenue Foch
52000 Chaumont
Téléphone 03 25 30 39 00

CHAMPAGNE-ARDENNE

Charleville-Mézières ○
08 ARDENNES

51 MARNE
Châlons-sur-Marne ○

10 AUBE ○
Troyes

52 HAUTE-MARNE
Chaumont ○

52 - HAUTE-MARNE

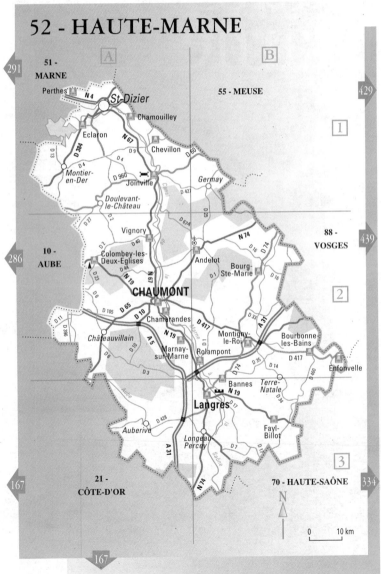

51 - MARNE

55 - MEUSE

Perthes
St-Dizier
Chamouilley
Eclaron
Chevillon
Montier-en-Der
Joinville
Germay
Douulevant-le-Château
Vignory
10 - AUBE
Colombey-les-Deux-Eglises
Andelot
88 - VOSGES
Bourg-Ste-Marie
CHAUMONT
Châteauvillain
Chamerandes
Montigny-le-Roi
Bourbonne-les-Bains
Marnay-sur-Marne
Rolampont
Enfonvelle
Bannes
Terre-Natale
Langres
Auberive
Fayl-Billot
Longeau Percey

21 - CÔTE-D'OR

70 - HAUTE-SAÔNE

N

0   10 km

Légende p 21

ANDELOT (B2)
52700 Haute Marne
916 hab.

♨ LE CANTAREL ★
Place Cantarel.
M. Royer
☎ 03 25 01 31 13 [FAX] 03 25 03 15 41
🛏 8 🍽 170/250 F. 🍴 30 F. 🛎 70/130 F.
♨ 40 F. 🍴 190 F.
⊠ fév., 15/30 sept. et lun.
[E] [D] 🖵 ☎ 🚗 🚐 ♨ [CV] 🖐 [CB]

BANNES (B2-3)
52360 Haute Marne
393 hab.

♨ CHEZ FRANCOISE
Mme Collignon
☎ 03 25 84 31 20 [FAX] 03 25 84 47 78
🛏 9 🍽 180/250 F. 🍴 24 F. 🛎 65/120 F.
♨ 35 F. 🍴 220 F.
⊠ dim. soir.
🖵 ☎ 🚗 🚐 🌴 ♨ [CV] 🖐 [CB]

BOURBONNE LES BAINS (B2)
52400 Haute Marne
2500 hab. [i]

♨♨ D'ORFEUIL ★★
29, rue d'Orfeuil.
M. Troisgros
☎ 03 25 90 05 71 [FAX] 03 25 84 46 25
🛏 54 🍽 190/260 F. 🍴 30 F.
🛎 59/150 F. ♨ 42 F. 🍴 205/220 F.
⊠ hôtel 27 oct./1er mars. Rest.
27 oct./29 mars.
[D] 🖵 ☎ 🚐 🍹 🌴 🎿 🚣 [CV] 🖐 [CB]

♨♨ DES SOURCES ★★
Place des bains.
M.Me Jacomino-Troisgros
☎ 03 25 87 86 00 [FAX] 03 25 87 86 33
🛏 24 🍽 230/270 F. 🍴 38 F.
🛎 80/190 F. ♨ 58 F. 🍴 200/220 F.
⊠ 1er déc./30 mars et mer. soir.
[E] [D] 🖵 ☎ 🚐 🍹 🌴 🚣 🖐 [CB]

♨♨ HERARD ★★
29, Grande Rue.
M. Arends
☎ 03 25 90 13 33 [FAX] 03 25 88 77 67
🛏 38 🍽 190/300 F. 🛎 72/170 F.
♨ 50 F. 🍴 204/235 F.
⊠ 15 déc./15 janv.
[E] 🖵 🔂 ☎ 🍹 🌴 🐟 🚴 [CV] [iO] 🖐
[CB] [CR]

♨♨ JEANNE D'ARC ★★★
12, rue Amiral Pierre.
M. Bouland
☎ 03 25 90 46 00 [FAX] 03 25 88 78 71
🛏 30 🍽 230/580 F. 🍴 42 F. ♨ 65 F.
🍴 250/365 F.
⊠ 22 nov./1er mars.
[E] [D] [SP] 🖵 ☎ 🚗 🚐 🍹 🌴 🖐 [CB]

... *à proximité*

ENFONVELLE (B2)
52400 Haute Marne
90 hab.

*9 km Est Bourbonne les Bains par D 147
et D 5*

♨ AUBERGE DU MOULIN DE LACHAT ★★
M. Arends
☎ 03 25 90 09 54 [FAX] 03 25 90 21 82
🛏 12 🍽 250/330 F. 🍴 44 F.
🛎 95/180 F. ♨ 54 F. 🍴 290/340 F.
⊠ 11 nov./Pâques et ven.
[E] 🖵 ☎ 🚗 🚐 🍹 🌴 🐟 🦅 🚣 🚴 🎿 🖐
[CV] [iO] 🖐 [CB]

BOURG SAINTE MARIE (B2)
52150 Haute Marne
195 hab.

♨♨♨ SAINT-MARTIN ★★
M. Faynot
☎ 03 25 01 10 15 [FAX] 03 25 03 91 68
🛏 18 🍽 180/280 F. 🍴 35 F.
🛎 75/190 F. ♨ 55 F. 🍴 250/300 F.
⊠ 15 déc./10 janv. et dim. soir
1er oct./31 mars.
[E] [SP] 🖵 ☎ 🚗 🚐 🏨 🐟 🚴 🎿 [CV] [iO]
🖐 [CB]

CHAMARANDES (A2)
52000 Haute Marne
895 hab.

♨♨ AU RENDEZ-VOUS DES AMIS ★★
4, place du Tilleul.
M. Nicard
☎ 03 25 32 20 20 [FAX] 03 25 02 60 90
🛏 14 🍽 200/300 F. 🍴 35 F.
🛎 89/270 F. ♨ 45 F. 🍴 270/395 F.
⊠ 1er/25 août, 23 déc./2 janv., ven. soir
et sam.
[E] 🖵 🔂 ☎ 🏨 🐟 [CV] [iO] 🖐 [CB]

CHAMOUILLEY (A1)
52410 Haute Marne
994 hab.

♨ DU CHEVAL BLANC ★★
11, place de la Mairie. M. Perez
☎ 03 25 55 59 92 [FAX] 03 25 04 04 93
🛏 8 🍽 180/350 F. 🍴 25 F. 🛎 65/150 F.
♨ 50 F. 🍴 225 F.
⊠ jeu. après-midi.
[SP] 🖵 ☎ [CV] [iO]

CHAUMONT (A2)
52000 Haute Marne
27041 hab. [i]

♨♨ DES REMPARTS ★★
72, rue de Verdun. M. Guy
☎ 03 25 32 64 40 [FAX] 03 25 32 51 70
🛏 17 🍽 210/290 F. 🍴 35 F.
🛎 59/210 F. ♨ 45 F. 🍴 260 F.
[E] [SP] 🖵 ☎ 🐟 🚴 🖐 [CB]

CHAUMONT (A2) (suite)

ETOILE D'OR ★★
Route de Langres.
M. Schlienger
☎ 03 25 03 02 23 FAX 03 25 32 52 33
100F 🛏 16 ⌗ 235/390 F. 🍽 30 F.
🍴 80/160 F. 🍴 59 F.
⊠ dim. soir.
🅴 SP 🖵 ☎ 🚗 ⇥ 🚶 🚲 CV 🅘 🛬
🏠 CR

LE GRAND VAL ★★
Route de Langres. Mme Noël
☎ 03 25 03 90 35 FAX 03 25 32 11 80
🛏 51 ⌗ 150/300 F. 🍽 27 F.
🍴 58/165 F. 🍴 45 F.
⊠ 23/31 déc.
🅴 🅘 🖵 🖵 ☎ 🚗 🚗 🚷 🚶 CV 🅘
🛬 CB

LE RELAIS ★
20, faubourg de la Maladière.
Mme Conrad
☎ 03 25 03 02 84
🛏 7 ⌗ 190/210 F. 🍽 22 F. 🍴 60/150 F.
🍴 45 F. 🖼 190 F.
⊠ 15 jours fin janv., 15 jours début juil.,
dim. soir et lun.
🅴 🖵 🅘 🛬 CB

CHEVILLON (A1)
52170 Haute Marne
1156 hab.

LE MOULIN ROUGE ★
2, rue de la Marne.
M. Ballavoisne
☎ 03 25 04 40 63 FAX 03 25 04 48 48
100F 🛏 8 ⌗ 160/280 F. 🍽 28 F. 🍴 69/200 F.
🍴 50 F. 🖼 220/240 F.
🅴 🖵 🖵 ☎ 🚗 🚗 🏠 🛬 CB

COLOMBEY LES DEUX EGLISES (A2)
52330 Haute Marne
300 hab. 🅘

AUBERGE DE LA MONTAGNE ★★
M. Natali
☎ 03 25 01 51 69 FAX 03 25 01 53 20
🛏 8 ⌗ 220 F. 🍽 40 F. 🍴 105/300 F.
🍴 70 F.
⊠ 10 janv./10 fév., lun. soir et mar.
🖵 ☎ 🚗 🏠 🛬

ECLARON (A1)
52290 Haute Marne
1940 hab.

HOTELLERIE DU MOULIN ★★
3, rue du Moulin. M. Mathieu
☎ 03 25 04 17 76 FAX 03 25 55 67 01
🛏 5 ⌗ 230/305 F. 🍽 33 F. 🍴 83/140 F.
🍴 44 F. 🖼 225/255 F.
⊠ 13 janv./3 fév., dernière semaine
sept., dim. soir et lun. midi.
🅴 🅳 SP 🖵 ☎ 🚗 🚗 CV 🛬 CB

ENFONVELLE (B2)
52400 Haute Marne

>>> *voir BOURBONNE LES BAINS*

FAYL BILLOT (B3)
52500 Haute Marne
1600 hab. 🅘

DU CHEVAL BLANC ★★
Place de la Barre. Mme Gerometta
☎ 03 25 88 61 44
🛏 10 ⌗ 170/230 F. 🍽 27 F.
🍴 68/160 F. 🍴 45 F. 🖼 195/240 F.
⊠ 14/27 oct., dim. soir 16 nov./fin mars
et lun.
🅴 🅘 ☎ 🚗 🅘 🛬 CB

JOINVILLE (A1)
52300 Haute Marne
5000 hab. 🅘

DE LA POSTE ★★
Place de la Grève. M. Fournier
☎ 03 25 94 12 63 FAX 03 25 94 36 23
🛏 10 🍽 26/ 35 F. 🍴 80/200 F. 🍴 46 F.
🖼 200/250 F.
⊠ 10 janv./1er fév.
🅴 🅳 🖵 ☎ 🚗 🚗 🚷 CV 🛬 CB

DU SOLEIL D'OR ★★★ & ★★
9, rue des Capucins. M. Boudvin
☎ 03 25 94 15 66 FAX 03 25 94 39 02
🛏 17 ⌗ 220/440 F. 🍽 55 F.
🍴 100/300 F. 🍴 90 F. 🖼 280/360 F.
⊠ 20 fév./3 mars et 2/11 août. Hôtel
dim. soir. Rest. dim. soir et lun.
🅴 🖵 ☎ 🚗 🚗 m ⇥ 🚷 🛬 CB

LANGRES (B3)
52200 Haute Marne
10000 hab. 🅘

AUBERGE DES VOILIERS ★★
(Lac de la Liez). M. Bourrier
☎ 03 25 87 05 74 FAX 03 25 87 24 22
120F 🛏 8 ⌗ 220/300 F. 🍽 35 F. 🍴 78/200 F.
🍴 45 F. 🖼 240/270 F.
⊠ 3 fév./18 mars, dim. soir 1er sept./
1er mai et lun.
🅴 🅳 🖵 ☎ 🚗 🚗 🅘 🚷 CV 🅘 🛬 CB

GRAND HOTEL DE L'EUROPE ★★
23/25, rue Diderot. M. Chiarla
☎ 03 25 87 10 88 FAX 03 25 87 60 65
120F 🛏 27 ⌗ 180/380 F. 🍽 35 F.
🍴 75/230 F. 🍴 55 F. 🖼 290 F.
⊠ rest. dim. soir et lun. 1er nov./
1er mai.
🅴 🅳 SP 🅘 🖵 ☎ 🚗 🚗 CV 🛬 CB

LE CHEVAL BLANC ★★
4, rue de l'Estres. M. Caron
☎ 03 25 87 07 00 FAX 03 25 87 23 13
🛏 17 ⌗ 275/370 F. 🍽 40 F.
🍴 105/250 F. 🍴 65 F. 🖼 280/330 F.
⊠ mar. soir et mer. midi.
🅴 🅳 🖵 ☎ 🚗 🏠 🛬 CB

MARNAY SUR MARNE (A2)
52800 Haute Marne
190 hab.

♠ LA VALLEE
Sur N. 19. M. Farina
☎ 03 25 31 10 11 [FAX] 03 25 03 83 86
🛏 6 ⬗ 200/250 F. 🍽 28 F. 🍴 62/190 F.
🍴 48 F. 🏨 260/300 F.
⊠ 15 jours sept., 1 semaine mars, dim.
soir sauf juil./août et lun.
[E] [🗋] [🚗] [🛎] [CV] [☏] [CB]

MONTIGNY LE ROI (B2)
52140 Haute Marne
1200 hab. [i]

♠♠ MODERNE ★★
Av. de Lierneux. MM. Folleau/Buiatti
☎ 03 25 90 30 18 [FAX] 03 25 90 71 80
[100F] 🛏 26 ⬗ 250/330 F. 🍽 35 F.
🍴 86/220 F. 🍴 45 F. 🏨 350/370 F.
[E] [D] [🗋] [🚗] [🚗] [🔀] [♿] [CV] [☏] [CB]

PERTHES (A1)
52100 Haute Marne
640 hab. [i]

♠♠ LA CIGOGNE GOURMANDE
46, rue de l'Europe M. Hourlier
☎ 03 25 56 40 29 [FAX] 03 25 06 22 81
🛏 6 ⬗ 180/275 F. 🍽 35 F. 🍴 80/295 F.
🍴 60 F.
⊠ 17/23 fév. et 15/30 juil.
[🗋] [🚗] [🚗] [☏] [CB]

ROLAMPONT (B2)
52260 Haute Marne
1517 hab.

♠ LA TUFFIERE ★★
Rue Jean Moulin(sortie A31 Langres
Nord) M. Delienne
☎ 03 25 87 32 52 [FAX] 03 25 87 32 63
[100F] 🛏 20 ⬗ 195/270 F. 🍽 32 F.
🍴 60/198 F. 🍴 37 F. 🏨 175 F.
⊠ 1er oct./30 avr., ven. soir, sam. midi
et dim. soir.
[E] [D] [🗋] [🚗] [🚗] [🚗] [🔀] [🛎] [⚊] [♿] [☍]
[☏] [CB] [🖿]

VIGNORY (A2)
52320 Haute Marne
350 hab.

♠♠ LE RELAIS VERDOYANT ★★
A 400m du Village N67 direct.
Vouécourt. M. Guglielmino
☎ 03 25 02 44 49 [FAX] 03 25 01 96 89
🛏 7 ⬗ 185/240 F. 🍽 30 F. 🍴 65/135 F.
🍴 55 F. 🏨 225/240 F.
⊠ 24 oct./23 nov., dim. soir, lun. midi
et lun. soir oct./avr.
[E] [🗋] [🚗] [🚗] [🚗] [🔀] [🛎] [♿] [⭕] [CV] [☏] [CB]

**Les Logis de France vous proposent en 1997 leur
nouvelle Carte de Fidélité. Reportez-vous aux
annexes, situées en fin de guide.**

C.R.T. Corse / X. Olivieri

C.R.T. Corse / P. ATC

Corse du Sud (2A) p.307
Haute-Corse (2B) p.307

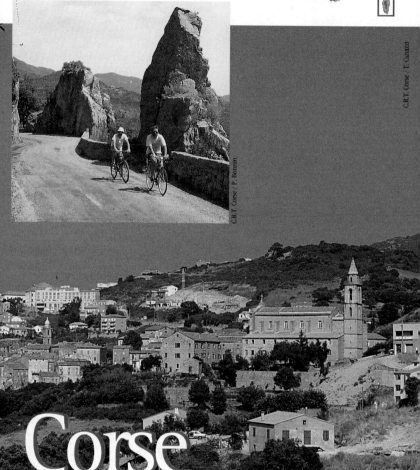

C.R.T. Corse / P. Bonnin

C.R.T. Corse / T. Carazzi

Corse

CORSE

20 - CORSE

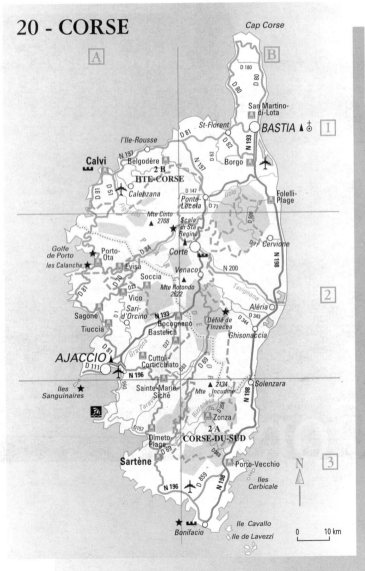

Cap Corse

A   B

BASTIA ▲ ⚓

D 180
D 80
D 80

San Martino-
di-Lota

St-Florent   1

D 82
D 63
N 193

Borgo

l'Ile-Rousse

D 81

N 197

Calvi

Belgodère

2 B

HTE-CORSE

D 51
D 81

Calenzana

Folelli-
Plage

D 147

Ponte-
Leccia

D 71

Golo

Mte Cinto
2708 ▲

Scala
di Sta
Regina

D 506

D 71

Cervione

N 198

Corte

Golfe
de Porto

D 84

Porto-
Ota

les Calanche ★

Evisa

D 70

Venaco

N 200

Soccia

D 23

▲ Mte Rotondo
2622

Tavignano

Vico

Sari-
d'Orcino

Aléria

Sagone

D 1

N 193

Bocognano

Défilé de
l'Inzecca

D 343

Tiuccia

Bastelica

D 27

D 344

Ghisonaccia

AJACCIO

Cuttoli-
Corticchiato

D 111

N 196

D 69

D 83

Iles
Sanguinaires ★

Sainte-Marie-
Siché

▲ 2134
Mte Incudine

Solenzara

N 198

D 55

Zonza

D 268

Taravo

Rizzanèse

D 157

Olmeto-
Plage

D 69

2 A

CORSE-DU-SUD

Sartène

Porto-Vecchio

N ↑

3

Iles
Cerbicale

N 196

D 859

N 198

★
Bonifacio

Iles Cavallo

Ile de Lavezzi

0   10 km

Légende p 21

302

Si Montagneuse, si Marine
So Many Mountain, So much Sea

C.R.T. Corse / Patricia Bonnin

Les Grecs savaient tout de la Méditerranée. Ils baptisèrent la Corse "la Calliste", la "plus belle des îles". Bienvenue dans "l'île de Beauté" !

The Greeks knew all there was to know about the Mediterranean. They baptised Corsica the "Calliste" or "the most beautiful of islands". Welcome to the "Island of Beauty!"

Un monde d'altitude

La plus belle île de la Méditerranée a le sens du relief. Plus de 50 % de ses terres sont au-dessus de 400 mètres. C'est là, en hauteur, qu'ont été construits les plus beaux villages, quand la côte vivait à l'heure de tous les dangers : invasion des Vandales, guerres byzantines, coups de main des Maures, occupation génoise… Montagneuse dans l'âme, l'île a su trouver ses marques et caractériser ses deux départements, baptisant la Haute-Corse "l'En-deçà des monts", et la Corse du Sud "l'Au-delà des monts".

N'empêche, ils partagent les mêmes odeurs de maquis : arbousiers, pistachiers, myrtes, lavandes et cistes… sans oublier la tonalité résineuse des pins laricio, le léger parfum des crocus mauves qui fleurissent au

A World in Altitude

The most beautiful island in the Mediterranean has a good head for heights. More than 50% of its territory is above 400 metres high. It is here, high up, that the most beautiful villages were built at a time when the coastline was under constant threat: the invasion of the Vandals, the Byzantine Wars, the intervention of the Moors or the occupation by the kingdom of Genoa… The island's soul is imbued with the mountain spirit and its two departments are defined as "above the mountains" for the Haute-Corse and "below the mountains" for the Corse du Sud.Nevertheless, the two areas share the same smells of woodland with strawberry trees, pistachio trees, myrtle trees, lavender, the resin-like feel of the "laricio" pine trees, the delicate smell of the purple crocuses that

printemps, celui plus prégnant des asphodèles et du romarin qui embaument l'été... Et qu'importe si deux villes - Corte et Sartène - se disputent le titre de "la plus corse des villes corses".

Depuis l'antiquité

Ici, nos ancêtres ont laissé des traces : les statues-menhirs de Filitosa, dans la vallée de Taravo ; les monolithes de Pallagiu, près de Sartène ; le site préhistorique de Cucuruzzu dans l'Alta Rocca ; une huile d'olive que les Néolithiques fabriquaient cinq mille ans avant J.-C. ; les vestiges romains d'Aléria ; et toutes ces tours génoises qui témoignent de cinq siècles de domination.

Au bord de la Méditerranée

Si vous enlacez la Corse par la route côtière, n'hésitez pas à faire une incursion dans le désert des Agriates, derrière le port de Saint-Florent. Puis, vous découvrirez la citadelle de Calvi ; Scandola, la plus belle réserve marine d'Europe ; le golfe de Porto, classé au patrimoine de l'Unesco ; les grandes orgues granitiques des calanques de Piana ; le cirque incomparable de Bonifacio au sud extrême de l'île ; les criques sauvages des alentours de Porto-Vecchio, le sable fin de la plaine orientale et le cachet d'Erbalunga ; les côtes sauvages du cap Corse. Partout, vous verrez des vaches couchées en bord de mer sur des tas de posidonies séchant au soleil.

flower in the Spring, and the more pungent fragrances of the asphodel and the rosemary that give the summer season its perfume. All this makes the contest between Sartène and Corte for the title of "the most Corsican of towns", seem irrelevant.

From Antiquity Onwards...

Our ancestors left many a mark here including the Filitosa menhirs in the valley of Taravo, the monoliths of Pallagiu near Sartène, the prehistoric site of Cucuruzza in the Alta Rocca area, an olive oil first made in 5000 BC by the Neoliths, the Roman ruins at Aléria, and all the Genovese towers that bear witness to five centuries of domination.

On the Mediterranean Coast

If you circle round Corsica by the coast road, be sure to do an excursion to the Agriates desert, behind the Saint-Florent port. From there, visit the citadel at Calvi; experience the most beautiful marine reserve in Europe at Scandola; admire the gulf of Porto, a UNESCO-classified site; look in awe at the large granite columns rising from those deep and narrow creeks at Piana and the incomparable cirques at Bonifacio on the southern tip of the island; enjoy the wild creeks around Porto-Vecchio, the find sand of the eastern plain, the charm of Erbalunga and the untamed coastline of Cap Corse. All over the island you will see cows next to the sea, lying on sea grasses that are drying in the sun.

DIE BERGIGE INSEL

Die Griechen kannten das gesamte Mittelmeer. Sie haben Korsika "la Calliste", die "Schönste der Inseln" genannt. Willkommen auf der "Insel der Schönheit", ob Sie das Landesinnere oder das Blau des Meeres bevorzugen.

ZOVEEL BERGEN ZOVEEL ZEE

De Grieken wisten alles over de Middellandse Zee. Zij doopten Corsica de "Calliste", "het mooiste van alle eilanden". Welkom op dit "Eiland der Schoonheid", of u nu kiest voor het binnenland of voor de blauwe zee.

A l'intérieur des terres

Si vous décidez de couper la montagne par Corte, empruntez le "Trinichellu", à partir d'Ajaccio. Ce train du XIXe siècle offre des points de vue inoubliables : des lacis du Mont Rotondo au viaduc d'Eiffel à Rotondo.

En voiture ou à pied, ne manquez pas les oliveraies de Haute-Balagne, le Niolo et ses bergeries, le torrent d'Aïtone, les gorges de Spelunca et les défilés du Prunelli, la dentelle minérale des Aiguilles de Bavella et le massif de Popolasca. Sur ces routes, vous croiserez des cochons en liberté, ayant frayé avec les sangliers sauvages…

Du côté des festivités

En Balagne, au festival de Festivoce, les chants polyphoniques renvoient à la quintessence du chant *a capella* que les bergers chantaient à trois voix. Les Musicales de Bastia, le festival de jazz de Calvi et les rencontres d'Ajaccio regroupent aussi les plus grands talents, la nuit de la guitare de Patrimonio charme les plus difficiles…

La vérité d'un terroir

Reste la gastronomie corse et ses mets insulaires : la soupe corse, l'omelette au bruccio et à la menthe ; la charcuterie faite de prisuttu, de lonzo, de coppa et de figatelli ; le corb, le mérou, la truite à grosses taches, côté poisson ; le sanglier en civet, le pâté d'oiseaux farcis de myrtes ou de baies de genièvre, côté volailles. Les desserts à base de farine de châtaigne, les raisins que les Grecs savaient déjà presser… il y a 2 500 ans pour faire de si bons vins.

Inland

If you decide to cut across the mountains by going through Corte, make sure you take the "Trinichellu" which leaves from Ajaccio. This 19th century train provides unforgettable vistas from the maze of Mont Rotondo to Eiffel's viaduct at Venaco. Whether you are on foot or in a car, see the olive groves of Haute-Balagne and the sheep pens of the Niolo, the mountain streams of Aïtone, the Spelunca gorges and the processions at Prunelli, the lace-like minerals of the Aiguilles de Bavella and the massif of Popolasca... On these roads, you will come across free-roaming pigs, having just had a brush with a wild boar…

Festivals and Festivities

At Balagne, during the Festivoce festival, polyphonic singing takes you back to the quintessence of the a cappella songs that shepherds used to sing in trios. The Musicales de Bastia, the Calvi Jazz and the Ajaccio Rencontres festivals bring together top talent, and "the night of the guitar" at Patrimonio will thrill even on the most recalcitrant amongst you.

The Truth is in the Eating...

And now for Corsican gastronomy and those island specialities: try Corsican soup, the "bruccio" cheese and mint omelette; for cold meats, dig into prisuttu, lonzo, coppa and figatelli; and for fish-lovers, there are groupers and spotted trout. The choice of meat includes boar stew and don't forget the poultry pâté stuffed with myrtle or juniper berries. And, last but not least, remember the grapes that the Greeks were already crushing to make such good wine 2500 years ago!

TAN MONTAÑOSA, TAN MARINA

Los griegos sabían todo Mediterráneo. Bautizaron a Córcega "la Callista", la "más bellas de las islas". Bienvenido a la "isla de la Bellaza", en la que podrá elegir entre el interior de las tierras y el azul del mar.

COSI MONTAGNOSA, COSI MARINARA

I Greci che sapevano tutto sul Mediterraneo battezzarono la Corsica "Callisto", che vuoi dire "la più bella delle isole". Benvenuti "nell'isola della Bellezza" sia che preferiate l'interno dell'isola, sia che preferiate l'azzurro immenso del mare.

Fiadone

Ingrédients

Pour 6 à 8 personnes

- 2 brousses
  (fromage frais corse)
- 6 œufs
- 12 cuil. à soupe de sucre
- 3 cuil. à soupe d'eau-de-vie
- 6 zestes de citron râpés

Recette

- Mélanger les œufs et le sucre. Hacher la brousse à l'aide d'une fourchette et l'incorporer au mélange.
- Ajouter le sucre, l'eau-de-vie, les zestes de citron et bien mélanger jusqu'à l'obtention d'une crème onctueuse.
- Choisir un moule circulaire, le recouvrir de papier aluminium, le beurrer et y verser la crème.
- Cuire au four à 190 ° pendant 30 à 40 mn. Servir frais.

Corse du Sud

Photothèque - Agence du Tourisme de Corse

Haute-Corse

Associations départementales
des Logis de France :
• **de la Corse du Sud** - Hôtel Holtzer - 12 rue Jean Jaurès
20137 Porto-Vecchio - Tél. 04 95 70 05 93
• **de la Haute-Corse** - C.C.I. de Bastia et de Haute-Corse
Hôtel consulaire - rue du nouveau Port - B.P.210
20293 Bastia Cedex - Tél. 04 95 54 44 44

Corse du Sud

BASTELICA (A2)
20119 Corse du Sud
850 m. • 400 hab.

▲▲▲ U CASTAGNETU ★★
Mme Martin
☎ 04 95 28 70 71　[FAX] 04 95 28 74 02
🛢100F ⬆ 10 ⬚ 290/330 F. 🛏 35 F.
🍴 80/150 F. 🚶 50 F. ⬛ 270/305 F.
⊠ 31 oct./31 déc. et mar. hs.
[E] [SP] [i] [☎] [🚗] [🔢] [🐾] [CB] [GR]

BOCOGNANO (A-B2)
20136 Corse du Sud
620 hab.

▲▲ BEAU SEJOUR ★
M. Ferri-Pisani
☎ 04 95 27 40 26
🛢100F ⬆ 11 ⬚ 190/250 F. 🛏 35 F.
🍴 85/200 F. 🚶 50 F. ⬛ 235/275 F.
⊠ 15 oct./30 avr.
[E] [i] [☎] [🌴] [🚶] [🐾] [CB]

CUTTOLI CORTICCHIATO (A2)
20000 Corse du Sud
750 m. • 800 hab.

▲▲▲ U LICETTU
Plaine du Cuttoli-Corticchiato.
M. Catellaggi
☎ 04 95 25 61 57　[FAX] 04 95 53 71 00
⬆ 8 ⬚ 300/350 F. 🛏 40 F.
🍴 190/200 F. 🚶 90 F. ⬛ 450/460 F.
⊠ nov. et lun. sauf août.
[E] [i] [🚗] [🌴] [🔢] [🚶] [CV] [🔢] [🐾] [CB]

EVISA (A2)
20126 Corse du Sud
830 m. • 850 hab.

▲▲▲ AITONE-HOTEL ★★
M. Ceccaldi
☎ 04 95 26 20 04　[FAX] 04 95 26 24 18
🛢100F ⬆ 14 ⬚ 150/550 F. 🛏 38 F.
🍴 100/180 F. 🚶 50 F. ⬛ 280/475 F.
⊠ mi-nov./janv.
[E] [i] [☎] [🚗] [🌴] [🔢] [🚶] [♿] [🔢] [🐾]
[CB] [GR]

OLMETO PLAGE (A3)
20113 Corse du Sud
1300 hab.

▲▲▲ ABBARTELLO ★
M. Balisoni
☎ 04 95 74 04 73　[FAX] 04 95 74 06 17
⬆ 10 ⬚ 130/350 F. 🛏 40 F. 🍴 120 F.
🚶 50 F. ⬛ 240/325 F.
⊠ 1ère semaine oct./fin avr.
[E] [i] [☎] [🔧] [🚶] [🐾] [CB]

PORTO OTA (A2)
20150 Corse du Sud
600 hab. [i]

✳ MOTEL LE LONCA ★★
M. Leca
☎ 04 95 26 16 44　[FAX] 04 95 26 11 83
⬆ 12 ⬚ 180/450 F. 🛏 40 F.
⊠ 10 oct./5 avr.
[E] [i] [🔢] [☎] [🔢] [🔧] [🌴] [🐾] [CB] [GR]

PORTO VECCHIO (B3)
20137 Corse du Sud
10000 hab. [i]

▲▲▲ HOLZER ★★
12, rue Jean Jaurès. M. Sauer
☎ 04 95 70 05 93　[FAX] 04 95 70 47 82
🛢100F ⬆ 20 ⬚ 320/580 F. 🛏 45 F.
🍴 85/130 F. 🚶 50 F. ⬛ 240/380 F.
[E] [D] [i] [🔢] [☎] [🚗] [🔢] [🌴] [🔢] [🔧] [♿]
[🚶] [CV] [🔢] [🐾] [CB]

▲▲ SAN GIOVANNI ★★
Route d'Arca. M. Vidoni
☎ 04 95 70 22 25　[FAX] 04 95 70 20 11
⬆ 14 ⬚ 150/240 F. 🛏 40 F.
⬛ 310/400 F.
⊠ 1er nov./31 mars.
[E] [i] [🔢] [☎] [🚗] [🔢] [🌴] [🔢] [🔧] [♿] [🔧]
[CV] [🔢] [🐾] [CB]

SAGONE (A2)
20118 Corse du Sud
1970 hab. [i]

✳ FUNTANELLA ★★
Route de Cargèse. Mme Beguex
☎ 04 95 28 02 49 ＼04 95 28 03 36
[FAX] 04 95 28 03 36
⬆ 14 ⬚ 250/550 F. 🛏 35 F.
⊠ fin oct./1er avr.
[i] [🚗] [🌴] [🔧] [🔧] [CV] [CB]

SAINTE MARIE SICHE (A2-3)
20190 Corse du Sud
712 hab.

▲▲ LE SANTA MARIA ★★
Mme Corticchiato
☎ 04 95 25 72 65　[FAX] 04 95 25 71 34
🛢100F ⬆ 15 ⬚ 240/345 F. 🛏 37 F.
🍴 90/140 F. 🚶 50 F. ⬛ 245/378 F.
[E] [i] [☎] [🔢] [🚗] [🔧] [CV] [CB] [GR]

SARTENE (A3)
20100 Corse du Sud
3500 hab. [i]

✳ LA VILLA PIANA ★★
Route de Propriano. M. Abraini
☎ 04 95 77 07 04　[FAX] 04 95 73 45 65
⬆ 14 ⬚ 250/370 F. 🛏 36 F.
⊠ 15 oct./25 mars.
[E] [D] [i] [☎] [🌴] [🔢] [🔢] [🔧] [🔧] [🔧] [🔧]
[🔢] [🐾] [CB] [GR]

SOCCIA (A2)
20125 Corse du Sud
650 m. • 716 hab.

🏨 U PAESE ★★
M. Battistelli
☎ 04 95 28 31 92
⌂ 15 ⌸ 260 F. 🛏 30 F. 🍴 100/130 F.
🍴 50 F. 🎿 230 F.
✉ 20 nov./20 déc.
[icons] ⓘ 📷 ☎ 🚗 CV 📶 🌴 CB

TIUCCIA (A2)
20111 Corse du Sud
800 hab. ⓘ

🏊 ROC E MARE ★★
M. Penocci
☎ 04 95 52 23 86 FAX 04 95 52 29 87
⌂ 12 ⌸ 180/250 F. 🛏 35 F.
✉ 15 oct./1er avr.
[icons] ⓘ ☎ 🚗 🌴 🎿 CB

VICO (A2)
20160 Corse du Sud
921 hab.

🏨 U PARADISU ★★
Route du Couvent. M. Fondeville
☎ 04 95 26 61 62 FAX 04 95 26 67 01
⌂ 14 ⌸ 280/400 F. 🛏 40 F.
🍴 95/150 F. 🍴 55 F. 🎿 265/345 F.
[icons] ⓘ 📷 ☎ 🚗 🌴 🎿 📶 CB

ZONZA (B3)
20124 Corse du Sud
800 m. • 1000 hab.

🏨 L'INCUDINE ★★
M.Me Guidicelli
☎ 04 95 78 67 71
⌂ 13 ⌸ 220/320 F. 🛏 40 F.
🍴 90/150 F. 🍴 50 F. 🎿 220/320 F.
[icons] ⓘ ☎ 🚗 CV 📶 CB

Haute Corse

BELGODERE (A1)
20226 Haute Corse
453 hab.

🏨 NIOBEL ★★
M. Maestracci
☎ 04 95 61 34 00 FAX 04 95 61 35 85
⌂ 11 ⌸ 230/330 F. 🛏 26 F.
🍴 75/120 F. 🍴 35 F. 🎿 475/590 F.
✉ 30 oct./1er avr.
[icons] ⓘ ☎ 🚗 🌴 🎿 📶 📺 GR

BORGO (B1)
20290 Haute Corse
3000 hab.

🏨 CASTELLU ROSSU ★★★
Route de l'Aéroport. M. Micheli
☎ 04 95 36 08 71 FAX 04 95 36 17 38
⌂ 20 ⌸ 230/270 F. 🛏 25/ 35 F.
🍴 90/120 F. 🍴 45 F. 🎿 230 F.
✉ Rest. 1er nov./31 mars.
[icons] ⓘ 📷 ☎ 🚗 🍴 🏊 🌴 🎿 📶 🎿
♿ 📶 CB

CALVI (A1)
20260 Haute Corse
3500 hab. ⓘ

🏨 RESIDENCE HOTEL LE PADRO ★★
(A 6 km, sur route de Calenzana).
Mme Fratacci
☎ 04 95 65 08 89 FAX 04 95 65 08 88
⌂ 13 ⌸ 280/400 F. 🛏 40 F.
🍴 100/115 F. 🍴 60 F. 🎿 235/360 F.
✉ Rest. 1er nov./31 mars.
[icons] ⓘ 📷 ☎ 🚗 🌴 🎿 🎿 📶 CV ▶
🎿 📶 CB

FOLELLI PLAGE (B1)
20213 Haute Corse
1400 hab.

🏨 SAN PELLEGRINO ★★
Plage San Pellegrino. Mme Goffi
☎ 04 95 36 90 61\04 95 36 90 77
FAX 04 95 36 85 42
⌂ 35 ⌸ 250/450 F. 🛏 40 F.
🍴 110/160 F. 🍴 65 F. 🎿 280/385 F.
✉ 10 oct./2 mai.
[icons] ⓘ 📷 ☎ 🚗 🎿 🏊 📶 📶 CV 📶
CB GR

SAN MARTINO DI LOTA (B1)
20200 Haute Corse
2183 hab.

🏨 DE LA CORNICHE ★★
Mme Anziani
☎ 04 95 31 40 98 FAX 04 95 32 37 69
⌂ 18 ⌸ 300/450 F. 🛏 35 F.
🍴 130/220 F. 🍴 65 F. 🎿 290/370 F.
✉ 20 déc./31 janv., dim. soir et lun.
fév., mars, oct., nov., déc.
[icons] ⓘ 📷 ☎ 🚗 🎿 CV 📶 📶 CB GR

Fédération régionale des Logis de France de Franche-Comté
(Doubs, Jura, Haute-Saône, Territoire de Belfort)
4 ter, Faubourg Rivotte
25000 Besançon
Tél. 03 81 82 80 48 - Fax 03 81 82 38 72

RÉGION
DE
FRANCHE-COMTÉ

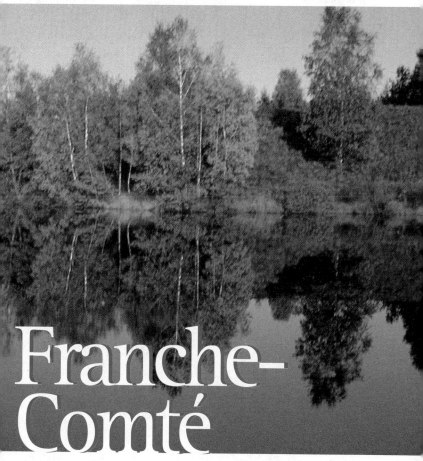

Franche-
Comté

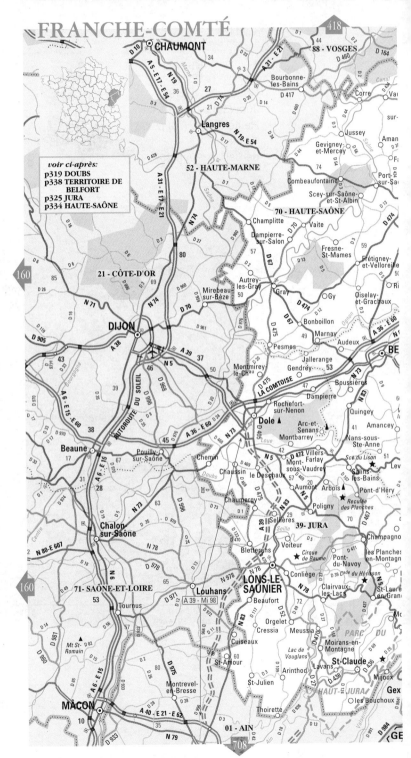

FRANCHE-COMTÉ

CHAUMONT

88 - VOSGES

Bourbonne-
les-Bains

Corre

Langres

Jussey

Aman

Gevigney-
et-Mercey

Fi

52 - HAUTE-MARNE

Port-
sur-Sa

Combeaufontaine

Scey-sur-Saône-
et-St-Albin

voir ci-après:
p319 DOUBS
p338 TERRITOIRE DE
BELFORT
p325 JURA
p334 HAUTE-SAÔNE

70 - HAUTE-SAÔNE

Champlitte

Vaite

Dampierre-
sur-Salon

Fresne-
St-Mames

Frétigney-
et-Velloreille

21 - CÔTE-D'OR

Autrey-
les-Gray

Ri

Mirebeau-
sur-Bèze

Gray

Gy

Oiselay-
et-Grachaux

DIJON

Bonboillon

Marnay

Audeux

Pesmes

BE

Jallerange

Montmirey-
le-Ch^au

Gendrey

Boussières

LA COMTOISE

Dampierre

Rochefort-
sur-Nenon

Quingey

Beaune

Dole

Arc-et-
Senans

Amancey

Montbarrey

Nans-sous-
Ste-Anne

Sce du Lison

Pouilly-
sur-Saône

Chemin

Mont-
sous-Vaudrey

Villers-
Farlay

Salins-
les-Bains

Lev

Chaussin

le Deschaux

Arbois

Pont-d'Héry

Aumont

Chalon-
sur-Saône

Chaumergy

Poligny

Reculée
des Planches

Sellières

39 - JURA

Champagno

Bletterans

Voiteur

les Planches-
en-Montagn

71- SAÔNE-ET-LOIRE

Cirque
de Baume

Pont-
du-Navoy

Conliège

Cde du Hérisson

Louhans

LONS-LE-
SAUNIER

Clairvaux-
les-Lacs

St-Laure
en-Gran

Tournus

A 39 - Mi 98

Beaufort

Orgelet

Cressia

Meussia

PARC   DU

Mt St-
Romain

Cuiseaux

Moirans-en-
Montagne

St-Claude

Montrevel-
en-Bresse

St-Amour

Lac de
Vouglans

Lavans

Mijoux

MÂCON

Arinthod

St-Julien

HAUT-JURA

Gex

les Bouchoux

Thoirette

01 - AIN

GE

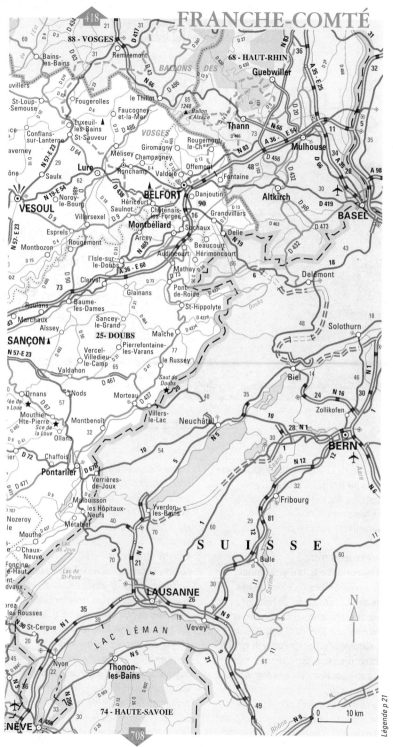

88 - VOSGES

68 - HAUT-RHIN

Bains-les-Bains

Remiremont

Guebwiller

St-Loup-Semouse

Fougerolles

le Thillot

BALLONS DES VOSGES

Conflans-sur-Lanterne

Luxeuil-les-Bains St-Sauveur

Faucogney-et-la-Mer

Ballon d'Alsace
1248

Thann

averney

Mélisey

Giromagny

Champagney

Rougemont-le-Ch^au

Mulhouse

VESOUL

Lure

Ronchamp

Valdoie

Offemont

Fontaine

Altkirch

Saulx

Noroy-le-Bourg

BELFORT

Danjoutin

BASEL

Villersexel

Héricourt

Chatenais-les-Forges

Grandvillars

Esprels

Saulnot

Montbéliard

Sochaux

Delle

Montbozon

Rougemont

Arcey

Beaucourt

Hérimoncourt

Delémont

l'Isle-sur-le-Doubs

Audincourt

Cleval

Mathay

Glainans

Pont-de-Roide

St-Hippolyte

Roulans

Baume-les-Dames

Solothurn

Marchaux

Aïssey

Sancey-le-Grand

Maïche

SANÇON

25- DOUBS

Pierrefontaine-les-Varans

Vercel-Villedieu-le-Camp

le Russey

Biel

Valdahon

Zollikofen

Ornans

Nods

Morteau

Saut du Doubs

Mouthier Hte-Pierre

Montbenoît

Villers-le-Lac

Neuchâtel

BERN

Chaffois

Pontarlier

Verrières-de-Joux

Malbuisson

les Hôpitaux-Neufs

Yverdon-les-Bains

Fribourg

Nozeroy

Métabief

Mouthe

Chaux-Neuve

Foncine-le-Haut

Lac de Joux

Bulle

ndvaux

Lac de St-Point

S U I S S E

rez les Rousses

St-Cergue

LAUSANNE

Nyon

Vevey

L A C   L É M A N

Thonon-les-Bains

GENÈVE

74 - HAUTE-SAVOIE

N

0   10 km

Légende p 21

TELLEMENT NATURE
So Natural

C.R.T. Franche-Comté / J. Ambacher

BORDÉE PAR LA SUISSE, L'ALSACE, LA LORRAINE ET LA BOURGOGNE, LA FRANCHE-COMTÉ CONJUGUE, PAR TOUS LES TEMPS, LE BEAU, LE BIEN ET LE BON VIVRE. COMMENT ? AU NATUREL, TOUT SIMPLEMENT.

Vert horizon

Couverte de forêts, la région offre au promeneur la beauté de ses paysages préservés. Parc naturel du Haut-Jura, parc naturel régional des Ballons des Vosges, massifs de la Joux, du Massacre ou du Noirmont : c'est bien au cœur de ce pays, tantôt dompté, souvent sauvage, que le vert sombre des sapins puise sa sève et son essence. Si les arbres poussent ainsi à profusion, c'est que l'eau est partout présente. Cascades du Hérisson, sauts du Doubs et de l'Ognon, lacs du Jura et Mille

SURROUNDED BY SWITZERLAND, ALSACE, LORRAINE AND BURGUNDY, FRANCHE COMTÉ COMBINES THE GOOD, THE BEAUTIFUL AND THE HIGH LIFE WHATEVER THE WEATHER. HOW? QUITE NATURALLY.

Green Horizons

Covered in forests, this region offers visitors the beauty of its well-preserved countryside. You'll discover the nature reserve of the Haut-Jura and the regional park of Ballons des Vosges, the Joux hills, Le Massacre and Normont. In the heart of this part-wild, part-tamed countryside the fir trees, majestic in their somber green, reveal their essential vitality. Trees grow everywhere because there is water everywhere. The waterfalls of Hérisson, Doubs and Ognon, and the lakes of Jura and Mille Étang de

Etangs de Haute-Saône ne sont que quelques escapades parmi toutes les surprises que réservent 5 350 kilomètres de cours d'eau, 80 lacs et 320 kilomètres de voies navigables.

Prendre son temps

De retour sur la terre ferme, plus de mille et une routes vous feront découvrir la richesse d'un passé au patrimoine culturel et industriel bien vivant. Exceptionnelle dans l'histoire de l'architecture, découvrez la Saline Royale d'Arc-et-Senans, inscrite au patrimoine mondial de l'Unesco. Un pur joyau qui ne fait pas d'ombre aux châteaux d'Arlay et de Gy. Ni au château de Fabulys qui doit son nom à ses hôtes : une

Le Pays Comtois

des Vosges au Jura

Haute-Saône are just some of the possible destinations in a region with 5 350 kilometres of rivers and streams, 80 lakes and 320 kilometres of navigable waters.

Take Your Time

Back on dry land, you'll find more than a thousand and one roads which will lead you to the rich cultural and industrial living heritage of the region. You must visit the Royal Salt Factory in Arc-et-Senans, an exceptional work of architecture and now a UNESCO classified building. It is a real gem, as are the châteaux of Arlay and Gy. There is also the château of Fabulys which owes its name to its occupants: a hundred or so life-size robots.

To get a real sense of the region you should look straight in front of you, turn around, look up to the sky and observe the multiple facets of an imperial belfry, typical of towns in this area. Whether you follow the Route Pasteur, the route of the Vauban fortifications or the historical route of "Monts et Merveilles," you are sure to be following the course of history. Almost all these roads eventually lead to Besançon, the region's capital city, dominated by its spectacular astronomical clock.

The Scent of the Land

And there is one more essential route, which is more like a maze: the regional gastronomy. It finds its source in the land, in particular in foods smoked over pine and

SO NATÜRLICH

Überzogen mit Wäldern, bietet diese Region dem Wanderer die Schönheit ihrer erhaltenen Landschaften dar. Naturschutzgebiet des Hohen Juras, regionaler Naturpark der 'Ballon des Vosges', die Bergmassive Joux, Massacre und Noirmont: in dieser Region, die manchmal gezähmt und oft wild ist, können Sie zahlreiche Wasserläufe genießen und die außergewöhnliche Architektur der Saline von Arc-et-Senans entdecken.

ZOVEEL NATUUR

Deze bosrijke streek, biedt de wandelaar de schoonheid van haar intacte landschappen. Het natuurpark van de Haut-Jura, het regionaal natuurpark van de Ballons des Vosges, het massief van Joux, Massacre en Noirmont : in deze streek, meer wild dan getemd, kan je genieten van de vele waterlopen en de uitzonderlijke architectuur ontdekken van de Zoutmijn van Arc-et-Senans.

Franche-Comté

centaine d'automates grandeur nature. Pour tout savoir sur la région, il faut regarder droit devant, se retourner et lever les yeux au ciel, le temps de détailler, par exemple, les multiples facettes du clocher à l'impériale, symbole des petites cités comtoises de caractère. Route Pasteur, route des fortications Vauban, route historique des Monts et Merveilles : tous les chemins suivent la pente de l'histoire. Dans le bon sens ou à contre-temps, tous ou presque mènent à Besançon, capitale régionale qui vit sous la coupe de sa spectaculaire horloge astronomique.

Du goût et des senteurs

Reste une voie toute en lacis, celle de la gastronomie. Elle prend sa source dans le terroir, là où l'on sut de tous temps fumer, à grand renfort de sapin et de genévrier, les saucisses à Morteau et à Montbéliard, la palette et la poitrine à la ferme, le jambon à Luxeuil. Côté fromage, la région a aussi son ambassadeur : le comté qui, sur le plateau, laisse une petite place au morbier, au délicat mont d'or, au bleu de Gex ou de Septmoncel, ainsi qu'à la légendaire cancoillotte. Reste à choisir en accompagnement un de ces vins du Jura blancs, rosés ou rouges.

Le château-chalon, l'arbois, l'étoile et le côte du Jura sont sur toutes les cartes, ainsi que les originaux côtes de Jaunes, de Paille et de Macvin. A consommer sans modération.

C.R.T. Franche-Comté / J. Ambacher

juniper such as Morteau and Montbéliard sausages, farm-style bellies of pork and shoulders of mutton, Luxeuil hams.
As for cheese, the region's ambassador is the Comté, but there is still space left on the cheese-board for Morbier, the delicate Mont d'Or, the blue-cheeses Gex and Septmoncel and the legendary Cancoillotte. And to accompany them you have the choice of the red, white and rosé Jura wines. Château-Chalon, Arbois, Etoile and côte du Jura are available on all wine-lists, as are the original côtes de Jaunes, de Paille and de Macvin. May your cup overflow.

TAN NATURAL

Cubierta de bosques, la región ofrece al paseante la belleza de sus paisajes preservados. Parque natural del Alto Jura, parque natural regional de Ballons des Vosges, macizos de la Joux, de Massacre o de Noirmont: en este territorio, a veces manso, a veces salvaje, aproveche los numerosos ríos y descubra la arquitectura excepcional de la Saline d'Arc–et–Senans.

E' TUTTA NATURA

Coperta di foreste la regione offre al camminatore la bellezza dei suoi paesaggi protetti. Parco naturale dell'Alto Giura, parco naturale regionale dei Rilievi dei Vosgi, massiccio della Joux, del Massacro o del Noirmont, questo paese, a volte domato e a volte selvaggio, vi darà la possibilità di approfittare dei numerosi corsi d'acqua facendovi scoprire l'architettura eccezionale della Salina d'Arc et Senans.

Morilles à la crème

Ingrédients

Pour 6 personnes
- 500 g de morilles
- 75 g de beurre
- 125 g de crème épaisse

Recette

- Bien brosser les champignons. Les laver à l'eau vinaigrée. Les jeter dans le beurre fondu et les laisser revenir 10 minutes. Saler et poivrer.
- Puis couvrir hermétiquement la sauteuse et laisser cuire 35 minutes à feu doux.
- Ajouter, au moment de servir, la crème.

Liste des
hôtels-restaurants

Doubs

C R T Franche-Comté / A Garnier

Association départementale
des Logis de France du Doubs
4 ter Faubourg Rivotte
25000 Besançon
Téléphone 03 81 82 80 48

FRANCHE-COMTÉ

Vesoul
70
HAUTE-SAÔNE
90
Belfort
25 DOUBS
Besançon
39 JURA
Lons-
le-Saunier

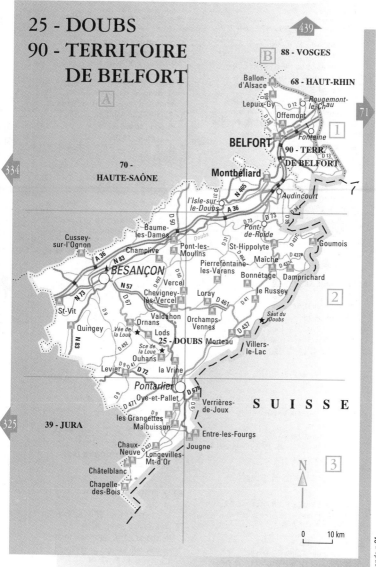

25 - DOUBS
90 - TERRITOIRE
DE BELFORT

439

B   88 - VOSGES

Ballon-
d'Alsace   68 - HAUT-RHIN

Lepuix-Gy
Rougemont-
le-Chau
Offemont

71

BELFORT
Fontaine
1

90 - TERR.
DE BELFORT

Montbéliard

Audincourt

70 -
HAUTE-SAÔNE

l'Isle-sur-
le-Doubs
A 36

N 465

334

Baume-
les-Dames
Doubs
Pont-
de-Roide

Cussey-
sur-l'Ognon
Champlive
Pont-les-
Moulins
St-Hippolyte
Goumois

D 50
D 73

BESANÇON
Pierrefontaine-
les-Varans
Maîche

N 83
Vercel
Bonnétage
Damprichard

N 57
Chevigney-
lès-Vercel
Loray
le Russey

St-Vit
Valdahon
Orchamps-
Vennes
Saut du
Doubs

Quingey
Vée de
la Loue
Lods
D 437

Ornans
25 - DOUBS   Morteau

Sce de
la Loue
Villers-
le-Lac

Levier
Ouhans
la Vrine

D 72

Pontarlier

Oye-et-Pallet
D 676
Verrières-
de-Joux

SUISSE

325

les Grangettes
Malbuisson
Entre-les-Fourgs

39 - JURA

Chaux-
Neuve
Jougne

Châtelblanc
Longevilles-
Mt-d'Or

N
3

Chapelle-
des-Bois

0   10 km

Légende p 21

BAUME LES DAMES (A2)
25110 Doubs
6000 hab. ℹ️

🏠 LE BAMBI ★★
19, fg. Danroz. Mme Vuillaume
☎ 03 81 84 12 44
🛏 10 ⬖ 200/240 F. 🍽 30 F.
🍴 55/130 F. 🛌 45 F. 🖼 200/230 F.

... *à proximité*

PONT LES MOULINS (A-B2)
25110 Doubs
170 hab.

5 km Sud Baume Les Dames par D 492

🏠🏠 AUBERGE DES MOULINS ★★
M.Me Porru
☎ 03 81 84 09 99 FAX 03 81 84 04 44
120F 🛏 10 ⬖ 290 F. 🍽 30 F. 🍴 98/155 F.
🛌 42 F. 🖼 275 F.
⌧ 17 déc./23 janv., ven. et dim. soir
1er janv./15 avr. et 15 oct./1er janv.

BONNETAGE (B2)
25210 Doubs
900 m. ● 600 hab.

🏠🏠 ETANG DU MOULIN ★★
M. Barnachon
☎ 03 81 68 92 78 FAX 03 81 68 94 42
🛏 18 ⬖ 240/280 F. 🍽 35 F.
🍴 105/310 F. 🛌 60 F. 🖼 215 F.
⌧ 6 janv./7 fév., 23/25 déc., dim. soir et
lun. oct./avr., lun. mai, juin et sept.

🏠🏠 LES PERCE-NEIGE ★★
M. Bole
☎ 03 81 68 91 51 ＼03 81 68 91 52 FAX
03 81 68 95 25
100F 🛏 12 ⬖ 220 F. 🖼 230 F.
⌧ 15/30 janv. et lun. soir.

CHAMPLIVE (A2)
25360 Doubs
200 hab.

🏠🏠 DU CHATEAU DE VAITE ★★
M. Beauquier
☎ 03 81 55 20 66
🛏 9 ⬖ 200/300 F. 🍽 25 F. 🍴 95/200 F.
🛌 45 F. 🖼 220 F.
⌧ janv. et lun.

CHAPELLE DES BOIS (A3)
25240 Doubs
1089 m. ● 198 hab.

🏠🏠 LES BRUYERES ★★
3, place de l'Eglise. M. David
☎ 03 81 69 21 71 FAX 03 81 69 13 58

🛏 11 ⬖ 200/350 F. 🍽 35 F.
🍴 78/130 F. 🛌 45 F. 🖼 220/300 F.
⌧ avr., 5 nov./15 déc., mer. 1er sept./
15 déc. et 1er mai/30 juin.

🏠🏠 LES MELEZES ★★
M. Pagnier
☎ 03 81 69 21 82 FAX 03 81 69 12 75
🛏 10 ⬖ 170/280 F. 🍽 38 F. 🍴 75 F.
🛌 45 F. 🖼 220/350 F.
⌧ 15 nov./15 déc., 25 mars/1er mai,
lun. mar. et mer. hs.

CHATELBLANC (A3)
25240 Doubs
1020 m. ● 90 hab. ℹ️

🏠 LE CASTEL BLANC ★★
M. Jacquier
☎ 03 81 69 24 56 FAX 03 81 69 11 21
120F 🛏 11 ⬖ 180/350 F. 🍴 80/130 F.
🛌 60 F. 🖼 260/340 F.
⌧ 1er nov./15 déc.

CHAUX NEUVE (A3)
25240 Doubs
992 m. ● 180 hab.

🏠🏠 AUBERGE DU GRAND GIT ★★
Rue des Chaumelles.
M. Nicod
☎ 03 81 69 25 75 FAX 03 81 69 15 44
100F 🛏 8 ⬖ 240 F. 🍴 70/ 86 F. 🛌 35 F.
🖼 236/290 F.
⌧ dim. soir et lun. sauf vac. scol.

CHEVIGNEY LES VERCEL (A2)
25530 Doubs
650 m. ● 80 hab.

🏠 DE LA PROMENADE ★★
3, grande Rue M. Andreoli
☎ 03 81 56 24 76 FAX 03 81 56 29 64
100F 🛏 11 ⬖ 220/250 F. 🍽 26 F.
🍴 54/185 F. 🛌 40 F. 🖼 162/173 F.
⌧ vac. scol. Toussaint, dim. soir et lun.
sauf juil./août.

CUSSEY SUR L'OGNON (A2)
25870 Doubs
400 hab.

🏠🏠 LA VIEILLE AUBERGE ★★
M. Clerc
☎ 03 81 48 51 70 FAX 03 81 57 62 30
100F 🛏 8 ⬖ 270/320 F. 🍽 35 F.
🍴 100/210 F. 🛌 55 F. 🖼 250/280 F.
⌧ dim. soir et lun.

DAMPRICHARD (B2)
25450 Doubs
800 m. • 2200 hab.

▲▲ DU LION D'OR ★★
Place Centrale. M.Me Corneille
☎ 03 81 44 22 84 **FAX** 03 81 44 23 10
120F 🕯 16 ⊡ 150/300 F. ☵ 35 F. 🍴 40 F.
🖻 225/295 F.
Ⓔ 🗄 ☎ 🛏 🚗 🚕 🐕 🛶 CV 🔟 ☞ CB

ENTRE LES FOURGS (B3)
25370 Doubs
>>> *voir JOUGNE*

GOUMOIS (B2)
25470 Doubs
140 hab. ⓘ

▲▲ AUBERGE MOULIN DU PLAIN ★★
M. Choulet
☎ 03 81 44 41 99 **FAX** 03 81 44 45 70
120F 🕯 22 ⊡ 268/310 F. ☵ 36 F.
🍴 95/195 F. 🍴 58 F. 🖻 238/278 F.
⊠ début nov./fin fév.
Ⓔ ☎ 🚗 🚕 🛶 CV ☞

▲▲▲ TAILLARD ★★★
MM. Taillard
☎ 03 81 44 20 75 **FAX** 03 81 44 26 15
🕯 24 ⊡ 275/580 F. ☵ 52 F.
🍴 135/380 F. 🖻 350/480 F.
⊠ mi-nov./mars et mer. en mars, oct. et nov.
Ⓔ ⓘ 🗄 ☎ 🚗 🛏 🚕 🐟 🛷 ⚓ 🐕
🕹 👤 🔟 ☞ CB

Les GRANGETTES (A3)
25160 Doubs
900 m. • 140 hab.

▲▲ BON REPOS ★★
M. Duffait
☎ 03 81 69 62 95
80F 🕯 16 ⊡ 170/240 F. ☵ 30 F.
🍴 68/167 F. 🍴 40 F. 🖻 213/256 F.
⊠ 20 oct./21 déc., 17/27 mars, mar. soir et mer. hs.
Ⓔ 🗄 ☎ 🚗 🚗 🚕 🛶 CV CB

JOUGNE (B3)
25370 Doubs
1020 m. • 1164 hab. ⓘ

... *à proximité*

ENTRE LES FOURGS (B3)
25370 Doubs
1100 m. • 60 hab.

4 km N.E. Jougne par D 423

▲▲ LES PETITS GRIS ★★
Place des Cloutiers. M. Gresset
☎ 03 81 49 12 93 **FAX** 03 81 49 13 93
100F 🕯 13 ⊡ 240/300 F. ☵ 40 F.
🍴 100/175 F. 🍴 55 F. 🖻 285/310 F.
⊠ 22 sept./11 oct. Rest. mer.
Ⓔ 🗄 ☎ 🛏 🚕 🛏 🚕 🛶 ☞ CB

LEVIER (A2)
25270 Doubs
750 m. • 2046 hab. ⓘ

▲ DU COMMERCE ET DE LA
RESIDENCE ★
10, rue de Pontarlier.
M. Guyot
☎ 03 81 49 50 56 **FAX** 03 81 49 53 53
🕯 35 ⊡ 140/220 F. ☵ 20 F.
🍴 55/150 F. 🍴 30 F. 🖻 190/230 F.
⊠ 11 nov./12 déc.
🗄 ☎ 🚗 🚗 🚕 🐕 🛶 CV 🔟 ☞

LODS (A2)
25930 Doubs
300 hab. ⓘ

▲▲ DE LA TRUITE D'OR ★★
Rue du Moulin Neuf.
M. Vigneron
☎ 03 81 60 95 48 **FAX** 03 81 60 95 73
120F 🕯 11 ⊡ 250 F. ☵ 32 F. 🍴 95/260 F.
🍴 55 F. 🖻 280 F.
⊠ 15 déc./1er fév., dim. soir et lun. nov./mai.
Ⓔ SP 🗄 ☎ 🚗 🛏 🚕 🔟 ☞ CB CR

LONGEVILLES MONT D'OR (A3)
25370 Doubs
1000 m. • 250 hab.

▲ LES SAPINS ★★
M. Lanquetin
☎ 03 81 49 90 90
🕯 11 ⊡ 145/165 F. ☵ 29 F.
🍴 62/108 F. 🍴 46 F. 🖻 178/194 F.
⊠ avr. et 1er oct./15 déc.
Ⓔ ☎ 🚗 🛏 🛏 🚕 🛶 CV ☞ CB

LORAY (B2)
25390 Doubs
750 m. • 310 hab.

▲▲▲ ROBICHON ★★
22, Grande Rue.
M. Robichon
☎ 03 81 43 21 67 **FAX** 03 81 43 26 10
100F 🕯 11 ⊡ 240/280 F. ☵ 35 F.
🍴 70/400 F. 🍴 60 F. 🖻 260/280 F.
⊠ dernière semaine oct., dernière semaine janv., dim. soir et lun. sauf 14 juil./fin août.
Ⓔ 🗄 🗄 ☎ 🚗 🚗 🛏 🚕 🛶 🕹 CV 🔟 ☞
CB 📧 CR

MAICHE (B2)
25120 Doubs
810 m. • 5000 hab. ⓘ

▲ DES COMBES ★★
2, rue des Combes.
M. Vittori
☎ 03 81 64 09 36 **FAX** 03 81 64 27 46
100F 🕯 10 ⊡ 158/210 F. ☵ 31 F.
🍴 72/150 F. 🍴 48 F. 🖻 190/210 F.
Ⓔ 🗄 ☎ 🚗 🚗 🛏 CV ☞ CB

MAICHE (B2) (suite)

▲▲ PANORAMA ★★
Côteau Saint-Michel.
M. Puc
☎ 03 81 64 04 78 ☏ 03 81 64 08 95
🛏 32 ⊗ 215/320 F. ■ 38 F.
100F
🍴 110/240 F. ⧖ 55 F. ⌷ 235/310 F.
⊠ 2ème et 3ème semaines janv., ven. et
dim. soir 1er oct./30 mars.
[E] [D] 🖻 🖾 🖼 🕆 🖎 ⦚ CV ⦚⦚ ● CB

MALBUISSON (A3)
25160 Doubs
900 m. ● 350 hab. 🅻

▲▲ JEAN MICHEL TANNIERES ★★
M. Tannières
☎ 03 81 69 30 89 ☏ 03 81 69 39 16
🛏 6 ⊗ 250/390 F. ■ 50 F.
🍴 135/395 F. ⧖ 70 F. ⌷ 320/390 F.
⊠ janv., 2ème quinzaine avr., dim. soir
et lun. ,
[E] [D] 🖻 🖾 🖼 🖼 🕆 ⦚ CV ⦚⦚ ● CB

MONTBELIARD (B1)
25200 Doubs
29000 hab. 🅻

▲▲ DE LA BALANCE ★★★
40, rue de Belfort.
Mme Receveur
☎ 03 81 96 77 41 ☏ 03 81 91 47 16
120F 🛏 42 ⊗ 320/370 F. ■ 35 F.
🍴 69/145 F. ⧖ 40 F. ⌷ 275/300 F.
[E] [D] 🖻 🖸 🖾 🖼 ⥮ ⦚ CV ⦚⦚ ● CB
🖼 CR

MORTEAU (B2)
25500 Doubs
750 m. ● 8500 hab. 🅻

▲▲ DE LA GUIMBARDE ★★
10, place Carnot.
Mme Devouge
☎ 03 81 67 14 12 ☏ 03 81 67 48 27
100F 🛏 19 ⊗ 180/380 F. ■ 38 F.
🍴 85/220 F. ⧖ 45 F. ⌷ 295 F.
⊠ rest. oct., dim. soir et lun. hs.
[E] [D] 🖻 🖾 🖼 🖼 ⦚ CV ⦚⦚ ● CB

ORCHAMPS VENNES (B2)
25390 Doubs
850 m. ● 1500 hab.

▲▲ BARREY ★★
23, Grande Rue. M. Bôle
☎ 03 81 43 50 97 ☏ 03 81 43 62 68
120F 🛏 11 ⊗ 220 F. ■ 40 F. 🍴 68/260 F.
⧖ 45 F. ⌷ 230/260 F.
⊠ dim. soir et lun. sauf juil./août.
[E] [D] SP 🖻 🖻 🖾 🖼 ⦚ CV ⦚⦚ ● CB

ORNANS (A2)
25290 Doubs
4000 hab. 🅻

▲▲▲ DE FRANCE ★★★
51-53, rue Pierre Vernier.
MeM. Gresset/Vincent
☎ 03 81 62 24 44 ☏ 03 81 62 12 03
🛏 27 ⊗ 280/380 F. ■ 40 F.
🍴 145/300 F. ⌷ 300/400 F.
⊠ 15 déc./15 fév., dim. soir et lun.
[E] 🖻 🖾 🖼 🖼 ⦚ ⦚⦚ ● CB

OUHANS (A2)
25520 Doubs
600 m. ● 269 hab.

▲ DES SOURCES DE LA LOUE ★
13, Grande Rue. M. Salomon
☎ 03 81 69 90 06 ☏ 03 81 69 93 17
🛏 13 ⊗ 180/220 F. ■ 30 F.
🍴 75/190 F. ⧖ 40 F. ⌷ 240 F.
⊠ 25 oct./8 nov., 20 déc./1er fév. et
mer. soir hs.
🖻 🖾 🖼 🕆 ⦚ ⦚ CV ⦚⦚ ● CB

OYE ET PALLET (A3)
25160 Doubs
870 m. ● 425 hab.

▲▲▲ PARNET ★★★
MM. Parnet
☎ 03 81 89 42 03 ☏ 03 81 89 41 47
🛏 16 ⊗ 290/350 F. ■ 40 F.
🍴 100/260 F. ⧖ 60 F. ⌷ 365/400 F.
⊠ 20 déc./10 fév., dim. soir et lun. sauf
juil./août.
[E] 🖻 🖾 🖼 🖼 🕆 ⥮ ⦚ ⦚ 🖼
⦚⦚ CB

PIERREFONTAINE LES VARANS (B2)
25510 Doubs
700 m. ● 1700 hab.

▲▲ DU COMMERCE ★★
4, Grande Rue. M. Boiteux
☎ 03 81 56 10 50 ☏ 03 81 56 01 89
🛏 10 ⊗ 110/260 F. ■ 30 F.
🍴 60/180 F. ⧖ 40 F. ⌷ 220/240 F.
⊠ 20 déc./20 janv., dim. soir et lun.
sauf juil./août.
[E] 🖻 🖾 ⦚ ● CB 🖼

PONT LES MOULINS (A-B2)
25110 Doubs

>>> *voir BAUME LES DAMES*

QUINGEY (A2)
25440 Doubs
1000 hab.

▲ DE LA TRUITE DE LA LOUE ★★
2, route de Lyon. M.Me Matarèse
☎ 03 81 63 60 14 ☏ 03 81 63 84 77
80F 🛏 11 ⊗ 185/220 F. ■ 35 F.
🍴 80/165 F. ⧖ 40 F. ⌷ 185/200 F.
⊠ 20 déc./15 janv., dim. soir et lun.
oct./mai.
[E] [D] 🖾 🖼 CV ⦚⦚ ● CB 🖼

Le RUSSEY (B2)
25210 Doubs
875 m. • 1912 hab. 🛈

▲▲ DE LA COURONNE ★★
18, rue de Lattre de Tassigny. M. Breney
☎ 03 81 43 71 66 🅵🅰🆇 03 81 43 73 56
🛏 14 🍽 150/200 F. 🍽 28 F.
🍴 60/260 F. 🛗 40 F. 🚗 180/210 F.
✉ dim. soir et lun. midi hors vac. scol.
🄴 ⬛ ☎ 🚗 🍹 🛗 CV 🎱 ⚓ CB

SAINT HIPPOLYTE (B2)
25190 Doubs
1500 hab. 🛈

▲▲ LE BELLEVUE ★★
Sur N. 437. Mme Claude
☎ 03 81 96 51 53 🅵🅰🆇 03 81 96 52 40
🛏 15 🍽 145/285 F. 🍽 34 F.
🍴 85/210 F. 🛗 55 F. 🚗 200/252 F.
✉ ven. soir, sam. midi et dim. soir
1er oct./31 mars.
🄴 ⬛ ☎ 🚗 🍹 🏃 ♻ CV 🎱 ⚓ CB

SAINT VIT (A2)
25410 Doubs
2980 hab.

▲▲ LE SOLEIL D'OR ★★
2, place de la Liberté. M. Carrey
☎ 03 81 87 58 78 🅵🅰🆇 03 81 87 71 40
🛏 7 🍽 185/230 F. 🍽 35 F. 🍴 60/155 F.
🛗 40 F. 🚗 245 F.
✉ dim. soir.
🄴 ⬛ ☎ 🚗 ⚓ CB 📠

VALDAHON (A2)
25800 Doubs
650 m. • 4472 hab.

▲▲▲ RELAIS DE FRANCHE COMTE ★★
Rue Charles Schmitt. M. Frelin
☎ 03 81 56 23 18 🅵🅰🆇 03 81 56 44 38
🛏 20 🍽 205/275 F. 🍽 35/ 38 F.
🍴 68/250 F. 🛗 35 F. 🚗 240/290 F.
✉ 20 déc./15 janv. Hôtel ven. soir sauf
juil./août. Rest. ven. soir et sam. midi
sauf juil./août.
🄴 🄳 ⬛ ☎ 🚗 🍽 🍹 🏃 ♻ CV
🎱 ⚓ CB

VERCEL (A-B2)
25530 Doubs
650 m. • 1500 hab.

▲▲ DE LA COURONNE ★★
Grande Rue. M. Blondeau
☎ 03 81 58 31 82 🅵🅰🆇 03 81 58 34 46
🛏 8 🍽 200/260 F. 🍽 35 F. 🍴 68/250 F.
🛗 40 F. 🚗 210/250 F.
✉ 30 déc./3 fév., dim. soir et lun.
🄴 ☎ 🍽 CV 🎱 CB

VERRIERES DE JOUX (B3)
25300 Doubs
1200 m. • 375 hab.

▲▲ LE TILLAU ★★
(Le Mont des Verrières). M. Parent
☎ 03 81 69 46 72 🅵🅰🆇 03 81 69 49 20
🛏 9 🍽 200/280 F. 🍽 35 F. 🍴 70/200 F.
🚗 200/270 F.
✉ 15 nov./15 déc., 7/17 avr. Rest. lun.
🄴 🛈 ⬛ ☎ 🚗 🍽 🍹 ⛷ 🎿 ♿ 🏃 CV
🎱 ⚓ CB 📠

VILLERS LE LAC (B2)
25130 Doubs
750 m. • 4000 hab. 🛈

▲▲▲ DE FRANCE ★★★
8, place M. Cupillard. M. Droz
☎ 03 81 68 00 06 🅵🅰🆇 03 81 68 09 22
🛏 14 🍽 280/320 F. 🍽 50 F.
🍴 160/400 F. 🚗 330/360 F.
✉ 20 déc./1er fév. Rest. dim. soir et
lun.
🄴 🄳 ☎ 🚗 CV 🎱 ⚓ CB

La VRINE (A2)
25520 Doubs
900 m. • 10 hab.

▲▲ FERME HOTEL DE LA VRINE ★★
M. Salomon
☎ 03 81 39 47 74 🅵🅰🆇 03 81 39 21 87
🛏 33 🍽 230 F. 🍽 30 F. 🍴 85/210 F.
🛗 45 F. 🚗 250 F.
✉ dim. soir et lun.
🄴 🄳 ⬛ ☎ 🚗 🍽 🍹 🏃 ♻ 🛗 🎱
⚓ CB

**Liste des
hôtels-restaurants**

Jura

C.R.T Franche-Comté / D. Rondot

Association départementale
des Logis de France du Jura
Comité du Tourisme
8 rue Louis Rousseau
39000 Lons-Le-Saunier
Téléphone 03 84 87 08 88

FRANCHE-COMTÉ

Vesoul
70 HAUTE-SAÔNE
90 Belfort
25 DOUBS
Besançon
39 JURA
Lons-le-Saunier

39 - JURA

334

70 - HAUTE-SAÔNE

A   B

21 - CÔTE-D'OR

167

D 20
D 475
A 36   Ranchot
Rochefort-sur-Nenon
Sampans
Dole ▲
D 405
N 73
D 468
Parcey
Loue
D 412
Mouchard
Chaussin   N 5
Mont-sous-Vaudrey
D 469
Scé du Lison
Doubs
Mi 98
A 39   N 5   D 469   Arbois
Salins-les-Bains
D 107
Reculée des Planches
Chaumergy
D 475   D 468
les Planches-près-Arbois
Poligny
N 83
Andelot-en-Montagne
Montchauvrot
Passenans
D 107
Mantry
D 122
Domblans
D 5
Ardon
D 467
St-Germain-les-Arlay
D 470
Voiteur
Champagnole
Bletterans
Pannessières
D 471
le Vaudioux
Seille
Chille
Chaux-des-Crotenay
Pont-du-Navoy
N 5
N 78
Crançot
Foncine-le-Haut
LONS-LE-SAUNIER
D 27
D 39
Ilay
Bonlieu
St-Laurent-en-Grandvaux
N 78
Clairvaux-les-Lacs
St-Pierre
Bellefontaine
Pont-de-Poitte
D 118
D 98
St-Maurice-Crillat
Morbier
N 83
D 117
D 52
Grande-Rivière
les Rousses
Orgelet   Plaisia
les Piards
D 27
PARC
SUISSE
D 470
D 118
HAUT-
D 292
D 25
St-Amour
Lac de Vouglans
JURA
D 69
D 3   D 109
St-Claude
D 436
Lamoura
Arinthod
Villard-St-Sauveur
D 124
Lajoux   Septmoncel
les Molunes
le Martinet
les Bouchoux
la Pesse

N

0   10 km

319

25 - DOUBS

1

2

3

179

71- SAÔNE-ET-LOIRE

01 - AIN

715

Légende p 21

ANDELOT EN MONTAGNE (B2)
39110 Jura
630 m. • 555 hab.

⚓ BOURGEOIS ★★
Mme Bourgeois
☎ 03 84 51 43 77
🛏 15 ⌧ 190/220 F. 🍽 26 F.
🍴 65/130 F. 🚶 40 F. 🅿 185/195 F.
⌧ 15 nov./15 déc.
▣ ☎ 🍸 🚶 CV

ARBOIS (B2)
39600 Jura
4000 hab. 𝒊

⚓⚓ DES CEPAGES ★★
Route de Villette.
M. Ortola
☎ 03 84 66 25 25 📠 03 84 37 49 62
🛏 33 ⌧ 280/360 F. 🍽 46 F.
🍴 48/108 F. 🚶 60 F. 🅿 270/300 F.
▣ ▢ ☎ 🚗 ♨ ⋒ 🏥 🍸 🚶 CV
🔅 ⬤ CB

❋ LES MESSAGERIES ★★
2, rue de Courcelles.
Mme Ricoux
☎ 03 84 66 15 45 📠 03 84 37 41 09
🛏 26 ⌧ 180/310 F. 🍽 32 F.
⌧ déc./janv. et mer. 12h/17h hs.
▣ 𝒊 ▢ ☎ 🚗 🏥 🍸 CV 🔅 ⬤

... à proximité

Les PLANCHES EN ARBOIS (B2)
39600 Jura
67 hab.

5 km S.O. Arbois par D 469

⚓⚓⚓ LE MOULIN DE LA MERE
MICHELLE ★★★
Lieu-dit Les Planches.
M. Delavenne
☎ 03 84 66 08 17 📠 03 84 37 49 69
🛏 22 ⌧ 420/780 F. 🍽 55/ 70 F.
🍴 85/300 F. 🚶 65 F. 🅿 540/650 F.
⌧ mer. midi hs.
▣ ▢ ☎ 🚗 ♨ ⋒ 🏥 🍸 🔅 🌐
🚶 🌐 ♿ CV 🔅 ⬤ CB

ARDON (B2)
39300 Jura

>>> *voir CHAMPAGNOLE*

BELLEFONTAINE (B2)
39400 Jura
1060 m. • 420 hab.

⚓⚓ LA CHAUMIERE ★★
M.Me Bourgeois
☎ 03 84 33 00 16 📠 03 84 33 01 40
🛏 11 ⌧ 230 F. 🍽 30 F. 🍴 65/120 F.
🅿 225 F.
⌧ 26 mars/5 avr., sam. midi et dim. soir
hs.
▣ 𝒊 ☎ 🚗 🏥 🍸 🚶 CV 🔅 ⬤ CB

BLETTERANS (A2)
39140 Jura
1380 hab. 𝒊

⚓ LE CHEVREUIL ★★
1, rue des Granges. Mme Pelissard
☎ 03 84 85 00 83 📠 03 84 85 12 25
🛏 16 ⌧ 140/225 F. 🍽 32 F.
🍴 70/250 F. 🚶 50 F.
▣ ▢ ☎ 🚗 🍸 🚶 🚶 CV ⬤ CB

BONLIEU (B2)
39130 Jura
800 m. • 170 hab. 𝒊

⚓⚓ L'ALPAGE ★★
M. Lerch
☎ 03 84 25 57 53 📠 03 84 25 50 74
🛏 9 ⌧ 200/310 F. 🍽 37 F. 🍴 97/198 F.
🚶 48 F. 🅿 285 F.
⌧ 15 nov./15 déc. et lun. hors vac. scol.
▣ SP ▢ ☎ 🚗 🏥 🍸 🔅 🌐 CV 🔅
⬤ CB

⚓⚓ LA POUTRE ★★
M. Moureaux
☎ 03 84 25 57 77
🛏 10 ⌧ 140/390 F. 🍽 42 F.
🍴 125/450 F. 🚶 60 F. 🅿 300/350 F.
⌧ 11 nov./11 fév., dim. soir et lun. sauf
juil./août.
▣ ▢ ☎ 🚗 🚗 🍸 🚶 🌐

Les BOUCHOUX (B3)
39370 Jura
960 m. • 280 hab.

⚓ AUBERGE DE LA CHAUMIERE ★
M. Benhamou
☎ 03 84 42 71 63 📠 03 84 42 71 08
🛏 5 ⌧ 135/240 F. 🍽 27 F. 🍴 65/198 F.
🚶 48 F. 🅿 155/205 F.
⌧ 15 nov./3 déc.
▣ SP ▢ ☎ 🚗 🍸 🌐 CV ⬤ CB

CHAMPAGNOLE (B2)
39300 Jura
545 m. • 10700 hab. 𝒊

⚓⚓⚓ DU BOIS DORMANT ★★
Route de Pontarlier. M. Sclafer
☎ 03 84 52 66 66 📠 03 84 52 66 67
🛏 36 ⌧ 270/320 F. 🍽 32 F.
🍴 88/240 F. 🚶 50 F. 🅿 240/260 F.
▣ ▢ 🍴 ☎ 🚗 🏥 🍸 🔅 🚶 ♿ CV 🔅
⬤ CB

⚓⚓⚓ DU PARC ★★★
13, rue Paul Cretin.
Mmes Baron/Cattenot
☎ 03 84 52 13 20 📠 03 84 52 27 62
🛏 18 ⌧ 260/320 F. 🍽 32 F.
🍴 75/180 F. 🚶 45 F. 🅿 250/280 F.
⌧ nov. Rest. midi et dim. hs.
▣ ▢ 𝒊 ▢ ☎ 🚗 🚗 🏥 🍸 🚶 CV
🔅 ⬤ CB 🏨

CHAMPAGNOLE (B2) (suite)

▲▲▲ GRAND HOTEL RIPOTOT ★★
Av. du Maréchal Foch.
Mme Winiecka-Ripotot
☎ 03 84 52 15 45 [FAX] 03 84 52 09 11
🛏 35 ⬙ 260/300 F. 🍽 35 F.
🍴 68/220 F. 🍴 52 F. 🛏 210/245 F.
⊠ 15 nov./1er avr.

[icons]

... *à proximité*

ARDON (B2)
39300 Jura
560 m. • 148 hab.

5 km Nord Champagnole par N 5

▲▲ DU PONT DE GRATTEROCHE ★★
(à Ardon 5 km). Mme Schiavon
☎ 03 84 51 70 46 [FAX] 03 84 51 75 41
🛏 18 ⬙ 240 F. 🍽 30 F. 🍴 80/160 F.
🍴 45 F. 🛏 240 F.
⊠ dim. soir et lun.

[icons]

Le VAUDIOUX (B2)
39300 Jura
640 m. • 147 hab. 🛈

6 km Sud Champagnole par N 5

▲▲▲ AUBERGE DES GOURMETS ★★★
M. Prieur
☎ 03 84 51 60 60 [FAX] 03 84 51 62 83
🛏 7 ⬙ 300/380 F. 🍽 35 F. 🍴 88/280 F.
🍴 60 F. 🛏 350 F.

[icons]

CHAUMERGY (A2)
39230 Jura
398 hab.

▲ LES MARRONNIERS ★★
Place du Carouge. M. Daumard
☎ 03 84 48 62 10 [FAX] 03 84 48 60 81
🛏 7 ⬙ 210/250 F. 🍽 30 F. 🍴 67/140 F.
🍴 40 F. 🛏 195/205 F.
⊠ dim. hs.

[icons]

CHAUSSIN (A1)
39120 Jura
1500 hab.

▲ AUBERGE DU VAL D'ORAIN ★
34, rue Simone Michel Levy.
M. Thévenin
☎ 03 84 81 82 15 [FAX] 03 84 81 75 24
🛏 8 ⬙ 160/220 F. 🍽 25 F. 🍴 88/160 F.
🍴 55 F. 🛏 160/180 F.
⊠ 15 fév./2 mars, ven. soir sauf
juil./août et dim. soir.

[icons]

▲▲▲ CHEZ BACH ★★
Place de l'Ancienne Gare.
Mme Bach-Vernay
☎ 03 84 81 80 38 [FAX] 03 84 81 83 80
🛏 18 ⬙ 200/270 F. 🍽 40 F.

🍴 85/250 F. 🍴 55 F. 🛏 260/300 F.
⊠ ven. soir et dim. soir sauf juil./août.

[icons]

CHAUX DES CROTENAY (B2)
39150 Jura
714 m. • 394 hab.

▲▲ DES LACS ★★
9, rue de Genève. M. Monnier
☎ 03 84 51 50 42 [FAX] 03 84 51 54 23
🛏 30 ⬙ 265 F. 🍽 32 F. 🍴 80/142 F.
🍴 39 F. 🛏 235/250 F.
⊠ 20 nov./20 janv.

[icons]

CHILLE (A2)
39570 Jura
250 hab.

▲▲▲ PARENTHESE ★★
Mme Guyot
☎ 03 84 47 55 44 [FAX] 03 84 24 92 13
🛏 24 ⬙ 280/350 F. 🍽 42 F.
🍴 80/260 F. 🍴 50 F. 🛏 325/370 F.
⊠ rest. 3/16 fév., dim. soir et lun. midi.

[icons]

CLAIRVAUX LES LACS (B2)
39130 Jura
1500 hab. 🛈

▲ LA CHAUMIERE DU LAC ★★
Au bord du Lac. M.Me Favario
☎ 03 84 25 81 52 [FAX] 03 84 25 24 54
🛏 15 ⬙ 160/250 F. 🍽 30 F.
🍴 68/170 F. 🍴 40 F. 🛏 185/235 F.
⊠ 12 oct./28 mars.

[icons]

CRANCOT (A2)
39570 Jura
460 hab. 🛈

▲ LE BELVEDERE
La Reculée de Baume. Mme Noir
☎ 03 84 48 22 18 [FAX] 03 84 48 26 77
🛏 8 ⬙ 145/285 F. 🍽 28 F. 🍴 84/162 F.
🍴 45 F.
⊠ 15 déc./15 janv., lun. soir et mar.

[icons]

DOLE (A1)
39100 Jura
26577 hab. 🛈

▲▲ DE LA CLOCHE ★★★
2, place Grevy. Mme Beauvais
☎ 03 84 82 00 18 [FAX] 03 84 72 73 82
🛏 29 ⬙ 260/390 F. 🍽 35 F.

[icons]

▲▲ DE LA CROIX DE LUGE ★★
302, av. Jacques Duhamel. Mme Delcey
☎ 03 84 72 18 58 [FAX] 03 84 72 87 44
🛏 10 ⬙ 190/210 F. 🍽 30 F.
🍴 58/145 F. 🍴 35 F. 🛏 250/270 F.
⊠ dim. soir.

[icons]

DOLE (A1) (suite)

▲▲▲ LA CHAUMIERE ★★★
346, av. Maréchal Juin. M. Pourcheresse
☎ 03 84 70 72 40 · FAX 03 84 79 25 60
🛏 18 ⊠ 45 F. 🍽 95/180 F. 🍴 65 F.
🖼 360 F.
⊠ 14/23 juin, 19 déc./19 janv. Hôtel
dim. sauf 29 juil./14 oct. Rest. sam. midi
et dim.

... *à proximité*

SAMPANS (A1)
39100 Jura
675 hab. ℹ

4 km N.O. Dole par N 5

▲▲ CHALET DU MONT ROLAND ★★
(Le Mont Roland). M. Bouvet
☎ 03 84 72 04 55 · FAX 03 84 82 14 95
🛏 15 ⊠ 240/320 F. 🍽 30 F.
🍴 72/180 F. 🍴 46 F. 🖼 310/340 F.

DOMBLANS (A2)
39210 Jura
733 hab.

▲▲ LES PLATANES ★★
Mme Boulet
☎ 03 84 85 22 13 · FAX 03 84 85 24 25
🛏 7 ⊠ 180/290 F. 🍽 35 F.
🍴 100/180 F. 🖼 280/320 F.

FONCINE LE HAUT (B2)
39460 Jura
863 m. ● *900 hab.* ℹ

▲▲ PENSION FAIVRE LECOULTRE ★★
M. Lecoultre
☎ 03 84 51 90 59 · FAX 03 84 51 94 69
🛏 10 ⊠ 180/250 F. 🍽 33 F.
🍴 67/150 F. 🍴 35 F. 🖼 190/215 F.
⊠ 18 avr./5 mai, 6/20 oct., dim. soir et
lun. hs.

GRANDE RIVIERE (B3)
39150 Jura
900 m. ● *450 hab.*

▲▲▲ DE L'ABBAYE ★★
M. Piot
☎ 03 84 60 11 15 · FAX 03 84 60 86 43
🛏 25 ⊠ 231/316 F. 🍽 37 F.
🍴 55/165 F. 🍴 55 F. 🖼 198/250 F.
⊠ 15 nov./15 déc.

ILAY (B2)
39150 Jura
800 m. ● *40 hab.*

▲▲ AUBERGE DU HERISSON ★
M. Morizot
☎ 03 84 25 58 18 · FAX 03 84 25 51 11

🛏 16 ⊠ 150/310 F. 🍽 39 F.
🍴 70/230 F. 🍴 45 F. 🖼 185/270 F.
⊠ 15 nov./1er fév.

LAJOUX (B3)
39310 Jura
1182 m. ● *200 hab.*

▲▲ DE LA HAUTE-MONTAGNE ★★
M. Mermet
☎ 03 84 41 20 47 · FAX 03 84 41 24 20
🛏 20 ⊠ 246 F. 🍽 32 F. 🍴 85/155 F.
🍴 44 F. 🖼 218/238 F.

LAMOURA (B3)
39310 Jura
1150 m. ● *350 hab.* ℹ

▲ GIROD
M. Crétin
☎ 03 84 41 21 56 · FAX 03 84 41 24 40
🛏 15 ⊠ 184/244 F. 🍽 25 F.
🍴 65/130 F. 🍴 38 F. 🖼 185/225 F.
⊠ 1ère quinzaine mai, 1ère quinzaine
sept., ven. soir et sam. hs.

▲▲ LA SPATULE ★★
Mme Ferreux
☎ 03 84 41 20 23 · FAX 03 84 41 24 16
🛏 25 ⊠ 250/280 F. 🍽 35 F.
🍴 75/145 F. 🍴 45 F. 🖼 240/260 F.
⊠ 1er avr./17 mai, 13 oct./19 déc., dim.
soir et lun. hs.

LONS LE SAUNIER (A2)
39000 Jura
25000 hab. ℹ

▲▲ TERMINUS ★★
37, av. Aristide Briand. M. Dellerba
☎ 03 84 24 41 83 · FAX 03 84 24 68 07
🛏 18 ⊠ 210/370 F. 🍽 40 F. 🍴 35 F.
🖼 280/345 F.
⊠ 22 déc./5 janv. Rest. 10/24 août et
dim.

MANTRY (A2)
39230 Jura
430 hab.

... *à proximité*

MONTCHAUVROT (A2)
39230 Jura
430 hab.

2 km Nord Mantry par N 83

▲▲▲ LA FONTAINE ★★
M. Belpois
☎ 03 84 85 50 02 · FAX 03 84 85 56 18
🛏 20 ⊠ 240/350 F. 🍽 38 F.
🍴 90/260 F. 🍴 45 F. 🖼 290/320 F.
⊠ 15 déc./15 janv., dim. soir et lun. hs.

Le MARTINET (B3)
39200 Jura

>>> *voir SAINT CLAUDE*

Les MOLUNES (B3)
39310 Jura
1274 m. • 72 hab.

⛰⛰ LE PRE FILLET ★★
M. Grosrey
☎ 03 84 41 62 89 📠 03 84 41 64 75
🛏 19 ⬡ 220/250 F. 🍽 29 F.
🍴 64/160 F. 🛌 30 F. 🏠 193/208 F.
✉ 15 oct./1er déc. Rest dim. soir hs.
🅴 ☎ 🚗 🚐 ⛵ 🕊 CV 🔟 ● CB

MONT SOUS VAUDREY (A1)
39380 Jura
1000 hab.

⛰ AUBERGE JURASSIENNE
35, rue Léon Guignard M. Cattenoz
☎ 03 84 81 50 17
🛏 5 ⬡ 180/240 F. 🍽 25 F. 🍴 79/130 F.
🛌 40 F. 🏠 200 F.
✉ 15 juin/1er juil., mar. soir/mer. soir.
🗄 🚗 🕊 CV ● CB

⛰ DU CENTRE
1, rue Jules Grévy. M. Creusot
☎ 03 84 71 71 94 📠 03 84 81 59 47
🛏 5 ⬡ 260/290 F. 🍽 30 F. 🍴 67/159 F.
🛌 55 F. 🏠 230/260 F.
✉ 15 mai/1er juin, 20 oct./11 nov., dim.
soir et lun. midi.
🅴 🅳 🗄 ☎ 🚐 🕊 🔟 ● CB

MONTCHAUVROT (A2)
39230 Jura

>>> *voir MANTRY*

MORBIER (B3)
39400 Jura
930 m. • 2000 hab.

⛰⛰ LES CLARINES ★★
31,rte de la Hte Combe, Les Marais,
D 18 A. Mme Cretin
☎ 03 84 33 02 20 📠 03 84 33 32 83
🛏 22 ⬡ 250/360 F. 🍽 35 F.
🍴 70/120 F. 🛌 40 F. 🏠 210/320 F.
✉ 15 avr./15 juin et 15 sept./15 déc.
🅴 🗄 🖻 ☎ 🚐 🎿 🕊 🏠 🏊 ⛵ 🕊 ♿
🕊 CV CB

MOUCHARD (B1)
39330 Jura
1290 hab.

⛰⛰⛰ CHALET BEL AIR HOTEL ★★
Place Bel Air. M. Gatto
☎ 03 84 37 80 34 📠 03 84 73 81 18
🛏 9 ⬡ 245/500 F. 🛌 40 F.
🍴 120/380 F. 🛌 75 F. 🏠 265/340 F.

✉ 18/24 juin, 19 nov./17 déc. et mer.
hors vac. scol.
🅴 🅳 SP 🛈 🗄 ☎ 🚗 🚐 🕊 🏨 🏠 🕊
⛵ CV ● CB

PANNESSIERES (A2)
39570 Jura
500 hab.

⛰⛰ HOSTELLERIE DES MONTS JURA ★★
400, Route du Belvédère.
M. Louis
☎ 03 84 43 10 03 📠 03 84 24 57 37
🛏 8 ⬡ 230/260 F. 🍽 32 F. 🍴 90/270 F.
🛌 52 F. 🏠 240/260 F.
✉ 25 août//10 sept., 31 déc./15 janv.,
dim. soir et lun.
🅴 🅳 🗄 ☎ 🚗 🚐 🕊 🕊 🎿 🕊 CV 🔟
● CB

PARCEY (A1)
39100 Jura
659 hab.

⛰⛰ HOSTELLERIE DE L'AS DE PIQUE ★★
M. Beauvais
☎ 03 84 71 00 76 📠 03 84 71 09 18
🛏 7 ⬡ 295 F. 🍴 105/260 F. 🛌 40 F.
🏠 340 F.
✉ dim. soir et lun. midi.
🅴 🅳 🗄 ☎ 🚐 🕊 🕊 🏠 ●

⛰ LE PARCEY ★
Route N.5. M. Reffay
☎ 03 84 71 00 57 📠 03 84 71 09 27
🛏 8 ⬡ 190/250 F. 🍽 30 F. 🍴 60/170 F.
🛌 40 F. 🏠 240 F.
✉ 20 oct./10 nov., mer. midi et dim.
soir.
🅴 🅳 🗄 ☎ 🚐 🕊 🕊 🎿 CV 🔟 ● CB

PASSENANS (A2)
39230 Jura
290 hab.

⛰ AUBERGE DU ROSTAING
M. Eckert
☎ 03 84 85 23 70 📠 03 84 44 66 87
🛏 9 ⬡ 132/248 F. 🍽 25 F. 🍴 62/176 F.
🛌 50 F. 🏠 145/203 F.
✉ 1er déc./31 janv., lun. soir hs et mar.
midi.
🅴 🅳 🕊 ⛵ CV ●

⛰⛰⛰ DOMAINE TOURISTIQUE DU
REVERMONT ★★
M. Schmit
☎ 03 84 44 61 02 📠 03 84 44 64 83
🛏 24 ⬡ 310/400 F. 🍽 44 F.
🍴 110/280 F. 🛌 52 F. 🏠 300/343 F.
✉ 1er janv./1er mars, dim. soir et lun.
15 oct./1er avr.
🅳 🗄 ☎ 🚐 ⛵ 🕊 🕊 🏊 🕊 🕊 ⛵
🎿 CV 🔟 ● CB

La PESSE (B3)
39370 Jura
1160 m. • 230 hab.

🅰 BURDET ★★
M. Raymond
☎ 03 84 42 70 12
🛏 17 ◫ 150/250 F. ⬛ 30 F.
⫟ 59/153 F. 🍴 45 F. ⬛ 195/235 F.
✉ 1er nov./15 déc., mar. soir et mer.
hs.
[E] [☎] [🚗] [🏂] [CV] [▥] [🐾] [CB]

Les PIARDS (B3)
39150 Jura
940 m. • 175 hab. 🛈

🅰🅰 LES ROULIERS ★★
M. Vincent
☎ 03 84 60 42 36 FAX 03 84 60 41 56
🛏 18 ◫ 250 F. ⬛ 34 F. 🍴 75/150 F.
🍴 40 F. ⬛ 229 F.
✉ mar. soir et mer. hors vac. scol.
[D] [☎] [🚗] [♨] [CV] [🐾]

PLAISIA (A3)
39270 Jura
100 hab.

🅰🅰 LE VIEUX PRESSOIR ★★
M. Noël
☎ 03 84 25 41 89 FAX 03 84 25 40 68
🛏 8 ◫ 250/300 F. ⬛ 40 F. 🍴 80/240 F.
🍴 45 F. ⬛ 270/310 F.
✉ 2 janv./20 fév., mar. soir et mer. sauf
juil./août.
[E] [D] [☎] [🚗] [T] [♨] [CV] [🐾] [CB]

Les PLANCHES EN ARBOIS (B2)
39600 Jura
>>> *voir ARBOIS*

POLIGNY (A2)
39800 Jura
5000 hab. 🛈

🅰 DE PARIS ★★
7, rue Travot. M. Bietry
☎ 03 84 37 13 87 FAX 03 84 37 23 39
🛏 22 ◫ 200/340 F. ⬛ 38 F.
🍴 90/190 F. 🍴 55 F. ⬛ 300/330 F.
✉ 2 nov./2 fév. Rest. lun. et mar. midi .
[E] [D] [☎] [🚗] [T] [♨] [CV] [🐾] [CB]

🅰🅰🅰 DOMAINE VALLEE HEUREUSE ★★★
Route de Genève. M.Me Lombard
☎ 03 84 37 12 13 FAX 03 84 37 08 75
🛏 9 ◫ 350/550 F. ⬛ 55 F.
🍴 120/350 F. 🍴 80 F. ⬛ 350/550 F.
✉ mer. et jeu. midi sauf vac. scol.
[E] [D] [SP] [🛈] [☎] [🚗] [T] [♨] [CV]
[▥] [🐾] [CB]

🅰🅰 LES CHARMILLES ★★
14, av. de la Gare (Route de Dôle).
Mme Picaud
☎ 03 84 37 24 51\03 84 37 33 66
FAX 03 84 37 33 66
🛏 12 ◫ 233/290 F. ⬛ 33 F.
🍴 90/165 F. 🍴 48 F. ⬛ 237/266 F.

✉ hôtel 20 déc./5 janv. Rest. 20 déc./
19 janv., sam. et dim. sauf juil./août
et mer.
[E] [D] [☎] [🚗] [T] [CV] [🐾] [CB] [▥]

PONT DE POITTE (A2)
39130 Jura
600 hab.

🅰🅰 DE L'AIN ★★
M. Bailly
☎ 03 84 48 30 16 FAX 03 84 48 36 95
🛏 10 ◫ 220 F. ⬛ 40 F. 🍴 110/300 F.
⬛ 240/280 F.
✉ 15 déc./31 janv., lun. et mar. midi
juil./août, dim. soir et lun.
[E] [☎] [🚗] [♨] [🐾] [♨] [▥] [🐾] [CB]

PONT DU NAVOY (B2)
39300 Jura
245 hab.

🅰 DU CERF
M. Berbey
☎ 03 84 51 20 87 FAX 03 84 51 24 17
🛏 17 ◫ 120/310 F. ⬛ 30 F.
🍴 78/240 F. ⬛ 230/280 F.
✉ 15 nov./10 fév.
[E] [☎] [🚗] [T] [CV] [▥] [🐾] [CB]

RANCHOT (A1)
39700 Jura
400 hab.

🅰🅰 DE LA MARINE ★★
26, Grande Rue.
M. Thuegaz
☎ 03 84 71 13 26 FAX 03 84 81 37 70
🛏 13 ◫ 220/260 F. ⬛ 35 F.
🍴 75/110 F. 🍴 50 F. ⬛ 230 F.
✉ 1er/15 oct. et lun. hs.
[E] [☎] [🚗] [♨] [T] [CB]

ROCHEFORT SUR NENON (A1)
39700 Jura
597 hab.

🅰🅰 FERNOUX-COUTENET ★★
Rue Barbière.
Mme Fernoux-Coutenet
☎ 03 84 70 60 45 FAX 03 84 70 50 89
🛏 20 ◫ 240/300 F. ⬛ 45 F.
🍴 80/160 F. 🍴 55 F. ⬛ 240/260 F.
✉ 24 déc./10 janv., dim. hs et sam.
midi.
[E] [☎] [🚗] [♨] [T] [🏂] [♨] [▥]
[🐾] [CB]

Les ROUSSES (B3)
39220 Jura
1120 m. • 3000 hab. 🛈

🅰🅰🅰 CHALET LA REDOUTE ★★
(Route Blanche).
M. Perrard
☎ 03 84 60 00 40 FAX 03 84 60 04 59
🛏 26 ◫ 300/350 F. ⬛ 35 F.
🍴 75/168 F. 🍴 45 F. ⬛ 300/320 F.
✉ 15 nov./10 déc.
[E] [☎] [🚗] [♨] [CV] [▥] [🐾] [CB]

Les ROUSSES (B3) (suite)

▲▲▲ LE CHAMOIS ★★
Lieu-dit Le Noirmont à 2 km.
M. Mandrillon
☎ 03 84 60 01 48 ⁣℻ 03 84 60 39 38
🛏 12 🔲 30 F. ⬛ 78/145 F. 🍴 45 F.
🔲 280 F.
✉ dernière semaine avr./2 premières
semaines mai et dernière semaine nov./
2 premières semaines déc.
🄴 🏠 ☎ 🚗 🚂 ●

▲▲▲ LE NOIRMONT ★★
(Au By).
Mme Perrard
☎ 03 84 60 30 15 ⁣℻ 03 84 60 04 59
🛏 7 🔲 300/350 F. ⬛ 35 F. 🍴 75/168 F.
🍴 45 F. 🔲 310/325 F.
✉ 15 nov./10 déc.
🄴 🏠 ☎ 🚗 ⛵ ⵀ ✚ CV ● CB

▲▲▲ RELAIS DES GENTIANES ★★
309, rue Pasteur.
Mme Abréal
☎ 03 84 60 50 64 ⁣℻ 03 84 60 04 58
🛏 14 🔲 355/375 F. ⬛ 45 F. 🍴 98 F.
🍴 60 F. 🔲 380/410 F.
✉ 15 jours après Pentecôte, dim. soir et
lun.
🄴 🄳 🏠 ☎ 🍴 CV ▯ ● CB

SAINT AMOUR (A3)
39160 Jura
2500 hab. 🄸

▲▲ DU COMMERCE
Place de la Chevalerie.
M. Raffin
☎ 03 84 48 73 05 ⁣℻ 03 84 48 86 94
🛏 9 🔲 200/280 F. ⬛ 36 F. 🍴 88/220 F.
🍴 60 F. 🔲 220 F.
✉ 20 déc./20 janv., dim. soir et lun.
sauf juil./août.
🄴 🄳 🏠 ☎ 🍴 ● CB

SAINT CLAUDE (B3)
39200 Jura
13156 hab. 🄸

▲▲▲ SAINT HUBERT ★★
3, place Saint Hubert.
M. Jannet
☎ 03 84 45 10 70 ⁣℻ 03 84 45 64 76
🛏 30 🔲 230/400 F. ⬛ 30 F.
🍴 80/162 F. 🍴 50 F. 🔲 235/255 F.
✉ rest. sam. midi , dim. soir et lun.
midi.
🄴 🄳 🏠 🄲 ☎ 🚗 🛏 🍴 CV ▯ ● CB

... à proximité

Le MARTINET (B3)
39200 Jura
600 hab. 🄸

3 km Sud Saint Claude par D 124

▲▲ JOLY ★★
M. Buchin
☎ 03 84 45 12 36 ⁣℻ 03 84 41 02 49

🛏 15 🔲 200/330 F. ⬛ 30 F.
🍴 95/160 F. 🍴 65 F. 🔲 235/280 F.
✉ ven. et sam. midi.
🄴 🏠 ☎ 🚗 🚂 🍴 CV ● CB

VILLARD SAINT SAUVEUR (B3)
39200 Jura
559 m. • 588 hab.

5 km Sud Saint Claude par D 290

▲▲▲ HOSTELLERIE «AU RETOUR DE LA
CHASSE» ★★
M. Vuillermoz
☎ 03 84 45 11 32 ⁣℻ 03 84 45 13 95
🛏 14 🔲 300/400 F. ⬛ 33 F.
🍴 90/340 F. 🍴 60 F. 🔲 310/330 F.
✉ 20/30 déc., dim. soir et lun. sauf
juil./15 sept.
🄴 🏠 🄲 ☎ 🚗 🚂 ✚ ✎ 🍴 CV ▯
● CB

SAINT GERMAIN LES ARLAY (A2)
39210 Jura
403 hab. 🄸

▲▲ HOSTELLERIE SAINT GERMAIN ★★
M. Bertin
☎ 03 84 44 60 91 ⁣℻ 03 84 44 63 64
🛏 8 🔲 300/400 F. ⬛ 35 F.
🍴 110/215 F. 🍴 60 F. 🔲 300 F.
✉ 16 oct./5 nov.
🄴 🄳 🏠 ☎ 🚗 ⛵ 🍴 ● CB

SAINT LAURENT EN GRANDVAUX (B2)
39150 Jura
950 m. • 1800 hab. 🄸

▲▲ DE LA POSTE ★★
M. Faivre
☎ 03 84 60 15 39 ⁣℻ 03 84 60 89 03
🛏 10 🔲 210/220 F. ⬛ 30/ 38 F.
🍴 75/108 F. 🍴 40 F. 🔲 210 F.
✉ 1er/15 mai et nov.
🄴 🄳 🏠 ☎ 🚗 ⛵ 🛏 ● CB

SAINT MAURICE CRILLAT (B2-3)
39130 Jura
800 m. • 250 hab.

▲ AU BON SEJOUR
Mme Picard
☎ 03 84 25 82 80 ⁣℻ 03 84 25 29 01
🛏 7 🔲 135/200 F. ⬛ 19 F. 🍴 65/150 F.
🍴 35 F. 🔲 150/180 F.
✉ 2ème semaine avr., dernière semaine
sept., 15 nov./5 déc. et dim. soir.
🏠 ☎ 🚗 🍴 ● CB

SAINT PIERRE (B2)
39150 Jura
900 m. • 250 hab.

▲ DE LA FORET ★★
Mme Thevenin
☎ 03 84 60 12 86
🛏 10 🔲 150/250 F. ⬛ 33 F.
🍴 65/170 F. 🍴 45 F. 🔲 170/220 F.
🏠 ☎ 🚗 🚂 🍴 CV ▯ ●

SALINS LES BAINS (B2)
39110 Jura
3950 hab. 🛈

AA GRAND HOTEL DES BAINS ★★
Place des Alliés. M. Petitguyot
☎ 03 84 37 90 50 **FAX** 03 84 37 96 80
🛏 **👤** 31 🅂 235/395 F. 🍽 40 F.
🍴 230/290 F.
⌧ 4/25 janv., et dim. midi/lun. midi
15 oct./15 avr.
[icons]

A LES DEUX FORTS ★
Place du Vigneron. Mme Prost
☎ 03 84 37 93 75
🛏 **👤** 17 🅂 160/280 F. 🍽 30 F.
🍴 92/200 F. 🍴 40 F. 🍴 230/260 F.
⌧ 3 nov./3 déc.
[icons]

SAMPANS (A1)
39100 Jura

>>> *voir DOLE*

SEPTMONCEL (B3)
39310 Jura
1000 m. • 606 hab.

AA LES MONTS JURA
Route de Genève. M. Quessada
☎ 03 84 41 60 63 **FAX** 03 84 41 60 41
🛏 **👤** 10 🅂 160/210 F. 🍽 32 F.
🍴 65/250 F. 🍴 45 F. 🍴 250/290 F.
⌧ 26 oct./4 nov. (vac.Toussaint) et mer.
hs.
[icons]

Le VAUDIOUX (B2)
39300 Jura
>>> *voir CHAMPAGNOLE*

VILLARD SAINT SAUVEUR (B3)
39200 Jura
>>> *voir SAINT CLAUDE*

VOITEUR (A2)
39210 Jura
810 hab.

A DU CERF
M. Outhier
☎ 03 84 85 26 85 **FAX** 03 84 44 68 25
🛏 **👤** 9 🅂 190/230 F. 🍽 30 F. 🍴 80/135 F.
🍴 50 F. 🍴 200 F.
[icons]

For 1997 Logis de France offer a new Guest Loyalty
Card. Please see the appendix at the back of the
guidebook.

**Liste des
hôtels-restaurants**

Haute-
Saône

La Terrasse - 70 - Villersexel

**Association départementale
des Logis de France de la Haute-Saône**

C.D.T. - Maison du Tourisme
Le Rialto, rue des Bains
B.P. 117
70002 Vesoul Cedex
Téléphone 03 84 75 43 66

FRANCHE-COMTÉ

Vesoul
70
HAUTE-SAÔNE
90
Belfort
25 DOUBS
Besançon
39 JURA
Lons-le-Saunier

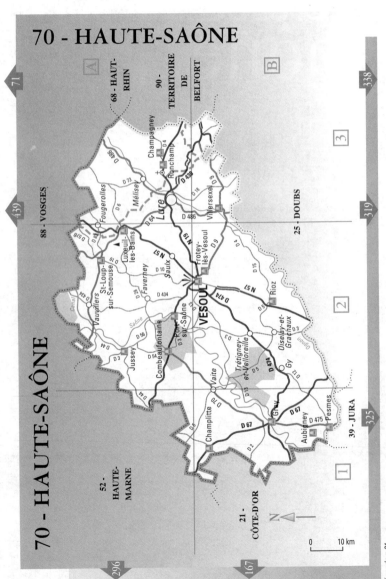

70 - HAUTE-SAÔNE

70 - HAUTE-SAÔNE

71
439
296
167
325
319
338

A
B
3
2
1

68 - HAUT-RHIN
90 - TERRITOIRE DE BELFORT
88 - VOSGES
25 - DOUBS
52 - HAUTE-MARNE
39 - JURA
21 - CÔTE-D'OR

Champagney
Ronchamp
Champagney
Lure
Mélisey
Fougerolles
Villersexel
Froteylès-Vesoul
Luxeuilles-Bains
Saulx
Faverney
St-Loupsur-Semouse
Vauvillers
VESOUL
Rioz
Oiselay-et-Grachaux
Port-sur-Saône
Combeaufontaine
Jussey
Trétigney-et-Velloreille
Gy
Vaite
Pesmes
Champlitte
Gray
Aubigney

D 486
D 64
D 73
D 6
D 438
D 19
D 18
D 9
N 57
N 19
D 9
D 10
D 15
D 434
D 28
D 3
D 44
D 56
D 54
D 3
D 474
D 5
D 3
D 13
D 70
D 67
D 475
D 67
D 2

Saône
Canal
Ognon

N
0   10 km

Légende p 21

334

AUBIGNEY (B1)
70140 Haute Saône
80 hab.

▲▲ AUBERGE DU VIEUX MOULIN ★★
Mme Mirbey
☎ 03 84 31 61 61　FAX 03 84 31 62 38
🛏 7 ⌖ 295/370 F. 🍽 45 F.
🍴 100/300 F. 🍴 55 F. 🛏 330 F.
✉ 15 déc./15 fév. sauf réservation, dim.
et lun. midi hs.
[E] [🗆] [i] [☎] [🚗] [🚙] [🏊] [🚴] [🎿] [:⦂] [☜] [CB]

CHAMPAGNEY (A3)
70290 Haute Saône
3290 hab.

▲▲ DU COMMERCE ★★
4, av. Général Brosset.
Mme Angly
☎ 03 84 23 13 24　FAX 03 84 23 24 33
🛏 20 ⌖ 150/250 F. 🍽 25/ 30 F.
🍴 70/250 F. 🍴 50 F. 🛏 190/220 F.
✉ lun. hs.
[E] [D] [i] [🗆] [☎] [🚗] [🚙] [🎿] [🚴] [🎿] [CV] [:⦂]
[☜] [CB]

CHAMPLITTE (B1)
70600 Haute Saône
2050 hab. [i]

▲ HENRI IV ★★
15, rue du Bourg.
M. Brasey
☎ 03 84 67 66 81　FAX 03 84 67 80 65
🛏 10 ⌖ 150/350 F. 🍽 25 F.
🍴 80/250 F. 🍴 45 F. 🛏 170/200 F.
✉ lun. soir et mar. 1er oct./1er juin.
[E] [D] [🗆] [☎] [🚗] [🚙] [🎿] [CV] [:⦂] [☜] [CB]

▲ LE DONJON ★★
46, rue de la République. M. Maillot
☎ 03 84 67 66 95　FAX 03 84 67 81 06
🛏 12 ⌖ 150/200 F. 🍽 30 F.
🍴 65/200 F. 🍴 40 F. 🛏 170/195 F.
✉ ven. hs.
[E] [D] [SP] [i] [🗆] [☎] [CV] [:⦂] [☜] [CB]

COMBEAUFONTAINE (A2)
70120 Haute Saône
500 hab. [i]

▲▲▲ DU BALCON ★★
M. Gauthier
☎ 03 84 92 11 13 ＼ 03 84 92 14 63
FAX 03 84 92 15 89
🛏 17 ⌖ 200/380 F. 🍽 40 F.
🍴 145/380 F. 🍴 80 F. 🛏 220/280 F.
✉ 30 juin/9 juil., 29 déc./13 janv., dim.
soir et lun.
[E] [D] [🗆] [☎] [🚗] [🚙] [🎿] [:⦂] [☜] [CB]

FROTEY LES VESOUL (B2)
70000 Haute Saône
1455 hab.

▲▲ EUROTEL ★★
2, impasse Bel Air. M. Harroué
☎ 03 84 75 49 49　FAX 03 84 76 55 78

🛏 20 ⌖ 290 F. 🍽 35 F. 🍴 100/350 F.
🍴 60 F. 🛏 240/300 F.
✉ dim. soir.
[E] [i] [🗆] [🗆] [☎] [🚗] [🚙] [↦] [:⦂] [☜] [CB]

GRAY (B1)
70100 Haute Saône
12000 hab. [i]

▲ BELLEVUE ★★
1, av. Carnot. MeM. Palluzzano
☎ 03 84 64 53 50　FAX 03 84 64 53 69
🛏 15 ⌖ 160/200 F. 🍽 27 F.
🍴 69/160 F. 🍴 40 F. 🛏 177/201 F.
✉ sam. soir et dim. soir.
Toussaint/Pâques. Rest. déc.
[E] [🗆] [☎] [🚗] [🚙] [🍴] [🎿] [CV] [:⦂] [☜] [CB]

▲▲ LE FER A CHEVAL ★★
9, av. Carnot. M. Morlot
☎ 03 84 65 32 55　FAX 03 84 65 42 63
🛏 46 ⌖ 190/245 F. 🍽 30 F.
🍴 55/135 F. 🍴 40 F. 🛏 200/220 F.
✉ 21 déc./5 janv.
[E] [D] [🗆] [☎] [🚗] [🚙] [🍴] [🎿] [☜] [CB]

JUSSEY (A2)
70500 Haute Saône
2400 hab. [i]

▲▲ CHRISTINA ★★
M. Pheulpin
☎ 03 84 68 16 22　FAX 03 84 68 06 21
🛏 10 ⌖ 170/300 F. 🍽 35 F.
🍴 64/210 F. 🍴 40 F. 🛏 220 F.
✉ 1er/15 janv. et dim. soir.
[E] [D] [🗆] [☎] [🚗] [🚙] [↦] [:⦂] [CV] [:⦂] [☜] [CB] [▬]

LUXEUIL LES BAINS (A2)
70300 Haute Saône
9000 hab. [i]

▲▲ BEAU SITE ★★★
18, rue Georges Moulinard.
MeM. Althoffer/Lalloz
☎ 03 84 40 14 67　FAX 03 84 40 50 25
🛏 33 ⌖ 220/360 F. 🍽 40 F.
🍴 85/200 F. 🍴 60 F. 🛏 225/290 F.
✉ rest. ven. soir et dim. soir 15 nov./
15 mars.
[E] [D] [SP] [🗆] [🗆] [☎] [🚗] [🚙] [▬] [🍴] [🎿] [🎿]
[CV] [:⦂] [☜] [CB] [▬] [GR]

▲▲ DE FRANCE ★★
6, rue Clémenceau.
MeM. Pesenti/Douheret
☎ 03 84 40 13 90　FAX 03 84 40 33 12
🛏 17 ⌖ 200/300 F. 🍽 30 F.
🍴 70/175 F. 🍴 45 F. 🛏 180/215 F.
✉ rest. ven. soir et dim. soir
1er nov./1er mai sauf pension.
[E] [D] [🗆] [☎] [🚗] [🚙] [🍴] [🎿] [☜] [CB]

▲ DE LA POSTE ★★
(A Saint-Sauveur, 7, rue Clémenceau).
Mme Bosser
☎ 03 84 40 16 02　FAX 03 84 40 17 45
🛏 32 ⌖ 110/210 F. 🍽 30 F.
🍴 65/150 F. 🍴 50 F. 🛏 290/320 F.
[D] [🗆] [☎] [🚗] [🍴] [CV] [:⦂] [CB]

LUXEUIL LES BAINS (A2) (suite)

DU LION VERT ★★
16, rue Carnot. M. Lack
☎ 03 84 40 50 66   FAX 03 84 93 65 45
🛏 18 ⊗ 105/245 F. 🍽 24 F.
🍴 52/110 F. 🅰 35 F. 🅼 150/205 F.
⊠ dim.
E D 📷 ☎ 🛏 🛏 CV 📶 ♥ CB

PESMES (B1)
70140 Haute Saône
1100 hab. ℹ

DE FRANCE ★★
MM. Vieille
☎ 03 84 31 20 05
🛏 10 ⊗ 190/240 F. 🍽 35 F.
🍴 90/170 F. 🅰 45 F. 🅼 220 F.
E D 📷 ☎ 🛏 🌴 🦽 CV 📶 ♥ CB

PORT SUR SAONE (A2)
70170 Haute Saône
2650 hab. ℹ

DES VOYAGEURS ★★
2, av. de la Gare. M. Bornier
☎ 03 84 91 52 30   FAX 03 84 91 55 91
🛏 14 ⊗ 170/250 F. 🍽 25 F.
🍴 60/145 F. 🅰 38 F. 🅼 200/230 F.
⊠ Noël/Nouvel An, sam. soir et dim.
E 📷 ☎ 🦽 CV ♥ CB

RIOZ (B2)
70190 Haute Saône
889 hab.

LE LOGIS COMTOIS ★★
111, rue Charles de Gaulle. Mme Belot
☎ 03 84 91 83 83
🛏 27 ⊗ 155/240 F. 🍽 32 F.
🍴 78/145 F. 🅰 52 F. 🅼 185/230 F.
⊠ 16 déc./27 janv., dim. soir et lun.
midi.
E 📷 ☎ 🛏 🌴 ♥ CB 📺

RONCHAMP (A3)
70250 Haute Saône
3000 hab. ℹ

CARRER ★★
(Le Rhien). Mme Frachebois
☎ 03 84 20 62 32   FAX 03 84 63 57 08
🛏 22 ⊗ 155/210 F. 🍽 28 F.
🍴 55/220 F. 🅰 40 F. 🅼 160/190 F.
E D ℹ 📷 📷 ☎ 🛏 🌴 🦽
🦽 CV 📶 ♥ CB

LA POMME D'OR ★★
Mme Cenci
☎ 03 84 20 62 12   FAX 03 84 63 59 45
🛏 34 ⊗ 140/240 F. 🍽 30 F.
🍴 53/210 F. 🅰 38 F. 🅼 190/230 F.
E D ℹ 📷 ☎ 🛏 🛏 ⬍ ⤢ CV 📶 ♥ CB

SAINT LOUP SUR SEMOUSE (A2)
70800 Haute Saône
5000 hab. ℹ

LE TRIANON ★★
13, place Jean-Jaurès. M.Me Billon
☎ 03 84 49 00 45   FAX 03 84 94 22 34
🛏 13 ⊗ 180/260 F. 🍴 100/240 F.
🅼 45 F. 🅼 235/275 F.
⊠ sam. midi sept./avr.
E 📷 ☎ 🛏 🅰 CV ♥ CB

VESOUL (B2)
70000 Haute Saône
20000 hab. ℹ

AUX VENDANGES DE BOURGOGNE ★★
49, bld Général de Gaulle. Mme Prudon
☎ 03 84 75 81 21 \ 03 84 75 12 09
FAX 03 84 76 14 44
🛏 28 ⊗ 160/250 F. 🍴 70/160 F.
🅼 283/320 F.
E 📷 📷 ☎ 🛏 🅰 CV 📶 ♥ CB

VILLERSEXEL (B3)
70110 Haute Saône
1500 hab. ℹ

DE LA TERRASSE ★★
M. Eme
☎ 03 84 20 52 11   FAX 03 84 20 56 90
🛏 15 ⊗ 200/280 F. 🍽 30 F.
🍴 65/260 F. 🅰 44 F. 🅼 200/260 F.
⊠ 17 déc./2 janv., ven. soir et dim. soir
hs.
E SP 📷 ☎ 🛏 🌴 🦽 ⊙ CV 📶 ♥ CB
📺 🍴

DU COMMERCE ★★
1, rue du 13 Septembre. M. Mougin
☎ 03 84 20 50 50   FAX 03 84 20 59 57
🛏 17 ⊗ 160/230 F. 🍽 35 F.
🍴 60/240 F. 🅰 42 F. 🅼 185/225 F.
⊠ 1er/13 janv., 5/19 oct. et dim. soir.
📷 ☎ 🛏 🛏 CV 📶 ♥ CB 📺 🍴

Liste des hôtels-restaurants

Territoire de Belfort

C.R.T. Franche-Comté / D. Rondot

Association départementale
des Logis de France du Territoire de Belfort
C.C.I.
1 rue du Docteur Fréry - B.P. 199
90004 Belfort Cedex
Téléphone 03 84 54 54 54

FRANCHE-COMTÉ

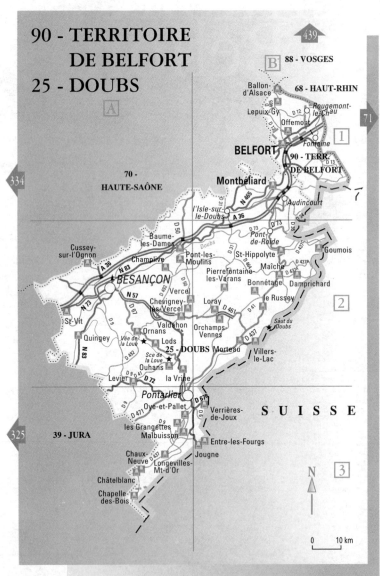

90 - TERRITOIRE DE BELFORT
25 - DOUBS

A

439

B   88 - VOSGES

68 - HAUT-RHIN

Ballon d'Alsace
Lepuix-Gy   D 12   Rougemont-le-Chau
Offemont
Fontaine   1
71

BELFORT   90 - TERR. DE BELFORT

Montbéliard   D 13

334

70 - HAUTE-SAÔNE

N 465   Audincourt   D 34

l'Isle-sur-le-Doubs   A 36

D 73   Pont-de-Roide   D 437

Doubs   D 41

Baume-les-Dames   St-Hippolyte   Goumois

Cussey-sur-l'Ognon   Pont-les-Moulins   Maîche   D 437

Champlive   Pierrefontaine-les-Varans   D 431

A 36   N 83   Bonnétage   Damprichard

BESANÇON   D 492   le Russey

N 73   Vercel   2

St-Vit   N 57   D 67   Chevigney-lès-Vercel   Loray   D 461   D 41   Saut du Doubs

D 9   Valdahon   D 437

Quingey   Vée de la Loue   Ornans   Orchamps-Vennes   Villers-le-Lac

N 83   D 492   Lods   25 - DOUBS   Morteau

Sce de la Loue   Ouhans

Levier   D 9 D 41   la Vrine

D 72

325   Pontarlier   D 61b

Oye-et-Pallet   D 6   Verrières-de-Joux   S U I S S E

39 - JURA   les Grangettes   D 9

Malbuisson   Entre-les-Fourgs

Chaux-Neuve   Longevilles-Mt-d'Or   Jougne

Châtelblanc

Chapelle-des-Bois

N

3

0   10 km

Légende p 21

338

BALLON D'ALSACE (LEPUIX GY) (B1)
90200 Territoire de Belfort
1250 m. • 12 hab. ⓘ

ᴬᴬ DU SAUT DE LA TRUITE ★★
M. Goepfert
☎ 03 84 29 32 64   ᶠᴬˣ 03 84 29 57 42
⬚ 🛏 7 ⬧ 240 F. ◼ 33 F. 🍽 90/180 F.
📶 30 F. 🎯 280 F.
⊠ 1er déc./31 janv. et ven. sauf
juil./août.
🅴 🅳 ⬚ ☎ ⬚ ⍢ ⌂ ⚹ CV ⬛ CB

ᴬ GRAND HOTEL DU SOMMET ★★
M. Rémy
☎ 03 84 29 30 60   ᶠᴬˣ 03 84 23 95 60
⬚ 🛏 19 ⬧ 200/300 F. ◼ 30 F.
🍽 80/120 F. 📶 38 F. 🎯 215 F.
🅴 🅳 ⬚ ☎ ⬚ ⌂ CV ⬛ ⬛ CB

BELFORT (B1)
90000 Territoire de Belfort
55000 hab. ⓘ

ᴬᴬ LES CAPUCINS ★★
20, faubourg de Montbéliard.
Mme Girods
☎ 03 84 28 04 60   ᶠᴬˣ 03 84 55 00 92
🛏 35 ⬧ 270/320 F. ◼ 35 F.
🍽 90/195 F. 📶 60 F. 🎯 260/280 F.
⊠ 26 juil./11 août, 19 déc./5 janv. Rest.
sam. midi et dim. été, sam. et dim.
hiver.
🅳 ⬚ ☎ ⬚ ⬚ ⍢ ⍢ CV ⬛ CB

ᴬ SAINT CHRISTOPHE ★★
Place d'Armes. Mme Goize
☎ 03 84 55 88 88   ᶠᴬˣ 03 84 54 08 77
🛏 41 ⬧ 260/300 F. ◼ 34 F.
🍽 60/180 F. 📶 50 F. 🎯 220/240 F.
⊠ 24 déc./2 janv. Rest. dim.
🅴 SP ⬚ ☎ ⍢ ⍢ CV ⬛ CB

OFFEMONT (B1)
90300 Territoire de Belfort
4300 hab.

ᴬᴬ MON VILLAGE ★★
53, rue Aristide Briand. M. Mougenot
☎ 03 84 54 82 00   ᶠᴬˣ 03 84 26 18 50
🛏 30 ⬧ 220/240 F. ◼ 30 F.
🍽 60/180 F. 📶 35 F. 🎯 235/270 F.
🅴 🅳 ⬚ ⬚ ☎ ⬚ ⍢ ⍖ ⚹ CV ⬛ ⬛
CB ▣

**Die Logis de France bieten Ihnen für 1997 eine neue
Mitgliedskarte. Schlagen Sie dafür in den Seiten am
Ende des Reiseführers nach.**

COMITÉ RÉGIONAL DU TOURISME
ILE-DE-FRANCE

Ile-de-France

ILE-DE-FRANCE

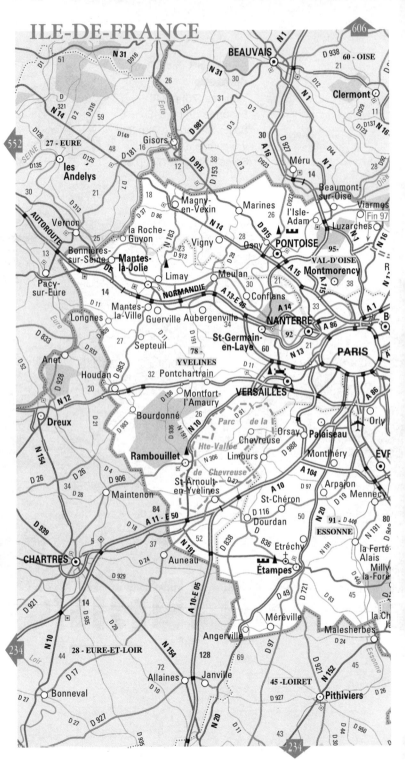

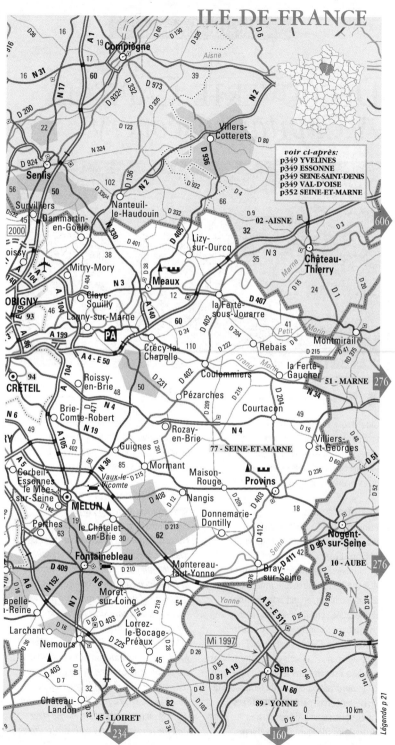

ILE-DE-FRANCE

voir ci-après:
p349 YVELINES
p349 ESSONNE
p349 SEINE-SAINT-DENIS
p349 VAL-D'OISE
p352 SEINE-ET-MARNE

Compiègne

Villers-Cotterets

02 -AISNE

Château-Thierry

Senlis

Survilliers

Dammartin-en-Goële

Nanteuil-le-Haudouin

Lizy-sur-Ourcq

Mitry-Mory

Meaux

Claye-Souilly

Lagny-sur-Marne

la Ferté-sous-Jouarre

Montmirail

PA

Crécy-la-Chapelle

Rebais

la Ferté-Gaucher

51 - MARNE

CRÉTEIL

Roissy-en-Brie

Coulommiers

Pézarches

Brie-Comte-Robert

Courtacon

Rozay-en-Brie

Villiers-st-Georges

77 - SEINE-ET-MARNE

Guignes

Mormant

Corbeil-Essonnes
le Mée-sur-Seine

Maison-Rouge

Provins

Vaux-le-Vicomte

MELUN

Nangis

Donnemarie-Dontilly

Perthes

le Châtelet-en-Brie

Nogent-sur-Seine

Fontainebleau

Montereau-faut-Yonne

10 - AUBE

Bray-sur-Seine

Moret-sur-Loing

Chapelle-la-Reine

Larchant

Lorrez-le-Bocage-Préaux

Mi 1997

Nemours

Château-Landon

Sens

45 - LOIRET

89 - YONNE

0   10 km

Légende p 21

DÉCOUVERTE CAPITALE
A Capital Discovery

C.R.T. Ile-de-France / G. Vivien

GIGANTESQUE RÉSERVE D'IMAGES
ET D'ÉMOTIONS, L'ILE-DE-FRANCE RESTE
À DÉFRICHER. SI VOUS AVEZ UNE ÂME
DE ROBINSON, UN VENDREDI, UN SAMEDI
OU UN DIMANCHE DE LIBRE…

Les quatre saisons

Printemps festif à Paris, quand
des sculptures apparaissent sur les
Champs-Elysées. Eté médiéval à Provins,
où chevaliers et troubadours prennent
d'assaut les remparts. Automne animalier
à Fontainebleau, quand la forêt bruisse
d'une faune si bien préservée. Hiver
triomphal à Saint-Denis, où se construit
la voie royale d'accès au stade de France.
L'Ile-de-France a le sens des quatre saisons
et laisse à ses visiteurs le soin
de l'improvisation. Au gré du temps, il faut
se laisser bercer par les fugues de ses
rivières, les sonates de ses villages, les javas
de ses bords de Marne, les requiems

*ILE-DE-FRANCE, A GIGANTIC SOURCE OF IMAGES
AND EMOTIONS, ALWAYS OFFERS MORE TO
EXPLORE. SO IF YOU HAVE THE SOUL OF ROBINSON,
A FREE FRIDAY, SATURDAY OR SUNDAY…*

The Four Seasons

*Springtime is festive in Paris with
exhibitions of sculpture on the Champs-
Elysées. Summer is medieval in Provins
when the knights and troubadours take
over the remparts. Autumn is for animals
at Fontainebleau when the forest rustles to
the sound of its inhabitants. And winter is
triumphal at Saint-Denis where the
principal access to the Stadium of France
is being constructed. Ile-de-France offers
the delights of all four seasons and allows
the visitor to improvise. Depending on
the weather, you should let yourself be
lulled by the rivers, the village sonatas, the
"javas" on the banks of the Marne river
and the requiems in the cathedrals. Under*

de ses cathédrales. Histoire de sentir à quel point, sous ses grands airs, la région capitale a le cœur tendre…

A l'improviste

Peut-être parce qu'il y coule encore le sang des bâtisseurs de cathédrales. Il est vrai qu'il n'y a qu'un pas, des cités fortifiées de Provins, Dourdan, Nemours ou Egreville, aux marches grises de l'opéra Bastille. Un souffle, entre le château de Maisons-Lafitte et la Grande Arche de la Défense. Une éternité, de la basilique de Saint-Denis à la cathédrale d'Evry, des fils de Capet aux architectes du siècle, nouveaux princes des villes. De là à traverser, mine de rien, un millénaire d'histoire de France, il n'y a qu'un pas. A franchir en toute liberté car, ici, les promenades sans but en trouvent toujours un, de préférence à l'improviste. Rien de tel qu'une excursion sur la Seine, qui entraîne dans ses méandres toutes les humeurs de la ville, pour apprendre, à la vitesse extravagante de 8 kilomètres à l'heure, comment ralentir le cours du temps. Rien de plus émouvant qu'un détour impressionniste du côté d'Auvers-sur-Oise, de Giverny ou de l'île de Châtou, sur les traces de Van Gogh, Monet ou Renoir. Rien de plus grisant que de découvrir, de façon impromptue, un ancien gué, un moulin immobile, et quelques mètres de berges où passèrent, jadis, des chevaux de halage.

Attractions

Aux alentours, le château de Fontainebleau entraîne les tout petits sur les pas de Vinci et

C.R.T. Ile-de-France / B. Plessy

its dignified air, the capital region has a heart as soft as butter.

Leaving it up to Chance

Is it because the blood of the cathedral builders still runs thick in this area? It is certainly true that little separates the fortified towns of Provins, Dourdan, Nemour or Egreville from the grey steps of the Bastille Opera, or the château of Maisons-Lafitte from the Grand Arche at La Défense. Yet there is an eternity between the basilica at Saint-Denis and the cathedral at Evry, between the sons of Capet and the architects of this century, the new princes of the city. In one short step you can cross a milenium of French history. This step should be taken without too much premeditation because your wanderings

KAPITALE ENTDECKUNG

Ein gigantischer Schatz von Bildern und Erlebnissen: die Ile-de-France bleibt zu entdecken. Lassen Sie sich wiegen von den Fugen ihrer Flüsse, den Sonaten ihrer Dörfer, den volkstümlichen 'Javas' an den Marneufern, den Requien ihrer Kathedralen… selbst wenn es nur für ein Wochenende ist.

BELANGRIJKSTE ONTDEKKING

Met een gigantische reserve van beelden en emoties moet de Ile-de-France nog worden ontgonnen. Laat u zich wiegen door de loop van haar rivieren, de sonates van haar dorpen, de java's van de oevers van de Marne, de requiems van haar kathedralen … Al is het maar voor de duur van een weekend.

de Napoléon, deux de ses illustres hôtes, tandis que les acrobates se font les griffes sur les rochers environnants. L'Argonaute est à quai dans le parc magique de la Villette, et le Chat Botté fabule encore dans celui du château de Breteuil. Foire du Trône et Fête à Neu-Neu ne retournent les estomacs que pour mieux les gâter de gaufres et niniches. Mickey fait son show et Alice reçoit pour le goûter, non loin de la maison hantée de la Belle au Bois Dormant à Marne-la-Vallée. Enfin, avec son ineffable bonne humeur, Auguste achève de conquérir les grands enfants au Cirque de Paris. Qui dit qu'on ne rit pas en Ile-de-France ?

C.R.T. Ile-de-France

here will always lead you to something interesting. There is nothing better than a trip on the Seine, which meanders through all the city's facets, to find out at the excessive speed of 8 kilometres an hour how to slow down the passage of time. Nothing more moving than an impressionist detour in the direction of Auvers-sur-Oise, Giverny or île de Chatou, following Van Gogh, Monet and Renoir's footsteps. Nothing more exhilarating than discovering, quite by chance, an old ford, a disused windmill or a few metres of towpath where the barge horses used to pass.

Attractions

Nearby, the château at Fontainebleau invites young children to follow the footsteps of de Vinci and Napoléon, two of its illustrious guests, while acrobats will improve their dexterity on the surrounding rocks. The Argonaut is docked in the fantasy park at La Villette, and Puss in Boots is still dreaming in the park at the Château de Breteuil. The Foire du Trône and the Fête à Neu-Neu will relieve your stomach with waffles and "niniches," while Mickey puts on his show and Alice gives a tea-party right next to the haunted house of Sleeping Beauty in Marne-la-Vallée. Finally, with his ineffable good humour, Auguste wins over the grown-up children at the Cirque de Paris. Who says we don't laugh in Ile-de-France?

DESCUBRIMIENTO CAPITAL

Gigantesca reserva de imágenes y emociones, l'Ile de France aún está por desbrozar. Déjese acunar por las fugas de sus ríos, las sonatas de sus pueblos, las javas de las orillas del Marne, los réquiems de sus catedrales..., aunque sólo sea durante un fin de semana.

SCOPERTA CAPITALE

Gigantesca riserva di immagini e di emozioni, l'Ile de France rimane da scoprire. Lasciatevi cullare dalle fughe dei suoi fiumi, dalle sonate dei suoi villaggi, dalle javas delle rive della Marna e dai requiem delle sue cattedrali... anche per un solo week–end.

Soupe à l'oignon

Ingrédients

Pour 4 à 6 personnes
- 1 litre 1/2 de bouillon
- 6 oignons
- 60 g de beurre
- 80 g de farine
- 150 g de gruyère râpé (facultatif)

Recette

- Eplucher et émincer les oignons. Les faire revenir dans le beurre chaud jusqu'à ce qu'ils aient pris une belle couleur dorée. Saupoudrer avec la farine, la laisser brunir, arroser avec le bouillon chaud et laisser cuire 10 minutes. Saler, poivrer. Verser la soupe sur les tranches de pain grillé.
- Servir ainsi, ou saupoudrer de gruyère râpé bien gratiné.

Yvelines
Essonne

C.R.T. Ile-de-France/ G. Vivien

Seine-St-Denis
Val-d'Oise

Association départementale des Logis de France des Yvelines
C.C.I. - 21 av. de Paris - 78021 Versailles Cedex
Téléphone 01 30 84 79 47

Association départementale des Logis de France de l'Essonne
Chambre Industrielle Touristique et Hôtelière de l'Essonne
2 cours Monseigneur Roméro - 91025 Evry Cedex
Téléphone 01 69 91 07 06

Association départementale des Logis de France du Val-d'Oise
Maison du Tourisme - Château de la Motte
Rue F. de Ganay - 95270 Luzarches - Téléphone 01 34 71 90 00

ILE-DE-FRANCE

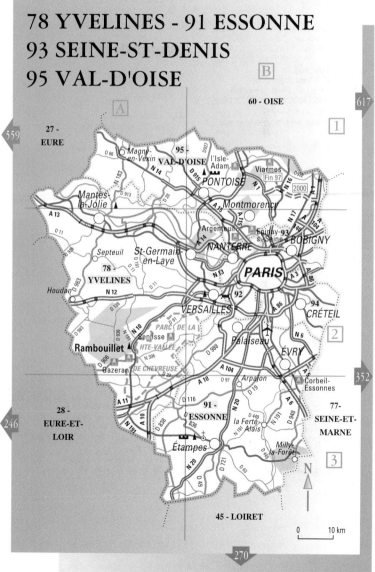

78 YVELINES - 91 ESSONNE
93 SEINE-ST-DENIS
95 VAL-D'OISE

A

B

60 - OISE

617

1

27 - EURE

559

Magny-en-Vexin

95 VAL-D'OISE

l'Isle-Adam

Viarmes
Fin 97

D 915

PONTOISE

N 1

Fin 97

N 16

2000

N 14

D 913

D 28

Montmorency

N 17

A 104

Mantes-la-Jolie

A 13

D 11

Argenteuil

Épinay-s.-Seine

93

BOBIGNY

A 15

A 14

NANTERRE

A 3

A 86

Septeuil

St-Germain-en-Laye

78 - YVELINES

D 983

N 13

PARIS

Houdan

N 12

D 11

92

VERSAILLES

A 86

94

CRÉTEIL

N 10

PARC DE LA

Senlisse

Palaiseau

N 6

2

352

Rambouillet

HTE-VALLÉE

D 988

ÉVRY

A 6

Gazeran

DE CHEVREUSE

A 10

D 104

Arpajon

D 19

Corbeil-Essonnes

A 11

D 116

91 - ESSONNE

N 20

D 449

77- SEINE-ET-MARNE

28 - EURE-ET-LOIR

246

A 10

N 191

D 838

D 836

la Ferté-Alais

N 191

D 948

Milly-la-Forêt

D 448

Étampes

N 20

D 721

D 83

N

45 - LOIRET

3

0   10 km

270

Légende p 21

Yvelines

GAZERAN (A2)
78125 Yvelines
800 hab.

♨ AUBERGE VILLA MARINETTE
20, av. Général de Gaulle. M. Kieger
☎ 01 34 83 19 01 FAX 01 34 83 19 01
☞ 🛏 6 ⬚ 140/200 F. 🍽 30 F. ⅋ 65/180 F.
120F
🍴 50 F.
✉ mar. soir, mer. et dim. soir hs.
Ⓔ 🕭 ♿ ⚏ CB

RAMBOUILLET (A2)
78120 Yvelines
24343 hab. ⓘ

♨ DE LA GARE Rest. LE SEQUOIA ★
17, rue Sadi Carnot. Mme Assel
☎ 01 34 83 03 04 FAX 01 34 83 93 06
☞ 🛏 9 ⬚ 165/240 F. 🍽 30 F. ⅋ 72/150 F.
100F
🍴 35 F. 🚗 240 F.
✉ 1er/20 mai, Noël. Rest. sam. et dim.
sauf groupes.
⚏ 🕭 ♠ CB

SENLISSE (A2)
78720 Yvelines
415 hab.

♨♨♨ LE GROS MARRONNIER ★★
3, place de l'Eglise. Mme Trochon
☎ 01 30 52 51 69 FAX 01 30 52 55 91
☞ 🛏 15 ⬚ 325/385 F. 🍽 40 F.
120F
⅋ 120/295 F. 🍴 55 F. 🚗 250/350 F.
✉ 6/30 janv.,23/26 déc., dim. soir et
lun. midi 15 nov./28 fév.
Ⓔ Ⓓ ⚏ 🕭 🚗 🏊 🕭 ♿ CV 🗜 ♠
CB ⚏

Essonne

CORBEIL ESSONNES (B3)
91100 Essonne
38080 hab. ⓘ

♨♨ AUX ARMES DE FRANCE ★★
1, bld Jean Jaurès. Mme Dejean
☎ 01 64 96 24 04 FAX 01 60 88 04 00
🛏 11 ⬚ 170/210 F. 🍽 32 F.
⅋ 120/235 F. 🍴 120 F. 🚗 250 F.
✉ août, 1er mai, 2 janv. et dim. soir.
Ⓔ ⓘ ⚏ 🕭 🚗 🏊

Seine-Saint-Denis

EPINAY SUR SEINE (B2)
93800 Seine-Saint-Denis
48762 hab. ⓘ

♨♨ AUX MYRIADES ★★
127, route de Saint-Leu. Mme Mainguy
☎ 01 42 35 81 63 FAX 01 42 35 81 62
☞ 🛏 46 ⬚ 280 F. 🍽 35 F. ⅋ 60/120 F.
120F
🍴 44 F. 🚗 242 F.
✉ rest. dim. soir.
Ⓔ ⚏ 🖥 🕭 🚗 ⬧ 🏊 ♿ CV 🗜 ♠ CB
⚏

Val-d'Oise

ARGENTEUIL (B2)
95100 Val-d'Oise
96045 hab.

♨♨ DE L'EUROPE ★★
5 place Pierre Semard. Place de la Gare.
M. Beurel
☎ 01 39 61 65 65\01 39 61 00 34
FAX 01 39 61 09 41
☞ 🛏 35 ⬚ 300 F. 🍽 30 F. ⅋ 69/120 F.
100F
🍴 45 F. 🚗 245 F.
Ⓔ Ⓓ SP ⚏ 🕭 🚗 ⬧ 🏊 🖥 🕭 ♿ CV
🗜 ♠ CB ⚏

L'ISLE ADAM (B1)
95290 Val-d'Oise
9479 hab. ⓘ

♨ LE CABOUILLET ★★
5, quai de l'Oise. M. Guillerm
☎ 01 34 69 00 90 FAX 01 34 69 33 88
🛏 4 ⬚ 280/380 F. 🍽 45 F.
⅋ 145/270 F. 🍴 90 F. 🚗 380/420 F.
✉ vac. scol. fév., dim. soir et lun. sauf
fériés.
Ⓔ Ⓓ 🕭 🏊 🗜 ♠ CB

VIARMES (B1)
95270 Val-d'Oise
3883 hab.

♨ AUBERGE LA RENAISSANCE ★
16, av. Kennedy. Mme Belacel
☎ 01 30 35 40 54 FAX 01 30 35 41 24
🛏 9 ⬚ 180/280 F. 🍽 30 F. ⅋ 59/150 F.
🍴 59 F. 🚗 225/250 F.
✉ 24 déc./1er janv. Rest sam.
Ⓔ ⚏ 🕭 🚗 🚗 ♿ ♠ CB

**Liste des
hôtels-restaurants**

Seine-
et-Marne

C.R.T. Ile-de-France / D. Thierry

Association départementale
des Logis de France de la Seine-et-Marne
Maison du Tourisme - Château de Soubiran
170 avenue H. Barbusse
77190 Dammarie-les-Lys
Téléphone 01 64 10 10 64

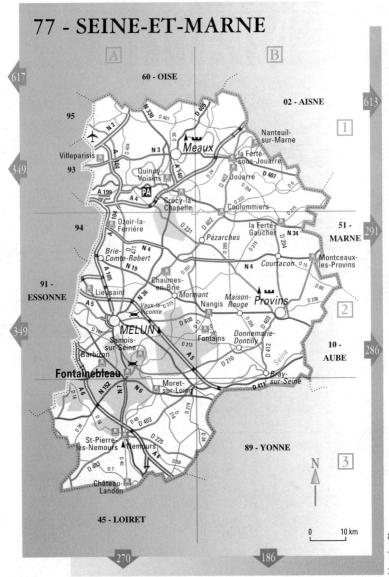

77 - SEINE-ET-MARNE

A · B

60 - OISE

02 - AISNE

95

N 2
Villeparisis
93
N 3
Quincy-Voisins
A 199
A 4 · PA
Crécy-la-Chapelle
Ozoir-la-Ferrière
94
Brie-Comte-Robert
N 4
N 19
Chaumes-en-Brie
Lieusaint
N 36
Vaux-le-Vicomte
MELUN
Samois-sur-Seine
Barbizon
Fontainebleau
N 152 · N · N 6
Moret-sur-Loing
St-Pierre-les-Nemours
Nemours
Château-Landon

Meaux
Nanteuil-sur-Marne
la Ferté-sous-Jouarre
Jouarre
D 407
Coulommiers
D 222
la Ferté-Gaucher
Pézarches
Courtacon
N 34
Montceaux-les-Provins
Provins
Maison-Rouge
Nangis
Mormant
Fontains
Donnemarie-Dontilly
D 412
D 210
Bray-sur-Seine
D 411

91 - ESSONNE

51 - MARNE

10 - AUBE

89 - YONNE

45 - LOIRET

N

0   10 km

Légende p 21

BARBIZON (A2)
77630 Seine-et-Marne
1200 hab. ℹ️

▲▲ LES CHARMETTES ★★
40, Grande Rue. M. Karampournis
☎ 01 60 66 40 21 FAX 01 60 66 49 74
🛏 12 ⌧ 310/440 F. 🍽 45 F.
🍴 155/205 F. 🉐 80 F. 🈺 360/400 F.
Ⓔ SP ℹ 🗆 🕿 🚘 🏖 🕭 ⛱ CV 🔌 CB

CHATEAU LANDON (A3)
77570 Seine-et-Marne
3314 hab. ℹ️

▲ LE CHAPEAU ROUGE ★★
2, Place du Marché. M. Cadi
☎ 01 64 29 30 52 FAX 01 64 29 44 10
100F 🛏 10 ⌧ 160/250 F. 🍽 30 F.
🍴 60/190 F. 🉐 40 F. 🈺 185/230 F.
Ⓔ Ⓓ 🗆 🕿 🔌 CB CR

CHAUMES EN BRIE (A2)
77390 Seine-et-Marne
2200 hab.

▲▲▲ LA CHAUM'YERRES ★★★
1, av. de la Libération.
M.Me Berton
☎ 01 64 06 03 42 FAX 01 64 06 36 15
🛏 9 ⌧ 280/450 F. 🍴 160/285 F.
🉐 70 F. 🈺 345/420 F.
⌧ dim. soir et lun. sauf juil./août.
Ⓔ SP 🗆 🕿 🚘 🚗 🏖 ⛱ 🎿 🕭
CB CR

COULOMMIERS (B1-2)
77120 Seine-et-Marne
13087 hab. ℹ️

▲ DE L'OURS ★★
35, rue B. Flornoy. Mme Magnier
☎ 01 64 03 32 11 FAX 01 64 03 10 58
🛏 15 ⌧ 200/360 F. 🍽 30 F.
🍴 69/210 F. 🉐 50 F. 🈺 210/310 F.
⌧ rest. ven. soir et dim. soir.
Ⓔ 🗆 🕮 🕿 🚘 🚗 CV 🔌 CB

CRECY LA CHAPELLE (A1)
77580 Seine-et-Marne
3000 hab. ℹ️

▲ AU RELAIS GOURMAND ★★
N.34, av. de l'Ensoleillée. M. Di Franco
☎ 01 64 63 92 15 FAX 01 64 63 00 03
100F 🛏 14 ⌧ 200/220 F. 🍽 40 F.
🍴 95/150 F. 🉐 66 F. 🈺 250/285 F.
⌧ rest. dim. soir.
Ⓔ Ⓓ ℹ 🗆 🕿 🚘 ⛱ 🎿 🔌 CB

La FERTE GAUCHER (B2)
77320 Seine-et-Marne
4000 hab. ℹ️

▲▲ DU BOIS FRAIS ★★
32, av. des Alliés. M. Renault
☎ 01 64 20 27 24 FAX 01 64 20 38 39
120F 🛏 7 ⌧ 200/330 F. 🍽 40 F.
🍴 100/155 F. 🉐 50 F. 🈺 175/240 F.
⌧ 24 déc./15 janv., dim. soir et lun.
Ⓔ 🕿 🚘 🚗 ⛱ 🎿 🕭 CV 🔌 🔌 CB

DU SAUVAGE ★★
27, rue de Paris. M. Teinturier
☎ 01 64 04 00 19 FAX 01 64 20 32 95
100F 🛏 14 ⌧ 240/260 F. 🍽 30 F.
🍴 100/199 F. 🉐 50 F. 🈺 200/250 F.
⌧ 2/18 janv., mer., dim. soir 15 oct./
15 avr.
Ⓔ Ⓓ SP 🗆 🕿 🚘 🚗 CV 🔌 🔌 CB 🔌 CR

La FERTE SOUS JOUARRE (B1)
77260 Seine-et-Marne
7000 hab. ℹ️

▲ AU BEC FIN
1, Quai des Anglais. M. Lemaitre
☎ 01 60 22 01 27
🛏 6 ⌧ 195/210 F. 🍽 25 F. 🍴 75/175 F.
🉐 40 F.
⌧ 15 juil./12 août, mar. soir et mer.
🕿 🚘 🚗 CV 🔌 CB

FONTAINEBLEAU (A2)
77300 Seine-et-Marne
20000 hab. ℹ️

▲▲ LE RICHELIEU ★★
4, rue Richelieu. Mlle Gevaudan
☎ 01 64 22 26 46 FAX 01 64 23 40 17
🛏 20 ⌧ 210/300 F. 🍽 35 F.
🍴 75/120 F. 🉐 40 F. 🈺 215/260 F.
Ⓔ 🗆 🕿 🚘 🚗 CV 🔌 CB 🔌

FONTAINS (B2)
77370 Seine-et-Marne
>>> *voir NANGIS*

JOUARRE (B1)
77640 Seine-et-Marne
3000 hab. ℹ️

▲▲ LE PLAT D'ETAIN ★★
6, place Auguste Tinchant. M. Legrand
☎ 01 60 22 06 07 FAX 01 60 22 35 63
🛏 24 ⌧ 300 F. 🍽 30 F. 🍴 92/190 F.
🉐 50 F. 🈺 260 F.
⌧ 20/30 déc., ven. et dim. soir.
Ⓔ 🗆 🕿 🚘 🚗 CV 🔌 🔌 CB 🔌

LIEUSAINT (A2)
77127 Seine-et-Marne
5200 hab. ℹ️

▲▲▲ LE FLAMBOYANT ★★
98, rue de Paris. M.Me Pinkowski
☎ 01 60 60 05 60 FAX 01 60 60 05 32
120F 🛏 71 ⌧ 330 F. 🍽 35 F. 🍴 100/195 F.
🉐 45 F. 🈺 300 F.
Ⓔ Ⓓ 🗆 🕿 🚘 🕭 ⛱ 🎿 🕭 🎿
CV 🔌 🔌 CB 🔌 CR

MONTCEAUX LES PROVINS (B2)
77151 Seine-et-Marne
312 hab.

▲ LA CHAUMIERE ★★
Mme Yacono
☎ 01 64 01 26 12 ╲ 01 64 01 26 13
FAX 01 64 01 20 49
120F 🛏 10 ⌧ 180/240 F. 🍽 30 F.
🍴 78/180 F. 🉐 50 F. 🈺 175 F.
🗆 🕿 🚘 🕭 ⛱ 🎿 🔌 🔌

MORET SUR LOING (A3)
77250 Seine-et-Marne
4200 hab. ⓘ

▲▲ AUBERGE DE LA TERRASSE ★★
40, rue de la Pêcherie. M. Mignon
☎ 01 60 70 51 03 FAX 01 60 70 51 69
🛏 20 ◈ 265/380 F. ⬛ 39 F.
🍴 100/172 F. 🍴 60 F. 🛏 250/320 F.
⊠ 17 nov./1er déc. Rest. dim. soir et
lun. sauf jours fériés.
🄴 SP 🖳 ☎ 🕇 ◐ 🐾 CB CR

NANGIS (B2)
77370 Seine-et-Marne
7005 hab. ⓘ

▲▲ HOSTELLERIE LE DAUPHIN ★★
14, rue du Dauphin. M. Magnen
☎ 01 64 08 00 27 FAX 01 64 08 12 97
🛏 13 ◈ 220/300 F. ⬛ 38 F.
🍴 135/235 F. 🍴 49 F. 🛏 215/270 F.
⊠ 5/19 fév., 23 juil./13 août, dim. soir
et mer.
🖳 ☎ 🚗 ◐ 🐾 CB

▲▲ LA BARAQUE ★★
16, route de Paris. M. Bequignon
☎ 01 64 08 01 91 FAX 01 64 08 77 01
🛏 6 ◈ 200/240 F. ⬛ 40 F. 🍴 80/145 F.
🍴 50 F. 🛏 240/280 F.
⊠ 3/24 août, 23 déc./3 janv. et dim.
🄴 🖳 ☎ 🚗 📺 🐾

... *à proximité*

FONTAINS (B2)
77370 Seine-et-Marne
223 hab.

2 km Sud Nangis par D 201

▲▲ LES BILLETTES ★★
Sur D.201.(à 2 Km de Nangis). M. Farjon
☎ 01 64 08 22 50 FAX 01 64 60 97 56
🛏 11 ◈ 150/210 F. ⬛ 20 F.
🍴 78/135 F. 🍴 50 F. 🛏 230/260 F.
⊠ rest. lun.
🄴 🖳 ☎ 🚗 🐾 🕇 🎿 CV ◉ 🐾 CB

NANTEUIL SUR MARNE (B1)
77730 Seine-et-Marne
305 hab.

▲▲ AUBERGE DU LION D'OR ★★
2, rue du Bac. M. Masson
☎ 01 60 23 62 21
🛏 7 ◈ 200/240 F. ⬛ 25 F. 🍴 70/150 F.
🍴 45 F. 🛏 200 F.
⊠ 15 janv./2 mars, 16 août/7 sept., dim.
soir et mer.
🄴 🖳 ☎ 🕇 🐾 🐾 CB

NEMOURS (A3)
77140 Seine-et-Marne
11676 hab. ⓘ

▲▲ L'ECU DE FRANCE ★★
3-5-7, rue de Paris. M. Happart
☎ 01 64 28 11 54 FAX 01 64 45 03 65

🛏 24 ◈ 145/265 F. ⬛ 29 F.
🍴 98/265 F. 🍴 56 F. 🛏 225/245 F.
🄴 🄳 🖳 ☎ 🚗 🚗 CV ◉ CB

OZOIR LA FERRIERE (A2)
77330 Seine-et-Marne
18000 hab. ⓘ

▲▲ AU PAVILLON BLEU ★★
108, av. Général Leclerc.
M. Ferrière
☎ 01 64 40 05 56 FAX 01 64 40 29 74
120F 🛏 38 ◈ 230 F. ⬛ 30 F. 🍴 62/250 F.
🍴 50 F. 🛏 200 F.
⊠ dim. soir.
🄴 🄳 ⓘ 🖳 ☎ 🚗 🐾 🕇 CV ◉ 🐾
CB 🄌 CR

QUINCY VOISINS (A1)
77860 Seine-et-Marne
3969 hab.

▲ AUBERGE DE LA DEMI-LUNE ★
74, av. Foch. M. Pécheu
☎ 01 60 04 11 09
🛏 7 ◈ 190/240 F. ⬛ 35 F. 🍴 95/195 F.
🍴 64 F. 🛏 238 F.
⊠ dim. soir et lun. sauf mai/fin août.
🄴 SP 🖳 ☎ 🕇 🐾 CB 🄌 CR

SAINT PIERRE LES NEMOURS (A3)
77140 Seine-et-Marne
5500 hab. ⓘ

▲▲ LES ROCHES ★★
Av. d'Ormesson /1, av. Pelletier.
M. Paillassa
☎ 01 64 28 01 43 FAX 01 64 28 04 27
120F 🛏 10 ◈ 220/270 F. ⬛ 30 F.
🍴 90/280 F. 🍴 50 F. 🛏 430/450 F.
⊠ dim. soir et lun. midi.
🄴 SP 🖳 ☎ 🚗 🚗 🐾 🕇 CV ◉ 🐾 CB

SAMOIS SUR SEINE (A2)
77920 Seine-et-Marne
1571 hab.

▲▲ HOSTELLERIE DU COUNTRY CLUB ★★
11, quai Franklin Roosevelt. M. Plancon
☎ 01 64 24 60 34 FAX 01 64 24 80 76
100F 🛏 13 ◈ 280/380 F. ⬛ 40 F.
🍴 100/200 F. 🍴 60 F. 🛏 300/310 F.
⊠ rest. soirs 15 nov./15 mars sauf ven.
et sam., dim. soir et lun. 16 mars/
14 nov. sauf juil./août.
🄴 🖳 🄲 🚗 🚗 🕇 🐾 ◐ ◉ 🐾 CB 🄌

VILLEPARISIS (A1)
77270 Seine-et-Marne
18790 hab.

▲▲ LE RELAIS DU PARISIS ★★
2, av. Jean Monnet. M. Marnat
☎ 01 64 27 83 83 FAX 01 64 27 94 49
100F 🛏 44 ◈ 280 F. ⬛ 42 F. 🍴 82/210 F.
🍴 45 F. 🛏 264/309 F.
⊠ dim. soir.
🄴 SP 🖳 ☎ 🚗 🐾 🕇 🎿 CV ◉ 🐾 CB
🄌 CR

Fédération régionale des Logis de France du Languedoc-Roussillon
(Aude, Gard, Hérault, Lozère, Pyrénées-Orientales)
Centre administratif départemental - Conseil Général
Plateau de Grazailles - 11855 Carcassonne Cedex 09
Tél. 04 68 11 65 88 - Fax 04 68 11 65 71
Association interdépartementale des Logis de France des Pyrénées
de l'Atlantique à la Méditérranée
Pour l'Aude - 14, rue Bayard - 31000 Toulouse
Tél. 05 61 99 44 00 - Fax 05 61 99 44 19

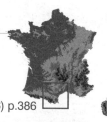

Languedoc-Roussillon

C.R.T. Languedoc-Roussillon / F. Urel

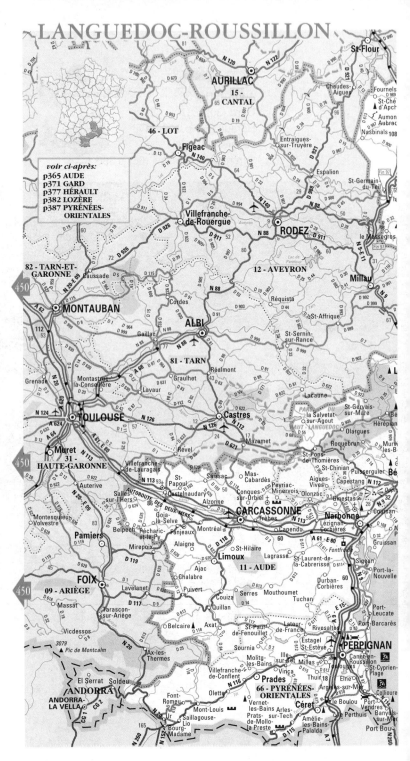

LANGUEDOC-ROUSSILLON

voir ci-après:
p365 AUDE
p371 GARD
p377 HÉRAULT
p382 LOZÈRE
p387 PYRÉNÉES-
ORIENTALES

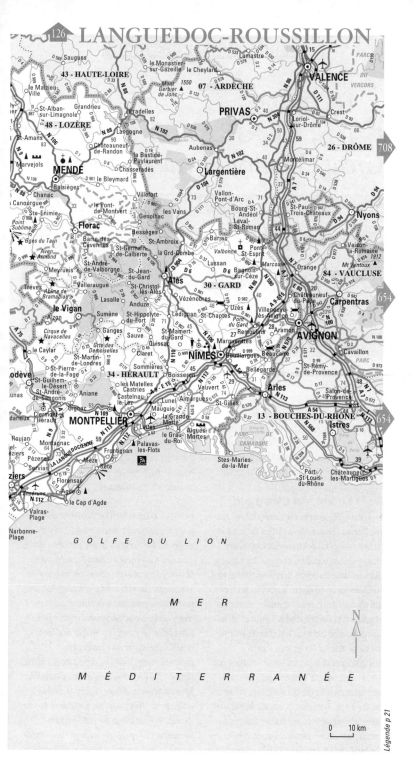

43 - HAUTE-LOIRE

07 - ARDÈCHE

48 - LOZÈRE

26 - DRÔME

708

30 - GARD

84 - VAUCLUSE

654

34 - HÉRAULT

13 - BOUCHES-DU-RHÔNE

654

GOLFE DU LION

MER

MÉDITERRANÉE

N

0   10 km

Légende p 21

Un Grand
PAYS, DE GRANDS MOMENTS
Great Country, Great Moments

MOSAÏQUE DE PEUPLES ET DE CULTURES,
LE LANGUEDOC-ROUSSILLON DESCEND EN TROIS
GRADINS DU MASSIF CENTRAL À LA MÉDITERRANÉE.
DE LA LOZÈRE AUX SOMMETS DES PYRÉNÉES,
LA RÉGION VOUS OFFRE TELLEMENT D'ITINÉRAIRES.

A MOSAIC OF DIFFERENT PEOPLES AND CULTURES,
THE REGION LANGUEDOC-ROUSSILLON DROPS DOWN
IN THREE STAGES FROM THE MASSIF CENTRAL TO
THE MEDITERRANEAN. FROM THE LOZÈRE TO THE
PEEKS OF THE PYRENEES MOUNTAINS, THERE ARE
SO MANY ROUTES TO FOLLOW...

De la Lozère à la Camargue

En Lozère, des plateaux herbeux de l'Aubrac
aux forêts et rivières de la Margeride, c'est le
passage ancestral des troupeaux, conduits
chaque été en transhumance par les bergers,
qui a façonné les reliefs. L'écologie prend tout
son sens au coeur de ces territoires préservés
qui abritent des espèces animales menacées,
et aujourd'hui réintroduites. Loups et bisons,
surveillés avec vigilance, ont chacun leur site
et l'on peut les observer sans danger.
Les Cévennes, longtemps impénétrables, ont
aussi conservé leur authenticité, réservant
aux visiteurs bien des découvertes : culture
du ver à soie, hameaux ponctués de toits de
lauze, châtaigneraies, ou encore étonnante
bambouseraie à Prafrance. Quant aux Gorges
du Tarn, qui se descendent en barque ou en

From Lozère to the Camargue

Every summer since time immemorial the
shepherds have crossed Lozère with their flocks,
sculpting the form of the land from the grassy
plains of Aubrac to the forests and rivers of the
Margeride. The importance of ecology becomes
real in these protected areas which are home to
many endangered species and centres for re-
introdution programmes. Wolves and bison
now flourish again here under close
supervision and you can observe them without
danger. The Cévennes were quite inaccessible
for a long time and have preserved all their
authenticity. They promise a surprise or two for
the visitor, from silk-worm cultivation to
hamlets dotted with shale roofs, from chestnut
groves to the astonishing bamboo at Prafrance.

canoë, elles vous entraînent dans leurs "canyons" : paysages vertigineux, superbes escarpements et corniches découpées.

Point de rencontre des Cévennes, des garrigues et de la Provence, le Gard allie la richesse de son passé romain aux étendues mouvantes de la Camargue, mi-eau, mi-terre, refuge de sel et de sable. Les couleurs de la nature s'y mêlent : tâches roses des flamants, noires des taureaux et blanches des chevaux…

La côte du Languedoc et l'arrière-pays

De Montpellier, rejoignez un littoral en grande partie vierge et qui offre, outre un chapelet de stations balnéaires et d'immenses plages de sable, un patrimoine prestigieux : églises romanes et gothiques, sites antiques perchés sur les plus beaux points de vue, hôtels particuliers Renaissance dont les cours fraîches et secrètes se souviennent encore du passage de Molière ou de Rabelais. Entre causses et garrigues, le parc naturel du Haut-Languedoc et ses paysages étonnants : canyons vertigineux, lacs aux rives ocre- rouge… Plus avant dans l'arrière-pays, vous verrez surgir, au sommet d'une crête ou au détour d'un chemin, "citadelles du vertige", abbayes et collégiales nichées au cœur des collines. Puis voilà Carcassonne. La plus grande cité médiévale d'Europe semble tout droit sortie d'un film de cape et d'épée. Autour, de célèbres vignobles - Minervois et Corbières - rendront aux amateurs de bons crûs tous les parfums de ces terres lumineuses.

Then there are the gorges at Tarn which you can descend in a boat or a canoe. They will take you through the breath-taking landscapes of sheer banks and broken corniches known as the "canyons." The Gard is the meeting-point between the Cévennes and Provence, and its richness comes from the alliance between its Roman past and the shifting lands, part water, part land, of the sand and salt Camargue. All the colours of nature are blended together here: the pink splashes of the flamingos, the black of the bulls and the white of the horses...

The Languedoc Coast and Hinterland

From Montpellier you can head back to the coast and discover its virgin beauty in the string of resorts and immense beaches as well as its rich cultural heritage. You'll be impressed by the Romanesque and Gothic churches perched on ancient sites with beautiful vantage points and the Renaissance mansions whose courtyards still resound to the footsteps of Rabelais and Molière. The nature park of Haut-Languedoc is situated between causses and garrigues and includes some spectacular landscapes: deep ravines and lakes with ochre red banks... Further inland, as you come over a peek or round a corner, you'll find the "citadelles du vertige," strongholds built high in the hills, as well as abbeys and collegiate churches nestling in the hollows. Eventually you come to Carcassonne, the largest medieval city in Europe and which seems to come straight out of a cloak and dagger film. In the surrounding

EINE GROSSE REGION, GROSSE AUGENBLICKE

Mosaik von Völkern und Kulturen: Languedoc–Roussillon steigt in drei Stufen vom Zentralmassiv zum Mittelmeer herab. Von der Lozère bis zu den Seen der Camargue, von der Küste bis zum Land der Katharer, von Perpignan bis zu den Hängen der Pyrenäen, es stehen so viele Routen zur Auswahl.

EEN GROTE STREEK, MET GROTE MOMENTEN

De Languedoc–Roussillon, een mozaïek van volkeren en culturen, daalt in de vorm van drie terrassen af van het Centraal Massief tot aan de Middellandse Zee. Er is een uitgebreide keuze van routes van de Lozère tot aan de vijvers van de Camargue, van de kust van de Languedoc tot in Catharenland, van Perpignan tot aan de toppen van de Pyreneeën.

Languedoc-Roussillon

Côte Catalane et Roussillon

Capitale du Roussillon, Perpignan a su protéger un patrimoine original, de l'héritage culturel des rois de Majorque aux bronzes féminins du sculpteur Maillol. Mais le Roussillon possède d'autres ressources : c'est à Tautavel que l'on a découvert le crâne du plus vieil Européen (450 000 ans !) et à Céret que sont exposés les grands précurseurs de l'art contemporain, Picasso, Matisse ou Chagall, tombés sous le charme de l'indéfinissable lumière de la côte catalane. C'est encore à Collioure, Saint-Cyprien ou Port-Vendres, que s'égrènent plages et criques accueillantes.

Largement ouvertes sur la Méditerranée, les Pyrénées catalanes offrent tous les plaisirs de la montagne. Perchées sur un nid d'aigle ou tapies au fond d'un vallon au pied du Canigou, les abbayes romanes y dressent encore leurs tours crénelées et leurs cloîtres paisibles.

Pour le plus grand plaisir des mélomanes, ces hauts-lieux de la foi s'ouvrent chaque été aux festivals.

Spécialités régionales

Au cours de votre voyage en Languedoc-Roussillon, n'hésitez pas à titiller vos papilles avec les spécialités locales : brandade de Nîmes, huîtres de Bouzigues, supions à la sétoise, blanquette de Limoux, muscats et banyuls…

The Catalan Coast and Roussillon

Perpignan, the capital town of Roussillon, enjoys a rich and well-preserved cultural heritage from the old kings of Majorca to the female bronzes by the sculptor Maillol. But Roussillon has even more to offer: at Tautavel the oldest skull in Europe was discovered (approximately 450 000 years old!) and in Céret there is an exhibition of work by the great precursors of contemporary art, Picasso, Matisse and Chagall, all of whom fell under the undefinable charm of the light on the Catalan coast. Between Collioure, Saint-Cyprien and Port-Vendres is a string of delightful beaches and creeks. The Catalan Pyrenees overlook the Mediterranean and offer all the pleasures of the mountains. Perched like eagles' nests or crouched in the depth of a valley at the foot of Canigou, the Romanesque abbeys display their fortified towers and their peaceful cloisters. For music-lovers these sacred places are opened up to festivals every summer.

Regional Specialities

During your trip to Languedoc-Roussillon don't hesitate to titillate your taste-buds with the local specialities: salted cod from Nîmes, Bouzigues oysters, Limoux Blanquette, muscat grapes and "banyuls."

UN GRAN PAÍS, GRANDES MOMENTOS

Mosaico de pueblos y culturas, Languedoc-Rosellón desciende en tres niveles desde el macizo central hasta el Mediterráneo, desde la Lozère hasta los estanques de Camarga, desde la costa del Languedoc hasta el país cátaro, desde Perpignan hasta las cumbres de los Pirineos; tiene tantos itinerarios para elegir.

UN GRANDE PAESE, GRANDI MOMENTI

Mosaico di popoli e culture, la regione Linguadoca Rossiglione discende in tre tappe dal Massiccio Centrale al Mediterraneo. Dalla Lozère agli stagni della Camarga, dalla costa del Linguadoca al paese cataro, da Perpignan alle cime dei Pirenei, potete scegliere fra tutti questi itinerari.

Supions à la sétoise

Ingrédients

Pour 4 personnes

- 1 kg de supions
- 3 belles tomates
- 3 gousses d'ail
- 1 bouquet garni
- huile d'olive

Recette

- Sauter à l'huile les tomates pelées et couper en quartiers. Ajouter l'ail haché, le bouquet garni, du sel, du poivre et laisser mijoter 20 minutes.
- Bien nettoyer les supions. Les faire revenir à la poêle dans l'huile d'olive 3 à 4 minutes. Ajouter le coulis de tomates et laisser cuire 5 minutes.
- Servir bien chaud avec du riz blanc.

Liste des
hôtels-restaurants

Aude

C.R.T. Languedoc-Roussillon   D. Faure

Association départementale
des Logis de France de l'Aude
Centre administratif départemental
Conseil général - Plateau de Grazailles
11855 Carcassonne Cedex 09
Téléphone 04 68 11 65 88

LANGUEDOC-ROUSSILLON

48 LOZÈRE
Mende

30 GARD
Montpellier Nîmes
34 HÉRAULT

Carcassonne
11 AUDE
Perpignan

66 PYRÉNÉES-
ORIENTALES

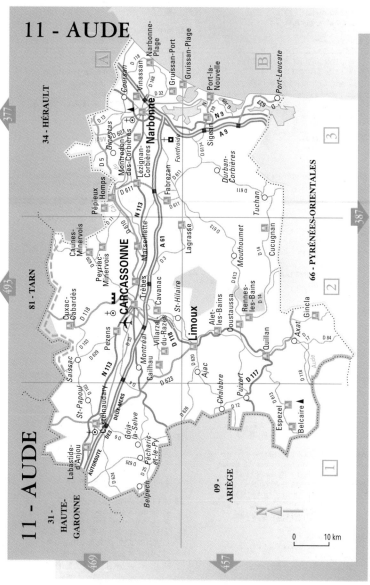

11 - AUDE

34 - HÉRAULT

81 - TARN

31 - HAUTE-GARONNE

66 - PYRÉNÉES-ORIENTALES

09 - ARIÈGE

0   10 km

Légende p 21

ALET LES BAINS (B2)
11580 Aude
550 hab. ℹ

▲▲ L'EVECHE
M. Limouzy
☎ 04 68 69 90 25 FAX 04 68 69 91 94
🛏 30 ◎ 140/260 F. ▣ 32 F.
⑪ 65/220 F. ⧆ 42 F. ⊡ 190/255 F.
⊠ 31 oct./1er avr.
Ⓔ SP ☎ 🚗 ⵣ 👣 CV ⑽ ◆ CB

BELCAIRE (B1)
11340 Aude
1000 m. • 463 hab. ℹ

▲ BAYLE ★★
38, av. d'Ax-les-Thermes M. Bayle
☎ 04 68 20 31 05 FAX 04 68 20 35 24
🛏 13 ◎ 110/250 F. ▣ 30 F.
⑪ 68/210 F. ⧆ 45 F. ⊡ 185/240 F.
⊠ 3 nov./15 fév., lun. sauf juin, sept. et
vac. scol.
Ⓔ SP ⬜ ☎ 🚗 👣 ⚲ CV ⑽ ◆ CB

CAILHAU (A2)
11240 Aude
180 hab. ℹ

▲▲ LE RELAIS TOURISTIQUE DE BELVEZE -
LE FRICASSOU ★★
(Carrefour de Belvèze - Sur D. 623).
M. Cardeynaels
☎ 04 68 69 08 78 FAX 04 68 69 07 65
🛏 7 ◎ 195/200 F. ▣ 27 F. ⑪ 75/250 F.
⧆ 55 F. ⊡ 245 F.
Ⓔ Ⓓ ⬜ ☎ 🚗 ⋔ 🛎 CV ⑽ ◆ CB

CARCASSONNE (A2)
11000 Aude
45000 hab. ℹ

▲▲▲ DAME CARCAS ★★★
La Cité. M. Signoles
☎ 04 68 71 37 37 FAX 04 68 71 50 15
🛏 30 ◎ 390/750 F. ▣ 70 F.
⑪ 80/160 F. ⧆ 30 F. ⊡ 830/1130 F.
Ⓔ SP ℹ ⬜ ☎ 🚗 🛎 ⧆ CV
⚲ ⑽ ◆ CB

✻ DE L'OCTROI ★★
106, av. Général Leclerc. M. Cortina
☎ 04 68 25 29 08 FAX 04 68 25 38 71
🛏 17 ◎ 155/310 F. ▣ 32 F.
Ⓔ Ⓓ SP ⬜ ☎ 🛎 CV ⑽ ◆ CB

▲▲▲ DES TROIS COURONNES ★★★
2, rue des Trois Couronnes. M. Berlan
☎ 04 68 25 36 10 FAX 04 68 25 92 92
🛏 68 ◎ 375/575 F. ▣ 60 F.
⑪ 125/275 F. ⧆ 70 F. ⊡ 395/495 F.
Ⓔ Ⓓ SP ℹ ⬜ ☎ 🚗 🛎 ⧆ 🛎
⧆ ⚲ 👣 CV ⑽ ◆ CB

▲▲▲ DU DONJON ★★★
2, rue Comte Roger (La Cité).
Mme Pujol
☎ 04 68 71 08 80 FAX 04 68 25 06 60

🛏 38 ◎ 300/490 F. ▣ 53 F.
🛏 73/128 F. ⧆ 45 F. ⊡ 300/350 F.
⊠ rest. dim. soir 1er nov./1er mars.
Ⓔ Ⓓ SP ℹ ⬜ ☎ ☎ 🚗 🛎 ⧆
⚲ 👣 CV ⑽ ◆ CB

▲▲ LE RELAIS D'AYMERIC ★★
290, Av. Général Leclerc M. Fernando
☎ 04 68 71 83 83 FAX 04 68 47 86 06
🛏 12 ◎ 180/300 F. ▣ 32 F.
⑪ 90/250 F. ⧆ 40 F. ⊡ 500/550 F.
⊠ lun.
Ⓔ ⬜ ☎ 🚗 🛎 🛎 ⧆ 👣 CV ⑽ ◆ CB
⚲ CR

▲▲▲ MONTSEGUR ★★★
27, allée d'Iéna. M. Faugeras
☎ 04 68 25 31 41 FAX 04 68 47 13 22
🛏 20 ◎ 320/490 F. ▣ 48 F.
⑪ 130/250 F. ⧆ 70 F. ⊡ 350/400 F.
⊠ 31 déc./14 janv. Rest. dim. soir et
lun. hs, lun. midi saison.
Ⓔ SP ℹ ⬜ ☎ 🚗 🛎 ⧆ ⚲ CV ⑽
◆ CB

... à proximité

TREBES (A2)
11800 Aude
5574 hab. ℹ

7 km Est Carcassonne par N 113

▲▲ LA GENTILHOMMIERE ★★
ZAC de Sautes le Bas. M. Anrich
☎ 04 68 78 74 74 FAX 04 68 78 65 80
🛏 31 ◎ 210/300 F. ▣ 32 F.
⑪ 80/180 F. ⧆ 40 F. ⊡ 250/260 F.
Ⓔ SP ⬜ ☎ 🚗 🛎 ⧆ 👣 CV
⑽

CASTELNAUDARY (A1)
11400 Aude
12000 hab. ℹ

▲▲ DE FRANCE ★★★
2, av. Frédéric Mistral. M. Dunod
☎ 04 68 23 10 18 FAX 04 68 94 04 64
🛏 17 ◎ 240 F. ▣ 30 F. ⑪ 78 F.
⧆ 40 F. ⊡ 230 F.
Ⓔ SP ⬜ ☎ 🚗 🚗 ⧆ ⚲ ⑽ ◆ CB
⚲ CR

▲▲ GRAND HOTEL FOURCADE ★★
14, rue des Carmes. Mme Thomelet
☎ 04 68 23 02 08 FAX 04 68 94 10 67
🛏 12 ◎ 120/190 F. ▣ 30 F.
⑪ 80/270 F. ⧆ 50 F. ⊡ 200/260 F.
⊠ 13 janv./1er fév., dim. soir et lun.
15 sept./15 avr.
Ⓔ ℹ ⬜ ☎ 🚗 CV ⑽ ◆ CB

▲▲ LE CLOS St-SIMEON ★★
Route de Carcassonne. M. Baure
☎ 04 68 94 01 20 FAX 04 68 94 05 47
🛏 31 ◎ 220/250 F.
⑪ 70/180 F. ⧆ 40 F. ⊡ 210/240 F.
⊠ 21 déc./5 janv. et dim. midi.
SP ⬜ ☎ 🚗 🛎 ⧆ ⚲ CV ⑽ ◆ CB

CASTELNAUDARY (A1) (suite)

⚘ LE SIECLE
24, cours de la République. M. Davy
☎ 04 68 23 13 16 ⟍ 04 68 23 27 23
📠 04 68 94 09 30
🍽 9 ▱ 130/200 F. 🛏 25 F. 🍴 60/160 F.
🏃 40 F. 🖼 210/240 F.
E SP 🔲 ☎ CV 🐾

CAUNES MINERVOIS (A2)
11160 Aude
1556 hab.

⚘⚘ D'ALIBERT ★★
Place de la Mairie. M. Guiraud
☎ 04 68 78 00 54
🍽 7 ▱ 200/350 F. 🛏 30 F. 🍴 120 F.
E SP ☎ 🛏 🍸

CAVANAC (A2)
11570 Aude
580 hab.

⚘⚘⚘ AUBERGE DU CHATEAU ★★★
(Château de Cavanac). M.Me Gobin
☎ 04 68 79 61 04 📠 04 68 79 79 67
🍽 14 ▱ 320/580 F. 🛏 45 F. 🍴 195 F.
🏃 85 F. 🖼 450/500 F.
⊠ 15 janv./15 fév., lun et dim. soir.
E SP 🔲 🔲 ☎ 🛏 ⚡ ⤭ 🌴 🔲
🛁 🔧 🎿 ♿ ♿ CB

COUSTAUSSA (B2)
11190 Aude
318 hab.

⚘⚘ PEYRE PICADE ★★
Mme Granovsky
☎ 04 68 74 11 11 📠 04 68 74 00 37
🍽 10 ▱ 280/300 F. 🛏 25 F.
🍴 95/150 F. 🏃 50 F. 🖼 300 F.
E SP ☎ 🛏 ⤭ 🌴 🔧 CV ♿ CB

CUCUGNAN (B2)
11350 Aude
113 hab. 🛈

⚘⚘ AUBERGE DU VIGNERON ★★
2, rue A. Mir. Mme Fannoy
☎ 04 68 45 03 00 📠 04 68 45 03 08
🍽 7 ▱ 220/250 F. 🛏 35 F. 🍴 85/160 F.
🏃 45 F. 🖼 260 F.
⊠ 15 déc./15 fév., dim. soir et lun hs.
E D 🔲 ☎ 🛏 🔧 CV CB

CUXAC CABARDES (A2)
11390 Aude
550 m. • 1000 hab.

⚘ LE CASTEL
Hameau de Cazelles. Mme Motyka
☎ 04 68 26 58 39
🍽 5 ▱ 195/240 F. 🛏 26 F. 🍴 70/195 F.
🏃 50 F. 🖼 170/195 F.
⊠ 28 oct./8 nov.
SP 🛏 🌴 🔧 ♿ 🎿 CV CB

ESPEZEL (B1)
11340 Aude
900 m. • 228 hab. 🛈

⚘⚘ GRAU ★
M. Grau
☎ 04 68 20 30 14 📠 04 68 20 33 62
🍽 7 ▱ 185/320 F. 🛏 36 F. 🍴 72/180 F.
🏃 45 F. 🖼 185/255 F.
⊠ dim. soir hs.
E SP 🛈 ☎ 🛏 🎿 CV 🐾 CB

FABREZAN (A3)
11200 Aude
990 hab.

⚘⚘ LE CLOS DES SOUQUETS
Av. de Lagrasse.
M. Julien
☎ 04 68 43 52 61 📠 04 68 43 56 76
🍽 5 ▱ 280/380 F. 🛏 40 F. 🍴 90/185 F.
🏃 55 F. 🖼 330/380 F.
⊠ 3 nov./28 mars. Rest. dim. soir.
E SP 🔲 🛏 🍸 🔧 ♿ 🐾 CB

GINCLA (B2)
11140 Aude
600 m. • 45 hab.

⚘⚘⚘ HOSTELLERIE DU GRAND DUC ★★
M. Bruchet
☎ 04 68 20 55 02 📠 04 68 20 61 22
🍽 9 ▱ 270/320 F. 🛏 40 F.
🍴 120/260 F. 🏃 58 F. 🖼 285/320 F.
⊠ 15 nov./30 mars. Rest. mer. midi sauf
juil./août.
E D 🔲 ☎ 🛏 🌴 CV ♿ 🐾 CB

GRUISSAN PLAGE (A-B3)
11430 Aude
1270 hab. 🛈

⚘ LE TAHITI ★★
front de mer. M. Alquier
☎ 04 68 49 22 28 📠 04 68 49 52 95
🍽 25 ▱ 200/300 F. 🛏 33 F.
🍴 75/180 F. 🏃 42 F. 🖼 220/260 F.
⊠ 15 nov./1er mars et jeu. sauf
juil./août.
E SP 🔲 ☎ 🛏 ⚡ ⤭ 🔲 🛁 ♿ 🎿 CV
♿ 🐾 CB 🖼 📻

GRUISSAN PORT (A3)
11430 Aude
1170 hab. 🛈

⚘⚘⚘ CORAIL ★★★
Quai du Ponant.
M. Bousquet
☎ 04 68 49 04 43 📠 04 68 49 62 89
🍽 32 ▱ 320/400 F. 🛏 40 F.
🍴 92/172 F. 🏃 45 F. 🖼 285/330 F.
⊠ 1er nov./1er fév.
E SP 🔲 ☎ 🛏 🛏 ⚡ 🏯 ⤭ ♿ 🎿 CV
♿ 🐾 CB

HOMPS (A3)
11200 Aude
569 hab.

▲▲ AUBERGE DE L'ARBOUSIER
Av. de Carcassonne. Mme Rosado
☎ 04 68 91 11 24 [FAX] 04 68 91 12 61
🛏 7 ⬡ 210/300 F. 🍽 35 F. 🍴 80/205 F.
🍴 45 F. 🔆 210/245 F.
✉ 15 fév./15 mars, 1er/27 nov., dim.
soir et mer. sept./juin, lun. juil./août.
[E] [SP] 🖵 🕿 🕿 🚗 🛏 ⛩ 🕃 🏊 [CB]

LABASTIDE D'ANJOU (A1)
11320 Aude
943 hab. [i]

▲ HOSTELLERIE ETIENNE
Sur N.113. M. Rousselot
☎ 04 68 60 10 08 [FAX] 04 68 60 14 54
🛏 10 ⬡ 150/200 F. 🍽 24 F.
🍴 68/240 F. 🍴 35 F. 🔆 350/400 F.
✉ dim. soir et lun.
[E] [D] [SP] 🖵 🕿 🕿 🏊 🕃 [CV] [::] 🏊 [CB]

▲ LE GRILLADOU ★★
M. Pinel
☎ 04 68 60 11 63 [FAX] 04 68 60 11 08
🛏 12 ⬡ 140 F. 🍽 25 F. 🍴 65/160 F.
🍴 35 F. 🔆 160/200 F.
✉ lun. et sam. midi hs.
[E] [SP] 🖵 🕿 🕿 🚗 ⛩ 🕃 [CV] [::] 🏊 [CB]

LAGRASSE (A-B2)
11220 Aude
710 hab. [i]

▲▲ AUBERGE SAINT HUBERT
9, av. de la Promenade. M. Julien
☎ 04 68 43 15 22 [FAX] 04 68 43 16 56
🛏 7 ⬡ 200/350 F. 🍽 35 F. 🍴 95/135 F.
🍴 40 F. 🔆 255/310 F.
✉ 17 nov./15 mars. Rest. lun. soir.
[E] [i] 🕿 ⛩ [CV] [::] 🏊 [CB]

LEZIGNAN CORBIERES (A3)
11200 Aude
7680 hab. [i]

▲▲ LE RELAIS DES CORBIERES ★★
Route de Narbonne, N. 113. M. Gandais
☎ 04 68 27 00 77 [FAX] 04 68 27 58 98
🛏 16 ⬡ 130/255 F. 🍽 26 F.
🍴 62/135 F. 🍴 38 F. 🔆 155/190 F.
✉ 20 déc./5 janv., sam. soir et dim.
[E] [SP] 🖵 🕿 🕿 ⛩ 🕃 🕃 [CV] [::] 🏊 [CB]

LIMOUX (B2)
11300 Aude
10885 hab. [i]

▲▲ DES ARCADES ★★
96, rue Saint-Martin. M. Durand
☎ 04 68 31 02 57 [FAX] 04 68 31 66 42
🛏 7 ⬡ 155/235 F. 🍽 35 F. 🍴 75/190 F.
🍴 48 F. 🔆 250/300 F.
✉ mer.
[E] [SP] [i] 🖵 🕿 🕿 🏊 [CV] [::] 🏊 [CB]

▲▲▲ MODERNE ET PIGEON ★★★
1, place Général Leclerc. M. Eupherte
☎ 04 68 31 00 25 [FAX] 04 68 31 12 43
🛏 19 ⬡ 310/510 F. 🍽 52 F.
🍴 145/215 F. 🍴 70 F. 🔆 320/405 F.
✉ rest. sam. midi et lun.
[E] [SP] 🖵 🕿 🕿 ⛩ [CV] [::] 🏊 [CB]

MARSEILLETTE (A2)
11800 Aude
650 hab.

▲▲ LA MUSCADELLE ★★
Av. du Languedoc, route de Béziers.
Mme Vanmeenen
☎ 04 68 79 20 90 [FAX] 04 68 79 05 14
🛏 9 ⬡ 170/270 F. 🍽 32 F. 🍴 70/150 F.
🍴 40 F. 🔆 165/190 F.
✉ 10 déc./15 fév.
[E] 🖵 [G] 🕿 🕿 🏠 ⛩ 🕃 🕃 [CV]
🏊 [CB]

MONTREDON DES CORBIERES (A3)
11100 Aude
>>> *voir NARBONNE*

NARBONNE (A3)
11100 Aude
46800 hab. [i]

▲▲▲ AUBERGE DES VIGNES
Domaine l'Hospitalet.Rte Narbonne
plage. M. Schwall
☎ 04 68 45 28 50 [FAX] 04 68 45 28 78
🛏 22 ⬡ 490 F. 🍽 60 F. 🍴 125/280 F.
🍴 60 F. 🔆 360/505 F.
✉ 3 janv./28 fév., dim. soir et lun.
🖵 🕿 🚗 🏊 ⛩ 🕃 [CV] [::] 🏊 [CB] ◼

▲▲ CROQUE CAILLE
Route de Perpignan, à 3 km. M. Estarella
☎ 04 68 41 29 69 [FAX] 04 68 42 47 99
🛏 9 ⬡ 200/260 F. 🍽 28 F. 🍴 68/120 F.
🍴 38 F. 🔆 230/260 F.
✉ 23 déc./5 janv., sam. et dim. hs.
[E] 🖵 🕿 🕿 🚗 ⛩ 🕃 🕃 [CV] [::] 🏊 [CB]

▲▲ DU MIDI ★★
4, av. de Toulouse. Mme Oliva
☎ 04 68 41 04 62 [FAX] 04 68 42 45 87
🛏 46 ⬡ 150/235 F. 🍽 35 F. 🍴 65 F.
🍴 30 F. 🔆 180/200 F.
✉ rest. 1er déc./2 janv. et dim.
[E] [SP] 🖵 🕿 🕿 🚗 🛏 [::]

... *à proximité*

MONTREDON DES CORBIERES (A3)
11100 Aude
850 hab. [i]

4 km Ouest Narbonne par N 113

▲▲ LE MAS DE LA BERCHERE ★★
Route de Carcassonne, N.113. M. Tixier
☎ 04 68 41 20 57 [FAX] 04 68 41 26 60
🛏 13 ⬡ 250/380 F. 🍽 35 F.
🍴 55/190 F. 🍴 35 F. 🔆 240 F.
✉ lun. hs.
[E] [SP] 🖵 🕿 🕿 🏊 ⛩ 🕃 [::] 🏊 [CB]

NARBONNE PLAGE (A3)
11100 Aude
450 hab. ℹ️

⌂ L'OASIS ★★
Bld du Front de Mer. M. Grillère
☎ 04 68 49 80 12 \ 04 68 49 86 43
🛏 20 ⬲ 140/350 F. ⬛ 30 F.
🍴 78/130 F. ⵌ 38 F. 🛎 175/280 F.
⊠ hôtel Toussaint/Pâques. Rest. mar.
E SP 🚗 ☎ ⛤ CV 🎱 ⌂ CB

PEPIEUX (A3)
11700 Aude
1054 hab.

⌂ MINERVOIS ★
Mme Fuster
☎ 04 68 91 41 28
🛏 20 ⬲ 220 F. ⬛ 25 F. 🍴 70 F.
ⵌ 40 F. 🛎 200 F.
⊠ 15 janv./15 fév.
D SP ☎ 🚗 🎱 ⌂ CB

PEYRIAC MINERVOIS (A2)
11160 Aude
1053 hab.

⌂⌂⌂ CHATEAU DE VIOLET ★★★
Route de Pépieux. Mme Faussié
☎ 04 68 78 10 42 \ 04 68 78 11 44
FAX 04 68 78 30 01
🛏 12 ⬲ 350/950 F. ⬛ 45 F.
🍴 100/250 F. ⵌ 60 F. 🛎 450/700 F.
E SP 🚗 ☎ 🚗 🛌 🌴 ⛱ ⛤ CV
🎱 ⌂ CB

PEZENS (A2)
11170 Aude
1240 hab. ℹ️

⌂⌂ LE REVERBERE ★
Sur N.113. M. Goupil
☎ 04 68 24 92 53 FAX 04 68 24 84 01
🛏 6 ⬲ 230 F. ⬛ 25 F. 🍴 73/200 F.
ⵌ 45 F. 🛎 200 F.
⊠ 10 janv./15 fév. Rest. lun. soir, mar.
sauf juil./août.
🚗 ☎ 🌴 CV ⌂ CB

PORT LA NOUVELLE (B3)
11210 Aude
5000 hab. ℹ️

⌂⌂⌂ MEDITERRANEE ★★★
Front de Mer, face plage. M. Castaing
☎ 04 68 48 03 08 FAX 04 68 48 53 81
🛏 31 ⬲ 240/490 F. ⬛ 35 F.
🍴 60/195 F. ⵌ 45 F. 🛎 260/365 F.
⊠ 2/16 déc. et 6/27 janv.
E D SP ℹ️ 🚗 ☎ 🚗 🚗 ⛱ 🎞 🛌
CV 🎱 ⌂ CB ▭

QUILLAN (B2)
11500 Aude
4000 hab. ℹ️

⌂ CANAL ★★
36, bld Charles de Gaulle. M. Audabram
☎ 04 68 20 08 62

🛏 14 ⬲ 160/260 F. ⬛ 34 F.
🍴 70/180 F. ⵌ 45 F. 🛎 190/250 F.
⊠ 15 oct./15 nov., dim. soir et lun. hs.
E SP 🚗 🚗 🚗 🛌 🎱 CB

⌂⌂ CARTIER Rest. LES 3 QUILLES ★★
31, bld Charles de Gaulle. Mme Cartier
☎ 04 68 20 05 14 FAX 04 68 20 22 57
🛏 30 ⬲ 170/356 F. ⬛ 35 F.
🍴 80/155 F. ⵌ 42 F. 🛎 250/290 F.
⊠ 15 déc./15 mars, sam. 11 déc. et
3 avr.
E SP ℹ️ 🚗 ☎ 🛌 🛌 CV ⌂ CB

RENNES LES BAINS (B2)
11190 Aude
194 hab. ℹ️

⌂ DE FRANCE ★★
Mme Rousselot
☎ 04 68 69 87 03
🛏 22 ⬲ 160/210 F. ⬛ 25 F.
🍴 75/220 F. ⵌ 35 F. 🛎 240/400 F.
⊠ 15 nov./15 mars.
E 🚗 ☎ 🛌 🛌 CV 🎱 ⌂ CB

SIGEAN (B3)
11130 Aude
3140 hab. ℹ️

⌂ LE SAINT ANNE
Route de Portel. M. Noireau
☎ 04 68 48 24 38
🛏 10 ⬲ 150/220 F. ⬛ 28 F.
🍴 72/138 F. ⵌ 38 F. 🛎 180/220 F.
⊠ hôtel 1er nov./1er mars. Rest. soir
1er nov./1er mars et dim. soir hs.
E 🚗 🛌 CV 🎱 CB

TREBES (A2)
11800 Aude

>>> *voir CARCASSONNE*

VILLARZEL DU RAZES (A2)
11300 Aude
89 hab.

⌂⌂ DOMAINE DES TOURTINES
Mme Deseau
☎ 04 68 31 76 76 FAX 04 68 31 79 79
🛏 6 ⬲ 260/280 F. ⬛ 35 F. 🍴 85/120 F.
ⵌ 50 F. 🛎 230/250 F.
E 🚗 ☎ 🚗 🌴 ⛱ 🛌 CV 🎱 ⌂

VINASSAN (A3)
11110 Aude
1510 hab.

⌂⌂ AUDE HOTEL ★★
Aire de Repos Narbonne-Vinassan Nord.
M. Castaing
☎ 04 68 45 25 00 FAX 04 68 45 25 20
🛏 59 ⬲ 295/355 F. ⬛ 35 F.
🍴 70/120 F. ⵌ 45 F. 🛎 250/270 F.
⊠ rest. midi.
E D SP ℹ️ 🚗 ☎ 🚗 🚗 🛌 🎞 ⛱
🌴 🛌 CV 🎱 ⌂ CB ▭

Liste des hôtels-restaurants

Gard

C.R.T. Languedoc-Roussillon

Association départementale
des Logis de France du Gard
C.C.I.
12 rue de la République
30032 Nîmes Cedex
Téléphone 04 66 76 33 33

LANGUEDOC-ROUSSILLON

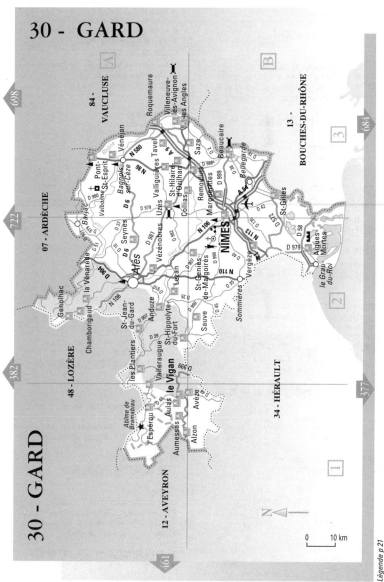

30 - GARD

Légende p 21

0   10 km

AIGUES MORTES (B2)
30220 Gard
4475 hab. ℹ️

🏨🏨🏨 LE MAS DES SABLES ★★★
(Sur CD. 979). M. Ramain
☎ 04 66 53 79 73 ℻ 04 66 53 77 12
🛏 42 ⌧ 380/450 F. 🍴 40 F.
🍽 85/140 F. 🛏 50 F. 🔲 300/350 F.
⌧ 1er nov./31 mars.
🅴 🅳 SP 📷 ☎ 🚗 🌴 🎣 🔌 🎿 🐕 CV 🔅
🏠 CB

ALZON (A-B1)
30770 Gard
600 m. • *201 hab.* ℹ️

🏨 LE CEVENOL ★★
Route Nationale. M. Dupont
☎ 04 67 82 06 05 ℻ 04 67 81 86 79
🛏 7 ⌧ 170/260 F. ⌧ 30 F. 🍽 80/135 F.
🛏 40 F. 🔲 180/225 F.
⌧ fév. et mer. hs.
🅴 📷 ☎ 🚗 🌴 🎣 🔅 🎿 CV 🏠 CB

ANDUZE (A2)
30140 Gard
2787 hab. ℹ️

🏨🏨 LA REGALIERE ★★
1435, route de Saint-Jean du Gard.
M. Guillen
☎ 04 66 61 81 93 ℻ 04 66 61 85 94
🛏 12 ⌧ 270/310 F. ⌧ 38 F.
🍽 90/230 F. 🛏 45 F. 🔲 262/282 F.
⌧ 20 nov./15 mars. Rest. mer. midi sauf
juil./août.
🅴 📷 ☎ 🚗 🌴 🎣 🔌 🎿 🔅 CV 🏠
CB

🏨🏨🏨 PORTE DES CEVENNES ★★
2300, route de St Jean du Gard.
M. Kovac
☎ 04 66 61 99 44 ℻ 04 66 61 73 65
🛏 34 ⌧ 290/320 F. ⌧ 42 F.
🍽 90/150 F. 🛏 55 F. 🔲 270 F.
⌧ 25 oct./1er avr. Rest. midi sauf
groupes.
🅴 📷 ☎ 🚗 🌴 🎣 🐕 🎿 CV 🔅 CB

Les ANGLES (A3)
30133 Gard
5000 hab. ℹ️

🏨🏨🏨 LE PETIT MANOIR ★★
Av. Jules Ferry. M. Chailly
☎ 04 90 25 03 36 ℻ 04 90 25 49 13
🛏 44 ⌧ 230/350 F. ⌧ 37 F.
🍽 91/220 F. 🛏 60 F. 🔲 540/600 F.
🅴 🅳 ℹ️ 📷 ☎ 🚗 🚗 🌴 🎣 🔌 🎿
🔅 🏠 CB

AULAS (A1)
30120 Gard
340 hab.

🏨🏨🏨 AUBERGE LE MAS QUAYROL ★★
Mme Delalandre
☎ 04 67 81 12 38 ℻ 04 67 81 23 84
🛏 16 ⌧ 280/375 F. 🍴 37 F.
🍽 95/235 F. 🛏 55 F. 🔲 247/325 F.
⌧ 1er janv./20 mars.
🅴 📷 ☎ 🚗 🌴 🎣 CV 🔅 🏠 CB

AUMESSAS (A1)
30770 Gard
215 hab.

🏨 LA VIALLE ★
Place de la Gare. M. Labinal
☎ 04 67 82 01 34
🛏 7 ⌧ 205 F. ⌧ 25 F. 🍽 82/138 F.
🛏 41 F. 🔲 205/275 F.
⌧ 1er janv./1er mars. mar. soir, mer. et
ven. midi sauf juil./août.
🅴 🅳 SP ☎ 🏠 CB

AVEZE (A-B1)
30120 Gard
950 hab.

🏨 AUBERGE COCAGNE ★★
Place du Château. M.Me Welker
☎ 04 67 81 02 70 ℻ 04 67 81 07 67
🛏 7 ⌧ 160/250 F. ⌧ 32 F. 🍽 68/168 F.
🛏 48 F. 🔲 195/240 F.
⌧ 20 déc./15 mars.
🅴 🅳 SP ☎ 🚗 CV 🏠 CB

BEAUCAIRE (B3)
30300 Gard
14000 hab. ℹ️

🏨🏨 L'OLIVERAIE ★★
Route de Nîmes. Mme Valota
☎ 04 66 59 16 87 ℻ 04 66 59 08 91
🛏 13 ⌧ 280/350 F. ⌧ 35 F.
🍽 79/149 F. 🛏 60 F. 🔲 290 F.
⌧ 23 déc./8 janv. sauf 25 déc. midi et
1er janv. midi.
🅴 ℹ️ 📷 ☎ 🚗 🌴 🎣 🔌 🎿 🔅 CV 🔅
🏠 CB

🏨 LE PARC
A 6km Beaucaire sur D38, route
Bellegarde. M. Rayret
☎ 04 66 01 11 45 ℻ 04 66 01 02 28
🛏 7 ⌧ 180/290 F. ⌧ 32 F. 🍽 58/260 F.
🛏 40 F. 🔲 260 F.
⌧ lun. soir et mar.
🅴 SP 📷 🚗 🌴 🎿 CV 🏠 CB

🏨🏨🏨 ROBINSON ★★★
Route de Remoulin. Mme Léon-Blanc
☎ 04 66 59 21 32 ℻ 04 66 59 00 03
🛏 30 ⌧ 290/340 F. ⌧ 40 F.
🍽 100/200 F. 🛏 60 F. 🔲 320 F.
⌧ fév.
🅴 ℹ️ 📷 ☎ 🚗 🚗 🌴 🎣 🔌 🎿 🔅 CV
🔅 🏠 CB

CHAMBORIGAUD (A2)
30530 Gard
874 hab.

▲▲ LES CEVENNES ★
14, route de Villefort. M. Chomat
☎ 04 66 61 47 27 ℻ 04 66 61 51 01
🛏 11 ⬚ 180/210 F. ⬛ 28 F.
🍴 55/165 F. 🍽 40 F. 🛎 190/205 F.
⊠ 2 janv./14 fév. et mar. sauf
15 juin/15 sept.
🇪 ⬚ 🕿 🚗 CV ↞ CB

COLLIAS (A-B3)
30210 Gard
800 hab. 🅹

▲▲ AUBERGE LE GARDON ★★
Chemin du Gardon Mme Roy
☎ 04 66 22 80 54 ℻ 04 66 22 88 98
🅜 🛏 13 ⬚ 235/270 F. ⬛ 35 F.
100F 🍴 85/139 F. 🍽 48 F. 🛎 235/260 F.
⊠ 15 oct./15 mars.
🇪 🄳 🕿 🚗 🚗 🕿 🕏 ♿ ↞ CB

L'ESPEROU (A1)
30570 Gard
1265 m. • 100 hab.

▲▲ DU PARC ET DE L'ESPEROU ★
(Carrefour des Hommes de la Route).
Mme Boissiére
☎ 04 67 82 60 05 ℻ 04 67 82 62 12
🅜 🛏 10 ⬚ 220/270 F. ⬛ 35 F.
120F 🍴 85/150 F. 🍽 45 F. 🛎 225/250 F.
⊠ 11 nov./1er mai.
🇪 🕿 🚗 🕿 CV 🄸 ↞ CB

▲ DU TOURING
M. Jonget
☎ 04 67 82 60 04
🅜 🛏 10 ⬚ 200 F. ⬛ 26 F. 🍴 69/115 F.
100F 🍽 45 F. 🛎 193 F.
⊠ 1er nov./25 déc., dim. soir et lun.
sauf vac. scol.
🇪 🄳 🚗 🕿 ↞ CB

GENOLHAC (A2)
30450 Gard
850 hab. 🅹

▲▲ DU MONT LOZERE ★★
13, av. de la Libération. Mme Coupey
☎ 04 66 61 10 72 ℻ 04 66 61 23 91
🅜 🛏 14 ⬚ 180/220 F. ⬛ 32 F.
100F 🍴 80/160 F. 🍽 45 F. 🛎 220/265 F.
⊠ 2 nov./10 fév., mer. 10 fév./15 juin et
15 sept./début nov.
🇪 🕿 🚗 🚗 🕿 🕏 CB

LEZAN (A2)
30350 Gard
900 hab.

▲ DES ARTS ★★
1, place du Château. Mme Beaudet
☎ 04 66 83 00 60 ℻ 04 66 83 87 21

🛏 9 ⬚ 240 F. ⬛ 35 F. 🍴 80/125 F.
🍽 35 F. 🛎 240 F.
⊠ dim. soir hs.
🇪 ⬚ 🕿 🚗 🕿 CV 🄸 ↞ CB

MARGUERITTES (B3)
30320 Gard
>>> *voir NIMES*

NIMES (B2-3)
30000 Gard
128471 hab. 🅹

▲▲ AUBERGE BOIS DES ESPEISSES ★★
127, route d'Alès. M. Arent
☎ 04 66 23 62 98 ℻ 04 66 62 38 24
🅜 🛏 25 ⬚ 190/260 F. ⬛ 40 F.
80F 🍴 59/250 F. 🍽 50 F. 🛎 200/270 F.
⊠ dim. soir sept./fin mai.
🇪 SP 🄸 🕿 🚗 🚗 🕫 🕿 🕏 ♿ CV
🄸 ↞ CB

... *à proximité*

MARGUERITTES (B3)
30320 Gard
7548 hab. 🅹

7 km N.E. Nimes par N 86

▲▲▲ L'HACIENDA ★★★
Le Mas de Brignon. M. Chauvin
☎ 04 66 75 02 25 ℻ 04 66 75 45 58
🛏 10 ⬚ 350/550 F. ⬛ 70 F.
🍴 105/340 F. 🍽 85 F. 🛎 420/580 F.
🇪 🄳 ⬚ 🕿 🚗 🚗 🕿 🕏 ♿ CV
🄸 ↞ CB

Les PLANTIERS (A2)
30122 Gard
230 hab.

▲▲ DE VALGRAND ★★
Mme Fascetti
☎ 04 66 83 92 51
🅜 🛏 8 ⬚ 250 F. 🍽 45 F. 🍴 90/130 F.
100F 🍽 50 F. 🛎 255 F.
⊠ fin nov./début avr.
🇪 SP 🄸 🕿 🚗 🕫 🕿 🕏 ♿ CV 🄸
↞ CB

PONT SAINT ESPRIT (A3)
30130 Gard
8500 hab. 🅹

▲▲ AUBERGE PROVENCALE ★★
Route de Bagnols sur Cèze M. Gentil
☎ 04 66 39 08 79 ℻ 04 66 39 14 28
🅜 🛏 15 ⬚ 160/195 F. ⬛ 25 F.
100F 🍴 55/120 F. 🍽 35 F. 🛎 160/180 F.
⊠ 24/31 déc.
🇪 SP 🚗 🚗 CV ↞ CB

▲ DU PARC ★
Av. Gaston Doumergue. M. Senegas
☎ 04 66 39 09 96 ℻ 04 66 90 71 98
🛏 18 ⬚ 160/260 F. ⬛ 26 F.
🍴 80/200 F. 🍽 40 F. 🛎 180/200 F.
⊠ dim. hs.
🇪 🄳 🄸 ⬚ 🕿 🚗 🕿 CV ↞ CB

REMOULINS (B3)
30210 Gard
1870 hab. ℹ️

▲▲ LE COLOMBIER ★★
(Pont du Gard, Rive Droite). M. Cochet
☎ 04 66 37 05 28 ℻ 04 66 37 35 75
🛏 10 ⬜ 240/290 F. 🍽 35 F.
🍴 68/160 F. 🔆 50 F. ⬛ 245/270 F.
Ⓔ SP ⬜ ☎ 🚗 🛏 🕴 🐾 CV ◀ CB GR

▲▲ MODERNE Rest. LES GLYCINES ★★
8, av. Perret Geoffroy. M. Abraham
☎ 04 66 37 20 13 ℻ 04 66 37 01 85
🛏 22 ⬜ 250/320 F. 🍽 36 F.
🍴 85/125 F. 🔆 45 F. ⬛ 250/290 F.
⊠ 31 oct./11 nov. et sam. 1er oct./
30 mars.
Ⓔ ⬜ Ⓖ ☎ 🚗 🏛 🛏 CV ◀ CB 🏨

ROQUEMAURE (A3)
30150 Gard
4647 hab. ℹ️

▲ LE CLEMENT V ★★
Route de Nîmes, 6 rue Pierre Sémard.
Mme Davidson
☎ 04 66 82 67 58 ℻ 04 66 82 84 66
🛏 19 ⬜ 220/305 F. 🍽 38 F.
🍴 95/125 F. 🔆 50 F. ⬛ 230/270 F.
⊠ vac. Toussaint et fév. Rest. dim. hs et
24, 25, 31 déc. et 1er janv.
Ⓔ ⬜ 🚗 ☎ 🚗 🚗 🕴 ✚ CV 🔅 ◀
CB GR

SAINT GENIES DE MALGOIRES (B2)
30190 Gard
1420 hab.

▲▲ L'ESQUIELLE ★★
Rue des Faubourgs. M. Tramunt
☎ 04 66 81 75 05 ℻ 04 66 81 74 31
🛏 8 ⬜ 230/300 F. 🍽 30 F. 🍴 75/245 F.
🔆 45 F. ⬛ 190/210 F.
⊠ 30 janv./12 fév., mar. soir et mer.
15 sept./15 avr.
Ⓔ SP ⬜ ☎ 🚗 🕴 🐾 CV 🔅 ◀ CB

SAINT GILLES (B3)
30800 Gard
11304 hab. ℹ️

▲▲ LE COURS ★★
10, av. François Griffeuille. M. Peyrol
☎ 04 66 87 31 93 ℻ 04 66 87 31 83
🛏 33 ⬜ 195/300 F. 🍽 32 F.
🍴 50/145 F. 🔆 40 F. ⬛ 225/245 F.
⊠ 15 déc./25 fév.
Ⓔ ℹ️ ⬜ ☎ 🚗 ⓵ 🏛 🐾 CV ◀ CB 🏨 GR

SAINT HILAIRE D'OZILHAN (A3)
30210 Gard
672 hab.

▲▲▲ L'ARCEAU ★★
1, rue de l'Arceau. Mme Cabanel
☎ 04 66 37 34 45 ℻ 04 66 37 33 90
🛏 23 ⬜ 280/345 F. 🍽 35 F.
🍴 100/225 F. 🔆 60 F. ⬛ 260 F.

⊠ 29 nov./12 fév., dim. soir et lun. sauf
Pâques/fin sept.
Ⓔ ⬜ ⬜ ☎ 🚗 🚗 🛏 🕴 🐾 🔅 ◀ CB GR

SAINT HIPPOLYTE DU FORT (A2)
30170 Gard
3460 hab. ℹ️

▲▲ AUBERGE CIGALOISE ★★
Route de Nîmes. M. Faurichon
☎ 04 66 77 64 59 ℻ 04 66 77 25 08
🛏 10 ⬜ 250/340 F. 🍽 35 F.
🍴 95/170 F. 🔆 52 F. ⬛ 225/245 F.
⊠ rest. 18 nov./18 déc., lun. et mar.
soir hs.
⬜ ☎ 🚗 🛏 🕴 🐾 🔅 🐾 CV 🔅
◀ CB

SAINT JEAN DU GARD (A2)
30270 Gard
2500 hab. ℹ️

▲▲ AUBERGE DU PERAS ★★
Route de Nîmes. M. Roudaut
☎ 04 66 85 35 94 ℻ 04 66 52 30 32
🛏 10 ⬜ 248/268 F. 🍽 28 F.
🍴 55/128 F. 🔆 35 F. ⬛ 218/238 F.
⊠ 1er déc./1er mars.
Ⓔ SP ⬜ ☎ 🚗 🛏 🕴 🐾 🔅 CV 🔅
◀ CB

SAUVE (B2)
30610 Gard
1417 hab. ℹ️

▲▲ LA MAGNANERIE ★★
(L'Evesque). Mme Rousée-Rodriguez
☎ 04 66 77 57 44 ℻ 04 66 77 02 31
🛏 8 ⬜ 200/330 F. 🍽 35 F. 🍴 65/180 F.
🔆 40 F. ⬛ 420/550 F.
⊠ 15/30 nov. et lun.
Ⓔ SP ⬜ ☎ 🚗 🛏 🕴 🐾 🔅 🐾 CV
🔅 ◀ CB

SAZE (A-B3)
30650 Gard
1217 hab.

▲▲ AUBERGE LA GELINOTTE ★★
Sur N. 100. Mlle Arnaud
☎ 04 90 31 72 13 ℻ 04 90 26 95 83
🛏 10 ⬜ 280/340 F. 🍽 35 F.
🍴 120/150 F. 🔆 45 F. ⬛ 330/350 F.
⊠ rest. 20 nov./1er mars (dîner plateau
en chambre durant cette période), lun.
midi en saison, dim. soir et lun. hs.
Ⓔ ⬜ ☎ 🚗 🕴 🔅 🔅 ◀ CB

SEYNES (A2)
30580 Gard
111 hab.

▲ LA FARIGOULETTE ★★
Le Village. M. Daniel
☎ 04 66 83 70 56 ℻ 04 66 83 72 80
🛏 11 ⬜ 230 F. 🍽 30 F. 🍴 70/160 F.
🔆 40 F. ⬛ 180 F.
⬜ ☎ 🚗 🏛 🕴 🔅 🐾 🔅 ◀ CB

TAVEL (A3)
30126 Gard
1413 hab.

⚑⚑ LE PONT DU ROY ★★
Route de Nîmes, D. 976. MM. Schorgeré
☎ 04 66 50 22 03 ℻ 04 66 50 10 14
120F ⬆ 14 ◎ 270/360 F. ☟ 37 F.
⬜ 129/155 F. ⬛ 65 F. ◨ 275/325 F.
⊠ 1er nov./15 mars (hôtel ouvert sur '
réservation). Rest. mar. midi.
🇪 🏠 🚗 🗺 🍴 ⬛ ⚙ ▶ ⚙ ⚙ ♦
CB CR

UZES (A3)
30700 Gard
7825 hab. ℹ

⚑ DU CHAMP DE MARS ★★
1087, route de Nîmes. Mme Reynaud
☎ 04 66 22 36 55 ℻ 04 66 22 66 02
⬆ 7 ◎ 230/280 F. ☟ 35 F. ◨ 68/135 F.
⬛ 35 F. ◨ 240/260 F.
⊠ rest. sam. midi et dim. soir.
🇪 ℹ 🏠 🚗 🚗 ⬛ 🍴 ♦ CB

VALLERAUGUE (A1-2)
30570 Gard
1040 hab. ℹ

⚑⚑⚑ LES BRUYERES ★★
Rue André Chamson. M. Bastide
☎ 04 67 82 20 06
100F ⬆ 23 ◎ 240/260 F. ☟ 30 F.
⬜ 80/130 F. ⬛ 50 F. ◨ 240/260 F.
⊠ 17 oct./30 avr.
SP 🏠 🚗 🚗 🍴 ⬛ CV ♦ CB

VALLIGUIERES (A3)
30210 Gard
313 hab.

⚑ LA VIEILLE AUBERGE
A 8 Km de Remoulins, sur N.86.
Mme Buthod
☎ 04 66 37 16 13
100F ⬆ 8 ◎ 160/200 F. ☟ 26 F. ◨ 88/148 F.
⬛ 48 F. ◨ 210/230 F.
⊠ 1er nov./1er avr.
🍴 CV ♦ CB

VENEJAN (A3)
30200 Gard
778 hab.

⚑ LOU CALEOU ★★
M. Fleck
☎ 04 66 79 25 16 ℻ 04 66 79 21 50
100F ⬆ 13 ◎ 260 F. ☟ 30 F. ◨ 65/180 F.
⬛ 50 F. ◨ 295 F.
⊠ dim. soir.
🇪 🇩 🏠 🚗 🍴 ⬛ CV ⚙ CB

VERGEZE (B2)
30310 Gard
3000 hab. ℹ

⚑⚑ LA PASSIFLORE ★★
1, rue Neuve. M. Booth
☎ 04 66 35 00 00 ℻ 04 66 35 09 21

⬆ 11 ◎ 225/325 F. ☟ 38 F. ◨ 135 F.
⬛ 40 F. ◨ 260/310 F.
⊠ rest. 15 nov./26 déc., lun. avr./oct.,
dim. et lun. nov./mars.
🇪 🏠 🚗 🗺 🍴 ⬛ CV ♦ CB CR

La VERNAREDE (A2)
30530 Gard
440 hab.

⚑ LOU CANTE PERDRIX ★★
Le Château.
Mme Tresch
☎ 04 66 61 50 30 ℻ 04 66 61 43 21
100F ⬆ 15 ◎ 280/325 F. ☟ 37 F.
⬜ 75/190 F. ⬛ 48 F. ◨ 260/282 F.
⊠ rest. mar. hs.
🇪 🏠 🏠 🚗 🗺 🍴 ⬛ ♦ ⚙ CV ⚙
♦ CB CR

VEZENOBRES (A2)
30360 Gard
1500 hab. ℹ

⚑⚑ LE RELAIS SARRASIN ★★
Route de Nîmes.
M.Me Charas
☎ 04 66 83 55 55 ℻ 04 66 83 66 83
100F ⬆ 18 ◎ 165/330 F. ☟ 30 F. ⬛ 39 F.
⬜ 200/275 F.
⊠ 15 déc./15 janv., dim. oct./Pâques.
🏠 🇨🇯 🏠 🚗 🗺 🍴 ⬛ ⚙ CV
⚙ ♦ CB

Le VIGAN (A1-2)
30120 Gard
5000 hab. ℹ

⚑⚑ LE MAS DE LA PRAIRIE ★★
av. Sergent Triaire
M. Barral
☎ 04 67 81 80 80 ℻ 04 67 81 16 58
100F ⬆ 25 ◎ 150/330 F. ☟ 30 F.
⬜ 65/110 F. ⬛ 37 F. ◨ 190/210 F.
🇪 🏠 🏠 🚗 🗺 🍴 ⬛ CV ⚙ ♦ CB

VILLENEUVE LES AVIGNON (A3)
30400 Gard
10000 hab. ℹ

✳ COYA ★★
(Pont d'Avignon).
M. Lacroix
☎ 04 90 25 52 29 ℻ 04 90 25 68 90
⬆ 15 ◎ 198/397 F. ☟ 35 F.
🏠 🏠 🚗 🗺 🍴 CV ♦ CB

⚑⚑ RESIDENCE LES CEDRES ★★
39, av. Pasteur Bellevue.
M. Grimonet
☎ 04 90 25 43 92 ℻ 04 90 25 14 66
120F ⬆ 20 ◎ 298/420 F. ☟ 40 F.
⬜ 105/160 F. ⬛ 60 F. ◨ 265/295 F.
⊠ 15 nov./15 mars.
🇪 🇩 🏠 🏠 🚗 🗺 🍴 ⬛ ⚙ ⚙ ⚙ ♦
CB CR

**Liste des
hôtels-restaurants**

Hérault

C.R.T. Languedoc-Roussillon / N. Lejeune

**Association départementale
des Logis de France de l'Hérault**
C.D.T. - Maison du Tourisme
Avenue des Moulins - B.P. 3067
34034 Montpellier Cedex 1
Téléphone 04 67 84 71 24

LANGUEDOC-ROUSSILLON

48 LOZÈRE
Mende

30 GARD
Montpellier
Nîmes
34 HÉRAULT

Carcassonne
11 AUDE
Perpignan

66 PYRÉNÉES-
ORIENTALES

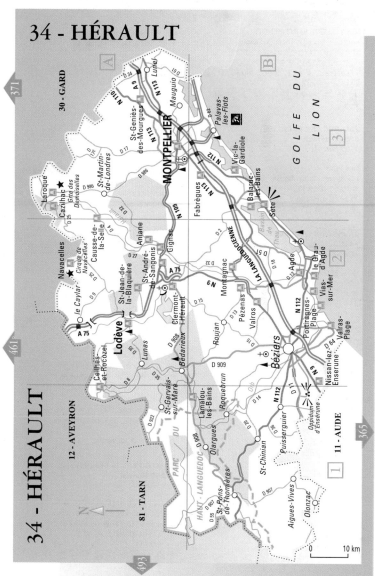

34 - HÉRAULT

34 - HÉRAULT

30 - GARD

12 - AVEYRON

81 - TARN

GOLFE DU LION

MONTPELLIER

Béziers

Lodève

11 - AUDE

HAUT - LANGUEDOC

PARC DU

Légende p 21

0   10 km

AGDE (B2)
34300 Hérault
14378 hab. [i]

▲ LES DEUX FRERES ★★
7, av. Victor-Hugo. MM. Serrano
☎ 04 67 21 14 42 FAX 04 67 21 17 70
⏎ 14 ⊜ 220/280 F. ■ 32 F.
[ll] 63/148 F. ⛭ 45 F. ▣ 220/230 F.
[E] [SP] [⬚] [☎] [🚗] [♿] [CV] [▤] [♠] [CB]

ANIANE (A2)
34150 Hérault
1600 hab. [i]

▲▲ HOSTELLERIE SAINT BENOIT ★★
Route de Saint Guilhem. M. Raoul
☎ 04 67 57 71 63 FAX 04 67 57 47 10
[🛏] 30 ⊜ 270/315 F. ■ 35 F.
[ll] 99/158 F. ⛭ 45 F. ▣ 260/280 F.
⊠ 15 déc./1er mars.
[E] [SP] [☎] [🚗] [⛵] [♣] [🏕] [⬆] [♿] [♿] [▤]
[♠] [CB]

BALARUC LES BAINS (B3)
34540 Hérault
3500 hab. [i]

❖ DES PINS ★★
11, square Marius Bordes. Mme Delsol
☎ 04 67 48 50 15
[🛏] 19 ⊜ 145/190 F. ■ 28 F.
[SP] [⬚] [☎] [🚗] [🏕] [♠] [CB]

CAUSSE DE LA SELLE (A2-3)
34380 Hérault
170 hab.

▲▲ HOSTELLERIE LE VIEUX CHENE
(Plan du Lac). M. Fancelli
☎ 04 67 73 11 00 FAX 04 67 73 10 54
⏎ 3 ⊜ 290/390 F. ■ 45 F.
[ll] 110/310 F. ⛭ 70 F. ▣ 310/360 F.
⊠ lun.
[E] [⬚] [☎] [🚗] [🏕] [♣] [CV] [♠] [CB]

CAZILHAC (A3)
34190 Hérault
1004 hab. [i]

▲▲ AUBERGE LES NORIAS ★★★
254, av. des deux Ponts M. Serres
☎ 04 67 73 55 90 FAX 04 67 73 62 08
⏎ 11 ⊜ 280/300 F. ■ 38 F.
[ll] 100/255 F. ⛭ 55 F. ▣ 265/275 F.
⊠ 2ème quinzaine nov., lun. soir et
mar. hs.
[E] [D] [⬚] [☎] [🚗] [🚗] [⛵] [♣] [🏕] [♿] [▤] [♠]

CEILHES ET ROCOZELS (A1-2)
34260 Hérault ·
360 hab. [i]

▲ BESSIERE ★★
10, av. du Lac. Mme Bessière
☎ 04 67 23 42 09 FAX 04 67 23 46 81
⏎ 9 ⊜ 190/240 F. ■ 30 F. [ll] 75/220 F.

⛭ 50 F. ▣ 200/220 F.
⊠ 1er nov./1er mars.
[E] [☎] [🏕] [♿] [♠] [CB]

CLERMONT L'HERAULT (A2)
34800 Hérault
5926 hab. [i]

▲▲ DE SARAC ★★
Route de Béziers. (par A.75 sortie
n° 57). Mme Dunand
☎ 04 67 96 06 81 FAX 04 67 88 07 30
⏎ 22 ⊜ 230/260 F. ■ 35 F.
[ll] 98/169 F. ⛭ 65 F. ▣ 265/275 F.
⊠ rest. 15 déc./20 janv., sam. midi et
dim. sauf dim. soir en saison.
[E] [⬚] [☎] [🚗] [🚗] [🏕] [♣] [♠] [CB]

FABREGUES (B3)
34690 Hérault
4000 hab.

▲▲▲ RELAIS DE FABREGUES ★★
M. Leu
☎ 04 67 85 11 79 FAX 04 67 85 29 54
⏎ 27 ⊜ 199/355 F. ■ 35/ 40 F.
[ll] 69/190 F. ⛭ 69 F. ▣ 275/299 F.
⊠ rest. dim. soir et lun.
[E] [D] [SP] [⬚] [☎] [🚗] [🚗] [▦] [🏕] [♣] [CV] [▤] [▪]

GIGNAC (A2)
34150 Hérault
3652 hab. [i]

▲▲ LE VIEUX MOULIN ★★
Chemin de l'Auberge. Mme Sortant
☎ 04 67 57 57 95 FAX 04 67 57 69 19
⏎ 11 ⊜ 225/270 F. ■ 37 F.
[ll] 95/191 F. ⛭ 58 F. ▣ 245 F.
⊠ fév. Rest. lun. midi et sam. midi.
[E] [⬚] [☎] [🚗] [🏕] [♣] [♿] [▤] [♠] [CB] [▪]

Le GRAU D'AGDE (B2)
34300 Hérault
12768 hab. [i]

▲ EL RANCHO ★★
Bld du Front de Mer. Mme Regol
☎ 04 67 94 24 35 FAX 04 67 94 85 47
⏎ 9 ⊜ 230/260 F. ■ 30 F. [ll] 76/ 95 F.
⛭ 38 F. ▣ 240/252 F.
⊠ hôtel 1er nov./20 déc. Rest. 15/30
oct., 6/25 janv., mer. hs et hors vac.
scol.
[D] [SP] [☎] [♿] [CV] [♠] [CB]

LAMALOU LES BAINS (B1)
34240 Hérault
3000 hab. [i]

▲▲▲ DE LA PAIX Rest. L'ARBOUSIER ★★★
18, rue Alphonse Daudet. M. Bitsch
☎ 04 67 95 63 11 FAX 04 67 95 67 78
⏎ 31 ⊜ 190/260 F. ■ 35 F.
[ll] 78/240 F. ⛭ 45 F. ▣ 200/275 F.
[E] [D] [⬚] [🅖] [☎] [🚗] [🚗] [🛏] [🏕] [♣] [♿] [CV]
[▤] [♠] [CB] [▪]

LAROQUE (A3)
34190 Hérault
1028 hab.

⛰ LE PARC AUX CEDRES ★★
14, route de Montpellier. M. Domenech
☎ 04 67 73 82 63 Ⅲ 04 67 73 69 85
🏠 ▌ 7 ▤ 230/370 F. 🍽 38 F. 🍴 95 F.
🛏 65 F. 🍽 240/260 F.
🅴 SP 🗄 🖼 🚗 🖼 🖼 ⛱ 🛶 ⚽
⚓ CB

LODEVE (A2)
34700 Hérault
8560 hab. ⓘ

⛰⛰ DE LA PAIX ★★
11, bld Montalangue. M. Escudié
☎ 04 67 44 07 46 Ⅲ 04 67 44 30 47
🏠 ▌ 21 ▤ 220/250 F. 🍽 30 F.
🍴 69/150 F. 🛏 45 F. 🍽 210/240 F.
▨ 2 janv./18 mars, dim. soir et lun.
1er oct./1er avr. sauf vac. scol.
🅴 🅳 SP 🗄 🖼 🚗 CV 🔈 ⚓ CB

MONTAGNAC (B2)
34530 Hérault
3000 hab. ⓘ

⛰⛰ LES ROCAILLES ★★
Sur N.113. Route de Meze.
MM. Gravendeel/Ten Broek
☎ 04 67 24 00 27 Ⅲ 04 67 24 06 70
🏠 ▌ 12 ▤ 230/270 F. 🍽 30 F.
🍴 90/200 F. 🍽 235/260 F.
▨ déc., janv. et jeu. hs.
🅴 🅳 🗄 🚗 ⛱ CB

MONTPELLIER (A3)
34000 Hérault
210866 hab. ⓘ

⛰⛰ GEORGE V ★★★
42, av. St-Lazare. M.Me Picamal
☎ 04 67 72 35 91 Ⅲ 04 67 72 53 33
🏠 ▌ 36 ▤ 290/470 F. 🍽 45 F.
🍴 69/118 F. 🛏 45 F. 🍽 250/350 F.
▨ rest. sam. et dim.
🅴 SP 🗄 🖼 🚗 🔈 🖼 🖼 ⛱ CV 🔈
⚓ CB 🔲

⛰ LAPEYRONIE ★★
Rue des Petetes. M. Canolle
☎ 04 67 52 52 20 Ⅲ 04 67 63 56 65
🏠 ▌ 23 ▤ 260/290 F. 🍽 29 F.
🍴 75/160 F. 🛏 40 F. 🍽 215/230 F.
▨ rest. vac. scol. Noël/Nouvel An,
1er/24 août, sam. et dim. midi.
🅴 🗄 🖼 🚗 🖼 ⛱ 🛶 CV ⚓ CB

NAVACELLES (A2)
34520 Hérault
8 hab.

EC AUBERGE DE LA CASCADE ★★
(Cirque de Navacelles). M. Vernay
☎ 04 67 81 50 95 Ⅲ 04 67 81 53 45
🏠 ▌ 5 ▤ 200/320 F. 🍽 39 F. 🍴 90/172 F.
🛏 48 F. 🍽 260/298 F.
▨ 1er déc./28 fév.
ⓘ 🗄 🖼 🚗 🖼 🖼 ⛱ 🛶 🔈 ⚓

NISSAN LEZ ENSERUNE (B2)
34440 Hérault
2700 hab. ⓘ

⛰⛰ RESIDENCE ★★
35, av. de la Cave. Mme Lourbet-Rouzier
☎ 04 67 37 00 63 Ⅲ 04 67 37 68 63
🏠 ▌ 18 ▤ 240/270 F. 🍽 35 F. 🍴 95 F.
🛏 50 F. 🍽 240/250 F.
▨ nov.
🅴 SP 🗄 🖼 🚗 ⛱ CV 🔈 CB 🔲

PEZENAS (B2)
34120 Hérault
8000 hab. ⓘ

⛰⛰ GENIEYS ★★
7-9, av. Aristide Briand. M. Hyvonnet
☎ 04 67 98 13 99 Ⅲ 04 67 98 04 80
🏠 ▌ 28 ▤ 160/310 F. 🍽 35 F.
🍴 72/168 F. 🛏 45 F. 🍽 225/275 F.
▨ nov. Rest. dim. soir sauf juil./août.
🅴 🅳 ⓘ 🗄 🖼 🚗 ⛱ 🛶 🔈 ⚓ CB

⛰⛰ LE MOLIERE ★★
Place du 14 Juillet. M. Navarro
☎ 04 67 98 14 00 Ⅲ 04 67 98 98 28
🏠 ▌ 15 ▤ 260 F. 🍽 28 F. 🍴 79/139 F.
🛏 48 F. 🍽 250 F.
🅴 SP 🗄 🖼 🚗 🔈 🖼 🖼 🛶 CV 🔈 CB

PORTIRAGNES PLAGE (B2)
34420 Hérault
500 hab. ⓘ

⛰⛰ LE MIRADOR ★★
4, bld Front de Mer. Mme Gil
☎ 04 67 90 91 33 Ⅲ 04 67 90 88 80
🏠 ▌ 17 ▤ 190/380 F. 🍽 32 F.
🍴 98/235 F. 🛏 45 F. 🍽 260/330 F.
▨ 5 oct./30 mars.
🅴 🅳 SP 🗄 🖼 🖼 CV 🔈 ⚓ CB

SAINT ANDRE DE SANGONIS (A2)
34725 Hérault
3472 hab. ⓘ

⛰⛰ LES JARDINS D'ISIS ★★★
Route de Gignac Mme Jadaud-Delpuech
☎ 04 67 57 99 82 Ⅲ 04 67 57 99 83
🏠 ▌ 28 ▤ 240/300 F. 🍽 35 F.
🍴 69/140 F. 🛏 39 F. 🍽 270/330 F.
🅴 SP 🗄 🖼 🚗 🖼 🖼 🖼 🛶 CV 🔈 ⚓
CB 🔳 🔲

SAINT GENIES DES MOURGUES (A3)
34160 Hérault
1112 hab.

⛰ AUBERGE DU BERANGE ★★
Mme Bonnet
☎ 04 67 87 75 00 Ⅲ 04 67 70 80 85
🏠 ▌ 34 ▤ 180/250 F. 🍽 30 F.
🍴 78/200 F. 🛏 40 F. 🍽 220/250 F.
🅴 SP 🗄 🖼 🚗 ⛱ 🔈 🛶 🛶 CV 🔈
⚓ 🔳 🔲

SAINT JEAN DE LA BLAQUIERE (A2)
34700 Hérault
263 hab.

▲▲ LE SANGLIER ★★★
Domaine de Cambourras. Mme Plazanet
☎ 04 67 44 70 51 ⊠ 04 67 44 72 33
🛏 10 ⊠ 400 F. 🍴 48 F. 🍴 98/215 F.
🚶 60 F. 🛏 390 F.
⊠ 25 oct./15 mars. Rest. mer. midi hs.
🄴 SP ▭ ☎ 🚗 ⬆ ⬅ ⬆ 🚶 🚶 CV ▦
🌳 CB

SETE (B3)
34200 Hérault
42000 hab. ⓘ

▲▲ AMBASSADE ★★
27, av. Victor Hugo. M. Tacaille
☎ 04 67 74 62 67 ⊠ 04 67 74 89 81
🛏 35 ⊠ 270/290 F. 🍴 33 F.
🍴 78/145 F. 🚶 40 F. 🛏 218/228 F.
⊠ 1er/15 nov. Rest. ven. soir, sam. midi
et dim. soir hs.
🄳 SP ⓘ ▭ ☎ 🚗 ⬆ ⬅ 🚶 CV ▦
🌳 CB 🄶

▲▲ LA JOIE DES SABLES ★★★
Plage de la Corniche. M. Spignese
☎ 04 67 53 11 76 ⊠ 04 67 51 24 26
🛏 25 ⊠ 280/330 F. 🍴 40 F.
🍴 75/180 F. 🚶 35 F. 🛏 320 F.
⊠ rest. 2 janv./9 fév., lun. midi en
saison, dim. soir et lun. 1er oct./31 mai.
🄴 ▭ 🄶 ☎ 🚗 🚗 ⬅ ▦ CV ▦ 🌳 CB

▲▲▲ TERRASSES DU LIDO ★★★
Rond-Point de l'Europe «La Corniche»
M. Guironnet
☎ 04 67 51 39 60 ⊠ 04 67 51 28 90
🛏 10 ⊠ 280/450 F. 🍴 45 F.
🍴 140/300 F. 🚶 70 F. 🛏 260/380 F.
⊠ 3 fév./3 mars. Rest. dim. soir et lun.
sauf juil./août.
🄴 SP ▭ ☎ 🚗 ⬆ ▦ ⬅ ⬆ 🚶
CV ▦ 🌳 CB

VALRAS PLAGE (B2)
34350 Hérault
2935 hab. ⓘ

▲ DE LA PLAGE ★★
3, bld Saint-Saens. M. Granier
☎ 04 67 32 08 37 ⊠ 04 67 39 70 91
🛏 18 ⊠ 240/290 F. 🍴 30 F.
🍴 75/185 F. 🛏 250/270 F.
⊠ 15 nov./1er mars et ven. oct./Pâques.
🄴 ☎ 🚗 CV ▦ 🌳

▲▲ MEDITERRANEE ★★
Mme Auriac
☎ 04 67 32 38 60 ⊠ 04 67 32 30 91
🛏 12 ⊠ 250/280 F. 🍴 33 F.
🍴 80/255 F. 🚶 55 F. 🛏 260 F.
⊠ hôtel fin oct./1er mai. Rest. 2ème
semaine nov., 2 semaines en fév. et lun.
🄴 SP ▭ ☎ 🚗

VALROS (B2)
34290 Hérault
1000 hab.

▲▲ AUBERGE DE LA TOUR ★★
N. 113, av. de Pezenas. M.Me Grasset
☎ 04 67 98 52 01 ⊠ 04 67 98 65 31
🛏 18 ⊠ 260/280 F. 🍴 95/234 F.
🚶 55 F. 🛏 250/260 F.
⊠ 15/30 nov. et 1er/15 fév.
🄴 SP ▭ ☎ 🚗 ⬅ ▦ ⬆ 🚶 CV ▦ 🌳
CB

VIAS SUR MER (B2)
34450 Hérault
4000 hab. ⓘ

▲▲ MYRIAM ★★
Vias Plage, av. de la Méditerranée.
Mme Fourcade
☎ 04 67 21 64 59
🛏 24 ⊠ 220/260 F. 🍴 22 F.
🍴 55/105 F. 🚶 35 F. 🛏 202/222 F.
⊠ oct./avr.
🄴 SP ☎ 🚗 ⬆ 🚶 CV 🌳 CB

VIC LA GARDIOLE (B3)
34110 Hérault
2000 hab. ⓘ

▲▲ HOTELLERIE DE BALAJAN ★★★
Sur N. 112. Mme Deneu
☎ 04 67 48 13 99 ⊠ 04 67 43 06 62
🛏 19 ⊠ 285/395 F. 🍴 43 F.
🍴 80/245 F. 🚶 55 F. 🛏 298/340 F.
⊠ 24 déc./3 janv. et fév. Rest. sam.
midi.
🄴 🄳 ▭ ☎ 🚗 ⬆ ⬅ 🚶 CV ▦ 🌳
CB 🛏 🄶

Liste des
hôtels-restaurants
Lozère

D.R.

Association départementale
des Logis de France de la Lozère
Hôtel du Pont Roupt
48000 Mende
Téléphone 04 66 65 01 43

LANGUEDOC-ROUSSILLON

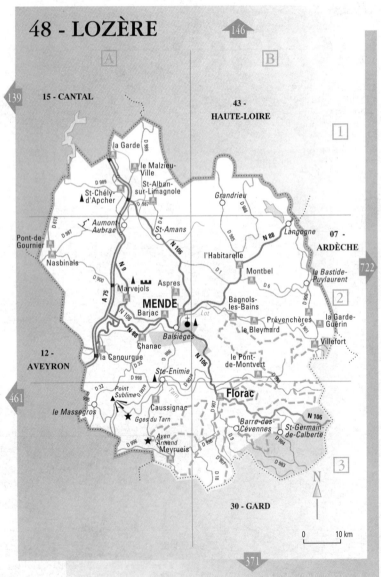

48 - LOZÈRE

146

139

A   B

1

15 - CANTAL

43 - HAUTE-LOIRE

722

la Garde

D 989

le Malzieu-Ville

St-Alban-sur-Limagnole

Grandrieu

D 988

St-Chély-d'Apcher

D 989

D 987

D 4

Aumont-Aubrac

D 613

D 987

St-Amans

D 985

N 88

Langogne

07 - ARDÈCHE

2

Pont-de-Gournier

N 9

Nasbinals

D 900

l'Habitarelle

D 1

Montbel

D 6

la Bastide-Puylaurent

D 906

Aspres

N 106

A 75

Marvejols

MENDE

Bagnols-les-Bains

la Garde-Guérin

Barjac

N 106

Lot

Prévenchères

D 901

Villefort

N 88

Balsièges

le Bleymard

12 - AVEYRON

Chanac

la Canourgue

D 986

le Pont-de-Montvert

D 998

D 32

Ste-Enimie

N 106

D 907

461

D 32

Point Sublime

D 907b

Tarn

Florac

D 984

le Massegros

D 996

Caussignac

Gges du Tarn

Barre-des-Cévennes

N 106

St-Germain-de-Calberte

D 9

D 907

Aven Armand

D 996

Meyrueis

D 983

D 986

D 907

D 984

D 18

3

N

30 - GARD

0   10 km

371

Légende p 21

ASPRES (A2)
48000 Lozère

>>> *voir MENDE*

BAGNOLS LES BAINS (B2)
48190 Lozère
913 m. • 240 hab. 𝒊

▲▲▲ BRIDGE HOTEL - RESIDENCE DU
PONT ★★
7, place du Pont. 1 av. des Thermes.
M.Me Buisson
☎ 04 66 47 60 03 ℻ 04 66 47 62 78
🛏 24 ⌂ 195/330 F. ☕ 46 F.
🍽 70/160 F. 🍴 46 F. ▯ 225/270 F.
⊠ 15 oct./30 mars.
[icons]

▲▲ MODERN HOTEL -
LE MALMONT ★★ & ★★★
9, place du Pont.
M. Castan
☎ 04 66 47 60 04 ℻ 04 66 47 62 73
🛏 39 ⌂ 215/340 F. ☕ 34/ 41 F.
🍽 74/205 F. 🍴 60 F. ▯ 230/355 F.
⊠ 19 oct./26 déc.
[icons]

BARJAC (A2)
48000 Lozère
660 m. • 557 hab.

▲▲ DU MIDI Rest. LE CENARET ★★
Allée des Platanes.
M. Marolot
☎ 04 66 47 01 02 ℻ 04 66 47 07 07
🛏 20 ⌂ 180/250 F. ☕ 30 F.
🍽 60/120 F. 🍴 40 F. ▯ 180/250 F.
⊠ ven. soir et sam. oct./mars.
[icons]

Le BLEYMARD (B2)
48190 Lozère
1069 m. • 448 hab.

▲▲ LA REMISE ★★
Mme Aubenque
☎ 04 66 48 65 80 ℻ 04 66 48 63 70
🛏 19 ⌂ 220/270 F. ☕ 30 F.
🍽 65/138 F. 🍴 35 F. ▯ 200 F.
⊠ 15 nov./1er fév.
[icons]

CAUSSIGNAC (A3)
48210 Lozère
840 m. • 20 hab.

▲ LES AIRES DE LA CARLINE ★★
Route de l'Aven Armand.
M. Cogoluegnes
☎ 04 66 48 54 79 ℻ 04 66 48 57 59
🛏 11 ⌂ 250/270 F. ☕ 34 F.

🍽 89/135 F. 🍴 50 F. ▯ 240 F.
⊠ 12 nov./30 avr.
[icons]

La CANOURGUE (A2)
48500 Lozère
1877 hab. 𝒊

▲▲ DU COMMERCE ★★
Place du Portal. M. Mirmand
☎ 04 66 32 80 18 ℻ 04 66 32 94 79
🛏 28 ⌂ 260/300 F. ☕ 32 F.
🍽 75/155 F. 🍴 55 F. ▯ 260/280 F.
⊠ 1er déc./1er mars, ven. soir et sam.
1er oct./1er mai.
[icons]

CHANAC (A2)
48230 Lozère
630 m. • 900 hab. 𝒊

▲▲ DES VOYAGEURS ★★
Mme Palmier/Arnal
☎ 04 66 48 20 16 ℻ 04 66 48 28 16
🛏 15 ⌂ 160/260 F. ☕ 35 F. 🍴 50 F.
▯ 175/240 F.
⊠ 20 déc./8 janv., ven. soir et sam.
11 nov./10 mars.
[icons]

FLORAC (B3)
48400 Lozère
2100 hab. 𝒊

▲▲ LE ROCHEFORT ★★
(A 2 Km, sur N.106. Route de Mende).
Mme Rossel
☎ 04 66 45 02 57 ℻ 04 66 45 25 85
🛏 24 ⌂ 230/270 F. ☕ 32 F.
🍽 75/175 F. 🍴 45 F. ▯ 210/230 F.
⊠ 1er nov./1er avr. et dim. oct.
[icons]

La GARDE (A1)
48200 Lozère

>>> *voir SAINT CHELY D'APCHER*

La GARDE GUERIN (B2)
48800 Lozère

>>> *voir PREVENCHERES*

L'HABITARELLE (B2)
48170 Lozère
1180 m. • 40 hab. 𝒊

▲▲ DE LA POSTE ★★
M. Laurens
☎ 04 66 47 90 05 ℻ 04 66 47 91 41
🛏 16 ⌂ 260/280 F. ☕ 40 F.
🍽 90/180 F. 🍴 30 F. ▯ 240/260 F.
⊠ 20 déc./10 janv., ven.soir et sam.
midi.
[icons]

Le MALZIEU VILLE (A1)
48140 Lozère
860 m. • 924 hab. ⓘ

ДА DES VOYAGEURS ★★
Route de Saugues.
M. Pages
☎ 04 66 31 70 08   FAX 04 66 31 80 36
🛏 18 ⬙ 220/320 F. 🍽 32 F.
🍴 70/160 F. 🍴 35 F. 🍴 250/350 F.
⊠ 20 déc./28 fév. et dim. soir hs.
E 🗂 🏠 ☎ 🛏 ⓹ CV ▯ CB

MARVEJOLS (A2)
48100 Lozère
600 m. • 6500 hab. ⓘ

ДА DE LA GARE ET DES ROCHERS ★★
Place de la Gare.
M. Teissier
☎ 04 66 32 10 58   FAX 04 66 32 30 63
🛏 30 ⬙ 170/300 F. 🍽 35 F.
🍴 74/220 F. 🍴 60 F. 🍴 250/280 F.
⊠ 15 janv./15 mars. Rest. sam. soir et
dim. soir.
E SP 🗂 ☎ 🛏 ⓹ CV ▯ ⬤ CB

MENDE (A2)
48000 Lozère
730 m. • 12000 hab. ⓘ

ДА DE FRANCE ★★
9, bld Lucien Arnault.
Mme Brager
☎ 04 66 65 00 04   FAX 04 66 49 30 47
🛏 27 ⬙ 230/320 F. 🍽 36 F.
🍴 95/150 F. 🍴 55 F. 🍴 245/305 F.
⊠ 20 déc./31 janv. Rest. lun. midi en
saison, dim. soir et lun. hs.
E SP 🗂 ☎ 🛏 🗂 ⓹ CV ▯ ⬤ CB

ДАА DU PONT ROUPT ★★★
Av. du 11 Novembre.
M. Gerbail
☎ 04 66 65 01 43   FAX 04 66 65 22 96
🛏 25 ⬙ 260/380 F. 🍽 48 F.
🍴 100/270 F. 🍴 60 F. 🍴 330/420 F.
⊠ rest. 20 fév./30 mars, dim. soir et lun.
E D SP 🗂 ☎ 🛏 🗂 🛏 🗂
🗂 ⓹ CV ▯ ⬤ CB ▯ CR

... à proximité

ASPRES (A2)
48000 Lozère
1060 m. • 14 hab.

6 km Nord Mende par D 42

Д LA BOULENE
Route de Rieucros (hameau d'Aspres
5km). M. Poisot
☎ 04 66 49 23 37   FAX 04 66 49 34 43
🛏 6 ⬙ 210 F. 🍽 35 F. 🍴 95/125 F.
🍴 215 F.
⊠ 6 janv./1er mars, 6 nov./20 déc., lun.
et mar. sauf 1er avr./30 sept.
E ☎ 🛏 🗂 ⓹ CV ▯ ⬤

MEYRUEIS (A3)
48150 Lozère
700 m. • 700 hab. ⓘ

ДА FAMILY ★★
M. Julien
☎ 04 66 45 60 02   FAX 04 66 45 66 54
🛏 48 ⬙ 220/250 F. 🍽 35 F.
🍴 75/160 F. 🍴 43 F. 🍴 240/250 F.
⊠ 5 nov./Rameaux.
E SP 🗂 ☎ 🛏 🗂 🛏 🗂 🗂 ⓹ CV
▯ ⬤ CB

ДА LE MONT AIGOUAL ★★
Rue de la Barrière. Mme Robert
☎ 04 66 45 65 61   FAX 04 66 45 64 25
🛏 28 ⬙ 260/450 F. 🍽 40 F.
🍴 90/160 F. 🍴 50 F. 🍴 265/310 F.
⊠ début nov./fin mars.
E SP 🗂 ☎ 🛏 🗂 🛏 ⬤ CB

MONTBEL (B2)
48170 Lozère
1200 m. • 300 hab.

ДА AUBERGE DE LA PLAINE ★★
M. Meyniel
☎ 04 66 47 90 76
🛏 10 ⬙ 160/270 F. 🍽 30 F.
🍴 70/240 F. 🍴 50 F. 🍴 200/240 F.
⊠ 5/25 janv.
E 🗂 ☎ 🛏 ◄ 🗂 🗂 ⓸ CV ▯

NASBINALS (A2)
48260 Lozère
1180 m. • 503 hab.

... à proximité

PONT DE GOURNIER (A2)
48260 Lozère
1080 m. • 200 hab.

4 km Nord Nasbinals par D 12

ДА RELAIS DE L'AUBRAC ★★
M. Pages
☎ 04 66 32 52 06   FAX 04 66 52 56 58
🛏 22 ⬙ 220/260 F. 🍽 32 F.
🍴 85/165 F. 🍴 40 F. 🍴 220/260 F.
⊠ 12 nov./10 fév.
E 🗂 🏠 ☎ 🛏 ◄ 🗂 🗂 ⓹ CV ▯ ⬤ CB

PONT DE GOURNIER (A2)
48260 Lozère

>>> *voir NASBINALS*

PONT DE MONTVERT (B2)
48220 Lozère
885 m. • 300 hab. ⓘ

ДА AUX SOURCES DU TARN ★
Pont de Montvert. M. Mazoyer
☎ 04 66 45 80 25   FAX 04 66 45 85 73
🛏 19 ⬙ 250/350 F. 🍽 35 F.
🍴 85/200 F. 🍴 45 F. 🍴 210/260 F.
⊠ 15 nov./1er mars. Rest. midi.
E ☎ 🛏 🗂 CV CB CR

PREVENCHÈRES (B2)
48800 Lozère
860 m. • 192 hab.

... à proximité

La GARDE GUERIN (B2)
48800 Lozère
860 m. • 80 hab.

4 km Prévenchères par D 906

▲▲▲ AUBERGE REGARDANE ★★
MM. Nogier
☎ 04 66 46 82 88 [FAX] 04 66 46 90 29
🛏 15 ◇ 275/345 F. 🍽 38 F.
🍴 98/175 F. 🔥 55 F. 🖼 265/310 F.
⊠ 3 nov./27 mars.
[E] [SP] ☐ ☎ 🍴 ♿ [CV] 🔌 ♠ [CB]

SAINT ALBAN SUR LIMAGNOLE (A1)
48120 Lozère
950 m. • 1950 hab. [i]

▲▲ RELAIS SAINT ROCH Rest. LA PETITE
MAISON ★★★
Château de la Chastre. M. Chavignon
☎ 04 66 31 55 48 [FAX] 04 66 31 53 26
🛏 9 ◇ 350/750 F. 🍽 54 F. 🍴 78/248 F.
⊠ 1er janv./31 mars et 3 nov./31 déc.
Rest. lun. et mar. midi hs.
[E] [D] [SP] ☐ ☎ 🍴 🏖 🔥 ⊘ [CV]
🔌 ♠ [CB]

SAINT CHELY D'APCHER (A1)
48200 Lozère
1000 m. • 5000 hab. [i]

▲▲ JEANNE D'ARC ★★
49, av. de la Gare. M. Caule
☎ 04 66 31 00 46 [FAX] 04 66 31 28 85
🛏 10 ◇ 210/250 F. 🍽 30 F.
🍴 75/185 F. 🔥 46 F. 🖼 220 F.
[E] ☐ ☎ 🍴 ♿ [CV] 🔌 [CB]

... à proximité

La GARDE (A1)
48200 Lozère
1040 m. • 330 hab.

11 km Nord Saint Chély d'Apcher par N 9

▲▲ LE ROCHER BLANC ★★
M. Brunel
☎ 04 66 31 90 09 [FAX] 04 66 31 93 67
🛏 18 ◇ 230/300 F. 🍽 40 F.
🍴 90/200 F. 🔥 50 F. 🖼 260/300 F.
⊠ 1er déc./1er avr.
[E] [SP] ☐ ☎ 🍴 🔌 ♿ ⊘ 🔌 [CV]
🔌 ♠ [CB]

VILLEFORT (B2)
48800 Lozère
600 m. • 792 hab. [i]

▲▲ BALME ★★
Place Portalet. M. Gomy
☎ 04 66 46 80 14 [FAX] 04 66 46 85 26
🛏 18 ◇ 180/330 F. 🍽 37 F.
🍴 110/270 F. 🔥 50 F. 🖼 250/340 F.
⊠ 15 nov./15 fév., 12/17 oct., dim. soir
et lun. hs.
[E] [SP] ☐ ☎ 🍴 🔌 ♠ [CB]

Informatie over de niewe klantenkaart van Logis de France vindt u achterin deze gids.

Liste des
hôtels-restaurants

Pyrénées-
Orientales

C.R.T Languedoc-Roussillon - F. Urel

Association départementale
des Logis de France des Pyrénées-Orientales
C.C.I.
Quai de Lattre de Tassigny - B.P. 941
66020 Perpignan Cedex
Téléphone 04 68 35 66 33

LANGUEDOC-ROUSSILLON

48 LOZÈRE
Mende

30 GARD
Montpellier
Nîmes

34 HÉRAULT

Carcassonne
11 AUDE

Perpignan

66 PYRÉNÉES-ORIENTALES

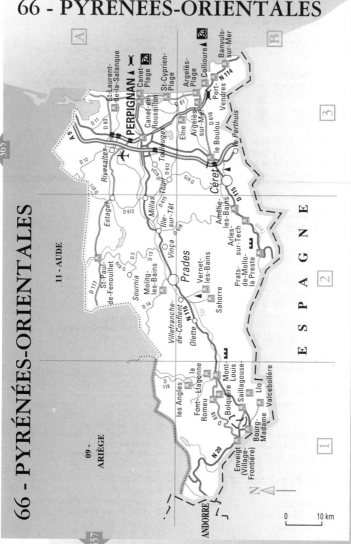

66 - PYRÉNÉES-ORIENTALES

365
457

Légende p 21

387

AMELIE LES BAINS (B2)
66110 Pyrénées Orientales
3500 hab. [i]

⌂ CENTRAL ★
14, Av. du Vallespir. M. Sitja
☎ 04 68 39 05 49   FAX 04 68 83 91 21
[80F] [🛏] 12 ⊙ 120/190 F. ☱ 28 F.
[🍽] 80/100 F. [🛏] 35 F. [🏠] 170/195 F.
⊠ 15 déc./1er fév.
[SP][⬜][☎][🚗][🛏][CV][CB]

⌂⌂⌂ LE PALMARIUM ★★
44, av. de Vallespir.
M. Villot
☎ 04 68 39 19 38   FAX 04 68 39 04 23
[100F] [🛏] 65 ⊙ 250/310 F. ☱ 34 F.
[🍽] 95/160 F. [🛏] 55 F. [🏠] 233/290 F.
⊠ 15 déc./20 janv.
[E][D][SP][⬜][☎][🚗][🛏][CV]
[📺][📞][CB][GR]

Les ANGLES (B1)
66210 Pyrénées Orientales
1595 m. ● 528 hab. [i]

⌂⌂⌂ LLARET HOTEL ★★
12, av. de Balcère.
M. Bascaing
☎ 04 68 30 90 90   FAX 04 68 30 91 66
[100F] [🛏] 26 ⊙ 240/320 F. ☱ 40 F.
[🍽] 95/140 F. [🛏] 50 F. [🏠] 250/320 F.
⊠ 1er mai/14 juin, 1er oct./30 nov.,
mer. sauf vac. scol. et hiver.
[E][SP][⬜][☎][🚗][CV][📞]

ARGELES PLAGE (B3)
66700 Pyrénées Orientales
1500 hab. [i]

⌂⌂ LA CHAUMIERE MATIGNON ★★
30, av. du Tech.
Mme Jampy
☎ 04 68 81 09 84
[100F] [🛏] 10 ⊙ 250/290 F. ☱ 35 F.
[🍽] 70/170 F. [🛏] 48 F. [🏠] 252/272 F.
⊠ 30 sept./25 avr., mar. midi et jeu.
midi.
[E][D][SP][⬜][☎][🚗][CV][CB][GR]

ARGELES SUR MER (B3)
66700 Pyrénées Orientales
6000 hab. [i]

⌂⌂ GRAND HOTEL LE COMMERCE ★★
14, route de Collioure.
M. Rius
☎ 04 68 81 00 33   FAX 04 68 81 69 49
[100F] [🛏] 38 ⊙ 200/295 F. ☱ 38 F.
[🍽] 67/185 F. [🛏] 47 F. [🏠] 245/270 F.
⊠ 25 déc./3 fév. Rest. dim. soir et lun.
oct./mai.
[E][SP][⬜][☎][🚗][CV][📞][CB]
[📷][GR]

⌂⌂⌂ LE COTTAGE ★★★
21, rue Arthur Rimbaud.
Mme Claudel-Paret
☎ 04 68 81 07 33   FAX 04 68 81 59 69
[🛏] 32 ⊙ 290/520 F. ☱ 50 F.

[🍽] 80/260 F. [🛏] 60 F. [🏠] 315/430 F.
⊠ 20 oct./31 mars.
[E][D][SP][⬜][☎][🚗][🏠][🌴][CV][CB][📷][GR]

⌂⌂ LES MOUETTES Rest. LA CORNICHE ★★
Route de Collioure. M. Lecourt
☎ 04 68 81 21 69   FAX 04 68 81 32 73
[🛏] 25 ⊙ 250/500 F. ☱ 50 F.
[🍽] 120/280 F. [🛏] 50 F. [🏠] 265/400 F.
⊠ 15 oct./1er avr.
[E][D][SP][⬜][☎][🚗][🌴][CV][📞][CB][GR]

ARLES SUR TECH (B2)
66150 Pyrénées Orientales
3000 hab. [i]

⌂⌂ LES GLYCINES ★★
M. Bassole
☎ 04 68 39 10 09   FAX 04 68 39 83 02
[100F] [🛏] 30 ⊙ 220/270 F. ☱ 40 F.
[🍽] 85/160 F. [🛏] 50 F. [🏠] 200/230 F.
[E][SP][⬜][☎][🚗][CV][📞][CB]

BANYULS SUR MER (B3)
66650 Pyrénées Orientales
5000 hab. [i]

⌂ AL FANAL
Av. du Fontaulé. M. Sagols
☎ 04 68 88 00 81   FAX 04 68 88 13 37
[100F] [🛏] 13 ⊙ 200/350 F. ☱ 35 F.
[🍽] 95/220 F. [🛏] 45 F. [🏠] 420/570 F.
⊠ 23 déc./2 fév., mar. soir et mer.
[E][D][SP][⬜][☎][🚗][CV]
[📞][CB][GR]

⌂⌂⌂ LES ELMES ★★
Plage des Elmes. M. Sannac
☎ 04 68 88 03 12   FAX 04 68 88 53 03
[🛏] 31 ⊙ 190/500 F. ☱ 40 F.
[🍽] 90/260 F. [🛏] 65 F. [🏠] 230/400 F.
⊠ rest. 3/20 janv. et 3/20 déc.
[E][D][SP][⬜][☎][🚗][CV][📞]
[CB]

BOLQUERE (B1)
66210 Pyrénées Orientales
1613 m. ● 646 hab. [i]

⌂ LASSUS ★
Place de la Mairie. M. Chancel
☎ 04 68 30 09 75   FAX 04 68 30 38 11
[🛏] 18 ⊙ 210 F. ☱ 34 F. [🍽] 76/ 89 F.
[🛏] 40 F. [🏠] 230 F.
⊠ fin avr./15 juin, vac. scol. Toussaint
et week-ends 1er oct./15 déc.
[SP][⬜][☎][🚗][CV][CB]

Le BOULOU (B3)
66160 Pyrénées Orientales
4436 hab. [i]

⌂⌂ LE NEOULOUS ★★
Mme Oliveda
☎ 04 68 83 38 50   FAX 04 68 83 13 40
[🛏] 47 ⊙ 250/300 F. ☱ 35 F.
[🍽] 78/180 F. [🛏] 60 F.
[E][D][SP][⬜][☎][🚗][🌴][CV]
[📞][CB][📷][GR]

BOURG MADAME (B1)
66760 Pyrénées Orientales
1130 m. • 1238 hab. [i]

... à proximité

VALCEBOLLERE (B1)
66340 Pyrénées Orientales
1425 m. • 37 hab. [i]

9 km S.E. Bourg Madame par D 30

♙♙♙ AUBERGE LES ECUREUILS ★★★
M. Laffitte
☎ 04 68 04 52 03
[100F] [!] 14 ⊙ 250/350 F. ▦ 40 F.
[!!] 100/250 F. [!!] 65 F. [!] 250/310 F.
⊠ 4 nov./9 déc.
[E] [D] [SP] ▫ ☎ ⇔ ⋈ ⌂ ⋈ ✦ ⬩ ⅍
⅁ [CV] [⬝] ✦

CANET EN ROUSSILLON (A3)
66140 Pyrénées Orientales
7575 hab. [i]

♙ REGINA ★★
132, bld Tixador. M. Bicharel
☎ 04 68 80 22 85   [FAX] 04 68 80 21 75
[100F] [!] 28 ⊙ 180/360 F. ▦ 35 F.
[!!] 72/98 F. [!!] 39 F. [!] 220/289 F.
⊠ 1er nov./15 mars.
[SP] [i] ☎ ▶ ⅍ [CV] [⬝] ✦ [CB]

CANET PLAGE (A3)
66140 Pyrénées Orientales
4600 hab. [i]

♙♙ LE GALION ★★★
20 bis, av. du Grand Large. Mme Reina
☎ 04 68 80 28 23   [FAX] 04 68 80 20 46
[100F] [!] 28 ⊙ 250/425 F. ▦ 40 F.
[!!] 80/150 F. [!!] 39 F. [!] 260/330 F.
⊠ oct./mars.
[E] [SP] ▫ ☎ ⇔ ⅏ ⌂ ⋈ ⅍ [CV] [⬝]
✦ [CB]

♙♙ SAINT GEORGES ★★
45, promenade Côte Vermeille.
M. Martinez
☎ 04 68 80 33 77   [FAX] 04 68 80 65 04
[100F] [!] 41 ⊙ 180/320 F. ▦ 35 F.
[!!] 60/95 F. [!!] 40 F. [!] 200/280 F.
⊠ 1er oct./1er avr.
[E] [D] [SP] ▫ ☎ ⇔ ⅏ ⌂ ⋈ ⅍ [CV] [⬝]
✦ [CB] ⬛

COLLIOURE (B3)
66190 Pyrénées Orientales
2740 hab. [i]

♙♙ LA FREGATE ★★★
24, bld Camille Pelletan. M. Costa
☎ 04 68 82 06 05   [FAX] 04 68 82 55 00
[100F] [!] 24 ⊙ 298/745 F. ▦ 55 F.
[!!] 98/145 F. [!!] 65 F. [!] 289/460 F.
⊠ 8/23 déc.
[E] [D] [SP] ▫ ☎ ⇔ ⅏ ⋈ [⬝] ✦ [CR]

♙ LE BON PORT ★★
Route de Port-Vendres. M. Neble
☎ 04 68 82 06 08 \ 04 68 98 36 15
[FAX] 04 68 82 54 97
[80F] [!] 22 ⊙ 255/375 F. ▦ 40 F.
[!!] 80/165 F. [!!] 55 F. [!] 240/355 F.
⊠ 5 nov./1er mars.
[E] [SP] ▫ ☎ ☎ ⅏ ⅍ ⅍ [CV] ✦ [CB]

♙♙ LE MAS DES CITRONNIERS ★★
22, av. de la République. M. Lormand
☎ 04 68 82 04 82   [FAX] 04 68 82 52 10
[120F] [!] 30 ⊙ 280/430 F. ▦ 40 F. [!!] 130 F.
[!!] 65 F. [!] 275/340 F.
⊠ 1er nov./29 mars.
[E] [D] ▫ ☎ ⅏ [CV] ✦ [CB]

ELNE (B3)
66200 Pyrénées Orientales
6202 hab. [i]

♙ WEEK-END ★★
29, av. Paul Reig. M. Broche
☎ 04 68 22 06 68   [FAX] 04 66 22 17 16
[120F] [!] 8 ⊙ 210 F. ▦ 37 F. [!!] 88/140 F.
[!!] 48 F. [!] 235 F.
⊠ 6 nov./14 fév.
[E] [D] [SP] [i] ▫ ☎ ⅏ ⋈ ⅍ ⌂ ⅍
[CV] ✦ [CB]

ENVEITG (B1)
66760 Pyrénées Orientales
1200 m. • 545 hab. [i]

♙♙ TRANSPYRENEEN ★★
(Village frontière) 4, av. Belvédère.
M. Casamitjana
☎ 04 68 04 81 05   [FAX] 04 68 04 83 75
[120F] [!] 30 ⊙ 160/290 F. ▦ 35 F.
[!!] 75/150 F. [!!] 50 F. [!] 230/270 F.
⊠ 10 janv./10 fév., 20 mai/5 juin et
1er oct./25 déc.
[E] [SP] [i] ▫ ☎ ⇔ ⅏ ⋈ ⌂ ⅍ ⅍
[CV] [⬝] ✦ [CB] ⬛ [CR]

FONT ROMEU (B1)
66120 Pyrénées Orientales
1800 m. • 3000 hab. [i]

♙♙ CLAIR SOLEIL ★★
29, av. François Arago. M. Boudon
☎ 04 68 30 13 65   [FAX] 04 68 30 08 27
[100F] [!] 31 ⊙ 190/330 F. ▦ 40 F.
[!!] 70/145 F. [!!] 45 F. [!] 205/325 F.
⊠ 3 nov./23 déc. Rest. dim. soir et lun.
hs sauf pensionnaires.
[E] [SP] ▫ ☎ ⅏ ⌂ ⅍ [CV] ✦ [CB] ⬛ [CR]

♙♙ LE COQ HARDI ★★
2, rue de la Liberté. M. Sageloly
☎ 04 68 30 11 02   [FAX] 04 68 30 25 23
[100F] [!] 14 ⊙ 240/350 F. ▦ 35 F.
[!!] 85/130 F. [!!] 45 F. [!] 270/290 F.
⊠ 15 mai/15 juin et 12 nov./5 déc.
[E] [SP] ▫ ☎ ⅏ ⌂ ⅍ [CV] [⬝] ✦ [CB]

La LLAGONNE (B1)
66210 Pyrénées Orientales
>>> voir MONT LOUIS

LLO (B1)
66800 Pyrénées Orientales
1450 m. • 131 hab.

▲▲▲ L'ATALAYA ★★★
Mme Toussaint
☎ 04 68 04 70 04 FAX 04 68 04 01 29
🛏 13 🕮 490/745 F. 🍽 60 F.
🍴 160/280 F. 🛏 470/600 F.
⊠ 5 nov./20 déc., lun. et mar. midi hs.
E SP 🗐 🕾 🚗 🍴 🖵 ▦ 🐾 CB

MOLITG LES BAINS (A2)
66500 Pyrénées Orientales
610 m. • 180 hab. ⓘ

▲ DU COL DE JAU ET CANIGOU ★★
Mme Kosmalski
☎ 04 68 05 03 20
100F 🛏 12 🕮 200/310 F. 🍽 35 F.
🍴 80/170 F. 🛏 45 F. 🛏 195/255 F.
⊠ 12 nov./14 mars.
E D 🕾 🚗 🍴 🖵 🏃 🖴 CV

▲ L'OASIS ★
Route de Mosset. M. Pommerol
☎ 04 68 05 00 92
120F 🛏 20 🕮 165/175 F. 🍽 25 F.
🍴 80/180 F. 🛏 45 F. 🛏 155/165 F.
⊠ nov.
E D 🕾 🚗 CV 🐾 CB

MONT LOUIS (B1)
66210 Pyrénées Orientales
1600 m. • 420 hab. ⓘ

▲ LA TAVERNE ★★
10, rue Victor Hugo. Mme Pontie
☎ 04 68 04 23 67 FAX 04 68 04 13 35
100F 🛏 9 🕮 195/250 F. 🍽 36 F. 🍴 68/140 F.
🛏 55 F. 🛏 235 F.
⊠ oct./nov. et lun. hors vac. scol.
E SP 🗐 🕾 🖵 CV

... à proximité

La LLAGONNE (B1)
66210 Pyrénées Orientales
1650 m. • 243 hab. ⓘ

3 km Nord Mont Louis par D 118

▲▲ CORRIEU ★★
M. Corrieu
☎ 04 68 04 22 04 FAX 04 68 04 16 63
120F 🛏 28 🕮 178/400 F. 🍽 40 F.
🍴 92/156 F. 🛏 52 F. 🛏 195/320 F.
⊠ 1er avr./5 juin et 27 sept./21 déc.
E SP 🗐 🕾 🚗 🍴 🍴 🖵 CV ▦ 🐾 CB

PERPIGNAN (A3)
66000 Pyrénées Orientales
113646 hab. ⓘ

▲ DE LA POSTE ET DE LA PERDRIX ★★
6, rue Fabriques Nabot. Mme Broisseau
☎ 04 68 34 42 53 FAX 04 68 34 58 20

100F 🛏 38 🕮 160/260 F. 🍽 28 F.
🍴 85/140 F. 🛏 60 F. 🛏 180/230 F.
⊠ 27 janv./3 mars, dim. soir et lun.
E D SP 🗐 🕾 🖵 CV 🐾 CB

PORT VENDRES (B3)
66660 Pyrénées Orientales
5370 hab. ⓘ

▲▲ LA RESIDENCE Rest. LE CEDRE ★★
29, route de Banyuls. M. De Gelder
☎ 04 68 82 01 05 FAX 04 68 82 22 13
100F 🛏 18 🕮 245/495 F. 🍽 39 F.
🍴 100/188 F. 🛏 55 F. 🛏 253/493 F.
⊠ 31 oct./1er avr.
E D SP 🗐 🕾 🚗 🍴 🖵 🏃 CV ▦
🐾 CB

PRATS DE MOLLO LA PRESTE (B2)
66230 Pyrénées Orientales
730 m. • 1100 hab. ⓘ

▲▲ BELLEVUE ★★
Le Foiral. M. Visellach
☎ 04 68 39 72 48 FAX 04 68 39 78 04
120F 🛏 18 🕮 170/270 F. 🍽 33 F.
🍴 90/180 F. 🛏 54 F. 🛏 180/240 F.
⊠ 5 nov./30 mars sauf vac. scol.
E SP 🗐 🕾 🚗 🍴 CV 🐾 CB

▲▲ DES TOURISTES ★★
Mme Pouliquen
☎ 04 68 39 72 12 FAX 04 68 39 79 22
120F 🛏 28 🕮 210/300 F. 🍽 40 F.
🍴 100/160 F. 🛏 48 F. 🛏 245/270 F.
⊠ 1er nov./31 mars.
E D SP 🗐 🕾 🚗 🍴 🏃 🖴 CV ▦
🐾 CB

▲ LE COSTABONNE ★★
Place du Foiral. Mme Payrot
☎ 04 68 39 70 24 FAX 04 68 39 77 52
100F 🛏 18 🕮 180/230 F. 🍽 35/ 49 F.
🍴 75/150 F. 🛏 45 F. 🛏 200/250 F.
E SP 🗐 🕾 🍴 CV 🐾 CB 🍴

▲▲ LE VAL DU TECH ★★
(La Preste-les-Bains - Alt. 1130 m.)
M. Remedi
☎ 04 68 39 71 12 FAX 04 68 39 78 07
120F 🛏 38 🕮 170/300 F. 🍽 33 F.
🍴 90/120 F. 🛏 50 F. 🛏 238/303 F.
⊠ 1er nov./31 mars.
E SP 🗐 🕾 🍴 🖴 CV ▦ 🐾

SAHORRE (B2)
66360 Pyrénées Orientales
650 m. • 359 hab.

▲▲ LA CHATAIGNERAIE ★
Route de Vernet les Bains.
Mme Tessarotto
☎ 04 68 05 51 04
🛏 10 🕮 175/263 F. 🍽 30 F.
🍴 78/127 F. 🛏 60 F. 🛏 210/245 F.
⊠ oct./fin avr.
SP 🗐 🕾 🍴 CV CB

SAILLAGOUSE (B1)
66800 Pyrénées Orientales
1300 m. • 840 hab. ⓘ

▲▲▲ PLANES «LA VIEILLE MAISON
CERDANE» ★★
Place de Cerdagne. M. Planes
☎ 04 68 04 72 08 FAX 04 68 04 75 93
🛏 18 ◎ 220/255 F. ≡ 35 F.
🍽 65/250 F. 📶 60 F. ☑ 275/290 F.
✉ 10 oct./20 déc.
Ⓔ SP ☐ ☐ ☎ ⌨ ▭ ➤ ⛅ ⛷ ♿ CV
▥ ⛵ CB

SAINT CYPRIEN PLAGE (A3)
66750 Pyrénées Orientales
6892 hab. ⓘ

▲▲▲ LA LAGUNE ★★
Les Capellans. Av. Armand Lamoux.
M. Lormand
☎ 04 68 21 24 24 FAX 04 68 37 00 00
🚗 120F 🛏 36 ◎ 310/440 F. ≡ 45 F.
🍽 80/135 F. 📶 65 F. ☑ 295/370 F.
✉ 1er oct./1er mai.
Ⓔ Ⓓ ☐ ☎ ⌨ ▭ ⛅ ➘ ⛷ ♿ CV ▥
⛵ CB ⓒⓇ

▲▲ MAR I SOL ★★
Rue Rodin. M. Padros
☎ 04 68 37 31 00 FAX 04 68 37 03 11
🛏 45 ◎ 200/320 F. ≡ 30 F.
🍽 45/140 F. 📶 35 F. ☑ 220/270 F.
✉ 1er janv./31 mars et mer. hs.
Ⓔ Ⓓ SP ☐ ☎ ☒ ♿ CV ⛵ ▣ ⓒⓇ

**SAINT LAURENT DE LA
SALANQUE (A3)**
66250 Pyrénées Orientales
7000 hab. ⓘ

▲▲ LE COMMERCE ★★
2, bld de la Révolution. M. Sire
☎ 04 68 28 02 21
🛏 14 ◎ 195/280 F. ≡ 34 F.
🍽 98/200 F. 📶 70 F. ☑ 225/265 F.
✉ 3/18 mars, 3/18 nov., dim. soir et
lun. sauf juil./août.
Ⓔ SP ☐ ☎ ☐ CV CB

SAINT PAUL DE FENOUILLET (A2)
66220 Pyrénées Orientales
2350 hab. ⓘ

▲▲ LE CHATELET ★★
Route D. 117, direction Foix.
Mme Rauss
☎ 04 68 59 01 20 FAX 04 68 59 01 29
🛏 15 ◎ 200/320 F. ≡ 38 F.
🍽 82/160 F. 📶 55 F. ☑ 230/305 F.
✉ 15 déc./15 janv.
Ⓔ Ⓓ ☎ ⌨ ⛅ ♿ CB

▲ LE RELAIS DES CORBIERES
10, av. Jean Moulin. Mme Dete
☎ 04 68 59 23 89
🛏 8 ◎ 160/280 F. ≡ 35 F. 🍽 85/250 F.
📶 48 F. ☑ 200/240 F.
✉ 6 janv./4 fév., dim. soir et lun. hs.
Ⓔ ☎ ▭ ➤ 📶 ⛵ CB

VALCEBOLLERE (B1)
66340 Pyrénées Orientales

>>> *voir BOURG MADAME*

VERNET LES BAINS (B2)
66820 Pyrénées Orientales
650 m. • 2000 hab. ⓘ

▲▲ EDEN ★★
2, Promenade du Cady. Mme Ferré
☎ 04 68 05 54 09 FAX 04 68 05 60 50
🚗 100F 🛏 23 ◎ 190/290 F. ≡ 38 F.
🍽 79/170 F. 📶 53 F. ☑ 230/285 F.
✉ 1er nov./31 mars. Rest. lun.
Ⓔ SP ☐ ☎ ☒ ♿ CV ⛵ CB

▲▲ PRINCESS ★★
Rue des Lavandiers. M. Deffobis
☎ 04 68 05 56 22 FAX 04 68 05 62 45
🚗 120F 🛏 30 ◎ 236/346 F. ≡ 35 F.
🍽 85/130 F. 📶 60 F. ☑ 238/293 F.
✉ 3 janv./15 mars et 1er/22 déc.
Ⓔ SP ☐ ☎ ☎ ▭ ☒ ➤ ⛷ CV ▣

Fédération régionale des Logis de France du Limousin
(Corrèze, Creuse, Haute-Vienne)
C.C.I. - 10, avenue du Maréchal Leclerc - 19316 Brive Cedex
Tél. 05 55 74 32 32 - Fax 05 55 24 23 31

LIMOUSIN

Photos C.R.T. Limousin

Limousin

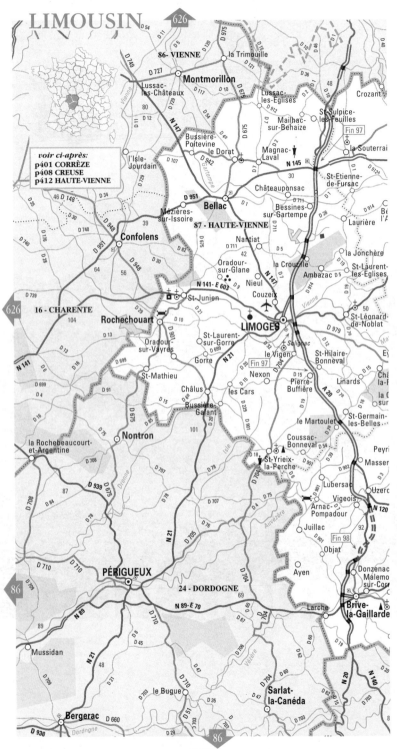

voir ci-après:
p401 CORRÈZE
p408 CREUSE
p412 HAUTE-VIENNE

86- VIENNE

la Trimouille

Lussac-
les-Châteaux

Montmorillon

Lussac-
les-Églises

Crozant

St-Sulpice-
les-Feuilles

Fin 97

la Souterraine

Mailhac-
sur-Behaize

Bussière-
Poitevine
le Dorat

Magnac-
Laval

N 145

l'Isle-
Jourdain

St-Etienne-
de-Fursac

Châteauponsac

Bellac

Bessines-
sur-Gartempe

Laurière

Mézières-
sur-Issoire

87 - HAUTE-VIENNE

Confolens

la Jonchère

Nantiat

16 - CHARENTE

N 141

Oradour-
sur-Glane

Nieul

la Crouzille

St-Laurent-
les-Églises

Ambazac

N 141- E 603

Couzeix

St-Junien

Rochechouart

LIMOGES

St-Léonard-
de-Noblat

St-Laurent-
sur-Gorre

Solignac

St-Hilaire-
Bonneval

Oradour-
sur-Vayres

Gorte

le Vigen

St-Mathieu

Nexon

Pierre-
Buffière

Linards

St-Germain-
les-Belles

Châlus

les Cars

Bussière-
Galant

le Martoulet

Nontron

la Rochebeaucourt-
et-Argentine

Coussac-
Bonneval

Peyri

Masse

St-Yrieix-
la-Perche

Lubersac

Uzer

Vigeois

Arnac-
Pompadour

N 120

Fin 98

Juillac

Objat

PÉRIGUEUX

24 - DORDOGNE

Ayen

Donzenac
Mâlemo
sur-Cor

Larche

Brive-
la-Gaillarde

N 89- E 70

Mussidan

Vézère

le Bugue

Sarlat-
la-Canéda

Bergerac

Dordogne

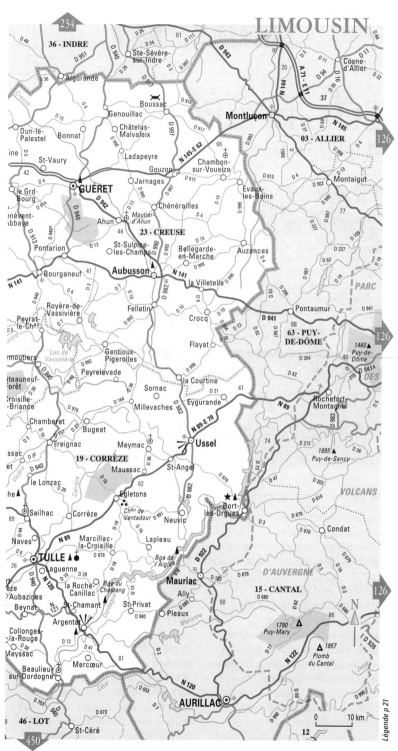

LIMOUSIN

36 - INDRE

D 48
D 940
D 26
D 54
61
D 111
D 943
D 68
Ste-Sévère-sur-Indre
D 951
D 3
D 11
Cosne-d'Allier
D 22
Aigurande
D 28
D 987
20
A 71 - E 11
N 144 N
37
D 36
Creuse
D 6
D 15
Boussac
D 916
Genouillac
D 917
Montluçon
D 94
D 16
N 145
126
Châtelus-Malvaleix
D 997
Chambon-sur-Voueize
D 993
03 - ALLIER
Montaigut
D 968
Dun-le-Palestel
Bonnat
D 990
Ladapeyre
66
D 915
D 13
D 4
St-Vaury
42
Gouzon
N 145 - E 62
Evaux-les-Bains
D 502
le Grd-Bourg
D 4
Jarnages
D 951
D 915
D 19
D 988
D 227
GUÉRET
D 42
Chénérailles
D 996
D 62
D 19
énévent-Abbaye
D 940
D 942
Ahun
Moutier-d'Ahun
44
23 - CREUSE
D 19
Auzances
D 4
Pontarion
D 13
St-Sulpice-les-Champs
D 990
Bellegarde-en-Marche
D 988
PARC
Bourganeuf
41
Aubusson
N 141
la Villetelle
D 996
Pontaumur
D 941
N 141
D 8
Felletin
D 982
D 9
D 10
D 941
88
Royère-de-Vassivière
D 982
Crocq
D 10
63 - PUY-DE-DÔME
Peyrat-le-Ch
D 5
D 7
Flayat
D 30
D 13
D 62
D 204
1460 ▲
Puy-de-Dôme
40
Lac de Vassivière
D 992
Gentioux-Pigerolles
D 996
D 82
D 941A
DES
Peyrelevade
la Courtine
D 5
teauneuf-Forêt
D 940
Sornac
D 21
41
Rochefort-Montagne
roisille-Briance
D 979
Millevaches
D 982
N 89
D 983
Chamberet
D 157
D 32
Bugeat
74
D 213
1885 ▲
Puy-de-Sancy
D 36
Treignac
D 16
Meymac
N 89 - E 70
Ussel
D 203
19 - CORRÈZE
D 36
D 203
VOLCANS
le Lonzac
D 26
Maussac
St-Angel
D 979
D 47
D 614
Seilhac
Corrèze
62
Egletons
D 982
Bort-les-Orgues
D 679
Condat
89
Ch^au de Ventadour
D 991
Neuvic
D 3
D 678
Naves
N 89
Marcillac-la-Croisille
D 16
Lapleau
D 922
D 679
TULLE
D 978
Bge de l'Aigle
878
15 - CANTAL
Laguenune
D 29
Mauriac
D 121
D 678
D'AUVERGNE
ze
D 940
N 120
la Roche-Canillac
Bge du Chastang
D 13
Ally
D 680
D 62
N
Aubazines
D 121
St-Chamant
St-Privat
50
86
D 680
Beynat
1790 △
Puy-Mary
Collonges-la-Rouge
D 38
Argentat
D 980
Pleaux
Maronne
D 17
D 926
Meyssac
D 12
D 41
81
1857 △
Plomb du Cantal
Beaulieu-sur-Dordogne
Mercœur
D 2
N 122
Juro
D 703
Cère
D 653
D 7
AURILLAC
D 990
46 - LOT
D 673
0   10 km
St-Céré
12

Légende p 21

LE SENS DE L'ÉVASION
A Place to Get Away From it All

C.R.T. Limousin

VILLAGES MÉDIÉVAUX, ÉGLISES DE GRANIT,
CAMPAGNE BOISÉE ET VALLONNÉE...
LE LIMOUSIN FAIT DU CHARME À TOUS CEUX QUI
ONT LE GOÛT DE LA NATURE ET DE LA DÉCOUVERTE.

*MEDIEVAL VILLAGES, GRANITE CHURCHES AND
A WOODED AND HILLY COUNTRYSIDE... THE
LIMOUSIN REGION WILL CHARM ALL THOSE WHO
HAVE A TASTE FOR NATURE AND FOR ADVENTURE.*

De terre et d'eau

Promeneurs et randonneurs hésiteront
à choisir parmi tant de paysages
remarquables : plateau des Millevaches,
pentes douces de Monédières, gorges
creusées par les eaux affolées de la Corrèze,
de la Vézère et de la Dordogne... Sans
oublier des milliers de kilomètres de rivières,
des étangs et de nombreux plans d'eau
aménagés en bases de loisirs. Les lacs
de Vassivière, de Bort-les-Orgues, de Neuvic

Of Land and Water.

*The walkers and trekers among you will be
toiling to chose between so many remarkable
areas of countryside: the Millevaches plateau,
the rolling hills of Monédières, gorges that
have been carved out by the powerful waters
of the Corrèze, Vézère and Dordogne rivers...
Not forgetting the thousands of kilometres of
rivers, the pools and the many artificial lakes
that have been conceived as leisure centres.
The lakes of Vassivière, Bort-les-Orgues,*

et de Saint-Pardoux feront le plaisir
des pêcheurs et des véliplanchistes…

Les routes du passé
Sur les hauteurs limousines, de nombreuses
forteresses rappellent les rivalités
qui opposèrent les rois de France aux rois
d'Angleterre et aux ducs de Bourgogne.
Des ruines du château de Châlus, où
Richard Cœur de Lion trouva la mort,
à celles d'Oradour-sur-Glane, village martyr
de la Seconde Guerre mondiale, l'histoire
a laissé ses marques. La route Richard Cœur
de Lion et la route du Ventadour sont
jalonnées de châteaux qui rappellent
le passé. Tout comme les villages médiévaux
qui vous attireront : Collonges-la-Rouge,
Turenne, Curemonte en Corrèze, Mortemart
en Haute-Vienne.

Des traditions artistiques
L'émail, la porcelaine, la tapisserie
du Limousin ont acquis une renommée
internationale. A Limoges, au musée
de l'Evêché, vous découvrirez la préciosité
des teintes des émaux et, au musée Adrien
Dubouché, la finesse des porcelaines
décorées par Cocteau, Renoir, Dufy…
Pour tout savoir sur l'art de la tapisserie,
importé des Flandres au XIVe siècle
et relancé dans les années 30 par Lurçat,
visitez le musée départemental d'Aubusson.
A Eymoutiers, en Haute-Vienne, l'Espace
Paul Rebeyrolle, du nom du célèbre peintre
et enfant du pays, prouve que l'art
contemporain tient aussi une place
importante dans la région.

C.R.T. Limousin / F. Magnoux

*Neuvic and Saint-Pardoux will provide hours
of pleasure to the fishermen and the wind
surfers among you.*

The Paths of the Past
*In the hills of the Limousin region numerous
fortresses remind us of the rivalries, between
the kings of France, the kings of England
and the Dukes of Burgundy. From the ruins
of Châlus castle where Richard the Lionheart
met his end, to those of Oradour-sur-Glane,
marked by martyrdom in the Second World
War, History has left an impact on the
region. The châteaux of the past pepper
the roads of Richard the Lionheart and of
Ventadour. You will also be drawn to the
historic atmosphere of the medieval villages
of Collonges-la Rouge, Turenne, Curemonte
in the Corrèze department and Mortemart
in the department of Haut-Vienne.*

Artistic Traditions
*Enamel, porcelain and Limousin weaving
have acquired a world-wide reputation. In*

VIEL ZU ENTDECKEN
Mittelalterliche Städte, Kirchen aus
Granit, bewaldete und hügelige
Landschaft... das Limousin gefällt
all denen, die Natur und die Entdeckung
lieben. Lassen Sie nicht die Straße
'Richard Löwenherz' und die Straße
des Ventadour aus.

GEVOEL VAN ONTVLUCHTING
Middeleeuwse dorpjes, granieten kerken,
landschap met bossen en valleien ... de
streek van Limousin verleidt al diegenen, die
de smaak voor de natuur en ontdekkingen
te pakken heeft. Verzuim niet de weg te
nemen van Richard Leeuwenhart
(Richard Coeur de Lion) en van Ventadour.

Limousin

Une cuisine de "grand-mère"

Vous aimerez la cuisine traditionnelle
qui exploite au mieux les saveurs
des produits du terroir : viande de grande
qualité, truites, brochets, écrevisses, truffes
et cêpes. A déguster parmi les très
nombreuses spécialités : la "bréjaude",
une soupe au lard et aux choux,
le "menassous", un pâté de pommes
de terre râpées, des queues d'écrevisses
préparées à la crème et aux girolles,
des confits, du foie gras… et le célèbre
clafoutis aux cerises noires. A Limoges,
le troisième vendredi d'octobre, la frairie
des "Petits Ventres" vous propose de faire
ripailles rue de la Boucherie. Les marchés
de Brive et de Saint-Yrieix vous invitent
à découvrir leurs étals de truffes et de foies
gras d'oie ou de canard. Doutez-vous encore
de rester sur votre faim en Limousin ?

*the Museum of the Bishopric you can admire
the refinement of the enamel colourings,
while in the Adrien Dubouché Museum you
can view the elegance of the porcelain
decorated by Cocteau, Renoir or Dufy… Visit
the departmental museum at Aubusson if
you want to know everything about the art of
tapestry, which was imported from Flanders
in the 14th century and brought back to life
in the 1930's by Luçat. In Eymoutiers,
in the Haut-Vienne department, visit the
Espace Paul Rebeyolle, named after the
famous painter born in the area, which
shows that contemporary art also has an
important place in the region.*

Grandma's Cooking

*You will without doubt enjoy the traditional
cooking which makes the most of the flavours
of local produce: high quality meat, trout,
pike, crayfish, truffles and cepe mushrooms.
Here are some of the specialties that you can
enjoy: the "Bréjaude," a bacon and cabbage
soup, the "Menassous," a pâté made from
grated potatoes, crayfish tails prepared with
cream and chanterelle mushrooms,
conserves, foie gras… and the famous black
cherry "clafoutis". In Limoges the "Frairerie
des Petits Ventres" offers a feast in the rue de
la Boucherie on the third Friday in October.
The markets of Brive and of Saint-Yrieix will
amaze you with their stalls full of truffles and
duck or goose foie gras. Are you still
wondering whether Limousin region will
leave you feeling peckish?*

EL SENTIDO DE LA EVASIÓN

Pueblos medievales, iglesias de granito,
campo arbolado y ondulado…
el Lemosín es encantador para todos
aquéllos a los que les gusta
la naturaleza y el descubrimiento.
No deje de tomar la ruta Ricardo
Corazón de León y la del Ventadour.

IL SENSO DELL'EVASIONE

Villaggi medioevali, chiese di granito,
campagne boschive e ricche di valli,
il Limosino attira tutti coloro che hanno
il gusto della natura e della scoperta.
Non dimenticate di percorrere la Strada
Riccardo Cuor di leone e quella
del Ventadour.

Clafoutis

Ingrédients

Pour 6 personnes

- 100 g de farine
- 90 g de sucre
- 6 œufs
- 1/4 l de lait
- 750 g de cerises noires
- 1 cuil. de kirsch

Recette

- Mélanger la farine avec les œufs entiers.
- Incorporer le lait peu à peu pour obtenir une pâte aussi légère qu'une pâte à crêpes.
- Ajouter alors les cerises lavées, équeutées et le kirsch.
- Verser la pâte dans un plat et faire cuire à four chaud pendant 35 minutes. Saupoudrer de sucre. Servir froid.

Liste des
hôtels-restaurants
Corrèze

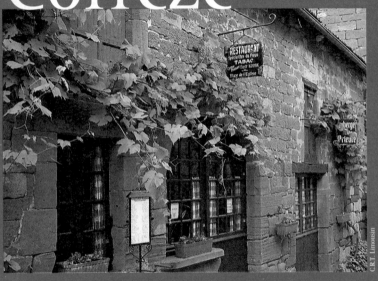

C.R.T. Limousin

**Association départementale
des Logis de France de la Corrèze**
C.C.I.
10 avenue du Maréchal Leclerc
19316 Brive Cedex
Téléphone 05 55 74 32 32

LIMOUSIN

87
HAUTE-
VIENNE

Guéret

23
CREUSE

Limoges

19
CORRÈZE

Tulle

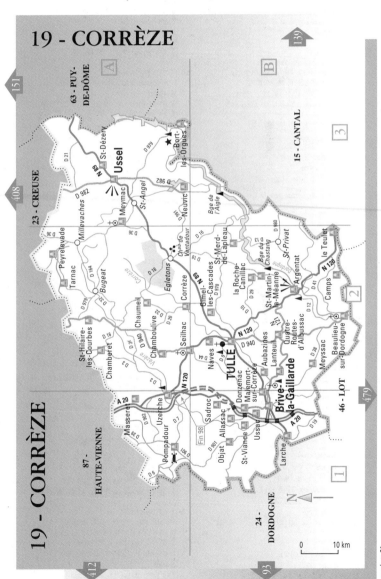

19 - CORRÈZE

19 - CORRÈZE

0   10 km

Légende p 21

ALLASSAC (B1)
19240 Corrèze
3379 hab. [i]

🏠 DU MIDI
14, av. Victor Hugo. M. Lajarrige
☎ 05 55 84 90 35
[100F] 🛏 7 ⊗ 200/260 F. 🍽 30 F. 🍴 55/180 F.
🛗 50 F. 🖼 220 F.
⊠ fév.
[CV] [◄] [CB]

ARGENTAT (B2)
19400 Corrèze
3100 hab. [i]

🏠🏠 FOUILLADE ★★
Place Gambetta. M. Fouillade
☎ 05 55 28 10 17 [FAX] 05 55 28 90 52
🛏 14 ⊗ 130/220 F. 🍽 30 F.
🍴 70/160 F. 🛗 40 F. 🖼 195/235 F.
⊠ 5 nov./5 déc., 1 semaine mars et lun.
hs.
[E] [🗖] [🕾] [👕] [👟] [CV] [🔌] [◄] [CB]

... *à proximité*

CAMPS (B2)
19430 Corrèze
503 m. • 340 hab.

15 km Sud Argentat par D 33

🏠🏠 DU LAC ★★
M. Solignac
☎ 05 55 28 51 83 [FAX] 05 55 28 53 71
🛏 11 ⊗ 220/260 F. 🍽 27 F.
🍴 70/200 F. 🛗 50 F. 🖼 220/240 F.
⊠ vac. scol. Printemps, 1 semaine vac.
scol. Toussaint, dim. soir et lun. hs.
[E] [🗖] [🕾] [↔] [👟] [🔌] [👟] [CV] [🔌] [◄] [CB]

AUBAZINE (B2)
19190 Corrèze
800 hab. [i]

🏠🏠 DE LA TOUR ★★
M. Lachaud
☎ 05 55 25 71 17 [FAX] 05 55 84 61 83
🛏 20 ⊗ 160/280 F. 🍽 35 F.
🍴 85/150 F. 🛗 48 F. 🖼 230/280 F.
⊠ 6/19 janv., dim. soir et lun. midi sauf
été.
[E] [🗖] [🕾] [🚗] [🔌] [🔌] [◄] [CB]

🏠🏠 DU COIROUX ★★
Mme Ramos
☎ 05 55 25 75 22 [FAX] 05 55 25 75 70
[120F] 🛏 38 ⊗ 200/260 F. 🍽 30 F.
🍴 80/160 F. 🛗 50 F. 🖼 260 F.
⊠ 15 jours nov.
[E] [SP] [🗖] [🕾] [🚗] [🛏] [↔] [👕] [🔌] [🔌]
[◄] [CB]

🏠🏠 SAUT DE LA BERGERE ★
M. Boutot
☎ 05 55 25 74 09 [FAX] 05 55 84 63 05

🛏 8 ⊗ 150/280 F. 🍽 32 F. 🍴 78/190 F.
🛗 42 F. 🖼 195/250 F.
⊠ 20 déc./1er mars.
[E] [D] [SP] [🗖] [🕾] [🚗] [👕] [🔌] [CV] [🔌] [◄] [CB]

BEAULIEU SUR DORDOGNE (B2)
19120 Corrèze
1200 hab. [i]

🏠🏠 CENTRAL HOTEL FOURNIE ★★
4, place du Champ de Mars.
Mme Fournie
☎ 05 55 91 01 34 [FAX] 05 55 91 23 57
🛏 25 ⊗ 180/320 F. 🍽 28 F.
🍴 100/250 F. 🛗 60 F. 🖼 220/300 F.
⊠ mi-nov./mi-mars.
[E] [🗖] [🕾] [🚗] [👕] [🔌] [🔌] [◄] [CB]

🏠🏠 LE TURENNE ★★
1, bld Saint-Rodolphe de Turenne.
M. Cave
☎ 05 55 91 10 16 [FAX] 05 55 91 22 42
🛏 15 ⊗ 270/290 F. 🍽 38 F. 🛗 65 F.
🖼 260/280 F.
⊠ 1er/20 fév., dim. soir et lun. hs, lun.
midi sauf jours fériés en saison.
[E] [🗖] [🕾] [👕] [🔌] [CV] [🔌] [◄] [CB]

BORT LES ORGUES (A3)
19110 Corrèze
5000 hab. [i]

🏠 CENTRAL HOTEL ★
65, av. de la Gare. M. Bekaert
☎ 05 55 96 81 05
[100F] 🛏 20 ⊗ 170/249 F. 🍽 30 F.
🍴 70/115 F. 🛗 40 F. 🖼 210 F.
⊠ 15/30 janv. et lun.
[E] [SP] [🗖] [🕾] [🚗] [👕] [🔌] [CV] [🔌] [◄] [CB] [🛏]

BRIVE LA GAILLARDE (B1-2)
19100 Corrèze
49765 hab. [i]

🏠🏠 LA CREMAILLERE ★★
53, av. de Paris. M. Reynal
☎ 05 55 74 32 47
🛏 9 ⊗ 220 F. 🍽 30 F. 🍴 100/220 F.
🛗 80 F. 🖼 400 F.
⊠ dim. soir et lun.
[E] [🗖] [👕] [🔌] [◄] [CB]

🏠🏠 LE CHAPON FIN ★★★
1, Place de Lattre de Tassigny.
M. Courrèges
☎ 05 55 74 23 40 [FAX] 05 55 23 42 52
[100F] 🛏 27 ⊗ 230/300 F. 🍽 27 F.
🍴 90/180 F. 🛗 45 F. 🖼 225/250 F.
[E] [SP] [🗖] [🕾] [🚗] [🚗] [👕] [🔌] [🔌] [CV] [🔌] [◄] [CB]

🏠 LE CHENE VERT ★★
24, bld. Jules Ferry. MM. Brunie
☎ 05 55 24 10 07 [FAX] 05 55 24 25 73
[100F] 🛏 27 ⊗ 150/200 F. 🍽 30 F.
🍴 65/180 F. 🛗 45 F. 🖼 200/220 F.
⊠ dim.
[🗖] [🕾] [🕾] [🚗] [CV] [◄] [CB] [🛏]

BRIVE LA GAILLARDE (B1-2) (suite)

▲▲ LE MONTAUBAN ★★
6, av. Edouard Herriot. M. Viginiat
☎ 05 55 24 00 38 FAX 05 55 84 80 30
🛏 18 ◇ 210/250 F. ☑ 30 F.
🍽 93/190 F. 🛏 45 F. 🛌 220/235 F.
✉ rest. sam. midi.
E SP ▯ ☎ ☎ ⌂ ♨ ⌘ CV ▥ ✆ CB

... *à proximité*

LARCHE (B1)
19600 Corrèze
1322 hab. ⓘ

10 km S.O. de Brive par N 89

▲▲ LE JARDIN DE LA VEZERE ★★
22, rue Alexis Joubert. M. Panais
☎ 05 55 85 30 11 FAX 05 55 85 47 95
120F 🛏 14 ◇ 180/350 F. ☑ 35 F.
🍽 89/190 F. 🛏 50 F. 🛌 240/300 F.
✉ 3 semaines fin janv./début fév., ven. soir et sam. hs.
E ▯ ☎ ⌂ ♨ ▭ ⌘ CV ▥ ✆ CB

MALEMORT SUR CORREZE (B1-2)
19360 Corrèze
6484 hab.

3 km N.E. Brive par N 89

▲▲ AUBERGE DES VIEUX CHENES ★★
31, av. Honoré de Balzac. M. Bouny
☎ 05 55 24 13 55 FAX 05 55 24 56 82
🛏 14 ◇ 190/295 F. ☑ 35 F.
🍽 68/198 F. 🛏 45 F. 🛌 255/325 F.
✉ dim.
E ▯ ⊡ ☎ ⌂ ♨ ⌘ CV ▥ ✆ CB

SAINT VIANCE (B1)
19240 Corrèze
1407 hab. ⓘ

6 km Nord Brive par D 901 et D 148

▲▲ AUBERGE DES PRES DE LA VEZERE ★★
M. Parveaux
☎ 05 55 85 00 50 FAX 05 55 84 25 36
🛏 11 ◇ 250/350 F. ☑ 35 F.
🍽 88/148 F. 🛏 65 F. 🛌 310/355 F.
✉ mi-oct./début mai, dim. soir et lun. midi sauf juil./août.
E ▯ ⊡ ☎ ⌂ ♨ ▾ CV ▥ ✆ CB ▭

▲▲ DU RIEUX ★★
Le Pont du Risque Tout. M. Broussole
☎ 05 55 85 01 49 FAX 05 55 84 26 33
🛏 16 ◇ 180/210 F. ☑ 38 F.
🍽 75/140 F. 🛏 45 F. 🛌 260/290 F.
✉ dim. soir.
▯ ☎ ⌂ ▥ ▾ ♨ ✆ CB

USSAC (B1)
19270 Corrèze
2762 hab.

5 km Nord Brive par D 57

▲▲ AUBERGE SAINT-JEAN ★★
Place de l'Eglise. Mme Corcoral-Cournil
☎ 05 55 88 30 20 FAX 05 55 87 28 50

🛏 29 ◇ 170/280 F. ☑ 35 F.
🍽 69/220 F. 🛏 50 F. 🛌 245/265 F.
E ▯ ⌂ ☎ ⌂ ♨ ▾ ♨ ▾ ▾ CV ▥ ✆ CB

CAMPS (B2)
19430 Corrèze
>>> *voir ARGENTAT*

CHAMBERET (A2)
19370 Corrèze
1470 hab. ⓘ

▲▲ DE FRANCE ★★
Place de la Mairie. Mme Pouget
☎ 05 55 98 30 14 FAX 05 55 73 47 15
100F 🛏 12 ◇ 210/280 F. ☑ 35 F. 🍽 78 F.
🛏 60 F.
✉ 10 janv./8 fév. et dim. soir oct./mai.
E ▯ ⌂ ☎ ⌂ ♨ ▾ CV ▥ ✆
CB CR

CHAMBOULIVE (A2)
19450 Corrèze
1200 hab. ⓘ

▲▲ DESHORS FOUJANET ★★
Sur D.940. Mme Foujanet Malaterre
☎ 05 55 21 62 05 FAX 05 55 21 68 80
80F 🛏 25 ◇ 160/290 F. ☑ 30 F.
🍽 85/200 F. 🛏 55 F. 🛌 210/280 F.
✉ 1er/28 oct., vac. scol. fév. et dim. soir nov./mai.
E SP ▯ ☎ ⌂ ♨ ▾ ▾ ♨ ⊙ CV
▥ ✆ CB

CHAUMEIL (A2)
19390 Corrèze
650 m. • 200 hab.

▲▲ AUBERGE DES BRUYERES ★
Mme Feugeas
☎ 05 55 21 34 68 FAX 05 55 21 44 10
120F 🛏 10 ◇ 180/200 F. ☑ 30 F.
🍽 75/150 F. 🛏 50 F. 🛌 200/220 F.
✉ 5/25 oct., 3/31 janv. et dim. soir hs.
E ☎ ♨ CV ✆

CORREZE (A2)
19800 Corrèze
1100 hab. ⓘ

▲ AUBERGE DE LA TRADITION
Av. de la Gare. M. Viallet
☎ 05 55 21 30 26
🛏 5 ◇ 180/200 F. ☑ 25 F. 🍽 65/150 F.
🛏 45 F. 🛌 170/190 F.
E ▯ CV ✆ CB

DONZENAC (B1-2)
19270 Corrèze
2000 hab. ⓘ

▲▲ LA GAMADE Rest. LE PERIGORD ★★
Place Léon Madrias. Mme Salesse
☎ 05 55 85 71 07 \ 05 55 85 72 34
FAX 05 55 85 65 83
100F 🛏 10 ◇ 180/290 F. ☑ 30 F.
🍽 70/280 F. 🛏 40 F. 🛌 240/260 F.
E ▯ ⊡ ☎ ⌂ ♨ CV ▥ ✆ CB

DONZENAC (B1-2) (suite)

♦♦♦ RELAIS DU BAS LIMOUSIN ★★
(A Sadroc) Sur N 20, direction Uzerche.
M. Besanger
☎ 05 55 84 52 06 📠 05 55 84 51 41
☞ 100F 🛏 22 🔲 210/360 F. 🍽 33 F.
🍴 82/250 F. 🛏 50 F. 🍽 240/280 F.
⊠ dim. soir oct./juin.
🔲 ⬜ 🕿 🚗 �--- 🏕 🔆 🕭 CV ⦿ ⦿
CB ▦ ⟨R⟩

... *à proximité*

SADROC (B1)
19270 Corrèze
634 hab.

5 km Nord Donzenac par D 156

♦♦ DE LA MALEYRIE ★★
Sur N.20, la Croix de la Maleyrie.
M. Bergeal
☎ 05 55 84 50 67 📠 05 55 84 20 63
☞ 100F 🛏 15 🔲 115/235 F. 🍽 30 F.
🍴 68/160 F. 🛏 50 F. 🍽 190/230 F.
⊠ 1er nov./20 mars.
🔲 ⬜ 🕿 🚗 🚗 🏕 🔆 CV ⦿ CB

GIMEL LES CASCADES (B2)
19800 Corrèze
>>> *voir TULLE*

LANTEUIL (B2)
19190 Corrèze
430 hab.

♦ LE RELAIS D'AUVERGNE ★
Mme Ardailloux
☎ 05 55 85 51 08
🛏 7 🔲 110/220 F. 🍽 25 F. 🍴 65/150 F.
🛏 45 F. 🍽 180/250 F.
🕿 🏕 🔆 ⦿

LARCHE (B1)
19600 Corrèze
>>> *voir BRIVE LA GAILLARDE*

MALEMORT SUR CORREZE (B1-2)
19360 Corrèze
>>> *voir BRIVE LA GAILLARDE*

MASSERET (A1)
19510 Corrèze
815 hab. ℹ

♦♦ DE LA TOUR ★★
Place de la Butte. M. Meizaud
☎ 05 55 73 40 12 📠 05 55 73 49 41
🛏 15 🔲 220/250 F. 🍽 30 F.
🍴 78/195 F. 🛏 60 F. 🍽 230/280 F.
🔲 SP ⬜ 🕿 ⋈ 🔆 CV ⦿ CB

MEYMAC (A3)
19250 Corrèze
702 m. • 2783 hab. ℹ

♦ LE LIMOUSIN ★★
76, av. Limousine. M. Waltzer
☎ 05 55 95 12 11 📠 05 55 95 26 18

🛏 20 🔲 100/280 F. 🍽 25 F.
🍴 65/145 F. 🛏 40 F. 🍽 135/200 F.
⊠ sam. soir et dim. soir hs.
🔲 🕿 🚗 🏕 🔆 🕭 🛏 ⦿ CB

MEYSSAC (B2)
19500 Corrèze
1124 hab. ℹ

♦♦ RELAIS DU QUERCY ★★
Mme Ercole
☎ 05 55 25 40 31 📠 05 55 25 36 22
☞ 100F 🛏 12 🔲 180/320 F. 🍽 35 F.
🍴 70/195 F. 🛏 50 F. 🍽 210/300 F.
🔲 D SP ⬜ 🕿 🚗 🖼 ⋈ 🏕 🔆 🔆 CV
🕭

NAVES (B2)
19460 Corrèze
2500 hab.

♦ AUBERGE DE LA ROUTE ★★
Sur N.120. Mme Laurent
☎ 05 55 26 62 02 📠 05 55 26 03 95
☞ 100F 🛏 20 🔲 190/210 F. 🍽 25 F.
🍴 50/180 F. 🛏 50 F. 🍽 195 F.
🔲 ⬜ 🕿 🚗 🚗 🏕 🔆 🕭 🕭 ⦿ CB

♦♦ L'OUSTAL ★
(Le Bourg). M. Betaillouloux
☎ 05 55 26 62 42
☞ 80F 🛏 10 🔲 160/200 F. 🍽 25 F.
🍴 60/145 F. 🛏 35 F. 🍽 170/200 F.
⊠ 25 déc./1er janv. et dim. soir.
🔲 SP ⬜ 🕿 🚗 🔆 🕭 ⦿ CB

NEUVIC (A3)
19160 Corrèze
620 m. • 2274 hab. ℹ

♦♦♦ CHATEAU DE MIALARET ★★
Domaine du Mialaret. M. Lorenzi
☎ 05 55 95 85 45 📠 05 55 95 99 79
🛏 10 🔲 220/380 F. 🍽 40 F.
🍴 120/260 F. 🛏 45 F. 🍽 240/420 F.
⬜ 🕿 🚗 🏕 🖼 🔆 🔆 🔆 CV 🕭 ⦿
CB

♦♦ DU LAC ★★
M. Watson
☎ 05 55 95 81 43 📠 05 55 95 05 15
☞ 100F 🛏 15 🔲 220/320 F. 🍽 38 F.
🍴 100/160 F. 🛏 55 F.
⊠ 3 nov./Pâques.
🔲 SP 🕿 🚗 🏕 🔆 🔆 🔆 🕭 ⦿ CB

OBJAT (B1)
19130 Corrèze
3200 hab. ℹ

♦♦ DE FRANCE ★★
12, av. Georges Clemenceau.
M. Dumond
☎ 05 55 25 80 38 📠 05 55 25 91 87
🛏 15 🔲 150/250 F. 🍽 35 F.
🍴 75/220 F. 🛏 45 F. 🍽 190/220 F.
⊠ 15 sept./5 oct.
🔲 ⬜ 🕿 🚗 ⋈ 🏕 CV ⦿ CB

OBJAT (B1) (suite)

▲▲ DELAGE - REY ★
53, av. Jean Lascaux. MM. Delage/Rey
☎ 05 55 84 12 50 **FAX** 05 55 25 82 32
🛏 10 ⬚ 180/250 F. ▤ 30 F.
⑪ 80/170 F. ⅋ 50 F. ⌗ 200/220 F.
⊠ 2ème et 3ème semaine juin, dernier
week-end de chaque mois sept./avr. et
dim. soir.
[E] [盒] [雷] [無] [个] [玉] [玉] [CV] [十] [●]

PEYRELEVADE (A2)
19290 Corrèze
804 m. • 1012 hab.

▲▲ LA CRAMAILLOTTE ★★
Mme Chouraqui
☎ 05 55 94 73 73
🛏 9 ⬚ 150 F. ▤ 30 F. ⑪ 57/125 F.
⅋ 45 F.
⊠ dim. soir.
[E] [D] [SP] [盒] [雷] [無] [个] [玉] [玉] [CV] [●] [CB]

POMPADOUR (A1)
19230 Corrèze
1500 hab. 🖃

▲▲ AUBERGE DE LA MANDRIE ★★
Route de Périgueux (5 Km). M. Millot
☎ 05 55 73 37 14 **FAX** 05 55 73 67 13
🛏 22 ⬚ 220/270 F. ▤ 36 F.
⑪ 70/180 F. ⅋ 50 F. ⌗ 205/265 F.
[E] [盒] [雷] [無] [无] [个] [玉] [玉] [玉] [CV] [十] [●]

▲▲ AUBERGE DE LA MARQUISE ★★
4, av. des Ecuyers. Mme Dosière
☎ 05 55 73 33 98 **FAX** 05 55 73 69 30
🛏 9 ⬚ 230/285 F. ▤ 31 F. ⑪ 98/220 F.
⅋ 56 F. ⌗ 230/265 F.
⊠ 6/24 janv., mar. soir et mer. 8 oct./
31 mai.
[E] [盒] [雷] [無] [CV] [●] [CB]

▲▲ DU PARC ★★
Place du Vieux Lavoir. Pompadour
Mme Marko
☎ 05 55 73 30 54 **FAX** 05 55 73 39 79
🛏 10 ⬚ 195/240 F. ▤ 35 F.
⑪ 60/170 F. ⅋ 45 F. ⌗ 250/285 F.
⊠ 21 déc./27 janv., sam. et dim.
nov./mars.
[E] [SP] [盒] [雷] [無] [个] [玉] [玉] [玉] [玉] [CV] [●] [CB]

QUATRE ROUTES D'ALBUSSAC (B2)
19380 Corrèze
600 m. • 50 hab.

▲▲ AUBERGE LIMOUSINE ★★
4, route d'Albussac. M. Escaravage
☎ 05 55 28 15 83
🛏 13 ⬚ 180/200 F. ▤ 30 F.
⑪ 60/150 F. ⅋ 45 F. ⌗ 220/230 F.
⊠ 1er nov./15 déc. et lun. sauf saison et
jours fériés.
[E] [盒] [雷] [無] [无] [个] [十] [玉] [玉] [CV] [十] [●]

▲▲ ROCHE DE VIC ★★
Mme Paillier
☎ 05 55 28 15 87 **FAX** 05 55 28 01 09
🛏 13 ⬚ 160/260 F. ▤ 35 F.
⑪ 75/170 F. ⅋ 48 F. ⌗ 230/245 F.
⊠ janv./fév. et lun. sauf juil./août et
jours fériés.
[E] [盒] [雷] [無] [无] [个] [玉] [玉] [玉] [十] [●] [CB]

La ROCHE CANILLAC (B2)
19320 Corrèze
185 hab. 🖃

▲▲ L'AUBERGE LIMOUSINE ★★
Mme Coudert
☎ 05 55 29 12 06 **FAX** 05 55 29 27 03
🛏 26 ⬚ 210/299 F. ▤ 32 F.
⑪ 90/200 F. ⅋ 50 F. ⌗ 230/270 F.
⊠ 1er oct./30 avr.
[E] [盒] [雷] [無] [个] [玉] [玉] [玉] [CV] [十] [●] [CB]

SADROC (B1)
19270 Corrèze

>>> *voir DONZENAC*

SAINT DEZERY (A3)
19200 Corrèze

>>> *voir USSEL*

SAINT HILAIRE LES COURBES (A2)
19170 Corrèze
680 m. • 208 hab.

▲ MAZAUD ★
Mme Mazaud
☎ 05 55 95 68 34 **FAX** 05 55 95 68 34
🛏 7 ⬚ 130/150 F. ▤ 20 F. ⑪ 60/150 F.
⅋ 35 F. ⌗ 150/160 F.
[無] [CV] [●] [CB]

SAINT MARTIN LA MEANNE (B2)
19320 Corrèze
450 hab.

▲▲ LES VOYAGEURS ★★
Place de la Mairie. M. Chaumeil
☎ 05 55 29 11 53 **FAX** 05 55 29 27 70
🛏 8 ⬚ 235/305 F. ▤ 30 F. ⑪ 85/200 F.
⅋ 45 F. ⌗ 230/270 F.
⊠ 2/31 janv., dim. soir et lun. hs.
[E] [盒] [雷] [無] [无] [个] [玉] [玉] [●] [CB]

SAINT MERD DE LAPLEAU (B2)
19320 Corrèze
213 hab.

▲▲ LE RENDEZ-VOUS DES PECHEURS ★★
(Au Pont du Chambon). Mme Fabry
☎ 05 55 27 88 39 **FAX** 05 55 27 83 19
🛏 8 ⬚ 235/265 F. ▤ 38 F. ⑪ 78/230 F.
⅋ 55 F. ⌗ 250/270 F.
⊠ 12 nov./22 déc., 8 janv./15 fév., ven.
soir et sam. midi 1er oct./31 mars.
[E] [盒] [雷] [無] [个] [CV] [●] [CB]

SAINT VIANCE (B1)
19240 Corrèze

>>> *voir BRIVE LA GAILLARDE*

SEILHAC (A-B2)
19700 Corrèze
1440 hab. ℹ️

▲▲▲ RELAIS DES MONEDIERES ★★
M. Besse
☎ 05 55 27 04 74 FAX 05 55 27 90 03
🛏 14 ⬡ 200/300 F. 🍽 32/ 35 F.
🍴 75/190 F. 🛏 60 F. 🍴 220/240 F.
✉ 15 déc./22 janv.
◻ ☎ 🖨 🚗 🚙 ⋈ 🛶 🗝 🎿 🔟 ◀ CB

TARNAC (A2)
19170 Corrèze
700 m. • 500 hab.

▲▲ DES VOYAGEURS ★★
M. Deschamps
☎ 05 55 95 53 12 FAX 05 55 95 40 07
🛏 15 ⬡ 237/250 F. 🍽 38 F. 🛏 58 F.
🍴 255/266 F.
✉ 15 déc./5 janv., vac. scol. fév., dim.
soir et lun. 30 sept. /30 mai.
🄴 SP ◻ 🖨 ☎ 🕧 ⋈ CV 🔟 ◀ CB

Le TEULET (B2)
19430 Corrèze
524 hab.

▲▲ LE RELAIS DU TEULET ★★
Sur N.120. Mme Marty
☎ 05 55 28 71 09 FAX 05 55 28 74 39
🛏 10 ⬡ 150/240 F. 🍽 26 F.
🍴 65/150 F. 🛏 50 F. 🍴 200/230 F.
🄴 SP ◻ ☎ 🚗 🚙 🛶 🗝 🎿 ⋈ CV 🔟 ◀ CB

TULLE (B2)
19000 Corrèze
20643 hab. ℹ️

▲▲ DE LA GARE ★★
25, av. Winston Churchill. M. Farjounel
☎ 05 55 20 04 04 FAX 05 55 20 15 87
🛏 13 ⬡ 180/240 F. 🍽 35 F.
🍴 88/130 F. 🛏 50 F.
✉ 1er/15 sept.
🄴 ◻ ☎ ⋈ CV ◀ CB

... *à proximité*

GIMEL LES CASCADES (B2)
19800 Corrèze
650 hab. ℹ️

10 km N.O. Tulle par N 89

▲▲ L'HOSTELLERIE DE LA VALLEE ★★
(à 2 km de la N. 89). Mme Calis
☎ 05 55 21 40 60 FAX 05 55 21 38 74
🛏 9 ⬡ 220/240 F. 🍽 25 F.
🍴 105/155 F. 🛏 50 F. 🍴 210/250 F.
✉ 1er nov./31 mars.
🄴 ◻ ☎ ⋈ 🔟 ◀ CB

USSAC (B1)
19270 Corrèze

>>> *voir BRIVE LA GAILLARDE*

USSEL (A3)
19200 Corrèze
630 m. • 12000 hab. ℹ️

▲▲ DU MIDI ★★
24, av. Thiers.
M. Jallut
☎ 05 55 72 17 99 FAX 05 55 72 90 04
🛏 15 ⬡ 160/260 F. 🍽 35 F.
🍴 70/150 F. 🛏 50 F. 🍴 190/240 F.
✉ 1er/15 janv. et dim. hs.
🄴 SP ◻ 🖨 ☎ 🚗 🚙 🛶 🗝 🎿 🔟 ◀
CB

▲▲ L'AUBERGE ★★
6, av. Gambetta.
M. Renaudie
☎ 05 55 96 17 30
🛏 4 ⬡ 200 F. 🍽 25 F. 🍴 80/170 F.
🎿 45 F.
✉ dim. soir et lun.
◻ ☎ 🎿 ◀ CB

... *à proximité*

SAINT DEZERY (A3)
19200 Corrèze
630 m. • 500 hab.

4 km N.E. Ussel par N 89

▲▲▲ LES GRAVADES ★★★
Sur N.89.
M. Fraysse
☎ 05 55 72 21 53 FAX 05 55 72 82 49
🛏 20 ⬡ 250/380 F. 🍽 35 F.
🍴 95/160 F. 🛏 50 F. 🍴 260/280 F.
🄴 ◻ 🖨 ☎ 🚗 🛶 🗝 🎿 ⊘ 🔟 ◀ CB

UZERCHE (A1)
19140 Corrèze
3500 hab. ℹ️

▲▲ AMBROISE ★★
Av. de Paris.
M. Brossard
☎ 05 55 73 28 60 FAX 05 55 98 45 73
🛏 15 ⬡ 150/350 F. 🍽 28 F.
🍴 75/180 F. 🛏 48 F. 🍴 400 F.
✉ nov., dim. soir et lun. sauf juil./août.
🄴 ◻ 🖨 ☎ 🚗 🛶 🎿 🗝 CV 🔟 ◀ CB

▲▲ TEYSSIER ★★
Rue du Pont Turgot (Sorties 44 & 45
A.20). M. Teyssier
☎ 05 55 73 10 05 FAX 05 55 98 43 31
🛏 13 ⬡ 150/360 F. 🍽 38 F.
🍴 89/250 F. 🛏 60 F. 🍴 220/350 F.
✉ déc./janv., mer. sauf soirs
mi-juil./mi-sept.
🄴 SP ◻ 🖨 ☎ 🚗 ⋈ 🛶 🎿 🗝 CV 🔟 ◀ CB
🔳 CR

**Liste des
hôtels-restaurants**

Creuse

C.R.T. Limousin - P. Jourdon

Association départementale
des Logis de France de la Creuse
C.C.I.
1 avenue de la République - B.P. 35
23001 Guéret Cedex
Téléphone 05 55 51 96 60

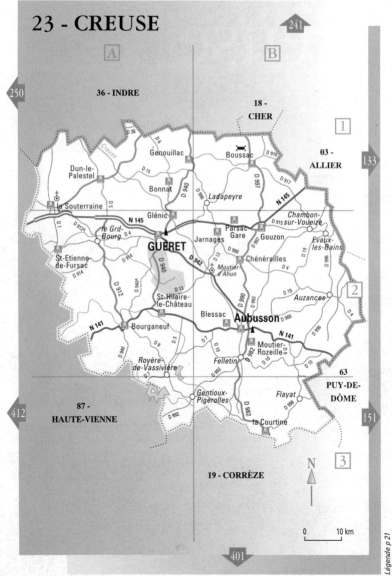

23 - CREUSE

36 - INDRE

18 - CHER

03 - ALLIER

Genouillac
Boussac
Dun-le-Palestel
Bonnat
Ladapeyre
la Souterraine
Glénic
Chambon-sur-Voueize
le Grd-Bourg
GUÉRET
Parsac-Gare
Gouzon
Evaux-les-Bains
Jarnages
St-Etienne-de-Fursac
Chénérailles
Moutier-d'Ahun
Auzances
St-Hilaire-le-Château
Blessac
Aubusson
Bourganeuf
Moutier-Rozeille
Royère-de-Vassivière
Felletin
Gentioux-Pigerolles
Flayat
la Courtine

87 - HAUTE-VIENNE

63 - PUY-DE-DÔME

19 - CORRÈZE

N

0   10 km

Légende p 21

AUBUSSON (B2)
23200 Creuse
6400 hab. ⓘ

⌂ DU LION D'OR ★★
Place d'Espagne. Mme Chaussoy
☎ 05 55 66 13 88 ⒻⒶⓍ 05 55 66 84 73
🛏 11 ⬒ 270/300 F. ➤ 35 F.
🍽 95/240 F. 🍴 55 F. 🛌 290 F.
✉ dim. soir.
▢ ☎ ⟐ CV

... *à proximité*

BLESSAC (B2)
23200 Creuse
550 m. • 495 hab. ⓘ

4 km Ouest Aubusson par N 141

⌂ LE RELAIS DES FORETS ★
M. Gironde
☎ 05 55 66 15 10 ⒻⒶⓍ 05 55 83 87 91
🛏 14 ⬒ 150/320 F. 🍽 59/185 F.
🍴 45 F. 🛌 210/280 F.
✉ 7 jours oct., 3 semaines fév./mars,
ven. soir et dim. soir.
▣ ▢ ☎ ⟐ ⤬ ⟐ ⊞ ⟐ CB

BLESSAC (B2)
23200 Creuse
⟫⟫⟫ *voir AUBUSSON*

BONNAT (A1)
23220 Creuse
1500 hab. ⓘ

⌂ LE BEL AIR ★★
Route de Guéret. Lieu-dit le Bel Air.
Mme Tirot
☎ 05 55 62 11 84 ⒻⒶⓍ 05 55 62 19 24
🛏 10 ⬒ 175/240 F. 🍽 30 F.
🍽 60/150 F. 🍴 48 F. 🛌 165/200 F.
✉ 6 janv./22 fév., dim. soir et lun.
▣ SP ▢ ☎ ⟐ ⟐ ⟐ CV ⊞ ⟐ CB

BOURGANEUF (A2)
23400 Creuse
3940 hab. ⓘ

⌂⌂ LE COMMERCE ★★
12, rue de verdun. Mme Jabet
☎ 05 55 64 14 55
🛏 14 ⬒ 145/350 F. 🍽 30 F.
🍽 75/280 F. 🍴 50 F.
✉ 22 déc./15 fév., dim. soir et lun. sauf
juil./août et fêtes.
▣ ▢ ☎ ⟐ ⤬ ⊞

BOUSSAC (B1)
23600 Creuse
1652 hab. ⓘ

⌂ CENTRAL HOTEL ★
4, rue du 11 Novembre. M. Jolivet
☎ 05 55 65 00 11 ⒻⒶⓍ 05 55 65 84 15
🛏 11 ⬒ 105/220 F. 🍽 23 F.
🍽 78/160 F. 🍴 46 F. 🛌 210/315 F.
✉ ven. soir 1er oct./31 mars.
▢ ☎ ⟐ CV ⊞ ⟐ CB

CHENERAILLES (B2)
23130 Creuse
800 hab. ⓘ

⌂ LE COQ D'OR ★★
7, Place du Champ de Foire.
M. Rullière
☎ 05 55 62 30 83
🛏 7 ⬒ 180/230 F. 🍽 27 F. 🍽 65/280 F.
🍴 47 F. 🛌 330/370 F.
✉ 2 semaines début janv., 10 jours juin,
10 jours sept., dim. soir et lun.
▣ ▢ ☎ ⟐ ⟐ CB

La COURTINE (B3)
23100 Creuse
780 m. • 1245 hab. ⓘ

⌂ AU PETIT BREUIL ★
MeM. Plazanet-Gourgues
☎ 05 55 66 76 67 ⒻⒶⓍ 05 55 66 71 84
🛏 9 ⬒ 150/220 F. 🍽 28 F. 🍽 65/185 F.
🛌 390 F.
✉ dim. soir.
▣ ▢ ☎ ⟐ ⟐ ⟐ ⟐ ⟐ CV ⊞ ⟐
CB

⌂⌂ LE BACCHUS
4, route de Felletin.
Mme Léautaud
☎ 05 55 66 75 94 ⒻⒶⓍ 05 55 66 70 64
🛏 6 ⬒ 150/250 F. 🍽 30 F. 🍽 55/200 F.
🍴 42 F. 🛌 160 F.
▣ ▢ ☎ ⟐ ⟐ ⤬ CV ⊞ ⟐ CB

DUN LE PALESTEL (A1)
23800 Creuse
1330 hab. ⓘ

⌂⌂ JOLY ★★
M. Monceaux
☎ 05 55 89 00 23 ⒻⒶⓍ 05 55 89 15 89
🛏 27 ⬒ 220/300 F. 🍽 32 F.
🍽 72/240 F. 🍴 45 F. 🛌 200/260 F.
✉ 4/20 mars, 5/25 oct., dim. soir et lun.
midi.
▣ ▢ ☎ ⟐ ⟐ ⤬ ⟐ ⟐ ⟐ CV ⊞
⟐ CB

GENOUILLAC (A1)
23350 Creuse
1000 hab.

⌂⌂ LE RELAIS D'OC ★★
Sur N.940.
M. Hardy
☎ 05 55 80 72 45
🛏 7 ⬒ 220/300 F. 🍽 34 F.
🍽 100/260 F. 🍴 50 F. 🛌 250/350 F.
✉ 15 nov./Râmeaux, dim. soir et lun.
▥ ☎ ⟐ ⟐ ⟐ CV ⟐

GLENIC (A2)
23380 Creuse
⟫⟫⟫ *voir GUERET*

GOUZON (B2)
23230 Creuse
1500 hab. 🛈

▲▲ L'HOSTELLERIE DU LION D'OR ★★★
Route de Montluçon.
M. Rabiet
☎ 05 55 62 28 54 ⅢⅢ 05 55 62 21 63
🛏 11 ⌂ 230 F. 🍴 30 F. 🍴 85/250 F.
🍴 40 F. 🍴 280 F.
⊠ 15/26 juin, dim. et lun. hs.
Ⓔ Ⓓ 🗖 ☎ 🚗 ♿ 🍴 🔗 CB

GUERET (A2)
23000 Creuse
17000 hab. 🛈

... à proximité

GLENIC (A2)
23380 Creuse
605 hab.

9 km Nord Guéret par D 940

▲▲ MOULIN NOYE ★★
Mme Labbé
☎ 05 55 52 81 44 ⅢⅢ 05 55 52 81 94
🛏 11 ⌂ 270 F. 🍴 35 F. 🍴 105/195 F.
🍴 70 F. 🍴 265 F.
Ⓔ Ⓓ SP 🗖 ☎ 🚗 🍴 🔗 CV 📷 🔗 CB

JARNAGES (B2)
23140 Creuse
470 hab.

▲▲ AUBERGE DES TEMPLIERS ★★
30, Grande Rue.
Mme Ranfaing
☎ 05 55 80 99 15
🛏 8 ⌂ 150/240 F. 🍴 30 F. 🍴 55/155 F.
🍴 45 F. 🍴 180/225 F.
Ⓔ 🗖 ☎ 🚗 🍴 🔗 CV 🔗 CB

MOUTIER ROZEILLE (B2)
23200 Creuse
500 hab.

▲▲ AU PETIT VATEL ★★
Sur D. 982.
M. Kneppert
☎ 05 55 66 13 15 ⅢⅢ 05 55 83 86 05
🛏 11 ⌂ 200/315 F. 🍴 35 F.
🍴 80/350 F. 🍴 50 F. 🍴 260/300 F.
⊠ 23 déc./fin janv., ven. soir et sam. hs,
hors fêtes.
Ⓔ SP 🗖 ☎ 🚗 🍴 🔗 CB

PARSAC GARE (B2)
23140 Creuse
680 hab.

▲ DE LA GARE ★★
Sur N.145. M. Landon
☎ 05 55 62 23 23 ⅢⅢ 05 55 81 72 65
🛏 11 ⌂ 140/180 F. 🍴 30 F.
🍴 70/120 F. 🍴 40 F. 🍴 190/230 F.
⊠ dim. soir et lun.
Ⓔ 🗖 ☎ 🚗 CV 📷 🔗 CB

SAINT ETIENNE DE FURSAC (A2)
23290 Creuse

⫸⫸⫸ *voir La SOUTERRAINE*

SAINT HILAIRE LE CHATEAU (A2)
23250 Creuse
400 hab.

▲▲ DU THAURION ★★
M. Fanton
☎ 05 55 64 50 12 ⅢⅢ 05 55 64 90 92
🛏 9 ⌂ 220/700 F. 🍴 45 F. 🍴 95/400 F.
🍴 70 F.
⊠ 20 déc./15 fév., mer et jeu. midi sauf
juil./août.
Ⓔ Ⓓ 🗖 ☎ 🚗 🍴 🔗 CV 📷 🔗 CB

La SOUTERRAINE (A1)
23300 Creuse
6000 hab. 🛈

▲▲ DE LA PORTE SAINT JEAN ★★
2, rue des Bains. M. Jeanguenin
☎ 05 55 63 90 00 ⅢⅢ 05 55 63 77 27
🛏 32 ⌂ 169/299 F. 🍴 35 F.
🍴 89/210 F. 🍴 45 F. 🍴 198/255 F.
Ⓔ Ⓓ 🗖 🗖 ☎ 🚗 ♿ CV 📷 🔗 CB
📷 🄶🅁

... à proximité

SAINT ETIENNE DE FURSAC (A2)
23290 Creuse
500 hab.

12 km Sud La Souterraine par D 1

▲▲ NOUGIER ★★
M.Me Nougier
☎ 05 55 63 60 56 ⅢⅢ 05 55 63 65 47
🛏 12 ⌂ 300/360 F. 🍴 41 F.
🍴 99/210 F. 🍴 65 F. 🍴 260 F.
⊠ 1er déc./28 fév., dim. soir et lun. sauf
juil./août et fêtes.
Ⓔ 🗖 ☎ 🚗 🍴 🔗 CB 📷 🄶🅁

**Liste des
hôtels-restaurants**

Haute-Vienne

C.R.T. Limousin

Association départementale
des Logis de France de la Haute-Vienne
C.C.I.
16 place Jourdan
87000 Limoges
Téléphone 05 55 45 15 15

LIMOUSIN

87
HAUTE-
VIENNE

Guéret

23
CREUSE

Limoges

19
CORRÈZE

Tulle

87 - HAUTE-VIENNE

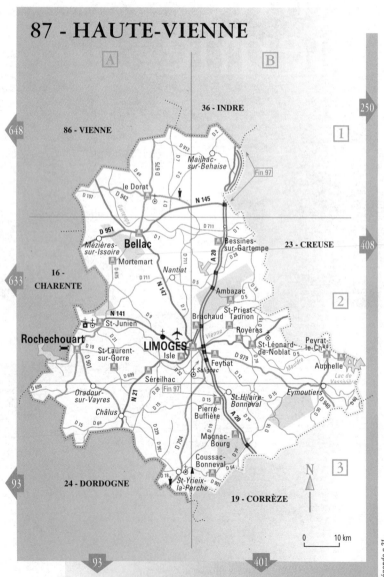

A   B

36 - INDRE

250

86 - VIENNE

648

1

D 912
D 675
Mailhac-
sur-Behaise

Fin 97

le Dorat

N 145

D 107   D 942

D 711

D 951

Mézières-
sur-Issoire

Bellac

Bessines-
sur-Gartempe

23 - CREUSE

408

16 -
CHARENTE

633

Mortemart

Nantiat

D 711   D 5

Ambazac

D 19
D 5

N 147

Brachaud

St-Priest-
Taurion

2

N 141   D 9

St-Junien

Royères

St-Léonard-
de-Noblat

Peyrat-
le-Ch

Rochechouart

D 10
D 901

St-Laurent-
sur-Gorre

LIMOGES

Isle

Feytiat

D 979

Auphelle

Lac de
Vassivière

D 699

Séreilhac

Solignac

D 12

Eymoutiers

D 940

Oradour-
sur-Vayres

N 21

Fin 97

D 15

St-Hilaire-
Bonneval

Châlus

D 15   D 68

Pierre-
Buffière

A 20

Magnac-
Bourg

93

24 - DORDOGNE

D 704

D 18

St-Yrieix-
la-Perche

Coussac-
Bonneval

D 901

19 - CORRÈZE

3

N

0   10 km

Légende p. 21

93   401

AMBAZAC (B2)
87240 Haute Vienne
5000 hab. [i]

⌂ DE FRANCE ★
Place de l'Eglise. M. Joly
☎ 05 55 56 61 51 [FAX] 05 55 56 61 51
[📞] 10 [🛏] 130/150 F. [🍽] 25 F.
[🍴] 59/140 F. [🛁] 35 F. [🍲] 170/220 F.
[✉] 21 déc./15 janv. Rest. dim. 2 nov./
1er avr.
[E] [⌂] [☎] [♈] [CV] [¦0¦] [☂] [CB]

AUPHELLE (B2)
87470 Haute Vienne

>>> *voir PEYRAT LE CHATEAU*

BELLAC (A2)
87300 Haute Vienne
6000 hab. [i]

⌂⌂ CENTRAL HOTEL ★★
M. Mesrine
☎ 05 55 68 00 34 [FAX] 05 55 60 24 73
[📞] 15 [🛏] 227/330 F. [🍽] 31 F.
[🍴] 88/170 F. [🛁] 52 F. [🍲] 230/260 F.
[✉] 3 premières semaines oct., 2ème et
3ème semaine janv., dim. soir et lun.
[E] [SP] [⌂] [☎] [🚗] [🚪] [CV] [¦0¦] [☂]

BESSINES SUR GARTEMPE (B2)
87250 Haute Vienne
3010 hab. [i]

⌂⌂ DE LA VALLEE ★★
4, Av. de la Gartempe. Mme Moreau
☎ 05 55 76 01 66 [FAX] 05 55 76 60 16
[100F] [📞] 20 [🛏] 135/250 F. [🍽] 31 F.
[🍴] 70/150 F. [🛁] 39 F. [🍲] 161/220 F.
[✉] 20 déc./5 janv., dim. soir 1er mars/
15 nov. et dim. 15 nov./ 1er mars.
[E] [SP] [⌂] [☎] [🚗] [🚪] [🐟] [CV] [¦0¦] [☂] [CB]

⌂⌂ MANOIR HENRI IV ★★
Lieu-dit la Croix du Breuil.D220
M. Broussac
☎ 05 55 76 00 56 [FAX] 05 55 76 14 14
[📞] 11 [🛏] 230/280 F. [🍽] 35 F.
[🍴] 115/265 F. [🛁] 60 F.
[✉] lun. 1er oct./1er mai et dim. soir.
[E] [⌂] [☎] [🚗] [♈] [CB]

BRACHAUD (B2)
87280 Haute Vienne

>>> *voir LIMOGES*

COUSSAC BONNEVAL (B3)
87500 Haute Vienne
1400 hab. [i]

⌂⌂ LES VOYAGEURS ★★
Place de l'Eglise. M. Robert
☎ 05 55 75 20 24 [FAX] 05 55 75 28 90

[📞] 9 [🛏] 245/250 F. [🍽] 30 F. [🍴] 80/230 F.
[🛁] 50 F. [🍲] 240/250 F.
[✉] 2 janv./1er fév. et lun. oct./mars.
[E] [SP] [⌂] [🖥] [☎] [🚪] [CV] [☂] [CB]

Le DORAT (A1)
87210 Haute Vienne
2800 hab. [i]

⌂ LA PROMENADE ★
3, av. de Verdun. M. Penot
☎ 05 55 60 72 09
[120F] [📞] 8 [🛏] 150/210 F. [🍽] 28 F. [🍴] 65/185 F.
[🛁] 55 F. [🍲] 150/180 F.
[✉] 3 semaines sept./oct., 2 semaines
fév., dim. soir et lun.
[E] [⌂] [☎] [🚗] [🚗] [☂] [CB]

FEYTIAT (B2)
87220 Haute Vienne
4430 hab.

⌂⌂ LE MAS CERISE ★★
14, av. Frédéric Legrand. M. Totin
☎ 05 55 00 26 28 [FAX] 05 55 00 23 87
[120F] [📞] 15 [🛏] 245/270 F. [🍽] 38 F.
[🍴] 120/315 F. [🛁] 55 F. [🍲] 235/250 F.
[✉] 14 déc./14 janv.
[E] [D] [⌂] [🖥] [☎] [🚗] [🚪] [♈] [🐟] [¦0¦] [☂] [CB] [CR]

ISLE (A2)
87170 Haute Vienne
7134 hab.

⌂⌂ JEANDILLOU ★★
Sur N.21. Lieu-dit chez Minet.
Mme Jeandillou
☎ 05 55 39 00 44
[120F] [📞] 15 [🛏] 140/320 F. [🍽] 35 F.
[🍴] 75/180 F. [🛁] 40 F. [🍲] 160/250 F.
[✉] dim. soir et lun.
[E] [D] [⌂] [☎] [🚗] [🚪] [♈] [CV] [¦0¦] [☂] [CB]

LIMOGES (A-B2)
87000 Haute Vienne
180000 hab. [i]

⌂⌂ AU BELVEDERE ★★
264, rue de Toulouse. MM. Sagne
☎ 05 55 30 57 39 [FAX] 05 55 06 23 51
[100F] [📞] 28 [🛏] 200/310 F. [🍽] 34 F.
[🍴] 57/200 F. [🛁] 45 F. [🍲] 195/245 F.
[✉] 23 déc./19 janv., 1er mai, sam. et
dim. soir oct./fin mars.
[E] [D] [⌂] [🖥] [☎] [🚗] [🚗] [🚪] [♈] [🐟] [CV] [¦0¦]
[☂] [CB] [▣] [CR]

⌂⌂ LE MARCEAU ★★
2, av. de Turenne. M. Pasquier
☎ 05 55 77 23 43 [FAX] 05 55 79 42 60
[120F] [📞] 24 [🛏] 200/320 F. [🍽] 30 F.
[🍴] 80/165 F. [🛁] 60 F. [🍲] 180/240 F.
[✉] dim.
[E] [⌂] [🖥] [☎] [🚪] [♈] [🐟] [CV] [¦0¦] [☂] [CB] [▣]

... à proximité

BRACHAUD (B2)
87280 Haute Vienne
1200 hab.

3 km Nord Limoges par N 20

⚜ AUBERGE L'ETAPE ★★
Près Zone Industrielle Nord.
Mme Barbier
☎ 05 55 37 14 33 📠 05 55 38 33 42
🛏 13 ⌾ 195/220 F. 🍽 30 F.
🍴 78/170 F. 🛏 55 F. 🛎 250 F.
✉ sam. midi et dim. soir sept./juin.
[icons] CV ☚ CB

MAGNAC BOURG (B3)
87380 Haute Vienne
860 hab. 🛈

⚜⚜⚜ AUBERGE DE L'ETANG ★★
(à 800 m. A 20, sortie 41). M. Lagorce
☎ 05 55 00 81 37 📠 05 55 48 70 74
🛏 14 ⌾ 230/320 F. 🍽 32 F.
🍴 80/230 F. 🛏 50 F. 🛎 250/310 F.
✉ 12/24 oct., 22 déc./22 janv., dim. soir
et lun. sept./avr.
[icons] CV ☚ CB

⚜⚜ DES VOYAGEURS ★
Place de la Pharmacie (A 20 sortie 41).
M. Fusade
☎ 05 55 00 80 36 📠 05 55 00 56 37
🛏 7 ⌾ 210/300 F. 🍽 38 F. 🍴 78/210 F.
🛏 70 F. 🛎 240/300 F.
✉ 2/20 janv., 8/20 juin, 10/22 sept.,
mar. soir, sam. hs.
[icons] SP 🛈 CB

⚜⚜ DU MIDI ★★
Sur N.20 (par A. 20 sortie N° 41).
M. Tricard
☎ 05 55 00 80 13 📠 05 55 48 70 96
🛏 13 ⌾ 220/350 F. 🍽 35 F.
🍴 85/250 F. 🛏 55 F. 🛎 280/300 F.
✉ 15/30 nov., 15 janv./15 fév. et lun.
sauf fériés.
[icons] SP CV ☚ CB

MORTEMART (A2)
87330 Haute Vienne
150 hab. 🛈

⚜ LE RELAIS
M. Pradeau
☎ 05 55 68 12 09 📠 05 55 68 12 09
🛏 5 ⌾ 240/300 F. 🍽 40 F. 🍴 93/248 F.
🛏 54 F.
✉ vac. scol. fév., mar. soir et mer., mer.
14 juil./31 août.
[icons]

PEYRAT LE CHATEAU (B2)
87470 Haute Vienne
1518 hab. 🛈

⚜⚜ AUBERGE DU BOIS DE L'ETANG ★
38, av. de la tour. M. Merle
☎ 05 55 69 40 19 📠 05 55 69 42 93
🛏 28 ⌾ 160/280 F. 🍽 30 F.
🍴 75/195 F. 🛏 45 F. 🛎 170/230 F.
✉ 15 déc./15 janv., dim. soir et lun.
1er nov./30 mars.
[icons] CV ☚ CB
CR

⚜⚜ LE BELLERIVE ★★
29, av. de la Tour. M. Mocquant
☎ 05 55 69 40 67 📠 05 55 69 47 96
🛏 9 ⌾ 180/250 F. 🍽 35 F. 🍴 59/250 F.
🛏 50 F. 🛎 190/240 F.
✉ 11 nov./21 mars, dim. soir et lun.
oct./avr.
[icons] CV ☚ CB

... à proximité

AUPHELLE (B2)
87470 Haute Vienne
650 m. • 100 hab. 🛈

*7 km Est Peyrat le Château par D 13 et
D 222*

⚜⚜⚜ GOLF DU LIMOUSIN ★★
(Lac de Vassivière). M. Lucchesi
☎ 05 55 69 41 34 📠 05 55 69 49 16
🛏 18 ⌾ 215/270 F. 🍽 34 F.
🍴 85/160 F. 🛏 55 F. 🛎 230/252 F.
✉ début sept./dim. Râmeaux.
[icons] CV ☚ CB

PIERRE BUFFIERE (B3)
87260 Haute Vienne
1300 hab. 🛈

⚜ DUPUYTREN ★
24, av. de la République. Mme Gibaut
☎ 05 55 00 60 26
🛏 7 ⌾ 190/240 F. 🍽 28 F. 🍴 95/135 F.
🛏 42 F. 🛎 230/250 F.
✉ mars et lun. hs.
[icons] CB

ROCHECHOUART (A2)
87600 Haute Vienne
3985 hab. 🛈

⚜ DE FRANCE ★
Place Octave Marquet. M. Sutre
☎ 05 55 03 77 40 📠 05 55 03 03 87
🛏 10 ⌾ 150/230 F. 🍽 35 F.
🍴 70/170 F. 🛏 50 F. 🛎 210/280 F.
✉ 10 premiers jours sept. et dim.
16 h./lun.16 h.
[icons] CB

ROYERES (B2)
87400 Haute Vienne

>>> *voir SAINT LEONARD DE NOBLAT*

SAINT JUNIEN (A2)
87200 Haute Vienne
12000 hab. 🛈

🛆 AU RENDEZ VOUS DES CHASSEURS ★
Le Pont à la Planche, direction Bellac.
M. Demery
☎ 05 55 02 19 73 FAX 05 55 02 06 98
🛏 7 ⬒ 200/270 F. ⬓ 30 F. 🍴 72/220 F.
🍽 40 F. 🛎 200/250 F.
⊠ 1er/15 août, 15/31 déc. et ven.
▫▫▫▫▫▫ CV ▫ ▫ CB ▫

🛆🛆🛆 LE BOEUF ROUGE ★★
57, bld Victor Hugo. M. Brissaud
☎ 05 55 02 31 84 FAX 05 55 02 62 40
🛏 30 ⬒ 220/380 F. ⬓ 35 F.
🍴 79/149 F. 🍽 49 F. 🛎 250/330 F.
▫▫▫▫▫▫▫▫▫▫ CV
▫ ▫ CB

🛆🛆🛆 LE RELAIS DE COMODOLIAC ★★
22-26, av. Sadi-Carnot. M. Ferres-Texier
☎ 05 55 02 12 25 FAX 05 55 02 68 79
🛏 28 ⬒ 240/310 F. ⬓ 35 F.
🍴 79/270 F. 🍽 55 F. 🛎 250 F.
⊠ rest. dim. soir 1er nov./28 fév.
▫▫▫▫▫▫▫ CV ▫ ▫ CB ▫
CR

SAINT LAURENT SUR GORRE (A2)
87310 Haute Vienne
1443 hab. 🛈

🛆 LE SAINT LAURENT
Place Léon Litaud. M. Barde
☎ 05 55 00 03 96
🛏 5 ⬒ 160/230 F. ⬓ 25 F. 🍴 85/145 F.
🍽 40 F. 🛎 230/240 F.
⊠ 15 sept./8 oct., vac. Noël et fév.,
sam. sauf été.
▫▫▫▫▫ CV ▫

SAINT LEONARD DE NOBLAT (B2)
87400 Haute Vienne
6000 hab. 🛈

🛆🛆 MODERN'HOTEL ★★
Bld Adrien Pressemane. M. Royer
☎ 05 55 56 00 25
🛏 7 ⬒ 250/280 F. ⬓ 36 F.
🍴 105/240 F. 🍽 65 F. 🛎 180/270 F.
⊠ 1er fév./5 mars, dim. soir et lun. hs,
lun. midi 10 juil./ 30 sept.
▫▫▫▫ CV ▫ CB

... à proximité

ROYERES (B2)
87400 Haute Vienne
855 hab.

7 km N.E. St-Léonard par N 141 et D 124

🛆🛆 BEAU SITE ★★
Lieu-dit Brignac,sur D.124. M. Vigneron
☎ 05 55 56 00 56 FAX 05 55 56 31 17
🛏 11 ⬒ 280/370 F. ⬓ 48 F.
🍴 85/250 F. 🍽 60 F. 🛎 285/335 F.
⊠ 1er janv./1er avr. Rest. ven. soir et
sam. midi oct./déc.
▫ SP ▫▫▫▫▫▫▫ CV ▫ ▫
CB

SAINT PRIEST TAURION (B2)
87480 Haute Vienne
2000 hab.

🛆 RELAIS DU TAURION ★★
2, Chemin des Contamines. M. Roger
☎ 05 55 39 70 14 FAX 05 55 39 67 63
🛏 8 ⬒ 250/310 F. ⬓ 35 F.
🍴 100/200 F. 🍽 55 F. 🛎 285/310 F.
⊠ 1ère semaine sept., 15 déc./15 janv.,
dim. soir et lun.
▫▫▫▫▫▫▫ ▫

SEREILHAC (A2)
87620 Haute Vienne
1400 hab.

🛆🛆🛆 MOTEL DES TUILERIES ★★
(Les Betoulles). Mme Chambraud
☎ 05 55 39 10 27 FAX 05 55 36 09 21
🛏 10 ⬒ 250/270 F. ⬓ 30 F.
🍴 72/275 F. 🍽 40 F. 🛎 240 F.
⊠ 2 dernières semaines nov., 3
dernières semaines janv., dim. soir et
lun. sauf juin/sept.
▫ SP ▫▫▫▫▫▫▫ ▫ CB

Fédération régionale des Logis de France de la Lorraine
(Meurthe-et-Moselle, Meuse, Moselle, Vosges)
C.C.I. - 10/12 avenue Foch - B.P. 330
57016 Metz Cedex 1
Tél. 03 87 52 31 00 - Fax 03 87 52 31 96

C.R.T. Lorraine

P. Bodez "Photothèque régionale"

Photo C.R.T. Lorraine

région lorraine

C.R.T. Lorraine

Lorraine

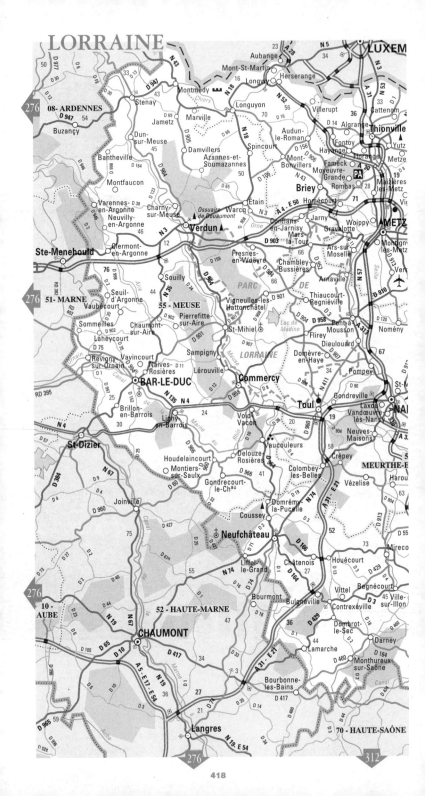

LORRAINE

08- ARDENNES

51- MARNE

55 - MEUSE

10 - AUBE

52 - HAUTE-MARNE

MEURTHE-E

70 - HAUTE-SAÔNE

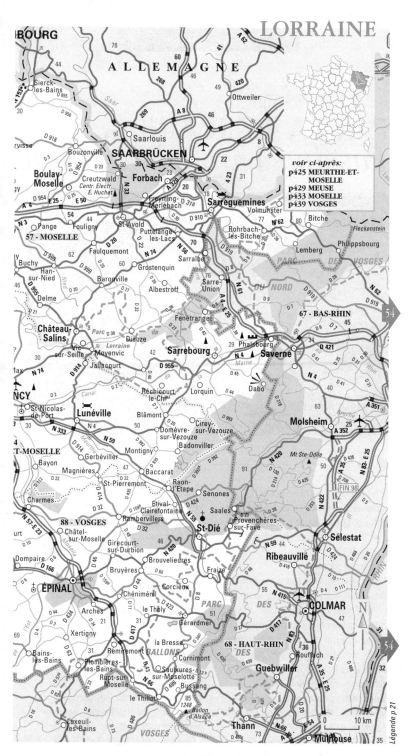

LORRAINE

voir ci-après:
p425 MEURTHE-ET-
MOSELLE
p429 MEUSE
p433 MOSELLE
p439 VOSGES

57 - MOSELLE

67 - BAS-RHIN

88 - VOSGES

68 - HAUT-RHIN

0   10 km

419

Légende p 21

En passant
par la Lorraine...
Passing Through Lorraine

C.R.T. Lorraine

 ——————————————— ———————————————

Avec ses villes d'eau et ses canaux, ses mirabelles et ses forêts, ses cristalleries et Nancy, la Lorraine de l'après-guerre et de l'après-sidérurgie mérite plusieurs étapes.

Its spas and its canals, its mirabelle plums and its forests, its crystal manufactures and the city of Nancy all make the Lorraine of the post-war and post-steel industry years a place of many attractions.

Magie de l'eau

Elles s'appellent Vittel ou Contrexéville, Bains-les-Bains, Plombières ou Amnéville. Célèbres pour leurs eaux, ces stations attirent curistes et touristes en veine de remise en forme ou d'un coup de chance au casino. A ne pas manquer pour son architecture le casino art-déco de Vittel, classé au patrimoine de l'Unesco.

Moins minérales mais plus poissonneuses, la Moselle, la Meurthe et la Meuse regorgent de truites, de carpes et de brochets. Tout comme les lacs de Madine, de Pierre Percée

The Magic of Water

The famous waters of the spas - Vittel, Contrexéville, Bains-les-Bains, Plombières and Amnéville - attract both patients and tourists looking either for a tonic or a lucky break in the casino. The art-deco casino of Vittel, now a UNESCO classified building, is a must for its architecture.

Less rich in minerals, but more so in fish, the Moselle, the Meurthe and the Meuse are alive with trout, carp and pike. The same can be said of the Madine,

et de Gérardmer à fréquenter en été ou en hiver, pour s'y baigner ou patiner.

Nature et verdure

Les skieurs aimeront la forêt vosgienne pour ses pistes de ski alpins - Gérardmer encore, Ventron, La Bresse -, ses parcours de ski de fond et de randonnée. Sentiers à pratiquer aussi l'été, ainsi que l'escalade et la luge à roulettes dans les trois grands parcs naturels régionaux : le parc régional de Lorraine, le parc des Ballons des Vosges et le parc des Vosges du Nord.

Histoire de France

Restent les séquelles de la guerre et ces tranchées qui ne s'oublient pas. Pour que l'histoire marque le pas, les Lorrains ont fait de Verdun un symbole et bâti, en lieu et place du meurtrier conflit, le Centre mondial de la Paix, des Libertés et des Droits de l'homme. Non loin, Metz vit au fil de l'eau, à l'abri de sa cathédrale. Plus au sud, Pont-à-Mousson

C.R.T. Lorraine

Pierre Percée and Gérardmer lakes, which can be visited in summer for swimming and in winter for skating.

Nature and Greenery

Skiers will love the Vosges forest both for its stet ski slopes - Gérardmer again, Ventron and La Bresse - and its cross-country and trekking possibilities. Alternative charms can be found on these routes in summer, as well as rock-climbing and sledge rides in the three regional parks of Lorraine, Ballons des Vosges and Vosges du Nord.

C.R.T. Lorraine

EIN AUFENTHALT IN LOTHRINGEN...

Mit seinen Wasserstädten und Kanälen, seinen Mirabellen und seinen Wäldern, seinen Kristallhütten und Nancy... Das Lothringen der Nachkriegszeit und 'nach' der Metallindustrie ist einen Aufenthalt wert. Die Kurgänger werden von den Kurorten verführt, die Skiläufer von dem Vogesenwald, die Feinschmecker von der Küche mit Bier und Weißwein.

WANNEER JE DOOR LOTHARINGEN REIST ...

Met haar kuuroorden en kanalen, haar mirabellen en bossen, haar kristalfabrieken en Nancy ... het Lotharingen van ná de oorlog en van de periode ná de staalindustrie verdient dat u er even halte maakt. Kuurgasten worden verleid door de kuuroorden, skiërs door de wouden van de Vogezen, lekkerbekken door de heerlijke keuken op basis van bier en de bekende "vin gris" (NL : wijn die lichtrosé is).

veille sur l'abbaye des Prémontrés, Nancy ouvre grand sa place Stanislas, Epinal dévoile son imagerie populaire, Baccarat scintille de ses cristalleries, Commercy se régale de ses savoureuses madeleines. Pendant ce temps là, les citadelles de Vauban, toujours intactes, font mine de surveiller la frontière belge à Montmédy et la frontière allemande à Bitche, pour le plus grand plaisir des amateurs de "jeux de rôles" qui en ont fait leur paradis.

Arts de la table

En Lorraine, la gastronomie a toute sa place : les poissons sont cuisinés au vin gris ou à la bière, les gibiers préparés en gigues ou en civets, les mirabelles dorées sur le feuilleté des tartes… Et pour peu que la table soit nappée de dentelle de Mirecourt ou de broderie de Lunéville, que le cristal des verres sonnent la note de Daum, de Baccarat ou de Saint-Louis, comment résister à un blanc mosellan, un gris de Toul ou une goutte d'eau-de-vie ?

C.R.T. Lorraine

French History

And then there are the scars of the war, the trenches that cannot be forgotten. In order to mark the place of Verdun in history, the people of Lorraine have made it into a symbolic site by building the World Centre for Peace and the Rights of Man on the fields of the bloody conflict. Not far away is Metz, lying alongside the water in the shadow of its cathedral. Further to the south, Pont-à-Mousson looks over the abbey of Prémontrés; Nancy offers the open space of its grand Stanislas square; Epinal reveals the secrets of its popular "Imagerie"; Baccarat shimmers with its crystal; and Commercy promises the flavour of its delicious madeleine cakes. Meanwhile the citadels of Vauban, still intact, seem to peer out over the Belgium border at Montmédy and the German border at Bitche, providing an ideal setting for those who love to play role games.

Culinary Art

Fine food is also to be found in Lorraine. Fish cooked in rosé wine or in beer, roast or jugged game, golden mirabelle plums on a bed of light pastry... And when the table is covered with Mirecourt lace or Lunéville embroidery, and the crystal glasses ring out the note of Daum, Baccarat or Saint-Louis, how could you resist a white Moselle wine, a rosé from Toul or a drop of local brandy?

PASANDO POR LA LORENA...

Con sus ciudades de agua y sus canales, sus ciruelas miravel y sus bosques, sus cristalerías y Nancy... la Lorena de la postguerra y de la postsiderurgia merece que nos paremos. Los agüistas se sentirán tentados por las ciudades de agua, los esquiadores por el bosque de los Vosgos, y los gastrónomos por la cocina a la cerveza y al vino gris.

PASSANDO DALLA LORENA...

Con le sue città termali e con i suoi canali, con le sue mirabelle e le sue foreste, con le sue cristallerie e con Nancy, la Lorena del dopo guerra e del dopo siderurgia, merita una sosta. Coloro che praticano le cure termali si lasceranno tentare dalle città, gli sciatori dalla foresta dei Vosgi e i golosi dalla cucina, dalla birra e dal vino grigio.

Feuilleté aux mirabelles

Ingrédients

Pour 6 personnes
- 300 g de pâte feuilletée
- 1 kg de mirabelles
- 100 g de sucre
- jus de citron
- alcool de mirabelle
- amandes effilées
- sucre glace
- 200 g de crème d'amandes

Recette

- Préchauffer le four à 210°. Découper 6 rectangles dans la pâte. Poser les sur une plaque beurrée, enfournez 20 mn, jusqu'à ce que les feuilletés soient gonflés et dorés.
- Dénoyauter les mirabelles. Metter le sucre dans une sauteuse, ajoutez le jus de citron, 10 cl d'eau et faire mijoter 5 mn. Ajouter les mirabelles, les faire cuire 5 mn à feu vif dans le sirop, verser 2 cuil. à soupe d'alcool de mirabelle.
- Couper les feuilletés en deux. Répartir la crème d'amandes sur la partie inférieure. Enfourner à nouveau 5 mn. Disposer sur la crème les mirabelles cuites et leur jus. Couvrir avec la partie supérieure des feuilletés. Poudrer de sucre glace. Décorer avec les amandes effilées.

**Liste des
hôtels-restaurants**

Meurthe-
et-Moselle

P. Bodez "Photothèque régionale"

Association départementale
des Logis de France de la Meurthe-et-Moselle
C.D.T.
48 rue du Sergent Blandan - B.P. 65
54062 Nancy Cedex
Téléphone 03 83 94 51 90

LORRAINE

57 MOSELLE
Metz
55 MEUSE
54 MEURTHE-
ET-MOSELLE
Bar-le-Duc
Nancy
88 VOSGES
Epinal

54 - MEURTHE-ET-MOSELLE

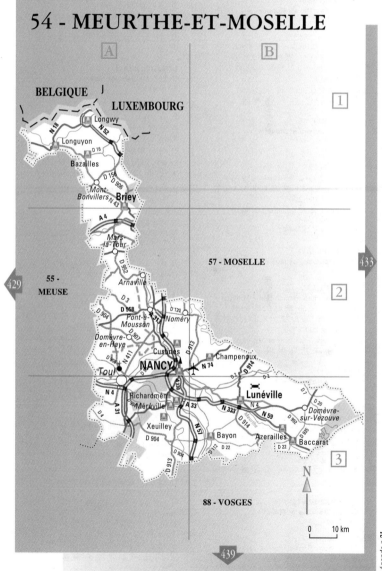

Légende p 21

AZERAILLES (B3)
54122 Meurthe et Moselle
792 hab.

▲ DE LA GARE ★
Mme Steimer
☎ 03 83 75 15 17 FAX 03 83 75 28 67
🛏 7 ◫ 150/250 F. ▤ 30 F. ⊪ 75/175 F.
♨ 45 F. ▨ 160/220 F.
⊠ 13 janv./3 fév., 14/21 juil.,
26/31 déc., dim. soir et lun.

BACCARAT (B3)
54120 Meurthe et Moselle
5000 hab. 🛈

▲▲ LA RENAISSANCE ★★
31, rue des Cristalleries. Mme Colin
☎ 03 83 75 11 31 FAX 03 83 75 21 09
🛏 16 ◫ 260/310 F. ▤ 30 F. ♨ 45 F.
▨ 250/280 F.
⊠ ven. soir et lun. sauf juil./août.

BAYON (B3)
54290 Meurthe et Moselle
1480 hab.

▲ DE L'EST
6, place du Château. M. Cuny
☎ 03 83 72 53 68 FAX 03 83 72 59 06
🛏 7 ◫ 165/265 F. ▤ 26 F. ⊪ 57/150 F.
♨ 41 F. ▨ 150/200 F.
⊠ 3ème et 4ème semaine oct. Rest.
sam. et dim. soir.

BAZAILLES (A1)
54620 Meurthe et Moselle
193 hab.

▲▲ AU GENTIL VAL
2, rue Blanche Fontaine. Mme Minette
☎ 03 82 89 60 60 FAX 03 82 89 65 45
🛏 7 ◫ 225/300 F. ▤ 30 F. ⊪ 58/185 F.
♨ 45 F. ▨ 200/270 F.
⊠ 2/13 janv., dim. soir et lun.

BRIEY (A1)
54150 Meurthe et Moselle
4514 hab. 🛈

▲▲ DU COMMERCE Rest. AUX ARMES DE
BRIEY ★★
63, rue de Metz. M. Spitoni
☎ 03 82 46 21 00 FAX 03 82 20 29 85
🛏 18 ◫ 236 F. ▤ 32 F. ⊪ 69/169 F.
♨ 39 F. ▨ 250/260 F.

CHAMPENOUX (B2)
54280 Meurthe et Moselle
1004 hab.

▲▲ LA LORETTE ★★
52, rue Saint-Barthélémy. M. Malgras
☎ 03 83 39 91 91 FAX 03 83 31 71 04

🛏 10 ◫ 245 F. ▤ 30 F. ⊪ 80/180 F.
♨ 45 F. ▨ 390 F.
⊠ rest. dim. soir et lun.

CUSTINES (A2)
54670 Meurthe et Moselle
2850 hab.

▲▲ HOSTELLERIE DE L'ILE ★★
48, rue de Metz.
M. Sabatini
☎ 03 83 49 36 75 FAX 03 83 49 26 99
🛏 10 ◫ 195 F. ▤ 35 F. ⊪ 110/250 F.
♨ 48 F. ▨ 280 F.
⊠ 24/26 déc., dim. soir 1er sept./31 mai
et sam. midi.

LONGUYON (A1)
54260 Meurthe et Moselle
7000 hab. 🛈

▲▲▲ DE LORRAINE Rest. LE MAS ★★
M. Tisserant
☎ 03 82 26 50 07 FAX 03 82 39 26 09
🛏 14 ◫ 290 F. ▤ 35 F. ⊪ 109/360 F.
♨ 80 F. ▨ 295/370 F.
⊠ janv. Rest. lun. sauf 28 juin/20 sept.

▲ HOSTELLERIE DE LA GARE - LA TABLE
DE NAPO ★
Rue de la Gare.
M. Reinalter
☎ 03 82 26 50 85 FAX 03 82 39 21 33
🛏 7 ◫ 180/260 F. ▤ 35 F. ⊪ 70/260 F.
♨ 65 F. ▨ 300/350 F.
⊠ 1ère quinzaine mars, 3 dernières
semaines sept. et ven. soir sauf
juil./août.

LONGWY (A1)
54400 Meurthe et Moselle
17480 hab. 🛈

▲▲ DU NORD ★★
(A Longwy-Haut, 16, rue Gambetta).
Mme Pranzetti
☎ 03 82 23 40 81 FAX 03 82 23 17 73
🛏 19 ◫ 270/290 F. ▤ 32 F. ♨ 50 F.
▨ 270 F.
⊠ rest. dim.

LUNEVILLE (B3)
54300 Meurthe et Moselle
20711 hab. 🛈

▲▲ DES PAGES Rest. LE PETIT
COMPTOIR ★★★
5, quai des Petits Bosquets.
Mme Paradis
☎ 03 83 74 11 42 FAX 03 83 73 46 63
🛏 30 ◫ 250/260 F. ▤ 35 F.
♨ 98/120 F. ♨ 50 F. ▨ 250 F.

MEREVILLE (A3)
54850 Meurthe et Moselle
1200 hab.

▲▲▲ MAISON CARREE ★★★
M. Girard
☎ 03 83 47 09 23 ⅻ 03 83 47 50 75
▯ 22 ⊗ 330/410 F. ▧ 38 F.
⑂ 128/210 F. ⑂ 60 F. ⚑ 320/340 F.
⊠ 24/31 déc.
Ⓔ Ⓓ 🔲 📺 ☎ 🚗 🚙 ⛱ 🎿 ⚓ ♿
🏃 CV 🔲 ⏺ CB

NANCY (A2)
54000 Meurthe et Moselle
99300 hab. ⓘ

▲▲ AU BON COIN ★★
33, rue de Villers. M. Spens
☎ 03 83 40 04 01 ⅻ 03 83 90 32 08
▯ 20 ⊗ 225/250 F. ▧ 35 F.
⑂ 71/147 F. ⑂ 50 F. ⚑ 240 F.
⊠ 26 juil./17 août et dim.
Ⓔ 🔲 ☎ 🚗 ⚓ 🎣 CV 🔲 ⏺ CB

RICHARDMENIL (A3)
54630 Meurthe et Moselle
3500 hab.

▲▲ RELAIS DU SOUS BOIS ★
Sur N. 57. M. Rodriguez
☎ 03 83 26 11 12 ⅻ 03 83 26 10 26
▯ 15 ⊗ 210 F. ▧ 28 F. ⑂ 50/130 F.
⑂ 39 F. ⚑ 200/230 F.
⊠ dim. soir.
SP 🔲 📺 ☎ 🚙 ⏺ CB

XEUILLEY (A3)
54990 Meurthe et Moselle
647 hab.

▲ DU LION D'OR ★★
M. Grosclaude
☎ 03 83 47 02 31 ⅻ 03 83 47 77 76
▯ 10 ⊗ 140/220 F. ▧ 30 F.
⑂ 65/150 F. ⚑ 175/210 F.
⊠ 15/31 août, dim. soir et lun.
Ⓔ 🔲 ☎ ⛱ 🔲 ⏺ CB

Novità 1997 : I Logis de France vi propongono la carta "Fedeltà". Per saperne di più, consultate pagine alla fine della guida.

**Liste des
hôtels-restaurants**

Meuse

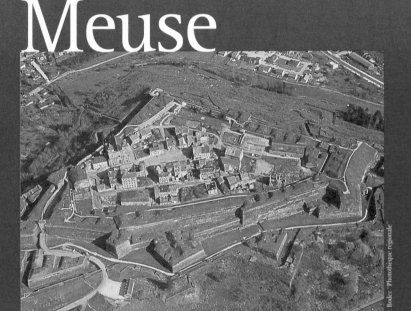

P. Bodez ·Photothèque régionale·

Association départementale
des Logis de France de la Meuse
C.D.T.
Hôtel du Département
55012 Bar-le-Duc
Téléphone 03 29 45 78 40

LORRAINE

55 - MEUSE

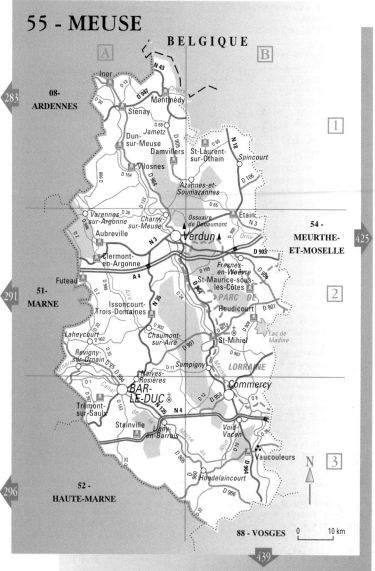

BELGIQUE

A   B

N 43

Inor

08-
ARDENNES

D 13

D 947

Montmédy

Chiers

D 30

Stenay

D 69

Jametz

Dun-
sur-Meuse

D 905

Damvillers

D 66

St-Laurent-
sur-Othain

N 18

Spincourt

Vilosnes

D 164

D 964

D 988

D 106

Azannes-et-
Soumazannes

D 123

D 65

Étain

Varennes-
sur-Argonne

D 38

Charny-
sur-Meuse

Ossuaire
de Douaumont

N 3

54 -
MEURTHE-
ET-MOSELLE

D 2

Aubreville

N 3

Verdun

D 998

Orne

D 903

Clermont-
en-Argonne

A 4

Fresnes-
en-Woëvre

D 159

D 904

Futeau

D 998

D 2

Aire

N 35

D 34

D 901

St-Maurice-sous-
les-Côtes

PARC DE

Heudicourt

D 901

51-
MARNE

Issoncourt-
Trois-Domaines

D 20

D 902

D 807

D 908

Lac de
Madine

Laheycourt

D 902

Chaumont-
sur-Aire

D 35

D 901

St-Mihiel

D 907

Revigny-
sur-Ornain

Ornain

D 5

D 994

Naives-
Rosières

D 11

Sampigny

Meuse

LORRAINE

Commercy

D 1

Canal

BAR-
LE-DUC

D 135

D 12

D 958

D 8

Trémont-
sur-Saulx

D 997

D 152

N 4

de

Stainville

Ligny-
en-Barrois

Void-
Vacon

D 958

D 966

Marne

au

D 10

Vaucouleurs

D 964

D 25

Rhin

N

Houdelaincourt

D 960

D 966

D 32

52 -
HAUTE-MARNE

0   10 km

88 - VOSGES

283

425

291

296

439

Légende p 21

AUBREVILLE (A2)
55120 Meuse
355 hab.

⚑ DU COMMERCE ★
Pont Ciraumont
M. Labrosse
☎ 03 29 87 40 35 ᴲᴬˣ 03 29 87 43 69
🛏 8 ◇ 160/210 F. 🍽 25 F. ⊞ 70/120 F.
▦ 185/250 F.
⊠ 1er/20 oct.
🄴 🄳 ☎ 🚗 🍴 🚶 🐾 CB

CLERMONT EN ARGONNE (A2)
55120 Meuse
1763 hab. 🅸

⚑⚑ BELLEVUE ★★
M. Chodorge
☎ 03 29 87 41 02 ᴲᴬˣ 03 29 88 46 01
120F 🛏 7 ◇ 250/280 F. 🍽 35 F. ⊞ 80/240 F.
🚶 45 F. ▦ 270/280 F.
⊠ 23 déc./3 janv. et mer. hs.
🄴 🄳 ☎ 🚗 🍴 🐓 CV 🐾

DAMVILLERS (A1)
55150 Meuse
700 hab. 🅸

⚑ DE LA CROIX BLANCHE ★
1, rue Carnot. M. Vinot
☎ 03 29 85 60 12
100F 🛏 9 ◇ 140/260 F. 🍽 30 F. ⊞ 70/170 F.
🚶 45 F. ▦ 160/230 F.
⊠ 1ère semaine oct., 15 fév./15 mars,
dim. soir et lun.
🄴 🄳 ☎ 🚗 🍴 CV 🐾 CB

DUN SUR MEUSE (A1)
55110 Meuse
750 hab. 🅸

⚑⚑ DU COMMERCE ★★
Place Monument.
M. Nivoix
☎ 03 29 80 90 25 ᴲᴬˣ 03 29 80 87 66
🛏 9 ◇ 210/250 F. 🍽 28 F. ⊞ 78/240 F.
🚶 45 F. ▦ 210/230 F.
⊠ 23 déc./31 janv., dim. soir hs et lun.
(7 chambres classées 2 étoiles, 2
chambres non classées).
🄴 🄳 ☎ 🚗 🍴 ▶ 🔌 🐾 CB

ETAIN (B2)
55400 Meuse
3800 hab. 🅸

⚑ DE LA SIRENE ★★
22, rue P. Havette. M. Checinski
☎ 03 29 87 10 32 ᴲᴬˣ 03 29 87 17 65
120F 🛏 23 ◇ 150/210 F. 🍽 30/ 35 F.
⊞ 67/250 F. 🚶 35 F.
⊠ 23 déc./1er fév., lun., dim. soir et
lun. hs.
🄴 🄳 ☎ 🚗 🐓 CV 🔌 🐾 CB

FUTEAU (A2)
55120 Meuse
130 hab.

⚑⚑⚑ A L'OREE DU BOIS ★★
M. Aguesse
☎ 03 29 88 28 41 ᴲᴬˣ 03 29 88 24 52
🛏 7 ◇ 360/380 F. 🍽 50 F.
⊞ 115/360 F. 🚶 85 F. ▦ 450/480 F.
⊠ janv., vac. scol. Toussaint, dim. soir
et mar., mar. midi en saison.
🄴 🄳 ☎ 🚗 ⛵ 🌴 🔌 🐾 CB

HEUDICOURT (B2)
55210 Meuse
180 hab.

⚑⚑ DU LAC DE MADINE ★★
M. Drapier
☎ 03 29 89 34 80 ᴲᴬˣ 03 29 89 39 20
120F 🛏 45 ◇ 250/320 F. 🍽 38 F.
⊞ 80/230 F. 🚶 50 F. ▦ 255/285 F.
⊠ 2/31 janv. et lun. hs.
🄴 🄳 ☎ 🚗 🍴 ♿ ♿ CV 🔌 🐾 CB

INOR (A1)
55700 Meuse
250 hab. 🅸

⚑⚑ AUBERGE DU FAISAN DORE ★★
Rue de l'écluse. M. Bataille
☎ 03 29 80 35 45 \ 03 29 80 39 74
ᴲᴬˣ 03 29 80 37 92
120F 🛏 13 ◇ 200/250 F. 🍽 30 F.
⊞ 68/180 F. 🚶 50 F. ▦ 250/280 F.
⊠ ven. midi et dim. soir hs.
🄴 🄳 ☎ 🚗 🍴 🌴 🚶 ♿ ♿ CV 🔌
🐾 CB

ISSONCOURT-TROIS DOMAINES (A2)
55220 Meuse
70 hab.

⚑⚑ RELAIS DE LA VOIE SACREE ★★
1, voie Sacrée. M. Caillet-Salvi
☎ 03 29 70 70 46 ᴲᴬˣ 03 29 70 75 75
120F 🛏 7 🍽 40 F. ⊞ 85/280 F. 🚶 70 F.
▦ 300/320 F.
⊠ 20 janv./10 mars, lun., dim. soir et
lun. mai/31 oct.
🄴 🅸 🄳 ☎ 🚗 ⛵ 🌴 ♿ CV 🔌 🐾
CB 📠 CR

MONTMEDY (A1)
55600 Meuse
2324 hab. 🅸

⚑⚑ LE MADY ★★
8, place Raymond Poincaré. M. Noël
☎ 03 29 80 10 87 ᴲᴬˣ 03 29 80 02 40
120F 🛏 11 ◇ 250/290 F. 🍽 35 F.
⊞ 70/200 F. 🚶 42 F. ▦ 225/290 F.
⊠ 3 fév./3 mars, dim. soir et lun. sauf
juil./août.
🄴 🄳 ☎ 🚗 🚗 ⛵ CV 🔌 🐾 CB

SAINT LAURENT SUR OTHAIN (B1)
55150 Meuse
380 hab.

♨ LE RALLYE ★
22, rue de la Chaussée. M. Vuillaume
☎ 03 29 88 01 45
🛏 11 ⌧ 160/280 F. ⧉ 30 F.
🍽 65/200 F. ⧄ 40 F. 🛌 180/220 F.
Ⓔ ☎ CV

**SAINT MAURICE SOUS LES
COTES (B2)**
55210 Meuse
329 hab.

♨ DES COTES DE MEUSE ★★
av. du Général Lelorrain. M. Kourgousoff
☎ 03 29 89 35 61 FAX 03 29 89 55 50
🛏 12 ⌧ 150/280 F. ⧉ 30 F.
🍽 60/220 F. ⧄ 40 F. 🛌 290/360 F.
⌧ dernière semaine oct., 1ère semaine
nov., dim. soir et lun.
Ⓔ 🗖 ☎ 🚗 ♿ CV ⁝⁝ ◗ CB

SAINT MIHIEL (B2)
55300 Meuse
5387 hab. 🆔

♨♨ LE RIVE GAUCHE ★★
Place de l'ancienne gare. M. Piquard
☎ 03 29 89 15 83 FAX 03 29 89 15 35
🛏 10 ⌧ 200/245 F. ⧉ 28 F.
🍽 55/148 F. ⧄ 42 F. 🛌 190/240 F.
Ⓔ 🗖 ☎ 🍴 ⤢ 🎿 ♿ CV ⁝⁝ ◗ CB 📷

♨♨ LE TRIANON ★★
38, rue Basse des Fosses. M. Lejeas
☎ 03 29 90 90 09 FAX 03 29 90 96 11
🛏 10 ⌧ 200/235 F. ⧉ 30 F.
🍽 115/220 F. ⧄ 40 F. 🛌 265 F.
⌧ dim. soir et lun.
🗖 ☎ ⧄ ⁝⁝ ◗ CB

STAINVILLE (A3)
55500 Meuse
368 hab.

♨♨ LA GRANGE ★★
M. Jung
☎ 03 29 78 60 15 FAX 03 29 78 67 28
🛏 8 ⌧ 290 F. ⧉ 38 F. 🍽 100/180 F.
⧄ 50 F.
⌧ 15 déc./15 janv.
Ⓔ Ⓓ 🗖 ☎ 🍴 🎿 ⊙ ♿ ⁝⁝ ◗ CB

STENAY (A1)
55700 Meuse
3202 hab. 🆔

♨♨ DU COMMERCE ★★
9, rue Aristide Briand. M. Gilbin
☎ 03 29 80 30 62 FAX 03 29 80 61 77
🛏 17 ⌧ 220/450 F. ⧉ 35 F.
🍽 75/250 F. ⧄ 45 F. 🛌 300/370 F.
⌧ 10/25 oct., ven. soir et dim. soir hs.
Ⓔ Ⓓ 🗖 ☎ 🚗 ⤢ CV ⁝⁝ ◗ CB

TREMONT SUR SAULX (A3)
55000 Meuse
429 hab.

♨♨♨ AUBERGE DE LA SOURCE ★★
M. Rondeau
☎ 03 29 75 45 22 FAX 03 29 75 48 55
🛏 25 ⌧ 320/480 F. ⧉ 40 F.
🍽 100/320 F. ⧄ 65 F. 🛌 330 F.
⌧ 1er/22 août, 2/18 janv., dim. soir et
lun. midi.
Ⓔ 🗖 ☎ 🚗 ⤢ 🍴 ✠ CV ⁝⁝ CB 🄖

VAUCOULEURS (B3)
55140 Meuse
2554 hab. 🆔

♨♨ LE RELAIS DE LA POSTE ★★
12, av. Maginot. M. Blanchet
☎ 03 29 89 40 01 FAX 03 29 89 40 93
🛏 9 ⌧ 230/250 F. ⧉ 32 F. 🍽 80/165 F.
🛌 240 F.
⌧ 23 déc./24 janv., dim. soir et lun.
Ⓔ Ⓓ 🗖 ☎ 🚗 🚗 CV CB 📷 🄖

VILOSNES (A1)
55110 Meuse
242 hab. 🆔

♨♨ DU VIEUX MOULIN ★★
Mme Martin
☎ 03 29 85 81 52 FAX 03 29 85 88 19
🛏 7 ⌧ 220/260 F. ⧉ 35 F. 🍽 75/220 F.
⧄ 45 F. 🛌 260/300 F.
⌧ fév., semaine Noël/Nouvel An, dim.
soir et mar.
Ⓔ Ⓓ 🗖 ☎ 🚗 🚗 🏖 🎿 ⊙ ⧄ CV
◗ CB

Liste des
hôtels-restaurants

Moselle

P Bodez "Photothèque régionale"

Association départementale
des Logis de France de la Moselle
C.C.I.
10-12 avenue Foch - B.P. 330
57016 Metz Cedex 1
Téléphone 03 87 52 31 00

LORRAINE

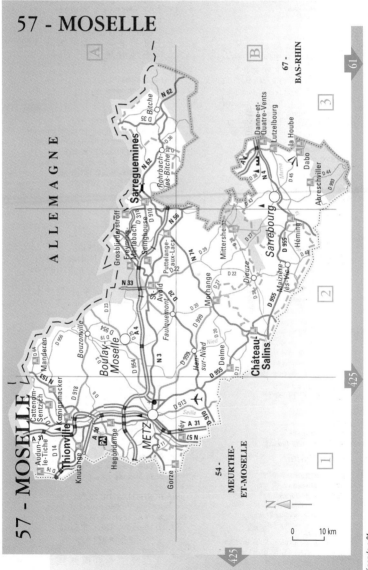

Légende p 21

ABRESCHVILLER (B3)
57560 Moselle
1300 hab. 🛈

🏨🏨 DES CIGOGNES ★★
92, rue Jordy. M. Baillet
☎ 03 87 03 70 09 🕿 03 87 03 79 06
120F 🛏 29 ◯ 150/340 F. ■ 37 F.
🍽 72/185 F. 🕯 50 F. 🛌 220/270 F.
🇪 🇩 ⬛ 🕿 🏠 🛋 🌴 🏕 🛗 🐟 CV
▮ 🔱 CB

AUDUN LE TICHE (A1)
57390 Moselle
6390 hab. 🛈

🏨🏨 DE LA POSTE ★★
59, rue Foch. M. Cruchten
☎ 03 82 52 10 40 🕿 03 82 52 23 52
🛏 15 ◯ 140/240 F. ■ 30 F.
🍽 65/150 F. 🕯 45 F. 🛌 145/210 F.
⊠ dim. soir. Rest. gastronomique
15 juil./15 août, (formule brasserie
proposée durant cette période).
🇪 🇩 ⬛ 🕿 🏠 🐟 CV ▮ 🔱 CB

CATTENOM SENTZICH (A1)
57570 Moselle
2600 hab.

🏨🏨 LA TABLE LORRAINE ★★
5, rue de la Synagogue. M. Fischer
☎ 03 82 55 31 77 🕿 03 82 55 49 48
🛏 8 ◯ 230/270 F. ■ 27 F. 🍽 60/200 F.
🕯 38 F. 🛌 235/270 F.
⊠ 16/31 août, lun. et sam. matin.
🇪 🇩 🛈 ⬛ 🕿 🏠 🛗 🏕 🐟 CV ▮
🔱 CB

CHATEAU SALINS (B2)
57170 Moselle
2800 hab. 🛈

🏨 LE FLORIDE ★
M. Nondier
☎ 03 87 05 11 39
🛏 14 ◯ 120/180 F. ■ 30 F.
🍽 55/100 F. 🕯 30 F. 🛌 170/180 F.
⊠ dim. après 14h30.
🕿 🏠 🐟 CV 🔱 CB

DABO (B3)
57850 Moselle
960 m. ● 2789 hab. 🛈

... *à proximité*

La HOUBE (B3)
57850 Moselle
650 m. ● 250 hab.

6 km Est Dabo par D 45

🏨 DES VOSGES ★★
41, rue Forêt brulée. M. Schwaller
☎ 03 87 08 80 44 🕿 03 87 08 85 96
120F 🛏 11 ◯ 250/300 F. ■ 30 F.

🍽 90/180 F. 🕯 50 F. 🛌 210/240 F.
⊠ 20 déc./5 janv., 15 fév./15 mars, lun.
soir et mar. hs.
🇪 🇩 ⬛ 🕿 🏠 🌴 🏕 CV ▮ 🔱 CB

DANNE ET QUATRE VENTS (B3)
57370 Moselle
550 hab.

🏨🏨🏨 NOTRE-DAME DE BONNE
FONTAINE ★★
Lieudit Bonne Fontaine. M. Knopf
☎ 03 87 24 34 33 🕿 03 87 24 24 64
120F 🛏 34 ◯ 295/390 F. ■ 41 F.
🍽 84/240 F. 🕯 56 F. 🛌 280/340 F.
⊠ 6/26 janv. et 22 fév./3 mars.
🇪 🇩 ⬛ 🕿 🏠 🐕 ⤫ 🌴 🛗 🐟 CV
▮ 🔱 CB 🎁 ⬛

DELME (B2)
57590 Moselle
700 hab. 🛈

🏨🏨 A LA XIIème BORNE ★★
6, place de la République. M. François
☎ 03 87 01 30 18 🕿 03 87 01 38 39
🛏 18 ◯ 152/224 F. ■ 25 F.
🍽 56/234 F. 🕯 50 F. 🛌 256/325 F.
🇩 ⬛ 🕿 🏠 🏕 🌴 CV ▮

FEY (B1)
57420 Moselle
500 hab.

🏨🏨🏨 LES TUILERIES ★★
Route de Cuvry. M. Vadala
☎ 03 87 52 03 03 🕿 03 87 52 84 24
🛏 41 ◯ 325 F. ■ 52 F. 🍽 110/350 F.
⊠ rest. dim. soir.
🇪 🇩 SP 🛈 ⬛ 🕿 🏠 🌴 🛗 🐟 ⊘
🔱 CV ▮ 🔱 CB 🎁

FREYMING MERLEBACH (A2)
57800 Moselle
16218 hab. 🛈

🏨 GEIS-CAVEAU DE LA BIERE
2, rue du 5 Décembre. M. Geis
☎ 03 87 81 33 45 🕿 03 87 04 95 95
🛏 18 ◯ 150/260 F. ■ 25 F.
🍽 58/190 F. 🕯 50 F. 🛌 180 F.
⊠ sam. et dim. soir.
🇪 🇩 ⬛ 🕿 ↕ CV ▮ 🔱 CB

GORZE (A-B1)
57680 Moselle
1254 hab. 🛈

🏨🏨🏨 HOSTELLERIE DU LION D'OR ★★
105, rue du Commerce. M. Erman
☎ 03 87 52 00 90 🕿 03 87 52 09 62
100F 🛏 15 ◯ 190/320 F. ■ 38 F.
🍽 90/230 F. 🕯 320 F.
⊠ lun.
🇩 ⬛ 🕿 🏠 🌴 🐟 CV ▮ 🔱 CB

GROSBLIEDERSTROFF (A2)
57520 Moselle
3500 hab.

⚐ AUBERGE DE FRANCE
35, rue de la République. M. Bolay
☎ 03 87 09 01 13 ℻ 03 87 09 28 46
🛏 8 ⬙ 150/170 F. 🍽 75/200 F. 🍴 40 F.
🅿 200/300 F.
⌧ 15 juil./1er août, dim. soir et lun.
🄴 🄳 ⬚ 🚗 🛥 CB

HAGONDANGE (A1)
57300 Moselle
9091 hab. ⓘ

⚐ AGENA Rest. DU LAC ★★★
50, rue du 11 Novembre. M. Hitzges
☎ 03 87 70 21 32 ℻ 03 87 70 11 48
🛏 41 ⬙ 305/330 F. 🍽 35 F.
🍴 77/177 F. 🍴 47 F. 🅿 215/235 F.
⌧ rest. sam. et dim. soir.
🄴 🄳 ⓘ ⬚ 🛏 🚗 🛥 ⛱ CV 🔲
🔲 CB

HEMING (B2)
57830 Moselle
506 hab.

⚐ AUBERGE ALSACIENNE ★★
17, rue de Strasbourg. M. Habermeyer
☎ 03 87 25 00 10 ℻ 03 87 25 95 27
🛏 7 ⬙ 200/260 F. 🍽 35 F. 🍴 99/180 F.
🍴 60 F. 🅿 320 F.
⌧ sam. et lun. soir.
🄳 ⬚ 🚗 ⛱ 🔲 CV 🔲 CB

La HOUBE (B3)
57850 Moselle

>>> *voir DABO*

KNUTANGE (A1)
57240 Moselle
3650 hab.

⚐ REMOTEL ★★
M. Remmer
☎ 03 82 85 19 23 ℻ 03 82 84 22 01
🛏 27 ⬙ 160/300 F. 🍽 25 F.
🍴 65/160 F. 🍴 45 F. 🅿 145/210 F.
⌧ rest. lun.
🄴 🄳 ⓘ ⬚ 🚗 🛥 🛏 ⛱ 🔲 CV
🔲 CB

KOENIGSMACKER (A1)
57970 Moselle
1603 hab.

⚐ LA LORRAINE ★★
1, rue de l'Eglise. Mme Zenner
☎ 03 82 55 01 44 ℻ 03 82 50 19 84
🛏 29 ⬙ 250/300 F. 🍴 65/250 F.
🍴 30 F. 🅿 205/220 F.
⌧ 2/9 janv. et dim. soir.
🄴 🄳 ⬚ 🚗 CV 🔲 CB

LUTZELBOURG (B3)
57820 Moselle
768 hab. ⓘ

⚐ DES VOSGES ★★
149, rue Ackermann. M. Husser
☎ 03 87 25 30 09 ℻ 03 87 25 42 22
🛏 14 ⬙ 170/270 F. 🍽 35 F.
🍴 80/170 F. 🍴 45 F. 🅿 200/260 F.
⌧ 13/31 janv., 14 nov./5 déc. et ven.
nov./mars.
🄴 🄳 ⬚ 🚗 🛥 ⛱ ⛱ 🔲 🔲 CB

MANDEREN (A2)
57480 Moselle
402 hab. ⓘ

⚐ AU RELAIS DU CHATEAU
MENSBERG ★★
15, rue du château. Mme Schneider
☎ 03 82 83 73 16 ℻ 03 82 83 23 37
🛏 17 ⬙ 200/290 F. 🍽 35 F.
🍴 75/245 F. 🍴 45 F. 🅿 380 F.
⌧ 3/5 janv.
🄳 ⬚ 🚗 🛥 ⛱ 🔲 CV 🔲 CB

MITTERSHEIM (B2)
57930 Moselle
650 hab. ⓘ

⚐ L'ESCALE ★★
33, route de Dieuze. M. Hamant
☎ 03 87 07 67 01 ℻ 03 87 07 54 57
🛏 13 ⬙ 240/260 F. 🍽 35 F.
🍴 85/180 F. 🍴 85 F. 🅿 240/260 F.
⌧ fév. et mer. sauf juil./août.
🄳 ⬚ 🚗 ⛱ CV 🔲 CB

MORHANGE (B2)
57340 Moselle
5652 hab.

⚐ LA BELLE VUE ★★
21, rue de la Gare. M. Scur
☎ 03 87 86 20 40 ℻ 03 87 86 14 80
🛏 13 ⬙ 165/235 F. 🍽 25 F.
🍴 50/200 F. 🍴 35 F. 🅿 195/215 F.
⌧ 20 déc./5 janv., sam. et dim. soir sauf
mai/août.
🄴 🄳 ⓘ ⬚ 🚗 ⛱ 🔲 CV 🔲
🔲 CB

PUTTELANGE AUX LACS (A2)
57510 Moselle
3016 hab.

⚐ LA CHAUMIERE ★★
24, rue Robert Schuman M. Adam
☎ 03 87 09 61 68 ℻ 03 87 09 47 74
🛏 9 ⬙ 230/280 F. 🍽 25 F. 🍴 55/220 F.
🍴 40 F. 🅿 190/220 F.
⌧ 1er/15 janv., 1er/15 juil. Rest. lun.
🄴 🄳 ⓘ ⬚ 🚗 🛥 ⛱ ✚ 🔲 🔲
🔲 CB

SAINT AVOLD (A2)
57500 Moselle
20000 hab. 🛈

🏨🏨🏨 DE L'EUROPE ★★★
7, rue Altmayer. M. Zirn
☎ 03 87 92 00 33 📠 03 87 92 01 23
🛏 34 ◇ 310 F. 🛌 35 F. 🍴 130/290 F.
🍴 120 F. 🖼 255 F.
⊠ rest. dim. soir.
Ⓔ Ⓓ 🖵 🖳 ☎ 🚗 🚗 🛏 ⋔ 🔥 🔅 ♥ CB

SARREGUEMINES (A3)
57200 Moselle
25178 hab. 🛈

🏨🏨 UNION ★★
28, rue Geiger. Mme Obringer
☎ 03 87 95 28 42 📠 03 87 98 25 21
🛏 22 ◇ 270/290 F. 🛌 35 F.
🍴 75/150 F. 🍴 40 F. 🖼 450 F.
⊠ rest. 20 déc./2 janv., sam. midi et
dim.
Ⓔ Ⓓ 🛈 🖵 🖳 ☎ 🚗 🚗 CV 🔅 ♥

SEINGBOUSE (A2)
57455 Moselle
1875 hab.

🏨🏨 RELAIS DIANE ★★
16, route Nationale. M. Houpert
☎ 03 87 89 11 10 📠 03 87 89 53 25
🛏 12 ◇ 195/240 F. 🛌 30 F.
🍴 95/190 F. 🍴 51 F. 🖼 175/210 F.
⊠ jeu.
Ⓔ Ⓓ 🖵 ☎ 🚗 🚗 ⛱ 🏃 CV 🔅 ♥ CB ▦

THIONVILLE (A1)
57100 Moselle
41450 hab. 🛈

🏨🏨 DES AMIS ★★
40, av. Comte de Berthier. M. Guerin
☎ 03 82 53 22 18 📠 03 82 54 32 40
🛏 12 ◇ 230 F. 🛌 25 F. 🍴 60/130 F.
🍴 35 F.
Ⓔ Ⓓ 🖵 ☎ 🚗 🔥 CV 🔅 ♥ CB ▦

🏨🏨🏨 LE LIBERTE ★★
69, bld Foch. M. Leitienne
☎ 03 82 54 33 44 📠 03 82 54 34 80
🛏 39 ◇ 295 F. 🛌 35 F. 🍴 75/190 F.
🍴 45 F. 🖼 480 F.
⊠ rest. dim. soir.
Ⓔ Ⓓ 🛈 🖵 🖳 ☎ 🛏 ✉ 🔥 🔅 ♥
CB ᴳᴿ

En 1997, Logis de France le propone su nueva
tarjeta de fidelidad. Consulte los anexos al final de la
guía.

**Liste des
hôtels-restaurants**

Vosges

P. Bodez "Photothèque régionale"

Association départementale
des Logis de France des Vosges
C.D.T.
7 rue Gilbert - B.P. 332
88008 Epinal Cedex
Téléphone 03 29 82 49 93

LORRAINE

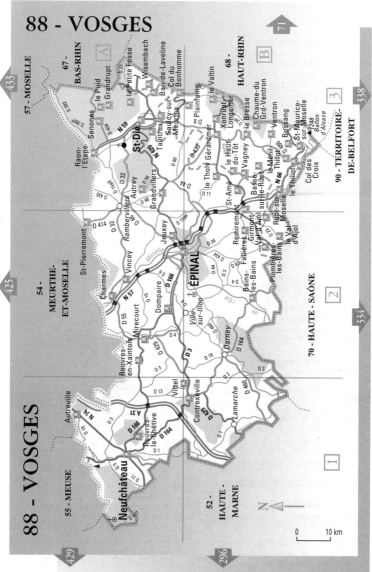

88 - VOSGES

Légende p 21

439

AUTREVILLE (A1)
88300 Vosges
100 hab.

▲▲▲ LE RELAIS ROSE ★★
Mme Loeffler
☎ 03 83 52 04 98 \ 03 83 52 82 37
📠 03 83 52 06 03
🛏 17 ⌧ 150/400 F. 🍽 35 F.
🍴 88/172 F. 🅿 40 F. 🛏 170/280 F.
🔲 D SP 🔲 ☎ 🛏 🛏 🏕 ♿ CV 🔲
🔲 CB

AUTREY (A3)
88700 Vosges
204 hab.

▲▲ AUBERGE MOTEL LA SCEGOTTE ★★
8, route de Brouvelieures. M. Weyer
☎ 03 29 65 94 11 📠 03 29 65 92 82
🛏 10 ⌧ 250/300 F. 🍽 25 F.
🍴 60/130 F. 🅿 50 F. 🛏 230 F.
⌧ 2ème quinzaine sept./1ère quinzaine
oct., lun. soir et mar.
🔲 D 🔲 ☎ 🛏 🛏 🏕 ♿ CV 🔲
CB 🔲

BAINS LES BAINS (B2)
88240 Vosges
1681 hab. 🅸

▲▲ DE LA POSTE ★★
11, rue de Verdun. M. Lutin
🛏 15 ⌧ 167/242 F. 🍽 31 F.
🍴 77/190 F. 🅿 65 F. 🛏 267/289 F.
⌧ 20 oct./30 mars.
🔲 D 🔲 ☎ 🛏 CB

▲▲ DE LA PROMENADE ★★
8, av. Colonel Chavanne M. Beguin
☎ 03 29 36 30 06 \ 03 29 36 31 15
📠 03 29 30 44 28
🛏 26 ⌧ 185/240 F. 🍽 30 F.
🍴 55/210 F. 🅿 50 F. 🛏 245/285 F.
⌧ 1er nov./15 mars.
🔲 D 🔲 ☎ 🛏 CB

BAN DE LAVELINE (A3)
88520 Vosges
1247 hab.

▲▲▲ AUBERGE LORRAINE ★★
5, rue du 8 Mai. M. Antoine
☎ 03 29 51 78 17 📠 03 29 51 71 72
🛏 7 ⌧ 140/269 F. 🍽 35 F. 🍴 68/190 F.
🅿 60 F. 🛏 185/280 F.
⌧ 30 juin/10 juil., 20/29 oct., 27 janv./
3 fév., dim. soir et lun. sauf 14 juil./
31 août.
🔲 D 🔲 ☎ 🛏 🛏 🏕 🛏 ♿ 🔲 CB

BASSE SUR LE RUPT (B3)
88120 Vosges
650 m. • 786 hab. 🅸

▲▲ AUBERGE DU HAUT DU ROC ★★
(A Planois). M. Perrin
☎ 03 29 61 77 94 📠 03 29 24 91 77

🛏 10 ⌧ 250 F. 🍽 35 F. 🍴 55/135 F.
🅿 38 F. 🛏 220 F.
⌧ 1ère semaine sept. et mer. soir hs.
🔲 ☎ 🛏 🏕 ♿ CV 🔲 🔲 CB 🔲

BONHOMME (Col du) (A-B3)
88230 Vosges

≫≫ *voir PLAINFAING*

La BRESSE (B3)
88250 Vosges
635 m. • 5263 hab. 🅸

▲▲ CHAUME DE SCHMARGULT ★★
(à 1200 m., route des Crêtes).
Mme Friederich/Neff
☎ 03 29 63 11 49 📠 03 29 60 91 47
🛏 8 ⌧ 220/250 F. 🍽 25 F. 🍴 82/118 F.
🅿 42 F. 🛏 215/230 F.
⌧ oct./déc. et avr. Hôtel lun. soir et
mar.
🔲 D 🔲 ☎ 🛏 ♿ CV 🔲 CB

▲ DE LA POSTE ★
5, rue de l'Eglise.
M. Jeangeorge
☎ 03 29 25 43 29 📠 03 29 25 56 21
🛏 7 ⌧ 185/240 F. 🍽 35 F. 🍴 58/130 F.
🅿 50 F. 🛏 200/220 F.
⌧ mi-oct./mi-nov. Rest. dim. soir.
🔲 ☎ 🛏 🛏 🏕 🏕 CV 🔲 CB

▲▲ LE CHALET DES ROCHES ★★
10, rue des Noisettes. M. Holveck
☎ 03 29 25 50 22 📠 03 29 25 66 00
🛏 27 ⌧ 180/250 F. 🍽 30 F.
🍴 65/120 F. 🅿 30 F. 🛏 180/210 F.
⌧ 1 semaine juin et 3 semaines nov.
🔲 D 🔲 ☎ 🛏 🏕 ♿ CV 🔲 CB

▲▲▲ LES VALLEES ★★★
31, rue Paul Claudel.
M. Remy
☎ 03 29 25 41 39 📠 03 29 25 64 38
🛏 53 ⌧ 370/390 F. 🍽 40 F.
🍴 90/260 F. 🅿 50 F. 🛏 280/340 F.
🔲 D 🔲 🔲 ☎ 🛏 🛏 🛏 🏕 🛏 🔲
🔲 ♿ ♿ CV 🔲 🔲 CB

BUSSANG (B3)
88540 Vosges
625 m. • 1823 hab. 🅸

▲▲▲ DES SOURCES ★★
12, route des Sources. M. Jolly
☎ 03 29 61 51 94 📠 03 29 61 60 61
🛏 11 ⌧ 290/340 F. 🍽 34 F.
🍴 100/280 F. 🅿 50 F. 🛏 275/305 F.
🔲 D 🔲 ☎ 🛏 🏕 🛏 🛏 🛏 CV 🔲 CB

▲▲ DU TREMPLIN ★★
Rue du 3ème R.T.A. M. Gabriel
☎ 03 29 61 50 30 📠 03 29 61 50 89
🛏 18 ⌧ 160/350 F. 🍽 35 F.
🍴 75/250 F. 🅿 55 F. 🛏 190/250 F.
⌧ 3 nov./3 déc., dim. soir et lun. sauf
vac. scol. et week-ends fériés.
🔲 D 🔲 ☎ 🛏 🛏 🛏 🏕 CV 🔲 🔲 CB

CHARMES (A2)
88130 Vosges
4871 hab. [i]

▲▲▲ DANCOURT ★★
6, place de l'Hôtel de Ville.
M. Dancourt
☎ 03 29 38 80 80   [FAX] 03 29 38 09 15
[♦] 15 [bed] 220/290 F. [meal] 33 F.
[🍴] 72/300 F. [AL] 60 F. [pension] 215/250 F.
[✉] 20 déc./15 janv. et ven.
[E][D][📷][☎][🚗][✈][⛱][🌲][🚴][♿][CV][▮][←]
[CB][■][CR]

▲▲ VAUDOIS ★★
4, rue des Capucins. M. Vaudois
☎ 03 29 38 02 40   [FAX] 03 29 38 01 58
[♦] 7 [bed] 185/250 F. [meal] 38 F.
[🍴] 105/350 F. [AL] 65 F. [pension] 220/290 F.
[✉] dernière semaine août/1ère semaine
sept., dim. soir et lun.
[E][D][📷][☎][🚗][✈][⛱][🌲][🚴][♿][▮][←][CB]

... à proximité

VINCEY (A2)
88450 Vosges
2198 hab. [i]

4 km Sud Charmes par D 157

▲▲▲ RELAIS DE VINCEY ★★★
33, rue de Lorraine. M. Grimon
☎ 03 29 67 40 11   [FAX] 03 29 67 36 66
[♦] 30 [bed] 190/330 F. [meal] 40 F.
[🍴] 105/250 F. [AL] 65 F. [pension] 245/335 F.
[✉] 10/25 août. Rest. sam. et dim. soir.
[E][D][📷][☎][🚗][✈][⛱][🌲][🍷][🥂][🏃]
[♿][🚴][▮][←][CB]

CHAUME DU GRAND VENTRON (B3)
88310 Vosges
>>> *voir VENTRON*

CONTREXEVILLE (B1)
88140 Vosges
4443 hab. [i]

▲▲ DE FRANCE ★★
58, av. du Roi Stanislas. M. Dodin
☎ 03 29 05 05 05   [FAX] 03 29 08 69 96
[♦] 33 [bed] 190/320 F. [meal] 33 F.
[🍴] 85/195 F. [AL] 55 F. [pension] 275/335 F.
[✉] 15 déc./15 janv.
[E][📷][☎][🚗][✈][⛱][CV][▮][←][CB]

▲▲ DES SOURCES ★★
Esplanade. Mme Pays
☎ 03 29 08 04 48   [FAX] 03 29 08 63 01
[♦] 30 [bed] 160/330 F. [meal] 38 F.
[🍴] 100/180 F. [AL] 55 F. [pension] 245/295 F.
[✉] oct./avr.
[E][SP][☎][🚗][⛱][🌲][♿][CV][▮][←][CB]

CROIX (Col des) (B3)
88160 Vosges
>>> *voir Le THILLOT*

DOMPAIRE (A2)
88270 Vosges
980 hab.

▲▲ DU COMMERCE ★★
Place Général Leclerc. M. Maton
☎ 03 29 36 50 28   [FAX] 03 29 36 66 12
[100F] [♦] 10 [bed] 160/260 F. [meal] 25 F.
[🍴] 67/165 F. [AL] 55 F. [pension] 150/200 F.
[✉] 20 déc./18 janv., dim. soir et lun.
[i][📷][☎][♿][CV][▮][←][CB]

EPINAL (A-B2)
88000 Vosges
40954 hab. [i]

▲▲▲ LA FAYETTE ★★★
La Voivre, zone Act. le Saut le Cerf.
M. Thiriet
☎ 03 29 81 15 15   [FAX] 03 29 31 07 08
[♦] 48 [bed] 435/575 F. [meal] 48 F.
[🍴] 110/270 F. [AL] 60 F. [pension] 335/475 F.
[E][D][📷][☎][🚗][🚗][⛱][🌲][▦][✈][⛱][🏊][♨]
[♦][🎣][🚴][CV][▮][←][CB][CR]

... à proximité

JEUXEY (A2)
88000 Vosges
707 hab.

2 km Est Epinal par D 46 ou N 420

▲▲ AUBERGE DU CHEVAL BLANC ★★
46, route d'Epinal. M. Gremillet
☎ 03 29 34 51 24
[100F] [♦] 7 [bed] 210/240 F. [meal] 26 F. [🍴] 62/160 F.
[AL] 40 F. [pension] 190/220 F.
[✉] dim. soir et lun.
[D][📷][☎][🚗][✈][⛱][🚴][▮][←][CB]

FALLIERES (B2)
88200 Vosges
>>> *voir REMIREMONT*

GERARDMER (B3)
88400 Vosges
700 m. • 9543 hab. [i]

▲▲▲ BEAU RIVAGE ★★★
Esplanade du Lac. M.Me Feltz/Scheidig
☎ 03 29 63 22 28   [FAX] 03 29 63 29 83
[120F] [♦] 15 [bed] 420/650 F. [meal] 50 F.
[🍴] 95/250 F. [AL] 55 F. [pension] 365/470 F.
[✉] 1er/9 mars, 20/29 juin, 5 oct./20 déc.
et mer.
[E][D][📷][☎][🚗][✈][⛱][🌲][♨][▮]
[←][CB]

▲▲▲ DE LA JAMAGNE ★★★
2, bld de la Jamagne. M. Jeanselme
☎ 03 29 63 36 86   [FAX] 03 29 60 05 87
[80F] [♦] 48 [bed] 390/440 F. [meal] 42 F.
[🍴] 69/180 F. [AL] 49 F. [pension] 310/350 F.
[✉] 11 nov./23 déc. et 15/30 mars.
[E][D][SP][📷][☎][🚗][♨][⛱][🌲][▦][♿][🚴]
[▮][←][CR]

GERARDMER (B3) (suite)

▲▲ DE LA PAIX Rest. LAGRANGE ★★★
(Face au Lac). M. Lagrange
☎ 03 29 63 38 78 ℻ 03 29 63 18 53
🅿 100F ⚊ 23 ◎ 260/450 F. ⚊ 43 F.
🍽 100/260 F. ⛷ 60 F. 📶 290/380 F.
🅴 🅳 ▯ 🕿 🛏 ⊢ 🚻 ⛷ CV 🕯
🛬 CB

▲▲ DE LA ROUTE VERTE ★★
61, bld de la Jamagne.
Mme Lafouge/Roméo
☎ 03 29 63 12 97 ℻ 03 29 63 38 82
🅿 170F ⚊ 34 ◎ 200/300 F. ⚊ 35 F.
🍽 88/250 F. ⛷ 40 F. 📶 230/280 F.
🅴 🅳 ▯ ▮ 🖥 🕿 🛏 ♿ CV 🛬 CB

▲▲▲ HOSTELLERIE DES BAS-RUPTS ET SON
CHALET FLEURI ★★★
Route de la Bresse (Alt.800m).
M. Philippe
☎ 03 29 63 09 25 ℻ 03 29 63 00 40
⚊ 30 ◎ 390/800 F. ⚊ 80 F.
🍽 160/420 F. ⛷ 100 F. 📶 550/780 F.
🅴 🅳 🖥 🕿 🛏 🛏 🖼 🚻 ➘ 🏌
🛬 CB

⚘ L'ABRI ★★
(Les Xettes). Mme Vincent
☎ 03 29 63 02 94
⚊ 14 ◎ 180/290 F. ⚊ 30 F.
✉ 20 sept./10 oct. et mer.
🖥 🕿 🛏 ▯ CV CB

▲▲ LA MARMOTTE ★★
50, rue Charles de Gaulle. M. Fuchs
☎ 03 29 63 38 99 ℻ 03 29 60 99 54
🅿 80F ⚊ 11 ◎ 240/440 F. ⚊ 40 F.
🍽 88/290 F. ⛷ 45 F. 📶 250/260 F.
✉ dim. soir et lun. hs.
🅴 🅳 🖥 🕿 🛏 ⊢ CV 🛬 🖼 🍴

▲▲ LE CHALET DU LAC ★★
Rive droite du Lac, route d'Epinal.
M. Bernier-Vallcaneras
☎ 03 29 63 38 76 ℻ 03 29 60 91 63
⚊ 11 ◎ 290 F. ⚊ 39 F. 🍽 85/310 F.
⛷ 60 F. 📶 280 F.
✉ 1er oct./30 nov. Rest. ven. sauf vac.
scol. et été.
🅳 🖥 🕿 🛏 🚻 CV 🛬 CB

▲▲ LE RELAIS DE LA MAUSELAINE ★★
219, Chemin de la Rayée. M. Philippe
☎ 03 29 60 06 60 ℻ 03 29 60 81 08
⚊ 16 ◎ 300/340 F. ⚊ 43 F.
🍽 85/250 F. ⛷ 45 F. 📶 280/300 F.
✉ rest. mer. midi hs.
🅳 🖥 🕿 🛏 🚻 ♿ 🕯 CB

▲▲ LES LISERONS ★★
5, boulevard Kelsch. M. Vignon
☎ 03 29 63 02 61 ℻ 03 29 63 28 02
🅿 100F ⚊ 10 ◎ 270/300 F. ⚊ 35 F.
🍽 100/150 F. ⛷ 60 F. 📶 280/300 F.
✉ 15 oct./15 déc. et mer.
🅴 🅳 🖥 🚻 🛬 CB

▲▲ LES LOGES DU PARC ★★
12-14, av. de la Ville de Vichy. M. Huart
☎ 03 29 63 32 43 ℻ 03 29 63 17 03
🅿 120F ⚊ 30 ◎ 270/380 F. ⚊ 44 F.
🍽 120/250 F. ⛷ 65 F. 📶 285/360 F.
✉ 6 mars/5 avr. et mi-oct./20 déc.
🅴 🅳 🖥 🕿 🛏 🛏 ⊢ CV 🖐 CB

... à proximité

XONRUPT LONGEMER (B3)
88400 Vosges
800 m. • 1450 hab. ℹ️

5 km Est Gérardmer par D 417

▲▲ AUBERGE DE LA CHAUME DE
BALVEURCHE ★★
Chaume de Balveurche, à 3 km par
D 417. Mme Vaxelaire
☎ 03 29 63 26 02 ℻ 03 29 60 00 87
⚊ 17 ◎ 280 F. ⚊ 30 F. 🍽 75/120 F.
⛷ 38 F. 📶 235 F.
✉ 25 nov./25 déc.
🕿 🛏 ⊢ ♿ CV 🕯 🛬 CB

▲▲ DU LAC DE LONGEMER ★★
Sur D 417. M. Baly
☎ 03 29 63 37 21 ℻ 03 29 60 05 41
🅿 100F ⚊ 17 ◎ 260 F. ⚊ 40 F. 🍽 69/150 F.
⛷ 50 F. 📶 260/270 F.
✉ 3 nov./18 déc., dim. soir et mer. hors
vac. scol.
🅳 🖥 🕿 🛏 ⊢ 🚻 🕊 🚻 CV CB

▲▲▲ LE COLLET ★★★
(Au Col du Collet,alt.1100 m).Sur D 417.
Mme Lapotre
☎ 03 29 60 09 57 ℻ 03 29 60 08 77
⚊ 20 ◎ 300/490 F. ⚊ 50 F.
🍽 88/158 F. ⛷ 50 F. 📶 300/420 F.
✉ 12 nov./20 déc. et mer. sauf vac.
scol.
🅴 🅳 🖥 🕿 🛏 ⊢ 🚻 ♿ CV 🕯 🛬 CB

GIRMONT VAL D'AJOL (B2)
88340 Vosges
700 m. • 243 hab.

▲▲▲ AUBERGE DE LA VIGOTTE ★★
M. Cherrière
☎ 03 29 61 06 32 ℻ 03 29 61 07 07
⚊ 20 ◎ 215/240 F. ⚊ 30 F. 🍽 90 F.
⛷ 45 F. 📶 250 F.
✉ 12 nov./18 déc., lun. et mar. hors
vac. scol.
🅴 🅳 🖥 🕿 🛏 🚻 🚻 ♿ ➘ CV 🕯 CB

GRANDRUPT (A3)
88210 Vosges
600 m. • 61 hab.

▲▲ LA ROSERAIE ★
Rue de la Mairie. M. Maire
☎ 03 29 57 62 92 ℻ 03 29 57 83 94
🅿 100F ⚊ 6 ◎ 190/220 F. ⚊ 28 F. 🍽 58/138 F.
⛷ 35 F. 📶 190/195 F.
✉ 2/17 janv., lun. soir et mar.
🅴 🅳 🖥 🕿 🛏 🛏 🚻 ♿ ➘ CV 🛬 CB

GRANDVILLERS (A3)
88600 Vosges
700 hab.

▲▲▲ DU COMMERCE ET DE L'EUROPE ★★★
4, route de Bruyères. M.Me Bastien
☎ 03 29 65 71 17 ⓕⓐⓧ 03 29 65 85 23
🛏 20 ⬚ 270/320 F. ▣ 30 F.
🍽 70/200 F. 🍴 55 F. 🛌 210/235 F.
⊠ rest. ven. soir et dim. soir.
Ⓔ Ⓓ ⓈⓅ ▱ ▱ ▱ ▱ ✜ ▱ ✦ ▱
▱ ▱ ⒸⓋ ▥ ▱

Le HAUT DU TOT (B3)
88120 Vosges

>>> *voir VAGNEY*

JEUXEY (A2)
88000 Vosges

>>> *voir EPINAL*

Le MENIL THILLOT (B3)
88160 Vosges
600 m. • 1827 hab.

▲▲ LES SAPINS ★★
60, Grande Rue M. Daval
☎ 03 29 25 02 46 ⓕⓐⓧ 03 29 25 80 23
🛏 23 ⬚ 230/250 F. ▣ 30 F.
🍽 105/185 F. 🍴 58 F. 🛌 250/270 F.
⊠ 9/19 avr., 1er/20 déc. et lun. midi
sauf juil./août.
Ⓔ ▱ ▱ ▱ ▱ ✜ ▱ ▱ ⒸⓋ ▥ ▱ ⒸⒷ

MIRECOURT (A2)
88500 Vosges
7434 hab.

▲▲▲ LE LUTH ★★
Route de Neufchâteau. Mmes Burnel
☎ 03 29 37 12 12 ⓕⓐⓧ 03 29 37 23 44
🛏 29 ⬚ 220/295 F. ▣ 38 F.
🍽 80/165 F. 🍴 50 F. 🛌 250 F.
⊠ hôtel ven. soir et sam. hs. Rest.
28 juil./14 août, ven. soir et sam.
Ⓔ Ⓓ ▱ ▱ ▱ ▱ ✜ ▱ ▥ ▱ ⒸⒷ ▱

NEUFCHATEAU (A1)
88300 Vosges
9086 hab. Ⓘ

▲▲ LE SAINT CHRISTOPHE ★★
1, av. de la Grande Fontaine. Mlle Lenet
☎ 03 29 94 38 71 ⓕⓐⓧ 03 29 06 02 09
🛏 34 ⬚ 265/300 F. ▣ 40 F.
🍽 75/215 F. 🍴 50 F. 🛌 280/320 F.
Ⓔ ⓈⓅ ▱ ▱ ▱ ▱ ▱ ▥ ⒸⓋ ▥ ▱ ⒸⒷ

La PETITE FOSSE (A3)
88490 Vosges
600 m. • 74 hab.

▲▲ AUBERGE DU SPITZEMBERG ★★
M. Duhem
☎ 03 29 51 20 46 ⓕⓐⓧ 03 29 51 10 12

🛏 10 ⬚ 250/390 F. ▣ 42 F.
🍽 82/133 F. 🍴 51 F. 🛌 225/270 F.
⊠ rest. mar.
▱ ▱ ▱ ▱ ✜ ▱ ▶ ▥ ▱ ⒸⒷ

PLAINFAING (B3)
88230 Vosges
1963 hab. Ⓘ

... *à proximité*

BONHOMME (Col du) (A-B3)
88230 Vosges
950 m. • 15 hab.

7 km Est Plainfaing par N 415

▲▲ RELAIS VOSGES ALSACE ★★
(Au Col). M. Vuillemin
☎ 03 29 50 32 61 \ 03 29 50 41 34
ⓕⓐⓧ 03 29 50 46 38
🛏 12 ⬚ 165/335 F. ▣ 32 F.
🍽 65/170 F. 🍴 40 F. 🛌 208/270 F.
⊠ 12 nov./4 déc.
Ⓔ Ⓓ ▱ ▱ ▱ ▱ ⒸⓋ ▥ ▱ ⒸⒷ

PLOMBIERES LES BAINS (B2)
88370 Vosges
2100 hab. Ⓘ

▲▲ DU COMMERCE ★★
16, rue de l'Hôtel de Ville.
M. Daval
☎ 03 29 66 00 47 ⓕⓐⓧ 03 29 30 01 18
🛏 30 ⬚ 120/195 F. ▣ 27 F.
🍽 85/170 F. 🍴 47 F. 🛌 170/210 F.
⊠ 25 oct./2 avr.
Ⓔ Ⓓ ▱ ▱ ▱ ▱ 🍴 ⒸⓋ ▱ ⒸⒷ

▲▲ HOSTELLERIE LES ROSIERS ★★
38 av. du Val d'Ajol. Mme Bonnard
☎ 03 29 66 02 66 ⓕⓐⓧ 03 29 66 09 36
🛏 20 ⬚ 150/270 F. ▣ 35 F.
🍽 100/200 F. 🍴 55 F. 🛌 200/360 F.
⊠ janv. et lun. 1er oct./1er mai.
Ⓔ ▱ ▱ ▱ ▱ ✜ ▱ ▱ 🍴 ⒸⓋ ▥ ▱ ⒸⒷ

▲▲ LE STRASBOURGEOIS ★
Place Beaumarchais. M. Robert
☎ 03 29 66 01 73 ⓕⓐⓧ 03 29 66 01 06
🛏 9 ⬚ 130/190 F. ▣ 28 F. 🍽 80/140 F.
🍴 50 F. 🛌 175/210 F.
⊠ 1er déc./10 janv., sam. soir et dim.
31 oct./1er avr.
▱ ▱ ▱ ▱ ✜ ▱ ▱ 🍴 ⒸⓋ ▱ ⒸⒷ

Le PUID (A3)
88210 Vosges
600 m. • 80 hab.

▲▲ LE RAYBOIS ★
Rue Principale. M. Thomas
☎ 03 29 57 67 97 ⓕⓐⓧ 03 29 57 69 57
🛏 10 ⬚ 180/210 F. ▣ 25 F.
🍽 56/ 80 F. 🍴 35 F. 🛌 154/179 F.
⊠ 15/31 oct. et lun.
▱ ▱ ▱ ▱ ▱ ✜ ✦ ▱ 🍴 ⒸⓋ ▱ ⒸⒷ

RAON L'ETAPE (A3)
88110 Vosges
6927 hab. Ⓘ

▲▲ RELAIS LORRAINE ALSACE ★★★
31, rue Jules Ferry. Mme Elasri
☎ 03 29 41 61 93 ⒻⒶⓍ 03 29 41 93 09
🛏 10 ◫ 200/300 F. ☕ 28 F.
🍴 72/115 F. 👶 68 F. ⊡ 210/250 F.
⊠ nov. Rest. lun.
Ⓔ Ⓓ ▢ ⌲ ⅏ ⒸⓋ ⬛ ◆ ⒸⒷ

REMIREMONT (B2-3)
88200 Vosges
11499 hab. Ⓘ

... à proximité

FALLIERES (B2)
88200 Vosges
300 hab.

3 km N.E. Remiremont par D 3

▲▲▲ LE LOGIS DES PRES BRAHEUX ★★★
Lieu-dit Les Prés Braheux. Mlle Pierrel
☎ 03 29 62 23 67 ⒻⒶⓍ 03 29 62 01 40
🛏 14 ◫ 270/340 F. ☕ 38 F.
🍴 100/210 F. 👶 40 F. ⊡ 275/340 F.
⊠ 2/13 janv., 28 avr./5 mai, 28 juil./
11 août, 27 oct./3 nov. Rest. dim. soir et
lun.
Ⓔ Ⓓ Ⓘ ▢ ⌲ ⅏ ⒯ ⫶ ⒸⓋ ⬛
ⒸⒷ ▣ ⒼⓇ

ROUVRES EN XAINTOIS (A2)
88500 Vosges
340 hab.

▲▲▲ BURNEL ET LA CLE DES CHAMPS ★★
22, rue Jeanne d'Arc. Mmes Burnel
☎ 03 29 65 64 10 ⒻⒶⓍ 03 29 65 68 88
🛏 16 ◫ 165/305 F. ☕ 42 F.
🍴 86/290 F. 👶 55 F. ⊡ 225/260 F.
⊠ 22/31 déc. et dim. soir hs.
Ⓔ Ⓓ ▢ ⌲ ⅏ ⒯ ⫶ ⤢
⫶ ⬛ ◆ ⒸⒷ

▲▲▲ RELAIS PARK HOTEL ★★
142 La Gare. M. Pernot
☎ 03 29 65 63 43 ⒻⒶⓍ 03 29 37 71 12
🛏 19 ◫ 190/265 F. ☕ 30 F.
🍴 59/220 F. 👶 55 F. ⊡ 180/250 F.
Ⓔ Ⓓ ▢ ⌲ ⅏ ⒯ ⫶ ⒸⓋ ⬛
◆ ⒸⒷ ⒼⓇ

ROUVRES LA CHETIVE (A1)
88170 Vosges
378 hab.

▲▲ DE LA FREZELLE ★★
M. Martin
☎ 03 29 94 51 51 ⒻⒶⓍ 03 29 94 69 10
🛏 7 ◫ 230/330 F. ☕ 30 F. 🍴 79/260 F.
👶 55 F. ⊡ 300/315 F.
⊠ 23 déc./6 janv. Rest. sam.
Ⓓ ▢ ⌲ ⅏ ⒯ ⫶ ⒸⓋ ◆ ⒸⒷ ▣

RUPT SUR MOSELLE (B2-3)
88360 Vosges
3501 hab. Ⓘ

▲▲ DU CENTRE ★★
28-30, rue de l'Eglise.
M. Perry
☎ 03 29 24 34 73 \ 03 29 24 37 43
ⒻⒶⓍ 03 29 24 45 26
🛏 11 ◫ 140/340 F. ☕ 35 F.
🍴 110/350 F. 👶 55 F. ⊡ 210/290 F.
⊠ dim. soir et lun. sauf vac. scol.
Ⓔ Ⓓ ▢ ⌲ ⌲ ⅏ ⒯ ⫶ ⒸⓋ ⬛
◆ ⒸⒷ

▲▲▲ RELAIS BENELUX BALE ★★
69, rue de Lorraine.
M. Remy
☎ 03 29 24 35 40 ⒻⒶⓍ 03 29 24 40 47
🛏 10 ◫ 200/260 F. ☕ 30 F.
🍴 65/220 F. 👶 41 F. ⊡ 360/420 F.
⊠ 20 déc./6 janv. et dim. soir hs.
Ⓔ Ⓓ ▢ ⌲ ⅏ ⒯ ⫶ ⒸⓋ ⬛
◆ ⒸⒷ

SAINT AME (B3)
88120 Vosges
2033 hab.

▲▲ LAMBERT ★★
1, place de la Mairie.
M. Lambert
☎ 03 29 61 21 15 ⒻⒶⓍ 03 29 61 25 80
🛏 9 ◫ 180/240 F. ☕ 30 F. 🍴 72/175 F.
👶 40 F. ⊡ 210 F.
⊠ 10/30 janv., sam. soir et dim. soir hs.
▢ ⌲ ⅏ ⒯ ⫶ ⒸⓋ ⬛ ◆ ⒸⒷ

SAINT DIE (A3)
88100 Vosges
23670 hab. Ⓘ

▲▲ MODERNE ★★
64, rue d'Alsace.
M. Natter
☎ 03 29 56 11 71 ⒻⒶⓍ 03 29 56 45 06
🛏 10 ◫ 250/285 F. ☕ 36 F.
🍴 98/180 F. 👶 45 F. ⊡ 250/270 F.
⊠ 19 déc./4 janv., ven. soir et sam.
▢ ⌲ ⅏ ⫶ ◆ ⒸⒷ

... à proximité

TAINTRUX (A3)
88100 Vosges
1394 hab.

8 km S.O. Saint Dié par N 420

▲▲ LE HAUT FER ★★
(A Rougiville, route d'Epinal N.420).
Mme Morlot
☎ 03 29 55 03 48 ⒻⒶⓍ 03 29 55 23 40
🛏 16 ◫ 280/300 F. ☕ 33 F.
🍴 75/198 F. 👶 45 F. ⊡ 270/280 F.
⊠ 1er/15 janv., dim. soir et lun. hs.
Ⓔ Ⓓ ▢ ⌲ ⅏ ⌲ ⒯ ⬙ ⬛ ⫶ ⒸⓋ
⬛ ◆

SAINT MAURICE SUR MOSELLE (B3)
88560 Vosges
550 m. • 1629 hab. [i]

▲▲ AU PIED DES BALLONS ★★
Route du Ballon.
Mme Imard
☎ 03 29 25 12 54 [FAX] 03 29 25 87 74
[📷] 22 [⊗] 185/250 F. [≍] 30 F.
[⫫] 75/260 F. [⧖] 42 F. [✦] 200/250 F.
[✉] 26 oct./23 nov., lun. midi hs. sauf
vac. scol.
[E] [⌂] [☎] [≋] [🚗] [⚒] [CV] [▥] [♠] [CB]

▲ BONSEJOUR ★★
20, rue de la Gare. M. Ladureau
☎ 03 29 25 15 14 [FAX] 03 29 25 18 19
[📷] 14 [⊗] 120/260 F. [≍] 26 F.
[⫫] 40/149 F. [⧖] 40 F. [✦] 175/230 F.
[✉] 2/20 déc.
[D] [⌂] [☎] [≋] [⤳] [☂] [🚶] [CV] [♠] [CB]

▲▲ LE ROUGE GAZON ★★
A 11 km sur D 90 (altitude 1260 m.).
M. Luttenbacher
☎ 03 29 25 12 80 [FAX] 03 29 25 12 11
[📷] 24 [⊗] 186/297 F. [≍] 37 F.
[⫫] 74/125 F. [⧖] 25 F. [✦] 191/264 F.
[E] [D] [⌂] [☎] [🚗] [☂] [🚶] [♿] [CV] [▥] [♠]
[CB] [CR]

SAINT PIERREMONT (A2)
88700 Vosges
155 hab.

▲▲▲ LE RELAIS VOSGIEN ★★
Mme Thenot
☎ 03 29 65 02 46 [FAX] 03 29 65 02 83
[100F] [📷] 17 [⊗] 180/310 F. [≍] 35 F.
[⫫] 80/230 F. [⧖] 50 F. [✦] 210/270 F.
[✉] 23 déc./9 janv., ven. soir hs et sam.
midi.
[D] [⌂] [☎] [≋] [🚗] [⟰] [⤳] [☂] [🚶] [♿] [♿] [CV]
[▥] [♠] [CB] [▦]

SAULCY SUR MEURTHE (A3)
88580 Vosges
1909 hab.

▲ LA TOSCANE ★★
1, rue Raymond Panin. M. Guyot
☎ 03 29 50 97 19 [FAX] 03 29 50 90 77
[📷] 6 [⊗] 200/230 F. [≍] 30 F. [⫫] 60/145 F.
[⧖] 45 F. [✦] 210/240 F.
[✉] 1er/15 oct. et mar.
[i] [⌂] [☎] [🚗] [♿] [CV] [▥] [♠]

SENONES (A3)
88210 Vosges
3169 hab. [i]

▲▲ AU BON GITE ★★
3, place Vautrin. M. Thomas
☎ 03 29 57 92 46 [FAX] 03 29 57 93 92

[📷] 7 [⊗] 230/300 F. [≍] 32 F. [⫫] 62/160 F.
[⧖] 40 F. [✦] 225/260 F.
[✉] 17 fév./10 mars et dim. soir.
[E] [⌂] [☎] [≋] [🚗] [⟰] [CV] [▥] [♠] [CB]

TAINTRUX (A3)
88100 Vosges

>>> *voir SAINT DIE*

Le THILLOT (B3)
88160 Vosges
550 m. • 4300 hab. [i]

... à proximité

CROIX (Col des) (B3)
88160 Vosges
750 m. • 20 hab. [i]

*4 km Sud Le Thillot par D 486, direction
Lure*

▲▲ LE PERCE NEIGE ★★
Au Col des Croix. M. Leclerc de Ruy
☎ 03 29 25 02 63 \ 03 84 20 43 90
[FAX] 03 29 25 13 51
[100F] [📷] 12 [⊗] 240/275 F. [≍] 38 F.
[⫫] 90/190 F. [⧖] 45 F. [✦] 230/245 F.
[✉] 2/20 janv., 12/29 nov., dim. soir et
lun.
[D] [⌂] [☎] [≋] [🚗] [⤳] [☂] [🚶] [CV] [♠] [CB]

Le THOLY (B3)
88530 Vosges
605 m. • 1561 hab. [i]

▲▲ AUBERGE AU PIED DE LA GRANDE
CASCADE ★
12, chemin des Cascades. M. Bergeret
☎ 03 29 33 21 18 [FAX] 03 29 33 29 42
[📷] 12 [⊗] 150/300 F. [≍] 25 F.
[⫫] 80/220 F. [⧖] 50 F. [✦] 180/250 F.
[✉] 12 nov./20 déc. et mer. hors vac.
scol.
[E] [D] [⌂] [☎] [≋] [🚗] [🚶] [♠] [CB]

▲▲▲ DE LA GRANDE CASCADE ★★
Rte du Col Bonnefontaine, sortie Epinal.
M.Me Pierre
☎ 03 29 33 21 08 [FAX] 03 29 66 37 17
[100F] [📷] 32 [⊗] 195/340 F. [≍] 38 F.
[⫫] 70/150 F. [⧖] 40 F. [✦] 200/290 F.
[✉] 8/25 déc.
[E] [D] [⌂] [G] [☎] [≋] [🚗] [⟰] [⤳] [☂] [🚶] [♿]
[♿] [CV] [▥] [♠] [CB] [▦] [CR]

▲▲▲ GERARD ★★
1, place Général Leclerc. M. Gérard
☎ 03 29 61 81 07 [FAX] 03 29 61 82 92
[100F] [📷] 20 [⊗] 290/310 F. [≍] 35 F.
[⫫] 70/160 F. [⧖] 50 F. [✦] 280/290 F.
[✉] 1er oct./4 nov., sam. et dim. soir sauf
vac.
[D] [⌂] [☎] [≋] [🚗] [☂] [≋] [🚶] [♿] [CV] [▥]
[♠] [CB] [▦] [CR]

VAGNEY (B3)
88120 Vosges
900 m. • 3808 hab.

... à proximité

Le HAUT DU TOT (B3)
88120 Vosges
900 m. • 150 hab. 🛈

8 km N.E. Vagney

▲▲ AUBERGE DE LA CROIX DES
HETRES ★★
M. Gros
☎ 03 29 24 71 59 Ⅲ 03 29 24 92 64
🍴 11 ▬ 30 F. ⅢⅠ 80/120 F. ⅢⅠ 60 F.
100F 🖾 250/260 F.
⊠ 12 nov./20 déc. et mar. jusqu'à
18h00.
D ☎ 🚗 🌴 🐾 ⚲ CV ⅠⅠ CB

Le VAL D'AJOL (B2)
88340 Vosges
5000 hab. 🛈

▲▲▲ LA RESIDENCE ★★★
5, rue des Mousses. M. Bongeot
☎ 03 29 30 68 52 \ 03 29 30 64 60
ⅢⅢ 03 29 66 53 00
🍴 55 ◎ 230/400 F. ▬ 42 F.
120F ⅢⅠ 65/290 F. ⅢⅠ 50 F. 🖾 290/360 F.
⊠ 17 nov./15 déc.
E D Ⅰ ☎ 🚗 🛏 🌴 🐾 🐾 🐾 CV
ⅠⅠ 🐾 CB ▩ CR

Le VALTIN (B3)
88230 Vosges
750 m. • 102 hab.

▲▲ AUBERGE DU VAL JOLI ★★
12 bis, le Village. M. Laruelle
☎ 03 29 60 91 37 ⅢⅢ 03 29 60 81 73
🍴 15 ◎ 150/370 F. ▬ 35 F.
120F ⅢⅠ 60/230 F. ⅢⅠ 35 F. 🖾 174/300 F.
⊠ 17 nov./12 déc., dim. soir et lun.
D Ⅰ ☎ 🚗 🌴 🐾 🐾 🐾 CB

VENTRON (B3)
88310 Vosges
650 m. • 910 hab. 🛈

▲▲▲ DE L'ERMITAGE FRERE JOSEPH ★★
(Altitude 900m). M. Leduc
☎ 03 29 24 18 29 ⅢⅢ 03 29 24 16 57
🍴 40 ◎ 320/460 F. ▬ 40 F.
100F ⅢⅠ 80/135 F. ⅢⅠ 35 F. 🖾 280/390 F.
E D Ⅰ ☎ 🚗 🚗 🛏 🐾 🐾 🐾
🐾 ⚲ ⚲ CV ⅠⅠ 🐾 CB

... à proximité

CHAUME DU GRAND VENTRON (B3)
88310 Vosges
1202 m. • 8 hab.

5 km Nord Ventron

▲ AUBERGE A LA FERME
(Altitude 1200m). M. Valdenaire
☎ 03 29 25 52 53
🍴 5 ◎ 350 F. ▬ 35 F. ⅢⅠ 80/100 F.
80F ⅢⅠ 35 F. 🖾 230 F.
⊠ 12 nov./26 déc., et du 27 déc./
30 avr. hors week-ends et vac. scol.
E D 🚗 🌴 🐾

VINCEY (A2)
88450 Vosges
≫≫ *voir CHARMES*

VITTEL (A-B1)
88800 Vosges
6340 hab. 🛈

▲▲ BELLEVUE ★★★
503, av. de Chatillon. M. Giorgi
☎ 03 29 08 07 98 ⅢⅢ 03 29 08 41 89
🍴 37 ◎ 250/400 F. ▬ 45 F.
100F ⅢⅠ 90/195 F. ⅢⅠ 45 F. 🖾 275/330 F.
⊠ 1er oct./15 avr.
E Ⅰ Ⅰ ☎ 🚗 🚗 🌴 🐾 ⚲ CV ⅠⅠ 🐾 CB

▲▲▲ L'OREE DU BOIS ★★★
Sur D.18. Lieu-dit l'Orée du Bois.
Mme Ferry
☎ 03 29 08 88 88 ⅢⅢ 03 29 08 01 61
🍴 36 ◎ 293/298 F. ▬ 36 F.
120F ⅢⅠ 70/180 F. ⅢⅠ 40 F. 🖾 266/270 F.
E D Ⅰ ☎ 🚗 🚗 🛏 🐾 🐾 🐾
🐾 ⚲ ⚲ ⚲ CV ⅠⅠ 🐾 CB ▩ CR

▲▲ LE CHALET VITELLIUS ★★
70, av. Georges Clémenceau.
M. Marquaire
☎ 03 29 08 07 21 ⅢⅢ 03 29 08 91 55
🍴 10 ◎ 225/305 F. ▬ 35 F.
ⅢⅠ 95/230 F. ⅢⅠ 35 F. 🖾 210/270 F.
⊠ 15/30 nov. et dim. soir hs.
E D Ⅰ ☎ 🚗 🚗 🌴 🐾 🐾 CB

WISEMBACH (A3)
88520 Vosges
371 hab.

▲▲▲ DU BLANC RU ★★
M. Long
☎ 03 29 51 78 51 ⅢⅢ 03 29 51 70 67
🍴 7 ◎ 270/340 F. ▬ 36 F.
120F ⅢⅠ 110/220 F. ⅢⅠ 65 F. 🖾 270/315 F.
⊠ 3 fév./3 mars, 16/30 sept., dim. soir
et lun.
D Ⅰ ☎ 🚗 🌴 🐾 ⅠⅠ 🐾 CB

XONRUPT LONGEMER (B3)
88400 Vosges
≫≫ *voir GERARDMER*

Fédération régionale des Logis de France de Midi-Pyrénées (Ariège, Aveyron, Haute-Garonne, Gers, Lot, Hautes-Pyrénées, Tarn, Tarn-et-Garonne)
C.D.T. - 14, rue Bayard - 31000 Toulouse
Tél. 05 61 99 44 00 - Fax 05 61 99 44 19

Association interdépartementale des Logis de France des Pyrénées de l'Atlantique à la Méditerranée
Pour l'Ariège, la Haute-Garonne et les Hautes-Pyrénées :
14, rue Bayard - 31000 Toulouse
Tél. 05 61 99 44 00 - Fax 05 61 99 44 19

C.R.T. Midi-Pyrénées

C.R.T. Midi-Pyrénées / D. Viet

C.R.T. Midi-Pyrénées / D. Viet

TOULOUSE
MIDI-PYRENEES

C.R.T. Midi-Pyrénées / D. Viet

Midi-Pyrénées

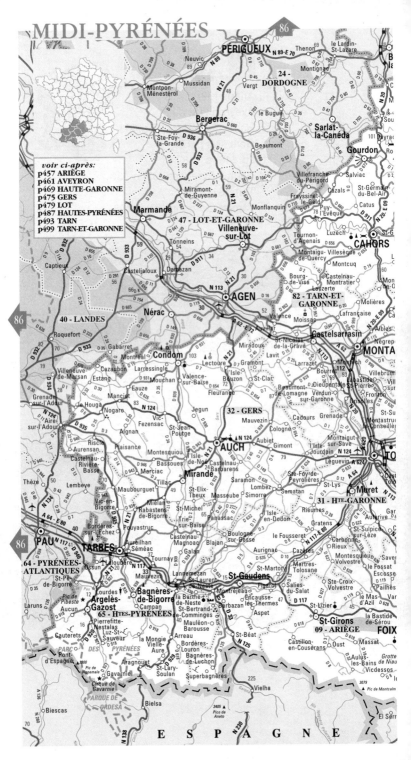

MIDI-PYRÉNÉES

voir ci-après:
p457 ARIÈGE
p461 AVEYRON
p469 HAUTE-GARONNE
p475 GERS
p479 LOT
p487 HAUTES-PYRÉNÉES
p493 TARN
p499 TARN-ET-GARONNE

PÉRIGUEUX

le Lardin-St-Lazare

Neuvic

Thenon

Montignac

24 - DORDOGNE

Montpon-Ménestérol

Mussidan

Vergt

Bergerac

le Bugue

Sarlat-la-Canéda

Ste-Foy-la-Grande

Beaumont

Gourdon

Miramont-de-Guyenne

Villefranche-du-Périgord

Salviac

St-Germain-du-Bel-Air

Marmande

Monflanquin

Frayssinet-le-Gelat

Puy-l'Évêque

Catus

47 - LOT-ET-GARONNE

Villeneuve-sur-Lot

Tournon-d'Agenais

Luzech

CAHORS

Tonneins

Montaigu-de-Quercy

Villesèque-de-Quercy

Montcuq

Casteljaloux

Damazan

Bourg-de-Visa

Castelnau-Montratier

Molières

Nérac

AGEN

Valence

82 - TARN-ET-GARONNE

Lafrançaise

40 - LANDES

Roquefort

Moissac

Albias

St-Nicolas-de-la-Grave

Castelsarrasin

MONTA

Gabarret

Montréal

Condom

Lectoure

Miradoux

Gramont

Lavit

Larrazet

Bourret

Monfech

Villebrum

Cezaubon

Larressingle

Valence-sur-Baïse

l'Isle-Bouzon

St-Clar

Dieupentale

St-Pierre

Fronton

Grisolles

St-

Villeneuve-de-Marsan

Estang

Mouchan

Fleurance

Beaumont-de-Lomagne

Verdun-sur-Garonne

Montastruc-Conseiller

Eauze

Manciet

Nogaro

Jegun

32 - GERS

Mauvezin

Cadours

Grenade

Grenade-sur-l'Adour

le Houga

Vic-Fezensac

St-Jean-Poutge

Cologne

Montaigut-sur-Save

Aire-sur-l'Adour

Aignan

Montesquiou

l'Isle-de-Noé

AUCH

Aubiet

Gimont

l'Isle-Jourdain

TO

Riscle

Plaisance

Bassoues

Castelnau-Barbarens

Ste-Foy-de-Peyrolières

Léguevin

Aurensan

Marciac

Tillac

MIRANDE

Sémézan

St-Lys

Muret

Castelnau-Rivière-Basse

Thèze

Lembeye

Maubourguet

St-Élix-Theux

Masseube

Lombez

Simorre

Samatan

31 - Hte-GARONNE

Vic-en-Bigorre

Mielan

Rabastens-de-Bigorre

St-Michel

l'Isle-en-Dodon

Rieumes

Auterive

Gar

Borderes-sur-l'Echez

Trie-sur-Baïse

Panassac

Boulogne-sur-Gesse

Gratens

St-Sulpice-sur-Lèze

Pouyastruc

PAU

TARBES

Aureilhan

Castelnau-Magnoac

Blajan

le Fousseret

Carbonne

Rieux

64 - PYRÉNÉES-ATLANTIQUES

Ossun

Séméac

Galan

Aurignac

Cazères

Montesquieu-Volvestre

le Fossat

St-Pé-de-Bigorre

Loubère

Tournay

St-Martory

Martres-Tolosane

Escosse

Lourdes

Mauvezin

Lannemezan

St-Laurent-de-Neste

St-Gaudens

Figarol

Salies-du-Salat

Ste-Croix-Volvestre

Pailhès

Aucun

Argelès-Gazost

Bagnères-de-Bigorre

la Barthe-de-Neste

Montréjeau

Encausse-les-Thermes

St-Lizier

le Mas-d'Azil

Var

65 - Htes-PYRÉNÉES

Campan

St-Bertrand-de-Comminges

Barbazan

Aspet

la Bastide-de-Sérou

FOIX

Pierrefitte-Nestalas

Luz-St-Sauveur

Mauléon-Barousse

St-Girons

Cauterets

Arreau

Bordères-Louron

St-Béat

09 - ARIÈGE

PARC NATIONAL DES PYRÉNÉES

Pont-d'Espagne

la Mongie

Vielle-Aure

Bagnères-de-Luchon

Castillon-en-Couserans

Oust

Massat

Aragnouet

St-Lary-Soulan

Aulus-les-Bains

Vicdessos

Gavarnie

Superbagnères

Cirque de Gavarnie

PARQUE DE ORDESA

Bielsa

Vielha

Pic de Montcalm

Biescas

Pico de Aneto

El Serr

E S P A G N E

19 - CORRÈZE

15 - CANTAL

43 - HAUTE-LOIRE

126

46 - LOT

48 - LOZÈRE

358

MENDE

81 - TARN

12 - AVEYRON

30 - GARD

358

34 - HÉRAULT

358

11 - AUDE

66 - PYRÉNÉES-ORIENTALES

358

0   10 km

Légende p 21

Pays de Cocagne
The Land of Plenty

C.R.T. Midi-Pyrénées

Entre Conques, l'abbaye bénédictine qui veille sur l'Aveyron et Saint-Bertrand-de-Comminges, cathédrale grandiose nichée au pied des Pyrénées, s'étend une région toute de douceur et de sérénité.

This gentle, peaceful region stretches from Conques, its Benedictine abbey watching over Aveyron, to Saint-Bertrand-de-Comminges where an imposing cathedral nestles at the foot of the Pyrenees.

Terre d'émotion

Majestueuse, la cathédrale de Rodez se découpe entre le bleu du ciel et celui des montagnes. Impressionnant, le Pic du Midi, bastion avancé du massif pyrénéen contemple les basses terres. De Puylaurens, vieux village tarnais, apparaît la barrière qui va du Canigou catalan aux monts du Béarn. Laissez-vous gagner par l'émotion… à la vue d'une simple bergerie dans les sombres mont d'Aubrac, ou

A Land of Sensations

The majestic Rodez cathedral rises up against the blue sky and mountains. The impressive Pic du Midi calmly surveys the surrounding countryside like a final outpost on the crest of the Pyrenean massif. This natural barrier, stretching from Catalan Canigou to the Béarn mountains, can be seen from Puylaurens, an ancient Tarn village. Let the spell filter through you as you

dans le vieux Quercy, quand une nuit estivale ressuscite les chevauchées d'Henri Plantagenêt vers Rocamadour. Partout, vous sentirez le souffle de l'histoire : dans les vallées aux flancs desquels s'accrochent des villages fortifiés, comme Saint-Cirq-Lapopie, citadelle du Lot ; en Aveyron, là où la nature est encore intacte ; autour de la cathédrale d'Albi qui veille sur le pays cathare ; dans l'Ariège de Gaston Phoebus qui fit de Foix la ville la plus redoutée du Midi ; dans le pays bigourdan, terre de montagnards fiers et rebelles ; en Gascogne, jadis objet des convoitises d'un roi d'Angleterre finalement bien plus gascon que "son cousin" de France.

Terre d'accueil
Bâtie sur le malheur d'un comte de Toulouse, sur les pillages du Prince Noir, sur les horreurs des guerres de religion, la terre d'Oc a essuyé ses larmes. Elle a su conserver sa nature intacte, ouverte à l'Autan, ce vent de folie qui trouble l'âme des hommes. Lorsqu'ici on vous dit "je suis gascon", ou "ariégeois", "aveyronnais", ou "toulousain", il ne s'agit pas d'une revendication de clocher, mais bel et bien de l'affirmation d'une identité profonde, d'un parti pris esthétique. Les témoignages sont étonnants : bastides gasconnes, châteaux, cathédrales... Parfois, ce goût du raffinement se teinte de mysticisme. A Rocamadour, des milliers de croyants venaient, autrefois, chercher guérison et indulgences... Aujourd'hui, Lourdes accueille ceux qui attendent de la Vierge un miracle.

Toulouse, ville capitale
Fidèle à son passé, vous trouverez Toulouse

gaze at a simple sheepcote in the sombre Aubrac mountains or the excitement catch you in the ancient Quercy region when, on a summer night, it is as if Henry Plantagenet was riding out to Rocamadour once again. This region is steeped in history: fortified villages, such as Saint-Cirq-Lapopie, a Lot citadel, cling to the sides of valleys; untouched nature in Aveyron; the Albi cathedral watching over the Cathar country; Foix, in the Ariège of Gaston Phoebus who made it the most feared town in the Midi; the Bigorre region, a land of proud and rebellious mountain-dwellers; Gascony, once highly coveted by a King of England who proved to be even more Gascon than "his cousin" King of France.

A Land of Welcome
Though its roots are deeply embedded in the misfortunes of one of the counts of Toulouse, the plunderings of the Black Prince and the horrors of the crusades, the land of the Oc dialect has wiped away its tears. Its natural surroundings have remained untouched, buffeted by the wild Autan wind which torments men's souls. When someone says they are "Gascon" or a native of Ariège, Aveyron or Toulouse these are not just empty words. They are the assertion of a profound identity, of a sense of belonging to a region with its own history and artistic expression. The Gascon walled towns, castles, cathedrals, etc. do not cease to surprise us and bear witness to this regional identity. Sometimes this regional culture is tinted with mysticism. In the past

SCHLARAFFENLAND
Zwischen Conques, der Benediktinerabtei, die über Aveyron wacht und Saint-Bertrand-de-Comminges, der grandiosen Kathedrale zu Füßen der Pyrenäen, erstreckt sich eine Region voller Milde und Gelassenheit. Hier glauben sich manche in der Toskana...

LUILEKKERLAND
Tussen Conques, de benedictijnenabdij die waakt over Aveyron, en Saint-Bertrand-de-Comminges, de grandioze kathedraal genesteld aan de voet van de Pyreneeën, strekt zich een streek vol lieflijkheid en sereniteit. Hier wanen sommigen zich in Toscanië...

alanguie le long de "sa" Garonne, rassurée par la flèche millénaire de Saint-Sernin, la plus vaste basilique romane d'Occident. Mais, Toulouse est aussi une vraie capitale, moderne, technologique, à la pointe de l'aéronautique. Au Moyen-Age, un art de vivre, de penser et de créer fit de la ville et de sa région le phare culturel de l'Europe. Cette civilisation puisait sa richesse dans un commerce fructueux, d'où son surnom, "le Pays de Cocagne". Reste aujourd'hui à profiter de son sens de la fête. A Foix, la population se mobilise pour faire des "Journées Médiévales" un des grands spectacles de l'été. Cordes organise les fêtes du "Grand Fauconnier". A Marciac, dans le Gers, se déroule l'un des festivals de jazz les plus réputés du monde. A Toulouse, le festival "Musique d'Eté" dans le cloître des Jacobins, est devenu une tradition. Vous assisterez avec plaisir à ces interminables troisièmes mi-temps de rugby… Et surtout ne restez pas sur votre faim : jambon d'Orthez, saumon rare de Navarrenx, garbure béarnaise, poule au pot farcie en Ariège, fameux fromages de brebis…

the faithful came in thousands to Rocamadour seeking a cure for their ills and indulgences. Today Lourdes welcomes those hoping for the Virgin Mary to perform a miracle.

Toulouse, the Capital

You will find Toulouse true to its past, languidly stretching along «its» river Garonne, protected by its thousand-year-old Saint-Sernin steeple, the largest Roman basilica in the western world. However Toulouse is also a modern, technological capital, at the forefront in the field of aeronautics. In the Middle Ages, a style of life, thinking and creativeness made this town and its region shine as a leader in Europe. This civilisation drew its resources from profitable trade and thus became known as the «Land of Plenty». Today we can take advantage of its spirit of festivity. The Foix population gets together to organize «Medieval Days», one of the main summer events. Cordes organizes the «Great Falconer» festivals. One of the most renowned jazz festivals in the world takes place in Marciac, in Gers, and the Toulouse «Summer Music» festival in the Jacobins cloister has become a tradition. You can also enjoy watching one of those unending rugby third halves! And above all don't forget to taste regional specialities: Orthez ham, rare Navarrenx salmon, Bernaise soup, Ariège boiled chicken, first-class ewe's cheese, etc.

C.R.T. Midi-Pyrénées / D. Viet

REGIÓN DE COCAGNE

Entre Conques, la abadía benedictina que vela sobre el Aveyron y Saint-Bertrand-de-Comminges, grandiosa catedral escondida al pie de los Pirineos, se extiende una región todo dulzura y serenidad. Aquí algunos creen encontrarse en la Toscana…

PAESE DELLA CUCCAGNA

Al riparo da conche, con l'Abbazia benedettina che custodisce l'Aveyron e Saint-Bertrand-de-Comminges, grandiosa Cattedrale rannicchiata ai piedi dei Pirenei, si estende una regione ricca di dolcezza e di serenità che ci dà quasi l'impressione di trovarci in Toscana…

Piperade

Ingrédients

Pour 6 personnes

- 6 œufs
- 3 tranches de jambon cru
- 50 g d'huile
- 1 kg de piments d'Espelette
- 1 kg de tomates
- 3 oignons
- 1 gousse d'ail

Recette

- Ouvrir les piments et oter les pépins. Peler, épépiner les tomates, les couper en morceaux.
- Faire revenir dans l'huile l'oignon haché, les piments, les tomates, l'ail pilé. Saler et faire cuire doucement. A part, faire rissoler le jambon.
- Battre les œufs en omelette et les incorporer aux légumes. Brouiller les oeufs avec soin.
- Servir accompagné des tranches de jambon.

Liste des
hôtels-restaurants

Ariège

Victor Rainaldi

Association départementale
des Logis de France de l'Ariège
Hôtel du Département
B.P. 143
09000 Foix
Téléphone 05 61 02 30 70

MIDI-PYRÉNÉES

46 LOT
Cahors

12 AVEYRON
Rodez

82 TARN-ET-GARONNE
Montauban

32 GERS
Auch

Albi
81 TARN

Tarbes

Toulouse

31 HAUTE-GARONNE

65 HAUTES-PYRÉNÉES

09 Foix
ARIÈGE

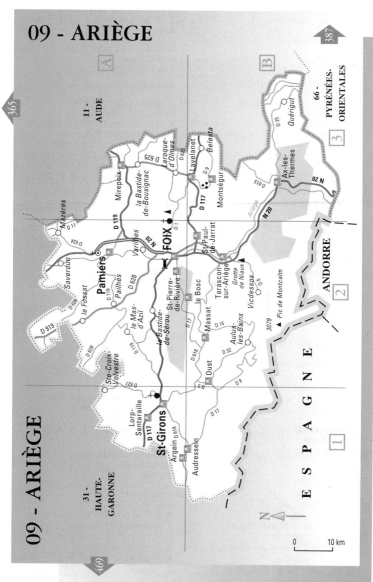

09 - ARIÈGE

09 - ARIÈGE

11 - AUDE

66 - PYRÉNÉES-ORIENTALES

31 - HAUTE-GARONNE

ESPAGNE

ANDORRE

Mazères

Mirepoix

la Bastide-de-Bousignac

Laroque-d'Olmes

Lavelanet

Bélesta

Quérigut

Montségur

Ax-les-Thermes

Saverdun

FOIX

St-Paul-de-Jarrat

Ariège

Pamiers

Varilhes

le Fossat

Palhès

St-Pierre-de-Rivière

le Bosc

Tarascon-sur-Ariège

Grotte de Niaux

Pic de Montcalm

le Mas-d'Azil

la Bastide-de-Sérou

Massat

Aulus-les-Bains

Vicdessos

3079

Ste-Croix-Volvestre

Oust

Lorp-Sentaraille

St-Girons

Argein

Audressein

D 11
D 624
D 626
D 628
D 919
D 627
D 618
D 119
D 117
D 628
D 19
D 32
D 618
D 3
D 8
D 17
D 1
D 7
D 117
D 9
D 620
D 625
D 613
D 25
N 20

0   10 km

N

Légende p 21

387

365

469

457

ARGEIN (A-B1)
09140 Ariège
534 m. • 193 hab.

⌂ LA TERRASSE ✶✶
M. Cramparet
☎ 05 61 96 70 11
120F ▮ 9 ⌾ 150/250 F. ▬ 30 F. � 68/150 F.
⚹ 45 F. ▨ 200/220 F.
⌧ 15 nov./1er fév.
Ⓔ ☎

AUDRESSEIN (A-B1)
09800 Ariège
600 m. • 123 hab. Ⓘ

⌂ L'AUBERGE ✶
M. Barbisan
☎ 05 61 96 11 80
120F ▮ 9 ⌾ 110/230 F. ▬ 35 F.
⏲ 115/215 F. ⚹ 40 F. ▨ 215/230 F.
⌧ 15 nov./15 fév.
Ⓔ SP ⌗ ☎ ⌷ ⚹ CV ⏛ ⏛ CB

AX LES THERMES (B3)
09110 Ariège
720 m. • 1489 hab. Ⓘ

⌂⌂ DE FRANCE ✶✶
10, av. Delcassé. M. Fabre-Aumont
☎ 05 61 64 20 30   FAX 05 61 64 60 97
100F ▮ 38 ⌾ 250/280 F. ▬ 30 F.
⏲ 65/210 F. ⚹ 40 F. ▨ 235/258 F.
⌧ janv. Rest. mi-nov./mi-avr.
Ⓔ SP ⌗ ☎ ⏛ ⏛ ⚹ CV ⏛ CB

⌂ DES PYRENEES ✶✶
3, av. Delcassé. Mme Miro
☎ 05 61 64 21 01   FAX 05 61 64 38 91
120F ▮ 19 ▬ 27 F. ⏲ 55/120 F. ⚹ 35 F.
▨ 340/400 F.
⌧ après vac. Toussaint/15 déc. et mer.
1er janv./31 mars.
Ⓔ SP ☎ ⚹ CV ⏛ CB

⌂⌂ L'AUZERAIE ✶✶
Av. Delcassé. Mme Marty
☎ 05 61 64 20 70   FAX 05 61 64 38 50
100F ▮ 33 ⌾ 260/330 F. ▬ 35 F.
⏲ 80/220 F. ⚹ 50 F. ▨ 240/270 F.
⌧ 20 nov./20 déc.
Ⓔ SP ⌗ ⌷ ☎ ⏛ ⏛ ⏛ CV ⏛ ⏛
CB ⏛ CR

Le BOSC (A-B2)
09000 Ariège
>>> *voir FOIX*

FOIX (A2)
09000 Ariège
10235 hab. Ⓘ

⌂⌂ AUDOYE LONS ✶✶✶
6, place G. Dutilh. M. Lons
☎ 05 61 65 52 44   FAX 05 61 02 68 18
100F ▮ 39 ⌾ 170/360 F. ▬ 36 F.
⏲ 75/180 F. ⚹ 47 F. ▨ 235/310 F.
⌧ 20 déc./20 janv.
Ⓔ SP ⌗ ⌷ ☎ ⏛ ⚹ CV ⏛ ⏛ CB

... à proximité

Le BOSC (A-B2)
09000 Ariège
700 m. • 115 hab. Ⓘ

15 km S.O. Foix par D 17

⌂⌂ AUBERGE DES MYRTILLES ✶✶
Col des Marrous, altitude 1000 m.
M. Blazy
☎ 05 61 65 16 46   FAX 05 61 65 16 46
▮ 7 ⌾ 200/250 F. ▬ 30 F. ⏲ 60/175 F.
⚹ 40 F. ▨ 200/225 F.
⌧ lun. soir et mar. hs et vacances.
Ⓔ Ⓓ SP ⌗ ☎ ⏛ ⏛ ⏛ ⚹ ⚹ CV ⏛
⏛ CB

SAINT PAUL DE JARRAT (B2)
09000 Ariège
1260 hab.

6 km Sud Foix par N 20 et D 117

⌂⌂ AUBERGE LA CHARMILLE ✶✶
Sur D 117. M. Dubie
☎ 05 61 64 17 03   FAX 05 61 64 10 05
▮ 10 ⌾ 210/250 F. ▬ 32 F.
⏲ 72/165 F. ⚹ 45 F. ▨ 200/220 F.
⌧ 1ère semaine juil., 1ère quinz. oct.,
2ème quinz. janv., dim. soir hs et lun.
Ⓔ SP ⌗ ☎ ⏛ ⏛ ⏛ ⚹ ⏛ ⏛ CB

SAINT PIERRE DE RIVIERE (A2)
09000 Ariège
463 hab. Ⓘ

5 km Ouest Foix par D 17

⌂ DE LA BARGUILLERE ✶✶
M. Goguet
☎ 05 61 65 14 02
▮ 10 ⌾ 180/250 F. ▬ 30 F.
⏲ 80/250 F. ⚹ 40 F. ▨ 200/250 F.
⌧ 1er nov./28 fév. et mer.
☎ ⏛ CV CB

LAVELANET (B3)
09300 Ariège
650 m. • 7740 hab. Ⓘ

⌂⌂ DU PARC ✶✶
17, av. du Dr Bernadac. M. Mauvernay
☎ 05 61 03 04 05   FAX 05 61 03 08 66
120F ▮ 15 ⌾ 170/300 F. ▬ 40 F.
⏲ 69/180 F. ⚹ 55 F. ▨ 400/570 F.
Ⓔ SP ⌷ ⌗ ☎ ⏛ ⏛ ⚹ ⏛ ⏛ CB CR

LORP SENTARAILLE (A1)
09190 Ariège
800 hab.

⌂⌂ HORIZON 117 ✶✶
Route de Toulouse. M. Puech
☎ 05 61 66 26 80   FAX 05 61 66 26 08
100F ▮ 20 ⌾ 230/310 F. ▬ 35 F.
⏲ 65/200 F. ⚹ 45 F. ▨ 235/300 F.
⌧ 1er/17 nov. et dim. soir hs.
SP ⌗ ⌷ ☎ ⏛ ⏛ ⏛ ⚹ ⚹ CV
⏛ CB ⏛ CR

MASSAT (B2)
09320 Ariège
730 m. • 711 hab. [i]

⚓ COUTANCEAU ★★
Rue des Prêtres. Mme Coutanceau
☎ 05 61 96 95 56   [FAX] 05 61 04 93 02
[120F] 🛏 15 ⊗ 180/230 F. 🍽 37 F.
🍴 70/220 F. 🛏 45 F. 🖼 210/240 F.
⊠ 12 nov./12 déc.
[E] [D] [SP] [i] [□] [☎] [📶] [�'] [🏖] [🚶] [CV] [0¦] [🔺] [CB]

⚓ HOSTELLERIE DES TROIS
SEIGNEURS ★★
Mme Alonso
☎ 05 61 96 95 89 \ 05 61 04 90 52
[FAX] 05 61 04 94 18
[120F] 🛏 18 ⊗ 185/260 F. 🍽 32 F.
🍴 67/200 F. 🛏 45 F. 🖼 245/275 F.
⊠ 4 nov./21 mars.
[E] [D] [SP] [i] [□] [☎] [📶] [�'] [🏖] [🚶] [🔺]
[CB]

MIREPOIX (A3)
09500 Ariège
3000 hab. [i]

⚓ LE COMMERCE ★★
M. Puntis
☎ 05 61 68 10 29   [FAX] 05 61 68 20 99
[100F] 🛏 30 ⊗ 185/300 F. 🍽 32 F.
🍴 66/185 F. 🛏 40 F. 🖼 185/240 F.
⊠ janv. et 8/18 oct.
[E] [□] [☎] [📶] [🏖] [🚶] [CV] [0¦] [🔺] [CB]

MONTSEGUR (B3)
09300 Ariège
900 m. • 108 hab. [i]

⚓ COSTES ★★
Mme Auge-Costes
☎ 05 61 01 10 24   [FAX] 05 61 03 06 28
[100F] 🛏 9 ⊗ 180/210 F. 🍽 32 F. 🍴 79/175 F.
🛏 38 F. 🖼 190/230 F.
⊠ 1er déc./15 fév., dim. soir et lun. hs.
[☎] [🔺] [CB]

OUST (B2)
09140 Ariège
509 m. • 449 hab. [i]

⚓⚓⚓ HOSTELLERIE DE LA POSTE ★★
Mme Andrieu
☎ 05 61 66 86 33   [FAX] 05 61 66 86 33
🛏 25 ⊗ 150/320 F. 🍽 40 F.
🍴 98/250 F. 🛏 60 F. 🖼 250/380 F.
⊠ Toussaint/Pâques, lun. soir et mar.
sauf juil./août.
[E] [SP] [□] [☎] [📶] [�'] [🔺] [0¦] [🔺] [CB]

PAMIERS (A2)
09100 Ariège
12965 hab. [i]

⚓⚓⚓ DE FRANCE ★★
5, rue Dr. Rambaud ou 13, rue Hospice.
M. Raja
☎ 05 61 60 20 88   [FAX] 05 61 67 29 48
[100F] 🛏 29 ⊗ 220/350 F. 🍽 35 F.
🍴 90/210 F. 🛏 50 F. 🖼 255/295 F.
⊠ rest. 23 déc./2 janv. et dim.
1er oct./20 mai.
[E] [SP] [□] [🖭] [☎] [📶] [🚶] [🚶] [m] [🛏] [🚶] [♿]
[♿] [CV] [0¦] [🔺] [CB] [💼] [GR]

⚓⚓ DE LA PAIX ★★
4, place Albert Tournier.
MeM. Varin-Marlot
☎ 05 61 67 12 71   [FAX] 05 61 60 61 02
[100F] 🛏 14 ⊗ 190/250 F. 🍽 35 F.
🍴 49/150 F. 🛏 45 F. 🖼 180/250 F.
[E] [SP] [□] [🖭] [☎] [📶] [🚶] [🛏] [🚶] [CV] [0¦] [🔺] [CB]

⚓⚓ LE ROI GOURMAND ★★
Place de la Gare. M. Soulié
☎ 05 61 60 12 12   [FAX] 05 61 60 16 66
[100F] 🛏 15 ⊗ 220/270 F. 🍽 30 F.
🍴 65/250 F. 🛏 45 F. 🖼 230/270 F.
[E] [SP] [□] [☎] [🛏] [🚶] [0¦] [🔺] [CB] [GR]

SAINT GIRONS (A1)
09200 Ariège
6596 hab. [i]

⚓ MIROUZE ★★
19, av. Galliéni. M. Gérard
☎ 05 61 66 12 77   [FAX] 05 61 04 81 59
🛏 24 ⊗ 160/260 F. 🍽 29 F.
🍴 69/135 F. 🛏 40 F. 🖼 160/250 F.
⊠ 21 déc./31 janv., dim. après-midi/lun.
18h30 1er fév./1er avr. et 15 oct./20 déc.
[E] [SP] [□] [☎] [📶] [🚶] [🚶] [CV] [🔺] [CB]

SAINT PAUL DE JARRAT (B2)
09000 Ariège

>>> *voir FOIX*

SAINT PIERRE DE RIVIERE (A2)
09000 Ariège

>>> *voir FOIX*

TARASCON SUR ARIEGE (B2)
09400 Ariège
3950 hab. [i]

⚓⚓ HOSTELLERIE DE LA POSTE ★★
16, av. Victor Pilhes. Mme Gassiot
☎ 05 61 05 60 41   [FAX] 05 61 05 70 59
[100F] 🛏 30 ⊗ 160/260 F. 🍽 32 F.
🍴 67/185 F. 🛏 38 F. 🖼 225 F.
[E] [SP] [□] [☎] [🚶] [🚶] [🚶] [CV] [0¦] [🔺] [CB]

**Liste des
hôtels-restaurants**

Aveyron

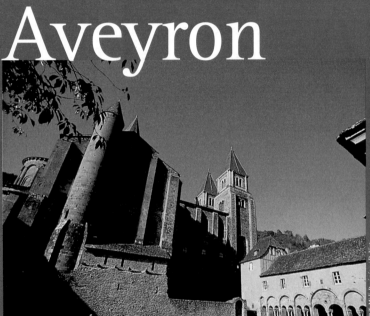

C.C.I. Midi-Pyrénées / D. Viet

Association départementale
des Logis de France de l'Aveyron
C.C.I.
10 place de la Cité
12033 Rodez Cedex 09
Téléphone 05 65 77 77 00

46 LOT
Cahors ○
12 AVEYRON
Rodez ○
82 TARN-ET-
GARONNE
Montauban ○   Albi ○
32 GERS   81 TARN
Auch ○
Tarbes ○   Toulouse ○
31 HAUTE-
GARONNE
65 HAUTES-   09 ○ Foix
PYRÉNÉES   ARIÈGE

12 - AVEYRON

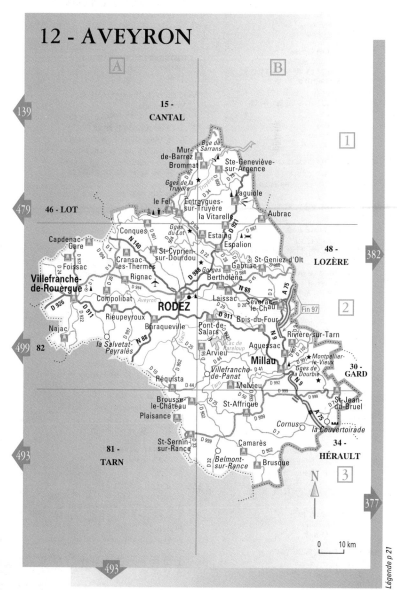

AGUESSAC (B2)
12520 Aveyron
700 hab.

🏠🏠 LE RASCALAT ★★
Sur N. 9. M. Ramondenc
☎ 05 65 59 80 43 📠 05 65 59 73 90
🛏 18 ⊟ 190/350 F. 🍽 35 F.
🍴 100/240 F. 🍴 45 F. 🍴 203/285 F.
⊠ 1er janv./28 fév., dim. soir et lun.
oct./déc.
🅴 🅾 🖼 🚗 🚗 🌳 🐾 ♿ CV ▮●▮ 🐾 CB 🅖🆁

ARVIEU (B2)
12120 Aveyron
720 m. • 930 hab. ⓘ

🏠 AU BON ACCUEIL ★★
Place du Centre M. Pachins
☎ 05 65 46 72 13 📠 05 65 74 28 95
🛏 12 ⊟ 145/210 F. 🍽 28 F.
🍴 70/180 F. 🍴 45 F. 🍴 175/210 F.
🅴 🅾 🖼 🚗 🚗 🚙 ♿ 🐾 ▮●▮ 🐾 CB

AUBRAC (B1)
12470 Aveyron
1306 m. • 10 hab. ⓘ

🏠 DE LA DOMERIE «MAISON AUGUY» ★★
Mme David
☎ 05 65 44 28 42 ╲05 65 44 28 43
📠 05 65 44 21 47
🛏 23 ⊟ 185/395 F. 🍽 38 F.
🍴 95/200 F. 🍴 60 F. 🍴 220/330 F.
⊠ 16 oct./30 avr. Rest. mer. midi
mai/juin et sept./oct.
🅴 🅾 🖼 🚗 🌳 🐾 CV ▮●▮ 🐾 CB

BARAQUEVILLE (A2)
12160 Aveyron
800 m. • 3050 hab. ⓘ

🏠 DE LA GARE ★★
426, av. de la Gare. M. Lutran
☎ 05 65 69 01 62
🛏 14 ⊟ 120/220 F. 🍽 28/ 30 F.
🍴 85/180 F. 🍴 45 F. 🍴 160/190 F.
🅾 🖼 🚗 🚗 🌳 🐾 ♿ CV ▮●▮ CB

BERTHOLENE (B2)
12310 Aveyron
1000 hab.

🏠 BANCAREL ★
Situé au Pied Forêt des Palanges.
M. Brun
☎ 05 65 69 62 10 📠 05 65 70 72 88
🛏 10 ⊟ 160/250 F. 🍽 35 F.
🍴 58/160 F. 🍴 40 F. 🍴 200/240 F.
⊠ 25 janv./9 fév. et 27 sept./19 oct.
🅴 🅾 🖼 🚗 🚗 🌳 🐾 CV ▮●▮ CB

BOIS DU FOUR (B2)
12780 Aveyron
810 m. • 15 hab.

🏠🏠 RELAIS DU BOIS DU FOUR ★★
Mme Rodier Galière
☎ 05 65 61 86 17 📠 05 65 58 81 37

🛏 27 ⊟ 160/290 F. 🍽 35 F. 🍴 50 F.
🍴 248/305 F.
⊠ 1er déc./15 mars et mer.
🅴 🅾 🖼 🚗 🚗 🌳 🐾 ♿ 🐾 CB

BROMMAT (A-B1)
12600 Aveyron
648 m. • 150 hab.

🏠 DES BARRAGES
Mme Viers
☎ 05 65 66 00 84 📠 05 65 66 24 77
🛏 13 ⊟ 200 F. 🍽 28 F. 🍴 50/150 F.
🍴 45 F. 🍴 135 F.
⊠ sam.
🅴 SP 🖼 🚗 🚗 🚙 CV 🐾 CB

BROUSSE LE CHATEAU (A3)
12480 Aveyron
35 hab.

🏠🏠 LE RELAYS DU CHASTEAU ★★
Mme Senegas
☎ 05 65 99 40 15 📠 05 65 99 40 15
🛏 12 ⊟ 200/350 F. 🍽 28 F.
🍴 75/180 F. 🍴 45 F. 🍴 210/230 F.
⊠ 20 déc./20 janv. et ven. 14h/sam. 18h
1er oct./1er mai.
🅴 SP 🖼 🚗 🚗 📭 🐾 CV ▮●▮ 🐾 CB

BRUSQUE (B3)
12360 Aveyron
527 hab.

🏠 LA DENT DE ST-JEAN ★★
Mme Bousquet
☎ 05 65 99 52 87
🛏 16 ⊟ 190/240 F. 🍽 30 F.
🍴 80/200 F. 🍴 45 F. 🍴 190/225 F.
⊠ 1er nov./10 mars, dim. soir et lun. hs.
🅴 🖼 🚗

CAMARES (B3)
12360 Aveyron
1258 hab. ⓘ

🏠🏠 DU PONT VIEUX ★★
2, rue du Barry. M. Granier
☎ 05 65 99 59 50 📠 05 65 49 56 38
🛏 8 ⊟ 190/320 F. 🍽 30 F. 🍴 68/220 F.
🍴 45 F. 🍴 200/265 F.
⊠ 1er déc./1er mars, dim. soir et lun.
hs.
🅴 SP 🅾 🖼 🚗 CV ▮●▮ 🐾 CB

CAPDENAC GARE (A2)
12700 Aveyron
6000 hab. ⓘ

🏠🏠🏠 AUBERGE LA DIEGE ★★
(A Saint-Julien d'Empare). M. Nicoulau
☎ 05 65 64 70 54 📠 05 65 80 81 58
🛏 24 ⊟ 180 F. 🍽 35 F. 🍴 58/200 F.
🍴 40 F.
⊠ 20 déc./6 janv. Rest. ven. soir, sam.
et dim. soir.
🅴 🖼 🚗 🚗 📭 🌳 🐾 🐾 🐾 ♿
🐾 CV ▮●▮ 🐾 CB 🖼

COMPOLIBAT (A2)
12350 Aveyron
500 hab. ℹ️

⚑ AUBERGE LOU CANTOU
Mme Monteil
☎ 05 65 81 94 55
⚑ 7 🛏 180/220 F. 🍽 28 F. 🍴 68/165 F.
38 F. 🚗 210 F.
✉ 22 sept./16 oct., mar. après-midi et
mer. hs.
E 🛏 ⌖ ⛱ 🐟 🚶 ♿ CV ▮ CB

⚑ BEDEL
M.Me Bedel
☎ 05 65 81 92 56 FAX 05 65 81 92 56
⚑ 8 🛏 165/185 F. 🍴 66/140 F. 38 F.
175/195 F.
✉ fév. et mer. hs.
E 🛏 ⛱ 🐟 🚶 🚲 CV ▮ ▲ CB

CONQUES (A1-2)
12320 Aveyron
450 hab. ℹ️

⚑ AUBERGE DU PONT ROMAIN ★
Mme Estrade-Domergue
☎ 05 65 69 84 07
⚑ 7 🛏 180/230 F. 🍴 70/125 F. 60 F.
🚗 200/240 F.
✉ déc./janv.
☎ 🚗 CV CB

⚑⚑ AUBERGE SAINT-JACQUES ★★
M. Fallières
☎ 05 65 72 86 36 FAX 05 65 72 82 47
⚑ 13 🛏 170/320 F. 🍽 29 F. 🍴 145 F.
55 F. 🚗 240/260 F.
✉ janv./15 fév. et sam.
15 nov./1er mars.
☎ 🚗

CRANSAC LES THERMES (A2)
12110 Aveyron
2180 hab. ℹ️

⚑⚑ DU PARC ★★
Rue Général Louis Artous. M. Astor
☎ 05 65 63 01 78 FAX 05 65 63 20 36
⚑ 25 🛏 135/250 F. 🍽 35 F.
75/175 F. 45 F. 🚗 195/265 F.
E ▮ ☎ 🛏 ⛱ 🐟 🚶 ♿ CV ▮ ▲ CB

⚑⚑ HOSTELLERIE DU ROUERGUE ★★
22, av. Jean Jaurès. M. Davril
☎ 05 65 63 02 11
⚑ 14 🛏 180/250 F. 🍴 75/190 F.
45 F. 🚗 205/250 F.
✉ 1er nov./1er mars.
E SP ▮ ☎ 🛏 🚗 🛏 ⛱ 🐟 ♿
CV ▮ ▲ CB

ENTRAYGUES (A1)
12140 Aveyron
1500 hab. ℹ️

⚑ DU CENTRE ★★
1, place de la République. M. Crouzet
☎ 05 65 44 51 19 FAX 05 65 48 63 09

⚑ 11 🛏 160/230 F. 🍽 35 F.
🍴 70/200 F. 50 F. 🚗 180/230 F.
✉ sam. 1er oct./15 avr.
E ▮ ☎ 🛏 🚗 ♿ CV ▲

ESPALION (B2)
12500 Aveyron
4800 hab. ℹ️

⚑⚑ MODERNE ★★
27, bld de Guizard. M. Raulhac
☎ 05 65 44 05 11 FAX 05 65 48 06 94
⚑ 28 🛏 240/340 F. 🍽 40 F.
🍴 60/250 F. 50 F. 🚗 240/290 F.
✉ 2/17 janv., 16 nov./10 déc. Rest. dim.
soir et lun. hs.
E ▮ ▮ ☎ 🛏 🚗 🐟 ♿ ▮ ▲ CB

ESTAING (B2)
12190 Aveyron
770 hab. ℹ️

⚑ AUX ARMES D'ESTAING ★★
Mme Catusse
☎ 05 65 44 70 02
⚑ 38 🛏 155/280 F. 🍽 30 F.
🍴 65/150 F. 50 F. 🚗 180/225 F.
✉ 2/31 janv.
E ☎ 🛏 🚗 ♿ CV ▲ CB

Le FEL (A1)
12140 Aveyron
15 hab.

⚑⚑ AUBERGE DU FEL ★★
Mme Albespy
☎ 05 65 44 52 30 FAX 05 65 48 64 96
⚑ 10 🛏 200/275 F. 🍽 32 F.
🍴 68/190 F. 50 F. 🚗 195/245 F.
✉ 1er janv./28 mars et 23 nov./31 déc.
E ☎ 🚗 ⛱ ▲

FOISSAC (A2)
12260 Aveyron
350 hab.

⚑⚑ RELAIS DE FREJEROQUES ★★
Sur D.922. Mlle Espeillac
☎ 05 65 64 62 80 FAX 05 65 64 60 03
⚑ 16 🛏 139/180 F. 🍽 25 F.
🍴 40/80 F. 40 F. 🚗 146/159 F.
✉ rest. sam. midi et dim. hs (Rest. pour
résidents seulement)
E ▮ ☎ 🛏 🚗 🛏 🏠 ⛱ 🐟 🌿 ✎ 🚶
🚲 ♿ CV CB

GABRIAC (B2)
12340 Aveyron
470 hab.

⚑⚑ BOULOC ★★
Mme Bouloc
☎ 05 65 44 92 89 FAX 05 65 48 86 74
⚑ 11 🛏 225/290 F. 🍽 32 F.
🍴 80/180 F. 48 F. 🚗 260/280 F.
✉ 1er/23 oct., 23/30 juin et mer. sauf
juil./août.
E SP ▮ ☎ 🛏 🚗 ⛱ 🐟 🚶 🚲 ♿ ▮
▲ CB

LAGUIOLE (B1)
12210 Aveyron
1000 m. • 1300 hab. ⓘ

▲▲ AUBRAC ★★
17, allée de l'Amicale. Mme Brouzes
☎ 05 65 44 32 13 FAX 05 65 48 48 74
🏠 30 ⌷ 190/280 F. 🍽 30 F.
🍴 55/130 F. 🛏 45 F. 🍴 175/210 F.
⌧ 1er/15 janv.
[icons]

▲▲ GRAND HOTEL AUGUY ★★★
2, allée de l'Amicale.
Mme Muylaert-Auguy
☎ 05 65 44 31 11 FAX 05 65 51 50 81
🏠 25 ⌷ 240/330 F. 🍽 35 F.
🍴 110/250 F. 🛏 45 F. 🍴 245/290 F.
⌧ 8 juin soir/14 juin midi, 23 nov.
soir/8 juin, dim. soir et lun. sauf vac.
scol.
[icons]

LAISSAC (B2)
12310 Aveyron
600 m. • 1500 hab. ⓘ

▲ CAZES ★
Rue Benjamin Baillaud Mme Cazes
☎ 05 65 69 60 25 FAX 05 65 70 75 51
🏠 13 ⌷ 180/210 F. 🍽 30 F.
🍴 50/120 F. 🛏 35 F. 🍴 170/200 F.
⌧ 24 déc./2 janv.
[icons]

MELVIEU (B2)
12400 Aveyron
635 m. • 299 hab.

▲ LE CLOS DES MUSARDIERS ★★
M. Carrat
☎ 05 65 62 52 90 FAX 05 65 62 59 36
🏠 9 ⌷ 185/220 F. 🍽 25 F. 🍴 65/220 F.
🛏 38 F. 🍴 250/270 F.
⌧ sam.
[icons]

MILLAU (B2)
12100 Aveyron
23000 hab. ⓘ

▲ DES CAUSSES ★★
56, av. Jean Jaurès. M. Fernandez
☎ 05 65 60 03 19 FAX 05 65 60 86 90
🏠 22 ⌷ 225/260 F. 🍽 35 F.
🍴 60/160 F. 🛏 55 F. 🍴 238/250 F.
⌧ 20 déc./2 janv. et sam. Rest. dim. soir
sept./juin.
[icons]

MUR DE BARREZ (A-B1)
12600 Aveyron
780 m. • 1380 hab. ⓘ

▲▲▲ AUBERGE DU BARREZ ★★
M. Gaudel
☎ 05 65 66 00 76 FAX 05 65 66 07 98

🏠 18 ⌷ 240/480 F. 🍽 36 F.
🍴 64/190 F. 🛏 45 F. 🍴 225/335 F.
⌧ janv. Rest. lun. midi 31 janv./14 juil.
et 15 sept./31 déc. sauf lun. fériés.
[icons]

NAJAC (A2)
12270 Aveyron
500 hab. ⓘ

▲▲ BELLE RIVE ★★
(Au Roc du Pont). M. Mazières
☎ 05 65 29 73 90
🏠 31 ⌷ 245/280 F. 🍽 45 F.
🍴 86/156 F. 🛏 56 F. 🍴 278/292 F.
⌧ Toussaint/Pâques et dim. soir oct.
[icons]

▲▲ L'OUSTAL DEL BARRY ★★
Place du Bourg.
Mme Miquel
☎ 05 65 29 74 32 FAX 05 65 29 75 32
🏠 20 ⌷ 300/370 F. 🍽 48 F.
🍴 98/260 F. 🛏 65 F. 🍴 300/370 F.
⌧ 1er nov./1er avr., lun. avr./juin et oct.
[icons]

PLAISANCE (A3)
12550 Aveyron
300 hab.

▲▲▲ LES MAGNOLIAS ★★
M. Roussel
☎ 05 65 99 77 34 FAX 05 65 99 70 57
🏠 6 ⌷ 250/350 F. 🍽 48 F. 🍴 68/300 F.
🛏 68 F. 🍴 250/300 F.
⌧ 1er janv./31 mars et lun.
15 oct./31 déc.
[icons]

PONT DE SALARS (B2)
12290 Aveyron
686 m. • 1500 hab. ⓘ

▲▲ DES VOYAGEURS ★★
1, av. de Rodez.
MM. Guibert
☎ 05 65 46 82 08 FAX 05 65 46 89 99
🏠 27 ⌷ 210/273 F. 🍽 29 F.
🍴 60/260 F. 🛏 55 F. 🍴 215/250 F.
⌧ fév., dim. soir et lun. oct./mai.
[icons]

REQUISTA (A2-3)
12170 Aveyron
580 m. • 2243 hab. ⓘ

▲▲ AUBERGE DE LA PLANQUETTE ★★
Chemin de la Planquette.
M. Schmidt
☎ 05 65 46 60 00 FAX 05 65 74 02 09
🏠 7 ⌷ 230 F. 🍽 28 F. 🍴 60/140 F.
🛏 38 F. 🍴 195 F.
⌧ vac. scol. Noël et vac. scol. fév., ven.
16h/sam. 18h sauf juil./août.
[icons]

RIEUPEYROUX (A2)
12240 Aveyron
800 m. • 2000 hab. i

⌂ CHEZ PASCAL ★
Rue de l'Hom. Mme Bou
☎ 05 65 65 51 13
100F ▮ 8 ◻ 150/230 F. ■ 30 F. ‖ 60/130 F.
⟦ 45 F. ▦ 185/195 F.
⊠ 14 avr./1er mai, 28 sept./13 oct. et
dim. soir.
▯ ⌂ ☎ ᴇ 🍴 CV ◄ CB

⌂ DE LA POSTE ★
Rue de la Mairie. M. Tarrajat
☎ 05 65 65 52 20 FAX 05 65 65 55 00
100F ▮ 7 ◻ 148 F. ■ 30 F. ‖ 60/148 F.
⟦ 42 F. ▦ 172 F.
⊠ lun. soir hs.
▯ ⌂ ☎ ᴇ CV ◄ CB

⌂⌂⌂ DU COMMERCE ★★
M. Delmas
☎ 05 65 65 53 06 FAX 05 65 65 56 58
120F ▮ 21 ◻ 230/320 F. ■ 30 F.
‖ 90/180 F. ⟦ 45 F. ▦ 250 F.
⊠ 1er/18 janv., 18/31 déc., dim. soir
sauf juil./août, lun. oct./mai et lun. 18h
sept. et juin.
▯ ⌂ ☎ ᴇ ᴇ ▮ 🛏 🍴 🐾 🚶 ♿ CV
◉ ◄ CB

RIGNAC (A2)
12390 Aveyron
1900 hab. i

⌂ MARRE ★★
Route de Colombies. M. Cousseau
☎ 05 65 64 51 56
100F ▮ 13 ◻ 175/215 F. ■ 27 F.
‖ 52/125 F. ⟦ 49 F. ▦ 185/205 F.
⊠ vac. scol. Noël et Pâques, dim. soir et
lun. sauf juil./août.
▯ ⌂ ☎ ᴇ ᴇ 🍴 🚶 ♿ CV ◉ ◄ CB

RIVIERE SUR TARN (B2)
12640 Aveyron
710 hab. i

⌂ LE CLOS D'IS ★★
Route des Gorges du Tarn. M. Basset
☎ 05 65 59 81 40 FAX 05 65 59 84 03
▮ 22 ◻ 170/275 F. ■ 35 F.
‖ 75/180 F. ⟦ 40 F. ▦ 200/250 F.
⊠ dim. soir oct./fin mars.
▯ ⌂ ☎ ᴇ 🍴 ♿ CV ◉ ◄ CB ᴇ

⌂ PEYRELADE
M. Blanc
☎ 05 65 62 61 20
80F ▮ 8 ◻ 150/220 F. ■ 30 F. ‖ 80/160 F.
⟦ 40 F. ▦ 200/220 F.
⊠ dim. soir et lun. soir hs.
⌂ ᴇ CV ◄

RODEZ (A2)
12000 Aveyron
640 m. • 24701 hab. i

⌂⌂ DU MIDI ★★
1, rue Béteille. M.Me Cayssials/Fournier
☎ 05 65 68 02 07 FAX 05 65 68 66 93
100F ▮ 34 ◻ 200/320 F. ■ 35 F.
‖ 85/130 F. ⟦ 45 F. ▦ 220/280 F.
⊠ dernière semaine déc./1ère semaine
janv. Rest. dim. soir hs.
▯ ⌂ ᴄ ☎ ᴇ ▮ ♿ CV ◄ CB

SAINT AFFRIQUE (B3)
12400 Aveyron
9200 hab. i

⌂⌂ MODERNE ★★
54, av. A. Pezet. M. Decuq
☎ 05 65 49 20 44 FAX 05 65 49 36 55
100F ▮ 28 ◻ 250/390 F. ■ 38 F.
‖ 90/270 F. ⟦ 55 F. ▦ 230/280 F.
⊠ 20 déc./20 janv. Rest. 2ème semaine
oct.
▯ SP ⌂ ☎ ᴇ 🛏 🐾 ♂ CV ◉ ◄ CB

SAINT CYPRIEN SUR DOURDOU (A2)
12320 Aveyron
778 hab. i

⌂ SERVIERES ★★
Mme Bories
☎ 05 65 69 84 43
▮ 10 ◻ 220/250 F. ■ 30 F.
‖ 60/150 F. ⟦ 40 F. ▦ 200/230 F.
⊠ 1er janv./1er nov.
▯ SP ☎ ᴇ ⟦ ◄ CB

SAINT GENIEZ D'OLT (B2)
12130 Aveyron
2000 hab. i

⌂⌂ DU LION D'OR ★★
M. Rascalou
☎ 05 65 47 43 32
120F ▮ 12 ◻ 190/310 F. ■ 35 F.
‖ 100/200 F. ⟦ 50 F. ▦ 245/295 F.
⊠ 1er janv./28 fév., dim. soir et lun. hs.
▯ SP ⌂ ☎ ᴇ 🄼 🛏 🚶 🐾 ♂ ♿ CV
◉ ◄ CB

SAINT JEAN DU BRUEL (B2-3)
12230 Aveyron
1000 hab. i

⌂⌂ MIDI-PAPILLON ★★
M. Papillon
☎ 05 65 62 26 04 FAX 05 65 62 12 97
120F ▮ 19 ◻ 128/200 F. ■ 24 F.
‖ 74/204 F. ⟦ 50 F. ▦ 180/226 F.
⊠ 11 nov./Rameaux.
▯ SP ☎ ᴇ 🍴 🐾 ♂ ◉ ◄ CB

SAINT SERNIN (A3)
12380 Aveyron
980 hab. i

⌂⌂⌂ CARAYON ★★
Place du Fort. M. Carayon
☎ 05 65 98 19 19 FAX 05 65 99 69 26
120F ▮ 60 ◻ 199/379 F. ■ 37 F.
‖ 75/300 F. ⟦ 49 F. ▦ 219/399 F.
⊠ 3/29 nov., dim. soir et lun. hs.
▯ SP ⌂ ☎ ᴇ ᴇ ▮ 🍴 🛏 ᴇ 🌴
🐾 🚶 ♂ ▶ ♿ CV ◉ ◄ CB

SAINTE GENEVIEVE SUR ARGENCE (B1)
12420 Aveyron
800 m. • 1175 hab.

▲▲ DES VOYAGEURS ★★
rue du Riols. M. Cruveiller
☎ 05 65 66 41 03
⌂100F ♟ 14 ▣ 180/210 F. 🍽 28 F.
🍴 60/160 F. 🛏 30 F. 🍴 200/240 F.
⊠ 20 sept./10 oct. et sam.
▢ ☎ 🚗 🌳 🍹

SEVERAC LE CHATEAU (B2)
12150 Aveyron
730 m. • 2500 hab. 🄸

▲▲ DU COMMERCE ★★
Rue du Petit Faubourg. M. Lafon
☎ 05 65 71 61 04 ☎ 05 65 47 66 01
⌂100F ♟ 28 ▣ 200/380 F. 🍽 40 F.
🍴 75/280 F. 🍴 240/260 F.
⊠ janv. et dim. soir 15 sept./15 avr.
🄴 ⑤🄿 ▢ ☎ 🚗 ♟ ⛵ 🌳 🐕 CV ▦
🍹 CB

▲ DU MIDI ★
Av. Aristide Briand. M. Gal
☎ 05 65 70 26 20 ☎ 05 65 47 67 70
♟ 10 ▣ 140/280 F. 🍽 25 F.
🍴 68/120 F. 🛏 40 F. 🍴 160/210 F.
⊠ sam. soir et dim. 1er sept./1er juin.
🄴 ▢ ☎ 🚗 🍹 CB ▦ CR

VILLEFRANCHE DE ROUERGUE (A2)
12200 Aveyron
13000 hab. 🄸

▲▲ L'UNIVERS ★★
2, place de la République. Mme Bourdy
☎ 05 65 45 15 63 ☎ 05 65 45 02 21
♟ 30 ▣ 200/350 F. 🍽 36 F.
🍴 75/295 F. 🛏 60 F. 🍴 280 F.
⊠ 7/14 juin, ven. soir et sam. sauf
juil./sept. et veille de fêtes. Rest.
6/13 déc.
🄴 ⑤🄿 ▢ 🄲 ☎ 🚗 🚙 ♟ ⛵ CV ▦ 🍹

▲ LAGARRIGUE ★★
Place Bernard-Lhez. M. Serrano
☎ 05 65 45 01 12 ☎ 05 65 81 22 89
⌂100F ♟ 14 ▣ 220/250 F. 🍽 35 F.
🍴 67/165 F. 🛏 45 F. 🍴 245/270 F.
⊠ 3/17 nov., dim. soir et lun. hs.
🄴 ⑤🄿 ▢ ☎ 🚗 CV 🍹 CB ▦

▲▲▲ LE RELAIS DE FARROU ★★★
(à 4 Km route de Figeac). M. Boulliard
☎ 05 65 45 18 11 ☎ 05 65 45 32 59
⌂120F ♟ 26 ▣ 330/450 F. 🍽 44 F.
🍴 120/350 F. 🛏 70 F. 🍴 315/375 F.
⊠ 24 fév./11 mars, 25 oct./4 nov. et
21/26 déc. Rest. dim. soir et lun. hs.
🄴 ▢ ☎ 🚗 🚙 ♟ ⛵ 🌳 ⛳ ✈ 🎿 🏊
♿ ▶ 🚹 ▦ 🍹 CB

La VITARELLE (B1-2)
12210 Aveyron
900 m. • 25 hab.

▲ RELAIS DE LA VITARELLE ★
Mme Falguier
☎ 05 65 44 36 01
⌂80F ♟ 6 ▣ 200/230 F. 🍽 28 F. 🍴 75/150 F.
🛏 45 F. 🍴 190/200 F.
⊠ sam. 1er oct./30 avr.
▢ ☎ 🚗 🛏 🍹 CB

3 710 hôteliers-restaurateurs Logis de France vous proposent, au meilleur prix, le réseau hôtelier indépendant le plus dense du monde ! Profitez vite de la qualité de l'accueil et de la merveilleuse diversité de leurs cuisines régionales.

Haute-Garonne

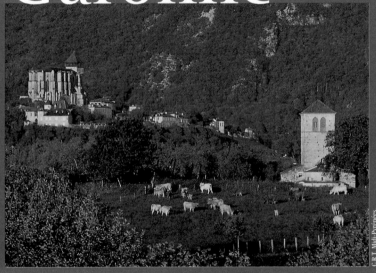

C.R.T. Midi-Pyrénées

Association départementale
des Logis de France de la Haute-Garonne
C.D.T.
14 rue Bayard
31000 Toulouse
Téléphone 05 61 99 44 00

MIDI-PYRÉNÉES

46 LOT
Cahors

82 TARN-ET-GARONNE
Montauban

12 AVEYRON
Rodez

32 GERS
Auch

Albi
81 TARN

Tarbes

Toulouse
31 HAUTE-GARONNE

65 HAUTES-PYRÉNÉES

09 Foix
ARIÈGE

31 - HAUTE-GARONNE

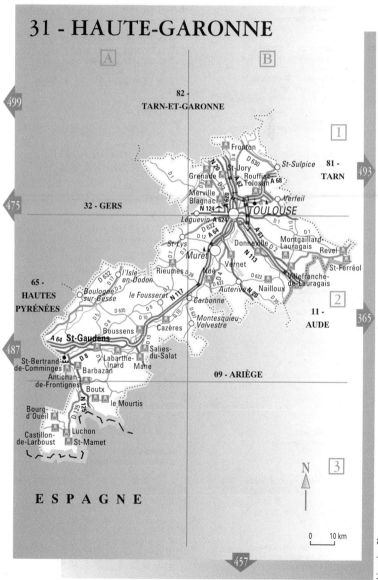

A   B

**82 -
TARN-ET-GARONNE**

1

499

493

**81 -
TARN**

475

32 - GERS

Fronton

St-Sulpice

D 630
St-Jory
Rouffiac
Tolosan
Grenade
Merville
Blagnac
N 124
Verfeil

TOULOUSE
Léguevin   A 624

St-Lys
Muret
Donneville
Montgaillard-Lauragais
Revel
St-Ferréol

**65 -
HAUTES
PYRÉNÉES**

l'Isle-en-Dodon
Boulogne-sur-Gesse
Rieumes
Moë
Vernet
N 113
Naillou
Villefranche-de-Lauragais

le Fousseret
N 117
Carbonne
Auterive
N 20

2

**11 -
AUDE**

365

487

Boussens
A 64   **St-Gaudens**
Cazères
Montesquieu-Volvestre

St-Bertrand-de-Comminges
Labarthe-Inard
Mane
Salies-du-Salat
Barbazan

09 - ARIÈGE

Antichan-de-Frontignes
Boutx
le Mourtis
N 125

Bourg-d'Oueil
Luchon
Castillon-de-Larboust
St-Mamet

3

E S P A G N E

N

0   10 km

457

469

ANTICHAN DE FRONTIGNES (A2-3)
31510 Haute Garonne
600 m. • 73 hab.

⌂ AUBERGE DE LA PALOMBIERE ★
Route du Col des Ares M. Pujol
☎ 05 61 79 67 01
🛏 6 ⌷ 165/240 F. ▣ 25 F. 🍴 50/170 F.
🍽 35 F. 🛎 163/200 F.
⌧ 31 oct./3 janv., 15/28 fév. et mer.
hiver.
Ⓔ SP ☎ 🚗 🏡 🎿 🍂 CB

BARBAZAN (A2)
31510 Haute Garonne
400 hab. 🇮

▲▲▲ HOSTELLERIE DE L'ARISTOU ★★★
Route de Sauveterre de Comminges.
M. Géraud
☎ 05 61 88 30 67 FAX 05 61 95 55 66
🛏 6 ⌷ 240/330 F. ▣ 40 F.
🍴 110/270 F. 🍽 50 F. 🛎 250/295 F.
⌧ 21 déc./1er fév., dim.soir et lun.
14 sept/1er mai.
Ⓔ SP ☐ ☎ 🚗 🖿 🎋 ⌾ CV 📳 CB

BLAGNAC (B1)
31700 Haute Garonne
22000 hab.

▲▲▲ LE GRAND NOBLE ★★
90, av. de Cornebarieu. M. Bouchet
☎ 05 61 30 48 49 FAX 05 61 71 85 60
🛏 44 ⌷ 305 F. ▣ 39 F. 🍴 85/150 F.
🍽 45 F. 🛎 230/280 F.
⌧ rest. 1er mai et sam. juil./août.
Ⓔ Ⓓ SP ☐ ⌾ ☎ 🚗 🖿 ▤ 📺 🎋
🎿 ♿ CV 📳 🍂 CB CR

BOURG D'OUEIL (A3)
31110 Haute Garonne
1340 m. • 21 hab.

▲▲ LE SAPIN FLEURI ★★
M. Toucouere
☎ 05 61 79 21 90
🛏 20 ⌷ 250/280 F. ▣ 35 F.
🍴 85/300 F. 🍽 40 F. 🛎 250/350 F.
⌧ 30 sept./1er juin sauf vac. hiver et
vac. printemps.
SP ☎ 🚗 🖿 🎋

BOUSSENS (A2)
31360 Haute Garonne
735 hab.

▲▲ DU LAC
7, promenade du Lac. M. Soulie
☎ 05 61 90 01 85 FAX 05 61 97 15 57
🛏 10 ⌷ 150/280 F. ▣ 25 F.
🍴 85/195 F. 🍽 50 F. 🛎 220/280 F.
SP ☐ ☎ 🚗 🖿

BOUTX - LE MOURTIS (A3)
31440 Haute Garonne
1500 m. • 350 hab.

▲▲ LA GRANGE ★★
Station du Mourtis.
M. Lucette
☎ 05 61 79 41 08 FAX 05 61 79 80 66
🛏 10 ⌷ 310/360 F. 🍴 95/180 F.
🍽 49 F. 🛎 290 F.
⌧ 30 avr./31 mai et 15 sept./30 oct.
☎ CV 🍂 CB

CASTILLON DE LARBOUST (A3)
31110 Haute Garonne
956 m. • 86 hab.

▲▲ FONDERE ★★
Route du Col de Peyresourde.
Mme Jouannes
☎ 05 61 79 23 79 FAX 05 61 79 75 50
🛏 14 ⌷ 280/420 F. ▣ 36 F.
🍴 94/170 F. 🍽 45 F. 🛎 270 F.
⌧ 12 nov./15 déc.
Ⓔ SP ☐ ☎ 🚗 🖿 🎋 🎿 ⛷ 📳 🍂
CB

▲▲ L'ESQUERADE ★★
M. Peyrouton
☎ 05 61 79 19 64 FAX 05 61 79 26 29
🛏 16 ⌷ 185/265 F. ▣ 34 F.
🍴 82/142 F. 🍽 45 F. 🛎 228/265 F.
Ⓔ SP ☎ 🚗 🖿 🎋 ⌾ CV 📳 🍂 CB

CAZERES (A2)
31220 Haute Garonne
3295 hab.

▲ COCHON DE LAIT ★★
9, av. Pasteur. M. Jegat
☎ 05 61 97 08 73 FAX 05 61 97 56 61
🛏 10 ⌷ 220/330 F. ▣ 25 F.
🍴 60/190 F. 🍽 45 F. 🛎 180 F.
⌧ dim. soir 1er oct./31 mars.
☐ ☎ CV 📳 🍂 CB

DONNEVILLE (B2)
31450 Haute Garonne
682 hab.

▲▲ L'ENCLOS
Route de Carcassonne, N. 113.
M. Massat
☎ 05 62 71 74 74 FAX 05 62 71 74 79
🛏 8 ⌷ 190/250 F. ▣ 30 F. 🍴 85/215 F.
🍽 50 F. 🛎 250/290 F.
⌧ 25 déc./1er janv.
Ⓔ SP ☐ ☎ 🖿 🎋 CV 📳 🍂 CB

FRONTON (B1)
31620 Haute Garonne
3246 hab. 🇮

▲▲ LOU GREL
42, rue Jules Bressac.
M. Cantegrel
☎ 05 61 82 03 00 FAX 05 61 82 12 24
🛏 5 ⌷ 220 F. ▣ 35 F. 🍴 65/150 F.
🍽 50 F. 🛎 270/400 F.
⌧ dim. soir et lun.
Ⓔ Ⓓ SP ☐ ☎ 🚗 🖿 🎋 ⛷ CV 📳 🍂

GRENADE (B1)
31330 Haute Garonne
5026 hab.

... *à proximité*

MERVILLE (B1)
31330 Haute Garonne
2289 hab.

5 km Sud Grenade par D 2 et D 37

▲▲ AUBERGE DU VIVIER ★★
Sur D.2, route de Grenade. M. Maréchal
☎ 05 61 85 01 59 FAX 05 61 85 88 75
♟ 9 ◇ 210/260 F. ▤ 35 F. ⑪ 80/130 F.
⌖ 60 F. ▨ 190/210 F.
⊠ 2/8 janv., 28 juil./27 août, sam. midi,
dim. soir et lun.
[E] [SP] ⬛ ☎ ⛟ ⊯ ⛉ ⌖ CV ▥ ◆ CB

LABARTHE INARD (A2)
31800 Haute Garonne

>>> *voir SAINT GAUDENS*

LUCHON (A3)
31110 Haute Garonne
630 m. • 3096 hab. [i]

▲▲ BELLEVUE ★★
3, allée d'Etigny. M. Audran
☎ 05 61 79 01 65 FAX 05 61 79 74 27
♟ 16 ◇ 200/380 F. ▤ 30 F.
⑪ 68/140 F. ⌖ 45 F. ▨ 220/260 F.
[E] [SP] ⬛ ☎ ⛟ ⛟ ⚡ ⊯ ⛎ ⛉ CV ◆
CB

▲▲▲ D'ETIGNY ★★
Face aux Thermes. MeM. Baron/Organ
☎ 05 61 79 01 42 FAX 05 61 79 80 64
♟ 50 ◇ 295/700 F. ▤ 45 F.
⑪ 99/205 F. ⌖ 55 F. ▨ 280/495 F.
⊠ 28 oct./31 mars.
[E] [D] [SP] ⬛ ☎ ⛟ ⛟ ⚡ ⊯ ⛟ ⛉ CV
▥ ◆ CB

▲▲ DARDENNE ★★
2, bld Dardenne. M. Lafont
☎ 05 61 94 66 70 FAX 05 61 79 62 00
♟ 16 ◇ 200/285 F. ▤ 30 F.
⑪ 85/170 F. ⌖ 40 F. ▨ 185/250 F.
⊠ 25 oct/23 déc., 5 janv./10 fév. et
15/31 mars.
[E] [SP] ⬛ ☎ ⛟ CV ▥ ◆ CB

▲▲ DES 2 NATIONS ★
5, rue Victor Hugo. M.Me Ruiz
☎ 05 61 79 01 71 FAX 05 61 79 27 89
♟ 26 ◇ 140/230 F. ▤ 30 F.
⑪ 59/150 F. ⌖ 45 F. ▨ 195/210 F.
[E] [SP] ⬛ ☎ ⛟ ⛟ ⚡ ⊯ ⛟ ⛉ ⛉ ○ ⛉
CV ◆ CB

▲▲ PANORAMIC ★★
6, av. Carnot. M. Estrade-Berdot
☎ 05 61 79 00 67 \ 05 61 79 30 90
FAX 05 61 79 32 84
♟ 20 ◇ 220/355 F. ▤ 36 F.
⑪ 55/140 F. ⌖ 32 F. ▨ 180/330 F.
[E] [SP] ⬛ ☎ ⛟ ⚡ CV ◆ CR

... *à proximité*

SAINT MAMET (A3)
31110 Haute Garonne
645 m. • 491 hab.

1 km Sud Luchon par D 618

▲▲ LA RENCLUSE ★★
4, av. Gascogne. M. Chaleon
☎ 05 61 79 02 81 FAX 05 61 79 82 99
♟ 23 ◇ 200/300 F. ▤ 34 F.
⑪ 72/150 F. ⌖ 72 F. ▨ 240/270 F.
⊠ 6 oct./30 avr. sauf vac. hiver.
[E] [SP] ⬛ ☎ ⛟ ⛉ CV ◆ CB

MANE (A2)
31260 Haute Garonne
1054 hab. [i]

▲▲ DE FRANCE ★★
Place de l'Eglise. M. Peyriguer
☎ 05 61 90 54 55 FAX 05 61 90 05 93
♟ 12 ◇ 135/210 F. ▤ 30 F.
⑪ 60/145 F. ⌖ 40 F. ▨ 210/280 F.
⊠ ven. soir.
[E] [SP] ⬛ ☎ ⛟ ⛉ CV ▥ ◆ CB

MERVILLE (B1)
31330 Haute Garonne

>>> *voir GRENADE*

MONTGAILLARD LAURAGAIS (B2)
31290 Haute Garonne

>>> *voir VILLEFRANCHE DE LAURAGAIS*

NAILLOUX (B2)
31560 Haute Garonne
1000 hab.

▲▲ AUBERGE DU PASTEL ★★
Route de Villefranche-Lauragais.
M. Baudouy
☎ 05 61 81 46 61 FAX 05 61 27 89 63
♟ 24 ◇ 220 F. ▤ 29 F. ⑪ 78/195 F.
⌖ 40 F. ▨ 220 F.
[E] [SP] [i] ⬛ ☎ ⛟ ⊯ ⛟ ⛉ ⛉ CV ◆

NOE (B2)
31410 Haute Garonne
1975 hab.

▲ L'ARCHE DE NOE ★★
2, place de la Bascule. Mme Bender
☎ 05 61 87 40 12 FAX 05 61 87 06 67
♟ 19 ◇ 175/285 F. ▤ 32 F.
⑪ 68/145 F. ⌖ 45 F. ▨ 195/215 F.
⊠ ven. et dim. soir.
[E] [D] [SP] ⬛ ☎ ⛟ ⛟ ⛉ CV ▥ ◆

REVEL (B2)
31250 Haute Garonne
7329 hab. [i]

▲▲▲ DU MIDI ★★
34, bld Gambetta. M. Aymes
☎ 05 61 83 50 50 FAX 05 61 83 34 74
♟ 17 ◇ 220/400 F. ▤ 30 F.
⑪ 90/180 F. ⌖ 60 F. ▨ 190/230 F.
⊠ rest. 12 nov./6 déc.
[E] [SP] ⬛ ☎ ⛟ ⛟ ○ CV ▥ ◆ CB ▦ CR

RIEUMES (A2)
31370 Haute Garonne
2414 hab.

🛏 L'OVALIE
Place du Marché M. Viviès
☎ 05 61 91 90 72 📠 05 61 91 21 94
🛏 7 🛏 190/220 F. 🍽 25 F. 🍴 60/130 F.
🍴 45 F. 🅿 180 F.
[E] 🔲 ☎ 🚗 🚶 [CV] [❚❚] 🐾 [CB]

ROUFFIAC TOLOSAN (B1)
31180 Haute Garonne
750 hab.

🛏🛏 LE CLOS DU LOUP ★★
Route d'Albi, sur N.88. M. Masbou
☎ 05 61 09 28 39 📠 05 61 35 13 97
🛏 17 🛏 195/215 F. 🍽 25 F.
🍴 98/195 F. 🍴 35 F. 🅿 210/280 F.
⊠ rest. dim. soir et lun.
🔲 ☎ 🚗 🛏 🍽 🍸 [❚❚]

SAINT BERTRAND DE COMMINGES (A2)
31510 Haute Garonne
518 m. • 228 hab. 🛈

🛏🛏 DU COMMINGES ★★
Mmes Alaphilippe
☎ 05 61 88 31 43 📠 05 61 94 98 22
🛏 14 🛏 180/350 F. 🍽 35 F.
🍴 90/140 F. 🍴 50 F. 🅿 225/285 F.
⊠ 1er oct./31 mars, mar. avr. et mai.
[SP] ☎ 🚗 🍸 [❚❚] [CV] 🐾 [CB]

🛏🛏 L'OPPIDUM ★★
Rue de la Poste. Mme Salis
☎ 05 61 88 33 50 📠 05 61 95 94 04
🛏 12 🛏 200/300 F. 🍽 32 F.
🍴 85/160 F. 🍴 50 F. 🅿 250/265 F.
⊠ 15 nov./18 déc. et mer. hors vac.
scolaires
[E] [SP] 🔲 ☎ 🍽 🛏 🚶 [CV] 🐾 [CB]

SAINT FERREOL (LAC) (B2)
31250 Haute Garonne
71 hab. 🛈

🛏🛏 LA RENAISSANCE ★★
M. Franc
☎ 05 61 83 51 50 📠 05 61 83 19 90
🛏 17 🛏 150/300 F. 🍽 30 F.
🍴 70/230 F. 🍴 48 F. 🅿 220/280 F.
⊠ 1er nov./31 mars.
[E] [SP] 🔲 ☎ 🚗 🍸 [❚❚] 🚶 [CV] 🐾 [CB]

SAINT GAUDENS (A2)
31800 Haute Garonne
12000 hab. 🛈

🛏🛏 PEDUSSAUT ★★
9, av. de Boulogne. Mme Gay
☎ 05 61 89 15 70 📠 05 61 89 11 26
🛏 17 🛏 150/240 F. 🍽 30 F.
🍴 75/175 F. 🍴 45 F. 🅿 180/230 F.
⊠ dim. soir hs.
[E] [SP] 🔲 ☎ 🚗 🍸 [CV] [❚❚] 🐾

... *à proximité*

LABARTHE INARD (A2)
31800 Haute Garonne
762 hab. 🛈

7 km Est Saint Gaudens par N 117

🛏🛏 HOSTELLERIE DU PARC ★★
Sur N.117.
MeM. Castets
☎ 05 61 89 08 21 📠 05 61 95 99 14
🛏 14 🛏 180/200 F. 🍽 30 F.
🍴 60/250 F. 🍴 50 F. 🅿 200 F.
⊠ fév. et lun. sauf fériés oct./juin.
[E] [SP] 🛈 🔲 ☎ 🚗 🍽 🍸 🚶 [CV] [❚❚] 🐾
[CB] [CR]

🛏🛏 LA TUILIERE ★★
Sur N.117.
Mme Gago
☎ 05 61 89 08 51 📠 05 61 89 21 64
🛏 17 🛏 200/240 F. 🍽 28/ 30 F.
🍴 68/190 F. 🍴 45 F. 🅿 190/220 F.
[E] [SP] 🛈 🔲 ☎ 🚗 🍸 🚶 [CV] [❚❚] 🚗
[CR]

SAINT JORY (B1)
31790 Haute Garonne
3244 hab.

🛏🛏 CHEZ MAURIES
Chemin Ladoux
MM. Mauries
☎ 05 61 35 52 24 📠 05 61 35 85 71
🛏 12 🛏 185/230 F. 🍽 30 F.
🍴 65/220 F. 🍴 40 F. 🅿 205 F.
⊠ 11/24 août, sam. midi et dim. soir.
[E] [SP] 🛈 🔲 ☎ 🚶 [CV] [❚❚] 🐾 [CB]

SAINT MAMET (A3)
31110 Haute Garonne

>>> *voir LUCHON*

SALIES DU SALAT (A2)
31260 Haute Garonne
2300 hab. 🛈

🛏🛏 CENTRAL HOTEL ★★
Mme Ousset
☎ 05 61 90 50 01 📠 05 61 97 10 58
🛏 15 🛏 100/250 F. 🍽 25 F.
🍴 65/105 F. 🍴 45 F. 🅿 165/220 F.
⊠ mi-sept./mi-oct., ven. soir et sam.
midi.
[E] 🔲 ☎ 🚗 🍸 🚶 [CV] [❚❚] 🐾 [CB]

VERNET (B2)
31810 Haute Garonne
2027 hab.

🛏 HOSTELLERIE LE ROBINSON
348, av. de Toulouse.
M. Faure
☎ 05 61 08 39 39 📠 05 61 08 34 76
🛏 10 🛏 190 F. 🍽 25 F. 🍴 90/170 F.
🍴 45 F.
⊠ dim. soir et lun.
[E] [SP] 🔲 ☎ 🚗 🍸 🚶 [CV] [❚❚] 🐾 [CB]

VILLEFRANCHE DE LAURAGAIS (B2)
31290 Haute Garonne
2950 hab.

▲▲ DES VOYAGEURS ★★
127, rue de la République. M. Fernandez
☎ 05 61 27 02 27 ᴵᴬˣ 05 61 81 76 28
🛏 15 ⊠ 180 F. 🍴 30 F. ⅱ 60 /175 F.
🍴 40 F. 🛏 260 F.
⊠ ven. oct./mai.
[E] [SP] 🗄 [G] ☎ 🚗 🚙 ⅲ [CV] [⦂]

... à proximité

MONTGAILLARD LAURAGAIS (B2)
31290 Haute Garonne
528 hab.

2 Km N.O.Villefranche Lauragais par
D 25

▲▲▲ HOSTELLERIE DU CHEF JEAN ★★
Sortie A61 Villefranche Lauragais,à 2km.
M. Lanau
☎ 05 61 81 62 55 ᴵᴬˣ 05 61 27 25 44
🛏 7 ⊠ 180/400 F. 🍴 30 F. ⅱ 90/210 F.
🍴 55 F. 🛏 210/320 F.
⊠ 1er janv./1er mars.
[E] [D] [SP] 🗄 ☎ 🚗 🚙 ⤬ 🌴 ⬟ 🔲 📶
🏹 🎿 ⏲ ▶ [CV] [⦂] ⛰ [CB]

3 710 Logis de France hoteliers make up the world's
largest independent hotel chain with prices for every
pocket ! You will enjoy quality hospitality and the
wonderful variety of French regional cuisine offered
by Logis restaurants in the different provinces. Why
not take a trip now?

Gers

C.R.T. Midi-Pyrénées / D. Viet

**Association départementale
des Logis de France du Gers**
Syndicat Hôtelier
1 rue Dessoles - B.P. 114
32002 Auch Cedex
Téléphone 05 62 05 05 38

MIDI-PYRÉNÉES

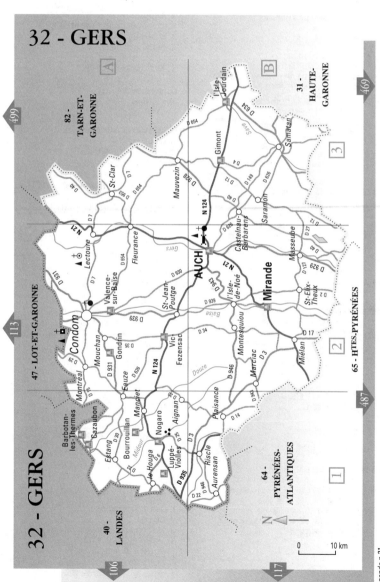

32 - GERS

32 - GERS

Légende p 21

AUCH (B2)
32000 Gers
23136 hab. [i]

▲▲▲ RELAIS DE GASCOGNE ★★
5, av. de la Marne. M. Paupine
☎ 05 62 05 26 81 [FAX] 05 62 63 30 22
[120F] 20 🛏 259/355 F. 🍽 33 F.
[||] 69/200 F. [🍴] 58 F. [🛏] 269/365 F.
⊠ 20 déc./4 janv.
[E] [SP] 🗄 [CB] ☎ 🚗 🚗 ⨝ 🛁 [CV] [⋮] ➤
[CB]

BARBOTAN LES THERMES (A1)
32150 Gers
300 hab. [i]

▲▲ AU BON ROY HENRI ★★
Av. des Thermes. M. Imart
☎ 05 62 69 52 02 [FAX] 05 62 69 58 08
[100F] [👤] 20 🛏 240/260 F. 🍽 30 F.
[||] 70/150 F. [🍴] 40 F. [🛏] 170/180 F.
⊠ 20 nov./1er mars.
[E] [SP] 🗄 ☎ 🚗 [👤] ♣ 🏃 🛁 [CV] [⋮] ➤
[CB] ◼ [CR]

BOURROUILLAN (A1)
32370 Gers
167 hab.

▲▲▲ MOULIN DU COMTE ★★
M. Briatte
☎ 05 62 09 06 72 [FAX] 05 62 09 10 49
[100F] [👤] 10 🛏 250/450 F. 🍽 30 F.
[||] 70/200 F. [🍴] 40 F. [🛏] 260/300 F.
[E] [SP] 🗄 ☎ 🚗 ♣ 🏃 [⋮] ➤ [CB]

CAZAUBON (A1)
32150 Gers
1605 hab. [i]

▲▲▲ CHATEAU BELLEVUE ★★★
19, rue Joseph Cappin.
Mme Consolaro
☎ 05 62 09 51 95 [FAX] 05 62 09 54 57
[100F] [👤] 20 🛏 300/520 F. 🍽 50 F.
[||] 100/220 F. [🍴] 80 F. [🛏] 340/420 F.
⊠ 3 janv./14 fév., dim. soir et lun. fév.
et déc.
[E] [D] [SP] [i] 🗄 ☎ 🚗 [👤] ♣ 🛁 🕗 🏃
[CV] [⋮] [CB] ◼ [CR]

GIMONT (B3)
32200 Gers
2950 hab. [i]

▲▲▲ LE COIN DU FEU ★★
Boulevard du Nord. M. Fagedet
☎ 05 62 67 71 56 [FAX] 05 62 67 88 28
[👤] 27 🛏 250/300 F. 🍽 44 F.
[||] 70/180 F. [🍴] 65 F. [🛏] 250/270 F.
[E] [SP] 🗄 ☎ 🚗 🚗 ♣ 🏊 ⛵ 🏃
🕗 🏃 [⋮] ➤ [CB]

GONDRIN (A2)
32330 Gers
1042 hab. [i]

▲▲ LE PARDAILLAN ★
Av. Jean Moulin M. Maribon-Ferret
☎ 05 62 29 12 06 [FAX] 05 62 29 11 79
[👤] 25 🛏 170 F. 🍽 25 F. [||] 57/140 F.
[🍴] 35 F. [🛏] 180 F.
[E] [i] 🗄 ☎ 🏃 [CV] [⋮] ➤ [CB]

L'ISLE JOURDAIN (B3)
32600 Gers
4365 hab.

▲▲ HOSTELLERIE DU LAC ★★
Route d'Auch.
M. Rabassa
☎ 05 62 07 03 91 [FAX] 05 62 07 04 37
[👤] 27 🛏 210/240 F. 🍽 30 F.
[||] 80/250 F. [🍴] 50 F.
⊠ 1 semaine vac. scol. fév.
[E] [SP] 🗄 ☎ 🚗 ♣ 🛁 [⋮]

LUPPE VIOLLES (A1)
32110 Gers
129 hab.

▲▲ LE RELAIS DE L'ARMAGNAC ★★
M. Chailloux
☎ 05 62 08 95 22 [FAX] 05 62 08 95 55
[80F] [👤] 11 🛏 175/225 F. 🍽 30 F.
[||] 80/200 F. [🍴] 45 F. [🛏] 202/252 F.
⊠ 21/30 déc., 5/19 fév., dim. soir et
lun.
[E] [SP] 🗄 ☎ 🚗 ♣ 🛁 [CV] ➤ [CB]

MIRANDE (B2)
32300 Gers
3700 hab. [i]

▲▲▲ DES PYRENEES ★★
5, av. d'Etigny.
M. Sainte-Marie
☎ 05 62 66 51 16 [FAX] 05 62 66 79 96
[100F] [👤] 20 🛏 220/350 F. 🍽 38/ 40 F.
[||] 90/135 F. [🍴] 55 F. [🛏] 235/315 F.
[E] 🗄 ☎ 🚗 🚗 ♣ 🏊 ⛵ 🏃 🕗 🏃 [CV]
[⋮] ➤ [CB]

▲ METROPOLE ET DE GASCOGNE ★★
31, rue Victor Hugo.
M. Guibot
☎ 05 62 66 50 25 [FAX] 05 62 66 77 63
[👤] 12 🛏 155/265 F. 🍽 25 F.
[||] 58/195 F. [🍴] 35 F. [🛏] 175/220 F.
⊠ sam. et dim. sauf résidents.
[SP] 🗄 ☎ 🚗 ♣ [CV] ➤ [CB]

NOGARO (A1)
32110 Gers
2008 hab. [i]

▲▲ LE COMMERCE ★★
2, place des Cordeliers.
M. Lagès
☎ 05 62 09 00 95 [FAX] 05 62 09 14 40
[100F] [👤] 15 🛏 220/280 F. 🍽 25 F.
[||] 60/160 F. [🍴] 40 F. [🛏] 220 F.
⊠ 20 déc./15 janv. et dim. soir oct./juin.
[E] [SP] 🗄 ☎ 🚗 🛁 [CV] [⋮] [CB]

NOGARO (A1) (suite)

▲▲ SOLENCA ★★
N. 124. Mme Lefort
☎ 05 62 09 09 08   FAX 05 62 09 09 07
120F 📋 48 ⬚ 260 F. 🛏 29 F. 🍽 65/240 F.
⌖ 38 F. 🖼 189/279 F.
🎛 D SP 📷 🔲 ☎ 🚗 ⛱ 🌴 ⟋ 📡 ✤
🔍 ♿ CV 🔟 ♠ CB 🗄 📻

VALENCE SUR BAISE (A2)
32310 Gers
1157 hab. 𝑖

▲▲▲ LA FERME DE FLARAN ★★
A Bagatelle Maignaut Tauzia. Mme Manet
☎ 05 62 28 58 22   FAX 05 62 28 56 89
📋 15 ⬚ 280 F. 🛏 38 F. 🍽 95/180 F.
⌖ 45 F. 🖼 255 F.
⊠ janv., 1 semaine oct., dim. soir et lun.
sauf juil./août.
🎛 SP 𝑖 🔲 ☎ 🚗 ⛱ 🔍 CV ♠ CB

VIC FEZENSAC (A2)
32190 Gers
3987 hab. 𝑖

▲ LE D'ARTAGNAN
Place de la Mairie. M. Blondeel
☎ 05 62 06 31 37   FAX 05 62 64 40 48
100F 📋 8 ⬚ 150/190 F. 🛏 25 F. 🍽 49/125 F.
⌖ 36 F. 🖼 220/240 F.
🎛 🚗 CV ♠ CB

3 710 Gastwirte bieten Ihnen mit den Logis de France die größte, unabhängige Hotelkette der Welt ! Erfreuen Sie sich an der Qualität unserer Unternehmen und an der Vielfältigkeit unserer Gastronomie.

36 15 LOGIS DE FRANCE

**Liste des
hôtels-restaurants**

Lot

C.R.T. Midi-Pyrénées / D. Viet

Association départementale
des Logis de France du Lot
C.C.I.
107 quai Cavaignac - B.P. 79
46002 Cahors Cedex
Téléphone 05 65 20 35 02

46 LOT
Cahors
12 AVEYRON
Rodez
82 TARN-ET-GARONNE
Montauban
Albi
32 GERS
Auch
81 TARN
Tarbes
Toulouse
31 HAUTE-GARONNE
65 HAUTES-PYRÉNÉES
09 Foix
ARIÈGE

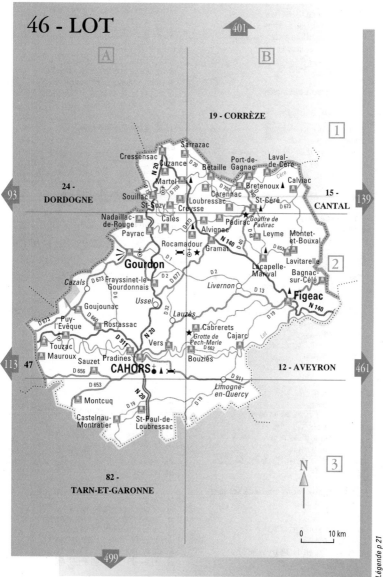

46 - LOT

A   B

401

19 - CORRÈZE

1

Sarrazac

Cressensac   Cuzance   Port-de-Gagnac   Laval-de-Céré

Bétaille

24 - DORDOGNE   Martel   Bretenoux   Calviac

Carennac   St-Céré   15 - CANTAL

Souillac   Loubressac   D 673

St-Sozy   Creysse

Nadaillac-de-Rouge   Calès   Padirac   Gouffre de Padirac

Payrac   Alvignac   Leyme   Montet-et-Bouxal

Rocamadour   Gramat   Lavitarelle

Gourdon   Lacapelle-Marival   Bagnac-sur-Célé

Cazals   Frayssinet-le-Gourdonnais   Livernon

Ussel   Figeac

Goujounac   Lauzès   N 140

Puy-l'Évêque   Rostassac   Cabrerets

Touzac   Vers   Cajarc   Lot

Mauroux   Grotte de Pech-Merle

Sauzet   Pradines   Bouziès

CAHORS   12 - AVEYRON

Montcuq   Limogne-en-Quercy

Castelnau-Montratier   St-Paul-de-Loubressac

2

113   47   461

82 - TARN-ET-GARONNE

N
3

0   10 km

499

Légende p 21

ALVIGNAC (B2)
46500 Lot
600 hab. ℹ️

☖☖ DU CHATEAU ★★
M. Darnis
☎ 05 65 33 60 14 ℻ 05 65 33 69 28
🛏 35 🔁 195/260 F. 🍽 29 F.
🍴 70/190 F. 🍴 38 F. 🍷 250/265 F.
✉ 1er nov./20 mars.
🅴 ☎ 🍴 CV ♠ CB

☖ NOUVEL HOTEL ★★
M. Battut
☎ 05 65 33 60 30 ℻ 05 65 33 68 25
🛏 13 🔁 150/200 F. 🍽 25 F.
🍴 65/160 F. 🍴 40 F. 🍷 185/215 F.
✉ 15 déc./1er mars et sam.
15 nov./Pâques.
🅴 SP ☎ 🚗 🍴 CV ♠

BAGNAC SUR CELE (B2)
46270 Lot
1735 hab.

☖ DE LA GARE ★★
Mme Brachet
☎ 05 65 34 92 47 ℻ 05 65 34 94 80
🛏 11 🔁 180/240 F. 🍽 32 F.
🍴 70/150 F. 🍴 47 F. 🍷 230/270 F.
✉ ven. soir, sam. matin et dim. soir.
🅴 ☎ 🚗 🍴 CV ♠ CB

BETAILLE (B1)
46110 Lot
800 hab.

☖ L'AUBERGE
Mme Macquet
☎ 05 65 32 41 17
🛏 5 🔁 110/180 F. 🍽 22 F. 🍴 55/120 F.
🍴 38 F. 🍷 150/185 F.
✉ sam. et dim. hs. Hôtel 3 nov./1er avr.
Rest. 20 déc./10 janv .
🅴 ♠ CB

BOUZIES (B2)
46330 Lot
70 hab.

☖☖☖ LES FALAISES ★★
M. Deschamps
☎ 05 65 31 26 83 ℻ 05 65 30 23 87
🛏 39 🔁 248/345 F. 🍽 40 F.
🍴 78/230 F. 🍴 45 F. 🍷 260/309 F.
✉ 30 nov./31 janv.
🅴 D SP ☎ 🚗 🍴 ♿
CV ♠ CB

BRETENOUX (PORT DE GAGNAC) (B1)
46130 Lot
686 hab.

☖ AUBERGE DU VIEUX PORT ★★
Mme Lasfargeas
☎ 05 65 38 50 05 ℻ 05 65 38 52 73
🛏 9 🔁 150/280 F. 🍽 30 F.

🍴 68/190 F.
🍴 50 F. 🍷 190/240 F.
✉ fév.
🅴 ☎ 🚗 ♠ CB

CABRERETS (B2)
46330 Lot
220 hab. ℹ️

☖☖ AUBERGE DE LA SAGNE ★★
Route de Pech-Merle à 1 Km.
M. Labrousse
☎ 05 65 31 26 62 ℻ 05 65 30 27 43
🛏 10 🔁 220/290 F. 🍽 31 F.
🍴 82/130 F. 🍴 65 F. 🍷 230/270 F.
✉ 1er oct./15 mai.
🅴 D ☎ 🚗 🍴 ♠ CB CR

☖☖ DES GROTTES ★★
Mme Theron
☎ 05 65 31 27 02 ℻ 05 65 31 20 15
🛏 18 🔁 172/322 F. 🍽 35 F.
🍴 89/135 F. 🍴 45 F. 🍷 215/285 F.
✉ hôtel 1er nov./29 mars. Rest.
25 oct./29 mars.
🅴 SP ☎ 🚗 🍴 CV ♠ CB

CAHORS (A2)
46000 Lot
20000 hab. ℹ️

☖☖ CHARTREUSE ★★★
Rue Saint-Georges. M. Gardillou
☎ 05 65 35 17 37 ℻ 05 65 22 30 03
🛏 51 🔁 260/345 F. 🍽 40 F.
🍴 85/240 F. 🍴 45 F. 🍷 265/305 F.
✉ janv.
🅴 SP ☎ 🚗 🍴 ♠ CB

☖ LE MELCHIOR ★★
Place de la Gare. M. Cabanes
☎ 05 65 35 03 38 ℻ 05 65 23 92 75
🛏 23 🔁 200/285 F. 🍽 30 F.
🍴 60/105 F. 🍴 40 F. 🍷 210/230 F.
✉ 15 janv./1er fév. et dim. hs.
🅴 SP ☎ CV ♠ CB

CAJARC (B2)
46160 Lot
1200 hab. ℹ️

☖ DE LA PROMENADE
Rue de la Promenade. M. Moulinier
☎ 05 65 40 61 21
🛏 4 🔁 190/215 F. 🍽 28 F. 🍴 65/155 F.
🍷 200/220 F.
✉ 18 oct./12 nov., dim. soir et lun.
🅴 CV ♠ CB

CALES (A2)
46350 Lot
150 hab.

☖☖ LE PAGES ★★
Route de Payrac. MeM. Pages
☎ 05 65 37 95 87 ℻ 05 65 37 91 57
🛏 20 🔁 170/500 F. 🍽 35 F.
🍴 85/250 F. 🍴 45 F. 🍷 230/380 F.
✉ 15/28 oct. et mar. 1er nov./Pâques.
🅴 ☎ 🚗 🍴 CV ♠ CB CR

CALES (A2) (suite)

▲▲ PETIT RELAIS ★★
Mme Xiberas
☎ 05 65 37 96 09 ▮▮▮ 05 65 37 95 93
100F ▮ 9 ◇ 175/320 F. ☲ 36 F. ▯▯ 72/198 F.
▮ 40 F. ▮ 240/320 F.
⊠ 20 déc./10 janv. et sam. midi.
Ⓔ SP 🗂 ☎ 🕇 🏊 ⅍ CV ● CB ᴄʀ

CALVIAC (B1)
46190 Lot
600 m. • 293 hab.

▲▲ LE RANFORT ★★
Lieu-dit Pont de Rhodes.
Mme Delbert
☎ 05 65 33 01 06
120F ▮ 11 ◇ 235/300 F. ☲ 30 F.
▯▯ 60/190 F. ▮ 45 F. ▮ 235 F.
⊠ 26 sept./14 oct. et mer. soir hs.
🗂 ☎ 🚗 🕇 🏊 ⅍ ♂ CV ● CB ᴄʀ

CARENNAC (B1)
46110 Lot
350 hab. ⓘ

▲▲▲ AUBERGE DU VIEUX QUERCY ★★
M. Chaumeil
☎ 05 65 10 96 59 ▮▮▮ 05 65 10 94 05
120F ▮ 22 ◇ 290/330 F. ☲ 40 F.
▯▯ 90/195 F. ▮ 50 F. ▮ 310/330 F.
⊠ 1er janv./15 mars, 15 nov./15 déc. et
lun. hs.
Ⓔ 🗂 ☎ 🚗 🚗 🕇 🏊 ⅍ ♂ CV 🕻 ●
CB ᴄʀ

▲▲ HOSTELLERIE FENELON ★★
M. Raynal
☎ 05 65 10 96 46 ▮▮▮ 05 65 10 94 86
120F ▮ 15 ◇ 280/350 F. ☲ 45 F.
▯▯ 95/340 F. ▮ 55 F. ▮ 290/350 F.
⊠ 10 janv./10 mars, ven. et sam. midi
hs.
🗂 ☎ 🚗 🏊 CV ● CB

CASTELNAU MONTRATIER (A3)
46170 Lot
2080 hab. ⓘ

▲▲ DES TROIS MOULINS ★★
M. Bassinot
☎ 05 65 21 92 95 ▮▮▮ 05 65 21 83 22
▮ 22 ◇ 220/280 F. ☲ 30 F.
▯▯ 65/220 F. ▮ 45 F. ▮ 260/290 F.
⊠ ven. soir et sam. 1er oct./15 mars.
Ⓔ Ⓓ SP 🗂 ☎ 🚗 🏊 ⅍ 🕻 ● CB

CRESSENSAC (A1)
46600 Lot
600 hab.

▲▲ CHEZ GILLES ★★
M. Treille
☎ 05 65 37 70 06 ▮▮▮ 05 65 37 77 15
120F ▮ 8 ◇ 250/300 F. ☲ 38 F.
▯▯ 100/250 F. ▮ 50 F. ▮ 270/290 F.
Ⓔ SP ⓘ ☎ 🚗 CV ●

▲▲ POQUET ★★
RN 20. M. Poquet
☎ 05 65 37 70 08 ▮▮▮ 05 65 37 78 12
▮ 22 ◇ 140/220 F. ☲ 34 F.
▯▯ 88/239 F. ▮ 46 F. ▮ 190/220 F.
⊠ dim. soir sauf juil./août.
Ⓔ SP ☎ 🚗 🕇 🕇 CB

CREYSSE (A-B1)
46600 Lot
234 hab. ⓘ

▲▲ AUBERGE DE L'ILE ★★
Mme Champion
☎ 05 65 32 22 01 ▮▮▮ 05 65 32 21 43
100F ▮ 31 ◇ 198/320 F. ☲ 40 F.
▯▯ 98/200 F. ▮ 45 F. ▮ 215/280 F.
⊠ 15 nov./27 déc. et 6 janv./28 fév.
Ⓔ SP 🚗 🚗 🕇 🏊 ⅍ ♿ ♂ CV 🕻 CB

CUZANCE (A1)
46600 Lot
400 hab. ⓘ

▲ ARNAL ★
M. Arnal
☎ 05 65 37 84 18 ▮▮▮ 05 65 37 09 25
▮ 10 ◇ 160/230 F. ☲ 30 F.
▯▯ 62/125 F. ▮ 42 F. ▮ 190/230 F.
⊠ 25 oct./10 nov., 25 déc./2 janv. et
sam. 1er oct./30 avr.
Ⓔ 🗂 ☎ 🚗 🕇 🏊 ⅍ CB

FIGEAC (B2)
46100 Lot
10500 hab. ⓘ

▲ DU FAUBOURG ★
59, rue du Faubourg du Pin.
Mme Jourdain
☎ 05 65 34 21 82 ▮▮▮ 05 65 34 24 19
▮ 22 ◇ 140/270 F. ☲ 30 F.
🗂 ☎ 🚗 🚗 CV ● CB

▲▲▲ HOSTELLERIE EUROPE
Rest. «CHEZ MARINETTE» ★★
51, allée Victor Hugo. Mme Baldy
☎ 05 65 34 10 16 ╲ 05 65 50 06 07
▮▮▮ 05 65 50 04 57
120F ▮ 30 ◇ 185/350 F. ☲ 39 F.
▯▯ 86/188 F. ▮ 55 F. ▮ 290/360 F.
⊠ 15 janv./5 fév., dim. soir et lun. midi
15 oct./20 mai.
Ⓔ SP 🗂 ☎ 🚗 🚗 🕇 🏊 ♂ CV 🕻 ●
CB 🔲 ᴄʀ

FRAYSSINET LE GOURDONNAIS (A2)
46310 Lot
240 hab.

▲▲ LE RELAIS ★★
Sur N.20 (Au Pont de Rhodes).
Mme Fresquet
☎ 05 65 31 00 16 ▮▮▮ 05 65 31 09 60
100F ▮ 22 ◇ 179/229 F. ☲ 27 F.
▯▯ 65/165 F. ▮ 38 F. ▮ 230/250 F.
⊠ 10 nov./30 mars.
Ⓔ 🗂 ☎ 🚗 🚗 🕇 🏊 🏊 ♂ CV 🕻
● CB

GOUJOUNAC (A2)
46250 Lot
174 hab.

▲▲ HOSTELLERIE DE GOUJOUNAC ★★
M. Costes
☎ 05 65 36 68 67 ▦ 05 65 36 60 54
▯ 120F ▮ 5 ▨ 195/280 F. ▤ 40 F. ▥ 70/230 F.
▥ 50 F. ▨ 240/285 F.
⊠ 11/24 fév., 18 nov./8 déc., dim. soir
et lun., lun. soir juil./août.
Ⓔ SP ▯ ☎ ▭ ⋈ CV ◣ CB

GOURDON (A2)
46300 Lot
5070 hab. ⓘ

▲▲▲ HOSTELLERIE DE LA BOURIANE ★★★
Place du Foirail. M. Lacam
☎ 05 65 41 16 37 ▦ 05 65 41 04 92
▮ 20 ▨ 280/360 F. ▤ 40 F.
▥ 85/260 F. ▥ 58 F. ▨ 320/350 F.
⊠ 15 janv./5 mars, dim. soir et lun. hs,
lun. midi en saison.
Ⓔ SP ▯ ☎ ▭ ▮ ☂ ▥ ▥ ◣ CB CR

▲ NOUVEL HOTEL ★
1, bld de la Madeleine.
M. Cabianca
☎ 05 65 41 00 23 ▦ 05 65 41 39 09
▮ 11 ▨ 200/300 F. ▤ 30 F.
▥ 65/195 F. ▥ 45 F. ▨ 250/280 F.
⊠ week-end hs.
▯ ☎ ▭ ▥ CV ◣ CB

GRAMAT (B2)
46500 Lot
3830 hab. ⓘ

▲ DE LA PROMENADE ★★
Mme Circal
☎ 05 65 38 71 46 ▦ 05 65 38 78 21
▯ 100F ▮ 12 ▨ 215/290 F. ▤ 30 F. ▥ 45 F.
▨ 200/230 F.
⊠ 1er/17 nov., 1er/13 janv., ven. soir et
dim. soir hs.
Ⓔ ▯ ☎ ▭ CV ◣ CB

▲▲ DU CENTRE ★★
Place de la République. M. Grimal
☎ 05 65 38 73 37 ▦ 05 65 38 73 66
▯ 100F ▮ 14 ▨ 230/350 F. ▤ 35 F.
▥ 78/220 F. ▥ 39 F. ▨ 280/350 F.
⊠ 13/23 nov., 13/23 fév. et sam. hors
vac. scol.
Ⓔ ▯ ▥ ☎ ▭ ▥ CV ▥ ◣ CB ▦

▲▲▲ RELAIS DES GOURMANDS ★★
2, av. de la Gare.
M. Curtet
☎ 05 65 38 83 92 ▦ 05 65 38 70 99
▮ 16 ▨ 280/450 F. ▤ 45 F.
▥ 85/225 F. ▥ 50 F. ▨ 280/360 F.
⊠ dim. soir et lun. midi.
Ⓔ ▯ ▥ ▥ ☎ ⋈ ☂ ▥ ▥ CV CB

LACAPELLE MARIVAL (B2)
46120 Lot
1350 hab. ⓘ

▲▲ LA TERRASSE ★★
Route de Latronquière. Mlle Boussac
☎ 05 65 40 80 07 ▦ 05 65 40 99 45
▮ 9 ▨ 230/330 F. ▤ 37 F. ▥ 73/225 F.
▥ 55 F. ▨ 250/275 F.
⊠ 2 janv./2 mars, dim. soir et lun. hs.
Ⓔ SP ▯ ☎ ▭ ☂ ▥ CV ▥ ◣ CB

LAVAL DE CERE (B1)
46130 Lot
461 hab.

▲ LES CHANTERELLES
Rue Emile Dautet. Mme Vigouroux
☎ 05 65 33 85 68
▯ 100F ▮ 5 ▨ 160 F. ▤ 25 F. ▥ 55/140 F.
▥ 40 F. ▨ 175 F.
⊠ mar. soir.
SP ☂ ◣ CB

LAVITARELLE (MONTET ET BOUXAL) (B2)
46210 Lot
600 m. • *217 hab.*

▲▲ GOUZOU ★
M. Pecheyran
☎ 05 65 40 28 56 ▦ 05 65 40 22 20
▯ 100F ▮ 14 ▨ 160/250 F. ▤ 30 F.
▥ 67/179 F. ▥ 45 F. ▨ 170/225 F.
Ⓔ ☎ ▭ ☂ ▥ ▥ ▥ CV ▥ ◣ CB

LEYME (B2)
46120 Lot
1600 hab.

▲ LESCURE ★★
Mme Martinez
☎ 05 65 38 90 07 ▦ 05 65 11 21 39
▯ 120F ▮ 15 ▨ 150/260 F. ▤ 30 F.
▥ 65/180 F. ▥ 40 F. ▨ 210 F.
⊠ 21/29 déc.
Ⓔ SP ☎ ▭ ☂ ▥ ▶ ▥ ◣ CB

LOUBRESSAC (B1)
46130 Lot
452 hab. ⓘ

▲▲ LOU CANTOU ★★
M. Cayrouse
☎ 05 65 38 20 58 ▦ 05 65 38 25 37
▯ 100F ▮ 12 ▨ 280/350 F. ▤ 35 F.
▥ 70/190 F. ▥ 40 F. ▨ 285/325 F.
⊠ 20 oct./18 nov., lun. 1er janv./
30 mars et 30 sept./31 déc.
Ⓔ ▯ ☎ ▭ ▥ ⋈ ☂ ▥ ▥ CV
▥ ◣ CB ▦ CR

MARTEL (A1)
46600 Lot
1530 hab. ⓘ

▲ LE TURENNE Rest. LE QUERCY ★★
Mme Campastie
☎ 05 65 37 30 30
▮ 12 ▨ 180/240 F. ▤ 30 F.
▥ 75/230 F. ▥ 50 F. ▨ 195/230 F.
⊠ 1er déc./28 fév.
▯ ☎ ☂ ▥ CV CB

MAUROUX (A2)
46700 Lot
325 hab. [i]

△△△ HOSTELLERIE LE VERT ★★
Route de Puy l'Evèque. M. Philippe
☎ 05 65 36 51 36 [FAX] 05 65 36 56 84
[🛏] 7 [🛏] 280/380 F. [🍽] 38 F.
[🍴] 100/160 F. [🛏] 50 F. [🏠] 310/360 F.
[✕] 12 nov./13 fév. Rest. jeu. et ven.
midi.
[E] [D] [🗗] [☎] [🚗] [👕] [🎣] [♿] [🐾] [CB]

MONTCUQ (A3)
46800 Lot
1082 hab. [i]

△ DU PARC ★★
(A Saint-Jean), route de Fumel.
Mme Adam
☎ 05 65 31 81 82 [FAX] 05 65 22 99 77
[100F] [🛏] 12 [🛏] 170/260 F. [🍽] 33 F.
[🍴] 89/160 F. [🛏] 45 F. [🏠] 190/232 F.
[✕] 15 oct./1er avr.
[E] [🗗] [🚗] [👕] [🐾] [CB]

NADAILLAC DE ROUGE (A2)
46350 Lot
96 hab.

△ CHEZ CHASTRUSSE
M. Chastrusse
☎ 05 65 37 60 08
[100F] [🛏] 12 [🛏] 150/220 F. [🍽] 25 F.
[🍴] 65/170 F. [🛏] 42 F. [🏠] 190/230 F.
[✕] 20 oct./20 nov., dim. soir et lun.
[E] [🚗] [👕] [🎣] [♿] [CV] [🐾] [CB]

PADIRAC (B2)
46500 Lot
180 hab. [i]

△△ L'AUBERGE DE MATHIEU ★★
M. Pinquié
☎ 05 65 33 64 68 [FAX] 05 65 33 69 29
[120F] [🛏] 7 [🛏] 190/280 F. [🍽] 35 F. [🍴] 75/180 F.
[🛏] 38 F. [🏠] 220/250 F.
[✕] 30 nov./24 fév., sam. fév./mars et
oct./nov.
[E] [SP] [🗗] [☎] [🚗] [👕] [🎣] [CV] [🐾] [CB]

△△ MONTBERTRAND ★★
M. Montbertrand
☎ 05 65 33 64 47
[🛏] 7 [🛏] 220/270 F. [🍽] 35 F. [🍴] 90/180 F.
[🛏] 68 F. [🏠] 222/248 F.
[✕] 14 oct./29 mars.
[🗗] [☎] [🚗] [👕] [🎣] [🐾] [CB]

△△ PADIRAC HOTEL ★★
(au Gouffre de Padirac)
M. Morel
☎ 05 65 33 64 23 [FAX] 05 65 33 72 03
[🛏] 23 [🛏] 115/230 F. [🍽] 36 F.
[🍴] 62/190 F. [🛏] 38 F. [🏠] 168/215 F.
[✕] 13 oct./29 mars.
[E] [🗗] [☎] [🚗] [👕] [🎣] [CV] [🐾] [CB]

PAYRAC (A2)
46350 Lot
500 hab. [i]

△△ HOSTELLERIE DE LA PAIX ★★
M. Deschamps
☎ 05 65 37 95 15 [FAX] 05 65 37 90 37
[100F] [🛏] 51 [🛏] 240/330 F. [🍽] 32 F.
[🍴] 75/160 F. [🛏] 29 F. [🏠] 245/285 F.
[✕] 2 janv./19 fév.
[E] [🗗] [☎] [🚗] [👕] [🎣] [♿] [♿] [CV] [🎱] [🐾] [CB] [CR]

PRADINES (A2)
46090 Lot
2941 hab.

△△ LE CLOS GRAND ★★
Lieu-dit Labéraudie. M. Soupa
☎ 05 65 35 04 39 [FAX] 05 65 22 56 69
[🛏] 21 [🛏] 200/300 F. [🍽] 36 F.
[🍴] 85/225 F. [🛏] 47 F. [🏠] 240/290 F.
[✕] 22 fév./4 mars, 19/28 avr., 11/28
oct., dim. soir et lun.hs. rest. lun. midi
juil./août.
[E] [SP] [🗗] [☎] [🚗] [👕] [🎣] [♿] [🐾] [CB]

PUY L'EVEQUE (A2)
46700 Lot
3000 hab. [i]

△ BELLEVUE ★★
Place de la Truffière. Mme Amouroux
☎ 05 65 21 30 70 [FAX] 05 65 21 37 76
[🛏] 16 [🛏] 277/300 F. [🍽] 39 F.
[🍴] 63/179 F. [🛏] 49 F. [🏠] 256/277 F.
[✕] 15 nov./31 mars et lun. sauf
juin/sept.
[E] [SP] [i] [🗗] [☎] [👕] [🎣] [♿] [CV] [🐾]

△△ HENRY ★★
M. Henry
☎ 05 65 21 32 24 [FAX] 05 65 30 85 18
[🛏] 19 [🛏] 140/215 F. [🍽] 25 F.
[🍴] 45/180 F. [🛏] 35 F. [🏠] 175/220 F.
[E] [🗗] [☎] [🚗] [🛏] [👕] [♿] [🎣] [♿] [CV] [🐾] [CB]

ROCAMADOUR (A-B2)
46500 Lot
708 hab. [i]

△△ AUBERGE DE LA GARENNE ★★
Sur D.247, route Lacave-Souillac.
Mme Lesgourgues
☎ 05 65 33 65 88 [FAX] 05 65 33 61 14
[100F] [🛏] 60 [🛏] 150/350 F. [🍽] 30/ 45 F.
[🍴] 65/160 F. [🛏] 45 F. [🏠] 190/340 F.
[✕] janv., fév.
[E] [🗗] [☎] [🚗] [👕] [🎣] [♿] [♿] [CV] [🎱]
[🐾] [CB]

△△ BELLEVUE ★★
(A l'Hospitalet). Mme Amare
☎ 05 65 33 62 10 [FAX] 05 65 33 65 61
[🛏] 10 [🛏] 210/260 F. [🍽] 35 F.
[🍴] 70/250 F. [🛏] 45 F.
[✕] déc./mars et mer. hors saison été sauf
vac. scol.
[E] [SP] [🗗] [☎] [🚗] [♿] [🐾] [CB]

ROCAMADOUR (A-B2) (suite)

DU LION D'OR ★★
(Cité Médiévale). M. Duclos
☎ 05 65 33 62 04 FAX 05 65 33 72 54
🛏 35 ◫ 180/270 F. 🍽 34 F.
🍴 60/250 F. 🎎 40 F. 🛌 220/260 F.
✉ 3 nov./29 mars.

LE BELVEDERE ★★
Mme Scheid
☎ 05 65 33 63 25 FAX 05 65 33 69 25
🛏 18 ◫ 240/340 F. 🍽 35 F.
🍴 65/250 F. 🎎 50 F. 🛌 245/280 F.
✉ 3 nov./27 mars.

LE COMP'HOSTEL ★★
L'Hospitalet. M.Me Mejecaze/Andral
☎ 05 65 33 73 50 FAX 05 65 33 69 60
🛏 15 ◫ 200/250 F. 🍽 33 F.
🍴 65/180 F. 🛌 228/253 F.
✉ 1er oct./28 mars.

LE PANORAMIC ★★
A l'Hospitalet (vers le Château).
M. Mejecaze
☎ 05 65 33 63 06 FAX 05 65 33 69 26
🛏 20 ◫ 240/300 F. 🍽 37 F.
🍴 71/240 F. 🎎 48 F. 🛌 248/275 F.
✉ 12 nov./15 fév.

LE TERMINUS DES PELERINS ★★
Le Terminus des Pélerins. Cité
Médiévale M.Me Aymard
☎ 05 65 33 62 14 FAX 05 65 33 72 10
🛏 12 ◫ 245/320 F. 🍽 35 F.
🍴 68/240 F. 🎎 47 F. 🛌 252/290 F.
✉ 2 nov./22 mars.

LES VIEILLES TOURS ★★★
Hameau de Lafage D673 (2,5 Km
Rocamadour). M. Zozzoli
☎ 05 65 33 68 01 FAX 05 65 33 68 59
🛏 18 ◫ 210/460 F. 🍽 41/ 61 F.
🍴 115/320 F. 🎎 56 F. 🛌 310/440 F.
✉ 12 nov./22 mars.

ROSTASSAC (A2)
46150 Lot
140 hab.

AUBERGE DU VERT ★
M. Jouclas
☎ 05 65 36 22 85 FAX 05 65 21 40 17
🛏 7 ◫ 200/240 F. 🍽 30 F. 🍴 88/180 F.
🎎 50 F. 🛌 210 F.
✉ 12/21 oct., 5/19 fév., 11/18 mars,
dim. soir et lun. sauf juil./août.

SAINT CERE (B1)
46400 Lot
5000 hab. ℹ

LE VICTOR HUGO ★★
7, av. des Maquis. M. Vern
☎ 05 65 38 16 15 FAX 05 65 38 39 91
🛏 9 ◫ 240/310 F. 🍽 30 F. 🍴 87/190 F.
🎎 40 F. 🛌 210 F.
✉ 3 premières semaines oct., 2
premières semaines mars. Rest. dim. soir
et lun. hs, lun. en saison.

SAINT PAUL DE LOUBRESSAC (A3)
46170 Lot
360 hab. ℹ

RELAIS DE LA MADELEINE ★
(A 100m. N.20) Direct. La Madeleine
83bis. M. Devianne
☎ 05 65 21 98 08
🛏 15 ◫ 140/250 F. 🍽 27 F.
🍴 70/150 F. 🎎 45 F. 🛌 165/190 F.
✉ 1 semaine Toussaint et Noël, dim. hs
et sam.

SAINT SOZY (A1)
46200 Lot
450 hab.

GRANGIER ★★
M.Me Destannes
☎ 05 65 32 20 14 FAX 05 65 32 27 97
🛏 13 ◫ 170/250 F. 🍽 31 F.
🍴 60/140 F. 🎎 40 F. 🛌 175/225 F.
✉ fév. et lun.

LA RENAISSANCE ★
M. Louradour
☎ 05 65 32 20 13
🛏 11 ◫ 155/200 F. 🍽 25 F.
🍴 62/180 F. 🎎 45 F. 🛌 195/210 F.
✉ sam. hs.

SARRAZAC (A-B1)
46600 Lot
480 hab.

LA BONNE FAMILLE ★
Mme Guerby-Aussel
☎ 05 65 37 70 38 FAX 05 65 37 74 01
🛏 14 ◫ 145/260 F. 🍽 38 F.
🍴 65/165 F. 🎎 48 F. 🛌 190/250 F.
✉ 23 déc./2 janv., ven. soir et sam. hs.

SAUZET (A2)
46140 Lot
480 hab. ℹ

AUBERGE DE LA TOUR ★★
M. Pol
☎ 05 65 36 90 05 FAX 05 65 36 92 34
🛏 8 ◫ 180/200 F. 🍽 30 F. 🍴 80/180 F.
🎎 45 F. 🛌 220/240 F.
✉ janv. et lun. oct./juin.

SOUILLAC (A1)
46200 Lot
4500 hab. 🛈

▲▲ AUBERGE DU PUITS ★★
5, place du Puits. M. Arnal
☎ 05 65 37 80 32 📠 05 65 37 07 16
🛏 20 ▧ 148/300 F. 🍽 32 F. 🚿 55 F.
🍴 205/280 F.
⊠ nov./déc., dim. soir et lun.
[E] [D] ▢ ☎ 🛏 🌴 ♿ [CV] 🐾 [CB]

▲▲ DE LA PROMENADE ★★★
12, Bld L.J. Malvy. Mme Delbreil
☎ 05 65 37 82 86 📠 05 65 32 61 57
🛏 71 ▧ 195/340 F. 🍽 35 F.
🍴 100/250 F. 🚿 38 F. 🍴 250/280 F.
[E] [SP] ▢ ☎ 🛏 🌴 🏊 ♿ 🔆 🐾 [CB]

▲▲ LA ROSERAIE ★★
42, av. de Toulouse. Mme Fournier
☎ 05 65 37 82 69 📠 05 65 32 60 48
🛏 27 ▧ 200/277 F. 🍽 32 F.
🍴 70/170 F. 🚿 50 F. 🍴 247/260 F.
⊠ 15 oct./1er avr.
[E] [SP] ▢ ☎ 🛏 🌴 🏊 🚶 ♿ [CV]
🔆 🐾 [CB]

▲▲▲ LA VIEILLE AUBERGE ★★★
M. Veril
☎ 05 65 32 79 43 📠 05 65 32 65 19
🛏 19 ▧ 280/350 F. 🍽 40 F.
🍴 100/320 F. 🚿 55 F. 🍴 315/375 F.
⊠ dim. soir et lun. 1er nov./1er avr.
[E] [D] ▢ [G] ☎ 🛏 ⛵ 🔆 🔆 🎣 🐟
🚶 ⛳ [CV] 🔆 [CB] 🛏 [CR]

▲▲▲ LE GRAND HOTEL ★★★
1, allée de Verninac. MeM. Bouyjou
☎ 05 65 32 78 30 📠 05 65 32 66 34
🛏 42 ▧ 190/480 F. 🍽 35 F.
🍴 75/240 F. 🚿 48 F. 🍴 235/380 F.
⊠ 1er janv./31 mars, 1er nov./31 déc.,
mer. avr. et oct.
[E] [SP] ▢ [G] ☎ 🛏 🍴 🎰 🚿 [CV] 🔆 🐾 [CB]

▲▲ LES AMBASSADEURS ★★ & ★★
12, av. du Général de Gaulle. M. Lelièvre
☎ 05 65 32 78 36 📠 05 65 32 72 70
🛏 25 ▧ 180/295 F. 🍽 32 F.
🍴 70/280 F. 🚿 48 F. 🍴 189/235 F.
⊠ ven. soir et sam. 15 oct./15 mars.
[E] [SP] ▢ ☎ 🛏 [CV] 🔆 🐾 [CB]

▲▲ LES GRANGES VIEILLES ★★★
Route de Sarlat. M. Cayre
☎ 05 65 37 80 92
🛏 11 ▧ 350/480 F. 🍽 40 F.
🍴 85/270 F. 🚿 50 F. 🍴 360/425 F.
⊠ 15 nov./15 mars.
[E] [SP] ▢ ☎ 🛏 🌴 🚶 ▶ 🔆 🐾 [CB]

TOUZAC (A2)
46700 Lot
500 hab.

▲▲▲ LA SOURCE BLEUE ★★★
Moulin de Leygues. M. Bouyou
☎ 05 65 36 52 01 📠 05 65 24 65 69
🛏 12 ▧ 300/450 F. 🍽 35 F.
🍴 100/240 F. 🚿 48 F. 🍴 290/390 F.
[E] [D] [SP] 🛈 ▢ ☎ 🛏 🌴 🏓 🐟 🚶
♿ [CV] 🔆 🐾 [CB]

VERS (A2)
46090 Lot
380 hab. 🛈

▲▲ LA TRUITE DOREE ★
M. Marcenac
☎ 05 65 31 46 13 ╲ 05 65 31 41 51
📠 05 65 31 47 43
🛏 19 ▧ 170/290 F. 🍽 25 F.
🍴 69/135 F. 🚿 35 F. 🍴 190/235 F.
⊠ 23 déc./15 fév., dim. soir et lun.
1er oct./30 avr.
[E] ▢ ☎ 🛏 🌴 🚶 🚿 [CV] 🐾 [CB]

Met 3 710 hotel-restaurants is Logis de France de goedkoopste en grootste onafhankelijke groep ter wereld ! Dus profiteer van de hartelijke ontvangst en de heerlijke keuken, die U overal kunt verwachten.

36 15 LOGIS DE FRANCE

**Liste des
hôtels-restaurants**

Hautes-
Pyrénées

C.R.T. Midi-Pyrénées / D. Viet

**Association départementale
des Logis de France des Hautes-Pyrénées**
Maison du Tourisme
9 rue A. Fourcade
65000 Tarbes
Téléphone 05 62 93 01 10

MIDI-PYRÉNÉES

46 LOT
Cahors
82 TARN-ET-GARONNE
32 GERS
Montauban
12 AVEYRON
Rodez
Albi
81 TARN
Tarbes
Auch
31 HAUTE-GARONNE
Toulouse
65 HAUTES-PYRÉNÉES
09 Foix
ARIÈGE

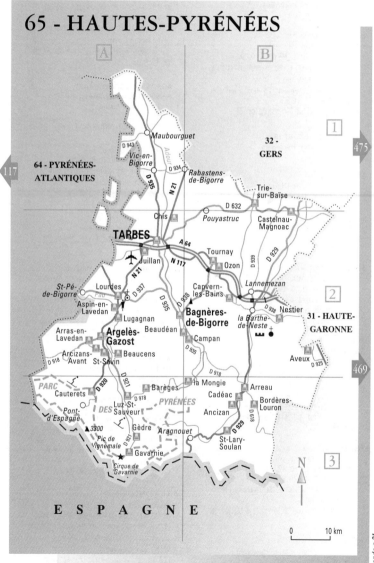

65 - HAUTES-PYRÉNÉES

A   B

64 - PYRÉNÉES-ATLANTIQUES

117

32 - GERS

475

Maubourguet
D 943
Vic-en-Bigorre
D 934
Rabastens-de-Bigorre
Trie-sur-Baïse
Atour
D 935
N 21
Chis
D 632
Pouyastruc
Castelnau-Magnoac

TARBES
A 64
Juillan
N 117
Tournay
Ozon
D 939
D 929
Lannemezan

St-Pé-de-Bigorre
Lourdes
l'Eau
D 937
N 21
Capvern-les-Bains
D 938
Nestier
D 938
2
Aspin-en-Lavedan
D 935
Bagnères-de-Bigorre
la Barthe-de-Neste
31 - HAUTE-GARONNE
Lugagnan

Arras-en-Lavedan
Argelès-Gazost
Beaudéan
Campan
Aveux
D 925
469
Arcizans-Avant
St-Savin
Beaucens
D 935
D 918

PARC
Cauterets
D 920
D 921
Barèges
la Mongie
PYRÉNÉES
Arreau
Cadéac
Bordères-Louron
DES
Luz-St-Sauveur
D 918
Ancizan
D 618
Pont-d'Espagne
D 921
3300
Gèdre
Aragnouet
D 929
St-Lary-Soulan
Pic de Vignemale
Gavarnie
Cirque de Gavarnie

N

3

0   10 km

E S P A G N E

Légende p 21

ANCIZAN (B3)
65440 Hautes Pyrénées
725 m. • 233 hab.

⌂ AU LOGIS DE L'ARBIZON ★
D. 929, route de l'Espagne.
M. Gazaud
☎ 05 62 39 90 08 FAX 05 62 39 90 08
☞ 7 🛏 175/225 F. 🍽 28 F. 🍴 62/120 F.
🛏 35 F. 🍽 180/203 F.
SP ⬜ 🚗 🐾 ⛱ 🎿 CV 🐾 CB

ARCIZANS AVANT (A2)
65400 Hautes Pyrénées
650 m. • 250 hab.

⌂⌂ LE CABALIROS ★★
M. Saint-Martin
☎ 05 62 97 04 31 FAX 05 62 97 91 48
☞ 8 🛏 250/280 F. 🍽 35 F. 🍴 87/142 F.
🛏 45 F. 🍽 230/250 F.
🗓 8/30 janv., 1er oct./15 déc., mar. soir
et mer. hs.
E SP ⬜ ☎ 🐾 ⛱ 🎿 CV CB

ARGELES GAZOST (A2)
65400 Hautes Pyrénées
4500 hab. 🅸

⌂⌂ BEAU SITE ★★
10, rue Capitaine Digoy.
Mme Taik-Colpi
☎ 05 62 97 08 63 FAX 05 62 97 06 01
☞ 16 🛏 220/230 F. 🍽 28 F.
🍴 75/80 F. 🛏 45 F. 🍽 195/205 F.
🗓 5 nov./5 déc.
E SP ⓘ ⬜ ☎ 🐾 ⛱ CB

⌂⌂ BON REPOS ★★
av. du Stade. Mlle Domec
☎ 05 62 97 01 49 FAX 05 62 97 03 97
☞ 18 🛏 170/250 F. 🍽 35 F. 🍴 80 F.
🛏 45 F. 🍽 200/235 F.
🗓 1er oct./15 mai sauf vac. scol. hiver.
E SP ⬜ ☎ 🐾 🚗 ⛱ 🎿 CV 🐾 CB

⌂⌂ DES PYRENEES ★★
M. Rode
☎ 05 62 97 07 90 FAX 05 62 97 59 56
☞ 20 🛏 190/340 F. 🍽 37 F.
🍴 80/200 F. 🛏 45 F. 🍽 200/290 F.
🗓 1er/20 déc. et lun. sauf vac.
E SP ⬜ ☎ 🐾 ⛱ 🏊 🎿 ♿ CV
🐾 CB

⌂⌂⌂ LES CIMES ★★
1, place d'Ourout. M. Bat
☎ 05 62 97 00 10 FAX 05 62 97 10 19
☞ 31 🛏 280/320 F. 🍽 36 F.
🍴 68/220 F. 🛏 47 F. 🍽 254/278 F.
🗓 3 nov./18 déc.
E SP ⬜ ☎ 🐾 🚗 ⛱ 🎿 CV 🔆
🐾 CB

⌂⌂ PRIMEROSE ★★
23, rue de l'yser. Mme Castellini
☎ 05 62 97 06 72 FAX 05 62 97 23 08

☞ 26 🛏 230/300 F. 🍽 30 F.
🍴 75/150 F. 🛏 30 F. 🍽 210/245 F.
🗓 16 oct./1er mai.
E D ⓘ ⬜ ☎ 🐾 CV 🔆 🐾 CB

... à proximité

BEAUCENS (A2)
65400 Hautes Pyrénées
309 hab.

4 km S.E. Argelès Gazost par D 100

⌂⌂⌂ THERMAL ★★
Parc Thermal. Mme Coiquil
☎ 05 62 97 04 21 FAX 05 62 97 16 60
☞ 22 🛏 200/320 F. 🍽 35 F.
🍴 90/155 F. 🛏 50 F. 🍽 260/270 F.
🗓 12 oct./12 mai.
E D SP ⬜ ☎ 🐾 ⛱ 🏊 🎿 CV 🔆
🐾 CB

ARRAS EN LAVEDAN (A2)
65400 Hautes Pyrénées
640 m. • 450 hab.

⌂ AUBERGE DE L'ARRAGNAT ★★
Mme Duchesne
☎ 05 62 97 14 23
☞ 16 🛏 215/260 F. 🍽 30 F.
🍴 78/100 F. 🛏 40 F. 🍽 220/235 F.
🗓 fin sept./début juin.
E SP ☎ 🐾 🚗 🎿 CV 🔆 🐾

ARREAU (B3)
65240 Hautes Pyrénées
700 m. • 900 hab. 🅸

⌂⌂⌂ ANGLETERRE ★★
Route de Luchon. M. Aubiban
☎ 05 62 98 63 30 FAX 05 62 98 69 66
☞ 24 🛏 235/360 F. 🍽 38 F.
🍴 68/190 F. 🛏 45 F. 🍽 230/300 F.
🗓 7 oct./20 mai, 26 déc./6 janv.,
week-ends et vac. scol. hiver, lun. hs.
E SP ⬜ ☎ 🐾 ⛱ 🎿 CV 🔆 CB

ASPIN EN LAVEDAN (A2)
65100 Hautes Pyrénées
350 hab.

⌂ DU LAVEDAN ★★
N.21 route Lourdes Argelès.
Mme Azavant-Almeida
☎ 05 62 94 15 24 FAX 05 62 97 90 98
☞ 20 🛏 200/220 F. 🍽 22 F.
🍴 57/155 F. 🛏 35 F. 🍽 170/180 F.
🗓 6 nov./5 fév.
E SP ☎ 🐾 🚗 🎿 CV 🐾 CB

⌂⌂ LE MONTAIGU ★★
Mme Bosch
☎ 05 62 94 44 65 FAX 05 62 94 75 44
☞ 33 🛏 246/308 F. 🍽 35 F.
🍴 67/147 F. 🛏 45 F. 🍽 185/204 F.
🗓 31 oct./1er avr.
E SP ☎ 🐾 🚗 ⛱ 🎿 🎿 🐾 CB

AVEUX (B2)
65370 Hautes Pyrénées
587 m. • 49 hab.

▲▲ LE MOULIN D'AVEUX ★★
Route de Mauléon Barousse
M. Vayssières
☎ 05 62 99 20 68 ᴠ 05 62 99 22 27
120F ▮ 11 ◎ 180/230 F. ▣ 25 F.
⊪ 65/225 F. ⯇ 35 F. ☒ 180/220 F.
⊠ dim. soir et lun. 1er oct./15 mai.
E SP ☎ 🚗 ⛱ ⻏ CV ⫶ CB

BAGNERES DE BIGORRE (A-B2)
65200 Hautes Pyrénées
550 m. • 8000 hab. ⓘ

▲▲ TRIANON ★★
Place des Thermes. M. Ripalda
☎ 05 62 95 09 34 ᴠ 05 62 91 12 33
120F ▮ 30 ◎ 240/290 F. ▣ 30 F.
⊪ 80/150 F. ⯇ 45 F. ☒ 230/250 F.
⊠ 1er nov./1er avr.
E D SP ☐ ☎ 🚗 ⛱ ⻏ ⏀ ⏁ ⫷
CB

BAREGES (A3)
65120 Hautes Pyrénées
1250 m. • 300 hab. ⓘ

▲▲ RICHELIEU ★★
Rue Ramond Mme Asin
☎ 05 62 92 68 11 ᴠ 05 62 92 66 00
100F ▮ 35 ◎ 240/500 F. ▣ 40 F.
⊪ 80/150 F. ⯇ 40 F. ☒ 240/315 F.
⊠ 5 oct./20 déc. et 5 avr./31 mai.
E SP ☎ ▮ ⊠ CV ⫷ CB

BEAUCENS (A2)
65400 Hautes Pyrénées
 ⟩⟩⟩ *voir ARGELES GAZOST*

BEAUDEAN (A-B2)
65710 Hautes Pyrénées
650 m. • 410 hab. ⓘ

▲▲▲ LE CATALA ★★
Rue Larrey. Mme Brau-Nogue
☎ 05 62 91 75 20 ᴠ 05 62 91 79 72
120F ▮ 24 ◎ 260/450 F. ▣ 35 F.
⊪ 75/200 F. ⯇ 45 F. ☒ 260/380 F.
⊠ semaine Noël et dim. soir hors vac.
scol.
SP ☐ ☎ 🚗 ▮ ⊠ ⛱ ⻏ ⏀ ⏁ CV ⫶
CB ⊞

BORDERES LOURON (B3)
65590 Hautes Pyrénées
840 m. • 180 hab. ⓘ

▲ DU PEYRESOURDE ★★
M. Marsalle
☎ 05 62 98 62 87 ᴠ 05 62 99 62 28
▮ 19 ◎ 130/250 F. ▣ 25 F.
⊪ 60/100 F. ⯇ 35 F. ☒ 140/210 F.
⊠ oct.
E SP ☐ ☎ 🚗 ⊠ ⛱ ⻏ CV ⫷ CB ⊞

CADEAC (B3)
65240 Hautes Pyrénées
725 m. • 170 hab.

▲▲▲ VAL D'AURE ★★
Route de Saint-Lary.
M.Me Arrias/Jouin
☎ 05 62 98 60 63 ᴠ 05 62 98 68 99
120F ▮ 23 ◎ 215/275 F. ▣ 42 F.
⊪ 65/120 F. ⯇ 42 F. ☒ 220/280 F.
⊠ 1er oct./24 déc.
E SP ☐ ☎ 🚗 ⊠ 🚗 ⛱ ⏅ ⻏ ⏀
⏁ CV ⫶ ⫷ CB

CAMPAN (B2)
65710 Hautes Pyrénées
650 m. • 1540 hab. ⓘ

▲ BEAU SEJOUR ★
Mme Garcia
☎ 05 62 91 75 30
▮ 19 ◎ 175/225 F. ▣ 26 F.
⊪ 58/155 F. ⯇ 45 F. ☒ 190/230 F.
⊠ 15 nov./15 déc.
E SP ☎ ⛱ ⻏ ⏁ ⫷ CB

CAPVERN LES BAINS (B2)
65130 Hautes Pyrénées
1000 hab. ⓘ

▲▲ AUBERGE DE LA GOUTILLE ★★
730, rue des Thermes.
Mme Labat
☎ 05 62 39 03 62 ᴠ 05 62 39 16 73
100F ▮ 8 ◎ 250/280 F. ▣ 30 F. ⊪ 85/120 F.
⯇ 40 F. ☒ 230/260 F.
⊠ 22 oct./22 avr.
☐ ☎ 🚗 ▮ ⛱ ⏀ CV ⫷

▲ BELLEVUE ★★
Quartier Le Laca.
M. Dariés
☎ 05 62 39 00 29
100F ▮ 29 ◎ 98/200 F. ▣ 25 F. ⊪ 90/150 F.
⯇ 50 F. ☒ 200/270 F.
⊠ 6 oct./2 mai.
E SP ☎ 🚗 ⛱ ⏁ CV ⫷ CB

▲ LEMOINE ★★
846, rue de Provence.
M. Lemoine
☎ 05 62 39 02 18
120F ▮ 12 ◎ 150/240 F. ▣ 30 F.
⊪ 75/95 F. ⯇ 45 F. ☒ 147/197 F.
⊠ 23 oct./22 avr.
☎ 🚗 🚗 ⊠ ⛱ ⻏ CB

CASTELNAU MAGNOAC (B1-2)
65230 Hautes Pyrénées
950 hab.

▲▲ DUPONT ★★
Mme Dupont
☎ 05 62 39 80 02
100F ▮ 32 ◎ 160/180 F. ▣ 25 F.
⊪ 60/140 F. ⯇ 45 F. ☒ 190/200 F.
E SP ☐ ☎ ⟋ ⟍ ⯈ CV ⫶ ⫷ CB

CAUTERETS (A3)
65110 Hautes Pyrénées
1000 m. • 1350 hab. ⓘ

🔺 BELLEVUE ET GEORGE V ★★
M. Volff
☎ 05 62 92 50 21 ⅎAX 05 62 92 62 54
🛏 41 ▢ 260/410 F. ▤ 30 F.
‖ 75/110 F. 🍴 45 F.
✉ 15 oct./15 déc.
Ⅰ SP 🗕 🕾 🛋 ⓣ

🔺 CENTRE POSTE ★
M. Kaeser
☎ 05 62 92 52 69 ⅎAX 05 62 92 05 73
🛏 32 ▢ 195/215 F. ▤ 30 F.
‖ 75/100 F. 🍴 35 F. 🖼 175/200 F.
✉ 26 sept./20 déc. et 6 avr./6 mai.
🛋 CV 🔌 CB

🔺🔺 ETCHE ONA ★★
20, rue de Richelieu. Mme Marquassuzaa
☎ 05 62 92 51 43 ⅎAX 05 62 92 54 99
🛏 29 ▢ 200/340 F. ▤ 35 F.
‖ 65/195 F. 🍴 45 F. 🖼 195/285 F.
✉ 1er oct./30 nov. et 20 avr./20 mai.
Ⅰ SP 🗕 🕾 🛋 🚐 🍴 CV 🔌 CB

🔺 LE PAS DE L'OURS ★
21, rue de la Raillère. M. Barret
☎ 05 62 92 58 07 ⅎAX 05 62 92 06 49
🏠 80F 🛏 11 ▢ 220/235 F. ▤ 40 F. ‖ 82 F.
🍴 50 F. 🖼 217/230 F.
✉ 15 avr./5 mai. et 1er oct./1er déc.
Ⅰ 🕾 🚐 CV 🔌 CB

🔺🔺 WELCOME ★★
3, rue Victor Hugo. MM. Eulacia
☎ 05 62 92 50 22 ⅎAX 05 62 92 02 90
🛏 26 ▢ 220/260 F. ▤ 26 F.
‖ 95/175 F. 🍴 58 F. 🖼 200/240 F.
✉ 15 oct./1er déc.
Ⅰ SP 🗔 🕾 🛋 🚐 CV 🔌 CB

CHIS (A2)
65800 Hautes Pyrénées
210 hab.

🔺🔺 DE LA FERME SAINT FERREOL ★★
Sur N.21, 20 rue des Pyrénées M. Dalat
☎ 05 62 36 22 15 ⅎAX 05 62 37 64 96
🏠 120F 🛏 20 ▢ 190/270 F. ▤ 35 F.
‖ 100/240 F. 🍴 35 F. 🖼 230/280 F.
✉ rest. sam. midi et dim. soir sauf
juil./août.
Ⅰ 🗔 🕾 🛋 🚐 🛎 🦺 ♿ ▶ ♿ CV
🔌 CB 🖵 🖼

🔺🔺 DE LA TOUR ★★
route d'Auch Mme Pujol
☎ 05 62 36 21 14 ╲ 05 62 36 22 49
ⅎAX 05 62 36 68 10
🛏 10 ▢ 220/380 F. ▤ 30 F.
‖ 55/130 F. 🍴 50 F. 🖼 230/280 F.
Ⅰ SP 🗔 🕾 🚐 🛎 🦺 🕐 CV 🔌

GAVARNIE (A3)
65120 Hautes Pyrénées
1370 m. • 169 hab.

🔺🔺🔺 LE MARBORE ★★
M. Fillastre
☎ 05 62 92 40 40 ⅎAX 05 62 92 40 30
🏠 100F 🛏 24 ▢ 255/295 F. ▤ 32 F. 🍴 45 F.
🖼 260/275 F.
✉ 15 nov./15 déc.
Ⅰ SP 🗔 🕾 🚐 🦺 🛁 ♿ 🕐 🔌 CB 🖼

GEDRE (A3)
65120 Hautes Pyrénées
1000 m. • 320 hab. ⓘ

🔺🔺 A LA BRECHE DE ROLAND ★★
M. Pujo
☎ 05 62 92 48 54 ⅎAX 05 62 92 46 05
🏠 100F 🛏 28 ▢ 280/300 F. ▤ 32 F.
‖ 100/200 F. 🍴 50 F. 🖼 240 F.
✉ 15 oct./26 déc. et 20/30 avr.
Ⅰ D SP 🗔 🕾 🚐 🕐 🦺 ▶ ♿ CV 🕐 🔌 CB

🔺🔺 DES PYRENEES ★★
Mme Guillembet
☎ 05 62 92 48 51 ⅎAX 05 62 92 49 64
🛏 17 ▢ 250/450 F. ▤ 35 F.
‖ 90/160 F. 🍴 55 F. 🖼 250/270 F.
✉ 10 nov./25 déc.
SP 🗔 🕾 🚐 🛋 🚐 🍴 CV 🔌 CB

JUILLAN (A2)
65290 Hautes Pyrénées
>>> *voir TARBES*

LOURDES (A2)
65100 Hautes Pyrénées
16300 hab. ⓘ

🔺🔺 D'ALBRET Rest. TAVERNE DE
BIGORRE ★★
Place du Champs-Commun M. Moreau
☎ 05 62 94 75 00 ⅎAX 05 62 94 78 45
🛏 27 ▢ 212/268 F. ▤ 31 F.
‖ 67/195 F. 🍴 52 F. 🖼 194/223 F.
✉ 6 janv./7 fév. et 17 nov./23 déc. Rest.
lun. hs.
Ⅰ 🗔 🕾 🛋 CV 🔌 CB 🖵 🖼

LUGAGNAN (A2)
65100 Hautes Pyrénées
190 hab.

🔺 DES TROIS VALLEES ★★
M. Souverbielle
☎ 05 62 94 73 05 ⅎAX 05 62 42 28 09
🛏 41 ▢ 185/230 F. ▤ 30 F. 🍴 45 F.
🖼 185/195 F.
✉ 31 déc./1er fév.
Ⅰ SP 🗔 🕾 🚐 🦺 🚐 🛎 🐟 🕐 🔌

LUZ SAINT SAUVEUR (A3)
65120 Hautes Pyrénées
700 m. • 1020 hab. ⓘ

🔺🔺🔺 MONTAIGU ★★★
M. Abadie
☎ 05 62 92 81 71 ⅎAX 05 62 92 94 11
🛏 35 ▢ 280/500 F. 🍴 60 F.
🖼 260/340 F.
✉ 15 oct./1er déc.
Ⅰ D SP 🗔 🕾 🚐 🛋 🍴 🕐 🍴 CV 🕐 🔌

La MONGIE (B3)
65200 Hautes Pyrénées
1800 m. • 25 hab. 🛈

▲▲ LE PIC D'ESPADE HOTEL ★★
M. Mengelatte
☎ 05 62 91 92 27 ⌷FAX⌷ 05 62 91 90 64
🛏 30 ⬓ 250/400 F. ▱ 45 F.
🍽 60/90 F. 🍴 50 F. ☷ 260/370 F.
⊠ 1er oct./1er déc. et 15 avr./30 mai.
Ⓔ Ⓓ SP 🛈 ⬚ ☎ CV ⬅ CB

NESTIER (B2)
65150 Hautes Pyrénées
180 hab.

▲▲ RELAIS DU CASTERA ★★
Place du Calvaire. M. Latour
☎ 05 62 39 77 37
🛏 7 ⬓ 200/220 F. ▱ 35 F.
🍽 100/240 F. 🍴 55 F. ☷ 240/260 F.
⊠ 3/10 juin, 9/25 janv., dim. soir et
lun., lun. seulement 15 juil./31 août.
Ⓔ SP ☎ 🔢 ⬅ CB

OZON (B2)
65190 Hautes Pyrénées
>>> *voir TOURNAY*

SAINT LARY SOULAN (B3)
65170 Hautes Pyrénées
836 m. • 921 hab. 🛈

▲▲▲ DE LA NESTE ★★
(à Vignec, à 200 m de St-Lary
Soulan,D19) M. Gregorio
☎ 05 62 39 42 79 ⌷FAX⌷ 05 62 39 58 77
100F 🛏 18 ⬓ 260/320 F. ▱ 35 F.
🍽 70/145 F. 🍴 40 F. ☷ 245/270 F.
Ⓔ SP ⬚ ☎ ⬅ 🎣 ⌂ ☂ 🎿 🚶 CV
CB ⬛ CR

SAINT SAVIN (A2)
65400 Hautes Pyrénées
325 hab.

▲▲ LE VISCOS ★★
M. Saint-Martin
☎ 05 62 97 02 28 ⌷FAX⌷ 05 62 97 04 95
120F 🛏 16 ⬓ 190/380 F. ▱ 36 F.
🍽 110/290 F. 🍴 55 F. ☷ 230/285 F.
⊠ 1/27 déc. et lun. hors vac. scol.
Ⓔ SP ⬚ ☎ ⬅ 🚶 CV ⬅ CB

▲▲ LES ROCHERS ★★
M. Duval
☎ 05 62 97 09 52 ⌷FAX⌷ 05 62 97 17 78
🛏 28 ⬓ 240/285 F. ▱ 35 F.
🍽 75/135 F. 🍴 35 F. ☷ 210/250 F.
⊠ 3 oct./31 mars.
Ⓔ Ⓓ SP 🛈 ⬚ ☎ 🎣 ⌂ 🚶 🚲 CV
🔢 ⬅ CB

TARBES (A2)
65000 Hautes Pyrénées
47566 hab. 🛈

... *à proximité*

JUILLAN (A2)
65290 Hautes Pyrénées
3483 hab.

3 km Sud Tarbes par N 21

▲▲▲ L'ARAGON ★★
2 ter, route de Lourdes. M. Cazaux
☎ 05 62 32 07 07 ⌷FAX⌷ 05 62 32 92 50
🛏 11 ⬓ 250/280 F. ▱ 35 F.
🍽 75/260 F. 🍴 50 F. ☷ 235/245 F.
⊠ dim. soir.
Ⓔ Ⓓ SP 🛈 ⬚ ☎ ⬅ ⌂ ☂ 🚶 🔢
⬅ CB

TOURNAY (B2)
65190 Hautes Pyrénées
1109 hab.

... *à proximité*

OZON (B2)
65190 Hautes Pyrénées
327 hab.

1 km Sud Tournay par N 117

▲ L'AUBERGE BASQUE ★
Sur N. 117. Mme Dauga
☎ 05 62 35 71 66 ⌷FAX⌷ 05 62 35 72 13
🛏 8 ⬓ 150/170 F. ▱ 25 F. 🍽 65/130 F.
🍴 40 F. ☷ 160/170 F.
⊠ 1ère quinzaine oct. et sam. sauf été.
Ⓔ ☎ ⌂ ☂ CV ⬅ CB

TRIE SUR BAISE (B1)
65220 Hautes Pyrénées
1200 hab. 🛈

▲▲ DE LA TOUR ★★
1, rue de la Tour. M. Cazaux
☎ 05 62 35 52 12 ⌷FAX⌷ 05 62 35 59 92
120F 🛏 10 ⬓ 220/250 F. ▱ 33 F.
🍽 69/110 F. 🍴 46 F. ☷ 210/220 F.
⊠ rest. lun. midi.
Ⓔ SP ⬚ ☎ ☂ 🚶 🚲 CV ⬅ CB

**Liste des
hôtels-restaurants**

Tarn

C.R.T. Midi-Pyrénées

Association départementale
des Logis de France du Tarn
C.D.T.
Moulin Albigeois - B.P.225
81006 Albi Cedex
Téléphone 05 63 77 32 38

MIDI-PYRÉNÉES

46 LOT
Cahors
12 AVEYRON
Rodez
82 TARN-ET-GARONNE
Montauban
81 TARN
Albi
32 GERS
Auch
Tarbes
31 HAUTE-GARONNE
Toulouse
65 HAUTES-PYRÉNÉES
09 Foix
ARIÈGE

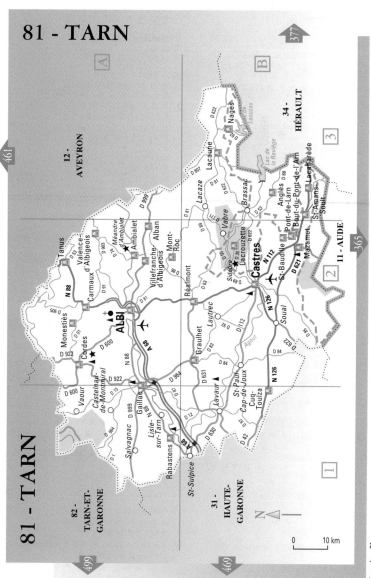

81 - TARN

81 - TARN

A — B — 3 — 2 — 1

12 - AVEYRON

34 - HÉRAULT

11 - AUDE

82 - TARN-ET-GARONNE

31 - HAUTE-GARONNE

Tanus
Valence-d'Albigeois
Méandre d'Ambialet
Ambialet
Alban
Mont-Roc
Carmaux
Villefranche-d'Albigeois
Monestiès
Cordes
ALBI
Réalmont
Lacaze
Lacaune
Nages
Vabre
Brassac
Angles
Pont-de-l'Arn
Bout-du-Pont-de-l'Arn
Lacabarède
St-Amans-Soult
Lacrouzette
Sidobre
Castres
St-Baudille
Mazamet
Lautrec
Graulhet
Vaour
Castelnau-de-Montmiral
Gaillac
Salvagnac
Lisle-sur-Tarn
Rabastens
St-Sulpice
Lavaur
St-Paul-Cap-de-Joux
Cuq-Toulza
Soual

N 88
D 600
N 88
A 68
D 922
D 999
D 964
N 126
N 112
D 621

N

0   10 km

ALBAN (A2)
81250 Tarn
610 m. • 1150 hab. [i]

⚐ AU BON ACCUEIL ★★
49, route de Millau. M. Bardy
☎ 05 63 55 81 03 [FAX] 05 63 55 82 97
[🛏] 13 ⌧ 170/250 F. ⬛ 28 F.
[🍴] 69/189 F. [🍴] 50 F. ⬛ 210 F.
⌧ rest. soirs et week-ends janv., dim.
soir et lun. soir.
[E] [SP] ☎ [CV] [🔢] [☎] [CB]

ALBI (A2)
81000 Tarn
48340 hab. [i]

⚐⚐ HOSTELLERIE DU VIGAN ★★★
16, place du Vigan. M. Brouzes
☎ 05 63 54 01 23 [FAX] 05 63 47 05 42
[🛏] 40 ⌧ 250/390 F. ⬛ 35 F.
[🍴] 92/200 F. [🍴] 50 F. ⬛ 250/270 F.
[E] [🔳] [🔳] ☎ [🚗] [♿] [CV] [🔢] [☎] [CB]

✳ LAPEROUSE ★★
21, place Laperouse. Mme Chartrou
☎ 05 63 54 69 22 [FAX] 05 63 38 03 69
[🛏] 22 ⌧ 195/300 F. ⬛ 30 F.
[E] [🔳] ☎ [🌴] ⬛ [CV] [☎] [CB]

⚐⚐ LE VIEIL ALBY ★★
25, rue Toulouse-Lautrec. M. Sicard
☎ 05 63 54 14 69 [FAX] 05 63 54 96 75
[🛏] 9 ⌧ 245/290 F. ⬛ 35 F. [🍴] 70/250 F.
[🍴] 55 F. ⬛ 280/300 F.
⌧ 13 janv./3 fév., 23 juin/6 juil., dim.
soir et lun. sept./ juin, dim. juil./août.
[E] [SP] [🔳] ☎ [🚗] [✉] [CV] [☎] [CB]

⚐ RELAIS GASCON ET AUBERGE
LANDAISE ★★
1-3, rue Balzac. Mme Garcia
☎ 05 63 54 26 51 [FAX] 05 63 49 74 89
[🛏] 17 ⌧ 180/220 F. ⬛ 35 F.
[🍴] 70/180 F. [🍴] 45 F. ⬛ 200/240 F.
⌧ rest. nov. et dim.
[E] [SP] [🔳] ☎ [✉] [♿] [♿] [CV] [🔢] [☎] [CB]

AMBIALET (A2)
81340 Tarn
450 hab. [i]

⚐⚐ DU PONT ★★
M. Saysset
☎ 05 63 55 32 07 [FAX] 05 63 55 37 21
[🛏] 20 ⌧ 300/315 F. ⬛ 40 F.
[🍴] 100/280 F. [🍴] 65 F. ⬛ 280/300 F.
⌧ 24 nov./20 déc.
[E] [🔳] [🔳] ☎ [🌴] [♿] [🚗] [♿] [🚗] [CV] [🔢] [☎]
[CB]

ANGLES (B3)
81260 Tarn
750 m. • 650 hab. [i]

⚐ LE MANOIR ★★
Route de Lacabarède. M. Senegas
☎ 05 63 70 96 06
[🛏] 14 ⌧ 230/350 F. ⬛ 35 F.

[🍴] 70/150 F. [🍴] 50 F. ⬛ 225/280 F.
⌧ rest. 16 sept./14 juin.
[E] [i] [🔳] ☎ [🚗] [🌴] [♿] [♿] [♿] [CV] [🔢] [☎] [CB]

BOUT DU PONT DE L'ARN (B2-3)
81660 Tarn
1053 hab.

⚐ AU LOGIS DE LA VALLEE DE L'ARN ★★
Mme Bonnery
☎ 05 63 61 14 54
[🛏] 17 ⌧ 140/200 F. ⬛ 30 F.
[🍴] 65/120 F. [🍴] 35 F. ⬛ 150/210 F.
⌧ rest. ven. soir.
[E] [SP] [🔳] ☎ [🚗] [🌴] [♿] [CV] [CB]

CARMAUX (A2)
81400 Tarn
13400 hab. [i]

⚐ TERMINUS
56, av. Jean jaurès. M. Bozzola
☎ 05 63 76 50 28 [FAX] 05 63 76 80 27
[🛏] 13 ⌧ 169/239 F. ⬛ 25 F.
[🍴] 67/185 F. [🍴] 35 F. ⬛ 175/235 F.
⌧ 23/31 déc., 1er/23 août et sam.
[E] [🔳] ☎ [🚗] [CV] [🔢] [☎] [CB]

CASTRES (B2)
81100 Tarn
50000 hab. [i]

⚐⚐ L'OCCITAN ★★★
201, av. Général de Gaulle. M. Rey
☎ 05 63 35 34 20 [FAX] 05 63 35 70 32
[🛏] 42 ⌧ 290/380 F. ⬛ 36 F.
[🍴] 80/185 F. [🍴] 55 F. ⬛ 290/330 F.
⌧ rest. sam. midi.
[E] [D] [SP] [🔳] [🔳] ☎ [🚗] [🚗] [✉] [🌴] [♿]
[CV] [🔢] [☎] [CB] [🔳]

CORDES (A2)
81170 Tarn
1200 hab. [i]

⚐⚐ HOSTELLERIE DU VIEUX CORDES ★★★
Rue de la République. M. Thuries
☎ 05 63 53 79 20 [FAX] 05 63 56 02 47
[🛏] 21 ⌧ 265/420 F. ⬛ 40 F. [🍴] 80 F.
[🍴] 50 F.
[E] [SP] [🔳] ☎ [🌴] [♿] [CV] [🔢] [☎] [CB]

⚐⚐ HOTELLERIE DU PARC ★★
(Les Cabannes). M. Izard
☎ 05 63 56 02 59 [FAX] 05 63 56 18 03
[🛏] 17 ⌧ 260/350 F. ⬛ 35 F.
[🍴] 90/260 F. [🍴] 65 F. ⬛ 270/330 F.
⌧ dim. soir et lun. hs.
[E] [SP] [🔳] ☎ [🚗] [🌴] [♿] [CV] [🔢] [☎] [CB]

CUQ TOULZA (B1)
81470 Tarn
515 hab.

⚐ CHEZ ALAIN ★
M. Pratviel
☎ 05 63 75 70 36
[🛏] 9 ⌧ 200/240 F. ⬛ 30 F. [🍴] 65/295 F.
[🍴] 50 F. ⬛ 195/205 F.
[E] [🔳] ☎ [🚗] [🌴] [♿] [CV] [🔢] [☎] [CB]

GAILLAC (A1-2)
81600 Tarn
10378 hab. [i]

⌂ L'OCCITAN **
41-43, av. Georges Clémenceau.
M. Bonnet
☎ 05 63 57 11 52 [FAX] 05 63 57 56 18
[🛏] 13 ◎ 100/270 F. ⊠ 28 F.
[E] [SP] ⌂ ☎ ⌂ 📺 [CV] ● [CB]

GRAULHET (B2)
81300 Tarn
15000 hab. [i]

⌂ LE GRANDGOUSIER **
6-8, place du Jourdain. M. Fernandez
☎ 05 63 34 50 32 [FAX] 05 63 34 25 57
[🛏] 18 ◎ 190/240 F. ⊠ 25 F.
100F
[📖] 55/150 F. [🍴] 45 F. [🛏] 200/250 F.
[E] [SP] ⌂ ☎ [🛏] [📺] [🔧] ● [CB]

LACABAREDE (B3)
81240 Tarn
304 hab.

⌂⌂⌂ DEMEURE DE FLORE ***
Mme Tronc
☎ 05 63 98 32 32 [FAX] 05 63 98 47 56
[🛏] 11 ◎ 420/470 F. ⊠ 55 F.
[📖] 90/120 F. [🍴] 70 F. [🛏] 385/410 F.
[E] ⌂ ☎ ⌂ ⌂ [📺] 🌴 🔧 [🔧] ● [CB]

LACAUNE (B3)
81230 Tarn
800 m. • 3500 hab. [i]

⌂ CALAS **
4, place de la Vierge. M. Calas
☎ 05 63 37 03 28 [FAX] 05 63 37 09 19
100F
[🛏] 16 ◎ 175/300 F. ⊠ 27 F.
[📖] 73/215 F. [🍴] 53 F. [🛏] 200/350 F.
⊠ 23 déc./15 janv. et ven. 16h/sam. 16h
1er nov./1er mars.
[E] ⌂ ☎ [📺] 🌴 [🔧] [CV] [🔧] ● [CB]

⌂⌂⌂ CENTRAL HOTEL FUSIES ***
2, rue de la République. M. Fusies
☎ 05 63 37 02 03 [FAX] 05 63 37 10 98
120F
[🛏] 48 ◎ 220/320 F. ⊠ 42 F.
[📖] 78/300 F. [🍴] 62 F. [🛏] 280/320 F.
⊠ 2/25 janv., ven. soir et dim. soir
15 nov./15 mars.
[E] [SP] ⌂ [📺] ☎ ⌂ ⌂ [🛏] 🌴 🔧 🔧
🔧 [CV] [🔧] ● [CB] ⌂ [CR]

LACROUZETTE (B2)
81210 Tarn
620 m. • 2000 hab. [i]

⌂⌂ LE RELAIS DU SIDOBRE **
8, route de Vabre. Mme King
☎ 05 63 50 60 06 [FAX] 05 63 50 60 06
100F
[🛏] 10 ◎ 200/220 F. ⊠ 30 F.
[📖] 78/190 F. [🍴] 40 F. [🛏] 200/220 F.
[E] [SP] ☎ 🌴 [CV] [🔧] ● [CB]

MAZAMET (B2)
81200 Tarn
20000 hab. [i]

⌂⌂⌂ LA METAIRIE NEUVE ***
(Pont de l'Arn) Mme Tournier
☎ 05 63 61 23 31 [FAX] 05 63 61 94 75
120F
[🛏] 11 ◎ 300/470 F. ⊠ 50 F.
[📖] 95/120 F. [🍴] 45 F.
⊠ 15 déc./25 janv. Rest. sam. et dim.
1er oct./31 mars.
[E] ⌂ ☎ ⌂ ⌂ ⌂ 🌴 🔧 [🔧] [🔧]

⌂ LE BOULEVARD **
24, Bld Soult.
M. Degruel
☎ 05 63 61 16 08 [FAX] 05 63 98 44 86
100F
[🛏] 14 ◎ 200/250 F. ⊠ 30 F.
[📖] 65/145 F. [🍴] 38 F. [🛏] 190/210 F.
[E] ⌂ ☎ ⌂ [CV] [🔧] ● [CB]

MONESTIES (A2)
81640 Tarn
1200 hab. [i]

⌂ L'OREE DES BOIS ★
Mme Fabres
☎ 05 63 76 11 72
100F
[🛏] 8 ◎ 180/300 F. [📖] 80/150 F. [🍴] 40 F.
[🛏] 210 F.
☎ ⌂ 🌴 [CB]

MONT ROC (A2)
81120 Tarn
200 hab. [i]

⌂⌂ LE CANTEGREL
M. Vidal
☎ 05 63 55 70 37 [FAX] 05 63 55 70 37
120F
[🛏] 7 ◎ 120/230 F. ⊠ 35 F. [📖] 85/165 F.
[🍴] 50 F. [🛏] 200/325 F.
[SP] ⌂ ⌂ 🔧 🔧 🔧 [CV] [🔧] ● [CB] [CR]

NAGES (B3)
81320 Tarn
800 m. • 300 hab.

⌂ L'ESCAPADE **
Mme Cavaillés
☎ 05 63 37 60 30
100F
[🛏] 18 ◎ 240/270 F. ⊠ 50 F.
[📖] 85/250 F. [🍴] 65 F. [🛏] 255/280 F.
⌂ ☎ ⌂ ⌂ 🌴 🔧 🔧 🔧 [CV] [🔧] ● [CB]

PONT DE LARN (B2-3)
81660 Tarn
650 m. • 2525 hab.

... *à proximité*

SAINT BAUDILLE (B2)
81660 Tarn
1700 hab.

3 km Nord Pont de Larn par D 109

⌂⌂ AUBERGE DU ROSE D'ANJOU **
Mme Dure
☎ 05 63 61 14 07 [FAX] 05 63 61 50 84
120F
[🛏] 9 ◎ 220/350 F. ⊠ 40 F. [🍴] 50 F.
[🛏] 230/300 F.
⊠ fév., mar. et mer. hs.
[E] ☎ 🌴 🔧 [CV] [🔧] ● [CB]

RABASTENS (A1)
81800 Tarn
4700 hab. ℹ️

AA DU PRE VERT ★★
54, promenade des Lices. M. Geffrier
☎ 05 63 33 70 51 📠 05 63 33 82 58
🛏 13 ◻ 198/330 F. 🍽 32 F.
🍴 69/180 F. 📶 47 F. 🍷 200/250 F.
✉ 2/31 janv., dim. soir et lun. midi.
E SP ◻ ☎ 🚗 ✈ 🕆 🚶 ♿ ⚙ ⬥ CB

REALMONT (B2)
81120 Tarn
2700 hab. ℹ️

AA NOEL ★★
1, rue de l'Hôtel de Ville.
M. Granier
☎ 05 63 55 52 80 📠 05 63 55 69 91
🛏 8 ◻ 195/300 F. 🍽 28 F.
🍴 120/260 F. 📶 65 F. 🍷 220/280 F.
✉ vac. scol. fév., dim. soir et lun. sauf
juil./août.
E ◻ ☎ 🚗 ✈ ⚙ CB

SAINT AMANS SOULT (B3)
81240 Tarn
1696 hab. ℹ️

AA HOSTELLERIE DES CEDRES ★★
84, route Nationale. M. Prat
☎ 05 63 98 36 73 📠 05 63 98 26 18
🛏 12 ◻ 155/355 F. 🍽 45 F.
🍴 87/230 F. 📶 45 F. 🍷 190/350 F.
✉ dim. soir et lun. sauf réservations.
E SP ◻ ☎ 🚗 ✈ 🕆 🚶 ♿ CV ⬥
CB

SAINT BAUDILLE (B2)
81660 Tarn

>>> *voir PONT DE LARN*

TANUS (A2)
81190 Tarn
650 hab. ℹ️

AA DES VOYAGEURS ★★★
av. Paul Bodin. M. Delpous
☎ 05 63 76 30 06 📠 05 63 76 37 94
🛏 13 ◻ 230/280 F. 🍽 40 F.
🍴 85/210 F. 📶 45 F. 🍷 240/250 F.
✉ 2/17 janv., dim. soir et lun.
SP ◻ ☎ 🚗 ✈ 🕆 CV ⚙ ⬥ CB

VALENCE D'ALBIGEOIS (A2)
81340 Tarn
1280 hab. ℹ️

A L'ESCAPADE ★
Grand'Rue. Mme Herail
☎ 05 63 56 40 57
🛏 10 ◻ 140/200 F. 🍽 27 F.
🍴 65/198 F. 📶 40 F. 🍷 135/190 F.
E SP ☎ 🚗 🕆 CV ⚙ CB

VILLEFRANCHE D'ALBIGEOIS (A2)
81430 Tarn
850 hab.

A LE BARRY ★★
47, av. de Millau. M. Mouyen
☎ 05 63 55 30 52
🛏 7 ◻ 190/220 F. 🍽 29 F. 🍴 50/210 F.
📶 45 F. 🍷 190/205 F.
✉ 16 fév./3 mars, dim. soir et lun. sauf
1er/15 août.
E SP ◻ ☎ 🚗 🚶 ♿ ⚙ ⬥ CB

Logis de France vi offre, con i suoi 3 710 alberghi-
ristoranti la rete alberghiera indipendente la più
densa del mondo, a prezzi competitivi. Approfittate
della qualità del servizio e della staordinaria varietà
delle cucine regionale.

Liste des hôtels-restaurants

Tarn-et-Garonne

C.R.T. Midi-Pyrénées / D. Viet

Association départementale
des Logis de France du Tarn-et-Garonne
C.C.I.
22 allée Mortarieu - B.P. 527
82005 Montauban Cedex
Téléphone 05 63 22 26 26

MIDI-PYRÉNÉES

46 LOT Cahors
12 AVEYRON Rodez
82 TARN-ET-GARONNE Montauban
81 TARN Albi
32 GERS Auch
Tarbes
Toulouse
31 HAUTE-GARONNE
65 HAUTES-PYRÉNÉES
09 ARIÈGE Foix

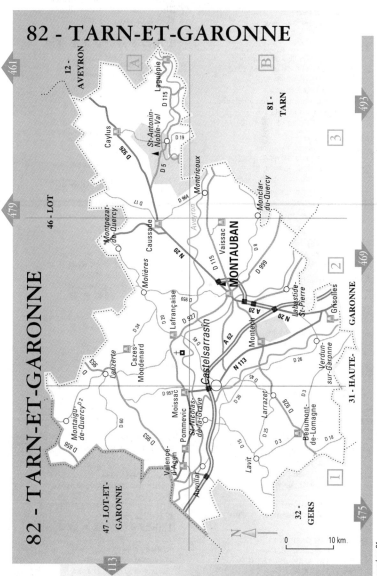

82 - TARN-ET-GARONNE

82 - TARN-ET-GARONNE

461

479

113

475

469

493

A

B

3

2

1

12 - AVEYRON

46 - LOT

47 - LOT-ET-GARONNE

32 - GERS

31 - HAUTE-GARONNE

81 - TARN

Laguépie
D 115
St-Antonin-Noble-Val
D 19
D 5
Caylus
D 926
D 17
Montpezat-de-Quercy
D 964
Montricoux
Aveyron
Moniclar-du-Quercy
Caussade
Molières
N 20
Vaissac
D 8
D 115
MONTAUBAN
D 999
Lafrançaise
D 959
D 20
D 927
Labastide-St-Pierre
Gnsolles
D 34
Cazes-Mondenard
Lauzerte
D 953
D 65
Castelsarrasin
A 62
Montech
N 20
A 20
N 20
Verdun-sur-Garonne
D 26
D 957
Moissac
N 113
D 26
D 45
D 3
Montaigu-de-Quercy
D 60
St-Nicolas-de-la-Grave
Pommevic
Larrazet
D 928
Beaumont-de-Lomagne
D 18
D 956
D 958
D 963
Valence-d'Agen
Auvillar
Lavit
D 15
D 25
D 3

N
0   10 km.

Légende p 21

BEAUMONT DE LOMAGNE (B1)
82500 Tarn et Garonne
3500 hab. 🛈

LE COMMERCE ★★
M. Hamon
☎ 05 63 02 31 02 FAX 05 63 65 26 22
🛏 12 🪟 170/250 F. 🍽 29 F.
🍴 75/195 F. 🛎 45 F. 🅿 180/220 F.
✉ 14 avr./1er mai, 15 déc./15 janv.,
dim. soir et lun. sauf juil./août.
[E] 🗄 🕿 🚗 CV 🐾 CB

CAUSSADE (A2)
82300 Tarn et Garonne
5890 hab. 🛈

DUPONT ★★
25, rue des Récollets. M. Dupont
☎ 05 63 65 05 00 FAX 05 63 65 12 62
🛏 25 🪟 215/350 F. 🍽 32 F.
🍴 92/195 F. 🅿 240/300 F.
✉ 1ère quinzaine mars, 1ère quinzaine
nov., week-ends oct./fin avr.
[E] SP 🗄 🕿 🚗 🚗 ♿ CV 🐾 CB

LARROQUE ★★
Av. de la Gare. M. Larroque
☎ 05 63 65 11 77 FAX 05 63 65 12 04
🛏 18 🪟 195/265 F. 🍽 30 F.
🍴 68/215 F. 🛎 50 F. 🅿 230/260 F.
✉ 23 déc./15 janv., sam. midi et dim.
soir Toussaint/Pâques.
[E] SP 🗄 🕿 🚗 🚗 ⛵ 🏖 🎿 ♿ CV
🕹 🐾

CAYLUS (A3)
82160 Tarn et Garonne
1500 hab. 🛈

LA RENAISSANCE ★★
av. du Père Huc. M. Marty
☎ 05 63 67 07 26 FAX 05 63 24 03 57
🛏 9 🪟 220/240 F. 🍽 30 F. 🍴 65/200 F.
🛎 40 F. 🅿 220/240 F.
✉ 24 fév./3 mars, 2/9 juin, 15/22 sept.,
25/31 oct., dim. soir et lun. sauf
juil./août.
[E] 🗄 🕿 🚗 ♿ CV 🕹 🐾 CB

CAZES MONDENARD (A2)
82110 Tarn et Garonne
1342 hab.

L'ATRE ★★
Place de l'Hôtel de Ville. M. Bonnans
☎ 05 63 95 81 61 FAX 05 63 95 87 22
🛏 10 🪟 190 F. 🍽 25 F. 🍴 57/180 F.
🛎 35 F. 🅿 190 F.
✉ lun. sauf réservation hôtel.
[E] [D] 🕿 ♿ CV 🕹 🐾 CB

GRISOLLES (B2)
82170 Tarn et Garonne
2772 hab. 🛈

RELAIS DES GARRIGUES ★★
Route de Fronton. M. Calandra
☎ 05 63 67 37 59 05 63 67 31 59
FAX 05 63 64 13 76

🛏 14 🪟 170/250 F. 🍽 30 F.
🍴 45/110 F. 🛎 45 F. 🅿 360/410 F.
✉ 23 déc./15 janv. Rest. lun.
[E] 🗄 🕿 🚗 🚗 🕿 CV 🕹 🐾 CB

LAFRANCAISE (A2)
82130 Tarn et Garonne
2630 hab. 🛈

AU FIN GOURMET ET BELVEDERE ★★
16, rue Mary Lafon.
MeM. Paoletti
☎ 05 63 65 89 55 FAX 05 63 65 80 18
🛏 7 🪟 165/240 F. 🍽 25 F. 🍴 55/170 F.
🛎 45 F. 🅿 170/195 F.
✉ vac. Toussaint et sam. hiver.
[E] 🛈 🗄 🕿 🕿 🎿 CV 🕹 🐾 CB 🗄

LAGUEPIE (A3)
82250 Tarn et Garonne
787 hab. 🛈

LES DEUX RIVIERES ★★
Av. de Puech Mignon.
M. Doucet
☎ 05 63 31 41 41 FAX 05 63 30 20 91
🛏 8 🪟 210/290 F. 🍽 30 F. 🍴 60/185 F.
🛎 45 F. 🅿 210 F.
✉ 2/11 janv., dim. soir et lun. soir
15 sept./Pâques.
[E] 🗄 🕿 🛏 ⛵ ♿ CV 🐾 CB

MOISSAC (A1)
82200 Tarn et Garonne
11971 hab. 🛈

LE CHAPON FIN ★★
3, place des Recollets. M. Gaillac
☎ 05 63 04 04 22 FAX 05 63 04 58 44
🛏 24 🪟 160/310 F. 🍽 32 F.
🍴 95/160 F. 🛎 65 F. 🅿 202/277 F.
[E] SP 🗄 🕿 🚗 CV 🕹 🐾 CB

MONTAUBAN (B2)
82000 Tarn et Garonne
55000 hab. 🛈

DU MIDI ★★
12, rue Notre-Dame.
M. Roméo
☎ 05 63 63 17 23 FAX 05 63 66 43 66
🛏 50 🪟 240/380 F. 🍽 32 F.
🍴 79/210 F. 🛎 45 F. 🅿 220/240 F.
[E] 🛈 🗄 🕿 🚗 ⛵ 🛏 CV 🕹

MONTECH (B2)
82700 Tarn et Garonne
3000 hab. 🛈

LE NOTRE-DAME ★★
7, place Jean-Jaurès. Mme Rabassa
☎ 05 63 64 77 45
🛏 11 🪟 160/250 F. 🍽 25 F. 🍴 180 F.
🛎 45 F. 🅿 220/250 F.
[E] SP 🗄 🕿 ♿ CV 🕹 🐾 CB

POMMEVIC (A1)
82400 Tarn et Garonne
>>> *voir VALENCE D'AGEN*

VAISSAC (B2)
82800 Tarn et Garonne
650 hab.

▲▲ TERRASSIER ★★
Mme Cousseran
☎ 05 63 30 94 60 ⓕⓐⓧ 05 63 30 87 40
🛏 12 ⊗ 200/240 F. ⊠ 40 F.
🍴 75/200 F. 🍽 35 F. 🛏 215 F.
⊠ 15 jours janv., 1 semaine nov., ven.
soir hs et dim. soir.
Ⓔ 🖼 ☎ 🚗 ⛱ 🔧 👟 ♿ CV ⒑⒑ 🐾 CB
📧

VALENCE D'AGEN (A1)
82400 Tarn et Garonne
4734 hab. ⓘ

... *à proximité*

POMMEVIC (A1)
82400 Tarn et Garonne
466 hab.

3 Km S.E. Valence d'Agen par N 113

▲▲ LA BONNE AUBERGE ★★
Route de Toulouse. Mme Hume
☎ 05 63 39 56 69
🛏 15 ⊗ 200/280 F. ⊠ 35 F.
🍴 70/150 F. 🍽 35 F. 🛏 220 F.
⊠ 28 juin/15 juil., 27 déc./5 janv. et
sam.
Ⓔ ⓢⓟ 🖼 ☎ 🚗 🚗 ⛱ ♿ ⒑⒑ 🐾 CB

Los 3 710 hoteleros restauradores de Logis de France
le proponen la red hotelera independiente más densa
del mundo, al mejor precio. Rápido, aproveche la
calidad de nuestro servicio y disfrute de la
maravillosa diversidad de la cocina regional.

36 15 LOGIS DE FRANCE

COMITE REGIONAL DE TOURISME
NORD - PAS DE CALAIS

Nord (59) p.510
Pas-de-Calais (62) p.514

Nord-Pas-de-Calais

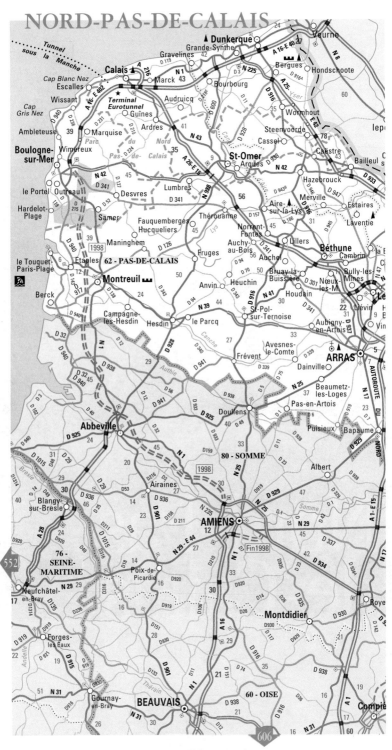

NORD-PAS-DE-CALAIS

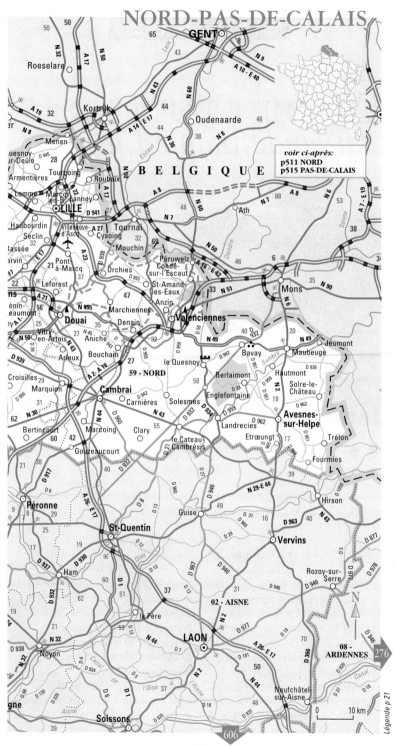

voir ci-après:
p511 NORD
p515 PAS-DE-CALAIS

B E L G I Q U E

59 - NORD

02 - AISNE

08 - ARDENNES

GENT
Roeselare
N 32
A 50
A 17
Kortrijk
Menen
Oudenaarde
Tourcoing
Roubaix
Armentières
Lomme
Marcq-en-B.
LILLE
Lannoy
Hadbourdin
Villeneuve-d'Ascq
Tournai
Seclin
Cysoing
Bassée
Mouchin
Pont-à-Marcq
Orchies
Péruwelz
Condé-sur-l'Escaut
Leforest
St-Amand-les-Eaux
Marchiennes
Anzin
Ath
Mons
Valenciennes
Douai
Denain
Aniche
Vitry-en-Artois
Bouchain
le Quesnoy
Bavay
Maubeuge
Jeumont
Arleux
Berlaimont
Hautmont
Solre-le-Château
Croisilles
Marquion
Cambrai
Carnières
Solesmes
Englefontaine
Avesnes-sur-Helpe
Bertincourt
Marcoing
Clary
Landrecies
Etrœungt
Trélon
Gouzeaucourt
le Cateau-Cambrésis
Fourmies
Péronne
Guise
Hirson
St-Quentin
Vervins
Ham
Rozoy-sur-Serre
la Fère
Noyon
LAON
Neufchâtel-sur-Aisne
Soissons

0   10 km

N

Légende p 21

Un Charme Indéfinissable
An Undefinable Charm

C.R.T. Nord-Pas-de-Calais / P. Morès

QUAND LES CATHÉDRALES GOTHIQUES, LES BEFFROIS, LES CHÂTEAUX ET LES CITADELLES CÔTOIENT LES MOULINS À VENT, LES CANAUX, ET LES ANCIENS CHAMPS DE BATAILLES...

WHERE GOTHIC CATHEDRALS, BELFRIES, CASTLES AND CITADELS VIE FOR YOUR ATTENTION WITH WINDMILLS, CANALS AND THE BATTLEFIELDS OF YESTERDAY...

Le paradis des ornithologues

Des marais de l'ouest aux champs de céréales de l'est, des chemins de randonnées sillonnent une campagne à parcourir à pied, en VTT ou en bateau, car rien ne vaut les canaux ou les "watergangs" pour observer le butor étoilé et le grèbe huppé.
A Saint-Valéry sur Somme, il existe aussi une vieille locomotive à vapeur qui va jusqu'à Cayeux et Le Crotoy, dans la baie de Somme, paradis des oiseaux. Là, ne manquez ni la Maison de l'Oiseau ni le Parc de Marquenterre où il fait si bon pique-niquer.

An Ornithologist's Paradise

From the wetlands of the west to the cornfields of the east, paths crisscross this countryside, which you can explore either on foot, on a mountain bike or in a boat. Of course, taking to the canals or "watergangs" offers the best opportunity for observing the spotted bittern and the crested grebe.
There is also an old steam locomotive which leaves from Saint-Valéry sur Somme and takes you to Cayeux and Le Crotoy in the bay of the Somme, which is itself a

Après, de Hesdin à Montreuil, au sein des sept vallées, vous pourrez, à l'ombre d'une abbaye, vous régaler d'un Perlé de groseilles.

L'histoire de France

Composée des anciens royaumes d'Artois, de Picardie, de Flandres et de Champagne, la région Nord Pas-de-Calais conserve les traces d'un vaste champ de batailles. Des Hollandais, Flamands, Espagnols, il reste maints témoignages : les cathédrales gothiques d'Amiens, de Beauvais et de Reims, des beffrois, des châteaux et des citadelles. A partir du Quesnay, suivez la route des Treize Villes Fortifiées par Vauban et Louis XIV. A Cambrai, contemplez dans l'église Saint-Géry "la mise au tombeau de Rubens", avant de vous régaler d'une andouillette au genièvre. A Douai, grimpez au beffroi, puis courez à la Chartreuse, qui abrite des trésors signés Veronèse, Pissaro et Renoir. A Lille, faites un tour à l'Hospice Contesse et au Musée des Beaux-Arts. Ne manquez pas celui d'Arras pour ses porcelaines. A Calais, saluez les "Six Bourgeois" de Rodin qui observent désormais les navettes pour l'Angleterre.

birds' paradise. When you get there, be sure to visit the "Maison de l'Oiseau" as well as the Marquenterre Park, a superb spot for a picnic. Afterwards, between Hesdin and Montreuil, in the heart of the seven valleys region, you can revel in a dish of redcurrants eaten in the shadow of one of the area's many abbeys.

The History of France

The Nord Pas-de-Calais region is made up of the former fiefdoms of Artois, Picardy, Flanders and Champagne and still displays the scars of many a battle. You will find numerous examples of Dutch, Flemish and Spanish influence, including the Gothic cathedrals of Amiens, Beauvais and Rheims, as well as sundry belfries, castles and citadels. At Quesnay, take the road through the Thirteen Fortified Towns of Vauban and Louis XIV. In Cambrai you should visit the Saint-Géry church to see the painting "The Burial of Rubens," before relishing in a chitterling sausage with juniper. Climb up the belfry at Douai before hurrying along to the Chartreuse, home to treasures by Veronese, Pissaro and Renoir. In Lille, take a look at the Hospice Contesse and visit the Beaux Arts Museum. Do not miss the Arras Museum either for its collection of porcelain. When in Calais, pay hommage to Rodin's "Six Bourgeois" who now oversee the ferries to England. After a visit to the "Mémorial de Vimy," follow the road of remembrance from La Targuette cemetery to the Abbey of Mont Saint-Eloi, then on to the hill of Lorette

EIN UNDEFINIERBARER CHARME...

Hier finden sich sowohl gotische Kathedralen, Türme, Schlösser und Zitadellen als auch Windmühlen, Kanäle, und die ehemaligen Schlachtfelder... Eine Versuchung für die Liebhaber der Geschichte und die Freunde der Natur, die von dem Park von Marquenterre, dem Vogelparadies, angezogen werden.

EEN ONDEFINIEERBARE CHARME

Hier staan gothische kathedralen, belforten, kastelen en citadellen naast windmolens, kanalen, oude slagvelden ... Genoeg om geschiedenisliefhebbers en de liefhebbers van de natuur, aangetrokken door het park van Marquenterre, een vogelparadijs, te verleiden.

Après le Mémorial de Vimy, suivez le circuit du souvenir, du cimetière de La Targette à l'Abbaye du mont Saint-Eloi, poussez jusqu'à la colline de Lorette et visitez, à Soulez, le symbolique Centre européen de la Paix. Allez voir à Ambleteuse le musée de la Seconde Guerre mondiale, et à Audinghen celui du Mur de l'Atlantique. En veine de retour sur le passé, n'oubliez pas la mine, d'autant que les corons se visitent, de préférence, avec pour guides d'anciens mineurs : c'est le cas, non loin de Douai, au centre historique de la mine de Lewarde.

La vie aujourd'hui

A Nausicaa, vous serez tour à tour homme et poisson, spectateur et acteur au Centre de la mer. Sur les plages ou dans les dunes sauvages, des Flandres à la Côte d'Opale, vous pratiquerez : golf, char à voile, pêche, enduro, équitation. A Bailleul, vous irez déguster une carbonade, choisir une dentelle, profiter des chahuts du Carnaval. A Dunkerque, n'hésitez pas à vous mêler à tous ceux qui fêtent, pendant un mois, le départ des pêcheurs vers l'Islande. A Cassel, les géants Reuze papa et Reuze maman vous donneront rendez-vous pour une partie de billon ou de bourle, pendant que les moulins à vent brassent de l'air sur les collines. Vous en profiterez pour déguster les spécialités du terroir, sachant que le choix est grand, entre maquereaux et harengs fumés, populaires "moules-frites" et waterzoï…

and visit the symbolic European Centre for Peace at Soulez. From there, you can also take in the Museum of the Second World War at Ambleteuse, followed by the Museum of the Atlantic Wall at Audinghen. If you are in the mood for a trip down memory lane, do not forget the mines and the miner's cottages, especially if you can have a former miner as your tour guide. This is possible at the historical mining centre of Lewarde near Douai.

Life Today

At the Marine Centre of Nausicaa, you will alternate between the roles of man and fish, spectator and actor. On the dunes between Flanders and the Opale Coast you can play golf, windkart, go fishing, motorbiking and horseriding. In Bailleul you'll enjoy a charcoal grill, pick out some lace and join in the rumpus of the Carnaval. When in Dunkerque don't hesitate to take part in the festive sending-off of the fishermen to Iceland, a celebration that lasts a month. In Cassel the giants daddy Reuze and mummy Reuze will challenge you to a round of "billon" or "bourle" while the windmills spin in the air on the hills. You should make the most of the regional specialities, knowing that the choice is wide: smoked mackerel and herring, the popular "mussels and chips" and "Waterzoï"…

UN ENCANTO INDESCRIPTIBLE…

Aquí las catedrales góticas, los campanarios, los castillos y las ciudadelas se codean con los molinos de viento, los canales y los antiguos campos de batalla… Todo lo necesario para tentar a los apasionados de la historia y a los enamorados de la naturaleza, atraídos por el parque de Marquenterre, el paraíso de los pájaros.

UNO CHARME INDESCRIVIBILE…

Qui le cattedrali gotiche, i campanili, i castelli e le cittadelle confinano con i mulini a vento, i canali e gli antichi campi di battaglia. E' una vera tentazione per gli appassionati di storia e per gli amanti della natura attirati dal parco di Marquenterre, paradiso degli uccelli.

Waterzooi

Ingrédients

Pour 4 personnes

- 1 poulet ou 1 poularde de 1 kg
- 2 poireaux, 2 carottes
- 1 oignon
- 2 branches de céleri
- 6 grains de poivre
- 1 gousse d'ail
- 3 pommes de terre
- 90 g de beurre
- 100 g de farine
- 1,5 l d'eau
- 1 bouquet garni

Recette

- Mettre la poularde dans l'eau, faire cuire et écumer.
- Ajouter une carotte, le vert des poireaux, l'oignon, le bouquet, le poivre, le sel et faire cuire à feu doux.
- Préparer une julienne avec le reste des légumes, les étuver.
- Faire un roux blanc avec le reste de beurre et la farine. Mouiller avec le bouillon de la poularde et faire cuire à feu doux.
- Oter la peau de la poularde, la découper, la placer dans une soupière, ajouter la julienne de légumes et les pommes de terre cuites séparément et coupées en quartiers, arroser avec le bouillon.

**Liste des
hôtels-restaurants**

Nord

C.R.T. Nord-Pas de Calais - P. Morès

Association départementale
des Logis de France du Nord
C.D.T.
15-17 rue du Nouveau Siècle - B.P.135
59027 Lille Cedex
Téléphone 03 20 57 00 61

NORD-PAS-DE-CALAIS

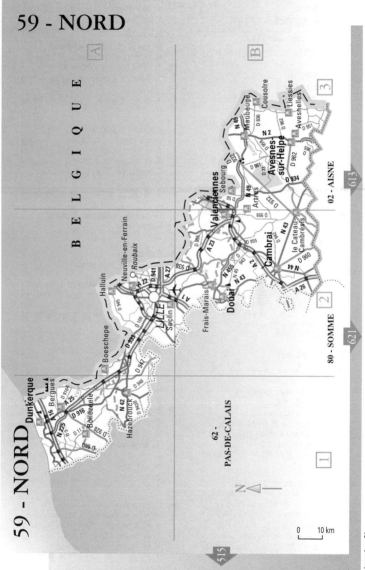

59 - NORD

Légende p 21

ARTRES (B2-3)
59269 Nord
1087 hab.

▲▲▲ LA GENTILHOMMIERE ★★★
2, rue de l'Eglise. M. Bara
☎ 03 27 27 11 50 FAX 03 27 28 18 80
🛏 10 ⌧ 365/395 F. 🍽 45 F.
🍴 95/275 F. 🛏 65 F. 🛌 325/610 F.
⌧ dim. soir et lun.
E SP 🗇 ☎ 🖨 🖨 🛏 ⊤ 🕯 🕭 CV ▥
🔺 CB

AVESNELLES (B3)
59440 Nord
>>> *voir AVESNES SUR HELPE*

AVESNES SUR HELPE (B3)
59440 Nord
5108 hab.

... *à proximité*

AVESNELLES (B3)
59440 Nord
2639 hab.

1 km Est Avesnes sur Helpe par D 951

▲▲ LES PATURELLES Rest. LA PEN'TIERE ★★
21, route de Paris. M. Hubière
☎ 03 27 61 22 22 ╲03 27 61 03 45
FAX 03 27 57 97 98
🛏 16 ⌧ 270/330 F. 🍽 30 F.
🍴 70/180 F. 🛏 66 F. 🛌 240 F.
⌧ rest. sam. midi.
E D 🗇 ☎ 🖨 🖨 ⊤ 🕭 CV ▥ 🔺 CB

BERGUES (A1)
59380 Nord
4743 hab. ℹ

▲▲ AU TONNELIER ★★
4, rue du Mont de Piété. Mme Declercq
☎ 03 28 68 70 05 FAX 03 28 68 21 87
🛏 11 ⌧ 190/345 F. 🍽 33 F.
🍴 95/160 F. 🛏 70 F. 🛌 245/300 F.
⌧ 13 août/3 sept. Rest. ven.
E 🗇 ☎ 🖨 CV CB

BOESCHEPE (A2)
59299 Nord
2000 hab.

▲▲ AUBERGE AU VERT MONT ★★
Route du Mont Noir.
M.Me Ladeyn/Dubrulle
☎ 03 28 49 41 26 FAX 03 28 49 48 58
🛏 8 ⌧ 240/260 F. 🍽 25 F. 🍴 85/160 F.
🛏 48 F. 🛌 270/300 F.
E 🗇 ☎ 🖨 🖩 🛏 ⊤ 🕭 🕭 CV ▥
🔺 CR

▲▲ AUBERGE DU MONT NOIR ★★
1129, route de Meteren. Mme Wuilmart
☎ 03 28 42 51 33 FAX 03 28 49 47 21
🛏 4 ⌧ 200/300 F. 🍽 30 F. 🍴 75/165 F.
🛏 38 F. 🛌 210/240 F.
⌧ 15 jours nov., 15 jours fév. et lun.
E 🗇 ☎ 🖨 ⊤ 🕭 ⊙ ▶ CV ▥ 🔺 CB
🔺 CR

BOLLEZEELE (A1)
59470 Nord
1500 hab.

▲▲▲ HOSTELLERIE SAINT LOUIS ★★★
47, rue de l'Eglise. M. Dubreucq
☎ 03 28 68 81 83 FAX 03 28 68 01 17
🛏 28 ⌧ 320/450 F. 🍽 35 F.
🍴 140/315 F. 🛌 330/395 F.
⌧ 2/15 janv., 17/24 fév., dim. soir et
lun.
E 🗇 ☎ 🖨 🛏 ⊤ ✧ 🕭 🔺 CB

CAMBRAI (B2)
59400 Nord
33000 hab. ℹ

▲▲ LA CHOPE ★★
17, rue des Docks. M. Roussel
☎ 03 27 81 36 78 FAX 03 27 83 97 60
🛏 17 ⌧ 130/245 F. 🍽 34 F.
🍴 80/150 F. 🛏 50 F. 🛌 190/230 F.
⌧ rest. dim.
E D 🗇 ☎ 🖨 🛏 ⊤ 🕭 CV 🔺 CB ▥
CR

▲▲ MOUTON BLANC ★★★
Centre ville-gare. M. Lesnes
☎ 03 27 81 30 16 FAX 03 27 81 83 54
🛏 32 ⌧ 260/350 F. 🍽 35 F.
🍴 100/215 F. 🛏 80 F. 🛌 230/250 F.
⌧ rest. dim. soir et lun.
E D SP 🗇 ☎ 🖨 🛏 CV ▥ 🔺 CB CR

Le CATEAU CAMBRESIS (B2-3)
59360 Nord
8315 hab. ℹ

▲▲ FLORIDA ★★
54, rue Théophile Boyer.
M. Viret
☎ 03 27 84 01 07 FAX 03 27 84 26 79
🛏 9 ⌧ 190/220 F. 🍽 28 F. 🍴 85/150 F.
🛏 60 F.
E SP 🗇 🖨 ⊤ ✧ 🕭 CV ▥ 🔺 CB

COUSOLRE (B3)
59149 Nord
2633 hab. ℹ

▲ LE VIENNOIS ★★
M. Welonek
☎ 03 27 63 21 73 FAX 03 27 68 52 13
🛏 8 ⌧ 220/240 F. 🍽 35 F. 🍴 95/250 F.
🛏 50 F. 🛌 290/350 F.
⌧ 16 août/2 sept. et mar.
E ☎ 🖨 ⊤ CV ▥ 🔺 CB

DOUAI (B2)
59500 Nord
42000 hab. ℹ

▲▲▲ LA TERRASSE ★★★★
36, terrasse Saint-Pierre. M. Hanique
☎ 03 27 88 70 04 FAX 03 27 88 36 05
🛏 24 ⌧ 295/600 F. 🍽 45 F.
🍴 135/395 F. 🛏 80 F. 🛌 450 F.
E 🗇 🖸 ☎ 🖨 🖩 🛏 ⊤ ▥ 🔺 CB

DOUAI (FRAIS MARAIS) (B2)
59500 Nord
42000 hab.

▲▲ LE CHAMBORD ★★
3509, route de Tournai. M. Creteur
☎ 03 27 97 72 77 ⅎ 03 27 99 35 14
🛏 12 ⌧ 240 F. ▣ 35 F. ⑾ 92/190 F.
⊞ 50 F. ▣ 295 F.
⊠ dim. soir et lun.
Ⓔ ⌂ ☎ 🚗 CV ⑃ ◄ CB

DUNKERQUE (A1)
59240 Nord
70331 hab. ⓘ

▲▲ L'HIRONDELLE ★★
48, av. Faidherbe, (Malo les Bains).
M. Staelen
☎ 03 28 63 17 65 ⅎ 03 28 66 15 43
🛏 42 ⌧ 310 F. ▣ 30 F. ⑾ 60/150 F.
100F
⊞ 50 F. ▣ 245 F.
⊠ rest. 18 août/8 sept., dim. soir et lun.
midi.
Ⓔ Ⓓ ⌂ 🖸 ☎ 🚗 ♨ ⌘ ⅋ CV ⑃ ◄
CB

HALLUIN (A2)
59250 Nord
16448 hab. ⓘ

▲ SAINT-SEBASTIEN ★★
15-17, place de l'Abbé Bonpain.
Mme Lievens-Lootens
☎ 03 20 94 21 68 ⅎ 03 20 03 25 05
🛏 10 ⌧ 245/249 F. ▣ 25 F.
100F
⑾ 63/190 F. ⊞ 60 F.
⊠ rest. ven. soir, sam. midi et dim. soir.
Ⓔ Ⓓ ⓘ ⌂ ☎ ⌘ ♨ ⅋ CV ⑃ ◄ CB
⌦

HAZEBROUCK (A1)
59190 Nord
20494 hab.

▲▲▲ AUBERGE DE LA FORET ★★
La Motte au Bois. M. Becu
☎ 03 28 48 08 78 ⅎ 03 28 40 77 76
🛏 12 ⌧ 200/320 F. ▣ 35 F.
⑾ 135/265 F. ⊞ 65 F. ▣ 230/415 F.
⊠ 26 déc./15 janv., 18/25 août, dim.
soir et lun.
Ⓔ Ⓓ ⌂ ☎ 🚗 ⌘ CV ⑃ ◄ CB

LIESSIES (B3)
59740 Nord
515 hab. ⓘ

▲▲ DU CHATEAU DE LA MOTTE ★★
Mme Plateau
☎ 03 27 61 81 94 ⅎ 03 27 61 83 57
🛏 12 ⌧ 160/380 F. ▣ 37 F.
⑾ 105/190 F. ⊞ 60 F. ▣ 230/435 F.
⊠ dim. soir, lun. soir et mar. soir hs,
dim. soir saison.
Ⓔ ⌂ ☎ 🚗 ⌘ ♨ CV ⑃ ◄ CB ⌦

MAUBEUGE (B3)
59600 Nord
35470 hab. ⓘ

▲▲ LE GRAND HOTEL ★★
1, Porte de Paris.
M. Marszolik
☎ 03 27 64 63 16 ⅎ 03 27 65 05 76
120F
🛏 27 ⌧ 195/340 F. ▣ 34 F.
⑾ 99/350 F. ⊞ 70 F. ▣ 190/270 F.
Ⓔ Ⓓ ⌂ ☎ 🚗 ♨ ⅋ CV ⑃ ◄ CB

NEUVILLE EN FERRAIN (A2)
59960 Nord
9895 hab. ⓘ

▲▲ DES ACACIAS AUBERGE DU MONT
FLEURI ★★★
39, rue du Dronckaert.
M. De Weerdt
☎ 03 20 37 89 27 ⅎ 03 20 46 38 59
80F
⑾ 80/210 F. ⊞ 50 F. ▣ 230/255 F.
⊠ rest. ven. soir, sam. midi et dim. soir.
Ⓔ Ⓓ SP ⓘ ⌂ 🖸 ☎ 🚗 ♨ ⌘
⅋ ⅋ CV ⑃ ◄ CB ⌸ ⌦

SEBOURG (B3)
59990 Nord
1590 hab. ⓘ

▲▲ AU JARDIN FLEURI ★★
21-23, rue du Moulin.
Mme Delmotte
☎ 03 27 26 53 31＼03 27 26 53 44
ⅎ 03 27 26 50 08
🛏 10 ⌧ 230/270 F. ▣ 30 F.
⑾ 115/245 F. ▣ 350 F.
⊠ rest. mer. et dim. soir.
⌂ ☎ 🚗 🚗 ⑃

SECLIN (A2)
59113 Nord
13000 hab. ⓘ

▲▲▲ AUBERGE DU FORGERON ★★★
17, rue Roger Bouvry.
M. Belot
☎ 03 20 90 09 52 ⅎ 03 20 32 70 87
120F
🛏 18 ⌧ 320/400 F. ▣ 40 F.
⑾ 120/280 F. ⊞ 65 F. ▣ 320/380 F.
⊠ 1er/21 août et dim. sauf réservations.
Ⓔ Ⓓ SP ⌂ ☎ 🚗 ⅋ CV ⑃ ◄ CB

VALENCIENNES (B2-3)
59300 Nord
40880 hab. ⓘ

▲▲▲ LE GRAND HOTEL DE
VALENCIENNES ★★★
8, place de la Gare. M. Zielinger
☎ 03 27 46 32 01 ⅎ 03 27 29 65 57
100F
🛏 98 ⌧ 340/650 F. ▣ 55 F.
⑾ 100/210 F. ⊞ 65 F. ▣ 428 F.
Ⓔ Ⓓ SP ⌂ ☎ ♨ ⌘ ⅋ CV ⑃ ◄
CB ⌦

Liste des
hôtels-restaurants

Pas-de-Calais

C.R.T. Nord-Pas de Calais - P. Morès

Association départementale
des Logis de France du Pas-de-Calais
C.D.T.
24 rue Desille
62200 Boulogne/Mer Cedex
Téléphone 03 21 83 32 59

NORD-PAS-DE-CALAIS

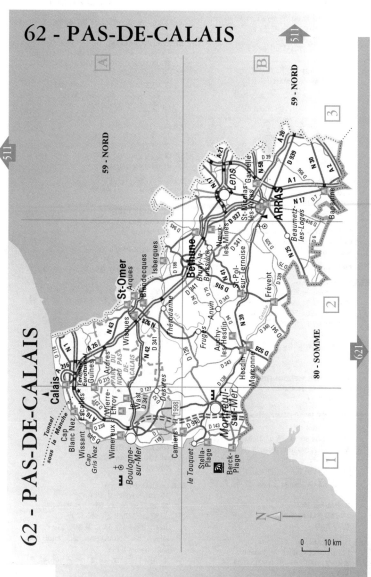

62 - PAS-DE-CALAIS

Légende p 21

515

ARDRES (A2)
62610 Pas de Calais
3936 hab. ℹ️

▲▲▲ CLEMENT ★★★
91, Esplanade Leclerc. M. Rivelon
☎ 03 21 82 25 25 📠 03 21 82 98 92
🛏 16 ⊙ 240/340 F. ▤ 35 F.
🍽 98/235 F. ♨ 70 F. ▨ 240/290 F.
⊠ 6 janv./3 fév. et lun.
[E] 🗔 ☎ 🖨 � 🕴 🛁 👬 CV 🎱 🌊 CB

▲▲ LE RELAIS ★★
66, bld Senlecq. M. Rivelon
☎ 03 21 35 42 00 📠 03 21 85 39 36
🛏 11 ⊙ 210/260 F. ▤ 25 F.
🍽 68/180 F. ♨ 50 F.
🗔 ☎ 🖨 � 🕴 CV 🌊 CB

ARQUES (A2)
62510 Pas de Calais
9245 hab.

▲▲ LA GRANDE SAINTE CATHERINE ★★
51, rue Adrien d'Anvers. M. Hemery
☎ 03 21 38 03 73 📠 03 21 38 17 39
🛏 11 ⊙ 220/270 F. ▤ 28 F.
🍽 75/205 F. ♨ 60 F. ▨ 210/240 F.
[E] 🗔 ☎ 🖨 🖂 🕴 🛁 👬 CV 🎱 🌊 CB

ARRAS (B3)
62000 Pas de Calais
50000 hab. ℹ️

... *à proximité*

SAINT NICOLAS LES ARRAS (B3)
62223 Pas de Calais
6225 hab.

Limitrophe N.E. Arras

▲▲▲ LE REGENT ★★★
5, rue Anatole France. Mme Hanique
☎ 03 21 71 51 09 📠 03 21 07 87 56
🚗 120F 🛏 11 ⊙ 250/350 F. ▤ 40 F.
🍽 110/295 F. ♨ 80 F. ▨ 340/390 F.
⊠ dim. soir.
[E] SP 🗔 ☎ 🖨 🖂 🕴 🛁 CV 🎱 🌊
CB

AUCHY LES HESDIN (B2)
62770 Pas de Calais
1700 hab. ℹ️

▲▲ AUBERGE LE MONASTERE ★★
M. Marecaux
☎ 03 21 04 83 54 📠 03 21 41 39 17
🚗 100F 🛏 10 ⊙ 220/320 F. ▤ 40 F. 🍽 100 F.
♨ 45 F.
⊠ 30 oct./20 nov. Rest. lun.
[E] [D] 🗔 ☎ 🖨 🕴 🛁 👬 🎱 🌊 CB

BAPAUME (B3)
62450 Pas de Calais
4085 hab.

▲▲▲ DE LA PAIX ★★
11, av. Abel Guidet. M. Bauchet
☎ 03 21 07 11 03 📠 03 21 07 43 66
🚗 120F 🛏 13 ⊙ 290/340 F. ▤ 35 F.

🍽 99/245 F. ♨ 58 F. ▨ 210 F.
⊠ dim. soir hs.
[E] 🗔 ☎ 🖨 🕴 🛁 CV 🎱 🌊 CB 🅖

BERCK PLAGE (B1)
62600 Pas de Calais
18000 hab. ℹ️

▲ DE L'ENTONNOIR ★★
Av. Francis Tattegrain. M. Wyart
☎ 03 21 09 12 13
🚗 120F 🛏 12 ⊙ 195/320 F. ▤ 25 F.
🍽 69/150 F. ♨ 48 F. ▨ 220/250 F.
⊠ déc., dim. soir et lun. sauf juil./août.
[E] [D] 🗔 ☎ 🕴 🛁 CV 🎱 🌊 CB

▲▲ LE LITTORAL ★★
36, place de l'Entonnoir. M. Devoucoux
☎ 03 21 09 07 76 📠 03 21 09 54 38
🚗 120F 🛏 19 ⊙ 200/240 F. ▤ 25 F.
🍽 65/120 F. ♨ 45 F. ▨ 240/280 F.
⊠ 1er/28 oct. et 12 nov./20 déc.
🗔 ☎ 🖨 🕴 🛁 🌊 CB

▲▲ LES FLOTS BLEUS ★★
17, rue du Calvaire Mme Brognard
☎ 03 21 09 03 42 📠 03 21 84 75 24
🚗 100F 🛏 9 ⊙ 250/300 F. ▤ 30 F. 🍽 98/165 F.
♨ 45 F. ▨ 260/300 F.
⊠ 1er déc./1er fév.
[E] 🗔 ☎ 🕴 🛁 CV 🌊 CB

BETHUNE (B2)
62400 Pas de Calais
26110 hab. ℹ️

▲▲ DU VIEUX BEFFROY ★★
48, Grand Place. M. Delmotte
☎ 03 21 68 15 00 📠 03 21 56 66 32
🛏 30 ⊙ 230/300 F. ▤ 30 F.
🍽 93/140 F. ♨ 45 F. ▨ 215/250 F.
[E] [D] SP 🗔 ☎ 🕴 CV 🎱 🌊 CB 📷 🅖

BLENDECQUES (A2)
62575 Pas de Calais
5341 hab.

▲▲ LE SAINT SEBASTIEN ★★
2, Grand Place. M. Duhamel-Wils
☎ 03 21 38 13 05 📠 03 21 39 77 85
🚗 120F 🛏 7 ⊙ 245/270 F. ▤ 25 F. 🍽 75/158 F.
♨ 50 F. ▨ 210/270 F.
⊠ sam. midi et dim. soir.
[E] 🗔 ☎ 🖂 🕴 CV 🎱 🌊 CB

CALAIS (A1-2)
62100 Pas de Calais
60000 hab. ℹ️

▲▲▲ LE GEORGE V ★★★
36, rue Royale. M. Beauvalot
☎ 03 21 97 68 00 📠 03 21 97 34 73
🚗 100F 🛏 37 ⊙ 310/380 F. ▤ 42 F.
🍽 90/150 F. ♨ 45 F. ▨ 300/350 F.
⊠ rest. Noël/Nouvel An, sam. midi, dim.
soir et soirs fériés.
[E] [D] 🕴 🗔 ☎ 🖨 🕴 🖂 🛁 CV 🎱 🌊
CB 🅖

CAMIERS (A-B1)
62176 Pas de Calais
2126 hab. ℹ️

🏠🏠 LES CEDRES ★★
64, rue du Vieux Moulin. Mme Warme
☎ 03 21 84 94 54 📠 03 21 09 23 29
🛏 29 ⬚ 235/315 F. ▣ 35 F.
🍽 80/250 F. 🍴 48 F. ▤ 250/295 F.
✉ 15 déc./5 janv. Rest. dim. soir hs.
🇪 📷 ☎ 🚗 � 🛎 ⛳ CV ▥ ♠ CB
▦ CR

ESCALLES (CAP BLANC NEZ) (A1)
62179 Pas de Calais
330 hab.

🏠🏠 L'ESCALE ★★
Rue de la Mer. (Par A.16 sortie N°11).
M. Bourdon
☎ 03 21 85 25 00＼03 21 85 25 09
📠 03 21 35 44 22
🛏 38 ⬚ 185/305 F. ▣ 35 F.
🍽 78/220 F. 🍴 60 F. ▤ 225/295 F.
✉ 5 janv./5 fév.
🇪 📷 ☎ 🚗 🛶 ⛵ 🎣 🚴 ▶ 🎿
CV CB ▦ CR

FREVENT (B2)
62270 Pas de Calais
4428 hab. ℹ️

🏠🏠 D'AMIENS ★★
7, rue de Doullens. M. Varga
☎ 03 21 03 65 43 📠 03 21 47 15 01
🛏 10 ⬚ 150/230 F. ▣ 25 F.
🍽 64/195 F. 🍴 45 F. ▤ 190/220 F.
🇪 📷 ☎ 🚗 🚗 🛎 CV ▥ ♠ CB

GAVRELLE (B3)
62580 Pas de Calais
400 hab.

🏠🏠🏠 LE MANOIR ★★
35, route Nationale 50. M. Lequette
☎ 03 21 58 68 58 📠 03 21 55 37 87
🛏 20 ⬚ 250 F. ▣ 30 F. 🍽 68/168 F.
🍴 48 F.
✉ 28 juil/19 août, 22/30 déc. Hôtel
ven./dim. 1 oct./1 avr. Rest. ven. soir,
sam. dim. soir 1 oct/1 avr., sam. midi,
dim. soir 1 mai/30 sept.
🇪 📷 📷 ☎ 🚗 🚗 🛎 🎣 🎿 ▥ ♠ CB

GUINES (A1-2)
62340 Pas de Calais
5175 hab. ℹ️

🏠🏠 AUBERGE DU COLOMBIER ★★
A La Bien Assise. Dir. Marquise (D.231).
M. Boutoille
☎ 03 21 36 93 00＼03 21 35 20 77
📠 03 21 36 79 20
🛏 7 ⬚ 230/320 F. ▣ 30 F. 🍽 75/230 F.
🍴 45 F.
🇪 📷 ☎ 🚗 🚗 🛎 ⛵ 🎣 🚴 ▶ 🎿
▥ CB

HESDIN (B2)
62140 Pas de Calais
2700 hab. ℹ️

🏠🏠 DES FLANDRES ★★
22, rue d'Arras. M. Persyn
☎ 03 21 86 80 21 📠 03 21 86 28 01
🛏 14 ⬚ 270/330 F. ▣ 43 F.
🍽 92/200 F. 🍴 50 F. ▤ 280/330 F.
✉ 1ère semaine juil. et 20 déc./10 janv.
🇪 📷 ☎ 🚗 🚗 CV ▥ ♠ CB

ISBERGUES (A2)
62330 Pas de Calais
5145 hab.

🏠🏠 LE BUFFET
Lieu-dit Molinghem, 22 rue de la Gare.
M. Wident
☎ 03 21 25 82 40 📠 03 21 27 86 42
🛏 4 ⬚ 270 F. ▣ 35 F. 🍽 75/270 F.
🍴 55 F. ▤ 280 F.
✉ 1er/20 août, dim. soir et lun. sauf
fériés.
🇪 📷 📷 ☎ 🚗 🛎 🎣 ♠ CB

MARCONNE (B2)
62140 Pas de Calais
1800 hab.

🏠🏠 LES 3 FONTAINES ★★
Route d'Abbeville. Mme Herbin
☎ 03 21 86 81 65 📠 03 21 86 33 34
🛏 10 ⬚ 300/380 F. ▣ 40 F.
🍽 95/180 F. 🍴 60 F. ▤ 300 F.
✉ lun. midi.
🇪 📷 📷 ☎ 🚗 🛎 🎣 🎿 CV ▥ ♠
CB

NOEUX LES MINES (B2)
62290 Pas de Calais
13600 hab.

🏠🏠🏠 LES TOURTERELLES ★★
374, route Nationale. M. Verbrugge
☎ 03 21 66 90 75 📠 03 21 26 98 98
🛏 18 ⬚ 220/370 F. ▣ 35 F.
🍽 110/240 F. 🍴 40 F. ▤ 220/300 F.
✉ rest. sam. midi et dim. ou jours fériés
le soir.
🇪 📷 ☎ 🚗 🚗 🛎 🎿 CV ▥ ▦ CR

SAINT NICOLAS LES ARRAS (B3)
62223 Pas de Calais
>>> *voir ARRAS*

SAINT OMER (A2)
62500 Pas de Calais
15000 hab. ℹ️

🏠🏠 AU VIVIER ★★
22, rue Louis Martel. M. Dewaghe
☎ 03 21 95 76 00 📠 03 21 95 42 20
🛏 7 ⬚ 270/300 F. ▣ 35 F. 🍽 85/260 F.
🍴 45 F. ▤ 260/275 F.
✉ 1er/10 janv. et dim. soir.
🇪 📷 📷 ☎ 🚗 CV ♠ CB

🏠🏠 LE BUFFET DU RAIL ★★
Place du 8 mai 1945. Mme Le Gouellec
☎ 03 21 93 59 98 📠 03 21 93 97 50
🛏 11 ⬚ 220/290 F. ▣ 28 F.
🍽 50/153 F. 🍴 40 F. ▤ 170/220 F.
🇪 📷 ☎ 🚗 🛎 🍴 CV ♠ CB

SAINT OMER (A2) (suite)

▲▲ LES FRANGINS ★★
3, rue Carnot. MM. Lehoux
☎ 03 21 38 12 47 FAX 03 21 98 72 78
🛏 14 ◆ 330 F. 🍽 37 F. 🍴 39 F.
📷 499 F.
✉ 24, 25, 31 déc. et 1er janv.
[E] [▭] [☎] [🚗] [↕] [👤] [CV] [▦] [➤] [CB] [▦] [CR]

▲▲ SAINT LOUIS ★★
25, rue d'Arras. M. Ducroq
☎ 03 21 38 35 21 FAX 03 21 38 57 26
🛏 30 ◆ 250/290 F. 🍽 30 F.
🍴 70/150 F. 🍴 50 F. 📷 250/300 F.
[E] [D] [▭] [☎] [🚗] [🚗] [🚃] [⋈] [🍸] [👤] [CV] [▦]
[➤] [CB]

... *à proximité*

WISQUES (A2)
62219 Pas de Calais
268 hab. [i]

5 km S.O. Saint Omer par D 208 E (sortie autoroute N° 3)

▲▲ LA SAPINIERE ★★
Sur D.208, (péage A26, sortie N°3).
M. Delbeke
☎ 03 21 95 14 59 FAX 03 21 93 28 72
🛢100F 🛏 15 ◆ 300/320 F. 🍽 35 F.
🍴 70/200 F. 🍴 49 F. 📷 255 F.
✉ 2ème et 3ème semaine janv., dim. soir et lun. midi.
[E] [▭] [☎] [🚗] [⋈] [⋈] [👤] [♿] [▦] [➤] [CB]

SAINT POL SUR TERNOISE (B2)
62130 Pas de Calais
6507 hab. [i]

▲▲▲ LE LION D'OR ★★
74, rue d'Hesdin. MeM. Theret/Miletti
☎ 03 21 03 10 44 FAX 03 21 41 47 87
🛏 10 ◆ 240 F. 🍽 35 F. 🍴 66/158 F.
🍴 50 F. 📷 400 F.
✉ dim. soir.
[E] [▭] [☎] [🚗] [🚗] [CV] [▦] [➤] [CB]

STELLA PLAGE (B1)
62780 Pas de Calais
5000 hab. [i]

▲▲ DES PELOUSES Rest. LA GRILLADE ★★
465, bld Labrasse. M. Lecerf
☎ 03 21 94 60 86 FAX 03 21 94 10 11
🛢120F 🛏 30 ◆ 180/300 F. 🍽 30 F.
🍴 80/160 F. 🍴 45 F. 📷 190/250 F.
✉ janv. et dim. soir hs.
[▭] [☎] [🚗] [↕] [👤] [CV] [▦] [➤] [CB]

Le WAST (A1)
62142 Pas de Calais
250 hab.

▲▲ HOSTELLERIE DU CHATEAU DES TOURELLES ★★
Sur D.127. M. Feutry
☎ 03 21 33 34 78 FAX 03 21 87 59 57
🛏 16 ◆ 280/350 F. 🍽 35 F.
🍴 85/220 F. 🍴 85 F. 📷 240/300 F.
✉ 17 fév./7 mars.
[E] [▭] [☎] [🚗] [🍸] [🗽] [👤] [👤] [CV] [▦] [➤] [CB]

WIERRE EFFROY (A1)
62720 Pas de Calais
700 hab.

▲▲▲ FERME DU VERT ★★★
Route du Paon. M. Bernard
☎ 03 21 87 67 00 FAX 03 21 83 22 62
🛏 16 ◆ 330/580 F. 🍽 48 F.
🍴 120/180 F. 🍴 60 F. 📷 325/425 F.
✉ 15 déc./15 janv. Rest. dim. et midi.
[E] [▭] [☎] [🚗] [🍸] [👤] [CV] [▦] [➤] [CB]

WIMEREUX (A1)
62930 Pas de Calais
7023 hab. [i]

▲▲ SPERANZA ★★
43, rue Général de Gaulle. M. Lebrun
☎ 03 21 32 46 09 FAX 03 21 87 52 09
🛢120F 🛏 8 ◆ 250/260 F. 🍽 35 F. 🍴 80/180 F.
🍴 50 F.
✉ 3/31 janv. et mar.
[E] [▭] [☎] [CV] [➤] [CB]

WISQUES (A2)
62219 Pas de Calais

>>> *voir SAINT OMER*

WISSANT (A1)
62179 Pas de Calais
1247 hab. [i]

▲▲ LE VIVIER ★
Place de l'Eglise. M. Gest
☎ 03 21 35 93 61 FAX 03 21 82 10 99
🛢120F 🛏 29 ◆ 200/320 F. 🍽 35 F.
🍴 87/189 F. 🍴 50 F. 📷 222/282 F.
✉ 5 janv./15 fév. Rest. mar. soir et mer.
[E] [▭] [☎] [🍸] [🗽] [👤] [▶] [CV] [▦] [CR]

Fédération régionale des Logis de France de Normandie
(Calvados, Eure, Manche, Orne, Seine-Maritime)
Maison du département
Route de Villedieu - 50008 Saint-Lô
Tél. 02 33 05 98 70 - Fax 02 33 56 07 03

C.R.T. Normandie

C.R.T. Normandie

NORMANDIE

C.R.T. Normandie / H. Guermonprez

Basse-Normandie

C.R.T. Normandie / G. Rigoulet

BASSE-NORMANDIE

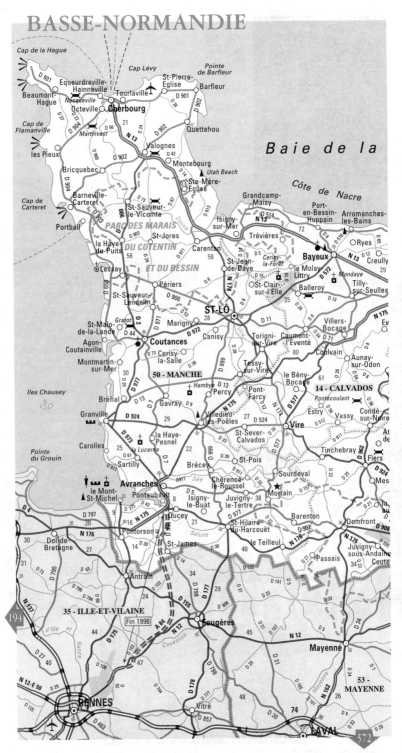

Cap de la Hague
D 901
Cap Lévy
Pointe de Barfleur
Beaumont-Hague
Equeurdreville-Hainneville
St-Pierre-Eglise
Barfleur
Nacqueville
Octeville
Tourlaville
D 901
D 26
Cherbourg
Cap de Flamanville
Martinvast
D 56
21
N 13
D 24
D 902
D 902
Quettehou
les Pieux
Valognes
D 42
Baie de la
Bricquebec
D 902
Montebourg
D 14
Utah Beach
Ste-Mère-Eglise
Côte de Nacre
Cap de Carteret
Barneville-Carteret
D 904
D 15
St-Sauveur-le-Vicomte
D 900
Grandcamp-Maisy
Port-en-Bessin-Huppain
Arromanches-les-Bains
Portbail
D 903
PARC DES MARAIS
Isigny-sur-Mer
N 13
72
D 6
D 516
Ryes
D 65
la Haye-du-Puits
D 903
St-Jores
D 971
DU COTENTIN
Carentan
Trévières
D 5
Cerisy-la-Forêt
Bayeux
N 13
Creully
Lessay
D 650
D 24
56
ET DU BESSIN
58
St-Jean-de-Daye
D 15
le Molay-Littry
D 572
Mondaye
29
Périers
D 900
D 8
OSt-Clair-sur-l'Elle
Balleroy
Tilly-sur-Seulles
St-Sauveur-Lendelin
D 6
35
D 13
D 13
St-Malo-de-la-Lande
Gratot
D 2
Marigny
ST-LÔ
28
D 11
Villers-Bocage
N 175
Ev
D 44
Canisy
D 972
Torigni-sur-Vire
Caumont-l'Eventé
D 71
Agon-Coutainville
Coutances
D 73
Cerisy-la-Salle
D 28
D 24
Coulvain
Aunay-sur-Odon
D 34
Montmartin-sur-Mer
30
50 - MANCHE
D 38
Tessy-sur-Vire
80
le Bény-Bocage
61
D 26
Iles Chausey
Hambye
D 13
Percy
D 577
Pontécoulant
14 - CALVADOS
Bréhal
D 13
Gavray
D 9
N 175
Pont-Farcy
D 171
Estry
D 56
Vassy
Condé-sur-Noire
Granville
D 924
29
Villedieu-les-Poêles
27
D 524
St-Sever-Calvados
D 76
D 577
Vire
D 512
At
de
Pointe du Grouin
la Haye-Pesnel
la Lucerne
22
D 999
D 39
St-Pois
Tinchebray
D 962
Flers
Carolles
25
D 61
Sartilly
Brécey
D 911
Sourdeval
D 22
D 25
D 924
Mes
D 911
Sée
Chérencé-le-Roussel
D 33
Avranches
le Mont-St-Michel
Pontaubault
D 5
Isigny-le-Buat
Juvigny-le-Tertre
38
Mortain
D 157
D 4
D 175
N 175
8
Ducey
21
St-Hilaire-du-Harcouët
Barenton
D 21
la
au
D 797
D 43
D 907
Domfront
D 908
20
N 176
Pontorson
Sélune
le Teilleul
N 176
Juvigny-sous-Andaine
30
Dol-de-Bretagne
27
14
D 30
St-James
40
Passais
Coute
342
31
D 73
D 795
D 83
D 14
34
D 122
D 33
Antrain
24
D 177
D 198
29
D 31
D 796
D 794
D 155
D 141
D 5
D 33
194
35 - ILLE-ET-VILAINE
Fin 1998
A 84
N 12
Fougères
45
D 102
N 12
Mayenne
d'Ille et
44
D 175
Couesnon
D 7
D 27
40
D 102
D 106
47
D 798
D 29
D 31
53 - MAYENNE
Rance
N 12-E 50
29
D 794
D 777
48
D 165
N 162
26
RENNES
D 125
D 463
Vitré
D 178
74
D 30
D 32
D 20
D 857
LAVAL
572

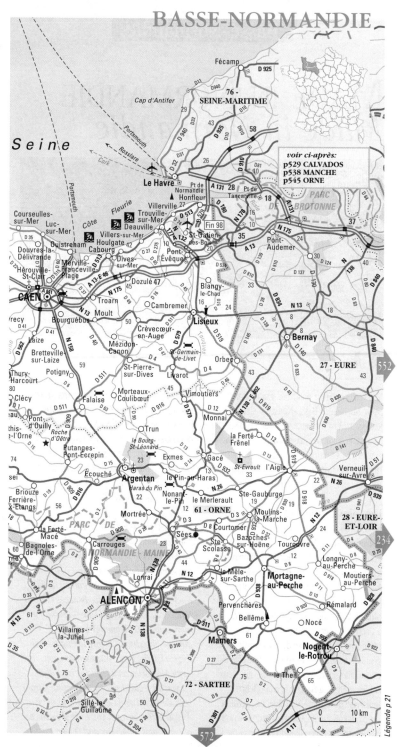

Seine

Cap d'Antifer

76 - SEINE-MARITIME

Fécamp — D 925

D 940
D 925
58

voir ci-après:
p529 CALVADOS
p538 MANCHE
p545 ORNE

PARC DE BROTONNE

Le Havre

Pt de Normandie
Honfleur
Pt de Tancarville
A 131
18
A 131

N 175
Pont-Audemer

Courseulles-sur-Mer
Luc-sur-Mer
Côte Fleurie
Villerville
Trouville-sur-Mer
Deauville
Villers-sur-Mer
Houlgate
Cabourg
St-Gatien-des-Bois
Fin 98
35
A 13

Ouistreham
Douvres-la-Délivrande
Hérouville-St-Clair
Merville-Franceville-Plage
Dives-sur-Mer
Dozulé 47
Pont-l'Évêque
Blangy-le-Chau

CAEN
Troarn
Moult
Cambremer
Lisieux
Bernay
27 - EURE

Bourguébus
Crèvecœur-en-Auge
Mézidon-Canon
St-Germain-de-Livet
Orbec

Bretteville-sur-Laize
St-Pierre-sur-Dives
Livarot

Thury-Harcourt
Potigny
Morteaux-Couliboeuf
Vimoutiers
Monnai

Clécy
Falaise
la Ferté-Frênel

Pont-d'Ouilly
Roche d'Oêtre
le Bourg-St-Léonard
Trun
Exmes
Gacé
St-Evroult
l'Aigle
Verneuil-sur-Avre

Putanges-Pont-Ecrepin
Ecouché
Argentan
le Pin-au-Haras
Nonant-le-Pin
le Merlerault
Ste-Gauburge

BrioUZE
Ferrière-x-Etangs
Mortrée
61 - ORNE
Courtomer
Moulins-la-Marche

28 - EURE-ET-LOIR

la Ferté-Macé
PARC DE NORMANDIE - MAINE
Carrouges
Séez
Ste-Scolasse
Bazoches-sur-Hoëne
Tourouvre

Bagnoles-de-l'Orne
Lonrai
le Mêle-sur-Sarthe
Mortagne-au-Perche
Longny-au-Perche
Moutiers-au-Perche

ALENÇON
Pervenchères
Bellême
Nocé
Rémalard

Villaines-la-Juhel
Mamers
le Theil
Nogent-le-Rotrou

72 - SARTHE

Sillé-le-Guillaume

0   10 km

N

Légende p 21

MADE IN NORMANDIE
Made in Normandie

C.R.T. Normandie / G. Rigoulet

MERVEILLEUSEMENT PONCTUÉE PAR LE MONT SAINT-MICHEL, LA BASSE-NORMANDIE PREND NAISSANCE LÀ OÙ LA SEINE SE LIVRE À LA MANCHE. SA CÔTE FLEURIE CONTRASTE AVEC LES LONGUES PLAGES DU DÉBARQUEMENT ET LES CÔTES PARFOIS ABRUPTES DU COTENTIN. A DÉCOUVRIR, COMME ON TOURNE LES PAGES D'UN LIVRE D'HISTOIRE…

Des plages pleines de souvenirs

Le débarquement a laissé derrière lui quelques circuits lourds de souvenirs. Pourtant, du mur de l'Atlantique, il ne reste qu'un front de mer baptisé côte de Nacre. Mais, entre l'Orne et la Vire, quatre plages - Sword, Juno, Gold, et Omaha - s'étendent sur plus de 120 kilomètres. Avant d'y flâner, visitez à Caen le musée pour la Paix : ce sobre Mémorial vous propose de revivre, sur écran géant, la bataille de Normandie, vue côté allié et côté allemand. A la sortie de la ville, deux routes mènent à Bayeux et à la célèbre tapisserie de la reine Mathilde. La première, celle qui conduit à l'Abbaye d'Ardenne préfère à la guerre les merveilles du roman et du

LOWER NORMANDY BEGINS WHERE THE SEINE EMPTIES OUT INTO THE CHANNEL AND ENDS SUPERBLY WITH THE MONT SAINT-MICHEL. ITS FLOWER-COVERED HILLS CONTRAST SHARPLY WITH ITS LONG BEACHES - THE SITE OF THE NORMANDY LANDINGS - AND THE OFTEN RUGGED COASTLINE OF COTENTIN. HISTORY UNFOLDS AS YOU DISCOVER THIS REGION.

Beaches Packed with Memories

The Normandy landings left behind memories which weigh heavily over certain area tours. Yet all that remains of the Atlantic Wall is a sea front known as the Nacre coast. However, five beaches - Sword, Juno, Gold, Omaha and Utah - extend for more than 150 kilometres between the Orne and the Vire rivers. Before taking a stroll there, visit the Peace Museum in Caen. This sober Memorial revives the Normandy battle for you on a giant screen presenting it from both the Allied and German points of view. As you leave the town you have the choice of two routes to Bayeux and Queen

gothique : il faut faire étape à Rots, Sequeville en Bessin ou Norrey. En revanche, le circuit de l'Odon fait la part belle aux combats acharnés qui coûtèrent bien des vies aux Anglais. Un conseil, arrêtez-vous dans une ferme voisine du château de Fontaine Etoupefour pour déguster du cidre ou du pommeau frais et pétillant, avant de repartir vers la côte pour gagner l'austère Omaha Beach. Le long de la plage, une route donne accès au cimetière américain, d'où l'on contemple le vallon du Ruquet et la voie ouverte par les unités du Génie. Au nord-ouest, le village de Sainte-Mère-Eglise rend hommage aux parachutistes américains tombés pour libérer la France.

La Route du mont Saint-Michel

Étrave et figure de proue du drakkar normand, le département de la Manche affronte, au ponant, les ultimes lames atlantiques, tandis que s'ouvre, au levant, le jardin clos de la baie de Seine. Pour descendre en pèlerinage au mont Saint-Michel, ne vous privez pas du plaisir de traverser cette langue de terre qu'est le Cotentin. En chemin, pourquoi ne pas naviguer, au départ de Saint-Vaast, jusqu'à l'île de Tatihou, histoire de visiter le musée maritime et de profiter des dunes et des grèves, territoires de prédilection des oiseaux. De retour sur terre, faites un détour au château de Tourlaville, à 5 km à l'est de Cherbourg, ne serait-ce que pour connaître l'histoire des amants Ravalet. Profitez du charme de la petite ville de Valognes et allez jusqu'au fort de Pirou, en faisant une halte à l'église de Barneville-

Mathilda's famous tapestry. The first, which takes you to Ardenne Abbey, prefers literary and gothic wonders to war and proposes stops at Rots, Sequeville en Bessin or Norrey. The second, the Odon tour, focuses on the bitter fighting in which so many English lost their lives. A piece of advice: stop at a farm neighbouring the Fontaine Etoupefour Castle and taste their cider or fresh, sparkling apple juice before setting off for the coast in the direction of the austere Omaha Beach. A road by the beach leads to the American cemetery from where you can contemplate the Ruquet valley and the passage opened by the military engineers. Further to the east the village of Sainte-Mère-Eglise pays tribute to the American parachutists who lost their lives to free France.

The Mont Saint-Michel Route

Advancing like the stem and figure head of a Norman long ship, the Manche departement defies the last Atlantic waves to the west whilst the sheltered haven of the Seine Bay opens to the east. When making your "pilgrimage" to Mount Saint-Michel, you must certainly not forego the pleasure of crossing the strip of land known as the Cotentin. Why not make a stop and sail out to Tatihou Island from Saint-Vaast? There you can visit the maritime museum and enjoy the dunes and shores, the favourite haven for numerous birds. Once back on the main

MADE IN NORMANDIE

Herrlich von dem Mont Saint-Michel geschmückt, beginnt die Basse Normandie an dem Ort, an dem die Seine in dem Ärmelkanal strömt. Ihre blühende Küste hebt sich von den langen Stränden der alliierten Landung und den teilweise steilen Küsten des Cotentin ab. Zu entdecken, wie das Blättern der Seiten eines Geschichtsbuches...

MADE IN NORMANDIE

De Basse Normandie, die op een prachtige wijze wordt benadrukt door de Mont Sint-Michel, begint dáár waar de de Seine uitmondt in het Kanaal. De kust met de vele bloemen staat in sterk contrast met de lange stranden, waar de landing van de troepen plaatsvond, en de soms abrupte kustlijn van Cotentin. Dit moet u ontdekken, op de manier waarop u de bladzijden van een geschiedenisboek omslaat...

Basse-Normandie

Carteret ainsi qu'à l'abbatiale de Lessay qui fut pour beaucoup le dernier refuge.

De ports en ports

Bien plus au nord, et à quelques encablures de l'estuaire, Honfleur et ses bâtisses effilées proposent leurs étals de fruits de mer. Au sud, Deauville et Trouville, reines de la fête et des jeux vous invitent à tenter votre chance : casinos, courses… Pour s'échapper, la corniche normande et la côte fleurie font partie des itinéraires à ne pas manquer.

A la crème et au beurre

Enfin, comme Barbey d'Aurevilly, profitez de la cuisine normande : escalope normande nappée de la crème du cru, coques et huîtres de Courseulles et de Saint-Vaast, omelette de la Mère Poulard au mont Saint-Michel… Vous aurez ensuite tout le temps de vous dégourdir en empruntant la route des Jardins et des Parcs qui traverse l'Orne, le Calvados et la Manche. Un itinéraire qui permet de découvrir une Normandie exotique à Plantbessin et Beaumont-Hague, classique à la Mansart au château de Brécy et luxueuse à souhait du côté de Granville.

C.R.T. Normandie / G. Rigoulet

land, make a detour to the Tourlaville Castle, 5 km east of Cherbourg, if only to discover more about the Ravalet lovers' story. Enjoy the charm of the little town of Valognes and venture as far as the Pirou fort, stopping at Barneville-Carteret church and Lessay abbey-church which was a last refuge for so many.

From Port to Port

Much further north, only a few metres from the estuary, you will find Honfleur with its houses rising up from the waterside and its stalls of seafood. To the south, Deauville and Trouville, the fun-loving, gambling seaside resorts encourage you to try your luck in casinos, on the race course, etc. The Normandy coast road and the flower-covered hills are itineraries not to be missed when you leave.

With Cream and Butter

Finally, like Barbey d'Aurevilly, enjoy some Norman cooking: Norman escallop in a fresh cream sauce, Courseulles and Saint-Vaast shellfish and oysters, Mère Poulard omelette on the Mont Saint-Michel, etc. You will have plenty of time to stretch your legs if you take the Gardens and Parks route which goes through Orne, Calvados and Manche departments. This itinerary allows you to discovery an exotic corner of Normandy at Plantbessin and Beaumont-Hague, traditional Normandy at Mansard and the Brécy Castle, and Normandy the luxurious around Granville.

MADE IN NORMANDIE
Maravillosamente marcada por el monte Saint-Michel, la Baja Normandía nace allí donde el Sena se entrega a la Mancha. Su costa florida contrasta con las largas playas del desembarco y las costas a veces abruptas del Cotentin. Para descubrir de la misma manera que se pasan las páginas de un libro de historia…

MADE IN NORMANDIE
Meravigliosamente punteggiata dal Monte San Michele, la Bassa Normandia nasce là dove la Senna sfocia nella Manica. La sua costa fiorita è in contrasto con le lunghe spiagge dello storico sbarco e con le coste, a volte brusche, del Cotentin. Da scoprire come se si scorressero le pagine di un libro di storia.

Poulet au cidre

Ingrédients

Pour 4 personnes
- 1 poulet fermier
- 1 dl de vinaigre de cidre
- 1 bouteille de cidre doux
- 180 g de beurre
- 1 dl de calvados
- 2 carottes
- 4 échalotes, 1 bouquet garni
- 1 branche d'estragon ciselé

Recette

- Découper le poulet, réserver les beaux morceaux.
  Mettre la carcasse dans une cocotte, avec les carottes
  en rondelles, 2 échalotes hachées, le bouquet, 1 verre
  de cidre, le vinaigre, du sel, du poivre.
- Laissez cuire 40 minutes et passer ce fond au chinois.
  Faire dorer les bancs, les ailes et les cuisses.
  Ajouter les deux autres échalottes hachées, le reste du
  cidre, le calvados et le fond. Cuire à couvert 35 minutes.
- Dresser sur un plat. Faire réduire la sauce, la passer au
  chinois et la lier avec 50 g de beurre en parcelles.
  Verser sur le poulet, et ajouter quelques feuilles
  d'estragon avant de servir.

Liste des
hôtels-restaurants

Calvados

C.R.T. Normandie

Association départementale
des Logis de France du Calvados
Péricentre II
66 avenue de Thiès
14000 Caen
Téléphone 02 31 93 10 74

BASSE-NORMANDIE

Cherbourg

50
MANCHE

Caen

14 CALVADOS

61 ORNE
Alençon

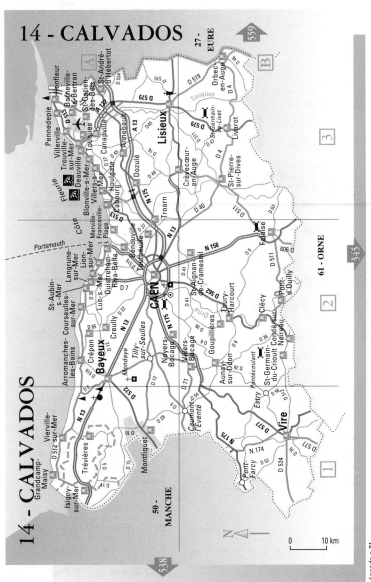

14 - CALVADOS

Légende p 21

ANNEBAULT (A3)
14430 Calvados
253 hab.

▲▲ LE CARDINAL ★★
M. Peudecoeur
☎ 02 31 64 81 96 ▨ 02 31 64 64 65
🛏 6 ▧ 250/320 F. ▣ 35 F.
🍽 100/270 F. ᛘ 58 F. ▯ 300 F.
✉ 15 janv./1er mars, mar. soir et mer.
sauf juil./août.
▢ ▢ ▢ ▢ ▢ ▢ CV ▢ CB

ARROMANCHES (A2)
14117 Calvados
450 hab. 𝑖

▲ D'ARROMANCHES
Rest. LE PAPPAGALL ★★
2, rue du Colonel René Michel.
M. Destercke
☎ 02 31 22 36 26 ▨ 02 31 22 23 29
🛏 9 ▧ 230/310 F. ▣ 35 F. 🍽 75/150 F.
ᛘ 42 F. ▯ 225/250 F.
✉ 30 déc./6 fév., mar. après-midi et
mer. hors vac. scol.
▢ ▢ ▢ ▢ ▢ ▢ CV ▢ CB

▲▲ DE LA MARINE ★★
Quai du Canada. M. Verdier
☎ 02 31 22 34 19 ▨ 02 31 22 98 80
🛏 30 ▧ 200/350 F. ▣ 40 F.
🍽 90/190 F. ᛘ 45 F. ▯ 320/350 F.
✉ 15 nov./15 fév.
▢ ▢ ▢ ▢ ▢ ▢ CV ▢ ▢ CB

▲ DE NORMANDIE ★
5, place du 6 juin. M. Grosset
☎ 02 31 22 34 32 ▨ 02 31 21 57 56
🛏 19 ▧ 150/280 F. ▣ 35 F.
🍽 69/129 F. ᛘ 38 F. ▯ 180/270 F.
✉ mi-déc./mi-fév.
▢ ▢ ▢ ▢ CV ▢ ▢ CB

▲ LE MOUNTBATTEN ★★
20, bld Longuet. M. Ollier
☎ 02 31 22 59 70
🛏 9 ▧ 250/280 F. ▣ 33 F.
✉ 31 oct./14 fév. et lun. hs.
▢ ▢ ▢ ▢ ▢ CB

AUNAY SUR ODON (B2)
14260 Calvados
3000 hab. 𝑖

▲ DE LA PLACE ★★
10, rue du 12 Juin. M. Boone
☎ 02 31 77 60 73 \ 02 31 77 47 46
▨ 02 31 77 90 07
🛏 17 ▧ 140/210 F. ▣ 28 F.
🍽 58/175 F. ᛘ 40 F. ▯ 160/200 F.
✉ dim. soir en hiver.
▢ ▢ ▢ ▢ ▢ CV ▢

▲▲ SAINT MICHEL ★★
6-8, rue de Caen. M. Leroux
☎ 02 31 77 63 16 ▨ 02 31 77 05 83
🛏 7 ▧ 150/230 F. ▣ 30 F. 🍽 75/250 F.
ᛘ 50 F. ▯ 185/240 F.

✉ 15 janv./8 fév., dim. soir et lun. sauf
juil./août.
▢ ▢ ▢ ▢ ▢ ▢ ▢ CV ▢ ▢ CB

BARNEVILLE LA BERTRAN (A3)
14600 Calvados
>>> *voir HONFLEUR*

BAYEUX (A2)
14400 Calvados
16000 hab. 𝑖

▲▲ DE BRUNVILLE Rest. LA MARMITE ★★
9, rue Genas Duhomme. Mme Morel
☎ 02 31 21 18 00 ▨ 02 31 51 70 89
🛏 38 ▧ 230/350 F. ▣ 40 F.
🍽 59/270 F. ᛘ 48 F. ▯ 250/280 F.
▢ ▢ ▢ ▢ ▢ ▢ ▢ CV ▢ ▢ CB ▢

▲▲▲ DU LUXEMBOURG Rest. LES 4
SAISONS ★★★
25, rue des Bouchers. M. Morel
☎ 02 31 92 00 04 ▨ 02 31 92 54 26
🛏 22 ▧ 300/470 F. ▣ 50 F.
🍽 103/290 F. ᛘ 79 F. ▯ 370/390 F.
▢ ▢ ▢ ▢ ▢ ▢ ▢ ▢ ▢ CV ▢
▢ CB ▢

▲▲▲ LE LION D'OR ★★★
71, rue Saint-Jean. Mme Jouvin-Bessière
☎ 02 31 92 06 90 ▨ 02 31 22 15 64
🛏 25 ▧ 350/480 F. ▣ 60 F.
🍽 100/320 F. ᛘ 80 F. ▯ 345/440 F.
✉ 20 déc./20 janv.
▢ ▢ ▢ ▢ ▢ ▢ ▢ ▢ ▢ CB ▢

BENOUVILLE (A2)
14970 Calvados
2000 hab.

▲▲ GLYCINE ★★
11, place du Commando. M. Decker
☎ 02 31 44 61 94 ▨ 02 31 43 67 30
🛏 25 ▧ 280 F. ▣ 33 F. 🍽 95/230 F.
ᛘ 80 F. ▯ 295 F.
✉ 15 fév./15 mars et dim. soir hs.
▢ ▢ ▢ ▢ ▢ CV ▢ ▢ CB ▢

BLONVILLE SUR MER (A3)
14910 Calvados
889 hab. 𝑖

▲▲ L'EPI D'OR ★★
23, av. Michel d'Ornano. M. Nee
☎ 02 31 87 90 48 ▨ 02 31 87 08 98
🛏 12 ▧ 300/380 F. ▣ 35 F.
🍽 90/360 F. ᛘ 70 F. ▯ 330/400 F.
✉ 17 fév./7 mars, 17/30 déc., mer. et jeu.
▢ SP ▢ ▢ ▢ ▢ CV ▢ ▢ CB ▢

CABOURG (A3)
14390 Calvados
3300 hab. 𝑖

▲ AUBERGE DU PARC ★
31, av. Général Leclerc. M. Hamelin
☎ 02 31 91 00 82 ▨ 02 31 91 00 18
🛏 15 ▧ 230/300 F. ▣ 30 F.
🍽 85/120 F. ᛘ 45 F. ▯ 240/290 F.
✉ rest. 1er oct./Pâques.
▢ ▢ ▢ ▢ ▢ ▢ ▢ CV ▢ CB

CABOURG (A3) (suite)

DU GOLF ★★
av. de l'Hippodrome Mme Larrouy
☎ 02 31 24 12 34 FAX 02 31 24 18 51
🛏 40 ◇ 330/400 F. ■ 42 F.
🍴 65/185 F. 🛏 50 F. ■ 290/350 F.
⊠ 6 janv./28 fév. Rest. dim. soir et lun.
midi.
[icons] CB
GR

L'AUBERGE DES VIVIERS ★★
Av. Charles de Gaulle. M. Delatte
☎ 02 31 91 05 10 FAX 02 31 24 77 72
🛏 7 ◇ 200/390 F. 🍴 109/209 F.
🛏 56 F. ■ 310/380 F.
⊠ 15 nov./29 fév. et dim. soir hs.
[icons] CV CB

L'OIE QUI FUME ★
18, av. de la Brèche Buhot. M. Duteurtre
☎ 02 31 91 27 79 FAX 02 31 91 40 02
🛏 18 ◇ 230/350 F. ■ 30 F. 🍴 135 F.
🛏 65 F. ■ 280/320 F.
⊠ 15 nov./10 fév., dim. soir/mer. matin
avr./oct. hors vac. scol.
[icons] CV CB

CAEN (A2)
14000 Calvados
117120 hab.

DIN' HOTEL ★★
98, bd Yves Guillou M. Bourdon
☎ 02 31 74 20 20 FAX 02 31 73 13 00
🛏 52 ◇ 265 F. ■ 34 F. 🍴 59/ 78 F.
🛏 39 F.
[icons] CV CB

LE DAUPHIN ★★★
29, rue Gemare. M. Chabredier
☎ 02 31 86 22 26 FAX 02 31 86 35 14
🛏 20 ◇ 300/610 F. ■ 50 F.
🍴 100/310 F. 🛏 65 F. ■ 360/470 F.
⊠ 17 fév./3 mars. Rest. 15 juil./6 août et
sam. midi.
[icons] CV CB GR

CANAPVILLE (A3)
14800 Calvados
180 hab.

L'AUBERGADE ★★
Route de Paris. M. Coursault
☎ 02 31 65 22 59 FAX 02 31 65 08 14
🛏 12 ◇ 260/325 F. ■ 32 F.
🍴 85/195 F. 🛏 45 F. ■ 260/302 F.
[icons] CV CB

CLECY (B2)
14570 Calvados
1150 hab. ⓘ

AU SITE NORMAND ★★
1, rue des Châtelets. M. Feuvrier
☎ 02 31 69 71 05 FAX 02 31 69 48 51
🛏 18 ◇ 160/400 F. ■ 38 F.
🍴 99/265 F. 🛏 45 F. ■ 220/320 F.
[icons] SP CV CB GR

CONDE SUR NOIREAU (B2)
14110 Calvados
6500 hab. ⓘ

DU CERF ★★
18, rue du Chêne. M. Malgrey
☎ 02 31 69 40 55 FAX 02 31 69 78 29
🛏 9 ◇ 204/224 F. ■ 28 F. 🍴 67/160 F.
🛏 47 F. ■ 220 F.
⊠ 26 oct./3 nov., ven. et dim. soir.
[icons] CV CB GR

COURSEULLES SUR MER (A2)
14470 Calvados
3000 hab. ⓘ

BELLE AURORE ★★
32, rue Maréchal Foch. M. Pruvot
☎ 02 31 37 46 23 FAX 02 31 37 10 70
🛏 7 ◇ 195/315 F. ■ 32 F. 🍴 54/170 F.
🛏 48 F. ■ 210/285 F.
⊠ 10 janv./10 fév., dim. soir et lun.
10 sept./Pâques.
[icons] CB GR

DE PARIS ★★
Place du 6 Juin. Mme Destailleur
☎ 02 31 37 45 07 FAX 02 31 37 51 63
🛏 27 ◇ 195/340 F. ■ 37 F.
🍴 98/240 F. 🛏 45 F. ■ 230/315 F.
⊠ 12 nov./12 déc., mar., mer. et jeu.
1er/31 mars sauf vac. scol.
[icons] SP CV CB

LA CREMAILLERE - LE GYTAN ★★
Av. des Combattants /Bld de la Plage.
M. Berthaud
☎ 02 31 37 46 73 FAX 02 31 37 19 31
🛏 40 ◇ 195/750 F. ■ 45 F.
🍴 92/255 F. 🛏 49 F. ■ 195/435 F.
[icons] SP CV
CB GR

CREPON (A2)
14480 Calvados
203 hab.

FERME DE LA RANCONNIERE ★★
Route d'Arromanches.
Mmes Vereecke-Sileghen
☎ 02 31 22 21 73 FAX 02 31 22 98 39
🛏 34 ◇ 295/480 F. ■ 45 F.
🍴 98/280 F. 🛏 55 F. ■ 310/360 F.
[icons] CV CB

CREULLY (A2)
14480 Calvados
1200 hab. ⓘ

SAINT MARTIN ★★
6, place Edmond Paillaud. M. Legrand
☎ 02 31 80 10 11 FAX 02 31 08 17 64
🛏 12 ◇ 190/260 F. ■ 30 F.
🍴 65/210 F. 🛏 40 F. ■ 250/280 F.
⊠ dim. soir et lun. après-midi oct./avr.,
vac. scol. Noël et fév.
[icons] CV CB

CREVECOEUR EN AUGE (B3)
14340 Calvados
614 hab.

⚑ AUBERGE DU CHEVAL BLANC
Mme Fontaine
☎ 02 31 63 03 28　📠 02 31 63 05 03
🛏 6 ⟨⟩ 190/290 F. 🍽 30 F. 🍴 72/210 F.
🍴 45 F. 🛎 200/260 F.
⊠ 15 janv./15 fév. et lun.
⬜⬜⬜⬜⬜⬜⬜⬜⬜⬜

DEAUVILLE (A3)
14800 Calvados
4261 hab. ⓘ

⚑ L'ESPERANCE ★★
32, rue Victor-Hugo. M. Bartert
☎ 02 31 88 26 88　📠 02 31 88 33 29
🛏 10 ⟨⟩ 190/385 F. 🍽 38 F.
🍴 105/205 F. 🍴 58 F. 🛎 226/324 F.
⊠ 17/27 juin. Rest. mer. et jeu. sauf
1er juil./8 sept.
⬜⬜⬜⬜⬜⬜⬜

⚑⚑ LE CONTINENTAL Rest. LE
NAUTICA ★★
1, rue Désiré le Hoc. Mme Stucki
☎ 02 31 88 21 06　📠 02 31 98 93 67
🛏 42 ⟨⟩ 280/410 F. 🍽 39 F.
🍴 78/100 F. 🍴 48 F. 🛎 265/320 F.
⊠ 13 nov./19 déc. Rest. mer.
⬜⬜⬜⬜⬜⬜⬜⬜⬜⬜⬜

⚑⚑⚑ LE TROPHEE Rest. LA FLAMBEE ★★
81, rue Général Leclerc. M. Montier
☎ 02 31 88 45 86　📠 02 31 88 07 94
🛏 24 ⟨⟩ 380/980 F. 🍽 50 F.
🍴 120/285 F. 🍴 85 F. 🛎 380/480 F.
⬜⬜⬜⬜⬜⬜⬜⬜⬜⬜
⬜⬜⬜

... *à proximité*

TOUQUES (A3)
14800 Calvados
3070 hab. ⓘ

2 km Sud Deauville par D 62

⚑ LE VILLAGE ★★
64, rue Louvel et Brière. M. Cenier
☎ 02 31 88 01 77　📠 02 31 88 99 24
🛏 8 ⟨⟩ 200/300 F. 🍽 32 F. 🍴 98/210 F.
🍴 58 F. 🛎 230/317 F.
⊠ 6 janv./6 fév., mar. soir et mer.
⬜⬜⬜⬜⬜

DOZULE (A3)
14430 Calvados
1400 hab.

⚑ HOTELLERIE NORMANDE ★
98, Grande Rue. M.Me Chenevarin
☎ 02 31 79 20 18
🛏 12 ⟨⟩ 140/260 F. 🍽 28 F.
🍴 68/145 F. 🍴 48 F. 🛎 180/230 F.
⊠ déc./fév. et lun.
⬜⬜⬜⬜⬜⬜⬜

FALAISE (B2)
14700 Calvados
9000 hab. ⓘ

DE LA POSTE ★★
38, rue Georges Clémenceau.
Mme Collias
☎ 02 31 90 13 14　📠 02 31 90 01 81
🛏 21 ⟨⟩ 200/380 F. 🍽 38 F.
🍴 85/240 F. 🍴 55 F. 🛎 218/315 F.
⊠ 13/20 oct., 21 déc./21 janv., dim. soir
et lun.
⬜⬜⬜⬜⬜⬜⬜⬜⬜⬜

GOUPILLIERES (B2)
14210 Calvados

⟫⟫⟫ *voir THURY HARCOURT*

GRANDCAMP MAISY (A1)
14450 Calvados
1845 hab. ⓘ

⚑⚑ LE DUGUESCLIN ★★ & ★
4, Quai Crampon. M.Me Brard
☎ 02 31 22 64 22　📠 02 31 22 34 79
🛏 25 ⟨⟩ 150/300 F. 🍽 30 F.
🍴 60/180 F. 🍴 45 F. 🛎 200/300 F.
⊠ 15/23 oct. et 15 janv./8 fév.
⬜⬜⬜⬜⬜⬜⬜⬜⬜⬜

HONFLEUR (A3)
14600 Calvados
10000 hab. ⓘ

⚑⚑ DE LA CLAIRE ★★
77, cours Albert Manuel.
Mme Lebas
☎ 02 31 89 05 95　📠 02 31 89 11 37
🛏 20 ⟨⟩ 200/400 F. 🍽 35 F.
🍴 75/190 F. 🍴 45 F. 🛎 282/337 F.
⊠ 15 nov./15 fév.
⬜⬜⬜⬜⬜⬜

⚑⚑ FERME DE LA GRANDE COUR ★★
(A Equemauville Côte de Grace).
M. Salomon
☎ 02 31 89 04 69　📠 02 31 89 27 29
🛏 15 ⟨⟩ 220/350 F. 🍽 40 F.
🍴 105/230 F. 🍴 50 F. 🛎 270/375 F.
⬜⬜⬜⬜⬜⬜⬜

⚑ LE BELVEDERE ★★
36, rue Emile Renouf. M. Depirou
☎ 02 31 89 08 13　📠 02 31 89 51 40
🛏 9 ⟨⟩ 250/350 F. 🍽 35 F. 🍴 55 F.
🍴 96/258 F. 🛎 290/325 F.
⊠ rest. 13/27 nov., 2/27 janv., dim. soir
et lun.
⬜⬜⬜⬜⬜⬜⬜⬜

... *à proximité*

BARNEVILLE LA BERTRAN (A3)
14600 Calvados
124 hab.

5 km Sud Honfleur par D 62 et D 279

⚑⚑ DE LA SOURCE ★★
M. Legeay
☎ 02 31 89 25 02　📠 02 31 89 44 40
🛏 13 🍴 140/180 F. 🍴 70 F.
🛎 330/440 F.
⊠ 1er nov./15 fév.
⬜⬜⬜⬜⬜⬜

PENNEDEPIE (A3)
14600 Calvados
234 hab.

5 km Ouest Honfleur par D 513

🏠🏠🏠 ROMANTICA ★★
Chemin du Petit Paris. Mme Lorant
☎ 02 31 81 14 00 📠 02 31 81 54 78
🛏 18 ⬡ 250/500 F. 🍽 40 F.
🍴 120/250 F. 🍷 60 F. 🛏 300/380 F.
⊠ mer. et jeu. midi oct./mars.
E D i 🏠 ☎ 🛏 🚗 🏊 🌴 ⬥ 🚶 ♿
🎱 ♠ CB

SAINT GATIEN DES BOIS (A3)
14130 Calvados
1182 hab.

8 km Sud Honfleur par D 579

🏠🏠🏠 LE CLOS SAINT-GATIEN ★★★
M. Rufin
☎ 02 31 65 16 08 📠 02 31 65 10 27
🛏 56 ⬡ 230/850 F. 🍽 55 F.
🍴 100/345 F. 🍷 70 F. 🛏 325/610 F.
⊠ rest. dim. soir janv./fév.
E D 🏠 ☎ 🛏 ♦ 🎱 🖊 ♿
🚶 ♠ CB 🎱 ⬥

VILLERVILLE (A3)
14113 Calvados
850 hab. 🅸

8 km Ouest Honfleur par D 513

🏠🏠 LE BELLEVUE ★★
7, rue Georges Clémenceau.
M. Domen
☎ 02 31 87 20 22 📠 02 31 87 20 56
🛏 17 ⬡ 195/370 F. 🍽 38 F.
🍴 98/165 F. 🍷 65 F. 🛏 220/315 F.
⊠ mar. Rest. 15 nov./1er fév.
E D ☎ 🚗 🛏 ♦ 🎱 ♠ CB

HOULGATE (A3)
14510 Calvados
1750 hab. 🅸

🏠 AUBERGE DE LA FERME DES
AULNETTES
Route de la Corniche. Mme Robert
☎ 02 31 28 00 28 📠 02 31 28 07 21
🛏 13 ⬡ 210/280 F. 🍽 36 F.
🍴 89/190 F. 🍷 55 F. 🛏 270/310 F.
⊠ 11/25 déc. et 6/14 janv.
E 🏠 ☎ 🛏 🚶 ♿ CV ♠

ISIGNY SUR MER (A1)
14230 Calvados
3500 hab. 🅸

🏠🏠 DE FRANCE ★★
Rue E. Demagny. M.Me Petit
☎ 02 31 22 00 33 📠 02 31 22 79 19
🛏 19 ⬡ 190/310 F. 🍽 34 F.
🍴 56/210 F. 🍷 40 F. 🛏 210/300 F.
⊠ ven. soir et sam. 25 sept./25 mars
sauf week-ends fériés.
E D 🏠 ☎ 🛏 ♦ 🚶 CV 🎱 ♠ CB

LANGRUNE SUR MER (A2)
14830 Calvados
1300 hab. 🅸

🏠 DE LA MER ★
Bld Aristide Briand. Mlle Leplanquois
☎ 02 31 96 03 37 📠 02 31 97 57 94
🛏 11 ⬡ 195/250 F. 🍽 35 F.
🍴 59/245 F. 🍷 45 F. 🛏 240/270 F.
🏠 ☎ 🛏 CV 🎱 ♠ CB

LION SUR MER (A2)
14780 Calvados
1685 hab. 🅸

🏠 MODERNE ★★
3, bld Paul Doumer. M. Cottineau
☎ 02 31 97 20 48 📠 02 31 97 49 54
🛏 15 ⬡ 170/280 F. 🍽 28 F.
🍴 55/150 F. 🍷 40 F. 🛏 190/240 F.
⊠ 1er nov./31 janv. et lun. oct./mars.
E ☎ CV ♠ CB 🎱

LISIEUX (A3)
14100 Calvados
26000 hab. 🅸

🏠🏠 DE LA COUPE D'OR ★★
49, rue Pont Mortain
MeM. Masset/Loison
☎ 02 31 31 16 84 📠 02 31 31 35 60
🛏 16 ⬡ 320 F. 🍽 30 F. 🍴 68/185 F.
🍷 45 F. 🛏 250 F.
⊠ 1er/15 janv. et dim. soir.
E 🏠 ☎ CV ♠ CB 🎱

🏠🏠 TERRASSE HOTEL ★★
25, av. Sainte-Thérèse. M. Hue
☎ 02 31 62 17 65 📠 02 31 62 20 25
🛏 17 ⬡ 196/280 F. 🍽 35 F.
🍴 89/155 F. 🍷 46 F. 🛏 222/264 F.
⊠ 23 déc./3 fév., ven. et dim. soir
15 oct./15 avr.
E 🏠 ☎ 🛏 🖊 CV 🎱 ♠ CB 🎱

LIVAROT (B3)
14140 Calvados
3000 hab. 🅸

🏠 LE VIVIER Rest. LE COTTAGE ★★
Place Georges Bisson. M. Guinand
☎ 02 31 32 04 10 📠 02 31 32 27 85
🛏 9 ⬡ 150/270 F. 🍽 30 F. 🍴 88/210 F.
🍷 50 F. 🛏 200/250 F.
E 🏠 ☎ 🛏 🚗 ♿ 🖊 ♠ CB

LUC SUR MER (A2)
14530 Calvados
3650 hab. 🅸

🏠🏠🏠 DES THERMES ET DU CASINO ★★★
Av. Guynemer. Mme Leparfait
☎ 02 31 97 32 37 📠 02 31 96 72 57
🛏 48 ⬡ 360/490 F. 🍽 45 F.
🍴 125/260 F. 🍷 65 F. 🛏 365/405 F.
⊠ 1er nov./fin mars.
E SP 🏠 ☎ 🛏 ♦ 🎱 🖊 ♦ ⬥ 🖊
🚶 ♿ CV 🎱 ♠ CB 🎱

MERVILLE FRANCEVILLE
PLAGE (A2-3)
14810 Calvados
1500 hab. ℹ️

▲▲▲ CHEZ MARION ★★★
10, place de la Plage. M. Marion
☎ 02 31 24 23 39 [FAX] 02 31 24 88 75
🛏 14 ⬖ 260/630 F. 🍽 45 F.
🍴 90/230 F. 🛁 60 F. 🖼 290/450 F.
⊠ 2 janv./7 fév., lun. soir et mar. sauf
vac. scol.

▲▲ DE LA GARE ★★
Route de Cabourg. M. Jeanne
☎ 02 31 24 23 37 [FAX] 02 31 24 54 40
🛏 15 ⬖ 250/300 F. 🍽 34 F.
🍴 65/210 F. 🛁 48 F. 🖼 255/285 F.
⊠ mar. soir et mer. sauf juil./août.

MONTFIQUET (A1)
14490 Calvados
87 hab. ℹ️

▲ LE RELAIS DE LA FORET
(à l'embranchement). Mme Desobeaux
☎ 02 31 21 39 78 [FAX] 02 31 21 44 19
🛏 19 ⬖ 198/270 F. 🍽 25 F.
🍴 56/158 F. 🛁 55 F. 🖼 218 F.
⊠ Noël.

NOYERS BOCAGE (A2)
14210 Calvados
800 hab.

▲▲ LE RELAIS NORMAND ★★
D 675 M. Boureau
☎ 02 31 77 97 37 [FAX] 02 31 77 94 41
100F 🛏 7 ⬖ 180/260 F. 🍽 38 F. 🍴 95/275 F.
🛁 50 F. 🖼 240/280 F.
⊠ 15 jours fin nov., dernière semaine
janv., 1ère semaine fév. et mer.

ORBEC EN AUGE (B3)
14290 Calvados
3700 hab. ℹ️

▲ DE FRANCE ★★
152, rue Grande. M. Corbet
☎ 02 31 32 74 02 [FAX] 02 31 32 27 77
100F 🛏 24 ⬖ 153/335 F. 🍽 35 F.
🍴 67/160 F. 🛁 40 F. 🖼 180/270 F.
⊠ 20 déc./19 janv. et dim. soir
15 sept./16 mars.

OUISTREHAM RIVA BELLA (A2)
14150 Calvados
10000 hab. ℹ️

▲▲ LE NORMANDIE - LE CHALUT ★★
71, av. Michel-Cabieu. M. Maudouit
☎ 02 31 97 19 57 [FAX] 02 31 97 20 07
100F 🛏 22 ⬖ 280/320 F. 🍽 40 F.
🍴 88/340 F. 🛁 80 F. 🖼 300/320 F.
⊠ 20 déc./10 janv., dim. soir et lun.
nov./mars.

▲▲ SAINT-GEORGES ★★
51, av. Andry. M. Rougemond
☎ 02 31 97 18 79 [FAX] 02 31 96 08 94
🛏 18 ⬖ 300 F. 🍽 35 F. 🍴 99/300 F.
🛁 70 F. 🖼 325 F.
⊠ 22 déc./1er fév., dim. soir et lun.
1er nov./22 déc.

PENNEDEPIE (A3)
14600 Calvados
>>> *voir HONFLEUR*

PONT D'OUILLY (B2)
14690 Calvados
1100 hab. ℹ️

▲▲ AUBERGE SAINT-CHRISTOPHE ★★
M. Lecoeur
☎ 02 31 69 81 23 [FAX] 02 31 69 26 58
🛏 7 ⬖ 270 F. 🍽 42 F. 🍴 95/250 F.
🛁 58 F. 🖼 285 F.
⊠ 17 fév./10 mars, 19 oct./3 nov., dim.
soir et lun.

▲ DU COMMERCE ★★
M. Rivière
☎ 02 31 69 80 16 [FAX] 02 31 69 78 08
🛏 16 ⬖ 200/280 F. 🍽 30 F.
🍴 65/190 F. 🛁 45 F. 🖼 210/240 F.
⊠ dim. soir et lun.

SAINT AIGNAN DE CRAMESNIL (B2)
14540 Calvados
360 hab.

▲▲ AUBERGE DE LA JALOUSIE ★★
Sur N.158, Echangeur de la Jalousie.
M. Duclos
☎ 02 31 23 51 69 [FAX] 02 31 23 95 55
🛏 12 ⬖ 150/300 F. 🍽 36 F.
🍴 72/195 F. 🛁 46 F. 🖼 200/280 F.
⊠ fév., dim. soir et lun. hs sauf fériés.

SAINT ANDRE D'HEBERTOT (A3)
14130 Calvados
244 hab.

▲▲▲ AUBERGE DU PRIEURE ★★
M. Millet
☎ 02 31 64 03 03 [FAX] 02 31 64 16 66
🛏 10 ⬖ 390/980 F. 🍽 55/ 65 F.
🍴 145/180 F. 🛁 65 F. 🖼 375/670 F.

SAINT AUBIN SUR MER (A2)
14750 Calvados
1500 hab. ℹ️

▲ DE NORMANDIE ★★
126, rue Pasteur. Mme Grosset
☎ 02 31 97 30 17 [FAX] 02 31 97 57 37
100F 🛏 25 ⬖ 145/260 F. 🍽 35 F.
🍴 50/129 F. 🛁 40 F. 🖼 200/250 F.
⊠ oct./mars.

SAINT AUBIN SUR MER (A2) (suite)

▲▲▲ LE CLOS NORMAND ★★
89, rue Pasteur. Mme Delabarre
☎ 02 31 97 30 47 **FAX** 02 31 96 46 23
120F ▪ 31 ◈ 250/580 F. ■ 36 F.
⫽ 65/260 F. ▥ 285/465 F.
⊠ 16 nov./28 fév.
E D ⬚ ☎ ⇔ ♨ ⚲ **CV** ▦ ♠ **CB**

▲▲ SAINT-AUBIN ★★
Place du Canada (Face Plage).
M. Taboga
☎ 02 31 97 30 39 **FAX** 02 31 97 41 56
120F ▪ 24 ◈ 250/330 F. ■ 35 F.
⫽ 110/280 F. ▥ 45 F. ▥ 250/330 F.
E ⬚ ☎ ⇔ **CV** ▦ ♠ **CB**

SAINT GATIEN DES BOIS (A3)
14130 Calvados

>>> *voir HONFLEUR*

SAINT GERMAIN DU CRIOULT (B2)
14110 Calvados
718 hab.

▲▲ AUBERGE SAINT-GERMAIN ★★
M. Baude
☎ 02 31 69 08 10 **FAX** 02 31 69 14 67
100F ▪ 9 ◈ 185/225 F. ■ 21 F. ⫽ 72/155 F.
▥ 45 F. ▥ 180/210 F.
⊠ 15 déc./15 janv., 1er/8 août, ven. soir
15 sept./15 mai et dim. soir.
⬚ ☎ ⇔ ⇔ ⚲ **CV** ♠ **CB**

SAINT PIERRE SUR DIVES (B3)
14170 Calvados
4500 hab. **i**

▲ LA RENAISSANCE ★
57, rue de Lisieux. MeM. Leclerc et Fils
☎ 02 31 20 81 23 \ 02 31 20 90 01
80F ▪ 10 ◈ 120/250 F. ■ 25 F.
⫽ 60/ 90 F. ▥ 50 F. ▥ 160/250 F.
⊠ janv. et dim. midi.
⬚ ☎ ⇔ ⇔ **CV** ♠ **CB**

THURY HARCOURT (B2)
14220 Calvados
1500 hab. **i**

... *à proximité*

GOUPILLIERES (B2)
14210 Calvados
112 hab.

8 km Nord Thury Harcourt par D 6 et D 212

▲ AUBERGE DU PONT DE BRIE ★★
M. Lioult
☎ 02 31 79 37 84 **FAX** 02 31 79 87 22
120F ▪ 7 ◈ 250/350 F. ■ 35 F. ⫽ 85/230 F.
▥ 50 F. ▥ 260/300 F.
⊠ 5 janv./1er fév., 13/28 nov., lun. soir
et mar.
⬚ ☎ ⇔ ⇔ ▥ ▦ ♠

TOUFFREVILLE (A2)
14940 Calvados
254 hab.

▲▲ LA GRANDE BRUYERE ★★
Route de Troarn.
M. Bourrée
☎ 02 31 23 32 74 **FAX** 02 31 23 69 79
▪ 18 ◈ 285/570 F. ■ 35 F. ▥ 59 F.
⊠ dim.
⬚ ☎ ⇔ ♨ ⚲ ▥ ▦ ♠ **CB**

TOUQUES (A3)
14800 Calvados

>>> *voir DEAUVILLE*

TREVIERES (A1)
14710 Calvados
844 hab. **i**

▲ SAINT AIGNAN
Rue de la Halle.
M. Ribet
☎ 02 31 22 54 04
▪ 4 ◈ 97/312 F. ■ 20 F. ⫽ 68 F.
▥ 58 F. ▥ 182/240 F.
⊠ dim.
D ⇔ ♠

TROARN (A2-3)
14670 Calvados
3000 hab. **i**

▲ CLOS NORMAND ★
10, rue Pasteur.
M. Malhaire
☎ 02 31 23 31 28 **FAX** 02 31 23 15 72
120F ▪ 21 ◈ 175/230 F. ■ 26 F.
⫽ 78/220 F. ▥ 55 F. ▥ 170/220 F.
⊠ dim. soir sauf fériés
1er sept./30 mai.
E ⬚ ☎ ⇔ ♠ **CB**

TROUVILLE (A3)
14360 Calvados
6500 hab. **i**

▲▲ CARMEN ★★
24, rue Carnot
M. Bude
☎ 02 31 88 35 43 **FAX** 02 31 88 08 03
120F ▪ 16 ◈ 220/420 F. ■ 35 F.
⫽ 95/180 F. ▥ 55 F. ▥ 270/330 F.
E ⬚ ⬚ ☎ **CV** ▦ **CB**

VIERVILLE SUR MER (A1)
14710 Calvados
292 hab. **i**

▲ DU CASINO ★★
Mme Clémençon
☎ 02 31 22 41 02
120F ▪ 12 ◈ 235/340 F. ■ 33 F.
⫽ 85/180 F. ▥ 50 F. ▥ 275/335 F.
⊠ 15 nov./1er mars.
E ⬚ ☎ ⇔ ♨ ▦ ♠ **CB**

VILLERS BOCAGE (B2)
14310 Calvados
2600 hab. 🛈

⚲⚲ LES TROIS ROIS ★★
M. Martinotti
☎ 02 31 77 00 32 📠 02 31 77 93 25
🛏 14 ◔ 200/400 F. 🍽 45 F.
🍴 125/300 F. 🍴 75 F. 🖼 300/350 F.
⊠ janv., 23/30 juin, dim. soir et lun.
sauf fériés.
🅴 🅳 🗔 ☎ 🚗 🛆 🐾 CB

VILLERS SUR MER (A3)
14640 Calvados
1853 hab. 🛈

⚲⚲ LA BONNE AUBERGE ★★★
1, rue du Maréchal Leclerc. Mme Coin
☎ 02 31 87 04 64
🛏 13 ◔ 250/435 F. 🍽 35 F.
🍴 98/190 F. 🍴 55 F. 🖼 298/391 F.
⊠ fin déc./21 mars.
🅴 🅳 🛈 🗔 ☎ 🚗 CV CB

VILLERVILLE (A3)
14113 Calvados

⟫⟫ *voir HONFLEUR*

VIRE (B1)
14500 Calvados
15000 hab. 🛈

⚲⚲⚲ DE FRANCE ★★
4, rue d'Aignaux. M. Carnet
☎ 02 31 68 00 35 📠 02 31 68 22 65
🛏 20 ◔ 175/350 F. 🍽 32 F.
🍴 58/220 F. 🍴 48 F. 🖼 240/280 F.
⊠ 22 déc./10 janv.
🅴 🗔 🅲 ☎ 🚗 🛏 ⅲ ⋈ ♿ CV 🎛 🐾
CB 📷 CR

⚲ DES VOYAGEURS ★★
47, av. de la Gare. Mme Deniau
☎ 02 31 68 01 16 📠 02 31 67 61 86
🛏 12 ◔ 152/250 F. 🍽 30 F.
🍴 55/160 F. 🍴 39 F. 🖼 180/230 F.
🅴 🗔 ☎ 🚗 🚗 🎛 🐾 CB

Améliorer la qualité de notre accueil et de nos prestations, tel est notre but. Faites part à notre service "Suivi qualité" de vos observations grâce à la fiche, située en annexe de ce guide.

**Liste des
hôtels-restaurants**

Manche

C.R.T. Normandie / H. Guermonprez

**Association départementale
des Logis de France de la Manche**
Maison du Département
Route de Villedieu
50008 Saint-Lô
Téléphone 02 33 05 98 83

BASSE-NORMANDIE

Cherbourg
50 MANCHE
Caen
14 CALVADOS
61 ORNE
Alençon

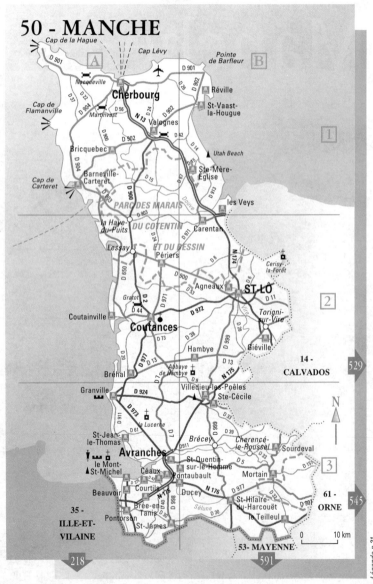

50 - MANCHE

Cap de la Hague
Cap Lévy
Pointe de Barfleur

A
B

D 901
D 901
D 902

Nacqueville
Réville
Cherbourg
St-Vaast-la-Hougue

Cap de Flamanville
D 37
D 22
D 904
D 56
D 902
N 13
Martinvast
Valognes
D 42

1

Bricquebec
D 900
D 902
D 14
Utah Beach

Cap de Carteret
D 904
Barneville-Carteret
D 15
D 67
Ste-Mère-Église
D 913

D 900
D 903
les Veys

PARC DES MARAIS
la Haye-du-Puits
D 903
DU COTENTIN
D 971
Carentan

Lessay
D 24
ET DU BESSIN
D 8
Cerisy-la-Forêt

D 650
Périers
N 174

D 900
D 53
Agneaux
ST-LÔ
D 11

Gratot
D 2
D 977
D 972
Torigni-sur-Vire

Coutainville
D 44
D 38
Vire
D 28

Coutances
D 73
Hambye
D 999
Giéville

D 20
D 977
D 13
D 13
14 - CALVADOS

Bréhal
D 7
Abbaye de Hambye
D 9
N 175

Granville
D 924
Villedieu-les-Poêles
Ste-Cécile

D 973
la Lucerne
D 33

D 911
D 61
Brécey
Chérencé-le-Roussel
Sourdeval

St-Jean-le-Thomas
D 7
D 911
D 999

Avranches
St-Quentin-sur-l'Homme
D 5
Mortain

le Mont-St-Michel
Céaux
Pontaubault

Beauvoir
Courtils
Ducey
N 176
D 977
St-Hilaire-du-Harcouët

35 - ILLE-ET-VILAINE
Brée-en-Tanis
Pontorson
St-James
N 176
D 998
Sélune
D 30
le Teilleul

61 - ORNE

53 - MAYENNE

N

0   10 km

529

545

218

591

Légende p 21

AGNEAUX (B2)
50180 Manche
4173 hab.

AA DU CHATEAU D'AGNEAUX ★★★
Av. Sainte Marie. M. Groult
☎ 02 33 57 65 88 [FAX] 02 33 56 59 21
🛏 12 ⌷ 260/720 F. 🍽 57 F.
🍴 133/320 F. 🍷 90 F. 🍽 290/610 F.
⊠ rest. 3 janv./3 fév. et lun.
[E] 🖸 ☎ 🚗 🍴 🏊 🔧 🎿 🎣 [CV] 🎱 🅿
[CB] 💼 [CR]

AVRANCHES (A3)
50300 Manche
10419 hab. [i]

AA DE LA CROIX D'OR ★★
83, rue de la Constitution
M. Bertheaume
☎ 02 33 58 04 88 [FAX] 02 33 58 06 95
🛏 27 ⌷ 250/370 F. 🍽 38 F.
🍴 75/195 F. 🍷 55 F. 🍽 300/340 F.
⊠ 1er déc./1er mars.
[E] 🖸 ☎ 🚗 🍴 🅿 [CB]

AA DU JARDIN DES PLANTES ★★
10, place Carnot. M.Me Leroy
☎ 02 33 58 03 68 [FAX] 02 33 60 01 72
🛏 26 ⌷ 150/300 F. 🍽 34/ 47 F.
🍴 72/170 F. 🍷 55 F.
⊠ Noël et Nouvel An.
[E] 🖸 ☎ 🍴 🎿 ⏰ 🅿 🎣 [CV] 🎱 [CB]

... à proximité

PONTAUBAULT (A-B3)
50220 Manche
492 hab.

8 km Sud Avranches par N 175

AA MOTEL DES 13 ASSIETTES ★★
(Le Val Saint-Père). M.Me Baudu
☎ 02 33 58 14 03 [FAX] 02 33 68 28 41
🛏 34 ⌷ 190/350 F. 🍽 35 F.
🍴 70/200 F. 🍷 45 F. 🍽 250/300 F.
[E] [D] 🖸 ☎ 🚗 ⌂ 🍴 [CV] 🎱 🅿 [CB] [CR]

BARNEVILLE CARTERET (A1)
50270 Manche
2325 hab. [i]

AA LES ISLES ★★
M. Masson
☎ 02 33 04 90 76 [FAX] 02 33 94 53 83
🛏 32 ⌷ 205/360 F. 🍽 35 F.
🍴 68/180 F. 🍷 45 F. 🍽 240/320 F.
⊠ 15 nov./15 fév., lun. hs mars/avr. et
oct./nov.
[E] 🖸 ☎ 🍴 ⏰ [CV] 🎱 🅿 [CB]

BEAUVOIR (A3)
50170 Manche
480 hab.

AA LE BEAUVOIR ★★
M. Guiton
☎ 02 33 60 09 39 [FAX] 02 33 48 59 65
🍴 18 ⌷ 280/340 F. 🍽 42 F.
🍴 90/250 F. 🍷 50 F. 🍽 292 F.
[E] [SP] 🖸 ☎ 🚗 🎱 🅿 [CB]

BREE EN TANIS (A3)
50170 Manche

>>> *voir PONTORSON*

BREHAL (A2)
50290 Manche
2392 hab. [i]

AA DE LA GARE ★★
1, place Commandant Godart.
M. Coffre
☎ 02 33 61 61 11 [FAX] 02 33 61 18 02
🛏 9 ⌷ 160/280 F. 🍽 37 F. 🍴 71/185 F.
🍷 49 F. 🍽 275 F.
⊠ 20 déc./31 janv., dim. soir et lun.
sauf juil./août et fériés.
[E] 🖸 ☎ 🚗 🍴 [CV] 🅿 [CB] 💼

BRICQUEBEC (A1)
50260 Manche
4721 hab. [i]

AA DU VIEUX CHATEAU ★★★
M. Hardy
☎ 02 33 52 24 49 [FAX] 02 33 52 62 71
🛏 18 ⌷ 150/380 F. 🍽 40 F.
🍴 60/129 F. 🍷 45 F. 🍽 270/310 F.
[E] [D] [SP] [i] 🖸 ☎ 🚗 🍴 🎿 🎣 [CV]
🎱

CARENTAN (B2)
50500 Manche
6300 hab.

... à proximité

Les VEYS (B1)
50500 Manche
377 hab. [i]

5 km Est Carentan par N 13

AA AIRE DE LA BAIE ★★
Sur N.13. sortie échange. St Lô
M. Lepaisant
☎ 02 33 42 00 99 [FAX] 02 33 71 06 94
🛏 40 ⌷ 170/300 F. 🍽 28/ 38 F.
🍴 55/150 F. 🍷 38 F. 🍽 185/265 F.
⊠ 20 déc./12 janv., ven. et dim. soir
1er oct./30 avr.
[E] [D] [SP] 🖸 🌣 ☎ 🚗 🎿 [CV] 🎱 🅿 [CB]
💼 [CR]

CEAUX (A3)
50220 Manche
460 hab.

A AU P'TIT QUINQUIN ★★
(Les Forges).
M. Pochon
☎ 02 33 70 97 20
🛏 19 ⌷ 125/260 F. 🍽 30 F.
🍴 70/165 F. 🍷 42 F. 🍽 195/250 F.
[E] 🖸 ☎ 🚗 [CV] 🎱 🅿 [CB]

CEAUX (A3) (suite)

🛉 LE POMMERAY ★★
Lieu-dit le Pommeray. M. Hamon
☎ 02 33 70 92 45 ᴙᴬˣ 02 33 70 95 33
🛏 20 🏠 155/260 F. 🍽 30 F.
🍴 53/125 F. 🍴 38 F. 📷 195/245 F.
⊠ 15 janv./1er fév., 15 nov./1er déc.,
dim. soir et lun.
🅴 ⬛ ☎ 🚗 🍽 🌴 ♿ CV 🔌

🛉🛉🛉 LE RELAIS DU MONT ★★
(La Buvette). M. Baudu
☎ 02 33 70 92 55 ᴙᴬˣ 02 33 70 94 57
🛏 25 🏠 220/350 F. 🍽 35 F.
🍴 80/200 F. 🍴 45 F. 📷 250/300 F.
🅴 ⬛ ⬛ ☎ 🚗 🍽 🌴 🎿 ♿ ⏲ CV 🔌 CB ᴄᴿ

CHERBOURG (A1)
50100 Manche
28443 hab. ⓘ

🛉🛉 LA REGENCE ★★
42, quai de Caligny. M. Meunier
☎ 02 33 43 05 16 ᴙᴬˣ 02 33 43 98 37
🛏 20 🏠 220/360 F. 🍽 35 F.
🍴 89/180 F. 🍴 40 F. 📷 260/350 F.
⊠ 24 déc./1er janv.
🅴 ⬛ ☎ 🍽 CV ᴄᴿ

COURTILS (A3)
50220 Manche
225 hab. ⓘ

🛉🛉 MANOIR DE LA ROCHE THORIN ★★★
(La Roche Thorin). Mme Barraux
☎ 02 33 70 96 55 ᴙᴬˣ 02 33 48 35 20
🛏 13 🏠 440/820 F. 🍽 56 F.
🍴 120/285 F. 🍴 60 F. 📷 440/680 F.
⊠ 15 nov./15 déc., 3 janv./15 fév.
Rest. lun. et mar. midi (repas assurés
1/2 pension lun. soir en saison).
🅴 ⬛ ⬛ ☎ 🚗 🍽 🌴 🎿 ⏲ CV 🔌 ♿
CB

COUTAINVILLE (A2)
50230 Manche
2349 hab. ⓘ

🛉🛉 HARDY ★★
(A Agon). M. Hardy
☎ 02 33 47 04 11 ᴙᴬˣ 02 33 47 39 00
🛏 16 🏠 270/400 F. 🍽 48 F.
🍴 105/320 F. 🍴 70 F. 📷 325/395 F.
⊠ 15 janv./10 fév, dim. soir et lun.
oct./avr. sauf vac. scol.
🅴 ⬛ ☎ 🎿 CV 🔌 ♿ CB

COUTANCES (A2)
50200 Manche
13450 hab. ⓘ

🛉🛉🛉 COSITEL ★★
Route de Coutainville. M. Holley
☎ 02 33 07 51 64 ᴙᴬˣ 02 33 07 06 23
🛏 55 🏠 275/295 F. 🍽 40 F.
🍴 100/195 F. 🍴 54 F. 📷 295/310 F.
⊠ rest. 24 déc. soir.
🅴 ⬛ ⬛ ⬛ ☎ 🚗 🌴 🎿 ♿ ♿ CV
🔌 ♿ CB 🏢 ᴄᴿ

DUCEY (A-B3)
50220 Manche
1939 hab.

🛉🛉 DE LA SELUNE ★★
M. Girres
☎ 02 33 48 53 62 ᴙᴬˣ 02 33 48 90 30
🛏 19 🏠 270/290 F. 🍽 40 F.
🍴 80/190 F. 🍴 60 F. 📷 295/305 F.
⊠ lun. 1er oct./1er mars.
🅴 SP ☎ 🚗 🌴 🎿 CV 🔌 ♿ CB 🏢

GIEVILLE (B2)
50160 Manche
556 hab.

🛉🛉 MOTEL DU BOCAGE ★★
Sur N. 174. M.Me Lacour
☎ 02 33 56 06 01 ᴙᴬˣ 02 33 56 05 01
🛏 20 🏠 235/245 F. 🍽 30 F.
🍴 65/210 F. 🍴 35 F. 📷 215/245 F.
⊠ 31 janv./10 fév. Rest. ven. soir.
🅴 ⬛ ☎ 🚗 🍽 🌴 🎿 ♿ 🔌 ♿ CB

GRANVILLE (A3)
50400 Manche
13326 hab. ⓘ

🛉 NORMANDY CHAUMIERE ★★
20, rue Paul Poirier M. Durand
☎ 02 33 50 01 71 ᴙᴬˣ 02 33 50 15 34
🛏 8 🏠 240 F. 🍽 32 F. 🍴 78/180 F.
📷 395 F.
⊠ mer. oct./avr.
🅴 ⬛ ☎ CV 🔌 ♿ CB

HAMBYE (B2)
50450 Manche
1218 hab.

🛉🛉 AUBERGE DE L'ABBAYE ★★
M. Allain
☎ 02 33 61 42 19 ᴙᴬˣ 02 33 61 00 85
🛏 7 🏠 260 F. 🍽 38 F. 🍴 98/280 F.
🍴 50 F. 📷 280 F.
⊠ 15/28 fév., 25 sept./12 oct. et lun.
sauf fériés.
🅴 ⬛ ☎ ♿ CB

Le MONT SAINT MICHEL (A3)
50116 Manche
114 hab. ⓘ

🛉🛉 DE LA DIGUE ★★★
Mme Bourdon
☎ 02 33 60 14 02 ᴙᴬˣ 02 33 60 37 59
🛏 36 🏠 330/430 F. 🍽 50 F.
🍴 85/210 F. 🍴 48 F. 📷 325/385 F.
⊠ 13 nov./21 mars.
🅴 ⬛ ⬛ ☎ 🚗 CV 🔌 CB 🏢 ᴄᴿ

🛉 DU GUESCLIN ★★
M. Nicolle
☎ 02 33 60 14 10 ᴙᴬˣ 02 33 60 45 81
🛏 13 🏠 180/400 F. 🍽 38 F.
🍴 78/170 F. 🍴 48 F. 📷 218/350 F.
⊠ 3 nov./24 mars, mar. soir et mer.
🅴 ⬛ ☎ CV

Le MONT SAINT MICHEL (A3) (suite)

▲▲ HOTEL-MOTEL VERT ★★
M. Nicolle
☎ 02 33 60 09 33 **FAX** 02 33 68 22 09
🛏 53 ⊗ 250/300 F. ▣ 30 F.
🍴 59/160 F. 🍽 43 F. ▣ 215/255 F.
[E] [D] [SP] [i] [⊡] [☎] [🚗] [🚅] [🏃] [♿] [▶.] [CV]
[▦] [CR]

▲▲ RELAIS DU ROY ★★★
M. Galton
☎ 02 33 60 14 25 **FAX** 02 33 60 37 69
120F 🛏 27 ⊗ 350/440 F. ▣ 50 F.
🍴 90/200 F. 🍽 47 F. ▣ 380/410 F.
⊠ 30 nov./23 mars.
[E] [D] [SP] [i] [⊡] [☎] [🚗] [⋈] [♿] [▦] [🔌] [CB]

▲▲ SAINT-PIERRE ★★★
Grande Rue.
Mme Gaulois
☎ 02 33 60 14 03
120F 🛏 21 ⊗ 350/890 F. ▣ 50 F.
🍴 88/290 F. 🍽 48 F. ▣ 330/450 F.
⊠ 15 déc./10 fév.
[E] [D] [i] [⊡] [☎] [CV] [▦] [🔌] [CB] [CR]

MORTAIN (B3)
50140 Manche
3030 hab. [i]

▲▲ DE LA POSTE ★★
1, place des Arcades. M. Durand
☎ 02 33 59 00 05 **FAX** 02 33 69 53 89
🛏 26 ⊗ 180/400 F. ▣ 38 F.
🍴 92/240 F. 🍽 64 F. ▣ 240/450 F.
⊠ vac. scol. fév. et oct., ven. soir et
dim. soir hs.
[⊡] [☎] [🚗] [🛏] [🛎] [▦] [🔌] [CB]

PERIERS (A2)
50190 Manche
2566 hab.

▲ DE LA POSTE ★★
5, av. de la Gare. M. Roulet
☎ 02 33 46 64 01 **FAX** 02 33 46 77 11
120F 🛏 10 ⊗ 240/270 F. ▣ 35 F.
🍴 73/190 F. 🍽 55 F. ▣ 386/472 F.
⊠ 15 déc./10 janv., dim. soir et lun.
[E] [⊡] [☎] [🚗] [CV] [🔌] [CB] [📠] [CR]

PONTAUBAULT (A-B3)
50220 Manche
>>> *voir AVRANCHES*

PONTORSON (A3)
50170 Manche
4376 hab. [i]

▲ DE LA TOUR BRETTE ★
8, rue Couesnon. Mme Fraysse
☎ 02 33 60 10 69 **FAX** 02 33 48 59 66
100F 🛏 10 ⊗ 149/190 F. ▣ 30 F.
🍴 57/129 F. 🍽 38 F. ▣ 190/220 F.
⊠ 1er/7 mars, 1er/20 déc. et mer. sauf
juil./août.
[E] [⊡] [☎] [♿] [CV] [🔌] [CB]

▲ LA CAVE ★★
37, rue de la Libération.
M. Pelvey
☎ 02 33 60 11 35 **FAX** 02 33 60 48 95
120F 🛏 15 ⊗ 160/260 F. ▣ 29 F.
🍴 59/120 F. 🍽 39 F. ▣ 190/240 F.
⊠ 15 nov./15 fév. et jeu. hs.
[E] [⊡] [☎] [🚗] [🚗] [🚅] [♿] [CV] [🔌] [CB]

▲▲ LE BRETAGNE ★★
59, rue Couesnon.
Mme Carnet
☎ 02 33 60 10 55 **FAX** 02 33 58 20 54
80F 🛏 11 ⊗ 250/380 F. ▣ 30 F.
🍴 80/260 F. 🍽 40 F. ▣ 235/300 F.
⊠ 10 janv./15 fév. et lun.
[E] [⊡] [☎] [🚗] [⋈] [▦] [🔌] [CB] [📠] [CR]

▲▲▲ MONTGOMERY ★★★
13, rue Couesnon. M. Le Bellegard
☎ 02 33 60 00 09 **FAX** 02 33 60 37 66
100F 🛏 32 ⊗ 290/460 F. ▣ 49 F.
🍴 100/179 F. 🍽 59 F. ▣ 294/379 F.
⊠ 3 nov./26 mars.
[E] [D] [⊡] [☎] [🚗] [🚅] [♿] [CV] [▦] [🔌] [CB]

... à proximité

BREE EN TANIS (A3)
50170 Manche
253 hab.

5 km Est Pontorson par N 175

▲▲ LE SILLON DE BRETAGNE ★★
Mme Xerri
☎ 02 33 60 13 04 **FAX** 02 33 70 91 75
100F 🛏 7 ⊗ 180/200 F. ▣ 35 F. 🍴 50/200 F.
🍽 39 F. ▣ 205 F.
⊠ 15 nov./15 déc., 15 janv./15 fév.,
dim. soir et lun. hs.
[E] [i] [⊡] [☎] [🚗] [🚗] [⋈] [🚅] [🏃] [CV] [🔌] [🔌]
[CB] [CR]

REVILLE (B1)
50760 Manche
1205 hab.

▲ AU MOYNE DE SAIRE ★★
Village de l'Eglise.
M. Marguery
☎ 02 33 54 46 06 **FAX** 02 33 54 14 99
🛏 11 ⊗ 150/275 F. ▣ 30 F.
🍴 82/199 F. 🍽 39 F. ▣ 195/250 F.
⊠ fév. et dim. soir sauf juil./août.
[E] [⊡] [☎] [🚗] [🚗] [🚅] [♿] [CV] [🔌] [CB]

SAINT HILAIRE DU HARCOUET (B3)
50600 Manche
5077 hab. [i]

▲▲ LE CYGNE ★★
67, rue Waldeck-Rousseau. M. Lefaudeux
☎ 02 33 49 11 84 **FAX** 02 33 49 53 70
100F 🛏 19 ⊗ 240/320 F. ▣ 36 F.
🍴 73/210 F. 🍽 42 F. ▣ 255/285 F.
⊠ 23 déc./10 janv.
[E] [D] [⊡] [⊡] [☎] [🚗] [🚗] [🛏] [⋈] [CV] [🔌]
[CB] [📠] [CR]

SAINT JAMES (A3)
50240 Manche
3025 hab. 🛈

🏨 NORMANDIE HOTEL **
Place Bagot.
M. Boyer
☎ 02 33 48 31 45 📠 02 33 48 31 37
🛏 14 ⊗ 180/260 F. 🍽 37 F.
🍴 72/230 F. 🛎 55 F. 🅿 270 F.
⊠ 27 déc./14 janv. Rest. dim. soir
17 nov./15 fév.
[E][D]🏠🕿🛏🚡🛎📶[CV]📻🐾[CB]

SAINT JEAN LE THOMAS (A3)
50530 Manche
327 hab. 🛈

🏨 DES BAINS **
8, allée Clemenceau.
M. Gautier
☎ 02 33 48 84 20 📠 02 33 48 66 42
🛏 30 ⊗ 155/345 F. 🍽 32 F.
🍴 75/185 F. 🛎 50 F. 🅿 232/319 F.
⊠ 1er janv./23 mars, 2 nov./31 déc.,
jeu. midi 23 mars/15 mai, mer. et jeu.
midi 1er oct./2 nov.
[E]🕿🛏🚡🔧♣[CV]📻🐾[CB]📷[CR]

SAINT LO (B2)
50000 Manche
23221 hab. 🛈

🏨 DES VOYAGEURS Rest. LE
TOCQUEVILLE **
Place de la Gare.
Mme Trebouville
☎ 02 33 05 08 63 \ 02 33 05 15 15
📠 02 33 05 14 34
🛏 31 ⊗ 260/550 F. 🍽 35 F.
🍴 100/290 F. 🛎 50 F. 🅿 290/350 F.
[E]🏠[CR]🕿🛏🚡♣🛎📶[CV]📻🐾
[CB]📷[CR]

SAINT QUENTIN SUR LE
HOMME (A-B3)
50220 Manche
1007 hab.

🏨 LE GUE DU HOLME ***
M. Leroux
☎ 02 33 60 63 76 📠 02 33 60 06 77
🛏 10 ⊗ 400/490 F. 🍽 50 F.
🍴 145/365 F. 🛎 70 F. 🅿 480/550 F.
⊠ 2/24 janv. et dim. soir
1er oct./Pâques.
[E]🏠🕿🛏🚡[CV]📻🐾[CB]

SAINT VAAST LA HOUGUE (B1)
50550 Manche
2347 hab. 🛈

🏨 DE FRANCE ET DES FUCHSIAS **
20, rue Maréchal Foch.
M. Brix
☎ 02 33 54 42 26 📠 02 33 43 46 79
🛏 32 ⊗ 148/420 F. 🍽 43 F.
🍴 80/260 F. 🛎 59 F. 🅿 230/365 F.
⊠ 15 janv./1er mars, lun.
15 sept./15 mai et mar. midi nov./mars.
[E]🏠🕿🖂🚡🕰🔧📶[CV]📻🐾[CB]

SAINTE CECILE (B3)
50800 Manche
>>> *voir VILLEDIEU LES POELES*

SAINTE MERE EGLISE (B1)
50480 Manche
1480 hab. 🛈

🏨 LE SAINTE MERE **
Sur N.13.
M. Mercier
☎ 02 33 21 00 30 📠 02 33 41 38 40
🛏 41 ⊗ 260 F. 🍽 35 F. 🍴 65/175 F.
🛎 40 F. 🅿 220/250 F.
⊠ dim. soir 15 nov./28 fév.
[E][D][SP]🛈🏠🕿🛏♣🖂🚡🔧[CV]
📻🐾[CB]📷[CR]

SOURDEVAL (B3)
50150 Manche
3211 hab. 🛈

🏨 LE TEMPS DE VIVRE **
12, rue Saint-Martin.
M. Lechapelais
☎ 02 33 59 60 41 📠 02 33 59 88 34
🛏 7 ⊗ 180/230 F. 🍽 25 F. 🍴 67/165 F.
🛎 36 F. 🅿 175/185 F.
⊠ 19 fév./5 mars et lun. sauf août.
🏠🕿🛏🚡[CV]🐾[CB]

Le TEILLEUL (B3)
50640 Manche
1534 hab.

🏨 LA CLE DES CHAMPS **
Route de Domfront.
Mme Bouillault
☎ 02 33 59 42 27
🛏 20 ⊗ 130/290 F. 🍽 30 F.
🍴 80/179 F. 🛎 40 F. 🅿 225/310 F.
⊠ 15 fév./5 mars et dim. soir
1er oct./1er avr.
[E]🏠🕿🛏🚡🔧[CV]📻🐾[CB]

VALOGNES (A1)
50700 Manche
7000 hab. 🛈

🏨 GRAND HOTEL DU LOUVRE **
28, rue des Religieuses.
M. Lehmann
☎ 02 33 40 00 07 📠 02 33 40 13 73
🛏 22 ⊗ 130/265 F. 🍽 32 F.
🍴 65/155 F. 🛎 42 F. 🅿 185/240 F.
⊠ 20 déc./20 janv. Rest. sam. midi
1er mai/30 sept., ven. et sam. midi
1er oct./30 avr.
[E]🏠🕿🛏🚡🐾[CB]

Les VEYS (B1)
50500 Manche
>>> *voir CARENTAN*

VILLEDIEU LES POELES (B3)
50800 Manche
4688 hab. [i]

⌂ DES VISITEURS ★★
57, rue du Général Huard. M. Mégret
☎ 02 33 61 01 13
🍴 12 ⌾ 200/250 F. 🍽 29 F.
🍴 58/130 F. 🛏 45 F. 🍴 230/250 F.
⊠ 1er janv./15 fév., dim. soir sauf
juil./août, dim. soir et ven.
1er oct./1er avr.
[É] [◻] [☎] [⋈] [CV] [🐾] [CB]

⌂⌂⌂ LE FRUITIER ★★
Place des Costils. M. Lebargy
☎ 02 33 90 51 00 [FAX] 02 33 90 51 01
🍴 48 ⌾ 230/280 F. 🍽 35 F.
🍴 65/172 F. 🛏 45 F. 🍴 230/288 F.
⊠ 22 déc./11 janv.
[É] [◻] [☎] [🚗] [⋈] [🛱] [🚴] [&] [CV] [🔟] [🐾] [CB]

⌂⌂ SAINT-PIERRE ET SAINT-MICHEL ★★
12, place de la République. Mme Duret
☎ 02 33 61 00 11 [FAX] 02 33 61 06 52
🍴 23 ⌾ 175/295 F. 🍽 35 F.
🍴 82/220 F. 🛏 45 F. 🍴 250/300 F.
⊠ 19 janv./17 fév. et ven. 5 nov./
31 mars.
[É] [SP] [◻] [☎] [🚗] [🚙] [&] [CV] [🔟] [🐾] [CB] [CR]

... *à proximité*

SAINTE CECILE (B3)
50800 Manche
679 hab.

2 km Est Villedieu les Poêles par D 924

⌂⌂⌂ MANOIR DE L'ACHERIE ★★
M. Cahu
☎ 02 33 51 13 87 [FAX] 02 33 61 89 07
🍴 14 ⌾ 250/340 F. 🍽 38 F.
🍴 90/220 F. 🛏 50 F. 🍴 310/350 F.
⊠ lun. 1er sept./30 juin et dim. soir
1er nov./1er avr.
[É] [◻] [☎] [🚗] [🛱] [🚴] [&] [CB]

Our commitment is to ever improve quality in hospitality, facilities and services. Please let us know if you were satisfied and send your comments to our Quality Control Department. You will find a guest comment form in the appendix of the guidebook. Thank you.

**Liste des
hôtels-restaurants**

Orne

C.R.T. Normandie

**Association départementale
des Logis de France de l'Orne**
C.D.T.
88 rue Saint Blaise - B.P. 50
61002 Alençon Cedex
Téléphone 02 33 28 88 71

BASSE-NORMANDIE

61 - ORNE

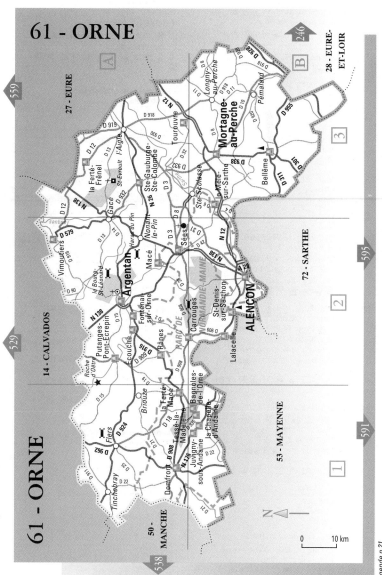

Légende p 21

ALENCON (B2)
61000 Orne
35000 hab. 🛈

🏛 DE L'INDUSTRIE ★★
22, place Général de Gaulle. M. Lomnitz
☎ 02 33 27 19 30 FAX 02 33 28 49 56
🛏 7 ⬟ 200/260 F. 🍽 25 F. 🍴 60/150 F.
🍴 42 F. 🛏 200/250 F.
⊠ sam. et dim. soir.
[icons] CB

🏛🏛 GRAND HOTEL DE LA GARE ★★
50, av. Wilson. M. Rumeau
☎ 02 33 29 03 93 FAX 02 33 29 28 59
🛏 21 ⬟ 135/240 F. 🍽 29 F.
🍴 64/130 F. 🍴 40 F. 🛏 165/195 F.
⊠ 20 déc./5 janv. Rest. sam.
5 janv./30 mai et dim.
[icons] CV CB

🏛🏛 LE GRAND SAINT MICHEL ★★
7, rue du Temple. M. Canet
☎ 02 33 26 04 77 FAX 02 33 26 71 82
🛏 13 ⬟ 145/260 F. 🍽 28 F.
🍴 95/175 F. 🍴 50 F. 🛏 200/250 F.
⊠ vac. scol. fév., 30 juin/28 juil., dim.
soir et lun.
[icons] SP CB

ARGENTAN (A2)
61200 Orne
16413 hab. 🛈

🏛🏛 DE FRANCE ★★
8, bld Carnot. M. Hazard
☎ 02 33 67 03 65 FAX 02 33 36 62 24
🛏 13 ⬟ 160/270 F. 🍽 27 F.
🍴 70/192 F. 🍴 50 F. 🛏 175/230 F.
⊠ 17 fév./3 mars, 30 juin/14 juil.,
22/29 déc. Rest. dim. soir et lun.
[icons] CB

🏛🏛 DES VOYAGEURS ★★
6, bld Carnot. M. Gendre
☎ 02 33 36 15 60 FAX 02 33 39 93 29
🛏 42 ⬟ 210/260 F. 🍽 30 F.
🍴 50/178 F. 🍴 35 F. 🛏 230/250 F.
⊠ 25 déc./5 janv., 25 juil./14 août et
dim. soir.
[icons] CV CB

🏛🏛 LA RENAISSANCE ★★
20, av. de la 2ème D.B. M. Lecocq
☎ 02 33 36 14 20 FAX 02 33 36 65 50
🛏 11 ⬟ 219/269 F. 🍽 35 F.
🍴 82/228 F. 🍴 37 F. 🛏 206/241 F.
⊠ dim.
[icons] CV CB

... à proximité

ECOUCHE (A2)
61150 Orne
1409 hab. 🛈

7 km N.O. Argentan par D 224

🏛🏛 HOSTELLERIE DU LION D'OR ★★★
1, rue Pierre Pigot. M. Brunello
☎ 02 33 35 16 92 FAX 02 33 36 60 48

🛏 9 ⬟ 240/350 F. 🍴 88/171 F. 🍴 55 F.
🛏 245/331 F.
⊠ dim. soir et lun.
[icons] CB

FONTENAI SUR ORNE (A2)
61200 Orne
264 hab.

5 km Ouest Argentan par D 924

🏛🏛 LE FAISAN DORE ★★
M.Me Coiffard
☎ 02 33 67 18 11 FAX 02 33 35 82 15
🛏 14 ⬟ 315/350 F. 🍽 40 F.
🍴 95/295 F. 🍴 55 F. 🛏 260/290 F.
⊠ rest. dim. soir.
[icons] CV CB CR

BAGNOLES DE L'ORNE (B1-2)
61140 Orne
875 hab. 🛈

🏛🏛 ALBERT 1er ★★
7, Av. du Docteur Poulain.
M. Le Douget
☎ 02 33 37 80 97 FAX 02 33 30 03 64
🛏 20 ⬟ 170/260 F. 🍽 35 F.
🍴 100/165 F. 🍴 50 F. 🛏 200/250 F.
⊠ 1er nov./8 fév.
[icons] CV CB

🏛🏛🏛 BEAUMONT ★★
26, bld Le Meunier de la Raillère.
Mme Alardin
☎ 02 33 37 91 77 FAX 02 33 38 90 61
🛏 38 ⬟ 200/390 F. 🍽 34 F.
🍴 95/260 F. 🍴 50 F. 🛏 210/315 F.
⊠ 1er déc./28 fév., dim. soir et lun.
mars et nov.
[icons] CV CB CR

🏛🏛 DE NORMANDIE ★★
2, av. du Docteur Paul Lemuet.
M. Bondiau
☎ 02 33 30 80 16 FAX 02 33 37 06 19
🛏 20 ⬟ 180/260 F. 🍽 35 F.
🍴 78/180 F. 🍴 45 F. 🛏 290/310 F.
⊠ 10 nov./1er avr.
[icons] CV CB

... à proximité

TESSE LA MADELEINE (A-B1)
61140 Orne
1200 hab. 🛈

1 km Nord Bagnoles de l'Orne par D 24

🏛 DE TESSE ★★
1, av. de la Baillée.
M. Désert
☎ 02 33 30 80 07 FAX 02 33 38 51 92
🛏 43 ⬟ 234/350 F. 🍽 30 F.
🍴 75/110 F. 🍴 35 F. 🛏 180/255 F.
⊠ 1er nov./31 mars.
[icons] SP CV CB

TESSE LA MADELEINE (A-B1) (suite)

▲▲ LE CELTIC ★★
14, bld Albert Christophle.
M. Alirol
☎ 02 33 37 92 11
100F ▮ 11 ▨ 240/270 F. ▬ 30 F.
‖ 75/180 F. ⚄ 45 F. ▨ 230/260 F.
⊠ 15 déc./15 fév., mar. soir et mer.
□ ☎ CV ▥ ♠ CB

▲▲▲ NOUVEL HOTEL ★★
M. Chancerel
☎ 02 33 37 81 22 ▦ 02 33 38 04 68
120F ▮ 30 ▨ 220/330 F. ▬ 30 F.
‖ 83/155 F. ⚄ 50 F. ▨ 230/300 F.
⊠ 1er janv./1er avr. et 20 oct./31 déc.
▯ D □ ☎ ▥ ♠ ▮ ♦ ♠ CV ♠ CB ▥
CR

BELLEME (B3)
61130 Orne
1849 hab. ⓘ

▲ LE RELAIS SAINT LOUIS ★★
1, bld Bansard des Bois.
Mme Wattiez
☎ 02 33 73 12 21 ▦ 02 33 83 71 19
120F ▮ 7 ▨ 250/300 F. ▬ 30 F. ‖ 90/195 F.
⚄ 50 F.
⊠ 2ème quinzaine nov., dim. soir et
lun.
▯ ☎ ▥ ♠ ▮ ♦ CB

CARROUGES (A-B2)
61320 Orne
800 hab. ⓘ

▲ DU NORD ★★
Place Général Charles de Gaulle.
Mme Masseron
☎ 02 33 27 20 14 ▦ 02 33 28 83 13
▮ 15 ▨ 120/380 F. ▬ 28 F.
‖ 58/140 F. ⚄ 35 F. ▨ 150/200 F.
⊠ 15 déc./19 janv. et ven. sauf
juil./août.
▯ □ ☎ ▥ ⊘ CV ▥ ♠ CB ▥

▲ SAINT-PIERRE
Place de la Mairie
M. Plumard
☎ 02 33 27 20 02 ▦ 02 33 27 20 02
100F ▮ 4 ▨ 139/199 F. ▬ 30 F. ‖ 45/210 F.
⚄ 35 F. ▨ 175/195 F.
⊠ lun. sauf juil./août.
▯ D □ ☎ ▥ ▮ ♦ ▥ ♠ CB

La CHAPELLE D'ANDAINE (B1)
61140 Orne
1600 hab. ⓘ

▲▲ LE CHEVAL BLANC ★★
8, rue de la Gare.
M. Feret
☎ 02 33 38 11 88
100F ▮ 10 ▨ 150/260 F. ▬ 30 F.
‖ 55/210 F. ⚄ 55 F. ▨ 180/260 F.
⊠ dim. soir.
☎ ▥ ▮ ♦ ▥ ♦ CB ▥ CR

DOMFRONT (A1)
61700 Orne
4518 hab. ⓘ

▲▲ DE FRANCE ★★
7, rue du Mont-St-Michel.
M. Rottier
☎ 02 33 38 51 44 ▦ 02 33 30 49 54
▮ 21 ▨ 140/300 F. ▬ 30 F.
‖ 89/129 F. ⚄ 45 F. ▨ 220/320 F.
▯ D SP □ ☎ ▥ ♦ ▮ ♦ ♠ CV ♠ ♦
CB ▥

▲ LE RELAIS SAINT MICHEL ★★
Place de la Gare. Rue du Mont St-Michel.
M. Prod'homme
☎ 02 33 38 64 99 ▦ 02 33 37 37 96
100F ▮ 13 ▨ 160/310 F. ▬ 40 F.
‖ 68/140 F. ⚄ 42 F. ▨ 225 F.
⊠ 20 déc./10 janv. et em. soir oct./juin.
▯ D □ ☎ ▥ ♦ ▷◁ CV ▥ ♠ CB

ECOUCHE (A2)
61150 Orne
>>> *voir ARGENTAN*

La FERTE FRESNEL (A3)
61550 Orne
640 hab.

▲ LE PARADIS ★★
Grande Rue.
M. Choplin
☎ 02 33 34 81 33 ▦ 02 33 84 97 52
▮ 12 ▨ 170/280 F. ▬ 27 F.
‖ 55/230 F. ⚄ 45 F. ▨ 160/230 F.
⊠ 10/28 fév., 10/25 oct., lun.
1er mai/1er sept., dim. soir et lun.
1er sept./30 avr.
▯ □ ▣ ☎ ▥ ♦ CV ♠ CB

La FERTE MACE (A1)
61600 Orne
7390 hab. ⓘ

▲▲ AUBERGE D'ANDAINE ★★
La Barbère à 3 Km de Bagnoles de
l'Orne.
Mme Olszowy
☎ 02 33 37 20 28 ▦ 02 33 37 25 05
▮ 15 ▨ 190/300 F. ▬ 38 F.
‖ 95/220 F. ⚄ 45 F. ▨ 240/280 F.
⊠ ven. soir hs.
▯ □ ☎ ▥ ♦ ▷◁ ▮ ♦ ⚞ ▥ ♠ CB ▥
CR

▲▲ LE CELESTE - NOUVEL HOTEL ★★
6-8, rue de la Victoire.
M. Cingal
☎ 02 33 37 22 33 ▦ 02 33 38 12 25
120F ▮ 12 ▨ 100/260 F. ▬ 28 F.
‖ 90/255 F. ⚄ 46 F. ▨ 280/420 F.
⊠ dim. soir et lun.
▯ □ ☎ ▥ ♠ CB

FONTENAI SUR ORNE (A2)
61200 Orne
>>> *voir ARGENTAN*

JUVIGNY SOUS ANDAINE (B1)
61140 Orne
1020 hab. [i]

▲▲ AU BON ACCUEIL ★★
Place Saint-Michel. M. Cousin
☎ 02 33 38 10 04 [FAX] 02 33 37 44 92
🛏 8 ◎ 250/320 F. 🍽 38 F.
🍴 138/280 F. 🛏 68 F. 🖼 295 F.
✉ fév., dim. soir et lun. sauf juil./août.
[E] 🗔 ☎ 🚗 ⊨ 🏄 [CB]

▲ DE LA FORET ★
1, place St-Michel Mme Poignant
☎ 02 33 38 11 77
🛏 7 ◎ 180/270 F. 🍽 30 F. 🍴 75/150 F.
🛏 55 F. 🖼 220/240 F.
✉ 1er/15 janv.
[E] ☎ 🏄 [CB]

LALACELLE (B2)
61320 Orne
300 hab. [i]

▲▲ LA LENTILLERE ★★
Mme Martin
☎ 02 33 27 38 48 [FAX] 02 33 27 38 30
🛏 7 ◎ 140/200 F. 🍽 33 F. 🍴 77/220 F.
🛏 48 F. 🖼 205/265 F.
✉ 12 janv./9 fév., dim. soir et lun.
[E] 🗔 ☎ 🚗 🚗 ⟟ 🎿 🏃 [CV] [iii] 🏄 [CB]

MACE (A2)
61500 Orne
>>> *voir SEES*

Le MELE SUR SARTHE (B3)
61170 Orne
1000 hab. [i]

▲▲ DE LA POSTE ★
Place Charles de Gaulle. M. Leopold
☎ 02 33 81 18 00 [FAX] 02 33 27 67 20
🛏 18 ◎ 120/350 F. 🍽 27 F.
🍴 75/260 F. 🛏 50 F. 🖼 225/425 F.
✉ dim. soir sauf fériés et lun. soir
nov./mars.
[E] 🗔 ☎ 🚗 🏃 [CV] [iii] 🏄 [CB]

MORTAGNE AU PERCHE (B3)
61400 Orne
6000 hab. [i]

▲▲ DU TRIBUNAL ★★
4, place du Palais. M. Le Boucher
☎ 02 33 25 04 77 [FAX] 02 33 83 60 83
🛏 11 ◎ 240/320 F. 🍽 40 F.
🍴 85/170 F. 🛏 55 F. 🖼 230/240 F.
[E] 🗔 ☎ ⟟ 🏃 [iii] 🏄 [CB] [GR]

PUTANGES PONT ECREPIN (A2)
61210 Orne
900 hab. [i]

▲▲ DU LION VERD ★★
M. Guillais
☎ 02 33 35 01 86 [FAX] 02 33 39 53 32
🛏 19 ◎ 170/320 F. 🍽 24 F.
🍴 75/280 F. 🛏 45 F. 🖼 180/280 F.
✉ 23 déc./1er fév. et ven. soir hs.
[E] 🗔 ☎ 🚗 ⟟ [CV] [iii] 🏄 [CB]

RANES (A2)
61150 Orne
1000 hab. [i]

▲▲ SAINT PIERRE ★★
M. Delaunay
☎ 02 33 39 75 14 [FAX] 02 33 35 49 23
🛏 12 ◎ 220/345 F. 🍽 38 F.
🍴 75/198 F. 🛏 48 F. 🖼 280 F.
✉ rest. ven. soir.
[E] 🗔 ☎ 🚗 🚗 🏃 [CV] [iii] 🏄 [CB] ▭ [GR]

SAINT DENIS SUR SARTHON (B2)
61420 Orne
957 hab.

▲ LA NORMANDIERE
Mme Gourrot
☎ 02 33 27 30 24
🛏 4 ◎ 130/200 F. 🍽 30 F. 🍴 60/140 F.
🛏 37 F.
✉ 23 sept./18 oct., 22/30 janv., lun. soir
et mar.
[E] ☎ 🚗 🚗 🏄 [CB]

SAINTE GAUBURGE SAINTE COLOMBE (A3)
61370 Orne
1194 hab.

▲ L'AUBERGE DU VALBURGEOIS ★★
41, Grande Rue.
M. Gusella
☎ 02 33 34 01 44 [FAX] 02 33 34 19 24
🛏 7 ◎ 180/240 F. 🍽 28 F. 🍴 58/125 F.
🛏 45 F. 🖼 175/195 F.
✉ 25 déc. et 31 déc. soir.
[E] 🗔 ☎ 🚗 [CV] 🏄 [CB]

SEES (A2)
61500 Orne
5243 hab. [i]

▲▲▲ DU DAUPHIN ★★
31, place des Anciennes Halles.
M. Bellier
☎ 02 33 27 80 07 [FAX] 02 33 28 80 33
🛏 7 ◎ 300/400 F. 🍽 48 F.
🍴 120/280 F. 🛏 50 F. 🖼 330/400 F.
✉ 3ème semaine nov., début fév., dim.
soir et lun. hs sauf réservations.
[E] 🗔 🗔 ☎ 🚗 🚗 🏃 [CV] [iii] 🏄 [CB]

... *à proximité*

MACE (A2)
61500 Orne
464 hab. [i]

5 km N.O. Sees par N 138 et D 238

▲▲▲ L'ILE DE SEES ★★
M. Orcier
☎ 02 33 27 98 65 [FAX] 02 33 28 41 22
🛏 16 ◎ 290/310 F. 🍽 35 F.
🍴 78/175 F. 🛏 55 F. 🖼 310 F.
✉ 1er fév./15 mars., dim. soir et lun.
[E] 🗔 ☎ 🚗 ⟟ 🎣 🏃 [iii] [CB]

TESSE LA MADELEINE (A-B1)
61140 Orne

>>> *voir BAGNOLES DE L'ORNE*

TOUROUVRE (A3)
61190 Orne
1650 hab. 𝒊

▲▲ DE FRANCE ★★
19, rue du 13 Août 1944. M. Feugueur
☎ 02 33 25 73 55 **FAX** 02 33 25 69 43
100F 🛏 10 ⊘ 220/325 F. 🍽 30 F.
⫿ 70/180 F. 🛁 55 F. 🍴 250/310 F.
⊠ vac. scol. fév., dim. soir et lun.
[icons] **CV** [icons] **CB** **CR**

VIMOUTIERS (A2)
61120 Orne
5000 hab. 𝒊

▲▲ L'ESCALE DU VITOU ★★
Route d'Argentan. M. Blondeau
☎ 02 33 39 12 04 **FAX** 02 33 36 13 34
120F 🛏 17 ⊘ 180/250 F. 🍽 30 F.
⫿ 78/200 F. 🛁 48 F. 🍴 190/210 F.
⊠ rest. janv., dim. soir et lun. sauf
juil./août.
[icons] **CV** [icons] **CB**

Wir möchten die Qualität unserer Leistungen noch weiter vervollkomnen. Teilen Sie uns Ihre Beobachtungen dank des Formulars am Ende dieses Reiseführers mit.

36 15 LOGIS DE FRANCE

Fédération régionale des Logis de France de Normandie
(Calvados, Eure, Manche, Orne, Seine-Maritime)
Maison du département
Route de Villedieu - 50008 Saint-Lô
Tél. 02 33 05 98 70 - Fax 02 33 56 07 03

C.R.T. Normandie / G. Rigoulet

C.R.T. Normandie / G. Rigoulet

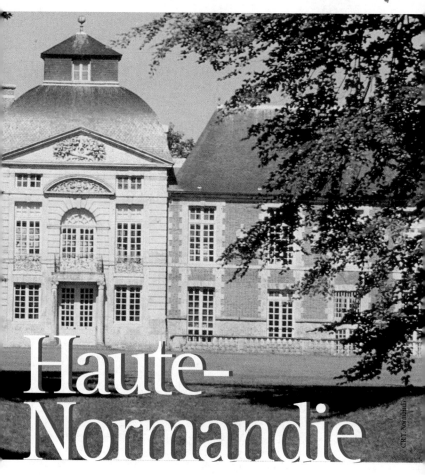

Haute-Normandie

CRT Normandie

HAUTE-NORMANDIE

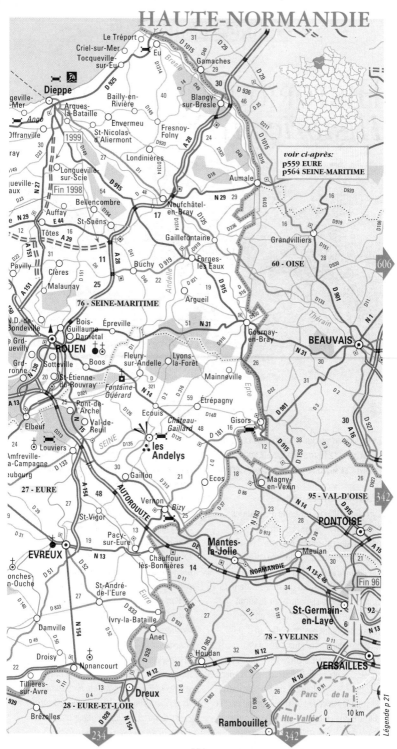

HAUTE-NORMANDIE

Le Tréport
Criel-sur-Mer
Tocqueville-sur-Eu
Eu
Bresle
Gamaches

Dieppe

Bailly-en-Rivière
Arques-la-Bataille
Blangy-sur-Bresle

geville-Mer
Ango
Offranville
Envermeu
St-Nicolas-d'Aliermont
Fresnoy-Folny

ray
1999
Longueville-sur-Scie
Londinières

Aumale

queville-aux
Fin 1998
Bellencombre
Neufchâtel-en-Bray

voir ci-après:
p559 EURE
p564 SEINE-MARITIME

Auffay
St-Saëns
Gaillefontaine

Grandvilliers

Tôtes
60 - OISE

Pavilly
Buchy
Forges-les-Eaux

Clères
Malaunay
Argueil

76 - SEINE-MARITIME

BEAUVAIS

Bois-Guillaume
Darnétal
Épreville
Gournay-en-Bray

ROUEN

N.D.-de-Bondeville
Boos
Fleury-sur-Andelle
Lyons-la-Forêt

Sotteville
St-Étienne-du-Rouvray
Mainneville

Fontaine-Guérard
Étrépagny

Pont-de-l'Arche
Val-de-Reuil
Ecouis
Gisors

Elbeuf
Château-Gaillard

Louviers
les Andelys

Amfreville-la-Campagne
Gaillon
Ecos
Magny-en-Vexin

27 - EURE
95 - VAL-D'OISE

St-Vigor
Vernon
Bizy

EVREUX
Pacy-sur-Eure
Mantes-la-Jolie
Meulan
PONTOISE

Chauffour-lès-Bonnières
NORMANDIE
Fin 96

nches-n-Ouche
St-André-de-l'Eure
St-Germain-en-Laye

Damville
Ivry-la-Bataille
78 - YVELINES

Droisy
Anet
VERSAILLES

Nonancourt
Houdan

Tillières-sur-Avre
Dreux
Parc de la

28 - EURE-ET-LOIR
Hte-Vallée

Brézolles
Rambouillet

0   10 km

Légende p 21

HISTORIQUEMENT VÔTRE
Historically Yours

C.R.T. Normandie

 ———————————— ————————————

LÀ OÙ LE VERT BOCAGE SE PERD DANS LE BLEU DE LA MANCHE, LA HAUTE-NORMANDIE NOUS INVITE À CULTIVER SA MÉMOIRE ET VISITER SON PATRIMOINE.

UPPER NORMANDY, WHERE THE FARMLAND, HEDGES AND TREES DISAPPEAR INTO THE BLUE OF THE CHANNEL, ENCOURAGES US TO CULTIVATE ITS MEMORY AND VISIT ITS HERITAGE.

Vent d'ouest

Direction Dieppe, doyenne des stations balnéaires françaises. Fréquentée par l'aristocratie pour ses bains, la ville déborda vite sur la campagne voisine. On découvrit alors les charmes de Varengeville. Avant d'y mourir, Georges Braque posa sa signature sur le vitrail de l'église. Les amoureux des phares ne manqueront pas celui de Cap d'Ailly à Sainte-Marguerite. Juste avant de s'échapper dans les gorges du Petit-Ailly, longer la côte d'Albâtre arrachée à la mer, sillonner les "valleuses" du Pays de Caux. Et voilà le Havre face à Honfleur, de part et d'autre de l'estuaire. Avant d'emprunter le pont de Normandie, aussi long que

The West Wind

Head for Dieppe, the patriarch of French seaside resorts. The aristocracy used to visit this town for its baths and it soon overflowed into the neighbouring countryside. You will discover the charms of Varengeville where George Braque died but not before placing his signature on the stained-glass window of the church. Those interested in light-houses should not miss visiting the one on Cap d'Ailly in Sainte-Marguerite. Just before arriving at the gorges of Petit-Ailly, follow the Albâtre coast as it rises abruptly up from the sea, and cross through the little valleys of Pays de Caux. Then you see Le Havre facing

les Champs-Elysées, rendez-vous au fort
de Sainte-Adresse, surnommé localement
"Chapeau de Napoléon". Le site offre
par temps clair l'un des plus beaux points
de vue sur la côte du Calvados.
La route des abbayes permet de remonter
du Havre à Rouen. A découvrir au départ
du Trait, la forêt de Brotonne, nichée dans
les méandres du fleuve. Non loin,
à Caudebec, le mascaret déferle de façon
spectaculaire lors des grandes marées
d'équinoxe. A Giverny, le raffinement de la
maison "rose et vert" de Claude Monet vous
ravira, à moins que vous ne préfériez rêver
au bord de l'étang des Nymphéas couvert
de nénuphars.
Longeant les rives de la Seine, une route
relie Rouen à Vernon. Elle vous conduira
vers les curiosités du Vexin normand :
gravier de Gargantua, côte des deux-amants,
écluses d'Amfreville…

C.R.T. Normandie / G. Rigoulet

Honfleur on the other side of the estuary.
Before taking the Normandy bridge, which
is as long as the Champs Elysées, you must
visit the Sainte-Adresse fort whose local
nickname is «Napoleon's Hat». On a clear
day the site offers the most beautiful view
on the Calvados coast.

Les cicatrices de l'Histoire

D'autres sites ne manqueront pas de vous
surprendre. A Rouen et à Evreux, subsistent
des vestiges, miraculés de la guerre de cent
ans. Les amateurs de pittoresque
apprécieront les environs de l'Abbaye
du Bec-Hellouin, fondée par le chevalier
anachorète : les petites églises décoratives
de la plaine du Neubourg et du plateau
du Roumois émergent des ombrages touffus
de leurs cimetières. Les maisons à pans
de bois du vieux Rouen se souviennent
encore du procès de Jeanne la Pucelle.

You can return to Rouen from Le Havre via
the abbey route. The Brotonne forest,
nestling in the meanders of the river, is
worth visiting as you leave Trait. Not far
away in Caudebec, the tidal bore breaking
offers a spectacular sight at the time of the
strong equinoctial tides. The sophistication
of Claude Monet's «pink and green» house
in Giverny is a delight to see, unless you
prefer to dream at the edge of the water-lily
covered Nyphéas pond.
A route following the banks of the Seine
links Rouen to Vernon and will take you to

FÜR LIEBHABER DER GESCHICHTE

Wo das Grün der Bocage sich im Blau
des Ärmelkanals verliert, lädt uns
die Haute-Normandie ein, ihre
Geschichte zu entdecken und
ihr Kulturerbe zu besichtigen. Entdecken
Sie die alten Häuser mit Holzwänden
in Rouen, den so erfrischenden Cidre
und die Äpfel, mit denen so gute
Kuchen gemacht werden.

DE UWE DOORHEEN ALLE TIJDEN

Dáár waar groene bossen overgaan in het
blauw van het Kanaal, nodigt
de Haut-Normandie ons uit om de
herinneringen, die we aan haar hebben, in
ere te houden en om haar patrimonium
te bezoeken. Ontdek in het oude Rouen
de oude huizen met vakwerk in hout, de
verfrissende cider en de appelen waarmee
zulke lekkere taarten worden gebakken.
Dit moet u ontdekken, op de manier.

Haute-Normandie

Château Gaillard, édifié aux Andelys par Richard Cœur de Lion, domine de son donjon la vallée de la Seine. Les vieilles ruines gallo-romaines d'Evreux, arrosées par l'Iton, contrastent avec l'architecture moderne d'une ville reconstruite après guerre.

L'eau à la bouche

Dans toutes les bonnes auberges, les chefs vous proposeront des produits du terroir : le canard au sang à Rouen, la sole à la dieppoise sur la côte… Les amateurs de crustacés et de fruits de mer se régaleront de moules, de homard et d'huîtres. Et personne ne résistera à la promesse d'une croustillante tarte aux pommes arrosée d'un verre de bon "bère", ce cidre si désaltérant qui doit rester muet dans la bouteille et mousser très peu quand on le sert.

C.R.T. Normandie

unusual features of Norman Vexin: Gargantua gravel, the two-lovers hill, the Amfreville lock, etc.

The Scars of History

Other sites will most certainly surprise you. Miraculously, in Rouen and Evreux there still remain traces of the hundred years' war. Lovers of the picturesque will appreciate the surroundings of the Bec-Hellouin Abbey founded by the anchorite knight. Small decorative churches on the Neubourg plain and the Roumois plateau emerge from the leafy shade of their cemeteries. The timber-framed houses in ancient Rouen date back to the trial of Joan of Ark. The keep of Gaillard Castle in Andelys, built by Richard the Lion Heart, looks out over the Seine valley. The ancient Gallo-Roman ruins in Evreux by the River Iton are a stark contrast with the modern architecture of a town which was rebuilt after the war.

Mouth watering

Chefs in all the good inns offer regional specialities: Rouen duck in blood, Dieppe sole on the coast, etc. Lovers of shellfish and seafood will enjoy mussels, lobster and oysters at Courseulles and Saint-Vaast. And no one could resist the offer of fresh, crispy apple tart with a glass of «bère», a thirst-quenching cider which should be flat in the bottle but slightly sparkling when served.

HISTÓRICAMENTE SUYA

Alli donde el verde del bosque se pierde en el azul de la Mancha, la Alta Normandia nos invita a cultivar su memoria y a visitar su patrimonio. Descubra las viejas casas con lienzos de madera del viejo Rouen, su sidra tan refrescante y sus manzanas con las que se elaboran exquisitas tartas.

STORICAMENTE VOSTRA

Là dove la verde boscaglia si perde con l'azzurro della Manica, l'Alta Normandia ci invita a coltivare la sua memoria e a visitare il suo patrimonio. Scoprite le vecchie case in legno di Rouen, il suo cedro cosi dissetante e le sue mele che ci danno tante buone torte.

Saint-Jacques poêlées

Ingrédients

Pour 4 personnes

- 12 noix de Saint-Jacques
- 4 échalotes grises
- 1 jus de citron
- 50 g de beurre
- 5 cl de Noilly-Prat
- cerfeuil

Recette

- Décoquiller et nettoyer les Saint-Jacques.
- Escaloper chaque noix en deux horizontalement. Passer sur chaque face un peu d'huile au pinceau.
- Dans une poêle anti-adhésive bien chaude, faire colorer les noix 30 à 40 secondes de chaque côté. Les réserver.
- Mettre dans la poêle les échalotes hachées. Quand elles sont fondantes, ajouter le Noilly, le jus de citron, du sel, du poivre. Hors du feu, incorporer le beurre en fouettant. Verser sur les Saint-Jacques.
- Décorer de quelques pluches de cerfeuil.

**Liste des
hôtels-restaurants**

Eure

C.R.T. Normandie

**Association départementale
des Logis de France de l'Eure**
C.D.T. - Hôtel du département
Bd Georges Chauvin - B.P. 367
27003 Evreux Cedex
Téléphone 02 32 31 51 51

76
SEINE-MARITIME
Rouen

27 EURE
Evreux

27 - EURE

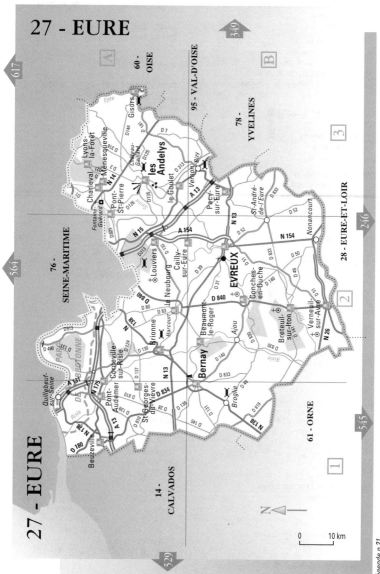

27 - EURE

Légende p 21

Les ANDELYS (A3)
27700 Eure
8455 hab. [i]

⌂ AU SOLEIL LEVANT ★★
2, av. du Général de Gaulle.
Mme Echevin
☎ 02 32 54 23 55
[120F] [🛏] 9 [◇] 225/305 F. [🍽] 35 F.
[🖼] 260/320 F.
[⊠] ven. soir et dim. soir sauf groupes.
[E] [🗄] [☎] [🔧] [CV] [♠]

BEAUMONT LE ROGER (B2)
27170 Eure
2694 hab. [i]

⌂ LE LION D'OR ★★
91, rue Saint-Nicolas. M. Gouin
☎ 02 32 43 48 08 [FAX] 02 32 45 01 92
[🛏] 10 [◇] 230/260 F. [🍽] 35 F.
[🍴] 85/230 F. [🥤] 50 F. [🖼] 270/350 F.
[⊠] 15 juil./7 août, 15/31 déc., dim. soir
et lun.
[🗄] [☎] [🚗] [⛱] [▮▮] [♠] [CB]

BERNAY (B1-2)
27300 Eure
12000 hab. [i]

⌂⌂ LE LION D'OR ★★
48, rue du Général de Gaulle
MeM. Frébet/Guillotin
☎ 02 32 43 12 06 [FAX] 02 32 46 60 58
[120F] [🛏] 26 [◇] 220/275 F. [🍽] 30 F.
[🍴] 100/240 F. [🥤] 40 F. [🖼] 215/270 F.
[E] [🗄] [CB] [☎] [🚗] [▮] [⋈] [🔧] [▮▮] [♠] [CR]

BEUZEVILLE (A1)
27210 Eure
2702 hab. [i]

⌂⌂ COCHON D'OR et PETIT CASTEL ★★
MM. Folleau/Martin
☎ 02 32 57 70 46 [FAX] 02 32 42 25 70
[120F] [🛏] 20 [◇] 195/335 F. [🍽] 35 F.
[🍴] 81/240 F. [🥤] 81 F. [🖼] 275/325 F.
[⊠] 15 déc./15 janv. Rest. dim. soir
oct./mars et lun.
[E] [🗄] [☎] [🚗] [⛱] [🔧] [CB]

⌂⌂ DE LA POSTE ★★
60, rue Constant Fouché. Mme Bosquer
☎ 02 32 57 71 04 [FAX] 02 32 42 11 01
[120F] [🛏] 15 [◇] 230/330 F. [🍽] 35 F.
[🍴] 76/188 F. [🥤] 55 F. [🖼] 260/320 F.
[⊠] 15 nov./15 mars. Rest. mer.
[E] [D] [🗄] [☎] [🚗] [🚗] [⋈] [⛱] [🔧] [⚙] [CV] [♠]
[CB] [▮] [CR]

BRETEUIL SUR ITON (B2)
27160 Eure
3415 hab. [i]

⌂ LE LION D'OR ★★
66, rue Georges Clémenceau.
Mme Beaugendre
☎ 02 32 29 81 09 [FAX] 02 32 35 83 88
[100F] [🛏] 12 [◇] 125/250 F. [🍽] 29 F.

[🍴] 65/130 F. [🥤] 52 F. [🖼] 160/290 F.
[⊠] dim. soir et lun.
[E] [SP] [🗄] [☎] [🚗] [⛱] [🔧] [♠] [CB]

BRIONNE (A2)
27800 Eure
4875 hab. [i]

⌂⌂ LE LOGIS DE BRIONNE ★★
1, place Saint-Denis. M. Depoix
☎ 02 32 44 81 73 [FAX] 02 32 45 10 92
[🛏] 12 [◇] 280/350 F. [🍽] 40 F. [🖼] 350 F.
[⊠] dim. soir et lun.
[E] [SP] [🗄] [☎] [🚗] [🚗] [⋈] [CV] [▮▮] [♠] [CB] [CR]

CAILLY SUR EURE (A-B2)
27490 Eure
191 hab.

⌂⌂ AUBERGE DES 2 SAPINS ★★
Rue de la Mairie. M. Juhel
☎ 02 32 67 75 13 [FAX] 02 32 67 73 62
[🛏] 15 [◇] 210/320 F. [🍽] 30 F.
[🍴] 90/200 F. [🥤] 52 F. [🖼] 240/280 F.
[⊠] 10/30 août, dim. soir et lun.
[E] [🗄] [☎] [🚗] [⛱] [▮▮]

CHARLEVAL (A3)
27380 Eure
1654 hab.

⌂ AUBERGE DE L'ECURIE ★★
M. Robin
☎ 02 32 49 30 73 [FAX] 02 32 48 06 59
[🛏] 11 [◇] 185/290 F. [🍽] 30 F.
[🖼] 250/375 F.
[⊠] fév., dim. soir et lun.
[E] [🗄] [☎] [🚗] [CV] [▮▮] [♠] [CB] [CR]

CONCHES EN OUCHE (B2)
27190 Eure
4500 hab. [i]

⌂⌂ LE CYGNE ★★
36, rue du Val.
M.Me Gilles
☎ 02 32 30 20 60 [FAX] 02 32 37 82 06
[120F] [🛏] 15 [◇] 230/320 F. [🍽] 35 F.
[🍴] 82/190 F. [🥤] 55 F. [🖼] 240/285 F.
[⊠] rest. dim. soir fin sept./Pâques et lun.
[E] [D] [🗄] [☎] [🚗] [🚗] [⚙] [▮▮] [♠] [CB] [CR]

CORNEVILLE SUR RISLE (A2)
27500 Eure

>>> *voir PONT AUDEMER*

EVREUX (B2)
27000 Eure
50358 hab. [i]

⌂⌂ DE FRANCE ★★
29, rue Saint-Thomas. M. Meyruey
☎ 02 32 39 09 25 [FAX] 02 32 38 38 56
[🛏] 16 [◇] 265/340 F. [🍽] 35 F.
[🍴] 150/195 F. [🥤] 125 F. [🖼] 295 F.
[⊠] rest. dim. soir et lun.
[E] [D] [SP] [🗄] [CB] [☎] [🚗] [🚗] [⛱] [▮▮] [♠] [CB]
[CR]

EVREUX (B2) (suite)

♨ DE L'OUEST
47-49, bld Gambetta.
Mme Dubos
☎ 02 32 39 20 39 🅵🅰🅺 02 32 62 37 19
🛏 18 ⬙ 120/220 F. 🍽 25 F.
🍴 58/149 F. 🍷 42 F.
⬜ ☎ 🚗 🚙 CV ⦂⦂ ⬥ CB

GISORS (A3)
27140 Eure
9000 hab. ⓘ

♨♨ MODERNE ★★
Place de la Gare.
M. Wach
☎ 02 32 55 23 51 🅵🅰🅺 02 32 55 08 75
120F 🛏 30 ⬙ 220/400 F. 🍽 35 F.
🍴 75/145 F. 🍷 55 F.
⬜ 1er/23 août, 20 déc./3 janv. Rest.
dim. soir et lun.
E D ⬜ 🚪 ☎ 🚗 🚙 🍴 CV ⦂⦂ ⬥ CB

Le GOULET (A3)
27920 Eure
300 hab.

♨♨ LES 3 SAINT-PIERRE - AUBERGE LES
CANNISSES ★★
5km de Vernon-N15,entre Vernon &
Gaillon
M. Duboc
☎ 02 32 52 50 61 🅵🅰🅺 02 32 52 50 74
🛏 20 ⬙ 260/330 F. 🍽 38 F.
🍴 145/280 F. 🍷 55 F. 🍲 330 F.
E ⬜ ☎ 🚗 🚙 ⛱ 🐾 🍴 CV ⦂⦂ ⬥ CB

LOUVIERS (A2)
27400 Eure
20000 hab. ⓘ

♨♨♨ DE LA HAYE LE COMTE ★★★
4, route de La Haye le Comte.
M. Granoux
☎ 02 32 40 00 40 🅵🅰🅺 02 32 25 03 85
100F 🛏 16 ⬙ 250/490 F. 🍽 50 F.
🍴 100/190 F. 🍷 70 F. 🍲 280/425 F.
⬜ 1er déc./31 mars. Rest. lun. et mar.
midi.
E ⬜ 🚪 ☎ 🚗 🚙 ⛱ 🎣 🐾 🍴 ⦂⦂
⬥ CB

DE ROUEN ★★
11, place E. Thorel.
M. Juhel
☎ 02 32 40 40 02 🅵🅰🅺 02 32 50 73 41
120F 🛏 15 ⬙ 200/325 F. 🍽 29 F.
🍴 67/165 F. 🍷 35 F. 🍲 220/340 F.
E ⬜ 🚪 ☎ 🚗 🚙 🍴 CV ⦂⦂ CB

LYONS LA FORET (A3)
27480 Eure
850 hab. ⓘ

♨♨♨ DOMAINE SAINT-PAUL ★★
Sur N. 321.
M. Lorrain
☎ 02 32 49 60 57 🅵🅰🅺 02 32 49 56 05

🛏 17 🍽 45 F. 🍴 150/200 F. 🍷 80 F.
🍲 310/400 F.
⬜ 12 nov./1er avr.
E D ⬜ 🚗 🚙 ⛱ 🍴 🐾 🍴 ⦂⦂ ⬥

MENESQUEVILLE (A3)
27850 Eure
390 hab.

♨♨ LE RELAIS DE LA LIEURE ★★
1, rue du Général de Gaulle
Mme Trepagny
☎ 02 32 49 06 21 🅵🅰🅺 02 32 49 53 87
120F 🛏 16 ⬙ 250/330 F. 🍽 38 F.
🍴 80/270 F. 🍷 60 F. 🍲 280/330 F.
⬜ 23 déc./5 janv. et lun. 15 oct./
1er juin.
E ⬜ ☎ 🚗 ⛱ 🍴 ⬥ CB CR

Le NEUBOURG (A2)
27110 Eure
3600 hab. ⓘ

♨♨ AU GRAND SAINT MARTIN ★★
68, rue de la République
M. Lachaux-Martinet
☎ 02 32 35 04 80 🅵🅰🅺 02 32 35 06 62
100F 🛏 10 ⬙ 140/280 F. 🍽 26 F.
🍴 65/170 F. 🍷 50 F. 🍲 260 F.
⬜ 3ème et 4ème semaine juin, mer. soir
et jeu.
E ⬜ ☎ 🚗 🚙 🍴 CV ⬥ CB 📷

PACY SUR EURE (B3)
27120 Eure
4295 hab. ⓘ

♨♨ ALTINA ★★
Route de Paris.
M.Me Duval
☎ 02 32 36 13 18 🅵🅰🅺 02 32 26 05 11
100F 🛏 29 ⬙ 270 F. 🍽 33 F. 🍴 65/175 F.
🍷 54 F. 🍲 250 F.
⬜ rest. 4/24 août, dim. soir et lun.
midi.
⬜ ☎ 🚗 🚙 🍴 ⦂⦂ ⬥ CB

PONT AUDEMER (A1)
27500 Eure
10156 hab. ⓘ

... *à proximité*

CORNEVILLE SUR RISLE (A2)
27500 Eure
1004 hab.

5 km Est Pont Audemer par N 175

♨♨ LES CLOCHES DE CORNEVILLE ★★★
Route de Rouen.
M. Tixier
☎ 02 32 57 01 04 🅵🅰🅺 02 32 57 10 96
🛏 12 ⬙ 260/400 F. 🍽 40 F.
🍴 120/260 F. 🍷 60 F. 🍲 560/700 F.
⬜ 2/30 nov. et lun. midi.
E SP ⬜ 🚪 ☎ 🚗 🚙 ⛱ CV ⦂⦂ ⬥
CB

PONT SAINT PIERRE (A2-3)
27360 Eure
980 hab.

▲▲▲ LA BONNE MARMITE ★★★
   10, rue René Raban. M. Amiot
   ☎ 02 32 49 70 24 ▦ 02 32 48 12 41
   ⬆ 9 ◎ 370/550 F. ☲ 45 F.
   ⅋ 145/350 F. ⅋ 98 F. ⬛ 340/415 F.
   ⊠ 19 fév./10 mars, 21 juil./12 août, dim.
   soir et lun.
   [E] [SP] [▭] [☎] [➡] [▶¦] [◄] [CB]

SAINT GEORGES DU VIEVRE (A1)
27450 Eure
560 hab. [ℹ]

▲ DE FRANCE
   Place de la Mairie. M. Vochelet
   ☎ 02 32 42 81 13
⬛₁₀₀F ⬆ 4 ◎ 225/300 F. ☲ 28 F. ⅋ 99/160 F.
   ⅋ 50 F. ⬛ 210/230 F.
   ⊠ 15/31 oct., mar. sauf soir en saison.
   [E] [▭] [🚗] [CB]

VERNEUIL SUR AVRE (B2)
27130 Eure
7000 hab. [ℹ]

▲▲ DU SAUMON ★★
   89, place de la Madeleine. M. Simon
   ☎ 02 32 32 02 36 ▦ 02 32 37 55 80
   ⬆ 29 ◎ 210/290 F. ☲ 40 F.
   ⅋ 65/260 F. ⅋ 65 F.
   ⊠ 20 déc./4 janv.
   [E] [▭] [C¹] [☎] [♿] [▶¦] [◄] [CB] [CR]

Op één van de bijsluiters achterin de gids kunt U ons melden hoe U de ontvangst en Uw verblijf heeft gevonden. Met Uw opmerkingen zorgen wij voor een nog grotere kwaliteit.

**Liste des
hôtels-restaurants**

Seine-
Maritime

C R T Normandie G. Rigoulet

Association départementale
des Logis de France de la Seine-Maritime
C.R.C.I.
9 rue R. Schuman
76000 Rouen
Téléphone 02 35 88 44 42

HAUTE-NORMANDIE

76
SEINE-MARITIME
Rouen ○

27 EURE
Evreux ○

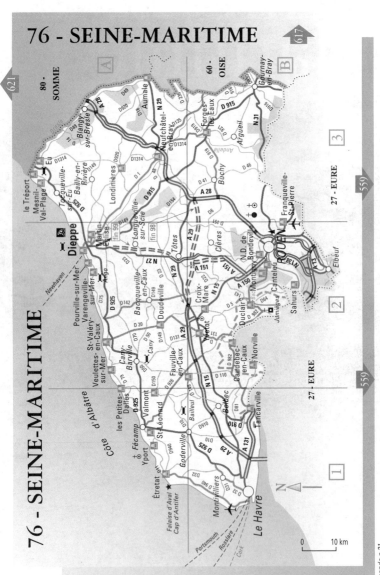

76 - SEINE-MARITIME

76 - SEINE-MARITIME

Légende p 21

AUMALE (A3)
76390 Seine Maritime
3500 hab. [i]

▲▲ LA VILLA DES HOUX
6, av. du Général de Gaulle.
M. Mauconduit
☎ 02 35 93 93 30 [FAX] 02 35 93 03 94
[120F] 🛏 13 ▨ 280/380 F. ■ 35 F.
🍴 98/290 F. 🍴 65 F. 🍴 260/400 F.
[E][◻][🔔][☎][🚗][⛱][🚶][🚲][CV][⊡][◀][CB][GR]

▲ LE MOUTON GRAS
2, rue de Verdun. M. Gauthier
☎ 02 35 93 41 32
🛏 6 ▨ 200/300 F. ■ 35 F.
🍴 100/170 F. 🍴 50 F. 🍴 320 F.
⊠ 1er/19 sept., lun. soir et mar.
[◻][🚗][🚗][⛱][🚶][◀][CB]

CANTELEU (B2)
76380 Seine Maritime
16090 hab. [i]

... à proximité

MONTIGNY (B2)
76380 Seine Maritime
1051 hab.

3 km Ouest Canteleu par D 982

▲▲▲ RELAIS DE MONTIGNY ★★★
M. Lenoble
☎ 02 35 36 05 97 [FAX] 02 35 36 19 60
[120F] 🛏 22 ▨ 280/415 F. 🍴 45 F.
🍴 100/220 F. 🍴 80 F. 🍴 350/400 F.
⊠ 26 déc./5 janv. Rest. sam. midi.
[E][D][I][◻][🔔][☎][🚗][⛱][🚶][⊡][◀][CB]

CAUDEBEC EN CAUX (B2)
76490 Seine Maritime
2497 hab. [i]

▲▲ DE NORMANDIE ★★
19, quai Guilbaud
Mme Gremond
☎ 02 35 96 25 11 [FAX] 02 35 96 68 15
🛏 15 ▨ 210/360 F. ■ 35 F.
🍴 59/190 F. 🍴 45 F. 🍴 260/290 F.
⊠ 7 fév./2 mars. Rest. dim. soir sauf
jours fériés.
[E][◻][🔔][☎][🚗][◀][CB]

▲▲ LE CHEVAL BLANC ★
4, place René Coty. M. Grenet
☎ 02 35 96 21 66 [FAX] 02 35 95 35 40
[100F] 🛏 16 ▨ 170/300 F. ■ 30 F.
🍴 68/160 F. 🍴 48 F. 🍴 165/220 F.
⊠ 18 janv./9 fév. Rest. dim. soir et lun.
sauf fériés.
[◻][☎][🚗][⊠][CV][⊡][◀][CB]

▲▲ NORMOTEL Rest. LA MARINE ★★
18, quai Guilbaud. M. Lefebvre
☎ 02 35 96 20 11 [FAX] 02 35 56 54 40
[120F] 🛏 29 ▨ 250/420 F. ■ 35 F.
🍴 78/240 F. 🍴 60 F. 🍴 245/330 F.
⊠ rest. dim. soir 15 oct./15 mars.
[E][◻][🔔][☎][🚗][🚗][⛱][🚶][⊡][◀][CB]

CROIX MARE (B2)
76190 Seine Maritime

≫≫≫ *voir* YVETOT

DIEPPE (A2)
76200 Seine Maritime
32000 hab. [i]

▲ AU GRAND DUQUESNE
15, place Saint-Jacques. M. Hobbe
☎ 02 35 84 21 51 [FAX] 02 35 84 29 83
🛏 12 ▨ 165/255 F. ■ 28 F.
🍴 72/159 F. 🍴 50 F. 🍴 235/250 F.
[E][◻][🔔][CV][⊡][CB]

▲▲ LES ARCADES ★★
1-3, Arcades de la Bourse M. Deligne
☎ 02 35 84 14 12 [FAX] 02 35 40 22 29
🛏 21 ▨ 260/350 F. ■ 35 F.
🍴 79/200 F. 🍴 59 F. 🍴 235/255 F.
⊠ 5 jours à Noël.
[E][◻][🔔][☎][⊞][🚶][⊡][◀][CB]

▲ WINDSOR ★★
18, boulevard de Verdun. Mme Tanvet
☎ 02 35 84 15 23 [FAX] 02 35 84 74 52
🛏 48 ▨ 250/330 F. ■ 37 F.
🍴 59/150 F. 🍴 50 F. 🍴 250/285 F.
[E][D][SP][i][◻][🔔][☎][🚗][⊞][🚶][CV][⊡]
[◀][CB]

DOUDEVILLE (A2)
76560 Seine Maritime
2330 hab.

▲ LE RELAIS DU PUITS SAINT JEAN
Rue Delanos. M. Lemonnier
☎ 02 35 96 50 99
🛏 4 ▨ 230 F. ■ 30 F. 🍴 80/185 F.
🍴 60 F. 🍴 280 F.
⊠ vac. scol. hiver, 20 fév./15 mars, dim.
soir et lun.
[E][◻][☎][🚗][⛱][🚶][CV][⊡][◀][CB]

DUCLAIR (B2)
76480 Seine Maritime
3500 hab. [i]

▲▲ DE LA POSTE ★★
286, quai de la Libération. M. Montier
☎ 02 35 05 92 50 [FAX] 02 35 37 39 19
[120F] 🛏 14 ▨ 200/300 F. 🍴 80/200 F.
🍴 60 F. 🍴 250/280 F.
⊠ 25 oct./4 nov., 12/26 fév., 1er/15 juil.
et dim. soir.
[E][◻][☎][⊞][🚶][⊡][CB][GR]

ETRETAT (A1)
76790 Seine Maritime
1565 hab. [i]

▲▲▲ DORMY HOUSE ★★★
Route du Havre.
MM. Continsouzas/Courbet
☎ 02 35 27 07 88 [FAX] 02 35 29 86 19
🛏 49 ▨ 250/820 F. ■ 50/ 68 F.
🍴 95/240 F. 🍴 350/555 F.
⊠ 3 janv./15 fév.
[E][D][SP][◻][🔔][☎][🚗][⛱][⊙][⊡][◀][CB]

EU (A3)
76260 Seine Maritime
9500 hab. 🛈

▲▲ DE LA GARE ★★
20, place de la Gare. M. Maine
☎ 02 35 86 16 64 📠 02 35 50 86 25
🛏 20 ⬡ 280/300 F. 🍽 35 F.
🍴 90/230 F. 🍴 60 F. 🍴 300 F.
⊠ 18 août/2 sept. et dim. soir.
🄴 🗖 🕿 🚗 🛉 CV 🎱 🕿 CB

FAUVILLE EN CAUX (A-B2)
76640 Seine Maritime
1750 hab.

▲ DU COMMERCE ★★
919, Grande Rue. M. Benard
☎ 02 35 96 71 22 📠 02 35 56 97 07
🛏 16 ⬡ 150/180 F. 🍽 20 F.
🍴 53/115 F. 🍴 50 F. 🍴 330/350 F.
⊠ rest. lun.
🗖 🕿 🚗 CV 🎱 CB

FORGES LES EAUX (B3)
76440 Seine Maritime
3700 hab. 🛈

▲▲ LA PAIX ★★
15, rue de Neufchatel. M. Michel
☎ 02 35 90 51 22 📠 02 35 09 83 62
🛏 18 ⬡ 233/349 F. 🍽 37 F.
🍴 79/170 F. 🍴 55 F. 🍴 262 F.
⊠ 16 déc./7 janv. Rest. dim. soir et lun.
hs sauf jours fériés, lun. midi en saison
sauf jours fériés.
🄴 SP 🗖 🕿 🚗 🛉 🕿 🛪 🕿 CV 🎱 🕿
CB

FRANQUEVILLE SAINT PIERRE (B2-3)
76520 Seine Maritime
4230 hab.

▲▲ LE VERT BOCAGE ★★
864, route de Paris. M. Bonneton
☎ 02 35 80 14 74 📠 02 35 80 55 73
🛏 19 ⬡ 230/250 F. 🍽 27 F.
🍴 100/205 F. 🍴 55 F. 🍴 250/270 F.
⊠ rest. dim. soir et lun. nov./mars.
🄴 🗓 🗖 🕿 🚗 🖂 🎱 🕿 CB 🄲🄿

LONDINIERES (A3)
76660 Seine Maritime
1200 hab. 🛈

▲ AUBERGE DU PONT ★
Rue du Pont de Pierre. M. Noël
☎ 02 35 93 80 47 📠 02 32 97 00 57
🛏 10 ⬡ 130/220 F. 🍽 30 F.
🍴 52/190 F. 🍴 39 F. 🍴 212/282 F.
⊠ 1ère quinzaine fév.
🄴 🗖 🕿 🚗 🛉 🕨 CV 🎱 🕿 CB

MARTIN EGLISE (A2)
76370 Seine Maritime
1185 hab.

▲▲ AUBERGE DU CLOS NORMAND ★★
22, rue Henri IV. M. Hauchecorne
☎ 02 35 04 40 34 📠 02 35 04 48 49

🛏 8 ⬡ 280/480 F. 🍽 40 F.
🍴 160/250 F. 🍴 80 F. 🍴 360/460 F.
⊠ mi-nov./mi-déc., lun. soir et mar.
🄴 🗖 🕿 🚗 🛉 🕿 CB

MESNIL VAL PLAGE (A3)
76910 Seine Maritime
500 hab. 🛈

▲▲ HOSTELLERIE DE LA VIEILLE FERME ★★
(A 4 km du Treport).
M. Maxime
☎ 02 35 86 72 18 📠 02 35 86 12 67
🛏 33 ⬡ 320/440 F. 🍽 40 F.
🍴 109/239 F. 🍴 45 F. 🍴 310/370 F.
⊠ dim. soir hs.
🄴 🗖 🗓 🕿 🚗 🛉 🛉 CV 🎱 🕿 CB 🄲🄡

MONTIGNY (B2)
76380 Seine Maritime
⪢⪢⪢ *voir CANTELEU*

NEUFCHATEL EN BRAY (A3)
76270 Seine Maritime
6140 hab. 🛈

▲▲ LE GRAND CERF ★★
9, Grande Rue Fosse Porte.
M. Chapelle
☎ 02 35 93 00 02 📠 02 35 94 14 92
🛏 12 ⬡ 220/265 F. 🍽 30 F.
🍴 66/190 F. 🍴 40 F. 🍴 210 F.
🄴 🗖 🗓 🕿 🚗 🛉 CV 🎱 🕿 CB

▲▲ LES AIRELLES ★★
2, passage Michu.
M. Diomard
☎ 02 35 93 14 60 📠 02 35 93 89 03
🛏 14 ⬡ 210/260 F. 🍽 30 F.
🍴 89/208 F. 🍴 58 F. 🍴 240/270 F.
⊠ 15 déc./15 janv.
🄴 🗖 🗓 🕿 🚗 🛉 CV 🎱 🕿 CB

NORVILLE (B2)
76330 Seine Maritime
1200 hab.

▲▲ AUBERGE DE NORVILLE ★
Rue des Ecoles.
M. Eliard
☎ 02 35 39 91 14 📠 02 35 38 47 08
🛏 10 ⬡ 220/250 F. 🍽 25 F.
🍴 70/200 F. 🍴 50 F.
⊠ dim. soir et lun.
🗖 🕿 🚗 🛉 🕿 CB

NOTRE DAME DE BONDEVILLE (B2)
76960 Seine Maritime
7500 hab.

▲ LES ELFES ★
303, rue des Longs Vallons.
M. Guérin
☎ 02 35 74 36 21 📠 02 35 75 27 09
🛏 7 ⬡ 195 F. 🍽 30 F. 🍴 98/210 F.
🍴 50 F. 🍴 180 F.
⊠ 1er/25 août, mer. et dim. soir.
🄴 🗖 🕿 🚗 CV 🎱 🕿 CB

Les PETITES DALLES (A1-2)
76540 Seine Maritime
680 hab. 🛈

⚓ DE LA PLAGE
M. Pierre
☎ 02 35 27 40 77
🛏 6 ⬡ 120/224 F. 🍽 30 F. 🍴 85/180 F.
🍷 45 F. 🏠 169/219 F.
✉ 10/26 fév., 14/23 avr., 24 déc./7 janv.,
dim. soir et mer.
🅴 ⬤ CB

POURVILLE SUR MER (A2)
76550 Seine Maritime
300 hab. 🛈

⚓ AUX PRODUITS DE LA MER ★
Rue du 19 Août. M. Lebon
☎ 02 35 84 38 34
120F 🛏 8 ⬡ 200/340 F. 🍽 32 F. 🍴 90/150 F.
🍷 60 F. 🏠 240/290 F.
✉ 15 déc./31 janv., nov. et fév. sauf
week-end et vac. scol. et réservation
Réveillon Nouvel An, mar. soir et mer.
🅴 ☎ ⬤ CV ⬤ CB

SAHURS (B2)
76113 Seine Maritime
1000 hab.

⚓ LE CLOS DES ROSES ★★
Rue du Haut. M. Danger
☎ 02 35 32 46 09   FAX 02 35 32 69 17
100F 🛏 18 ⬡ 200/330 F. 🍽 25 F.
🍴 55/210 F. 🍷 50 F. 🏠 260/360 F.
✉ mi-déc./mi-janv., dim. soir et lun.
🅴 ⬤ ☎ ⬤ ⬤ 🏃 CV 📺 ⬤ CB

SAINT LEONARD (A1)
76400 Seine Maritime
1600 hab.

⚓⚓⚓ AUBERGE DE LA ROUGE ★★
(Hameau le Chesnay). M. Guyot
☎ 02 35 28 07 59   FAX 02 35 28 70 55
🛏 8 ⬡ 300/370 F. 🍽 40 F.
🍴 105/280 F. 🍷 65 F.
✉ rest. dim. soir et lun.
🅴 ⬤ ☎ ⬤ ⬤ 🏃 🏃 📺 ⬤ CB

SAINT VALERY EN CAUX (A2)
76460 Seine Maritime
4595 hab. 🛈

⚓ DE LA MARINE
113 rue Saint Léger M. Luciani
☎ 02 35 97 05 09
🛏 7 ⬡ 190 F. 🍽 25 F. 🍴 60/150 F.
🍷 35 F. 🏠 185 F.
✉ 15 nov./15 fév. et ven. sauf juil./août.
🅴 SP ⬤ ⬤ CB

TANCARVILLE (B1)
76430 Seine Maritime
1415 hab.

⚓⚓ DE LA MARINE ★★
(au pied du Pont). M. Sedon
☎ 02 35 39 77 15   FAX 02 35 38 03 30

🛏 9 ⬡ 250/480 F. 🍽 45 F.
🍴 140/295 F. 🍷 74 F. 🏠 300/350 F.
✉ 1er/18 août, dim. soir et lun. soir.
🅴 ⬤ ☎ ⬤ ⬤ 🏃 📺 ⬤ CB

Le TREPORT (A3)
76470 Seine Maritime
6227 hab. 🛈

⚓ LE SAINT YVES
7, quai Albert Cauet, place de la Gare.
Mme Boucher
☎ 02 35 86 34 66   FAX 02 35 86 53 73
100F 🛏 14 ⬡ 220/260 F. 🍽 35 F.
🍴 80/140 F. 🍷 45 F. 🏠 230/270 F.
✉ 15 déc./15 janv. et lun.
⬤ ☎ CV ⬤ CB

VALMONT (A1)
76540 Seine Maritime
860 hab. 🛈

⚓⚓ DE L'AGRICULTURE ★★
Place du Docteur Dupont.
M. Guerin
☎ 02 35 29 03 63   FAX 02 35 29 45 59
100F 🛏 18 ⬡ 220/340 F. 🍽 32 F.
🍴 95/195 F. 🍷 55 F. 🏠 220/280 F.
✉ 14 janv./11 fév.
🅴 ⬤ ☎ ⬤ 🏃 🏃 CV 📺 ⬤ CB

VARENGEVILLE SUR MER (A2)
76119 Seine Maritime
1000 hab. 🛈

⚓⚓ DE LA TERRASSE ★★
M. Delafontaine
☎ 02 35 85 12 54   FAX 02 35 85 11 70
100F 🛏 22 ⬡ 260/320 F. 🍽 38 F.
🍴 160/189 F. 🍷 38 F. 🏠 250/320 F.
✉ 16 oct./28 fév.
🅴 ⬤ ⬤ 🏃 🏃 🏃 ⬤ CB

VEULETTES SUR MER (A2)
76450 Seine Maritime
380 hab. 🛈

⚓ DES BAINS ★★
Rue de Greenock.
M. Martin
☎ 02 35 97 17 17   FAX 02 35 57 05 60
🛏 20 ⬡ 270/300 F. 🍽 31 F.
🍴 70/120 F. 🍷 39 F. 🏠 260/270 F.
✉ 30 nov./15 mars et lun. 1er sept/
30 juin.
🅴 SP ⬤ ☎ ⬤ ⬤ 🏃 🏃 🏃 📺 ⬤
CB ▦

⚓⚓ LES FREGATES ★★
Rue de la Plage.
M. Martin
☎ 02 35 97 51 22   FAX 02 35 57 05 60
🛏 16 ⬡ 260/280 F. 🍽 31 F.
🍴 90/160 F. 🍷 45 F. 🏠 250 F.
✉ rest. 15/31 déc. et dim. soir
1er oct./3 juin.
🅴 SP ⬤ ☎ ⬤ ⬤ 🏃 🏃 🏃 📺 ⬤ CB ▦
▦

YPORT (A1)
76111 Seine Maritime
1200 hab. ⓘ

⌂ NORMAND ★★
   2, place J.Paul Laurens. M. Langlois
   ☎ 02 35 27 30 76
   📞 13 ◈ 170/290 F. ☎ 33 F.
   🍽 82/176 F. 🛏 55 F.
   ⊠ 15 jours oct., 4 ou 5 semaines
   janv./fév., mer. soir et jeu. hs.
   ⬚ ☎ 🍴 🛋 🖐 CB

YVETOT (B2)
76190 Seine Maritime
10895 hab. ⓘ

⌂⌂ DU HAVRE ★★
   2,rue G.de Maupassant-place des Belges.
   M. Maître
   ☎ 02 35 95 16 77 📠 02 35 95 21 18
   📞 28 ◈ 195/350 F. ☎ 45 F.
   🍽 58/155 F. 🛏 50 F. 🚗 250/350 F.
   ⊠ rest. dim. soir sauf fériés.
   🗲 ⬚ ☎ 🚗 🕭 🛎 🖐 CB

... *à proximité*

CROIX MARE (B2)
76190 Seine Maritime
591 hab.

5 km S.E. Yvetot par D 5

⌂⌂⌂ AUBERGE DU VAL AU CESNE
   Sur D.5, route de Duclair. M. Carel
   ☎ 02 35 56 63 06 📠 02 35 56 92 78
   📞 5 ◈ 400 F. ☎ 50 F. 🍽 150 F.
   🛏 60 F. 🚗 400 F.
   🗲 ⬚ ☎ 🚗 🍴 ♿ 🛎 🖐 CB

Il nostro scopo è di migliorare la qualità del nostro
servizio e delle nostre prestazione : comunicate le
vostre osservazione al nostro servizio "qualità",
tramite l'apposita scheda allegata alla nostra guida.

Fédération régionale des Logis de France des Pays-de-la-Loire
(Loire-Atlantique, Maine-et-Loire, Mayenne, Sarthe, Vendée)
C.D.T. - Immeuble Acropole - 2, allée Baco
44000 Nantes
Tél. 02 51 72 95 30 - Fax 02 40 20 44 54

C.D.T. Maine-et-Loire / J.P. Guyonneau

C.R.T. Pays-de-la-Loire

Région des Pays de la Loire

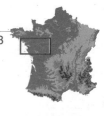

Mairie de Saumur / C. Petiteau

C.R.T Pays-de-la-Loire / N. Lejeune

Pays-
de-la-Loire

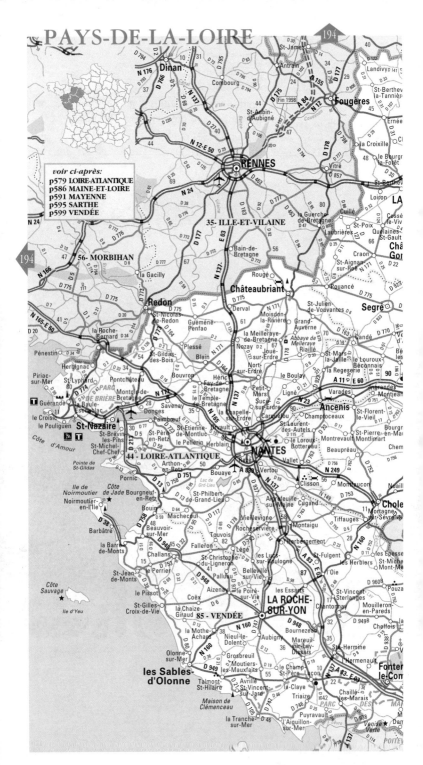

voir ci-après:
p579 LOIRE-ATLANTIQUE
p586 MAINE-ET-LOIRE
p591 MAYENNE
p595 SARTHE
p599 VENDÉE

35 - ILLE-ET-VILAINE

56 - MORBIHAN

44 - LOIRE-ATLANTIQUE

85 - VENDÉE

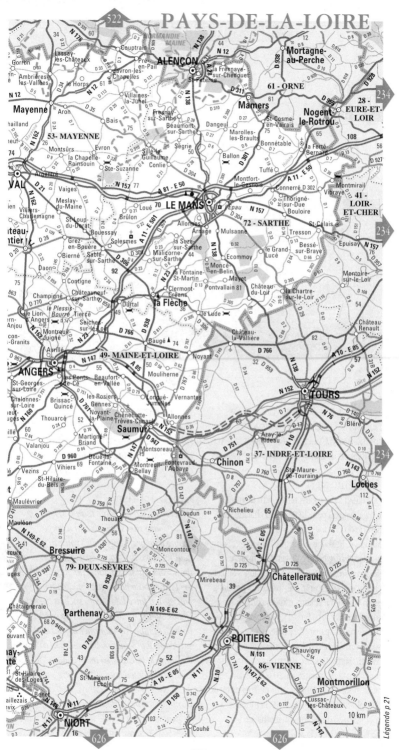

PAYS-DE-LA-LOIRE

NORMANDIE-MAINE

N 138

Couptrain

ALENÇON

Mortagne-au-Perche

12

D 938

Lassay-les-Châteaux

Pré-en-Pail

La Fresnaye-sur-Chédouet

N 12

Gorron

Javron-les-Chapelles

St-Paterne

61 - ORNE

Ambrières-les-Vallées

le Horps

Villaines-la-Juhel

N 138

Mamers

Nogent-le-Rotrou

28 - EURE-ET-LOIR

N 12

Mayenne

Aron

Fresnay-sur-Sarthe

D 311

St-Cosme-en-Vairais

Bais

Beaumont-sur-Sarthe

Dangeul

61

la Ferté-Bernard

108

56

53 - MAYENNE

Montsûrs

Evron

Sillé-le-Guillaume

Ségrie

Marolles-les-Braults

Bonnétable

D 927

Ste-Suzanne

Conlie

Ballon

N 157

Tuffé

A 11 - E 50

Montmirail

Vibraye

41 - LOIR-ET-CHER

LAVAL

Vaiges

Connerré

D 302

Meslay-du-Maine

Loué

LE MANS

Épau

N 157

St-Calais

St-Loup-du-Dorat

Brûlon

Allonnes

Thorigné-sur-Due

Bouloire

Château-Gontier

Bouessay

Solesmes

Arnage

Mulsanne

Tresson

Bessé-sur-Braye

Epuisay

N 157

Grez-en-Bouère

Bierné

Sablé-sur-Sarthe

92

Malicorne-sur-Sarthe

la Suze-sur-Sarthe

N 138

Ecommoy

le Grand-Lucé

Daon

Contigné

Châteauneuf-sur-Sarthe

la Fontaine-St-Martin

N 23

Monce-en-Belin

Mayet

Château-du-Loir

Montoire-sur-le-Loir

54

Champigné

Clermont-Créans

Pontvallain

la Chartre-sur-le-Loir

le Lion-d'Angers

le Plessis-Bourré

Tiercé

Durtal

la Flèche

le Lude

Château-Renault

Montreuil-Juigné

Seiches-sur-le-Loir

D 766

Baugé

Château-la-Vallière

82

ANGERS

Avrillé

N 147

49 - MAINE-ET-LOIRE

Noyant

D 766

N 138

A 10 - E 05

57

les Ponts-de-Cé

Beaufort-en-Vallée

A 85

Mouliherne

N 152

TOURS

N 76

St-Georges-sur-Loire

Brissac-Quincé

les Rosiers

Longué-Jumelles

Vernantes

Blère

Chalonnes-sur-Loire

N 160

Thouarcé

Noyant-la-Plaine

Chênehutte-Trèves-Cunault

Allonnes

N 152

Azay-le-Rideau

N 10

37 - INDRE-ET-LOIRE

Valanjou

Martigné-Briand

Saumur

Montsoreau

Chinon

Ste-Maure-de-Touraine

N 143

Loches

112

Vezins

Vihiers

Doué-la-Fontaine

Montreuil-Bellay

Fontevraud-l'Abbaye

St-Hilaire-du-Bois

N 147

Loudun

Richelieu

65

Mauléon

Thouars

Moncontour

79 - DEUX-SÈVRES

Bressuire

N 149 - E 62

A 10 - E 05

Châtellerault

Châtaigneraie

D 938

Mirebeau

39

Parthenay

N 149 - E 62

POITIERS

59

St-Hilaire-des-Loges

St-Maixent-l'École

A 10 - E 05

N 11

Chauvigny

86 - VIENNE

Montmorillon

Benet

N 148

N 11

Lussac-les-Châteaux

NIORT

Couhé

0   10 km

N

Légende p 21

EN VERT ET EN BLEU
In Green and Blue

C.R.T. Pays-de-la-Loire / Guyonneau

MYSTÉRIEUSE BRIÈRE, VENISE VERTE, VILLAGES TROGLODYTIQUES, CHANTS GRÉGORIENS, ART POPULAIRE FANTASTIQUE : LES CINQ DÉPARTEMENTS DES PAYS-DE-LA-LOIRE NOUS EMMÈNENT TRÈS LOIN.

Tourisme vert

Que d'eau ! Pas moins de 400 km de rivières navigables : en pénichette ou en chaland, en barque ou en "foigouille", on descend la Mayenne, le Maine, la Sarthe, l'Oudon… Sans oublier l'Erdre bordée de gentilhommières et de demeures utopiques telles les "folies Sifflait", charmantes d'excentricité, avec leurs pavillons en trompe-l'œil et leurs escaliers qui ne mènent nulle part. Puis il y a la Loire, à découvrir en "gabare", ce bateau à fond plat et voiles carrées hérité du XIXᵉ siècle. A l'ouest de Nantes, la mystérieuse Brière, toute de toubières et de canaux sur 20 000 hectares, se visite aussi en chaland à partir de Trignac ou de St-Liphard. Dans ce paradis de la mésange à moustaches, du foulque macroule et du gorgebleue, visitez la Maison de l'Éclusier et,

THE FIVE REGIONAL DEPARTMENTS OF THE PAYS-DE-LA-LOIRE PROMISE ALL SORTS OF POSSIBILITIES, FROM THE MYSTERIOUS BRIÈRE, TO GREEN VENISE, PREHISTORIC SITES, GREGORIAN CHANTS AND FANTASTIC POPULAR ART FORMS.

Green Tourism

Water upon water ! More than 400 kms of navigable rivers. Whether in a barge, fishing boat or a "foigouille," you can go floating down the Mayenne, the Maine, the Sarthe and the Oudon… not forgetting the Erdre whose banks are lined with manor houses and fairy-tale homes such as the "folies Sifflait," charming in its excentricity with its trompe l'oeil summer houses and its staircases that lead nowhere. And, of course, the Loire, to be explored in a "gabare," which is a flat-bottomed boat with square sails that dates back to the 19th century. To the west of Nantes is the mysterious Brière district, with its peat marshlands and its canals stretching over 50 000 acres. Again this area can be

surtout, le petit village de Kerhinet : ses chaumières aux toits de roseaux et de joncs des marais lui donnent un air de conte de fées. Sur l'autre rive du fleuve, le lac de Grand-Lieu, l'une des plus belles réserves naturelles d'Europe, abrite l'aigrette garzette, le canard chipeau et se couvre de nénuphars en juillet. Plus au sud, le marais poitevin, avec ses petits champs bordés de canaux, attire aussi tous les migrateurs, oiseaux de passage et touristes sensibles au charme de la "Venise verte".

A bicyclette, à cheval ou en voiture

Non loin, la ville de Fontenay-le-Comte marquée par Rabelais, la cité de Vouvant hantée par la légende de Mélusine, les châteaux de Pouzauges et de Tiffauges, fiefs de Gilles de Rais, le bien-nommé Barbe-Bleue, sont autant d'occasions d'escapades en terre vendéenne. Côté Anjou, le Parc oriental de Maulévrier abrite la philosophie bouddhique, le Jardin des roses de Doué-la-Fontaine embaume, tandis qu'à Fontevraud dort pour toujours la belle Aliénor d'Aquitaine. Dans ce Maine-et-Loire, il faut aussi descendre sous terre, voir les "troglos" de Rocheminier et les créatures bestiales sculptées dans la caverne de Dénezé-sous-Doué, visiter, à Noyant-la-Gravoyère, la "Mine bleue" et ses veines d'ardoise. De passage dans la Sarthe, quand les voûtes gothiques de l'abbaye de Solesmes résonnent des plus beaux chants grégoriens, il règne une atmosphère chargée de spiritualité. Un peu plus loin dans la vallée, Malicorne, célèbre pour ses céramiques et ses faïences, ouvre ses ateliers aux curieux. En Mayenne, vous aimerez flâner dans les ruelles de Sainte-Suzanne, délicieuse bourgade

visited by boat from Trignac or St-Liphard. In this haven of bearded tits and coots you must visit the "Maison de L'Eclusier" and especially the little village of Kerhinet, whose reed- and bulrush-tatched cottages give it a fairy-tale air. On the other bank of the river, the Grand-Lieu lake, one of the most beautiful nature reserves in Europe, is home to little white herons and crested ducks and is covered in waterlilies in July. Further south the Poitevin marshes, with their small meadows criss-crossed by canals, also attract migratory animals, birds and tourists who delight in the promises of "green Venise."

By Bike, Horse or Car

Close by are the town of Fontenay-le-Comte, famous for its association with Rabelais, the town of Vouvant, haunted by the legend of Melusine, and the châteaux of Pouzanges and Tiffauges, strongholds of Gilles de Rais, the infamous Blue-Beard, all of which offer exciting escapades in the Vendée region. In the direction of Anjou you will find the Oriental Gardens at Maulévrier which exemplify Buddhist philosophy, and the wonderful scents of the rose gardens at Doué-la-Fontaine. Meanwhile Aliénor of Aquitain sleeps on forever at Fontevraud. In this region of Maine-et-Loire you must also venture underground and visit the prehistoric sites at Rocheminier and see the cave sculptures of wild animals at Dénezé-sous-Doué. Then there is also the "Blue Mine" at Noyant-la-Gravoyère with its veins of slate. In the region of Sarthe, where the gothic vaults of the Solesmes Abbey resonate with the most beautiful Gregorian chants, you will find

IN GRÜN UND BLAU

Mysteriöses Brière, das grüne Venedig, Höhlendörfer, gregorianische Gesänge, phantastische volkstümliche Kunst: die fünf Départements der Loire entführen Sie in ein unbekanntes Land. Grüner Tourismus im Landesinnern, das Blau der Atlantikstrände...Warum nicht das eine und das andere genießen?

IN GROEN EN BLAUW

Mysterieus Brière, groen Venetië, dorpen met holwoningen, Gregoriaanse zangen, fabelachtige volkskunst : de vijf departementen van de Loirestreek hebben heel wat te bieden. Groen is het toerisme in het binnenland, blauw de wijde stranden van de Atlantische Oceaan ... waarom niet van beide genieten ?

médiévale, et vous étonner à Cossé-le-Vivien, face à la forteresse de l'art fantastique signée Roger Tatin. Les capitales régionales méritent aussi toutes une étape : vieux quartier médiéval et musée de l'Automobile au Mans, tenture de l'Apocalypse à Angers, Ecole de Cavalerie à Saumur, musée Jules Verne et passage Pommeraye à Nantes…

Tourisme bleu

Restent la mer et les longues plages de La Baule, la Tranche et Saint-Jean-de-Monts, le charme des îles d'Yeu et de Noirmoutier qu'il est agréable de rallier par le Gois à marée basse. L'Ocearium du Croisic où batifolent, dans 600 m^3 d'eau de mer, rascasses, manchots et autres squales. Propice à la remise en forme avec ses six centres de thalassothérapie, le littoral est aussi le paradis des golfeurs et des plaisanciers. Y souffle un air chargé d'iode qui stimule tous les appétits. Après avoir goûté saumons et brochets au beurre blanc, anguilles grillées au sarment, rillettes du Mans et chateaubriant, il reste, face à un plateau de fruits de mer et un verre de vin de Loire, à se laisser délicieusement enivrer… par l'air du large.

C.R.T. Pays de la Loire / J. Lesage

an atmosphere charged with spirituality. A little further down the valley is Malicorne, famous for its ceramics and earthenware, where the workshops are open to the public. In Mayenne you will enjoy strolling in the streets of Sainte-Suzanne, a charming little medieval town, and feeling the force of the fantasy fortress built by Roger Tatin at Cossé-le-Vivien. The regional capital cities are also worth visiting: in Le Mans there is the old medieval district and the Automobile Museum, in Angers the Apocalypse Tapestry, in Saumur the Riding Academy and in Nantes the Pommeraye passageway and the Jules Verne Museum.

Blue Tourism

And then there is the sea and sands at La Baule, la Tranche and Saint-Jean-de-Monts, as well as the charms of the Yeu and Noirmoutier islands, which we recommend visiting by the Gois at low-tide. In the Ocearium marine centre at Croisic, scorpion fish, penguins and various types of shark splash around in 600 m^3 of sea-water. The coast also has much to offer those looking for health and fitness, with its six thalassotherapy centres and its golfing and yachting facilities. Moreover, the strong dose of iodine in the air will awaken all appetites. Having tried the salmon and pike cooked in a butter sauce, the eel grilled over vine branches, the «rillettes» of Mans and «chateaubriant,» there is nothing better than a large platter of sea-food, a glass of Loire wine and the gentle intoxication of… the sea breezes.

EN VERDE Y AZUL

Misteriosa Brière, Venecia verde, pueblos trogloditas, cantos gregorianos, arte popular fantástico: los cinco departamentos de Pays de la Loire le llevan muy lejos. Turismo verde en las tierras, azul en las largas playas del Atlántico… por qué no aprovechar unos y otros.

IN VERDE E BLU

Misteriosa Brière, Venezia verde, villaggi trogloditici, canti gregoriani, arte popolare fantastica. I cinque dipartimenti dei Paesi della Loira vi porteranno molto lontano. Turismo verde all'interno delle terre, blu lungo le grandi spiagge dell'Atlantico… perché non approfittare di tutte e due le cose?

Saumon au beurre blanc

CUISINE ET VINS DE FRANCE/C. FLEURENT

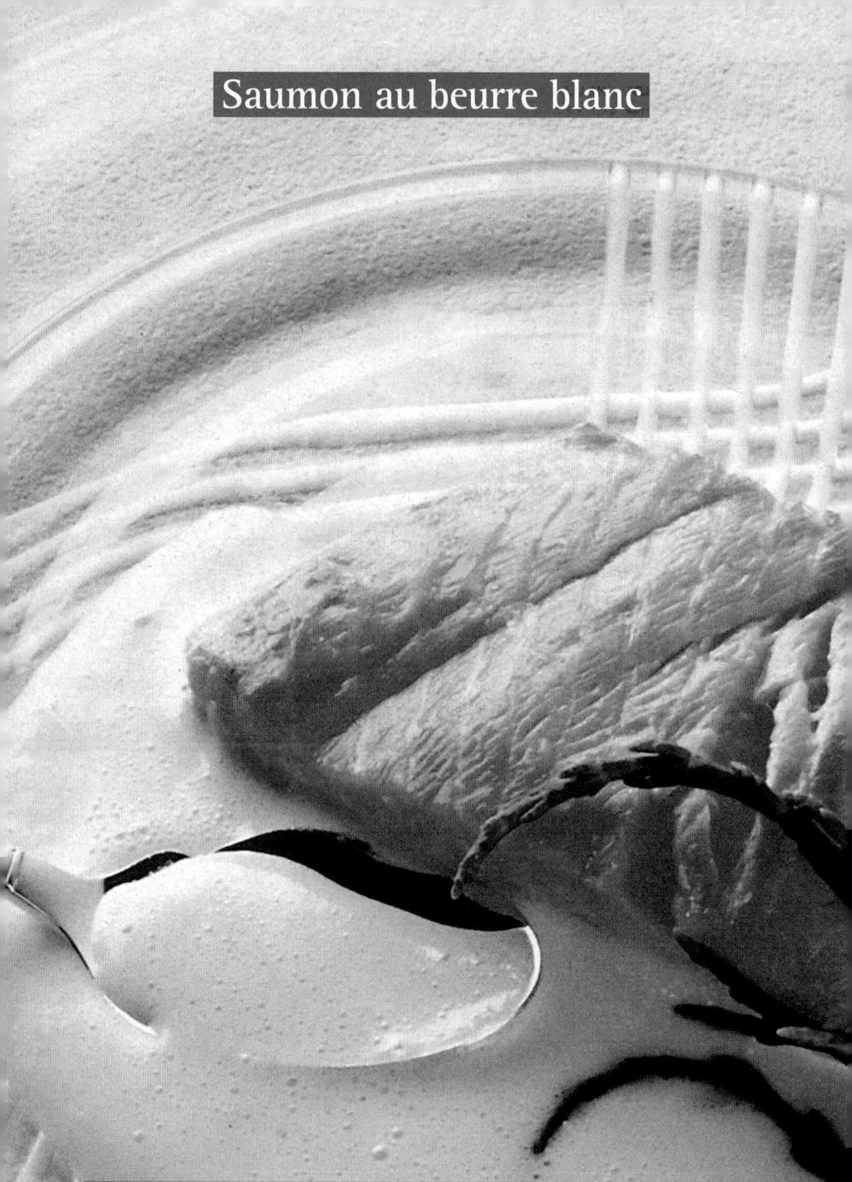

Ingrédients

Pour 4 personnes

- 1 saumon de 1 kg
- 60 g d'échalotes
- 150 g de beurre
- 1 verre de muscadet
- citron, sel, poivre

Recette

- Hacher les échalotes. Les faire réduire doucement dans le vin 20 à 25 minutes. Ajouter alors le beurre par petits morceaux, tout en battant au fouet pour obtenir un mélange mousseux.
- Passer ce mélange au tamis fin. Rectifier l'assaisonnement et ajouter un petit jus de citron.
- Servir aussitôt avec le saumon, délicatement poché à feu doux au court-bouillon.

Liste des
hôtels-restaurants

Loire-Atlantique

C R T Pays de la Loire

Association départementale
des Logis de France de la Loire-Atlantique
C.D.T.
Immeuble Acropole - 2 allée Baco
44000 Nantes
Téléphone 02 51 72 95 30

53
MAYENNE
Laval
72 SARTHE
Le Mans
44
LOIRE-ATLANTIQUE
Angers
49
Nantes
MAINE-ET-LOIRE
La Roche-sur-Yon
85 VENDÉE

44 - LOIRE-ATLANTIQUE

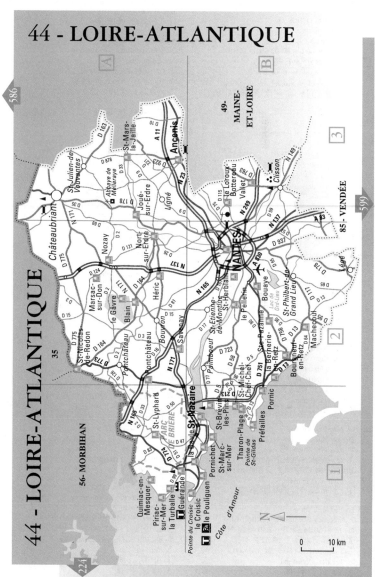

0   10 km

Légende p 21

ANCENIS (A3)
44150 Loire Atlantique
7310 hab. [i]

AKWABA ★★
Bld du Docteur Moutel,Centre les
Arcades M. Abline
☎ 02 40 83 30 30 [FAX] 02 40 83 25 10
[100F] [🛏] 51 [🛏] 160/329 F. [🍽] 40 F.
[🍴] 65/145 F. [🛏] 40 F. [🖼] 354/504 F.
[✉] rest. sam. soir et dim. sauf groupes.
[E] [🖼] [☎] [🚗] [🛏] [🖼] [🛏] [🛏] [🛏] [CV] [🖼]
[🖼] [CB]

DU VAL DE LOIRE ★★
Route d'Angers.
M. Bodineau
☎ 02 40 96 00 03 [FAX] 02 40 83 17 30
[100F] [🛏] 40 [🛏] 215/300 F. [🍽] 25 F.
[🍴] 66/189 F. [🛏] 49 F. [🖼] 204 F.
[✉] entre Noël et Nouvel An. Rest. sam.
[E] [D] [SP] [🖼] [☎] [🚗] [🛏] [🛏] [🛏] [🛏] [🛏]
[🖼] [CB]

LES VOYAGEURS ★★
98, rue Georges Clémenceau.
M. Chollou
☎ 02 40 83 10 06 [FAX] 02 40 83 34 57
[🛏] 16 [🛏] 180/235 F. [🍽] 25 F.
[🍴] 64/138 F. [🛏] 38 F. [🖼] 230 F.
[✉] période de Noël et dim.
[E] [🖼] [☎] [🚗] [🛏] [🛏] [🖼]

La BAULE (B1)
44500 Loire Atlantique
16000 hab. [i]

DU BOIS D'AMOUR ★★
30, av. du Bois d'Amour.
M. Lecler
☎ 02 40 60 00 96 [FAX] 02 40 24 06 48
[100F] [🛏] 27 [🛏] 190/496 F. [🍽] 39 F.
[🍴] 55/169 F. [🛏] 45 F. [🖼] 240/370 F.
[✉] 11 nov./16 mars.
[🖼] [☎] [🚗] [CV] [🖼] [🖼] [CB]

HOSTELLERIE DU BOIS ★★
65, av. Lajarrige. Mme Dabouis
☎ 02 40 60 24 78 [FAX] 02 40 42 05 88
[🛏] 15 [🛏] 340/380 F. [🍽] 38 F.
[🍴] 85/175 F. [🛏] 60 F. [🖼] 295/350 F.
[✉] 5 nov./30 mars.
[E] [🖼] [☎] [🚗] [🛏] [🛏] [🛏] [🛏] [🖼] [🖼] [CB]

LA MASCOTTE ★★
26, av. Marie-Louise. M. Landais
☎ 02 40 60 26 55 [FAX] 02 40 60 15 67
[🛏] 23 [🛏] 380/540 F. [🍽] 45 F.
[🍴] 100/250 F. [🛏] 75 F. [🖼] 380/460 F.
[✉] 11 nov./1er mars.
[E] [🖼] [☎] [🚗] [🛏] [🛏] [🛏] [🖼] [🖼] [CB]

LA PALMERAIE ★★
7, allée des Cormorans. M. Brillard
☎ 02 40 60 24 41 [FAX] 02 40 42 73 71
[🛏] 23 [🛏] 340/480 F. [🍽] 42 F.
[🍴] 130/170 F. [🛏] 60 F. [🖼] 320/400 F.
[✉] 1er oct./début avr.
[E] [🖼] [☎] [🚗] [CB]

LE CLEMENCEAU ★★
42, av. Georges Clémenceau. M. Lebert
☎ 02 40 60 21 33 [FAX] 02 40 42 72 46
[🛏] 16 [🛏] 220/380 F. [🍽] 35 F.
[🍴] 71/145 F. [🛏] 38 F. [🖼] 250/330 F.
[E] [🖼] [☎] [🚗] [🛏] [CV] [🖼] [CB]

LE LUTETIA ★★
13, av. des Evens. M. Fornareso
☎ 02 40 60 25 81 [FAX] 02 40 42 73 52
[🛏] 14 [🛏] 290/450 F. [🍽] 35 F. [🛏] 70 F.
[🖼] 290/450 F.
[✉] 10 janv./1er fév. Rest. dim. soir et
lun.
[E] [🖼] [☎] [🛏] [CV] [🖼] [🖼]

LE SAINT PIERRE ★★
124, av. de Lattre de Tassigny.
Mme Glaudis
☎ 02 40 24 05 41 [FAX] 02 40 11 03 41
[🛏] 19 [🛏] 210/310 F. [🍽] 39 F.
[🍴] 85/140 F. [🛏] 39 F. [🖼] 250/310 F.
[✉] oct./avr.
[E] [🖼] [☎] [🛏] [CV] [🖼] [CB]

SAINT CHRISTOPHE ★★
Place Notre Dame
M. Joüon
☎ 02 40 60 35 35 [FAX] 02 40 60 11 74
[120F] [🛏] 30 [🛏] 250/690 F. [🍽] 45 F.
[🍴] 90/190 F. [🛏] 60 F. [🖼] 250/535 F.
[E] [🖼] [☎] [🚗] [🛏] [🖼] [🖼] [CB]

La BERNERIE EN RETZ (B2)
44760 Loire Atlantique
1826 hab. [i]

DE NANTES ★★
12, rue Georges Clemenceau.
Mme Henriot-Grandjean
☎ 02 40 82 70 14 [FAX] 02 40 64 73 89
[100F] [🛏] 34 [🛏] 135/250 F. [🍽] 30 F.
[🍴] 55/170 F. [🛏] 45 F. [🖼] 225/260 F.
[E] [🖼] [☎] [🚗] [🛏] [CV]

BLAIN (A2)
44130 Loire Atlantique
7434 hab. [i]

LA GERBE DE BLE ★★
4, place Jean Guihard. M. Gratien
☎ 02 40 79 10 50 [FAX] 02 40 79 93 04
[🛏] 10 [🛏] 150/235 F. [🍽] 26 F.
[🍴] 65/100 F. [🛏] 36 F. [🖼] 145/170 F.
[E] [D] [🖼] [☎] [🛏] [CV] [🖼] [CB]

BOUAYE (B2)
44830 Loire Atlantique
4508 hab.

LES CHAMPS D'AVAUX ★★
Route de Pornic-Noirmoutier.
Mlle Barbereau
☎ 02 40 65 43 50 [FAX] 02 40 32 64 83
[🛏] 42 [🛏] 290/320 F. [🍽] 40 F.
[🍴] 85/300 F. [🛏] 70 F. [🖼] 260/300 F.
[✉] dim. soir.
[E] [D] [SP] [🖼] [☎] [🚗] [🛏] [🛏] [🛏] [🛏]
[🛏] [CV] [🖼] [🖼] [CB]

BOURGNEUF EN RETZ (B2)
44580 Loire Atlantique
2280 hab. ⓘ

⚐ LA BOURRINE
8, rue de la Taillée. M. Veronneau
☎ 02 40 21 40 69
🛏 6 ⬚ 145/205 F. 🍽 30 F. 🍴 69/165 F.
🛌 50 F. 🍴 200/225 F.
✉ 1er/15 fév., mer. soir et dim. soir hs.
🇪 ⓘ 🖼 🚗 ☂ 🛝 ⚓

Le CROISIC (B1)
44490 Loire Atlantique
4428 hab. ⓘ

⚐⚐ LE CASTEL MOOR ★★
444, Baie du Castouillet. M.Me Baron
☎ 02 40 23 24 18 🅵🅰🆇 02 40 62 98 90
🛏 18 ⬚ 310/410 F. 🍽 38 F.
🍴 80/180 F. 🛌 60 F. 🍴 310/350 F.
✉ 6 janv./6 fév., lun. soir et mar.
1er oct./15 mars.
🇪 🖼 🚗 🛏 ☂ 🛝 ♿ CV 🔌
⚓ CB 🖼

⚐⚐⚐ LES NIDS ★★
15, rue Pasteur.
M. Audonnet
☎ 02 40 23 00 63 🅵🅰🆇 02 40 23 09 79
🛏 22 ⬚ 220/460 F. 🍽 36 F.
🍴 90/190 F. 🛌 65 F. 🍴 246/366 F.
✉ fin vac. nov./début vac. fév. Rest.
dim. soir et lun. fév./mars, oct./nov.
🇪 SP 🖼 ☂ 🍴 🛝 ♿ CV 🔌 ⚓ CB

Le GAVRE (A2)
44130 Loire Atlantique
1000 hab. ⓘ

⚐ AUBERGE DE LA FORET
(La Maillardais). Mlle Bonhomme
☎ 02 40 51 20 26 🅵🅰🆇 02 40 79 08 31
🛏 10 ⬚ 145/170 F. 🍽 28 F.
🍴 61/160 F. 🛌 45 F. 🍴 165/180 F.
✉ 2 janv./1er fév., dim. soir et lun.
🖼 🚗 ☂ 🛝 ⚓ CV ⚓ CB

GUERANDE (A1)
44350 Loire Atlantique
13000 hab. ⓘ

⚐⚐ LES VOYAGEURS ★★
Place du 8 Mai. M. Salaun
☎ 02 40 24 90 13 🅵🅰🆇 02 40 62 06 64
🛏 12 ⬚ 210/290 F. 🍽 30 F.
🍴 55/220 F. 🛌 38 F. 🍴 275/290 F.
✉ 20 déc./10 janv. et lun. Rest. soir
1er oct./31 mars.
🖼 ☎ 🚗 ☂ 🛝 CV 🔌 CB

HERIC (A2)
44810 Loire Atlantique
3378 hab.

⚐⚐ L'ABREUVOIR ★★
Route de Rennes. M. Amirault
☎ 02 40 57 63 81 🅵🅰🆇 02 40 57 67 81
🛏 9 ⬚ 260/350 F. 🍽 30 F. 🍴 88/190 F.
🛌 75 F. 🍴 265/320 F.
🇪 ⓘ ☎ 🔲 CV 🔌 ⚓ CB 🖼

JOUE SUR ERDRE (A3)
44440 Loire Atlantique
1800 hab.

⚐ AUBERGE DU LION D'OR
21, rue du Bocage. M. Bonnin
☎ 02 40 72 35 34 🅵🅰🆇 02 40 72 35 96
🛏 5 ⬚ 200/250 F. 🍽 25 F. 🍴 55/140 F.
🛌 40 F. 🍴 215/230 F.
✉ 1er/15 janv. et lun. après-midi
1er sept./30 avr. sauf vac. scol.
🇪 🖼 🖼 ☎ 🚗 🚗 🍴 ☂ CV 🔌 CB

Le LOROUX BOTTEREAU (B3)
44430 Loire Atlantique
4000 hab. ⓘ

⚐⚐ DU CHEVAL BLANC ★
6, place Saint-Jean. Mme Normand
☎ 02 40 33 80 34
🛏 9 ⬚ 190/210 F. 🍽 30 F. 🍴 55/135 F.
🛌 35 F. 🍴 190/210 F.
✉ 21 déc./1er janv. et 11/26 août. Rest.
ven. soir, sam. et dim.
🇪 🖼 ☎ 🚗 🍴 🛝 ⚓ CB

MACHECOUL (B2)
44270 Loire Atlantique
5350 hab. ⓘ

⚐⚐ DU CHEVAL BLANC ★★
Route de Challans. Mme Badau
☎ 02 40 31 42 22
🛏 20 ⬚ 140/310 F. 🍽 28 F.
🍴 65/190 F. 🛌 35 F. 🍴 230/290 F.
🖼 ☎ ☎ ☂ CV 🔌 ⚓ CB

MARSAC SUR DON (A2)
44170 Loire Atlantique
1500 hab.

⚐ DU DON
Mme Herrouet
☎ 02 40 87 54 55
🛏 4 ⬚ 200/260 F. 🍽 25 F. 🍴 60/200 F.
🛌 40 F. 🍴 180/230 F.
✉ 4/24 août et dim. soir.
🇪 SP 🖼 🚗 CV

NANTES (B2)
44300 Loire Atlantique
252029 hab. ⓘ

⚐⚐ BEAUJOIRE HOTEL Rest. LE JARDIN ★★
15, rue des Pays de la Loire. M. Gérard
☎ 02 40 93 00 01 🅵🅰🆇 02 40 68 98 32
🛏 39 ⬚ 280 F. 🍽 35 F. 🍴 59/175 F.
🛌 50 F.
🇪 SP 🖼 ☎ 🚗 ♿ CV 🔌 ⚓ CB 🆖

NORT SUR ERDRE (A2)
44390 Loire Atlantique
5700 hab. ⓘ

⚐⚐ DE BRETAGNE ★★
41, av. Aristide Briand. M. Lorin
☎ 02 40 72 21 95 🅵🅰🆇 02 40 72 25 07
🛏 7 ⬚ 240/280 F. 🍽 35 F. 🍴 80/210 F.
🛌 50 F. 🍴 235/260 F.
✉ dim. soir et lun.
🇪 🖼 ☎ 🚗 ☂ ♿ CV 🔌 ⚓ CB

NOZAY (A2)
44170 Loire Atlantique
3240 hab. ⓘ

⚲ GERGAUD ★
12, route de Nantes. M. Forte
☎ 02 40 79 47 54 ⒻⒶⓍ 02 40 79 34 77
☞ 100F ☍ 9 ▣ 135/185 F. ☛ 26 F. ⑪ 62/180 F.
⌖ 40 F. ☒ 155/180 F.
⊠ dim. soir et lun.
Ⓔ SP ⓘ ☐ ☎ ☍ ☂ ⌖ CV ⦂ ☜ CB

Le PELLERIN (B2)
44640 Loire Atlantique
3712 hab.

⚲⚲ LE RELAIS DE LA COTE DE JADE ★★
23, rue de la Plage. M. Prono
☎ 02 40 05 62 20 ⒻⒶⓍ 02 40 05 63 10
☍ 8 ▣ 190/225 F. ☛ 30 F. ⌖ 45 F.
☒ 195/220 F.
⊠ mar. soir 1er sept./30 juin et dim. soir.
Ⓔ ☐ ☎ ☍ ⌖ CV ⦂ ☜ CB

PIRIAC SUR MER (A1)
44420 Loire Atlantique
1150 hab. ⓘ

⚲⚲ DE LA POSTE ★★
25, rue de la Plage. Mme Daniel
☎ 02 40 23 50 90 ⒻⒶⓍ 02 40 23 68 96
☍ 15 ▣ 200/320 F. ⑪ 80/220 F.
⌖ 45 F. ☒ 245/290 F.
⊠ 12 nov./25 mars. Rest. lun. en mai.
Ⓔ ☎ ☂ CV ☜ CB

PONTCHATEAU (A2)
44160 Loire Atlantique
7549 hab. ⓘ

⚲ AUBERGE DU CALVAIRE ★★
Sur D.33,lieu-dit le Calvaire, à 4 km.
Mme Couvrand
☎ 02 40 01 61 65 ⒻⒶⓍ 02 40 01 64 68
☞ 100F ☍ 8 ▣ 180/250 F. ☛ 29 F. ⑪ 60/135 F.
⌖ 50 F. ☒ 220/280 F.
Ⓔ ☐ Ⓖ ☎ ☍ ☂ CV ☜ CB ▤
ⒸⓇ

⚲ LE RELAIS DE BEAULIEU
A Beaulieu. M. Briand
☎ 02 40 01 60 58 ⒻⒶⓍ 02 40 45 60 82
☍ 7 ▣ 210/270 F. ☛ 26 F. ⑪ 71/165 F.
⌖ 43 F. ☒ 250 F.
⊠ rest. sam. soir et dim. soir.
Ⓔ ☍ CV ⦂ ☜ CB

PORNIC (B1)
44210 Loire Atlantique
9908 hab. ⓘ

⚲⚲ LES SABLONS ★★
13, rue des Sablons. Ste Marie-sur-Mer.
M. Noblet
☎ 02 40 82 09 14 ⒻⒶⓍ 02 40 82 04 26
☞ 120F ☍ 30 ▣ 280/440 F. ☛ 40 F.
⑪ 100/250 F. ⌖ 50 F. ☒ 330/360 F.
⊠ rest. dim. soir et lun. hs.
Ⓔ ☐ ☎ ☍ ☂ ☍ ⌖ CV ⦂ CB

PORNICHET (B1)
44380 Loire Atlantique
8133 hab. ⓘ

⚲⚲ LE REGENT ★★
150, bld des Océanides.
M. Mainguet
☎ 02 40 61 05 68 ⒻⒶⓍ 02 40 61 25 53
☞ 120F ☍ 15 ▣ 258/457 F. ☛ 34 F.
⑪ 98/190 F. ⌖ 49 F. ☒ 247/352 F.
Ⓔ Ⓓ SP ☐ ☎ ☍ ☒ ⌖ CV ⦂ ☜ CB

⚲ LES OCEANIDES ★★
4, bld des Océanides.
Mme Vigneron
☎ 02 40 61 33 25 ⒻⒶⓍ 02 40 61 75 44
☞ 120F ☍ 15 ▣ 250/350 F. ☛ 30 F.
⑪ 80/160 F. ⌖ 50 F. ☒ 290 F.
⊠ 1er déc./mi-fév.
Ⓔ SP ☐ ☎ ☒ ☍ CB

⚲ NORMANDY ★★
120, av. de Mazy
Mme Renner
☎ 02 40 61 03 08 ⒻⒶⓍ 02 40 61 67 56
☍ 24 ▣ 190/350 F. ☛ 25/ 35 F.
⑪ 80/150 F. ⌖ 40 F. ☒ 200/300 F.
⊠ 15 nov./28 fév. et mar.
Ⓓ ☐ ☎ ⌖ CV ☜ CB

Le POULIGUEN (B1)
44510 Loire Atlantique
5000 hab. ⓘ

⚲⚲ BEAU-RIVAGE ★★
Sur la Plage, 11, rue Jules Benoît.
M. Maillard
☎ 02 40 42 31 61 ⒻⒶⓍ 02 40 42 82 98
☞ 100F ☍ 65 ▣ 350/420 F. ☛ 40 F. ⌖ 100 F.
☒ 345/420 F.
⊠ fin nov./mi-fév.
Ⓔ Ⓓ ☐ ☎ ☍ ⬍ ☍ ✦ CV ⦂ ☜
CB

PREFAILLES (B1)
44770 Loire Atlantique
625 hab. ⓘ

⚲⚲⚲ LA FLOTTILLE ★★
(Pointe Saint Gildas). Face au Port.
Mme Cassin
☎ 02 40 21 61 18 ⒻⒶⓍ 02 40 64 51 72
☞ 100F ☍ 26 ▣ 220/450 F. ☛ 50 F.
⑪ 100/280 F. ⌖ 60 F. ☒ 350/490 F.
Ⓔ Ⓓ SP ☐ Ⓖ ☎ ☍ ☒ ☍ ⚲ ☍
CV ⦂ ☜ CB ▤ ⒸⓇ

QUIMIAC EN MESQUER (A1)
44420 Loire Atlantique
1200 hab. ⓘ

⚲⚲ MODERNE ★★
Rue Principale.
M. Hund
☎ 02 40 42 51 09 ⒻⒶⓍ 02 40 42 56 47
☞ 80F ☍ 20 ▣ 165/265 F. ☛ 33 F.
⑪ 80/195 F. ⌖ 40 F. ☒ 215/268 F.
⊠ 25 oct./15 mars, mar. soir et mer.
sauf vac. scol.
Ⓔ Ⓓ ☐ ☎ ☒ CV ☜ CB

SAINT BREVIN LES PINS (B1)
44250 Loire Atlantique
8688 hab. ⓘ

🏠🏠 LA BOISSIERE ★★
70, av de Mindin.
M. Le Berrigaud
☎ 02 40 27 21 79 🆖 02 40 39 11 88
🛏 23 🍽 245/425 F. 🍴 32 F.
🍽 85/145 F. 🍴 50 F. 🍴 245/385 F.
✉ 5 oct./1er avr.
🇪 🄳 🗇 ☎ 🚗 🚐 ⛱ 🎿 CV 🔴 CB

🏠🏠 LE DEBARCADERE ★★
Quartier Mindin, place de la Marine.
Mme Moissard
☎ 02 40 27 20 53 🆖 02 40 27 23 69
100F 🛏 14 🍽 280/300 F. 🍴 35 F.
🍽 80/215 F. 🍴 60 F. 🍴 320/380 F.
✉ 1er déc./15 janv., sam. midi et dim.
soir hs.
🇪 🗇 ☎ 🚐 ⛱ 🎿 CV 🔴 CB 🖥

🏠 LE PETIT TRIANON ★★
239, av. de Mindin. Mme Terra
☎ 02 40 27 22 16 🆖 02 40 64 43 49
100F 🛏 18 🍽 173/264 F. 🍴 23 F.
🍽 75/160 F. 🍴 40 F. 🍴 218/262 F.
✉ 6/25 janv., dim. soir et lun. hs et vac.
scol.
🇪 SP 🗇 ☎ 🔴 CB

SAINT HERBLAIN (B2)
44800 Loire Atlantique
42774 hab.

🏠🏠 LE CLOS AMIS ★★
2, rue Henri Radigois.
M. Dehais
☎ 02 40 86 00 57 🆖 02 40 85 31 05
🛏 12 🍽 190/210 F. 🍴 25 F.
🍽 75/185 F. 🍴 55 F. 🍴 185/200 F.
✉ 1 semaine vac. scol. avr., 3 dernières
semaines août, sam., dim. et fériés.
🇪 🄳 SP 🗇 ☎ 🚐 🔌

SAINT LYPHARD (A1)
44410 Loire Atlantique
1554 hab. ⓘ

🏠🏠 AUBERGE DE KERHINET ★★
Village de Kerhinet.
M. Pebay-Arnaune
☎ 02 40 61 91 46
🛏 7 🍽 250/280 F. 🍴 40 F.
🍽 110/220 F. 🍴 50 F. 🍴 320 F.
✉ 20 déc./20 janv., mar. soir et mer.
🇪 ☎ 🚗 ⛱ 🎿 ♿ CV 🔴 CB

SAINT MARC SUR MER (B1)
44600 Loire Atlantique
5000 hab. ⓘ

🏠🏠 DE LA PLAGE ★★
37, rue Commandant Charcot.
M. Bourgine
☎ 02 40 91 99 01 🆖 02 40 91 92 00

🛏 33 🍽 250/360 F. 🍴 35 F.
🍽 75/190 F. 🍴 75 F. 🍴 320/355 F.
✉ 2 janv./2 fév. et dim. soir hs.
🇪 🗇 ☎ 🚐 🚐 CV 🔌 🔴 CB

SAINT MARS LA JAILLE (A3)
44540 Loire Atlantique
2046 hab. ⓘ

🏠 DU COMMERCE ★
6, place du Commerce.
M. Baslande
☎ 02 40 97 00 32 🆖 02 40 97 42 23
🛏 7 🍽 130/200 F. 🍴 20 F. 🍴 85/180 F.
🍴 40 F. 🍴 160/200 F.
✉ 14/27 janv., 7 sept./6 oct., dim. soir
et lun.
🇪 🗇 ☎ 🔌 🔴 CB

SAINT MICHEL CHEF CHEF (B1-2)
44730 Loire Atlantique
2663 hab.

... *à proximité*

THARON PLAGE (B1)
44730 Loire Atlantique
2663 hab. ⓘ

3 km Sud St-Michel Chef Chef par D 96

🏠🏠 LES SABLES D'OR ★★
119, bld de l'Océan.
M. Bloin
☎ 02 40 27 82 17 🆖 02 40 39 94 03
100F 🛏 13 🍽 260/370 F. 🍴 35/ 43 F.
🍽 83/275 F. 🍴 45 F. 🍴 300/350 F.
✉ 2 janv./7 fév., dim. soir et lun. hs
sauf 1er juin/6 sept.
🇪 🗇 ☎ 🚐 ♿ CV 🔴 CB 🖥

SAINT NAZAIRE (B1)
44600 Loire Atlantique
75000 hab. ⓘ

🏠🏠🏠 AU BON ACCUEIL ★★★
39, rue Marceau.
M. Dauce
☎ 02 40 22 07 05 🆖 02 40 19 01 58
120F 🛏 10 🍽 375/390 F. 🍴 47 F.
🍽 115/290 F. 🍴 45 F. 🍴 340 F.
✉ dim. soir.
🇪 🗇 🄶 ☎ 🚐 🔌 🔴 CB

SAINT NICOLAS DE REDON (A2)
44460 Loire Atlantique
2951 hab.

🏠🏠 BONOTEL ★★
(Le Clos des Bauches), Route de Nantes.
M. Gautheron
☎ 02 99 72 23 23 🆖 02 99 72 34 89
120F 🛏 25 🍽 159/295 F. 🍴 30 F.
🍽 55/175 F. 🍴 45 F. 🍴 210/490 F.
✉ 20/26 déc. Rest. sam. midi et dim.
soir.
🇪 🄳 🗇 ☎ 🚐 🚐 🚐 ⛱ 🎿 ♿ CV 🔌
🔴 CB 🖥 🄶

SAINTE PAZANNE (B2)
44680 Loire Atlantique
3159 hab.

♨ LE CHEVAL BLANC
   2, rue de l'Hôtel de Ville. M. Rousseau
   ☎ 02 40 02 40 54 FAX 02 40 02 60 62
   🛏 ❗ 8 ▭ 130/250 F. ■ 28 F. ⏹ 53/165 F.
   ⛹ 45 F. ▨ 180/250 F.
   ⊠ 18 août/5 sept., sam. hs et lun. en
   saison.
   E SP □ ⏏ CB

SAVENAY (A2)
44260 Loire Atlantique
5680 hab. 🛈

♨♨ AUBERGE DU CHENE VERT ★★
   10, place de l'Hôtel de Ville.
   M. Boudaud
   ☎ 02 40 56 90 16 FAX 02 40 56 99 60
   🛏 ❗ 20 ▭ 240/280 F. ■ 34 F.
   ⏹ 61/200 F. ⛹ 36 F. ▨ 247/267 F.
   E □ 🖭 ☎ 🚗 ⋈ ⏏ ⅄ CV ⬥ CB CR

THARON PLAGE (B1)
44730 Loire Atlantique

   ⋙ *voir SAINT MICHEL CHEF CHEF*

La TURBALLE (A1)
44420 Loire Atlantique
3600 hab.

♨♨ LES CHANTS D'AILES ★★
   11, bld Bellanger. M. Delestre
   ☎ 02 40 23 47 28
   🛏 ❗ 17 ▭ 240/340 F. ■ 33 F.
   ⏹ 80/230 F. ⛹ 50 F. ▨ 246/280 F.
   ⊠ hôtel 25 nov./15 déc., dim. soir et
   lun. 1er oct./31 mars. Rest.
   25 nov./26 déc.
   E □ ☎ 🚗 ⋈ ⅄ CV 🚻 ⬥

VALLET (B3)
44330 Loire Atlantique
6000 hab. 🛈

♨ DE LA GARE ★★
   44, rue Saint-Vincent. M. Jouy
   ☎ 02 40 33 92 55 FAX 02 40 36 39 66
   🛏 ❗ 22 ▭ 160/220 F. ■ 26 F.
   ⏹ 60/220 F. ⛹ 35 F. ▨ 170/200 F.
   ⊠ rest. dim.
   E □ ☎ 🚗 ⏏ ⅄ ⅄ CV ⬥ CB

♨♨ DON QUICHOTTE ★★
   35, route de Clisson. M. Sauzereau
   ☎ 02 40 33 99 67 FAX 02 40 33 99 67
   ❗ 12 ▭ 275 F. ■ 35 F. ⏹ 90/235 F.
   ⛹ 65 F. ▨ 230 F.
   ⊠ 1er/8 janv. Rest. dim. soir.
   E □ 🖭 ☎ 🚗 ⋈ ⏏ ⅄ ⅄ 🚻 ⬥ CB

Mejorar la calidad de nuestra acogida y de nuestros servicios es nuestro objetivo. Envíe sus observaciones a nuestro servicio "Seguimiento de la calidad" rellenando la ficha correspondiente del final de la guía.

**Liste des
hôtels-restaurants**

Maine-
et-Loire

C.D.T. Maine-et-Loire / J.P. Guyonneau

Association départementale
des Logis de France du Maine-et-Loire
C.D.T. de l'Anjou
Place Kennedy - B.P. 2147
49021 Angers Cedex 02
Téléphone 02 41 23 51 51

PAYS-DE-LA-LOIRE

53 MAYENNE
Laval
72 SARTHE
Le Mans
44 LOIRE-ATLANTIQUE
Angers
49 MAINE-ET-LOIRE
Nantes
La Roche-sur-Yon
85 VENDÉE

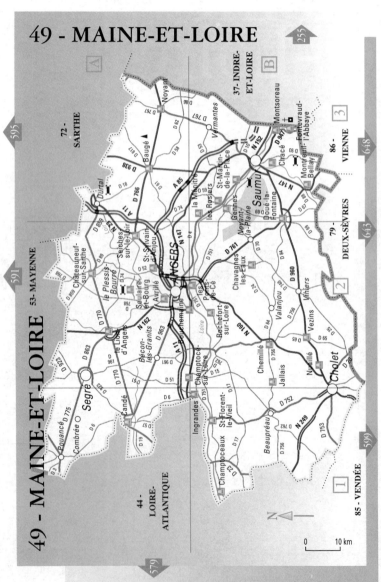

49 - MAINE-ET-LOIRE

Légende p 21

AVRILLE (A2)
49240 Maine et Loire
11380 hab. ℹ️

▲▲ DU BOIS DU ROY ★★
8, av. Pierre Mendès France. M. Brin
☎ 02 41 69 20 18 〽️ 02 41 34 49 84
🛏 25 ▢ 260 F. ▣ 32 F. 🍴 54/178 F.
🍽 40 F. 🛎 220 F.
Ⓔ 🖵 🔲 ☎ 🚗 🛏 ♿ 🕮 ● CB

▲▲ DU CAVIER ★★
Route de Laval. M. Huez
☎ 02 41 42 30 45 〽️ 02 41 42 40 32
🛏 43 ▢ 280/316 F. ▣ 36 F.
🍴 105/170 F. 🍽 54 F. 🛎 215/263 F.
✉️ rest. 21 déc./4 janv. et dim.
Ⓔ 🖵 🔲 ☎ 🚗 🛏 ♿ CV 🕮
● CB

BAUGE (A3)
49150 Maine et Loire
4000 hab. ℹ️

▲▲ LA BOULE D'OR ★★
4, rue du Cygne. M. Jolly
☎ 02 41 89 82 12
🛏 10 ▢ 295/400 F. ▣ 35 F.
🍴 85/220 F. 🍽 50 F. 🛎 280/420 F.
✉️ 18 déc./10 janv., dim. soir sauf
juil./août et lun.
Ⓔ 🖵 ☎ 🚗 CV ●

BOUCHEMAINE (A-B2)
49080 Maine et Loire
5574 hab. ℹ️

▲ LE RABELAIS
17, rue Chevrière. M. Chaillou
☎ 02 41 77 10 51 〽️ 02 41 77 19 14
🛏 5 ▢ 230/280 F. ▣ 30 F. 🍴 80/230 F.
🍽 55 F. 🛎 220/240 F.
🖵 ☎ 🚗 🛏 ♿ CV 🕮 ● CB

CANDE (A1)
49440 Maine et Loire
2542 hab. ℹ️

▲ LES TONNELLES
8, place des Halles. M. Boudet
☎ 02 41 92 71 12
🛏 7 ▢ 185/210 F. ▣ 28 F. 🍴 65/165 F.
🍽 45 F. 🛎 255/275 F.
✉️ vac. scol. hiver, 10 premiers jours
oct. et mer.
🖵 ☎ 🚗 CV ● CB

CHACE (B3)
49400 Maine et Loire
1000 hab.

▲▲ AUBERGE DU THOUET ★★
46, place du Collier. M. Souadjian
☎ 02 41 52 97 02 〽️ 02 41 52 40 37
80F 🛏 10 ▢ 170/310 F. ▣ 30 F.
🍴 65/170 F. 🍽 42 F. 🛎 275/395 F.
✉️ 21 fév./3 mars, 1 semaine vac. scol.
oct., 3 semaines vac. scol. Noël, ven.
soir, sam. et dim. 1er oct./1er avr.
Ⓔ SP 🖵 ☎ CV 🕮 ● CB

CHAMPTOCE SUR LOIRE (A-B2)
49123 Maine et Loire
1400 hab.

▲▲ CHEVAL BLANC ★★
1, rue Gilles de Rais. Mlle Pavy
☎ 02 41 39 91 81 〽️ 02 41 39 98 67
🛏 12 ▢ 205 F. ▣ 28 F. 🍴 70/140 F.
🍽 40 F. 🛎 190/220 F.
✉️ 1er/10 mars, 5/25 sept., sam. et dim.
soir hs.
🖵 ☎ 🚗 🛏 ♿ 🕮 ● CB

CHAMPTOCEAUX (B1)
49270 Maine et Loire
1600 hab. ℹ️

▲▲ LE CHAMPALUD ★★
Promenade du Champalud. M. Rabu
☎ 02 40 83 50 09 〽️ 02 40 83 53 81
100F 🛏 16 ▢ 185/270 F. ▣ 32 F.
🍴 61/220 F. 🍽 45 F. 🛎 185/225 F.
✉️ rest. 1er/26 janv. et mer. oct./30 avr.
Ⓔ 🖵 ☎ ⊘ ♿ CV 🕮 ● CB 📷 CR

CHATEAUNEUF SUR SARTHE (A2)
49330 Maine et Loire
2370 hab. ℹ️

▲ DE LA SARTHE
1, rue du Port. M. Houdebine
☎ 02 41 69 85 29
🛏 7 ▢ 200/270 F. ▣ 30 F. 🍴 90/205 F.
🍽 55 F. 🛎 250/300 F.
✉️ 3 semaines oct., dim. soir et lun. sauf
juil./août.
Ⓔ ☎ ♿ CV ● CB

▲▲ LES ONDINES ★★
Quai de la Sarthe. M. De Potter
☎ 02 41 69 84 38 〽️ 02 41 69 83 59
80F 🛏 20 ▢ 261/356 F. ▣ 35 F.
🍴 65/195 F. 🍽 47 F. 🛎 239/258 F.
Ⓔ 🖵 ☎ 🚗 🛏 CV 🕮 ● CB

CHAVAGNES LES EAUX (B2)
49380 Maine et Loire
713 hab.

▲▲ AU FAISAN ★★
Rue Nationale. M. Peltier
☎ 02 41 54 31 23 〽️ 02 41 54 13 33
🛏 10 ▢ 195/285 F. ▣ 30 F.
🍴 65/170 F. 🍽 48 F. 🛎 230/275 F.
✉️ 15 nov./20 janv., dim. soir et lun.
Ⓔ 🖵 ☎ 🚗 🛏 ♿ 🕮 ● CB

CHEMILLE (B2)
49120 Maine et Loire
5963 hab. ℹ️

▲▲ AUBERGE DE L'ARRIVEE ★★
15, place de la Gare. M. Gimenez
☎ 02 41 30 60 31 〽️ 02 41 30 78 45
100F 🛏 8 ▢ 150/300 F. ▣ 29 F. 🍴 79/189 F.
🍽 42 F. 🛎 150/280 F.
✉️ dim. soir.
Ⓔ SP 🖵 ☎ 🚗 CV ● CB

DOUE LA FONTAINE (B3)
49700 Maine et Loire
7500 hab. ⓘ

▲▲ DE FRANCE ★★
Place du Champ de Foire. M. Jarnot
☎ 02 41 59 12 27 ⓕⓐⓧ 02 41 59 76 00
🛏 18 ⓢ 200/300 F. ⬛ 30 F.
100F
⑪ 75/230 F. ⚫ 50 F. ⬛ 230/280 F.
⊠ 23 déc./20 janv., 1er/7 juil., dim. soir
et lun. sauf juil./août.
Ⓔ ⬜ ☎ ⓘⓞⓘ ⬥ CB

▲ LE DAGOBERT
14, place du Champ de Foire. M. Sorin
☎ 02 41 83 25 25 ⓕⓐⓧ 02 41 59 76 51
🛏 11 ⓢ 140/300 F. ⬛ 35 F.
⑪ 70/200 F. ⚫ 50 F. ⬛ 400 F.
⊠ dim. soir nov./mai.
Ⓔ ⬜ ☎ ⬛ ⚫ CV ⓘⓞⓘ ⬥

FONTEVRAUD L'ABBAYE (B3)
49590 Maine et Loire
1868 hab. ⓘ

▲▲▲ LA CROIX BLANCHE ★★
7, place des Plantagenêts. M. Thiery
☎ 02 41 51 71 11 ⓕⓐⓧ 02 41 38 15 38
100F
🛏 21 ⓢ 280/450 F. ⬛ 37 F.
⑪ 99/215 F. ⚫ 57 F. ⬛ 300/390 F.
⊠ 12/22 nov. et 12 janv./9 fév.
Ⓔ ⬜ ☎ ⬛ ⬛ ⓣ ⓕ ⚫ ⓘⓞⓘ ⬥
CB

GENNES (B3)
49350 Maine et Loire
1668 hab. ⓘ

▲▲ AUX NAULETS D'ANJOU ★★
18, rue Croix de Mission. M. Comoy
☎ 02 41 51 81 88 ⓕⓐⓧ 02 41 38 00 78
🛏 19 ⓢ 220/280 F. ⬛ 32 F.
⑪ 98/160 F. ⚫ 50 F. ⬛ 260 F.
⊠ 15 fév./15 mars et mer. soir hs.
Ⓔ ⬜ ☎ ⬛ ⓣ ⓕ ⓘⓞⓘ ⬥ CB

INGRANDES SUR LOIRE (B1)
49123 Maine et Loire
1500 hab. ⓘ

▲▲ LE LION D'OR ★★
Place du Lion d'Or. M. Paquereau
☎ 02 41 39 20 08 ⓕⓐⓧ 02 41 39 21 03
100F
🛏 16 ⓢ 160/260 F. ⬛ 25 F.
⑪ 65/180 F. ⚫ 48 F. ⬛ 181/227 F.
⊠ 15/28 fév.
Ⓔ ⬜ ☎ ⬛ CV ⬥ CB ⬛ ⓒⓡ

JALLAIS (B2)
49510 Maine et Loire
3100 hab.

▲▲ LA CROIX VERTE ET LE VERT
GALANT ★★
Centre Ville M. Gaillard
☎ 02 41 64 20 22 ⓕⓐⓧ 02 41 64 15 17
120F
🛏 20 ⓢ 200/300 F. ⬛ 35 F.
⑪ 70/200 F. ⚫ 50 F. ⬛ 230/300 F.
Ⓔ ⬜ ☎ ⬛ CV ⓘⓞⓘ ⬥ CB

Le LION D'ANGERS (A2)
49220 Maine et Loire
3160 hab. ⓘ

▲▲ LES VOYAGEURS ★★
2, rue du Général Leclerc. M. Lamidon
☎ 02 41 95 81 81 ⓕⓐⓧ 02 41 95 84 80
100F
🛏 14 ⓢ 230/300 F. ⬛ 30 F.
⑪ 80/200 F. ⚫ 40 F. ⬛ 200/235 F.
⊠ 12 janv./3 fév., dim. soir et lun. hs.
⬜ ☎ ⬛ ⓕ ⓘⓞⓘ ⬥ CB

La MENITRE (B3)
49250 Maine et Loire
1750 hab. ⓘ

▲ AU BEC SALE ★★
Au Port Saint Maur Mme Serru
☎ 02 41 45 63 56 ⓕⓐⓧ 02 41 45 67 88
100F
🛏 11 ⓢ 170/270 F. ⬛ 35 F.
⑪ 72/175 F. ⚫ 46 F. ⬛ 230 F.
⊠ 2/31 janv., dim. soir et lun.
Ⓔ Ⓓ ⬜ ☎ ⓣ ⓕ CV ⬥ ⬛ ⓒⓡ

▲ LE RELAIS BELLEVUE
(La Levée de la Loire). Mme Leborgne
☎ 02 41 45 61 05
120F
🛏 6 ⓢ 160/220 F. ⬛ 35 F. ⑪ 78/200 F.
⚫ 50 F. ⬛ 194/206 F.
⊠ dim. soir et lun.
Ⓔ ⬜ ☎ ⬛ ⓜ ⓣ ⓕ CV ⬥ CB

MONTREUIL BELLAY (B3)
49260 Maine et Loire
4500 hab. ⓘ

▲▲ SPLENDID HOTEL ★★
2, rue du Docteur Gaudrez. M. Berville
☎ 02 41 53 10 00 ⓕⓐⓧ 02 41 52 45 17
100F
🛏 60 ⓢ 160/450 F. ⬛ 40 F.
⑪ 75/220 F. ⚫ 40 F. ⬛ 250/350 F.
⊠ rest. dim. soir 15 oct./15 mars.
Ⓔ ⬜ ☎ ⬛ ⬛ ⓜ ⓣ ⬛ ⬛ ⬛ ⬛
ⓕ CV ⓘⓞⓘ ⬥ CB ⬛ ⓒⓡ

MONTSOREAU (B3)
49730 Maine et Loire
500 hab. ⓘ

▲▲ DIANE DE MERIDOR-LE BUSSY ★★
Quai Philippe de Commines. M. Wurffel
☎ 02 41 51 70 18 ⓕⓐⓧ 02 41 38 15 93
120F
🛏 12 ⓢ 290/360 F. ⬛ 38 F.
⑪ 90/260 F. ⚫ 55 F. ⬛ 280/320 F.
⊠ 15 déc./31 janv. et mar.
Ⓔ Ⓓ ⓘ ⬜ ☎ ⬛ ⬛ ⓜ ⓣ CV ⬥ CB

NOYANT (A3)
49490 Maine et Loire
1700 hab. ⓘ

▲ HOSTELLERIE SAINT MARTIN
6, place de l'Eglise Mme Pavy
☎ 02 41 89 60 44
🛏 6 ⓢ 220/260 F. ⬛ 30 F. ⑪ 60/165 F.
⚫ 40 F. ⬛ 250/280 F.
⊠ dim. soir.
⬜ ☎ ⬛ CV ⬥ CB

NUAILLE (B2)
49340 Maine et Loire
1120 hab.

▲▲▲ RELAIS DES BICHES ★★
Place de l'Eglise. M. Baume
☎ 02 41 62 38 99 ᴆᴀ� 02 41 62 96 24
🛏 12 ◇ 250/300 F. ☰ 40 F.
🍴 80/180 F. ⅋ 55 F. 🛆 275/310 F.
Ⓔ 🗔 🄶 🚗 � 🛬 ⚓ 🚴 CV ▥

PONT DE CE (B2)
49130 Maine et Loire
11000 hab. ⓘ

▲▲ HOSTELLERIE LE BOSQUET
2, rue Maurice Berne. Sur N.160.
M. Adam
☎ 02 41 57 72 42 ᴆᴀ� 02 41 45 92 98
🛏 10 ◇ 250/280 F. ☰ 35 F.
🍴 108/270 F. ⅋ 75 F. 🛆 310 F.
⊠ 19 fév./3 mars, 17/31 août, dim. soir
et lun.
Ⓔ 🗔 🚗 � ⚓ ▥ CB 🛬

ROCHEFORT SUR LOIRE (B2)
49190 Maine et Loire
1700 hab. ⓘ

▲ LE GRAND HOTEL Rest. LA
GRAND'PREE ★★
30, rue René Gasnier
Mme Subileau
☎ 02 41 78 80 46 ᴆᴀ� 02 41 78 83 25
🛏 8 ◇ 200/250 F. ☰ 28 F. 🍴 95/170 F.
120F
⅋ 50 F. 🛆 220 F.
⊠ 1ère quinzaine mars, 1ère quinzaine
octobre, dim. soir et mer.
Ⓔ 🚗 ⚓ 🚴 ▥ CB

Les ROSIERS (B3)
49350 Maine et Loire
2000 hab. ⓘ

▲▲ AU VAL DE LOIRE ★★
Place de l'Eglise.
M. Vidus
☎ 02 41 51 80 30 ᴆᴀ� 02 41 51 95 00
🛏 9 ◇ 220/260 F. ☰ 28 F. 🍴 70/190 F.
100F
⅋ 45 F. 🛆 281/317 F.
🗔 🚗 � ▥ CB

SAINT FLORENT LE VIEIL (B1)
49410 Maine et Loire
3000 hab. ⓘ

▲▲ HOSTELLERIE DE LA GABELLE ★★
Quai de la Loire.
Mme Redureau
☎ 02 41 72 50 19 ᴆᴀ� 02 41 72 54 38
🛏 18 ◇ 180/250 F. ☰ 35 F.
120F
🍴 80/225 F. ⅋ 40 F. 🛆 280 F.
⊠ 1er/2 nov., 25 et 31 déc., dim. soir
hiver.
Ⓔ 🗔 🚗 CV ▥ ⚓ CB

SAINT MARTIN DE LA PLACE (B3)
49160 Maine et Loire
1200 hab. ⓘ

▲▲ AUBERGE DU CHEVAL BLANC ★★
2, rue des Mariniers. M. Cornubert
☎ 02 41 38 42 96 ᴆᴀ� 02 41 38 42 62
🛏 12 ◇ 230/360 F. ☰ 30 F.
100F
🍴 90/250 F. ⅋ 55 F. 🛆 270/370 F.
⊠ 5 janv./5 fév., dim. soir et lun. sauf
été.
Ⓔ 🗔 🚗 � 🛬 ⚓ 🚴 🛬 ⚓

SAINT SYLVAIN D'ANJOU (A2)
49480 Maine et Loire
3500 hab.

▲▲ LA FAUVELAIE ★★
Route du Parc Expo. Mme Juhel
☎ 02 41 43 80 10 ᴆᴀ� 02 41 60 84 89
🛏 9 ◇ 260 F. ☰ 30 F. 🍴 100/140 F.
100F
⅋ 50 F. 🛆 230 F.
⊠ rest. 15 juil./15 août, 25/31 déc.,
dim. soir et soirs de fêtes.
Ⓔ SP 🗔 🄶 🚗 � 🛬 🚴 CV ▥ ⚓ CB
🛬

SEICHES SUR LE LOIR (A2)
49140 Maine et Loire
2207 hab. ⓘ

▲ HOSTELLERIE SAINT JACQUES ★★
17, rue de Verdun Matheflon Mme Perot
☎ 02 41 76 20 30 ᴆᴀ� 02 41 76 61 51
🛏 7 ◇ 180/240 F. ☰ 28 F. 🍴 69/190 F.
100F
⅋ 40 F. 🛆 205/235 F.
⊠ 16 fév./5 mars, 21 déc./1er janv.
Hôtel et rest. dim. soir et lun.
nov./mars. Rest. lun. midi avr./oct.
🗔 🚗 � 🚴 CV ⚓ CB

SOULAIRE ET BOURG (A2)
49460 Maine et Loire
1100 hab.

▲ LE RELAIS DU PLESSIS BOURRE
7, route d'Angers, D 107. M. Lucas
☎ 02 41 32 06 07
100F
🛏 5 ◇ 135/280 F. ☰ 34 F. 🍴 85/180 F.
⅋ 60 F. 🛆 200/260 F.
Ⓔ 🚗 ⚓ CB

VEZINS (B2)
49340 Maine et Loire
1400 hab.

▲ LE LION D'OR ★★
8, rue Nationale. M. Brottier
☎ 02 41 64 40 06 ᴆᴀ� 02 41 64 90 50
🛏 10 ◇ 130/220 F. ☰ 26 F.
🍴 72/158 F. ⅋ 42 F. 🛆 180/260 F.
⊠ 27 janv./9 fév., 13/21 sept., ven. soir
1er oct./30 avr. et dim. soir et soirs
fériés.
Ⓔ 🗔 🚗 � 🚗 ▥ ⚓ CB

**Liste des
hôtels-restaurants**

Mayenne

Association départementale
des Logis de France de la Mayenne
C.D.T.
84 avenue Robert Buron - B.P. 1429
53014 Laval Cedex
Téléphone 02 43 53 18 18

PAYS-DE-LA-LOIRE

53
MAYENNE
Laval
72 SARTHE
Le Mans
44
LOIRE-ATLANTIQUE
Angers
49
MAINE-ET-LOIRE
Nantes
La Roche-sur-Yon
85 VENDÉE

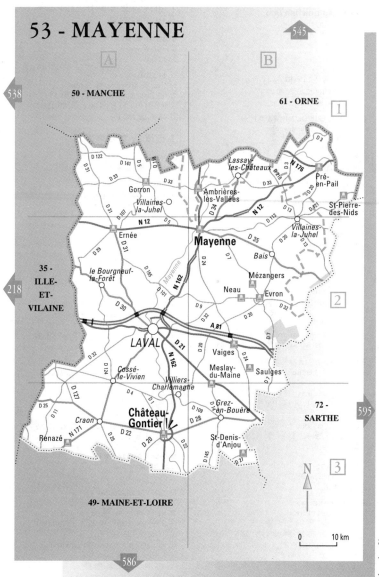

53 - MAYENNE

A   B

545

538

50 - MANCHE

61 - ORNE

1

D 3

D 122   D 141   D 5   D 110

D 31   D 33   D 33

N 176

Lassay-les-Châteaux

Pré-en-Pail

Gorron   D 34   D 33

Ambrières-les-Vallées

D 20

D 20

St-Pierre-des-Nids

D 21

Villaines-la-Juhel   D 31   D 107

N 12   D 113   D 13

Villaines-la-Juhel

Ernée   D 31

D 5

D 35

D 20

D 13

35 - ILLE-ET-VILAINE

218

D 29

le Bourgneuf-la-Forêt

Mayenne

D 24

D 1

Bais

Mézangers

D 105

Mayenne

N 162

Neau

Evron

D 101

D 20

D 32

2

D 30

D 9

D 32

A 81

D 7

LAVAL

D 21

D 20

Vaiges

D 24

595

D 32

N 162

Cossé-le-Vivien

D 124

Meslay-du-Maine

Saulges

D 7

Villiers-Charlemagne

D 127

D 4

Château-Gontier

Grez-en-Bouère

72 - SARTHE

D 25

D 11

Craon

N 171

D 109

D 28

D 25

D 22

D 20

St-Denis-d'Anjou

Renazé

D 22

D 145

3

D 27

N
△

49- MAINE-ET-LOIRE

0   10 km

Légende p 21

586

591

AMBRIERES LES VALLEES (B1)
53300 Mayenne
2000 hab. ⓘ

⌂ LE GUE DE GENES ★★
27, rue Notre-Dame.
M. Postel
☎ 02 43 04 95 44 ⟨FAX⟩ 02 43 08 80 06
🛏 7 ⌧ 180/230 F. 🍽 28 F. 🍴 65/180 F.
🚶 48 F. 🛏 200/250 F.
⌧ 20 fév./4 mars, ven. soir et dim. soir
15 sept./30 avr.
〔E〕〔⌂〕〔☎〕〔🚗〕〔🐾〕〔🚶〕〔🚴〕〔CV〕〔🔌〕〔🐾〕〔CB〕

CHATEAU GONTIER (A3)
53200 Mayenne
10000 hab. ⓘ

✳ DU CERF ★★
31, rue Garnier.
Mme Mezière
☎ 02 43 07 25 13 ⟨FAX⟩ 02 43 07 02 90
🛏 22 ⌧ 160/220 F. 🍽 27 F.
〔⌂〕〔CB〕〔☎〕〔🚗〕〔🐾〕〔CB〕

⌂ HOSTELLERIE DE MIRWAULT ★★
Rue du Val de la Mayenne.
M. Mitchell
☎ 02 43 07 13 17 ⟨FAX⟩ 02 43 07 82 96
80F 🛏 11 ⌧ 250/285 F. 🍽 35 F.
🍴 98/168 F. 🚶 65 F. 🛏 220/250 F.
⌧ 31 déc./15 mars, lun. midi et mer.
midi.
〔E〕〔⌂〕〔☎〕〔🚗〕〔🛏〕〔🐾〕〔🚶〕〔🚴〕〔🔌〕〔🐾〕
〔CB〕〔📷〕

ERNEE (A2)
53500 Mayenne
6000 hab. ⓘ

⌂⌂ DU GRAND CERF ★★
17-19, rue Aristide Briand.
Mme Semerie
☎ 02 43 05 13 09 ⟨FAX⟩ 02 43 05 02 90
120F 🛏 7 ⌧ 198/249 F. 🍽 38 F.
🍴 108/158 F. 🚶 65 F.
⌧ 15/31 janv., dim. soir et lun. hs.
〔E〕〔D〕〔⌂〕〔☎〕〔🚗〕〔🐾〕〔🚶〕〔🔌〕〔🐾〕〔CB〕

⌂ LE RELAIS DE LA POSTE ★★
1, place de l'Eglise.
M. Lesaulnier
☎ 02 43 05 20 33 ⟨FAX⟩ 02 43 05 18 23
100F 🛏 34 ⌧ 200 F. 🍴 60/190 F. 🚶 42 F.
🛏 240 F.
⌧ rest. dim. soir.
〔E〕〔D〕〔⌂〕〔☎〕〔🚗〕〔🐾〕〔🚶〕〔🔌〕〔CV〕〔🐾〕
〔CB〕

EVRON (B2)
53600 Mayenne
7000 hab. ⓘ

⌂⌂ DE LA GARE ★★
13, rue de la Paix.
M. Gorette
☎ 02 43 01 60 29 ⟨FAX⟩ 02 43 37 26 53
🛏 8 ⌧ 214/242 F. 🍽 30 F. 🍴 79/150 F.
🚶 50 F. 🛏 280/296 F.
〔E〕〔SP〕〔⌂〕〔☎〕〔🐾〕〔🚴〕〔🔌〕〔CV〕〔🔌〕〔🐾〕〔CB〕

... *à proximité*

MEZANGERS (B2)
53600 Mayenne
522 hab.

5 km Nord Evron par D 7

⌂⌂⌂ RELAIS DU GUE DE SELLE ★★★
Route de Mayenne. MM. Paris/Peschard
☎ 02 43 90 64 05 ⟨FAX⟩ 02 43 90 60 82
🛏 34 ⌧ 330/485 F. 🍽 45 F.
🍴 100/215 F. 🚶 43 F. 🛏 260/385 F.
⌧ 23 déc./6 janv., 15 fév./2 mars, dim.
soir et lun. 1er oct./1er juin.
〔E〕〔D〕〔⌂〕〔☎〕〔🚗〕〔🐾〕〔🐾〕〔🚶〕〔🏊〕〔🛥〕〔🌲〕〔🎿〕
〔🚴〕〔🔌〕〔🐾〕〔CB〕

GORRON (A1)
53120 Mayenne
2837 hab. ⓘ

⌂ LE BRETAGNE ★★
41, rue de Bretagne. M. Batho
☎ 02 43 08 63 67 ⟨FAX⟩ 02 43 08 01 15
100F 🛏 8 ⌧ 140/220 F. 🍽 30 F. 🍴 98/150 F.
🚶 45 F. 🛏 220 F.
⌧ dim. soir et lun.
〔E〕〔⌂〕〔☎〕〔🚗〕〔🐾〕〔🚶〕〔CV〕〔🐾〕〔CB〕

MAYENNE (B2)
53100 Mayenne
15000 hab. ⓘ

⌂ DES QUATRE VENTS ★
1, rue Duguesclin. M. Mézière
☎ 02 43 04 25 01 ⟨FAX⟩ 02 43 04 26 87
🛏 9 ⌧ 180/210 F. 🍽 25 F. 🍴 62/135 F.
🚶 50 F. 🛏 200/250 F.
〔E〕〔⌂〕〔☎〕〔🚴〕〔CV〕〔🐾〕〔CB〕

⌂⌂⌂ LA CROIX COUVERTE ★★
Route d'Alençon. M. Couge
☎ 02 43 04 32 48 ⟨FAX⟩ 02 43 04 43 69
🛏 11 ⌧ 250/280 F. 🍽 35 F.
🍴 70/275 F. 🚶 48 F. 🛏 250/295 F.
⌧ ven. soir et dim. 1er oct./Pâques,
dim. soir Pâques/1er juil.
〔E〕〔D〕〔⌂〕〔☎〕〔🚗〕〔🐾〕〔🐾〕〔🚶〕〔CV〕〔🔌〕
〔🐾〕〔CB〕

⌂⌂⌂ LE GRAND HOTEL ★★
2, rue Amboise-de-Lore. M. Van Marle
☎ 02 43 00 96 00 ⟨FAX⟩ 02 43 32 08 49
120F 🛏 27 ⌧ 195/389 F. 🍽 40 F.
🍴 95/199 F. 🚶 50 F. 🛏 255/346 F.
⌧ semaine de Noël.
〔E〕〔D〕〔⌂〕〔☎〕〔🚗〕〔🐾〕〔🐾〕〔🚶〕〔🛥〕〔🚴〕〔CV〕
〔🔌〕〔🐾〕〔CB〕〔📷〕〔CR〕

MESLAY DU MAINE (B2-3)
53170 Mayenne
2306 hab. ⓘ

⌂ LE CHEVAL BLANC ★
7, route de Laval. M. Rossignol
☎ 02 43 98 68 00 ⟨FAX⟩ 02 43 64 21 70
🛏 8 ⌧ 100/200 F. 🍽 25 F. 🍴 75/200 F.
🚶 35 F. 🛏 125/160 F.
⌧ vac. scol. fév./mars, 1ère quinzaine
août, dim. soir et lun.
〔E〕〔⌂〕〔☎〕〔🚗〕〔CV〕〔🔌〕〔🐾〕〔CB〕

MEZANGERS (B2)
53600 Mayenne

>>> *voir EVRON*

NEAU (B2)
53150 Mayenne
680 hab.

⌂ LA CROIX VERTE ★★
2, rue d'Evron.
M. Boullier
☎ 02 43 98 23 41 ᶠᵃˣ 02 43 98 25 39
🛏 12 ⊗ 190/200 F. ■ 30 F.
⫼ 65/160 F. 🍴 40 F. 🍽 200/240 F.
⊠ 24 fév./10 mars et dim. soir.
🄴 ⬜ 🄰 🚗 🚲 CV ▥ ● CB ▦

PRE EN PAIL (B1)
53140 Mayenne
2500 hab. ⓘ

⌂ DE BRETAGNE ★★
145, rue Aristide Briand.
M. Grange
☎ 02 43 03 13 00 ᶠᵃˣ 02 43 03 16 71
🛏 18 ⊗ 175/250 F. ⫼ 72/160 F.
🍴 45 F. 🍽 255/290 F.
⊠ 15 déc./15 janv. et dim. soir.
🄴 ⬜ 🄰 🚗 🚲 CV ▥ ●

⌂ LE NORMANDIE ★
40-42, rue Aristide Briand. Mme Legeay
☎ 02 43 03 01 14
🛏 8 ⊗ 150/280 F. ■ 28 F. ⫼ 49/120 F.
🍴 45 F. 🍽 240/260 F.
⊠ 15 janv./15 fév. et mar. hs.
🄴 ⬜ 🄰 ✉ 🚲 ● CB

RENAZE (A3)
53800 Mayenne
2860 hab. ⓘ

⌂ LE FRESNE ★★
Zone de loisirs du Fresne Mme Galon
☎ 02 43 09 17 40 ᶠᵃˣ 02 43 09 17 42
🛏 17 ⊗ 220/300 F. ■ 27 F.
⫼ 70/180 F. 🍴 48 F. 🍽 240 F.
⊠ 1er/13 août.
🄴 ⬜ 🄰 ✉ 🍽 🚣 🚲 CV ▥ ● CB

SAINT DENIS D'ANJOU (B3)
53290 Mayenne
1279 hab. ⓘ

⌂ LA CALECHE ★
2, route d'Angers. M. Henaff
☎ 02 43 70 61 00 ᶠᵃˣ 02 43 70 94 40
🛏 5 ⊗ 245/260 F. ■ 30 F. ⫼ 65/190 F.
🍴 50 F. 🍽 245/270 F.
⊠ 15/28 fév., 6/26 oct., dim. soir et
mar.
🄴 ⬜ 🄰 🚗 🚲 🚲 CV ▥ CB

SAINT PIERRE DES NIDS (B1)
53370 Mayenne
1350 hab. ⓘ

⌂⌂⌂ DU DAUPHIN ★★
M. Etienne
☎ 02 43 03 52 12 ᶠᵃˣ 02 43 03 55 49
🛏 7 ⊗ 215/310 F. ■ 36 F. ⫼ 98/268 F.
🍴 47 F. 🍽 295 F.
🄴 🄳 ⬜ 🄰 🚗 🍽 CV ▥ CB ▦ CR

SAULGES (B2)
53340 Mayenne
340 hab. ⓘ

⌂⌂⌂ L'ERMITAGE ★★★
M. Janvier
☎ 02 43 90 52 28 ᶠᵃˣ 02 43 90 56 61
🛏 36 ⊗ 300/460 F. ■ 52 F.
⫼ 100/260 F. 🍴 70 F. 🍽 380/460 F.
⊠ fév., dim. soir et lun. 20 sept./15 avr.
🄴 ⬜ 🄰 🄰 🚗 🍽 🍴 🍽 ✈ 🚣 ⊘
▶ 🚲 CV ▥ ● CB

VAIGES (B2)
53480 Mayenne
977 hab.

⌂⌂⌂ DU COMMERCE ★★★
M. Oger
☎ 02 43 90 50 07 ᶠᵃˣ 02 43 90 57 40
🛏 28 ⊗ 300/400 F. 🍴 45 F.
⫼ 98/250 F. 🍴 55 F. 🍽 260/300 F.
⊠ dim. soir oct./mars.
🄴 ⬜ 🄰 🄰 🄰 🚗 🔼 ✉ 🍽 🍴 🚣 ⊘
🚲 CV ▥ CB ▦

**Liste des
hôtels-restaurants**

Sarthe

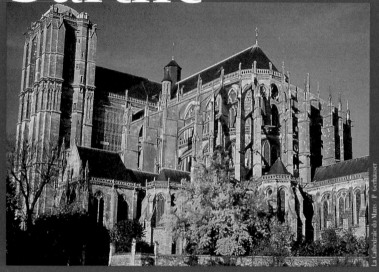

La Cathédrale du Mans / P. Gerhauser

Association départementale
des Logis de France de la Sarthe
C.D.T.
Hôtel du Département
72072 Le Mans Cedex 9
Téléphone 02 43 54 72 72

PAYS-DE-LA-LOIRE

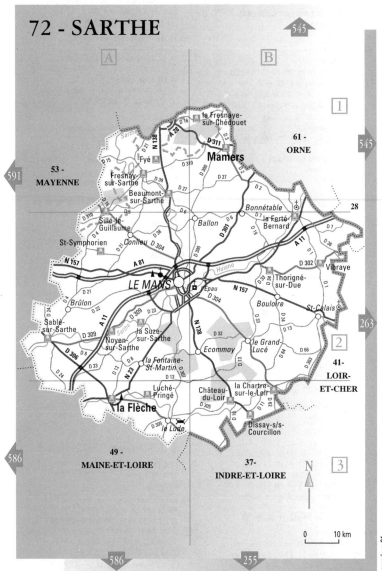

72 - SARTHE

A   B

1

545

545

591

53 - MAYENNE

61 - ORNE

la Fresnaye-sur-Chédouet

Fyé

Mamers

Fresnay-sur-Sarthe

Beaumont-sur-Sarthe

Sillé-le-Guillaume

Ballon

Bonnétable

la Ferté-Bernard

28

St-Symphorien   Conlieu

Vibraye

LE MANS

Épau

Thorigné-sur-Due

302

N 157

Bouloire

St-Calais

263

Brûlon

Sablé-sur-Sarthe

2

Noyen-sur-Sarthe

la Suze-sur-Sarthe

Ecommoy

le Grand-Lucé

41 - LOIR-ET-CHER

la Fontaine-St-Martin

Luché-Pringé

la Flèche

Château-du-Loir

la Chartre-sur-le-Loir

le Lude

Dissay-s/s-Courcillon

586

49 - MAINE-ET-LOIRE

37 - INDRE-ET-LOIRE

N

3

0   10 km

586   255

Légende p 21

BEAUMONT SUR SARTHE (A1)
72170 Sarthe
2224 hab. [i]

▲▲ DU CHEMIN DE FER ★★
Place de la Gare.
M. Hary
☎ 02 43 97 00 05 [FAX] 02 43 33 52 17
[100F] ▮ 15 ⬡ 204/375 F. ⬛ 30 F.
[⁝⁝] 85/238 F. [⚑] 60 F. [▥] 205/290 F.
⊠ 16 fév./11 mars, 20 oct./4 nov., dim.
soir et lun. 1er oct./30 avr.
[E] [⬜] [☎] [🚗] [🚶] [🚲] [CV] [⁝⁝⁝] [✈] [CB]

La CHARTRE SUR LE LOIR (B3)
72340 Sarthe
2000 hab. [i]

▲▲ DE FRANCE ★★
M. Pasteau
☎ 02 43 44 40 16 [FAX] 02 43 79 62 20
[120F] ▮ 29 ⬡ 210/310 F. ⬛ 35 F.
[⁝⁝] 74/198 F. [⚑] 50 F. [▥] 260/295 F.
⊠ vac. scol. fév. et 15/30 nov. Rest.
midi 1er juil./15 sept., dim. soir et lun.
15 sept./30 juin.
[E] [⬜] [☎] [🚗] [🚗] [🚶] [🌴] [CV] [⁝⁝⁝] [✈] [CB] [GR]

CHATEAU DU LOIR (B3)
72500 Sarthe
- *5891 hab.* [i]

▲ GRAND HOTEL ★★
Place de l'Hôtel de Ville. Mme Massacret
☎ 02 43 44 00 17 [FAX] 02 43 44 37 58
▮ 20 ⬡ 170/250 F. ⬛ 30 F.
[⁝⁝] 95/190 F. [⚑] 65 F. [▥] 280 F.
⊠ rest. janv.
[E] [⬜] [☎]

DISSAY SOUS COURCILLON (B3)
72500 Sarthe
952 hab.

▲▲ AUBERGE DU VAL DE LOIR ★★
Place Morand.
M. Tournier
☎ 02 43 44 09 06 [FAX] 02 43 44 56 40
[120F] ▮ 10 ⬡ 150/300 F. ⬛ 30 F.
[⁝⁝] 91/230 F. [⚑] 45 F. [▥] 240/280 F.
⊠ 24 déc./10 janv. et lun. hs.
[E] [⬜] [☎] [🚗] [🚶] [🌴] [🎣] [CV] [⁝⁝⁝] [✈] [CB]

La FERTE BERNARD (B2)
72400 Sarthe
10000 hab. [i]

▲ DU STADE ★★
21-23, rue Virette. Mme Rambourg
☎ 02 43 93 01 67 [FAX] 02 43 93 48 26
▮ 10 ⬡ 230/260 F. ⬛ 32 F.
[⁝⁝] 59/185 F. [⚑] 35 F. [▥] 210/270 F.
⊠ août et 1 semaine entre Noël/
Nouvel An.
[⬜] [☎] [🚗] [🚗] [🚶] [🚲] [CV] [⁝⁝⁝] [✈] [CB]

▲▲ LA PERDRIX ★★
2, rue de Paris. M. Thibaut
☎ 02 43 93 00 44 [FAX] 02 43 93 74 95
▮ 7 ⬡ 250/400 F. ⬛ 35 F.

[⁝⁝] 105/220 F. [⚑] 67 F.
⊠ fév., lun. soir et mar.
[E] [⬜] [☎] [🚗] [🚲] [⁝⁝⁝] [✈] [CB]

La FLECHE (A3)
72200 Sarthe
14953 hab. [i]

▲▲ DE L'IMAGE ★★
50, rue Grollier. M. Cherrier
☎ 02 43 94 00 50 [FAX] 02 43 94 47 19
[100F] ▮ 20 ⬡ 200/380 F. ⬛ 30 F.
[⁝⁝] 70/160 F. [⚑] 48 F. [▥] 250/350 F.
⊠ 2ème quinzaine déc./1ère semaine
janv. et dim. soir oct./fév.
[E] [⬜] [☎] [🚗] [🚶] [🚲] [CB] [▤]

▲▲ LE VERT GALANT ★★
70, Grande Rue. M. Berger
☎ 02 43 94 00 51 [FAX] 02 43 45 11 24
[100F] ▮ 8 ⬡ 225/295 F. ⬛ 30 F. [⁝⁝] 86/187 F.
[⚑] 60 F. [▥] 268/332 F.
⊠ 19 déc./9 janv. et jeu. sauf juil./août.
[E] [⬜] [☎] [🚗] [🌴] [🚲] [CV] [CB]

▲ RELAIS HENRI IV ★
La Transonnière, route du Mans.
M. Jarossay
☎ 02 43 94 07 10 [FAX] 02 43 94 68 49
[100F] ▮ 8 ⬡ 189/210 F. ⬛ 26 F. [⁝⁝] 84/164 F.
[⚑] 48 F. [▥] 170 F.
⊠ vac. scol. fév. et Toussaint, dim. soir
et lun. hs.
[E] [D] [⬜] [☎] [🚗] [🚗] [🌴] [🚶] [🚲] [CV] [⁝⁝⁝] [✈] [CB]

FRESNAY SUR SARTHE (A1)
72130 Sarthe
2452 hab. [i]

▲ RONSIN ★★
5, av. Charles de Gaulle. M. Hillaire
☎ 02 43 97 20 10 [FAX] 02 43 33 50 47
[100F] ▮ 12 ⬡ 180/298 F. ⬛ 35 F.
[⁝⁝] 72/220 F. [⚑] 48 F. [▥] 220/280 F.
⊠ 16 déc./6 janv., dim. soir et lun. midi
1er sept./30 juin.
[E] [⬜] [☎] [🚗] [🚶] [CV] [⁝⁝⁝] [✈] [CB] [GR]

La FRESNAYE SUR CHEDOUET (B1)
72670 Sarthe
861 hab.

▲▲ AUBERGE SAINT PAUL
(La Grande Terre). M. Yenk
☎ 02 43 97 82 76 [FAX] 02 43 97 82 76
▮ 4 ⬡ 195 F. ⬛ 30 F. [⁝⁝] 70/220 F.
[⚑] 50 F.
⊠ dim. soir et lun.
[E] [D] [☎] [🚗] [🚗] [🚶] [🚲] [⊙] [CV] [⁝⁝⁝] [✈]

FYE (A1)
72610 Sarthe
880 hab.

▲▲ RELAIS NAPOLEON ★★
Sur N.138. M. Poiret
☎ 02 43 26 81 05 [FAX] 02 33 32 87 24
[80F] ▮ 12 ⬡ 160/300 F. ⬛ 30 F.
[⁝⁝] 68/200 F. [⚑] 40 F. [▥] 200/260 F.
⊠ dim. soir 1er oct./30 avr.
[E] [⬜] [☎] [🚗] [🚶] [🚲] [CV] [⁝⁝⁝] [✈] [CB]

LUCHE PRINGE (A3)
72800 Sarthe
1486 hab. [i]

AA AUBERGE DU PORT DES ROCHES ★★
Le Port des Roches.
M. Lesiourd
☎ 02 43 45 44 48 [FAX] 02 43 45 39 61
[♦] 12 ◙ 240/300 F. ▧ 32 F.
[⫽] 115/190 F. [⫽] 50 F. [⚙] 260/290 F.
⊠ fév., lun. midi juil./août, dim. soir et
lun. sept./juin.
[E] [⌂] [☎] [⇦] [T] [CV] [◄] [CB]

MAMERS (B1)
72600 Sarthe
6200 hab. [i]

AA AU BON LABOUREUR ★★
1, rue Paul Bert. M. Guet
☎ 02 43 31 15 10 [FAX] 02 43 31 15 25
[120F] [♦] 9 ◙ 195/225 F. ▧ 30 F. [⫽] 78/175 F.
[⫽] 45 F. [⚙] 206/236 F.
⊠ vac. scol. fév., 2ème quinzaine août,
dim. soir et lun. midi, ven. soir et lun.
midi oct./avr.
[E] [⌂] [☎] [⇦] [CV] [⣿] [◄] [CB] [▦] [CR]

NOYEN SUR SARTHE (A2)
72430 Sarthe
2193 hab.

A LE KERVENO ★★
19, rue du Maréchal Joffre.
M. Dufour
☎ 02 43 95 76 06 [FAX] 02 43 95 77 60
[100F] [♦] 8 ◙ 190/230 F. ▧ 38 F. [⫽] 80/160 F.
[⫽] 50 F. [⚙] 340 F.
⊠ dim. soir et lun.
[E] [D] [⌂] [☎] [⇦] [⫽] [◄] [CB]

SABLE SUR SARTHE (A2)
72300 Sarthe
12721 hab.

AA L'ESCU DU ROY ★★
20, rue Léon Legludic.
Mme Seince-Francoise
☎ 02 43 95 90 31
[♦] 9 ◙ 250/280 F. ▧ 30 F. [⫽] 89/230 F.
[⫽] 40 F. [⚙] 240 F.
⊠ dim. soir.
[E] [⌂] [☎] [▥] [▦] [⋈]

SAINT SYMPHORIEN (A2)
72240 Sarthe
469 hab.

AA RELAIS DE LA CHARNIE ★★
4, place Louis Des Cars.
M. Pusset
☎ 02 43 20 72 06 [FAX] 02 43 20 70 59
[100F] [♦] 9 ◙ 220/320 F. ▧ 30 F. [⫽] 80/195 F.
[⫽] 52 F.
⊠ 10 fév./2 mars, dim. soir et lun.
[E] [⌂] [☎] [▥] [CV] [⣿] [◄] [CB]

SILLE LE GUILLAUME (A1-2)
72140 Sarthe
2700 hab. [i]

A DU PILIER VERT ★
1, place du Marché.
M. Gaudmer
☎ 02 43 20 10 68 [FAX] 02 43 20 06 51
[♦] 10 ◙ 165/270 F. ▧ 31 F.
[⫽] 65/190 F. [⫽] 49 F. [⚙] 200/265 F.
⊠ vac. scol. fév., 1 semaine début oct.,
dim. soir hs et lun.
[E] [⌂] [☎] [⇦] [⫽] [CV] [◄] [CB]

La SUZE SUR SARTHE (A2)
72210 Sarthe
3710 hab.

AA SAINT LOUIS ★★
27, place du Marché.
M. Heron
☎ 02 43 77 31 07 [FAX] 02 43 77 27 66
[100F] [♦] 17 ◙ 165/300 F. ▧ 27 F.
[⫽] 58/225 F. [⫽] 45 F. [⚙] 220/280 F.
⊠ 22 fév./9 mars, ven. soir et dim. soir
hs.
[E] [⌂] [☎] [⫽] [CV] [⣿] [◄] [CB] [▦]

THORIGNE SUR DUE (B2)
72160 Sarthe
1900 hab. [i]

AAA SAINT JACQUES ★★
Place du Monument.
M. Binoist
☎ 02 43 89 95 50 [FAX] 02 43 76 58 42
[120F] [♦] 15 ◙ 300/460 F. ▧ 48 F.
[⫽] 98/325 F. [⫽] 68 F. [⚙] 300/450 F.
⊠ 5/28 janv., 28 sept./14 oct., dim. soir
et lun. 1er oct./31 mai.
[E] [⌂] [☎] [⇦] [⇦] [T] [⫽] [⫽] [☉] [⫽] [CV] [⣿]
[◄] [CB] [CR]

VIBRAYE (B2)
72320 Sarthe
2650 hab. [i]

AA AUBERGE DE LA FORET ★★
M. Renier
☎ 02 43 93 60 07 [FAX] 02 43 71 20 36
[100F] [♦] 7 ◙ 215/255 F. ▧ 35 F. [⫽] 85/260 F.
[⫽] 45 F. [⚙] 240 F.
⊠ 1er/15 fév., dim. soir et lun. sauf
juil./août.
[E] [SP] [⌂] [☎] [⇦] [T] [⫽] [☉] [⣿] [◄] [CB]

AA LE CHAPEAU ROUGE ★★
Place Hôtel de Ville.
M. Cousin
☎ 02 43 93 60 02 [FAX] 02 43 71 52 18
[100F] [♦] 15 ◙ 170/300 F. ▧ 40 F.
[⫽] 85/190 F. [⫽] 65 F. [⚙] 270/310 F.
⊠ 15/31 janv., 15/31 août, dim. soir et
lun.
[E] [⌂] [☎] [⇦] [⇦] [T] [⫽] [⣿] [◄] [CB]

**Liste des
hôtels-restaurants**

Vendée

C.D.T Vendée - J. Lesage

**Association départementale
des Logis de France de la Vendée**
C.D.T.
8 place Napoléon - B.P. 233
85006 La Roche-sur-Yon Cedex
Téléphone 02 51 44 26 29

53
MAYENNE
Laval
72 SARTHE
Le Mans
44
LOIRE-ATLANTIQUE
Angers
49
MAINE-ET-LOIRE
Nantes
La Roche-sur-Yon
85 VENDÉE

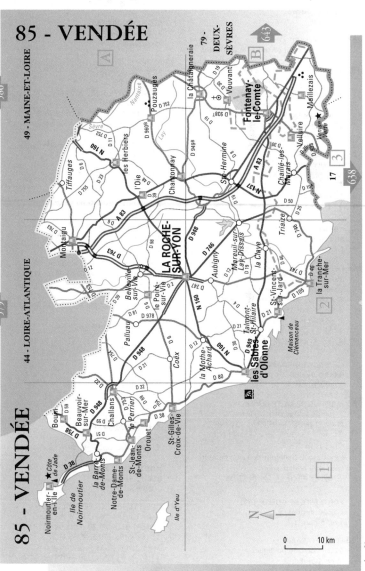

85 - VENDÉE

A · B

79 - DEUX-SÈVRES

49 - MAINE-ET-LOIRE

44 - LOIRE-ATLANTIQUE

85 - VENDÉE

Légende p 21

BEAUVOIR SUR MER (A1)
85230 Vendée
3040 hab. 🛈

🏨🏨 DES TOURISTES ★★
1, rue du Gois. M. Briand
☎ 02 51 68 70 19 FAX 02 51 49 33 45
🛏 41 ◇ 160/357 F. ■ 34 F.
🍽 55/220 F. 🍴 52 F. ◪ 215/280 F.

BOUIN (A1)
85230 Vendée
2268 hab.

🏨🏨🏨 DU MARTINET ★★
Place du Général Charette. Mme Huchet
☎ 02 51 49 08 94 FAX 02 51 49 83 08
120F 🛏 21 ◇ 240/350 F. ■ 36 F.
🍽 110/160 F. 🍴 65 F. ◪ 270/310 F.

CHALLANS (A1)
85300 Vendée
14203 hab. 🛈

🏨🏨 LE MARAIS ★★
16, Place de Gaulle. M. Pajot
☎ 02 51 93 15 13 FAX 02 51 49 44 96
100F 🛏 11 ◇ 190/230 F. ■ 28 F.
🍽 68/195 F. 🍴 49 F. ◪ 205 F.

CHANTONNAY (A3)
85110 Vendée
7430 hab. 🛈

🏨🏨🏨 LE MOULIN NEUF ★★
Au bord du Lac (800 m. N137,
5 minutes A.83) M.Me Nex
☎ 02 51 94 30 27 FAX 02 51 94 57 76
100F 🛏 60 ◇ 240/350 F. ■ 35 F.
🍽 65/180 F. 🍴 35 F. ◪ 250/260 F.

La CHATAIGNERAIE (B3)
85120 Vendée
3080 hab. 🛈

🏨🏨 AUBERGE DE LA TERRASSE ★★
7, rue de Beauregard. M. Leroy
☎ 02 51 69 68 68 FAX 02 51 52 67 96
120F 🛏 14 ◇ 338 F. ■ 36 F. 🍽 58/142 F.
🍴 45 F. ◪ 273 F.
⊠ vac. scol. Noël/jour de l'an, ven. soir,
sam. midi et dim. soir.

FONTENAY LE COMTE (B3)
85200 Vendée
14456 hab. 🛈

🏨🏨 LE FONTARABIE ★★
57, rue de la République.
Mme Alexandre
☎ 02 51 69 17 24 FAX 02 51 51 02 73

🛏 31 ◇ 180/240 F. ■ 32 F.
🍽 44/119 F. 🍴 39 F. ◪ 180/220 F.
⊠ 22 déc./13 janv.

🏨🏨🏨 LE RABELAIS ★★
Route de Parthenay. M. Rolland
☎ 02 51 69 86 20 FAX 02 51 69 80 45
🛏 54 ◇ 280/320 F. 🍽 68/150 F.
🍴 42 F.

Les HERBIERS (A3)
85500 Vendée
14000 hab. 🛈

🏨🏨 ALOE ★★★
Route de Cholet.
Mme Le Strat
☎ 02 51 66 80 30 FAX 02 51 66 81 60
🛏 30 ◇ 260/330 F. ■ 33 F.
🍽 68/152 F. 🍴 42 F. ◪ 250/270 F.
⊠ 21 déc./12 janv. Rest. sam. basse
saison.

🏨🏨 CHEZ CAMILLE ★★
2, rue Monseigneur Massé.
Mme Masse
☎ 02 51 91 07 57 FAX 02 51 67 19 28
🛏 13 ◇ 250/290 F. ■ 35 F.
🍽 70/170 F. ◪ 265/300 F.

🏨🏨 DU CENTRE ★★
6, rue de l'Eglise. Mme Morillon
☎ 02 51 67 01 75 FAX 02 51 66 82 24
🛏 8 ◇ 275/305 F. ■ 30 F. 🍽 70/170 F.
🍴 48 F. ◪ 225/230 F.
⊠ 1er/5 janv., 27 juil./12 août, ven. soir
et sam. hs.

MAILLEZAIS (B3)
85420 Vendée
900 hab. 🛈

✳ SAINT NICOLAS ★★
Rue du Docteur Daroux.
M. Tallineau
☎ 02 51 00 74 45 FAX 02 51 87 29 10
🛏 16 ◇ 220/340 F. ■ 37 F.
⊠ 15 nov./15 janv.

MONTAIGU (A2)
85600 Vendée
4800 hab. 🛈

🏨🏨🏨 HOSTELLERIE DES VOYAGEURS ★★
9, av. Villebois Mareuil. M. Meuret
☎ 02 51 94 00 71 FAX 02 51 94 07 78
120F 🛏 32 ◇ 195/450 F. ■ 35 F.
🍽 85/210 F. 🍴 55 F. ◪ 290/380 F.

NOIRMOUTIER EN L'ILE (A1)
85330 Vendée
4000 hab. 📋

▲▲ LES CAPUCINES ★★
38, av. de la Victoire. Mme Gueneau
☎ 02 51 39 06 82 📠 02 51 39 33 10
🛏 21 ⬚ 220/420 F. ▰ 38 F.
🍽 75/210 F. 🍴 45 F. 🛎 290/370 F.
⌧ 12 nov./8 fév., mar. soir et mer. sauf
1er avr./30 sept.
🄴 ⬚ ☎ ⬚ ⬚ ⬚ ⬚ ⬚ CV ⬚ CB

▲▲ LES DOUVES ★★
11, rue des Douves. M. Maisonneuve
☎ 02 51 39 02 72 📠 02 51 39 73 09
🛏 22 ⬚ 290/422 F. ▰ 36 F.
🍽 99/210 F. 🍴 52 F. 🛎 309/375 F.
🄴 🄳 SP ⬚ ☎ ⬚ CV ⬚ ⬚ CB

NOTRE DAME DE MONTS (A1)
85690 Vendée
1300 hab. 📋

▲▲ DE LA PLAGE ★★★
145, av. de la Mer. M.Me Civel
☎ 02 51 58 83 09 📠 02 51 58 97 12
🛏 49 ⬚ 210/462 F. ▰ 42 F.
🍽 90/220 F. 🍴 49 F. 🛎 279/424 F.
⌧ 1er oct./1er avr.
🄴 🄳 ⬚ ☎ ⬚ ⬚ ⬚ ⬚ CV ⬚ ⬚ CB
🄒🄡

▲▲ DU CENTRE ★★
1, rue de St Jean de Monts. M. Brunet
☎ 02 51 58 83 05 📠 02 51 59 16 62
🛏 19 ▰ 35 F. 🍽 70/235 F. 🍴 48 F.
🛎 230/280 F.
⌧ 15 nov./15 fév.
🄴 SP ⬚ ☎ ⬚ ⬚ ⬚ CV ⬚ CB

L'OIE (A3)
85140 Vendée
840 hab.

▲▲ LE GRAND TURC ★★
33, rue Nationale. M. Greau
☎ 02 51 66 08 74 📠 02 51 66 14 13
🛏 19 ⬚ 290 F. ▰ 35 F. 🍽 50/180 F.
🍴 42 F. 🛎 260/285 F.
⌧ 25 déc., 1er janv., 1er mai et dim.
soir.
🄴 SP ⬚ ☎ ⬚ ⬚ ⬚ ⬚ CV ⬚
🄒🄑

OROUET (A1)
85160 Vendée

⋙ *voir SAINT JEAN DE MONTS*

Le POIRE SUR VIE (A2)
85170 Vendée
4960 hab. 📋

▲▲ DU CENTRE ★★
Place du Marché. Mme Buton
☎ 02 51 31 81 20 📠 02 51 31 88 21
🛏 25 ⬚ 155/325 F. ▰ 35 F.

🍽 63/157 F. 🍴 50 F. 🛎 175/260 F.
⌧ dim. soir hs.
🄴 ⬚ ☎ ⬚ ⬚ ⬚ CV ⬚ ⬚ ⬚

POUZAUGES (A3)
85700 Vendée
5473 hab. 📋

▲▲ AUBERGE DE LA BRUYERE ★★
18, rue du Docteur Barbanneau.
M. Bordron
☎ 02 51 91 93 46 📠 02 51 57 08 18
🛏 27 ⬚ 300 F. ▰ 39 F. 🍽 79/175 F.
🍴 45 F. 🛎 282/312 F.
⌧ sam. et dim. soir 1er oct./31 mai.
🄴 SP ⬚ ☎ ⬚ ⬚ ⬚ ⬚ ⬚ ⬚ CV
⬚ ⬚ CB

La ROCHE SUR YON (A-B2)
85000 Vendée
53000 hab. 📋

▲▲ LE POINT DU JOUR ★★
7, rue Gutemberg. M. Borderon
☎ 02 51 37 08 98 📠 02 51 46 22 44
🛏 25 ⬚ 190/280 F. ▰ 30 F.
🍽 59/240 F. 🍴 48 F. 🛎 210/230 F.
⌧ 25 déc./1er janv. et dim. soir en
hiver.
🄴 SP ⬚ 🄖 ☎ ⬚ ⬚ ⬚ ⬚ ⬚ CV ⬚
CB

Les SABLES D'OLONNE (B1-2)
85100 Vendée
15830 hab. 📋

▲▲ LE CALME DES PINS ★★
43, av. Aristide Briand. Mme Bohéas
☎ 02 51 21 03 18 📠 02 51 21 59 85
🛏 46 ⬚ 280/380 F. ▰ 35 F.
🍽 73/130 F. 🍴 50 F. 🛎 290/350 F.
⌧ 1er oct./31 mars.
🄴 ⬚ ☎ ⬚ ⬚ ⬚ ⬚ ⬚ ⬚ CV ⬚ ⬚
CB

▲▲ LES HIRONDELLES ★★
44, rue des Corderies. Mme Demaria
☎ 02 51 95 10 50 📠 02 51 32 31 01
🛏 54 ⬚ 280/370 F. ▰ 36 F.
🍽 98/150 F. 🍴 50 F. 🛎 280/350 F.
⌧ 30 sept./30 mars.
🄴 ⬚ ☎ ⬚ ⬚ ⬚ ⬚ ⬚ ⬚ CV ⬚
⬚ CB

SAINT GILLES CROIX DE VIE (A1)
85800 Vendée
6340 hab. 📋

▲▲ LE LION D'OR ★★
84, rue du Calvaire. M. Giraudeau
☎ 02 51 55 50 39 📠 02 51 55 22 84
🛏 53 ⬚ 155/380 F. ▰ 35 F.
🍽 74/184 F. 🍴 42 F. 🛎 200/348 F.
⌧ rest. 20 déc./15 janv, sam. et dim.
1er oct./31 mars.
🄴 SP ⬚ ☎ ⬚ ⬚ ⬚ ⬚ ⬚ ⬚ ⬚ CV
⬚ ⬚ CB ⬚ 🄒🄡

SAINT JEAN DE MONTS (A1)
85160 Vendée
5543 hab. 🛈

L'ESPADON ★★
8, av. de la Forêt. M. Mériau
☎ 02 51 58 03 18 🆑 02 51 59 16 11
🛏 27 🔲 255/330 F. 🍽 38 F.
🍴 78/185 F. 🍽 45 F. 🏨 245/345 F.
✉ rest. 15 nov./15 fév.

LE ROBINSON ★★
28, bld Leclerc. M. Besseau
☎ 02 51 59 20 20 🆑 02 51 58 88 03
🛏 80 🔲 200/370 F. 🍽 37 F.
🍴 75/195 F. 🍽 59 F. 🏨 225/305 F.
✉ 15 déc./15 janv.

TANTE PAULETTE ★★
32, rue Neuve. M. Bonnamy
☎ 02 51 58 01 12
🛏 32 🔲 200/320 F. 🍽 32 F.
🍴 78/170 F. 🍽 50 F. 🏨 270/320 F.
✉ 1er nov./1er mars.

... à proximité

OROUET (A1)
85160 Vendée
650 hab.

6 km Sud St-Jean de Monts par D 38

AUBERGE DE LA CHAUMIERE ★★
Direction des Sables d'Olonne.
M. Boucher
☎ 02 51 58 67 44 🆑 02 51 58 98 12
🛏 32 🔲 230/400 F. 🍽 35 F.
🍴 78/210 F. 🍽 59 F. 🏨 270/370 F.
✉ 30 sept./1er mars.

SAINT VINCENT SUR JARD (B2)
85520 Vendée
520 hab. 🛈

L'OCEAN ★★
Rue Georges Clémenceau.
Mme Bocquier
☎ 02 51 33 40 45 🆑 02 51 33 98 15

🛏 38 🔲 170/420 F. 🍽 33 F.
🍴 79/225 F. 🍽 48 F. 🏨 230/380 F.
✉ 30 nov./15 fév. et jeu. hs.

La TRANCHE SUR MER (B2)
85360 Vendée
2065 hab. 🛈

DE L'OCEAN ★★
49, rue Anatole France. M. Guicheteau
☎ 02 51 30 30 09 🆑 02 51 27 70 10
🛏 45 🔲 308/450 F. 🍽 48 F.
🍴 88/210 F. 🍽 60 F. 🏨 300/416 F.
✉ 1er oct./1er avr.

LE REVE ★★
8, rue de l'Aunis. M. Neau
☎ 02 51 30 34 06 🆑 02 51 30 15 80
🛏 42 🔲 300/460 F. 🍽 40 F.
🍴 90/240 F. 🍽 55 F. 🏨 310/410 F.
✉ 1er oct./31 mars.

VELLUIRE (B3)
85770 Vendée
400 hab.

AUBERGE DE LA RIVIERE ★★
M. Pajot
☎ 02 51 52 32 15 🆑 02 51 52 37 42
🛏 11 🔲 365/430 F. 🍽 60 F.
🍴 105/230 F. 🍽 70 F. 🏨 390/420 F.
✉ 2 janv./27 fév., dim. soir et lun. hs.

VOUVANT (B3)
85120 Vendée
860 hab. 🛈

AUBERGE DE MAITRE PANNETIER ★★
Place du Corps de Garde.
Mme Guignard
☎ 02 51 00 80 12 🆑 02 51 87 89 37
🛏 7 🔲 210/270 F. 🍽 38 F. 🍴 70/350 F.
🍽 45 F. 🏨 260/280 F.
✉ 15 fév./15 mars, dim. soir et lun. sauf juil./août.

PICARDIE

Picardie

C.R.T. Picardie / D. Gry

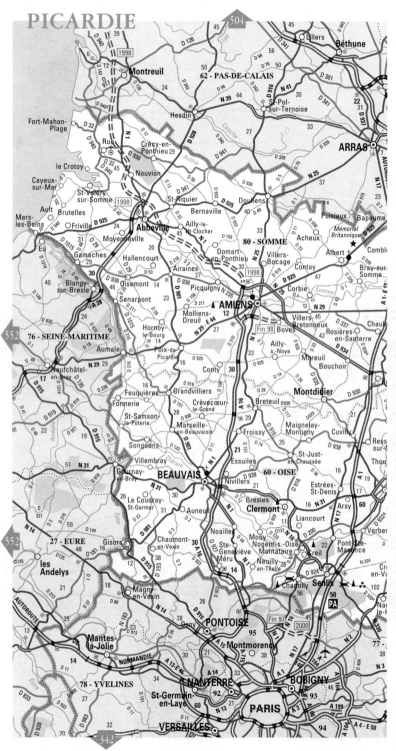

PICARDIE

504

62 - PAS-DE-CALAIS

80 - SOMME

76 - SEINE-MARITIME

552

27 - EURE

552

78 - YVELINES

342

606

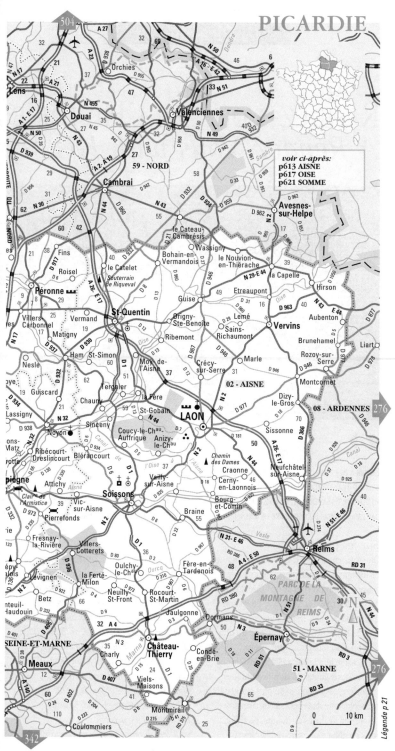

PICARDIE

voir ci-après:
p613 AISNE
p617 OISE
p621 SOMME

59 - NORD

02 - AISNE

08 - ARDENNES

51 - MARNE

SEINE-ET-MARNE

PARC DE LA MONTAGNE DE REIMS

0   10 km

Légende p 21

Au
RENDEZ-VOUS DE L'HISTOIRE
A Rendez-Vous with History

C.R.T. Picardie / R. Van Butsele

CLOVIS À SOISSONS, HUGUES CAPET À SENLIS
ET À NOYON... DU GOTHIQUE PRIMITIF
AU GOTHIQUE FLAMBOYANT, LA PICARDIE RESSUSCITE
DES PANS ENTIERS DE L'HISTOIRE DE FRANCE.

Sur les pas des rois

Que vous choisissiez d'emprunter la Route
historique du roman au gothique, qui
traverse les forêts royales de l'Oise, la Route
du Lys de France et de la Rose de Picardie,
qui mène de Saint-Denis à Boulogne-sur-
Mer, la Route des Valois, du camp du drap
d'or ou des archers... votre voyage
en Picardie fera la part belle à l'histoire.
Laissez-vous guider de sites néolithiques
en forteresses celtiques, du plus grand parc
archéologique de France, à Samara, aux
souterrains-refuges de Naours, de châteaux
forts en abbayes... sans oublier les six

CLOVIS AT SOISSONS, HUGUES CAPET
AT SENLIS AND AT NOYON... FROM PRIMITIVE
TO FLAMBOYANT GOTHIC STYLES, PICARDY
BRINGS ENTIRE CHAPTERS OF FRENCH HISTORY
BACK TO LIFE.

Following in the Footsteps
of Kings

*Whether you chose to take the Historical
Route taking you through from the Roman
to the Gothic era, which cuts through
the royal forests of the Oise, or the so-called
"Lily of France" and "Rose of Picardy"
Route, which leads from Saint-Denis
to Boulogne-sur-Mer, or the Route
of the Royal House of Valois, or the Route
of Field of the Cloth of Gold, or lastly,
the Route of the archers...
your trip through Picardy will certainly*

RIMERIE
BON

.R.L. IMPRIMERIE NOUVELLE
Jacky FOMBON & FILS

sérigraphie

cathédrales picardes : la "bible de pierre" d'Amiens, classée par l'Unesco, celle de Laon si aérienne, Beauvais, "Parthénon de l'architecture"…

Fêtes gourmandes

Région du bien-vivre, la Picardie sait aussi fêter l'histoire à sa façon : reconstitutions historiques, feux de la Saint-Jean, fête des Fleurs, nuits de Feu ou prix hippiques à Chantilly…

Gourmandes ou gastronomiques, vos étapes vous réserveront d'heureuses surprises : pâté de canard à Amiens, tarte aux maroilles dans la Thiérache, crustacés et coquillages dans la baie de Somme, rissoles à Laon, croustillons à Saint-Quentin, fruits rouges à Noyon et crème Chantilly…

Loisirs et nature

En barques ou "bateaux à cornets", naviguez

C.R.T. Picardie / R. Van Butsele

be dominated by history. Let yourself be guided from Neolithic remains to those of Celtic forts; visit the largest archeological site in France at Samara; see the tunnels that served as hideouts in times gone by; drift happily from fortified castles to abbeys… don't overlook Picardy's six cathedrals: the "stone Bible" at Amiens, classified by UNESCO, the towering edifice of Laon, and the Parthenon of architecture, the Beauvais Cathedral…

Food Festivals

Picardy knows how to enjoy itself while also celebrating history in its own special way with historical reconstructions, the bonfires of Saint John's night, the flower festival, fireworks and horse racing at Chantilly. Whether you be a glutton or a gastronome, each of your stopping-places will bring you lots of surprises: duck pâté in Amiens, cheese tart in the Thiérache area, seafood of all sorts in the Somme estuary, rissoles in Laon, sweet fritters in Saint-Quentin, red fruits in Noyon and, of course, whipped cream in Chantilly…

Fun and Nature

Use a small boat known as a "bateau à cornet" to navigate through the Amiens Hortillonages. Watch the thousands of birds that populate both the Somme estuary and the nature reserve of the Cessières marshes. The green expanses of Picardy also offer

EIN RENDEZ-VOUS MIT DER GESCHICHTE

Clovis in Soissons, Hugo Capet in Senlis und in Noyon… Von der Früh- bis zur Spätgotik läßt die Pikardie ganze Bände der Geschichte Frankreichs auferstehen. Die Natur hat ebenfalls ihre Reize: die Bucht der Somme und das Naturschutzgebiet der Sümpfe von Cessières beherbergen Tausende von Vögeln.

AFSPRAAK MET DE GESCHIEDENIS

Clovis in Soissons, Hugues Capet in Senlis en Noyon … van de primitieve tot de flamboyante Gotische tijd. In Picardië worden ganse periodes uit de geschiedenis van Frankrijk weer tot leven gebracht. De natuur heeft er ook zeer veel charme : de baai van de Somme en de het botanisch reservaat van het moerasgebied van Cessières bieden onderdak aan duizenden vogels.

Picardie

dans les Hortillonnages d'Amiens. Admirez les milliers d'oiseaux de la baie de Somme ou de la réserve botanique du marais de Cessières.

Les espaces verts picards vous proposent aussi de nombreuses activités sportives : promenades en attelage, golf, randonnées à pied, à bicyclette, pêche, chasse, et bien sûr équitation… Car la Picardie est "la région du cheval roi" et Chantilly, qui abrite "le musée vivant du cheval", la capitale de l'équitation française. Des allées cavalières de Compiègne aux prestigieux champs de course, des centres équestres aux lieux d'entraînement des pur-sang, vous comprendrez pourquoi la région est fière de ses milliers de chevaux et plus particulièrement de ceux de la race "Henson", 100 % régionale.

Au fil de l'eau

Mille deux cents kilomètres de rivières sillonnent les trois départements. Les canaux du nord - Péronne-Noyon, Saint-Quentin-Chauny, de l'Oise à l'Aisne, de l'Ourcq - traversent des paysages très variés. Les pêcheurs seront tentés de taquiner le poisson dans les étangs de la Somme, la vallée de Noye, la Thiérache, le Soissonnais, l'Oise… Le littoral attirera les amateurs de sports nautiques séduits par les longues plages de sable fin, la vue de la baie de la Somme, les cordons de galets et les belles falaises de craie.

many a possibility for fun and sport: riding in a carriage, golfing, walking, biking, fishing, hunting and, of course, horse riding. The kings of Picardy are its equestrian population. Indeed Chantilly is the capital of French equestrian sports as well as boasting a Live Horse "Museum." When you see the riding tracks in the Compiègne area, the prestigious race courses, the equestrian and the thoroughbred training centres, you will understand why the region is so proud of its horses, particularly so of its very own "Henson", 100% Picardy-bred.

Along the Waterways

Twelve hundred kilometres of waterways crisscross the three departments that make up the Picardy region. There are several canals in the north: the Ourq and those linking Pérone and Noyon, Saint-Quentin and Chauny and the Oise and Aisne rivers; they all take you through wonderfully varied countryside. The fisherman among you will be tempted to tackle the pools of the Somme, the valley of Noye, Thiérache, the Soissonais area or the river Oise… The coastline will attract those of you who enjoy watersports; you will be drawn to those long sandy beaches, the view over the Somme estuary, the banks of stone and the chalk cliffs.

CITA CON LA HISTORIA

Clovis en Soissons, Hugo Capeto en Senlis y en Noyon… desde el gótico primitivo hasta el flamígero, la región de Picardía resucita lienzos enteros de la historia de Francia. La naturaleza también tiene mucho encanto: la bahía de Somme y la reserva botánica de las marismas de Cessières albergan miles de aves.

APPUNTAMENTO CON LA STORIA

Clovis a Soissons, Hugues Capet a Senlis e a Noyon, dal gotico primitivo al gotico fiammeggiante, la Picardia risuscita dalle mura della storia di Francia. Anche la natura ha uno charme tutto particolare con la baia della Somma e la riserva botanica dell'acquitrino di Cessières che danno rifugio a migliaia di uccelli.

Carbonade à la flamande

Ingrédients

Pour 4 personnes

- 600 g de bœuf
- 50 g de beurre
- 6 oignons
- 1 cuil. de farine
- 1/2 litre de bière
- 20 dl de bouillon
- 30 g de sucre
- 1 bouquet garni
- sel, poivre

Recette

- Faire dorer la viande dans 50 g de beurre ou de saindoux.
- Ajouter les oignons émincés. Lorsqu'ils commencent à blondir, saupoudrez d'une cuillerée de farine. Mélanger.
- Verser 1/2 litre de bière, le bouillon, le sucre. Assaisonner avec le bouquet garni, du sel et du poivre.
- Laisser mijoter 2 heures à feu doux.

Liste des
hôtels-restaurants

Aisne

Association départementale
des Logis de France de l'Aisne
C.D.T.
1 rue Saint Martin
B.P. 116
02005 Laon Cedex
Téléphone 03 23 26 70 00

PICARDIE

80 SOMME
Amiens

02
AISNE

60 OISE
Beauvais

Laon

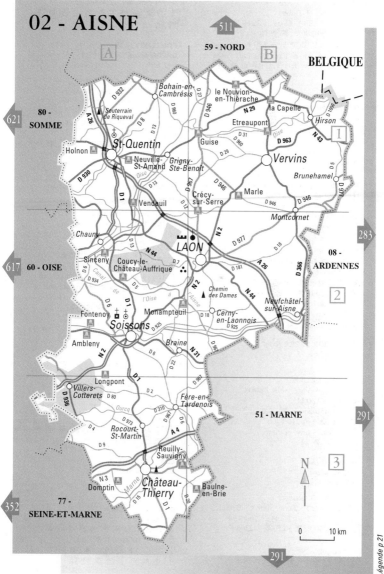

02 - AISNE

511

59 - NORD

A   B

BELGIQUE

80 - SOMME   621

BELGIQUE

Bohain-en-Cambrésis
le Nouvion-en-Thiérache
la Capelle
Hirson

D 932   D 21   D 946   N 29   D 1050
Souterrain de Riqueval
A 26   D 8   D 13   Etreaupont
D 960   Guise   D 31   D 963   N 43   1
St-Quentin   D 960
Holnon   Neuville-St-Amand   Grigny-Ste-Benoît   Vervins   D 5
D 930   Oise   D 13   Brunehamel   D 977
D 1   D 957   Crécy-sur-Serre   D 946   Marle   D 946
Vendeuil   D 12   D 946   Montcornet   283
Chauny   D 13   N 2   D 977   D 18   08 - ARDENNES
Sinceny   N 44   LAON   D 7   A 26   D 366   2
617   60 - OISE   D 6   Coucy-le-Château-Auffrique   D 181
D 934   Canal   D 5   N 2   Chemin des Dames   Neufchâtel-sur-Aisne
Fontenoy   D 6   D 1   l'Oise   à   N 44
Monampteuil   D 18   Cerny-en-Laonnois   D 925
Soissons   D 925
Ambleny   Braine   N 31
N 2   D 6   D 22
Longpont   D 1   D 951
Villers-Cotterêts   D 2   Fère-en-Tardenois
D 936   D 80   Ourcq   D 370   D 951   51 - MARNE   291
D 4   D 973   D 967
Rocourt-St-Martin   A 4
D 9   Reuilly-Sauvigny
N 3   Château-Thierry   Baulne-en-Brie
Domptin   Marne   D 15   D 1   D 20
352   77 - SEINE-ET-MARNE

N

0   10 km

291

613

Légende p 21

AMBLENY (A2)
02290 Aisne
1169 hab.

LE MILLERY ★★
8, rue des Fosses. M. Petit
☎ 03 23 74 29 64 FAX 03 23 74 29 96
7 ⬒ 225/315 F. 🍽 420 F. 🛏 41 F.

BAULNE EN BRIE (B3)
02330 Aisne
243 hab.

AUBERGE DE L'OMOIS ★★
Grande Rue. M. Dubus
☎ 03 23 82 08 13 FAX 03 23 82 69 88
7 ⬒ 180/280 F. 🍽 35 F.
🍴 100/178 F. 🛏 35 F. 🛌 320 F.
⊠ vac. scol. fév. et 1 semaine juil.

La CAPELLE (B1)
02260 Aisne
2270 hab.

DE LA THIERACHE ★★
16, av. du Général de Gaulle. M. Lefèvre
☎ 03 23 97 33 80 FAX 03 23 97 85 88
13 ⬒ 140/260 F. 🍽 25 F.
🍴 65/185 F. 🛏 38 F. 🛌 130/190 F.
⊠ 21 déc./2 janv. et ven. soir oct./avr.

COUCY LE CHATEAU (A2)
02380 Aisne
1058 hab.

BELLE VUE
2, porte de Laon. Ville Haute.
Mlle Lefevre
☎ 03 23 52 69 70 FAX 03 23 52 69 79
4 ⬒ 200 F. 🍽 25 F. 🍴 60/140 F.
🛏 40 F. 🛌 160 F.
⊠ 3/31 janv. Rest. mar.

CRECY SUR SERRE (B1-2)
02270 Aisne
1705 hab.

LA TOUR DE CRECY
1, place des Alliés. Mme Imbert
☎ 03 23 80 80 11
7 ⬒ 150/250 F. 🍽 25 F. 🍴 56 F.
🛏 45 F. 🛌 140/210 F.
⊠ 21 déc./5 janv. et dim.

DOMPTIN (A3)
02310 Aisne
420 hab.

LE CYGNE D'ARGENT
25, rue de la Fontaine. Mme Guillemin
☎ 03 23 70 79 90 FAX 03 23 70 79 99
5 ⬒ 250 F. 🍽 30 F. 🍴 71/205 F.
🛏 50 F. 🛌 500 F.
⊠ lun. soir.

ETREAUPONT (B1)
02580 Aisne
966 hab.

LE CLOS DU MONTVINAGE Rest.
AUBERGE VAL DE L'OISE ★★
8, rue A.Ledent-40, rue Gal de Gaulle.
M. Trokay
☎ 03 23 97 91 10 \ 03 23 97 40 18
FAX 03 23 97 48 92
20 ⬒ 333/445 F. 🍽 39/ 49 F.
🍴 92/230 F. 🛏 60 F. 🛌 551/649 F.
⊠ 4/24 août, dernière semaine vac. scol.
fév. et dim. soir. Rest. lun. midi.

FONTENOY (A2)
02290 Aisne
541 hab.

AUBERGE DU BORD DE L'EAU ★★
1, rue du Bout du Port. M. Alves
☎ 03 23 74 25 76
7 ⬒ 250/300 F. 🍽 45 F.
🍴 135/195 F. 🛏 95 F. 🛌 430 F.
⊠ 2/31 janv. et mer.

GUISE (B1)
02120 Aisne
6296 hab.

CHAMPAGNE PICARDIE ★★
41, rue André Godin.
M. Lefèbvre
☎ 03 23 60 43 44
12 ⬒ 240 F. 🍽 24 F. 🛏 45 F.
🛌 180 F.
⊠ 1er/15 août, entre Noël/jour de l'an.
Hôtel dim. sauf réserv. Rest. ven. soir et
dim.

HOLNON (A1)
02760 Aisne
1199 hab.

LE POT D'ETAIN ★★★
R.N. 29. Mme Moulin
☎ 03 23 09 60 60 \ 03 23 09 61 46
FAX 03 23 09 66 55
32 ⬒ 340 F. 🍽 35 F. 🍴 100/220 F.
🛏 60 F. 🛌 240 F.

LONGPONT (A2-3)
02600 Aisne
300 hab.

DE L'ABBAYE ★★
8, Rue des Tourelles.
M. Verdun
☎ 03 23 96 02 44 FAX 03 23 96 10 60
12 ⬒ 180/330 F. 🍽 40 F.
🍴 100/200 F. 🛏 65 F. 🛌 280/335 F.

MARLE (B1)
02250 Aisne
2670 hab. ℹ️

▲ LE CENTRAL ★★
1, rue Desains. M. Sorlin
☎ 03 23 20 00 33 ☏ 03 23 20 08 12
🛏 9 ◲ 145/240 F. ▤ 30 F. ⅋ 70/180 F.
🍴 48 F. 🍽 160/200 F.
⊠ Noël, 20 juil./22 août, dim. soir et
lun. midi.
🅴 🗇 ☎ 🛉 ◄ CB

MONAMPTEUIL (A2)
02000 Aisne
115 hab.

▲▲ AUBERGE DU LAC
M. Giot
☎ 03 23 21 63 87 ☏ 03 23 21 60 60
🛏 5 ◲ 260/300 F. ▤ 35 F. ⅋ 85/210 F.
🍴 50 F. 🍽 250/300 F.
⊠ lun. et mar. 2 sept./30 avr.
🅴 🗇 ☎ 🚗 ⊷ ⚓ 🚴 🎣 ⛷ 🛉 ◄
CB

NEUVILLE SAINT AMAND (A1)
02100 Aisne
732 hab.

▲▲▲ HOSTELLERIE DU CHATEAU ★★★
M. Meiresonne
☎ 03 23 68 41 82 ☏ 03 23 68 46 02
🛏 15 ◲ 390 F. ▤ 45 F. ⅋ 125/345 F.
🍴 85 F.
⊠ 28 juil./17 août, 24/31 déc., sam.
midi et dim. soir.
🅴 🗇 ☎ 🚗 ⚓ ♿ 🛉 ◄ CB

Le NOUVION EN THIERACHE (B1)
02170 Aisne
3146 hab. ℹ️

▲▲ LA PAIX ★★
37, rue Vimont Vicary M. Pierrart
☎ 03 23 97 04 55 ☏ 03 23 98 98 39
🛏 16 ◲ 165/290 F. ▤ 35 F.
🍴 75/210 F. ⅋ 58 F. 🍽 200/335 F.
⊠ 10 fév./1er mars, 20 juil./3 août et
dim. soir. Rest. lun.
🅴 🅳 🗇 ☎ 🚗 ⚓ 🛉 ◄ CB

REUILLY SAUVIGNY (A-B3)
02850 Aisne
163 hab.

▲▲▲ AUBERGE LE RELAIS ★★★
Sur N. 3. M. Berthuit
☎ 03 23 70 35 36 ☏ 03 23 70 27 76
🛏 7 ◲ 325/395 F. ▤ 52 F.
🍴 160/275 F. ⅋ 120 F. 🍽 455 F.
⊠ mi-fév./mi-mars, 17 août/4 sept.,
mar. soir et mer.
🅴 🗇 ☎ 🚗 ⚓ ⚓ 🛉 ◄ CB

SINCENY (A2)
02300 Aisne
2226 hab.

▲▲ AUBERGE DU ROND D'ORLEANS ★★
M. Matthieu
☎ 03 23 40 20 10 ☏ 03 23 52 36 80
🛏 20 ◲ 310 F. ▤ 37 F. ⅋ 130/168 F.
🍴 130 F.
⊠ 12/24 fév., 23/31 déc. et dim. soir.
🅴 🗇 ☎ 🚗 ⚓ 🛉 ◄ CB

VENDEUIL (A1)
02800 Aisne
900 hab.

▲▲ AUBERGE DE VENDEUIL ★★
Sur N. 44. Mme Lacave
☎ 03 23 07 85 85 ☏ 03 23 07 88 58
🛏 22 ◲ 295/335 F. ▤ 40/ 50 F.
🍴 90/190 F. ⅋ 60 F. 🍽 285/405 F.
🅴 🗇 ☎ 🚗 ⊷ ♿ ♿ CV 🛉 ◄ CB ▤
🅲🆁

Liste des hôtels-restaurants

Oise

C.R.T. Picardie / D. Cry

Association départementale
des Logis de France de l'Oise
C.D.T.
19 rue Pierre Jacoby
B.P. 822
60008 Beauvais Cedex
Téléphone 03 44 45 82 12

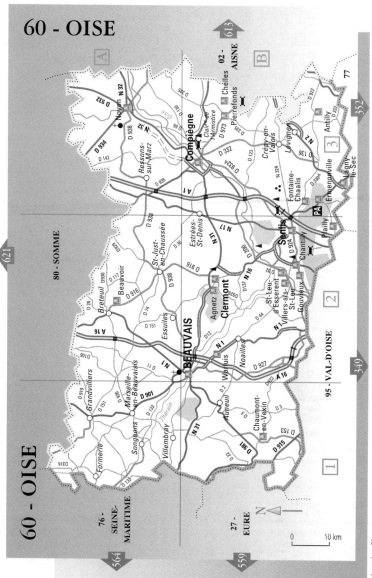

60 - OISE

Légende p 21

AGNETZ (B2)
60600 Oise

>>> *voir CLERMONT*

ANTILLY (B3)
60620 Oise
271 hab.

AA LE POIVRE ET SEL ★★
19, rue du Château. M. Piombino
☎ 03 44 87 88 20 **FAX** 03 44 87 88 29
🛏 7 ◫ 260/300 F. ◼ 30 F. ⊟ 80/168 F.
♨ 64 F. 🖼 260/310 F.
⊠ rest. dim. soir et mer.
🇫 ▢ ☎ ⋈ 🍽 👤 ♿ ▦ ● CB

BEAUVAIS (B2)
60000 Oise
54147 hab. 🅸

... *à proximité*

WARLUIS (B2)
60430 Oise
1129 hab. 🅸

4 km Sud Beauvais par N 1

A LES ALPES FRANCO-SUISSES
Rest. LE CHAMOIS ★★
M. Maillard
☎ 03 44 89 26 51 **FAX** 03 44 89 26 56
🛏 27 ◫ 200/240 F. ◼ 27/ 32 F.
⊟ 75/140 F. ♨ 64 F. 🖼 202/236 F.
⊠ rest. lun. midi et ven.
▢ ☎ ▦ 🍽 🏹 ♿ CV ▦ ● CB

BEAUVOIR (A2)
60120 Oise
180 hab.

A LA TAVERNE PICARDE
18, La Folie de Beauvoir.
Mme Millecamps
☎ 03 44 07 03 57
🛏 6 ◫ 180/220 F. ◼ 30 F.
⊟ 100/198 F. 🖼 240 F.
⊠ 15/31 janv., 15/30 sept., lun. et mar.
soir.
▦ 🍽 ♿ CV ● CB

CHANTILLY (B2)
60500 Oise
11341 hab. 🅸

... *à proximité*

GOUVIEUX (B2)
60270 Oise
9756 hab.

2 km Ouest Chantilly par D 909

AAA CHATEAU DE LA TOUR ★★★
Chemin de La Chaussée. M. Jadas
☎ 03 44 57 07 39 **FAX** 03 44 57 31 97
🛏 41 ◫ 630/890 F. ◼ 65 F.
⊟ 195/290 F. ♨ 85 F. 🖼 505 F.
🇫 ▢ ▦ ☎ 🍽 🏹 ♿ 🎾 ♿ ▦
● CB

AA HOSTELLERIE DU PAVILLON
SAINT-HUBERT ★★
(A Toutevoie à 5 km). M. Luck
☎ 03 44 57 07 04 **FAX** 03 44 57 75 42
🛏 20 ◫ 250/320 F. ◼ 32 F.
⊟ 140/160 F. ♨ 75 F. 🖼 300/350 F.
🇫 ▢ ☎ ▦ 🍽 👤 ▦

CHAUMONT EN VEXIN (B1)
60240 Oise
2965 hab.

A LA GRANGE DE SAINT NICOLAS ★★
17, rue de la République.
Mme Constans
☎ 03 44 49 11 00 **FAX** 03 44 49 99 97
🛏 11 ◫ 280 F. ◼ 25 F. ⊟ 62/ 98 F.
♨ 45 F. 🖼 280 F.
🇫 ▢ ☎ ▦ ⋈ ♿ CV ▦ ● ▦ CR

CHELLES (B3)
60350 Oise

>>> *voir PIERREFONDS*

CLERMONT (B2)
60600 Oise
8934 hab.

... *à proximité*

AGNETZ (B2)
60600 Oise
2134 hab.

3 km Ouest Clermont par N 31

AA LE CLERMOTEL ★★
Sur N.31.
M. Depret
☎ 03 44 50 09 90 **FAX** 03 44 50 13 00
🛏 37 ◫ 290/295 F. ◼ 36 F.
⊟ 91/147 F. ♨ 42 F. 🖼 242/290 F.
🇫 ▢ SP ▦ ▦ ☎ ▦ ⋈ 🍽 🏹 ♿ ▦
CV ▦ ● CB ▦ CR

COMPIEGNE (B3)
60200 Oise
50000 hab. 🅸

AA DE FRANCE ROTISSERIE DU CHAT QUI
TOURNE ★★
17, rue Eugène-Floquet. Mme Robert
☎ 03 44 40 02 74 **FAX** 03 44 40 48 37
🛏 20 ◫ 160/380 F. ◼ 45 F.
⊟ 95/225 F. ♨ 65 F. 🖼 295/350 F.
🇫 ▢ ▦ ☎ ▦ ● CB

ERMENONVILLE (B3)
60950 Oise
850 hab. 🅸

A DE LA CROIX D'OR ★★
2, rue Prince Radziwill.
M. Vezier
☎ 03 44 54 00 04 **FAX** 03 44 54 05 44
🛏 8 ◫ 220 F. ◼ 30 F. ⊟ 75/175 F.
♨ 50 F. 🖼 260 F.
⊠ 21 déc./24 janv. et lun.
🇫 ▢ ☎ ▦ 🍽 ▦ ● CB

FONTAINE CHAALIS (B3)
60300 Oise
400 hab.

▲▲ AUBERGE DE FONTAINE ★★
22, Grande Rue. M. Richard
☎ 03 44 54 20 22 ⓕ 03 44 60 25 38
🛏 8 ⌾ 245/465 F. ▤ 40 F.
🍴 135/280 F. ♨ 75 F. 🐕 300 F.
⊠ mar. 1er oct./31 mars.
[E] [SP] [☎] [🌳] [🏃] [♿] [▥] [🀤] [CB]

GOUVIEUX (B2)
60270 Oise
>>> *voir CHANTILLY*

LAGNY LE SEC (B3)
60330 Oise
1750 hab.

▲ A LA BONNE RENCONTRE ★★
Sur N.2. M. Gonzalo
☎ 03 44 60 50 08 ⓕ 03 44 60 07 89
🛏 9 ⌾ 210 F. ▤ 30 F. 🍴 115/240 F.
♨ 60 F. 🐕 250/290 F.
⊠ 21 juil./12 août, lun. soir et mar.
[E] [☎] [🚗] [🌳] [🏃] [CB]

NOYON (A3)
60400 Oise
14150 hab. 🛈

▲▲ LE GRILLON ★★
39, Rue Saint-Eloi. M. Pruvot
☎ 03 44 09 14 18 ⓕ 03 44 44 34 30
120F 🛏 20 ⌾ 200/260 F. ▤ 35 F.
🍴 85/150 F. ♨ 59 F. 🐕 220/280 F.
⊠ 20 déc./2 janv. Rest. ven. soir, sam.
midi et dim. soir.
[E] [SP] [▥] [☎] [🚗] [🌳] [CV] [▥] [🀤] [CB]

PIERREFONDS (B3)
60350 Oise
1600 hab. 🛈

▲ DES ETRANGERS ★★
10, rue Beaudon. Mme Ducatillon
☎ 03 44 42 80 18 \ 03 44 42 87 11
ⓕ 03 44 42 86 74
100F 🛏 16 ⌾ 250/325 F. ▤ 35 F.
🍴 79/150 F. ♨ 60 F.
⊠ rest. dim. soir et lun. 1er oct./1er avr.
[E] [D] [🛈] [▥] [☎] [🚗] [⛵] [🏃] [♿] [▶] [🏃] [CV]
[▥] [🀤] [CB]

... *à proximité*

CHELLES (B3)
60350 Oise
354 hab.

4 km Est Pierrefonds par D 85

▲▲ LE RELAIS BRUNEHAUT
Rue de l'Eglise. Mme Fresnel
☎ 03 44 42 85 05 ⓕ 03 44 42 83 30
🛏 5 ⌾ 190/310 F. ▤ 38 F.
🍴 130/250 F. 🐕 300/310 F.
⊠ 1er/12 août, lun. et mar. Rest. lun.,
mar. mer.et jeu. du 1er déc./Pâques.
[D] [SP] [▥] [☎] [🚗] [⛵] [🌳] [🏃] [🀤] [CB]

PLAILLY (B2)
60128 Oise
1541 hab.

▲▲ AUBERGE DU PETIT CHEVAL D'OR ★★
Rue de Paris. Mme Duval
☎ 03 44 54 36 33 ⓕ 03 44 54 38 02
🛏 27 ⌾ 210/600 F. ▤ 36 F.
🍴 110/150 F. ♨ 65 F. 🐕 250/380 F.
[E] [▥] [☎] [🚗] [🛏] [🌳] [🏃] [CV] [▥] [🀤] [CB]

SAINT LEU D'ESSERENT (B2)
60340 Oise
4288 hab.

... *à proximité*

VILLERS SOUS SAINT LEU (B2)
60340 Oise
2100 hab.

2 km S.O. St-Leu d'Esserent par CD 44

▲ LE RELAIS SAINT-DENIS ★★
7, rue de l'Eglise. M. Bordinat
☎ 03 44 56 31 87
100F 🛏 9 ⌾ 150/250 F. ▤ 28 F. 🍴 75/200 F.
♨ 45 F. 🐕 220/240 F.
⊠ août, dim. soir et lun.
[▥] [☎] [🚗] [🌳] [CV] [▥] [CB]

SENLIS (B2)
00300 Oise
14387 hab. 🛈

▲ HOSTELLERIE DE LA PORTE
BELLON ★★
51, rue Bellon. M. Patenotte
☎ 03 44 53 03 05 ⓕ 03 44 53 29 94
🛏 19 ⌾ 200/400 F. ▤ 35 F.
🍴 115/189 F. ♨ 42 F.
⊠ 23 déc./4 janv.
[E] [▥] [☎] [🌳] [▥] [🀤] [CB]

VILLERS SOUS SAINT LEU (B2)
60340 Oise
>>> *voir SAINT LEU D'ESSERENT*

WARLUIS (B2)
60430 Oise
>>> *voir BEAUVAIS*

Somme

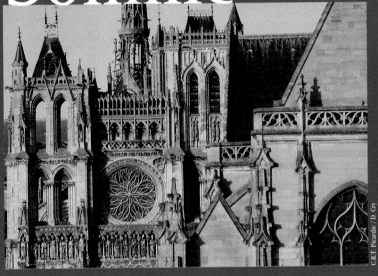

C.R.T. Picardie / D. Cry

Association départementale
des Logis de France de la Somme
C.D.T.
21 rue Ernest Cauvin
80000 Amiens
Téléphone 03 22 92 26 39

PICARDIE

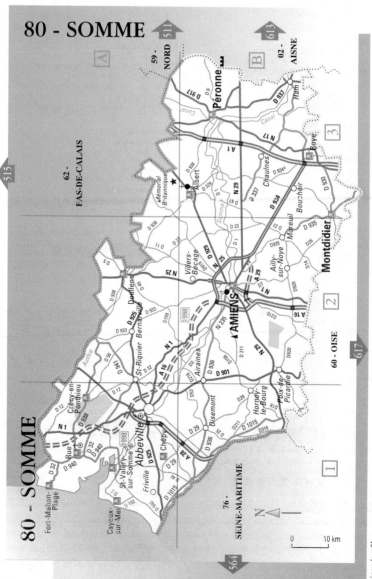

p i c a r d i e

ALBERT (B3)
80300 Somme
10500 hab. ℹ️

DE LA BASILIQUE ★★
3-5, rue Gambetta. M. Petit
☎ 03 22 75 04 71 📠 03 22 75 10 47
🛏 10 ⊗ 220/300 F. 🍽 34 F.
🍴 78/150 F. 🍷 52 F. 🛎 260/280 F.
✉️ 4/18 août, 20 déc./10 janv., sam. soir
hs et dim.

AMIENS (B2)
80000 Somme
136358 hab. ℹ️

LE PRIEURE ★★
17, rue Porion. M. Boulet
☎ 03 22 92 27 67 📠 03 22 92 46 16
🛏 20 ⊗ 250/400 F. 🍽 36 F.
🍴 98/200 F. 🍷 60 F. 🛎 245/320 F.
✉️ 2/17 nov. Rest. dim. soir et lun.

CAYEUX SUR MER (A1)
80410 Somme
2856 hab. ℹ️

LE NEPTUNE ★★
204, av. du Maréchal Foch. M. Prevote
☎ 03 22 26 77 22
🛏 13 ⊗ 260/260 F. 🍽 32 F.
🍴 82/190 F. 🍷 55 F. 🛎 244 F.
✉️ nov./fév., lun. soir et mar.

CHEPY (A1)
80210 Somme
1231 hab.

AUBERGE PICARDE ★★
Place de la Gare. M. Henocque
☎ 03 22 26 20 78 📠 03 22 26 33 34
🛏 25 ⊗ 245/375 F. 🍽 30 F.
🍴 85/185 F. 🍷 65 F. 🛎 200 F.
✉️ 10 jours août, entre Noël et Nouvel
An, sam. midi et dim. soir.

CRECY EN PONTHIEU (A1)
80150 Somme
1400 hab. ℹ️

DE LA MAYE ★★
13, rue Saint-Riquier. M. Grevet
☎ 03 22 23 54 35 📠 03 22 23 53 32
🛏 11 ⊗ 255/350 F. 🍽 35 F.
🍴 65/170 F. 🍷 65 F. 🛎 255/300 F.
✉️ 10 fév./28 août, dim. soir et lun.

DOULLENS (A2)
80600 Somme
8520 hab. ℹ️

LE SULLY ★★
45, rue Jacques Mossion. M. de
Borggraeve
☎ 03 22 77 10 87

🛏 7 ⊗ 180/195 F. 🍽 25 F. 🍴 59/130 F.
🍷 50 F. 🛎 180/220 F.
✉️ 17 juin/1er juil. et lun.

FORT MAHON PLAGE (A1)
80790 Somme
1000 hab. ℹ️

DE LA TERRASSE ★★★
1461, av. de la Plage. M. Cantrel
☎ 03 22 23 37 77 📠 03 22 23 36 74
🛏 56 ⊗ 195/490 F. 🍴 75/295 F.
🍷 45 F. 🛎 235/350 F.

LA CHIPAUDIERE ★★
1440, av. de la Plage. M. Delefortrie
☎ 03 22 27 70 36 📠 03 22 23 38 16
🛏 18 ⊗ 250/400 F. 🍽 35 F.
🍴 79/150 F. 🍷 45 F. 🛎 240/260 F.
✉️ 15 nov./15 fév.

MONTDIDIER (B2-3)
80500 Somme
6280 hab. ℹ️

DE DIJON ★★
1, place du 10 août 1918.
M. Vanoverschelde
☎ 03 22 78 01 35 📠 03 22 78 27 24
🛏 14 ⊗ 230/280 F. 🍽 35 F. 🍴 75 F.
🍷 52 F. 🛎 250 F.
✉️ vac. scol. fév., 3 semaines août. Rest.
sam. et dim. soir.

PERONNE (B3)
80200 Somme
9600 hab. ℹ️

HOSTELLERIE DES REMPARTS ★★
23, rue Beaubois. M. Lemay
☎ 03 22 84 01 22 📠 03 22 84 31 96
🛏 16 ⊗ 190/450 F. 🍽 35 F.
🍴 85/249 F. 🍷 50 F. 🛎 200/260 F.

SAINT CLAUDE ★
42, place Louis Daudre. M. Lalos
☎ 03 22 84 46 00 📠 03 22 84 47 57
🛏 23 ⊗ 140/280 F. 🍽 30 F.
🍴 85/170 F. 🍷 55 F. 🛎 220 F.

ROYE (B3)
80700 Somme
6500 hab.

CENTRAL Rest. LE FLORENTIN
36, rue d'Amiens. M. Devaux
☎ 03 22 87 11 05 📠 03 22 87 42 74
🛏 8 ⊗ 260/320 F. 🍽 30 F. 🍴 88/210 F.
🍷 60 F. 🛎 300 F.
✉️ 23 déc./5 janv., 18 août/1er sept.,
dim. soir et lun.

ROYE (B3) (suite)

⌂ DU NORD Rest. LUTZ ★
Place de la République. M. Lutz
☎ 03 22 87 10 87　FAX 03 22 87 46 88
🛏 7　◁ 135/185 F.　🍽 29 F.　🍴 95/295 F.
🎛 65 F.
✉ mar. soir et mer.
Ⓔ CV ▦ ➤ CB

RUE (A1)
80120 Somme
3280 hab. ⓘ

⌂⌂ LE LION D'OR ★★
5, rue de la Barrière. Mme Vandeville
☎ 03 22 25 74 18　FAX 03 22 25 66 63
🛏 16　◁ 300 F.　🍽 35 F.　🍴 80/160 F.
🎛 55 F.　🎚 230 F.
✉ 7/28 déc. et dim. soir
1er oct./31 mai.
Ⓔ 🗄 🗄 ☎ 🏖 🍴 🏃 ⚙ CV ▦ CB

SAINT VALERY SUR SOMME (A1)
80230 Somme
2942 hab. ⓘ

⌂ LA COLONNE DE BRONZE ★★
43, quai du Romerel. M. Gaudel
☎ 03 22 60 80 07　FAX 03 22 26 98 13
🛏 13　◁ 270 F.　🍽 36 F.　🍴 85/160 F.
🎛 57 F.　🎚 280/300 F.
✉ 1er janv./mi-fév., lun. et mar. midi
sauf juil./août. Rest. lun. midi juil./août.
Ⓔ 🗄 ☎ CB

⌂⌂ LE RELAIS GUILLAUME DE
NORMANDY ★★
46, quai du Romerel. MM. Dupré/Crimet
☎ 03 22 60 82 36　FAX 03 22 60 81 82
🛏 14　◁ 290/340 F.　🍽 35 F.
🍴 85/210 F.　🎛 55 F.　🎚 275/310 F.
✉ 24 nov./28 déc. et mar. sauf
juil./août.
Ⓔ 🗄 🗄 ☎ 🚗 🏖 🍴 ▦ CB

Les Logis de France ont à cœur de valoriser la
cuisine régionale. Aidez-nous à la promouvoir grâce
à la fiche située en annexe du guide.

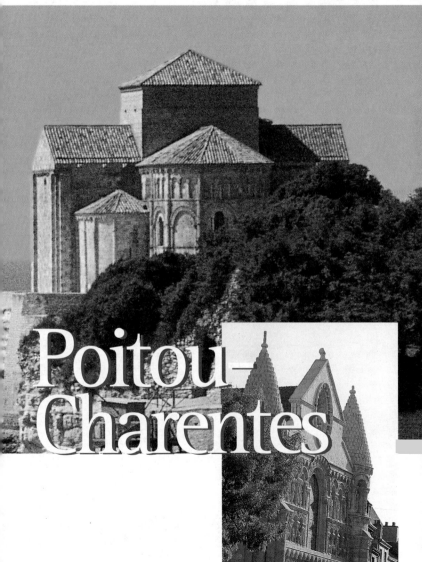

Poitou-Charentes

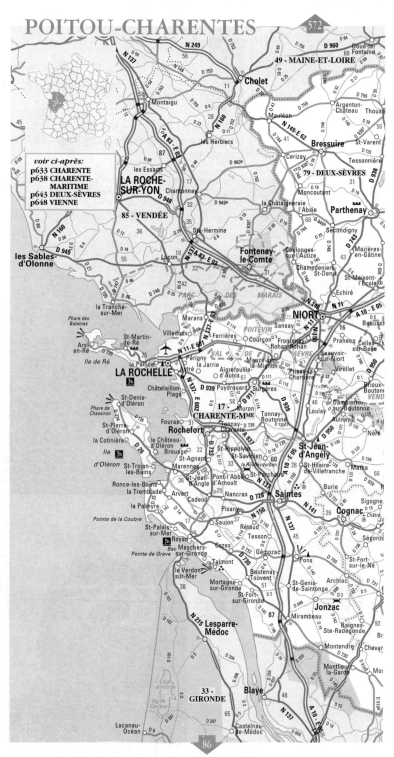

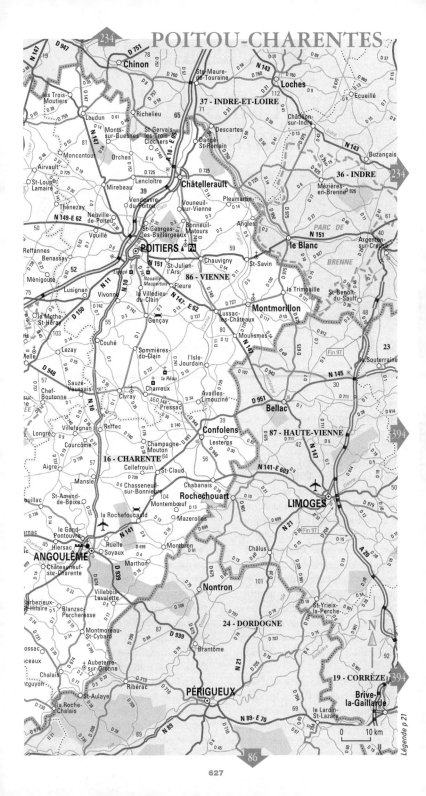

Chinon

Ste-Maure-de-Touraine

Loches

Ecueillé

les Trois-Moutiers

Loudun

Richelieu

37 - INDRE-ET-LOIRE

Châtillon-sur-Indre

N 143

Buzançais

Monts-sur-Guesnes

St-Gervais-les-Trois-Clochers

Descartes

Montcontour

Orches

Dangé-St-Romain

Airvault

36 - INDRE

St-Loup-Lamairé

Lencloître

Châtellerault

Mézières-en-Brenne

Thénezay

Mirebeau

Vendeuvre-du-Poitou

N 149-E 62

Neuville-de-Poitou

Vouneuil-sur-Vienne

Pleumartin

PARC DE

Reffannes

Vouillé

St-Georges-les-Baillargeaux

Bonneuil-Matours

Angles

N 151

le Blanc

Argenton-sur-Creuse

Benassay

POITIERS

Chauvigny

St-Savin

BRENNE

Ménigoute

N 151

St-Julien-l'Ars

86 - VIENNE

Lusignan

Vivonne

Nouaillé-Maupertuis

Fleuré

la Villedieu-du-Clain

N 147- E 62

la Trimouille

St-Benoît-du-Sault

la Mothe-St-Héray

Gençay

Lussac-les-Châteaux

Montmorillon

Lezay

Couhé

Sommières-du-Clain

Moulismes

la Souterraine

Melle

Sauzé-Vaussais

l'Isle-Jourdain

23

Chef-Boutonne

Civray

la Réau

Availles-Limouzine

N 145

Charroux

Pressac

Bellac

Longré

Villefagnan

Ruffec

Champagne-Mouton

Confolens

87 - HAUTE-VIENNE

Courcôme

Lesterps

Aigre

16 - CHARENTE

Cellefrouin

St-Claud

N 141-E 603

Mansle

Chabanais

Chasseneuil-sur-Bonnieure

Rochechouart

LIMOGES

St-Amand-de-Boixe

Montembœuf

la Rochefoucauld

Mazerolles

le Gond-Pontouvre

N 141

Châlus

ANGOULÊME

Hiersac

Ruelle

Soyaux

Monthron

Château-neuf-sur-Charente

Marthon

Barbezieux-St-Hilaire

Villebois-Lavalette

Nontron

St-Yrieix-la-Perche

Blanzac-Porcheresse

24 - DORDOGNE

Montmoreau-St-Cybard

D 939

Chalais

Aubeterre-sur-Dronne

Brantôme

19 - CORRÈZE

Ribérac

Brive-la-Gaillarde

la Roche-Chalais

St-Aulaye

PÉRIGUEUX

le Lardin-St-Lazare

N 89- E 70

N

0   10 km

Légende p 21

Beau Temps à l'Ouest
Good Weather in the West

C.R.T. Poitou-Charentes

Baignée par l'océan, la région la plus
ensoleillée de l'ouest vous invite à profiter
de ses plages de sable fin. À moins que vous
ne préfériez voyager dans le temps,
entre monuments romans et Futuroscope…

*Bathed by the ocean, Poitou-Charentes is
the sunniest region in the west of France
with beaches of fine sand. But it also offers
the possibility of time travel: both back to
Roman times and forward to Futuroscope…*

Les bains de soleil

Royan lança la vogue des bains de mer dès le
19ᵉ siècle. Aujourd'hui, ses cinq plages,
protégées des vents d'ouest, continuent
d'attirer tous ceux qui savent profiter des
plaisirs de l'eau, du sable et du soleil. Non
loin, Saint-Georges de-Didonne et Saint-
Palais bordées de pins et de chênes verts,
Meschers nichée entre deux falaises face à
l'estuaire de la Gironde, et plus au nord
Fouras, Châtelaillon, La Palmyre… On se
baigne sur toute la côte dans ces stations
au charme familial où se côtoient marins,
véliplanchistes et bâtisseurs de châteaux
de sable.
Au large, découvrez les îles de Ré, d'Aix et
d'Oléron, leurs plages infinies, leur ciel
lumineux et leur végétation méridionale.
C'est à bicyclette qu'il faut circuler dans Ré
pour observer, entre digue et marais envahis
de salicorne, les hérons et les bernaches…

Sun-bathing

*The town of Royan began the fashion of sun-
bathing as early as the 19th century. Today its
five beaches, all protected from the western
winds, continue to attract those in search of
sun, sand and sea. Nearby are St-Georges de
Didone and Saint-Palais, surrounded by pine
and oak trees. Meschers is tucked between two
cliffs facing onto the Gironde estuary, and
further to the north are Fouras, Châtelaillon
and La Palmyre. Swimming is possible all
along this coast with its homely resorts where
fisherman, sporty types and those who prefer to
build sand-castles rub shoulders. Out to sea are
the islands of Ré, Aix and Oléron with their
endless beaches, their luminous skies and their
southern vegetation. You should get around the
island of Ré on a bicycle as this will allow you
to spot the herons and barnacle geese nesting
in the breakwaters and marshes filled with
saltwort. On Oléron you can visit the oyster*

A Oléron, dans les cabanes des ostréiculteurs, vous dégusterez les célèbres huîtres de Marennes-Oléron qui doivent leur couleur verte à une petite algue, la navicelle bleue. D'Aix, vous conserverez le souvenir d'une petite île sans voitures aux ruelles fleuries de roses trémières. Au loin, fort Boyard…

Le temps des excursions

A proximité des plages du littoral, promenez-vous dans des villes chargées d'histoire : La Rochelle et son vieux port gardé par trois tours médiévales ; Rochefort dont la Corderie royale borde la Charente ; Brouage, ancien port fortifié voué au commerce du sel et désormais abandonné par la mer au milieu des marais ; Saintes, la cité millénaire aux façades blanches ; La Roche-Courbon et son château sur la route des Trésors de Saintonge… Vous pouvez aussi remonter la vallée de la Charente, de Rochefort à Angoulême, à bord d'une pénichette, et sentir la marée se manifester jusqu'à Saint-Savinien, à visiter pour son vieux port batelier et son église au clocher carré. Puis s'annonce Cognac. Sur tous les panneaux et enseignes… les grandes maisons vous proposent de découvrir leurs chais et de vous faire des confidences : élaboration, vieillissement et petite histoire. A ne pas manquer, pour le plaisir d'apprendre que sans la maladresse d'un vigneron qui, il y a quatre siècles, brûla deux fois son vin dans l'alambic… le cognac n'existerait pas.

De l'art roman au Marais Poitevin

Témoins d'une architecture née sur les

farmers' huts to try the famous Marennes-Oléron oysters, which owe their particular green colour to a small seaweed known as the blue navicelle. And from the little island of Aix you will bring back a memory of narrow roads with no cars and the bloom of clambering roses. Not far off lies the fort Boyard…

Time Out

Nearby the coastal beaches you can visit many historical towns: La Rochelle with its old port protected by three medieval towers; Rochefort where the Royal Rope Factory lies along the banks of the Charente; Brouage, which was formerly a port dealing in the salt trade, but has since been abandoned by the sea to the marshes; Saintes, the millenial city with its white facades; and lastly, La Roche-Courbon with its castle alongside the road of the "Trésors de Saintonge"… You could also go up the Charente valley on a small barge from Rochefort to Angoulême, where you will discover that the tide reaches right up to Saint-Savinien. The latter is also worth visiting for its old ferry port and its church with a square steeple. Then you come to Cognac, as you will realise from all the signs and advertisements… The famous brands invite you to explore their storehouses and promise to confide their secrets: the production, the aging process and the story of the firm. You shouldn't miss this opportunity, not least to learn that if a certain wine-producer of four centuries ago had not distilled his wine twice over there would be no such thing as cognac…

From Romanesque Art to Poitevin Marshes

Six hundred or so Romanesque edifices built

SCHÖNES WETTER IM WESTEN

An der Küste des Atlantiks, lädt die Region mit dem meisten Sonnenschein Sie ein, die Sandstrände zu genießen. Es sei denn, Sie ziehen eine Reise durch die Zeit vor, zwischen romanischen Bauten und dem Futuroscope…

MOOI WEER IN HET WESTEN

Deze meest zonnige streek in het westen, omringd door de oceaan, nodigt u uit om te komen genieten van haar fijne zandstranden. Of reist u liever doorheen de tijd, van de romaanse monumenten naar de Futuroscoop…

chemins de Saint-Jacques de Compostelle, quelque six cents édifices romans, construits entre le Xe et le XIIe siècle, retracent la vie quotidienne, les croyances et les chimères du Moyen-Age. A Angoulême, il faut faire connaissance avec les soixante-dix personnages de la cathédrale Saint-Pierre, s'arrêter à Poitiers, devant la façade de Notre-Dame-la-Grange, visiter Saintes, Chauvigny, Saint-Savin-sur-Gartempe, Melle, Aulnay…

Là, entre Vendée et Poitou, s'étendait jusqu'à l'an 600, un golfe marin, le golfe des Pictons. Les moines cisterciens décidèrent de l'assécher et contribuèrent à créer la physionomie du Marais Poitevin. Le mieux est de l'explorer en louant une barque : rien de tel qu'une "plate" guidée par un batelier pour s'infiltrer dans ce dédale de "conches", de canaux et d'écluses, ou pullulent anguilles, carpes, sandres, perches et autres brochets.

Entre futur et traditions

Reste à faire, en toute saison, un détour pour profiter du Futuroscope de Poitiers : images interactives, en relief, à 360°… Une fois grisé par ces technologies d'avenir, quoi de plus rassurant qu'un retour aux sources à base de spécialités, histoire de goûter, par exemple, ces petits escargots gris que les Charentais appellent les "cagouilles" et les Poitevins les "lumas", de savourer l'éclade ou la mouclade, de faire honneur à la chaudrée et aux mojettes...

between the 10th and the 12th century mark the routes of pilgrimage to Saint-Jacques de Compostelle and record the daily life, the beliefs and the fantasies of the Middle Ages. In Angoulême you should introduce yourself to the seventy figures in the cathedral of Saint-Pierre, while in Poitiers you should absorb the beauty of the facade of Notre-Dame-la-Grange. Then you must also visit Saintes, Chauvigny, Saint-Savin-sur-Gartempe, Melle and Aulnay. Up until the year 600 a marine bay lay between the Vendée and Poitou, known as the Pictons Bay. The Cistercian monks decided to drain it, thus contributing to the creation of the Poitevin marshes. The best way to explore them is by renting a boat: nothing better than a guided punt to make your way through this maze of canals and locks, writhing with eels, carp, perch and pike.

Between the Past and the Future

Whatever the season you must also take a trip to the Futuroscope in Poitiers. You'll find surround-screen and three-dimensional interactive images… Once you've reveled enough in the powers of technology, what could be more reassuring than a return to the past in the form of regional specialities such as the little grey snails that the people of Charentes call "cagouilles" and the people of Poitevin, "lumas" You should also look out for dishes such as the "éclade" or "mouclade," and pay hommage to the "chaudrée" and the "mojottes."

BUEN TIEMPO AL OESTE

Bañada por el océano, la región más soleada del oeste le invita a disfrutar de sus playas de arena fina.
A menos que prefiera viajar en el tiempo entre monumentos románicos y Futuroscope...

BEL TEMPO ALL'OVEST

Bagnata dall'oceano è la regione più soleggiata dell'ovest che vi invita ad approfittare delle sue spiagge di sabbia fine. A meno che non vogliate viaggiare nel tempo, fra monumenti romani e Futuroscope...

Mouclade

Ingrédients

Pour 6 personnes

- 3 l de moules de bouchot
- 2 gros oignons, 2 échalotes
- 1 gousse d'ail et du persil
- 50 g de beurre
- 40 g de farine
- 1 verre de vin blanc sec
- 1 verre de pineau blanc des Charentes
- 200 g de crème fraîche
- 1 citron
- 2 œufs

Recette

- Gratter et laver les moules.
- Faire suer les oignons finement hâchés dans une grande cocotte. Verser le vin blanc et le pineau. Ajouter le bouquet garni et les moules. Les faire ouvrir sur feu vif.
- Recueillir l'eau de cuisson et la filtrer. Retirer une coquille à chaque moule. Avec beurre et farine faire un roux blanc et le mouiller avec le jus de cuisson des moules. Saler, poivrer.
- Hors du feu, lier la sauce avec deux jaunes d'œufs, la crème et le jus de citron. Verser aussitôt la sauce sur les moules chaudes.

Liste des
hôtels-restaurants
Charente

C.R.T. Poitou-Charentes

Association départementale
des Logis de France de la Charente
C.D.T.
Place Bouillaud
16021 Angoulême
Téléphone 05 45 69 79 19

POITOU-
CHARENTES

79
DEUX-
SÈVRES
Niort

86
VIENNE
Poitiers

La Rochelle
17
CHARENTE-
MARITIME

16
CHARENTE

Angoulême

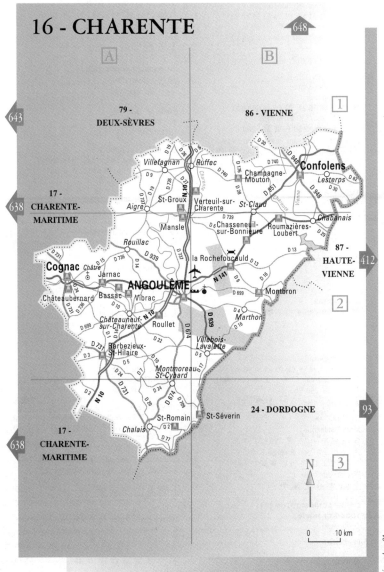

16 - CHARENTE

648

A B

643

79 -
DEUX-SÈVRES

86 - VIENNE

1

Villefagnan Ruffec Confolens

D 19 D 26
D 740 D 176 Champagne- Lesterps
D 9 Mouton D 82
D 736 D 740 D 851 D 948
St-Groux D 30
17 -
CHARENTE- Aigre Verteuil-sur- St-Claud D 948
MARITIME Charente D 28
638 Mansle D 739 Chabanais
D 6 Chasseneuil- D 25
Bonnieure Roumazières-
Loubert
Rouillac D 13
D 15 D 939 la Rochefoucauld D 13 87 -
Cognac Châtre D 736 D 731 D 13 HAUTE-
D 14 D 16 VIENNE 412
Jarnac N 141 D 6
Châteaubernard Bassac D 699 Montbron
D 24 Vibrac ANGOULÊME D 4 Marthon
D 731 D 736 D 699 D 16
Châteauneuf- Roullet
sur-Charente D 674 D 939 2
D 1 D 22
D 699 Villebois-
D 731 Barbezieux- Lavalette
St-Hilaire D 10 D 17
D 3 D 5 Montmoreau St-Cybard
D 24 D 5
D 24 D 674 708
N 10 D 731 St-Romain St-Séverin 24 - DORDOGNE 93
D 2 Chalais D 2
D 77
17 - 3
CHARENTE- N
MARITIME ▲

638

0   10 km

Légende p 21

ANGOULEME (A2)
16000 Charente
42876 hab. ℹ️

🛏️ **D'ORLEANS** ★★
133, av. Gambetta.
Mme Le Calvez
☎ 05 45 92 07 53 ℻ 05 45 92 05 25
🛏️ 20 🍽️ 180/255 F. 🍴 30 F. 🍴 65 F.
🅿️ 40 F. 🛏️ 180/220 F.
⊠ rest. sam. et dim. sauf réservations.
🄴 🆂🅿️ 🖥️ ☎ 🍴 CV 🐾 CB

🛏️🛏️ **LE CRAB** ★★
27, rue Kléber. M. Bouchet
☎ 05 45 95 51 80 ℻ 05 45 95 38 52
🛏️ 20 🍽️ 130/220 F. 🍴 23/ 30 F.
🍴 60/160 F. 🅿️ 40 F. 🛏️ 190/256 F.
⊠ rest. sam. et dim. soir.
🄴 🖥️ ☎ 🚗 CV 🐾 CB

🛏️🛏️ **LE SAINT ANTOINE** ★★
31, rue Saint-Antoine
Mme Troplong
☎ 05 45 68 38 21 ℻ 05 45 69 10 31
🛏️ 27 🍽️ 285/330 F. 🍴 37 F.
🍴 85/160 F. 🅿️ 50 F. 🛏️ 250/280 F.
⊠ 25 déc. Rest. sam. midi et dim. soir.
🄴 🆂🅿️ 🖥️ 🖥️ ☎ 🚗 🍴 ♿ CV 🔦 🐾
CB 📠 ▦

BARBEZIEUX SAINT HILAIRE (A2)
16300 Charente
4774 hab. ℹ️

🛏️🛏️🛏️ **LA BOULE D'OR** ★★
9, bld Gambetta.
M. Charrier
☎ 05 45 78 64 13 ℻ 05 45 78 63 83
🛏️ 20 🍽️ 250 F. 🍴 30 F. 🍴 70/200 F.
🅿️ 45 F. 🛏️ 230 F.
🄴 🆂🅿️ 🖥️ ☎ 🚗 🍴 🌴 ♿ 🔦 🐾 CB

BASSAC (A2)
16120 Charente
540 hab.

🛏️ **CHANTECLER**
Le Bourg.
Mme Chapeau
☎ 05 45 81 94 55 ℻ 05 45 81 98 90
🛏️ 9 🍽️ 180/220 F. 🍴 30 F. 🍴 60/150 F.
🅿️ 47 F. 🛏️ 230/260 F.
🄴 🖥️ ☎ 🚗 ▦ ♿ 🐾 CB

🛏️🛏️ **L'ESSILLE** ★★
Mme Bouladour
☎ 05 45 81 94 13 ℻ 05 45 81 97 26
🛏️ 10 🍽️ 270/360 F. 🍴 38 F.
🍴 100/220 F. 🅿️ 60 F. 🛏️ 300/340 F.
⊠ rest. dim. soir.
🄴 🖥️ ☎ 🚗 🍴 🔦 🐾 CB

CHAMPAGNE MOUTON (B1)
16350 Charente
1000 hab.

🛏️ **PLAISANCE**
5, rue du Château Mme Cambien
☎ 05 45 31 80 52

🍴 12 🍽️ 120/140 F. 🍴 22 F. 🅿️ 35 F.
🛏️ 180/200 F.
⊠ 11/19 janv., 25 oct./2 nov. et dim.
🄴 🄳 🆂🅿️ ☎ 🚗 🚗 🚗 CV 🔦 🐾 CB

CHASSENEUIL SUR BONNIEURE (B2)
16260 Charente
3800 hab. ℹ️

🛏️🛏️ **DE LA GARE** ★
9, rue de la Gare.
M. Cormau
☎ 05 45 39 50 36 ℻ 05 45 39 64 03
🍴 10 🍽️ 150/250 F. 🍴 28 F.
🍴 65/250 F. 🅿️ 45 F. 🛏️ 200/240 F.
⊠ 1er/20 janv., 1er/20 juil., dim. soir et
lun.
🄴 🄳 🖥️ ☎ 🚗 🚗 🚗 CV 🔦 🐾 CB

CHATEAUBERNARD (A2)
16100 Charente
⋙ *voir COGNAC*

COGNAC (A2)
16100 Charente
19528 hab. ℹ️

🛏️🛏️🛏️ **DOMAINE DU BREUIL** ★★
104, rue Robert Daugas. M. Tessandier
☎ 05 45 35 32 06 ℻ 05 45 35 48 06
🍴 24 🍽️ 270/370 F. 🍴 40 F.
🍴 85/185 F. 🅿️ 50 F. 🛏️ 270/305 F.
🄴 🆂🅿️ 🖥️ 🖥️ ☎ 🚗 🍴 🌴 ♿ 🔦 🐾 CB

... à proximité

CHATEAUBERNARD (A2)
16100 Charente
3769 hab.

1 km Sud Cognac par D 24

🛏️🛏️ **L'ETAPE** ★★
2, av. d'Angoulême. M. Giraud
☎ 05 45 32 16 15 ℻ 05 45 36 20 03
🍴 22 🍽️ 175/290 F. 🍴 30 F.
🍴 59/140 F. 🅿️ 50 F. 🛏️ 220/330 F.
⊠ 23 déc./2 janv.
🄴 🖥️ ☎ 🚗 🚗 CV 🐾 CB

CONFOLENS (B1)
16500 Charente
3470 hab. ℹ️

🛏️🛏️ **DE VIENNE** ★★
4, rue de la Ferrandie. Mme Dupré
☎ 05 45 84 09 24 ℻ 05 45 84 11 60
🍴 14 🍽️ 170/290 F. 🍴 30 F.
🍴 72/180 F. 🅿️ 40 F. 🛏️ 200/250 F.
⊠ 22 oct./15 nov., 22 déc./5 janv., ven.
soir/dim. 1er oct./30 mars, ven. soir et
sam. 1er avr./15 juin.
🄴 🖥️ ☎ 🚗 ♿ CV 🔦

🛏️🛏️ **L'EMERAUDE** ★★
20, rue Emile Roux. M. Peyrataud
☎ 05 45 84 12 77 ℻ 05 45 84 15 55
🍴 18 🍽️ 180/270 F. 🍴 30 F.
🍴 65/200 F. 🅿️ 40 F. 🛏️ 200/250 F.
🄴 🖥️ ☎ 🚗 🚗 CV 🔦 🐾 CB

CONFOLENS (B1) (suite)

MERE MICHELET ★★
17, allées de Blossac.
M. Michelet
☎ 05 45 84 04 11 FAX 05 45 84 00 92
23 • 135/290 F. ▪ 25 F.
⅋ 72/200 F. 38 F. 225/280 F.
rest. mer. 1er nov./30 avr. sauf jours fériés.

JARNAC (A2)
16200 Charente
5000 hab.

KARINA
Les Métairies.
M. Legon
☎ 05 45 36 26 26 FAX 05 45 81 10 93
8 • 270 F. ▪ 30 F. ⅋ 75/175 F.
50 F. 375/400 F.
7 déc./7 janv., dim. soir - lun. soir oct./avr. sauf réservations.

MANSLE (A2)
16230 Charente
1601 hab.

BEAU RIVAGE ★★
M. Louis
☎ 05 45 20 31 26 FAX 05 45 22 24 24
26 • 160/265 F. ▪ 28 F.
⅋ 65/160 F. 40 F. 230/260 F.
11 nov./2 déc., dim. soir nov./mars.

... *à proximité*

SAINT GROUX (A1)
16230 Charente
114 hab.

5 km Nord Mansle par D 361

LES TROIS SAULES ★★
M. Faure
☎ 05 45 20 31 40 FAX 05 45 22 73 81
10 • 195/235 F. ▪ 28 F.
⅋ 60/165 F. 30 F. 195/235 F.
26 oct./10 nov., dernière semaine fév., dim. soir et lun. midi hs.

MONTBRON (B2)
16220 Charente
2600 hab.

LE RELAIS DES TROIS MARCHANDS ★★
10, rue de Limoges.
M. Chateau
☎ 05 45 70 71 29 FAX 05 45 70 73 26
12 • 200/220 F. ▪ 25 F.
⅋ 60/160 F. 50 F.

La ROCHEFOUCAULD (B2)
16110 Charente
3448 hab.

LA VIEILLE AUBERGE DE LA CARPE D'OR ★★★
Route de Vitrac. Mme Rondinaud
☎ 05 45 62 02 72 FAX 05 45 63 01 88
25 • 220/295 F. ▪ 30 F.
⅋ 70/190 F. 40 F. 195/240 F.

ROULLET (A2)
16440 Charente
2337 hab.

LE BERGUILLE ★★
Mme Blois
☎ 05 45 66 34 72 FAX 05 45 66 41 72
10 • 180/260 F. ▪ 30 F.
⅋ 80/200 F. 52 F. 235 F.
vac. scol. fév. et dim. soir sauf juil./août.

ROUMAZIERES LOUBERT (B2)
16270 Charente
3100 hab.

DU COMMERCE ★★
11, av. de la Gare.
M. Da Costa
☎ 05 45 71 21 38 FAX 05 45 71 17 20
18 • 140/370 F. ▪ 31 F.
⅋ 75/155 F. 50 F. 225/375 F.

SAINT GROUX (A1)
16230 Charente

>>> *voir MANSLE*

SAINT ROMAIN (A3)
16210 Charente
510 hab.

LA BRAISIERE ★★
M. Jozeleau
☎ 05 45 98 51 35 FAX 05 45 98 50 17
11 • 155/260 F. ▪ 28 F.
⅋ 60/180 F. 35 F. 200/220 F.
1er/5 mars et ven. soir hs.

SAINT SEVERIN (B3)
16390 Charente
741 hab.

DE LA PAIX ★★
M. Andrieux
☎ 05 45 98 52 25 FAX 05 45 98 92 08
10 ▪ 30 F. ⅋ 65/150 F. 45 F.
190 F.

VERTEUIL (B1)
16510 Charente
775 hab.

🅰 RELAIS DE VERTEUIL ★★
(Les Nègres) Sur N. 10. M. Marmey
☎ 05 45 31 41 14 𝖥𝖠𝖷 05 45 31 40 71
🛏 8 ⬡ 140/170 F. 🍽 28 F. 🍴 65/155 F.
🚶 40 F. 🖼 220/280 F.
⊠ lun. soir et mar.
🅴 🆂🅿 ⬛ ☎ 🚗 🍽 🌴 ⬛ 🔌 CB

VIBRAC (A2)
16120 Charente
300 hab.

🅰🅰 LES OMBRAGES ★★
M. Ortarix
☎ 05 45 97 32 33 𝖥𝖠𝖷 05 45 97 32 05
🛏 10 ⬡ 220/325 F. 🍽 38 F.
🍴 70/195 F. 🚶 50 F. 🖼 230/273 F.
⊠ dim. soir et lun. oct./mai.
🅴 ⬛ ☎ 🚗 🌴 ⬛ 🔧 🐟 🚴 CV ⬛ CB

Local specialities take pride of place on the menu in
Logis de France Hotels. Please help us to promote
French regional cuisine by returning the card at the
back of the guidebook. Thank you.

**Liste des
hôtels-restaurants**

Charente-
Maritime

Association départementale
des Logis de France de la Charente-Maritime
C.D.T.
11 bis rue des Augustins - B.P. 1152
17008 La Rochelle Cedex
Téléphone 05 46 41 43 33

POITOU-CHARENTES

79 DEUX-SÈVRES — Niort
86 VIENNE — Poitiers
La Rochelle
17 CHARENTE-MARITIME
16 CHARENTE — Angoulême

17- CHARENTE-MARITIME

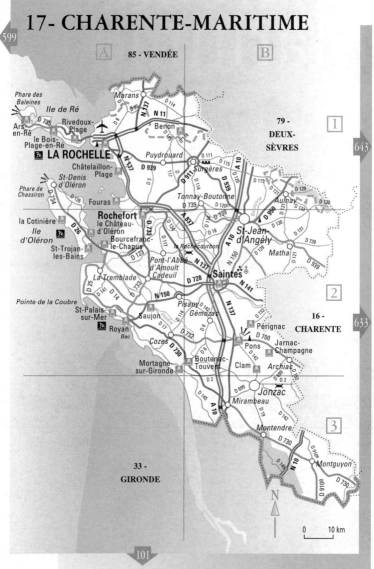

599

85 - VENDÉE

A   B

Phare des Baleines
Ile de Ré
Marans
N 11
Benon
Ars-en-Ré
Rivedoux-Plage
le Bois-Plage-en-Ré
LA ROCHELLE
Châtelaillon-Plage
Puydrouard
Surgères
79 - DEUX-SÈVRES
1
643

St-Denis d'Oléron
Phare de Chassiron
Fouras
Tonnay-Boutonne
Aulnay
D 950
la Cotinière
Ile d'Oléron
Rochefort
le Château-d'Oléron
Bourcefranc-le-Chapus
St-Trojan-les-Bains
la Rochecourbon
St-Jean-d'Angély
Matha

Pont-l'Abbé-d'Arnoult
Cadeuil
Saintes
N 141
La Tremblade
Pointe de la Coubre
N 150
Pisany
Gémozac
2
633

St-Palais-sur-Mer
Saujon
Royan
Bac
Cozes
D 730
Mortagne-sur-Gironde
Boutenac-Touvent
Clam
Pérignac
D 700
Pons
Jarnac-Champagne
Archiac
16 - CHARENTE

33 - GIRONDE

Jonzac
Mirambeau

Montendre
D 730
Montguyon
N 10
D 730
3

N

0   10 km

Légende p 21

101

638

ARS EN RE (A1)
17590 Charente Maritime
1083 hab. ⓘ

▲▲ LE PARASOL ★★
Route du Phare des Baleines.
M. Laporte
☎ 05 46 29 46 17 ⏹ 05 46 29 05 09
🛏 29 ▦ 345/450 F. 🍽 40 F.
🍴 120/180 F. 🛏 320/385 F.
✉ nov./mars.
🄳 ⏹ 🕿 🛌 🛥 🚶 👫 ⛵ 🔘 ◀ CB

BENON (A1)
17170 Charente Maritime
426 hab. ⓘ

▲▲ RELAIS DE BENON ★★★
R.N. 11 M. Seigneuray
☎ 05 46 01 61 63 ⏹ 05 46 01 70 89
🛏 29 ▦ 350/430 F. 🍽 49 F.
🍴 87/240 F. 🛏 57 F. 🛋 300/380 F.
🄴 🄳 ⏹ 🕿 🛌 🛥 👫 ⛵ CV 🔘 ◀

Le BOIS PLAGE EN RE (A1)
17580 Charente Maritime
1561 hab. ⓘ

▲▲ L'OCEAN ★★
4, rue Saint-Martin.
M. Vergnault
☎ 05 46 09 23 07 ⏹ 05 46 09 05 40
🛏 24 ▦ 300/450 F. 🍽 40 F.
🍴 130/250 F. 🛏 50 F. 🛋 320/495 F.
✉ 5 janv./15 fév. et mer. hs.
🄴 🄳 ⏹ 🕿 🛥 👫 CV ◀ CB

BOURCEFRANC LE CHAPUS (A2)
17560 Charente Maritime
3000 hab. ⓘ

▲▲ LE TERMINUS ★★
2, av. Général de Gaulle.Port du Chapus.
M. Monti
☎ 05 46 85 02 42 ⏹ 05 46 85 32 39
🛏 10 ▦ 210/240 F. 🍽 30 F.
🍴 85/170 F. 🛏 40 F. 🛋 240/260 F.
✉ 13/30 janv.
🄴 🄳 ⏹ ⓘ 🕿 🛌 👫 🔘 ◀ CB

BOUTENAC TOUVENT (B2)
17120 Charente Maritime
231 hab.

▲▲ LE RELAIS DE TOUVENT ★★
M. Mairand
☎ 05 46 94 13 06 ⏹ 05 46 94 10 40
🛏 12 ▦ 230/280 F. 🍽 35 F.
🍴 85/320 F. 🛏 45 F. 🛋 280/320 F.
✉ 22 déc./3 janv., dim. soir et lun. sauf
juil./août.
🄴 ⏹ 🕿 🛌 🛥 👫 🚶 👫 🔘 ◀ CB

Le CHATEAU D'OLERON (A2)
17480 Charente Maritime
3411 hab.

▲ DE FRANCE ★★
11, rue du Maréchal Foch.
M. Robert
☎ 05 46 47 60 07 ⏹ 05 46 75 21 55
🛏 11 ▦ 210/280 F. 🍽 32 F.
🍴 88/148 F. 🛏 55 F. 🛋 240/300 F.
✉ 23 déc./20 janv., dim. soir et lun. hs.
🄴 SP ⏹ 🕿 🛌 👫 🚶 👫 CV ◀ CB

CHATELAILLON PLAGE (A1)
17340 Charente Maritime
5469 hab.

▲▲ LE RIVAGE Rest. LE SAINT VICTOR ★★
35-36, bld de la Mer.
Mlle Blaineau
☎ 05 46 56 25 79 ⟍ 05 46 56 25 13
⏹ 05 46 56 19 03
🛏 53 ▦ 265/310 F. 🍽 30 F.
🍴 95/195 F. 🛏 55 F. 🛋 272/295 F.
✉ hôtel 15 nov./31 mars. Rest.
15 fév./5 mars.
🄴 ⏹ 🕿 🛥 👫 🚶 👫 🔘 ◀ CB

▲▲ MAJESTIC ★★
Place Saint Marsault - Rue Albert 1er
M. Rosset
☎ 05 46 56 20 53 ⏹ 05 46 56 29 24
🛏 29 ▦ 265/325 F. 🍽 34 F.
🍴 60/185 F. 🛏 45 F. 🛋 289/315 F.
✉ 1er/15 janv., 15/31 déc., ven. soir,
sam. et dim. soir janv. /fin mars et
oct./fin déc.
🄴 🄳 SP ⏹ 🕿 🛌 🛥 CV 🔘 ◀ CB 🄶🄻

CLAM (B2)
17500 Charente Maritime
237 hab.

▲▲ LE VIEUX LOGIS
M. Huchet
☎ 05 46 70 20 13 ⏹ 05 46 70 20 64
🛏 10 ▦ 220/290 F. 🍽 30 F.
🍴 85/190 F. 🛏 58 F. 🛋 230/260 F.
🄴 🄳 SP ⏹ 🕿 🛌 🛥 👫 🚶 CV 🔘
◀ CB

La COTINIERE (A2)
17310 Charente Maritime
1200 hab. ⓘ

▲▲ FACE AUX FLOTS ★★
24, rue du Four. Mme Michelet
☎ 05 46 47 10 05 ⏹ 05 46 47 45 95
🛏 20 ▦ 290/430 F. 🍽 44 F.
🍴 99/195 F. 🛋 340/410 F.
✉ 6 janv./4 fév. et 7/25 nov.
🄴 ⏹ 🕿 🛥 👫 🚶 CV 🔘 ◀ CB

▲▲ L'ECAILLER ★★★
65, rue du Port. M. Rochard
☎ 05 46 47 10 31 ⏹ 05 46 47 10 23
☞ 🛏 8 ▦ 345/425 F. 🍽 43 F.
100F
🍴 100/370 F. 🛏 57 F. 🛋 385/440 F.
✉ janv. et 15 nov./31 déc.
🄴 ⏹ 🕿 🛌 🛥 👫 🚶 CV ◀ CB

FOURAS (A1)
17450 Charente Maritime
3600 hab. ⓘ

⚑⚑ GRAND HOTEL DES BAINS ⋆⋆
15, rue Général Bruncher. M. Chaignaud
☎ 05 46 84 03 44   ⟨FAX⟩ 05 46 84 58 26
🛏 34 ⊗ 210/350 F. ▭ 38 F. 🍴 60 F.
🍴 250/305 F.
⊠ 2 nov./31 mars.
[E] [SP] ⊡ 🕿 🚘 ⛱ 🚹 ⛵ [CB]

JARNAC CHAMPAGNE (B2)
17520 Charente Maritime
713 hab.

⚑ LE RELAIS DE JARNAC CHAMPAGNE
Le Bourg.
M. Brunet
☎ 05 46 49 55 44
🛏 7 ⊗ 190 F. ▭ 25 F. 🍴 67/170 F.
🚹 45 F. 🍴 175 F.
⊠ mer.
[E] ⊡ 🕿 🚘 🚘 [CV] [⁞•⁞] ⛵ [CB]

MORTAGNE SUR GIRONDE (A2)
17120 Charente Maritime
1200 hab. ⓘ

⚑ AUBERGE DE LA GARENNE ⋆⋆
3, impasse de l'ancienne gare.
Mme Denis
☎ 05 46 90 63 69   ⟨FAX⟩ 05 46 90 50 93
🛏 11 ⊗ 178/265 F. ▭ 30 F.
🍴 70/200 F. 🚹 42 F. 🍴 195/238 F.
⊠ 20 oct./14 nov., dim. soir et lun.
oct./avr.
[E] ⊡ 🕿 🚘 ⛱ ⤢ 🎿 ♿ [CV] ⛵ [CB]

PERIGNAC (B2)
17800 Charente Maritime
867 hab.

⚑ L'ALAMBIC
(Autoroute sortie 36).
Mme Praud
☎ 05 46 96 41 16
🛏 5 ⊗ 135/180 F. ▭ 26 F. 🍴 50/100 F.
🚹 38 F. 🍴 175/190 F.
⊠ 1er/19 avr.
[E] 🚘 🚘 ⛱ [CB]

PONS (B2)
17800 Charente Maritime
5364 hab.

⚑⚑⚑ AUBERGE PONTOISE ⋆⋆⋆
23, av. Gambetta. M. Chat
☎ 05 46 94 00 99   ⟨FAX⟩ 05 46 91 33 40
🛏 22 ⊗ 200/600 F. ▭ 60 F.
🍴 160/380 F. 🚹 70 F. 🍴 350/500 F.
⊠ 20 déc./1er fév., dim. soir et lun.
15 sept./30 juin.
[E] [SP] ⊡ 🕿 🕿 🚘 ⛱ ♿ [⁞•⁞] ⛵ [CB]

⚑⚑ DE BORDEAUX ⋆⋆
1, av. Gambetta. M.Me Jaubert/Muller
☎ 05 46 91 31 12   ⟨FAX⟩ 05 46 91 22 25

🛏 15 ⊗ 250 F. ▭ 35 F. 🍴 85/230 F.
🚹 50 F. 🍴 225 F.
⊠ dim. et lun. midi hs.
[E] [D] [SP] ⓘ ⊡ 🕿 🚘 ⛱ ⛵ [CB]

RIVEDOUX PLAGE (A1)
17940 Charente Maritime
1164 hab. ⓘ

⚑⚑⚑ AUBERGE DE LA MAREE ⋆⋆⋆
321, rue Albert Sarrault.
M. Bernard
☎ 05 46 09 80 02   ⟨FAX⟩ 05 46 09 88 25
🛏 30 ⊗ 300/800 F. ▭ 48 F.
🍴 100/300 F. 🚹 60 F. 🍴 300/700 F.
⊠ hôtel 12 nov./Pâques. Rest. 21 sept./
fin mai, lun. midi et mar. midi.
[E] ⊡ 🕿 🚘 🚘 🚘 ⛱ ⤢ ♿ [⁞•⁞] ⛵

ROCHEFORT (A2)
17300 Charente Maritime
27720 hab. ⓘ

⚑⚑ LA BELLE POULE ⋆⋆
Route de Royan.
Mme Noyaud
☎ 05 46 99 71 87   ⟨FAX⟩ 05 46 83 99 77
🛏 20 ⊗ 260/290 F. ▭ 32 F.
🍴 90/180 F. 🚹 45 F. 🍴 270 F.
⊠ dim. soir hs.
⊡ 🕿 🚘 ⛱ 🚹 [CV] [⁞•⁞] ⛵ [CB] ▦
100F

⚑⚑ LE PARIS ⋆⋆
27,29 av. Lafayette.
M. Lalanne
☎ 05 46 99 33 11   ⟨FAX⟩ 05 46 99 77 34
🛏 38 ⊗ 200/320 F. ▭ 35 F.
🍴 90/190 F. 🚹 55 F. 🍴 250/300 F.
⊠ 23 déc./15 janv. Rest. dim.
[E] [D] [SP] ⊡ 🕿 🕿 🛏 [CV] [⁞•⁞] ⛵ [CB]
120F

La ROCHELLE (A1)
17000 Charente Maritime
78231 hab. ⓘ

⚑ DU COMMERCE ⋆⋆
6-12, place de Verdun.
M. Aubineau
☎ 05 46 41 08 22   ⟨FAX⟩ 05 46 41 74 85
🛏 63 ⊗ 155/315 F. ▭ 32 F.
🍴 75/102 F. 🚹 53 F. 🍴 215/295 F.
⊠ 5 janv./2 fév. Rest. ven. soir et sam.
1er oct./28 fév.
[E] [D] [SP] ⊡ 🕿 🕿 ✉ [CV] [⁞•⁞] ⛵ [CB] ▦
100F

ROYAN (A2)
17200 Charente Maritime
18600 hab. ⓘ

⚑⚑ LES BLEUETS ⋆⋆
21, Façade de Foncillon.
M.Me Jadeau
☎ 05 46 38 51 79   ⟨FAX⟩ 05 46 23 82 00
🛏 16 ⊗ 270/350 F. ▭ 32 F. 🍴 100 F.
🚹 65 F. 🍴 267/307 F.
⊠ rest. midi.
[E] ⊡ 🕿 🕿 ⛱ ♿ [CV] [CB]
100F

SAINT PALAIS SUR MER (A2)
17420 Charente Maritime
2450 hab. 🛈

🏨🏨 DE LA PLAGE ★★
1, place de l'Océan. M. Piochaud
☎ 05 46 23 10 32 📠 05 46 23 41 28
🛏 29 ⌧ 260/320 F. 🍽 38 F.
🍴 90/250 F. 🍽 40 F. 🛏 315/365 F.
⌧ nov./mars.
🄴 🗖 ☎ 🍴 🌊 ♨ ✚ 🐕 CV 🐾 CB

SAINT TROJAN LES BAINS (A2)
17370 Charente Maritime
1470 hab. 🛈

🏨 L'ALBATROS ★★
11, bld du Docteur Pineau. M. Oblin
☎ 05 46 76 00 08 📠 05 46 76 03 58
🛏 13 ⌧ 305/342 F. 🍽 44 F.
🍴 89/189 F. 🍽 60 F. 🛏 323/342 F.
⌧ 11 nov./8 fév.
🗖 ☎ 🍴 🍴 🐕 CV 🐾

🏨 LE LAVAGNON ★★
11, av. du Port. M. Seguin
☎ 05 46 76 15 17 📠 05 46 76 11 70
🛏 8 ⌧ 230/410 F. 🍽 35 F. 🍴 79/186 F.
🍽 49 F. 🛏 260/300 F.
⌧ 5 janv./8 fév., lun. et mar. soir hs.
🄴 🗖 ☎ 🍴 CV 🐾 CB

SAINTES (B2)
17100 Charente Maritime
25874 hab. 🛈

🏨🏨 DE FRANCE Rest. LE CHALET ★★
56, rue Frédéric Mestreau. Mme Eloy
☎ 05 46 93 01 16 📠 05 46 74 37 90
🛏 25 ⌧ 190/300 F. 🍽 32 F.
🍴 80/185 F. 🍽 45 F. 🛏 225/360 F.
⌧ rest. dim. soir hs.
🄴 🗓 🗖 ☎ 🚗 🛏 🍴 🐕 🐕 CV 🎱
🐾 CB 📷

SAUJON (A2)
17600 Charente Maritime
4768 hab. 🛈

🏨 DU COMMERCE ★★
7, rue de Saintonge. Mme Durivault
☎ 05 46 02 80 50
🛏 18 ⌧ 150/320 F. 🍽 30 F.
🍴 82/180 F. 🍽 48 F. 🛏 235/325 F.
⌧ 15 déc./15 mars. dim. soir et lun. hs.
🄴 ☎ 🚗 🚗 🍴 🐾 CB

Die Regionalküche liegt den Logis de France sehr am Herzen. Sie können uns, dank des Formulars im Anhang des Reiseführers, bei der Förderung dieser Initiative helfen.

Deux-Sèvres

C.R.T Poitou-Charentes

Association départementale
des Logis de France des Deux-Sèvres
C.D.T.
15 rue Thiers - B.P. 49
79002 Niort Cedex
Téléphone 05 49 77 19 70

POITOU-CHARENTES

79
DEUX-SÈVRES
Niort

86
VIENNE
Poitiers

La Rochelle
17
CHARENTE-MARITIME

16
CHARENTE
Angoulême

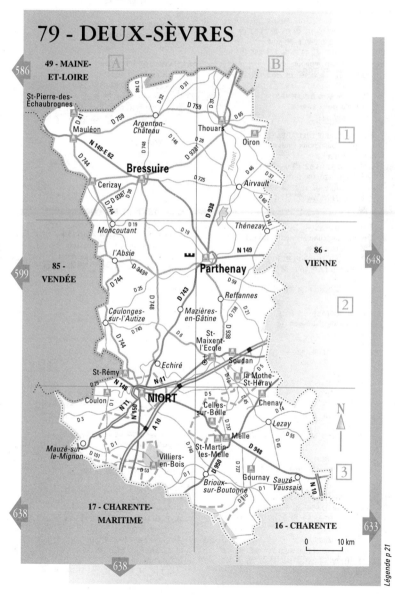

79 - DEUX-SÈVRES

49 - MAINE-ET-LOIRE

586

St-Pierre-des-Échaubrognes

D 748

D 32

D 31

D 759

D 37

D 65

Mauléon

D 41

D 759

Argenton-Château

Thouars

Oiron

D 146

D 28

N 149-E 62

D 744

D 748

D 939T

D 46

D 37

Bressuire

Cerizay

D 725

Airvault

D 80

D 938T

D 38

D 938

D 744

D 41

Moncoutant

D 19

Thénezay

85 - VENDÉE

599

D 19

l'Absie

N 149

86 - VIENNE

648

D 744

D 949E

Parthenay

D 25

D 59

D 748

D 743

Reffannes

Coulonges-sur-l'Autize

Mazières-en-Gâtine

D 798

D 21

D 745

D 6

D 938

St-Maixent-l'Ecole

St-Rémy

Echiré

Soudan

D 5

D 25

N 148

N 11

la Mothe-St-Héray

Coulon

D 1

N 11

NIORT

D 5

Celles-sur-Belle

Chenay

N 150

D 10

D 45

D 737

Lezay

A 10

Melle

D 55

Mauzé-sur-le-Mignon

D 101

D 1

Villiers-en-Bois

D 740

St-Martin-les-Melle

D 948

D 45

D 53

D 950

D 737

Gournay

Sauzé-Vaussais

N

Brioux-sur-Boutonne

D 1

D 110

N 10

638

17 - CHARENTE-MARITIME

16 - CHARENTE

633

0   10 km

638

Légende p 21

BRESSUIRE (A1)
79300 Deux Sèvres
19000 hab. 🛈

🏠🏠 DES TROIS MARCHANDS ★★
Les Sicaudières, route de Nantes.
M. Brossard
☎ 05 49 65 01 19 FAX 05 49 65 82 16
🛏 10 ⌑ 240/260 F. ⛛ 30 F.
🍴 67/160 F. 🍷 40 F.
✉ 23/31 août, dim. sauf fériés.

LA BOULE D'OR ★★
15, place Emile Zola. Mme Cartier
☎ 05 49 65 02 18 FAX 05 49 74 11 19
🛏 20 ⌑ 230/290 F. ⛛ 30 F.
🍴 65/210 F. 🍷 45 F. 🍷 225/255 F.
✉ 2/21 janv. et août.

CELLES SUR BELLE (B3)
79370 Deux Sèvres
3300 hab. 🛈

🏠 HOSTELLERIE DE L'ABBAYE ★★
1, place des Epoux Laurent.
M. Robelin
☎ 05 49 32 93 32 FAX 05 49 79 72 65
🛏 16 ⌑ 220/300 F. ⛛ 30 F.
🍴 55/210 F. 🍷 47 F. 🍷 190 F.

LE NATIONAL ★
6, rue Ancienne Mairie. M. Brunet
☎ 05 49 79 80 34
🛏 14 ⌑ 170/190 F. ⛛ 30 F.
🍴 58/150 F. 🍷 46 F. 🍷 175/195 F.
✉ dim.

CERIZAY (A1)
79140 Deux Sèvres
4880 hab.

🏠🏠 DU CHEVAL BLANC ★★
33, av. du 25 Août.
M. Boutin
☎ 05 49 80 05 77 FAX 05 49 80 08 74
🛏 20 ⌑ 250/300 F. ⛛ 31 F.
🍴 68/120 F. 🍷 50 F. 🍷 245/295 F.
✉ 8/11 mai, 20 déc./10 janv., sam. et dim. hs.

CHENAY (B3)
79120 Deux Sèvres
574 hab.

🏠 DES TROIS PIGEONS ★
Le Bourg, D.950. M. Baudouin
☎ 05 49 07 38 59 FAX 05 49 07 37 82
100F 🛏 10 ⌑ 205 F. ⛛ 26 F. 🍴 65/155 F.
🍷 50 F. 🍷 190 F.
✉ dim. soir et lun. midi 1er oct./30 avr.

COULON (A3)
79510 Deux Sèvres
2000 hab. 🛈

🏠 LE CENTRAL
4, rue d'Autremont.
Mme Monnet
☎ 05 49 35 90 20 FAX 05 49 35 81 07
🛏 5 ⌑ 205/230 F. ⛛ 30 F. 🍴 95/190 F.
🍷 50 F. 🍷 190/205 F.
✉ 13 janv./3 fév., 22 sept./6 oct., dim. soir et lun.

GOURNAY (B3)
79110 Deux Sèvres
621 hab.

🏠🏠 CHATEAU DES TOUCHES ★★
Mme Caron
☎ 05 49 29 96 92 FAX 05 49 29 97 47
100F 🛏 13 ⌑ 350/500 F. ⛛ 45 F.
🍴 100/220 F. 🍷 60 F. 🍷 325/370 F.

MAULEON (A1)
79700 Deux Sèvres
3500 hab. 🛈

🏠🏠 DE LA TERRASSE ★★
7, place de la Terrasse.
M. Durand
☎ 05 49 81 47 24 FAX 05 49 81 65 04
120F 🛏 13 ⌑ 260/300 F. ⛛ 32 F.
🍴 85/185 F. 🍷 55 F. 🍷 220/245 F.
✉ 1 semaine mai, 1 semaine août, week-end oct./mai et dim. juin/sept.

MELLE (B3)
79500 Deux Sèvres
4575 hab. 🛈

🏠🏠 LES GLYCINES ★★
5, place René Groussard.
M.Me Caillon
☎ 05 49 27 01 11 FAX 05 49 27 93 45
100F 🛏 8 ⌑ 210/290 F. ⛛ 35 F. 🍴 74/165 F.
🍷 50 F. 🍷 192/220 F.
✉ 6/19 janv. et dim. soir sauf juil./août.

... *à proximité*

SAINT MARTIN LES MELLE (B3)
79500 Deux Sèvres
630 hab.

2 km Ouest Melle par D 101

🏠🏠 L'ARGENTIERE ★★
Route de Niort.
M. Mautret
☎ 05 49 29 13 22 \ 05 49 29 13 74
FAX 05 49 29 06 63
🛏 18 ⌑ 230/240 F. ⛛ 30 F.
🍴 72/220 F. 🍷 55 F. 🍷 285 F.
✉ dim. soir.

La MOTHE SAINT HERAY (B2)
79800 Deux Sèvres
1857 hab. [i]

LE CORNEILLE ★★
13, rue du Maréchal Joffre. Mme Richard
☎ 05 49 05 17 08 FAX 05 49 05 19 56
[100F] 🔔 7 🛏 200/220 F. 🍽 30 F. 🍴 60/170 F.
🛏 45 F. 🅿 180/190 F.
⊠ 23 déc./8 janv. Rest. ven. soir et dim. soir.
[E] 🗖 ☎ 🚗 🏊 🌴 🚕 CV 🛎 ⬤ CB

NIORT (A3)
79000 Deux Sèvres
70000 hab. [i]

TERMINUS - LA POELE D'OR ★★
82, rue de la Gare.
M. Tavernier
☎ 05 49 24 00 38 FAX 05 49 24 94 38
[100F] 🔔 15 🛏 180/240 F. 🍽 30 F.
🍴 75/175 F. 🛏 40 F. 🅿 210/230 F.
⊠ 20 déc./2 janv. et sam.(hiver).
[E] [D] 🗖 ☎ 🌴 🚕 🛎 ⬤ CB

... *à proximité*

SAINT REMY (A2)
79410 Deux Sèvres
703 hab. [i]

8 Km Nord Niort par D 744

RELAIS DU POITOU ★★
Route de Nantes.
Mme Gaillard
☎ 05 49 73 43 99 FAX 05 49 73 44 67
🔔 20 🛏 235/260 F. 🍽 35 F.
🍴 89/139 F. 🛏 45 F.
⊠ 24 déc./24 janv., dim. soir et lun.
[E] [SP] 🗖 [G] ☎ 🚗 🚕 CV 🛎 ⬤ CB

OIRON (B1)
79100 Deux Sèvres
1009 hab.

LE RELAIS DU CHATEAU ★★
Place des Marronniers. M. Bernier
☎ 05 49 96 54 96 FAX 05 49 96 54 45
🔔 14 🛏 150/220 F. 🍽 30 F.
🍴 74/170 F. 🛏 41 F. 🅿 147/175 F.
⊠ 2/13 janv., dim. soir et lun.(sauf hôtel lun. soir).
[E] [SP] 🗖 [G] ☎ 🌴 🚕 CV 🛎 ⬤ CB

PARTHENAY (B2)
79200 Deux Sèvres
10809 hab. [i]

DU NORD ★★
86, av. Général de Gaulle. M. Reveillaud
☎ 05 49 94 29 11 FAX 05 49 64 11 72
[100F] 🔔 10 🛏 190/290 F. 🍽 28 F.
🍴 75/220 F. 🛏 50 F. 🅿 245 F.
⊠ 22 déc./9 janv. et sam. sauf groupes.
[E] 🗖 [G] ☎ 🚕 CV 🛎 ⬤ CB

LE COMMERCE ★★
30,bld Edgar Quinet. Mme Toscano
☎ 05 49 94 36 13 FAX 05 49 71 05 90

[80F] 🔔 9 🛏 140/200 F. 🍽 28 F. 🍴 65/175 F.
🛏 40 F. 🅿 220/240 F.
⊠ dim.
🗖 ☎ 🚗 🌴 🛎 ⬤ CB

RENOTEL ★★
Boulevard de l'Europe. Mme Reveillaud
☎ 05 49 94 06 44 FAX 05 49 64 01 94
[100F] 🔔 41 🛏 220/350 F. 🍽 38 F.
🍴 78/200 F. 🛏 50 F. 🅿 265/330 F.
⊠ rest. dim. 2 nov./Râmeaux.
[E] [D] 🗖 ☎ 🚗 🌴 🚕 CV 🛎 ⬤ CB [CR]

✱ **SAINT JACQUES** ★★
13, av. du 114ème R.I. M. Réveillaud
☎ 05 49 64 33 33 FAX 05 49 94 00 69
🔔 46 🛏 225/340 F. 🍽 36 F.
[E] 🗖 ☎ 🚗 🌴 CV 🛎 ⬤ CB [CR]

SAINT MAIXENT L'ECOLE (B2)
79400 Deux Sèvres
9358 hab. [i]

AUBERGE DU CHEVAL BLANC ★★
8, av. Gambetta. Mme Ladaurade
☎ 05 49 05 50 06 FAX 05 49 06 51 37
🔔 32 🛏 220 F. 🍽 35 F. 🍴 70/180 F.
🛏 55 F. 🅿 195 F.
⊠ rest. dim. soir nov./juin et dim. midi déc./Pâques.
[E] [SP] 🗖 ☎ 🚗 🌴 CV 🛎 ⬤ CB [CR]

SAINT MARTIN LES MELLE (B3)
79500 Deux Sèvres
>>> *voir MELLE*

SAINT PIERRE DES ECHAUBROGNES (A1)
79700 Deux Sèvres
1253 hab.

LE CHEVAL BLANC ★★
M. Hérault
☎ 05 49 65 50 74 FAX 05 49 65 53 58
[80F] 🔔 8 🛏 200/420 F. 🍽 30 F. 🍴 60/145 F.
🛏 38 F. 🅿 180/220 F.
⊠ 15/23 fév., 4/24 août et dim. soir.
[E] 🗖 ☎ 🚗 🌴 🚕 CV 🛎 ⬤ CB

SAINT REMY (A2)
79410 Deux Sèvres
>>> *voir NIORT*

SOUDAN (B2)
79800 Deux Sèvres
500 hab.

L'ORANGERIE ★★
N. 11. M. Drouiteau
☎ 05 49 06 56 06 FAX 05 49 06 56 10
[100F] 🔔 7 🛏 185/240 F. 🍽 35 F. 🍴 88/210 F.
🛏 48 F. 🅿 230 F.
⊠ 6/26 janv. et dim. soir
15 sept./15 juin.
[E] [SP] 🗖 ☎ 🌴 🚕 CV 🛎 ⬤ CB

THOUARS (B1)
79100 Deux Sèvres
12000 hab. [i]

▲▲ DU CHATEAU ★★
Route de Parthenay. Mme Ramard
☎ 05 49 96 12 60 [FAX] 05 49 96 34 02
[120F] [♟] 20 [◈] 225/245 F. [☕] 30 F.
[⊞] 70/185 F. [⚹] 50 F. [▨] 240 F.
⊠ dim. soir.
[E] [⬚] [☎] [🚗] [🚗] [♈] [CV] [▦] [←] [CB]

VILLIERS EN BOIS (A3)
79360 Deux Sèvres
300 hab.

▲ AUBERGE DES CEDRES
Mme Bodard
☎ 05 49 76 79 53 [FAX] 05 49 76 79 81
[♟] 5 [◈] 130/210 F. [☕] 28 F. [⊞] 60/181 F.
[⚹] 45 F. [▨] 220/290 F.
⊠ fév., dim. soir et lun.
[🚗] [🚗] [♈] [⚹] [♿] [CV] [▦] [←] [CB]

Logis de France geeft graag bekendheid aan de
Franse regionale keuken. U kunt ons daarmee
helpen, door de kaart achterin de gids in te vullen en
op te sturen.

Liste des
hôtels-restaurants
Vienne

C.R.T. Poitou-Charentes

Association départementale
des Logis de France de la Vienne
C.D.T.
15 rue Carnot - B.P. 287
86007 Poitiers
Téléphone 05 49 37 48 48

POITOU-CHARENTES

86 - VIENNE

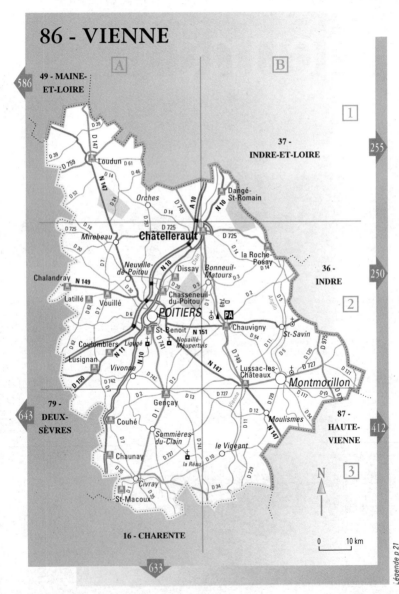

49 - MAINE-ET-LOIRE

586

A   B

1

37 - INDRE-ET-LOIRE

255

D 39
D 147
Loudun   D 61
D 759
N 14
D 46
Orches
Dangé-St-Romain
D 52
D 24
D 749
A 10
N 10
D 18
D 725   D 757   D 725
Mirebeau   Châtellerault   D 725
D 30
la Roche-Posay
Neuville-de-Poitou   Dissay   Bonneuil-Matours   D 14
N 10
Chalandray   N 149
Chasseneuil-du-Poitou   D 749
Latillé   Vouillé   POITIERS   PA
D 6   St-Benoit   N 151   Chauvigny   St-Savin
Coulombiers   Ligugé   Nouaillé-Maupertuis
Lusignan   N 11
D 150   Vivonne   D 742   N 147   Lussac-les-Châteaux   Montmorillon
D 2   D 749
Gençay   D 13   D 727
Couhé   Moulismes
Sommières-du-Clain   le Vigeant   N 147
Chaunay   la Réau
Civray   D 34
St-Macoux

36 - INDRE
250
2

79 - DEUX-SÈVRES
643

87 - HAUTE-VIENNE
412
3

N

16 - CHARENTE

0   10 km

633

648

CHALANDRAY (A2)
86190 Vienne
720 hab.

⌂ LES 4 AS ★★
Mme Russeil
☎ 05 49 60 14 07
🛏 9 ⊙ 158/210 F. 🍽 28 F. 🍴 45/ 86 F.
🍴 40 F. 🎱 220 F.
⊠ dim. hs.
🄴 🗔 ☎ 🚗 🔥 ⓘ 🐾 CB

CHASSENEUIL DU POITOU (A2)
86360 Vienne
2500 hab. ⓘ

⌂⌂⌂ CHATEAU LE CLOS DE LA
RIBAUDIERE ★★★
M. Bini
☎ 05 49 52 86 66 ℻ 05 49 52 86 32
🍷120F 🛏 42 ⊙ 380/820 F. 🍽 50 F.
🍴 150/275 F. 🍴 95 F. 🎱 430/480 F.
🄴 SP 🗔 ☎ 🚗 🛏 🎾 🏃 ♂ 🎿 CV ⓘ
🐾 CB

⌂⌂ DELTASUN ★★
Aire du Futuroscope, sortie 18 A10.
M. Charles
☎ 05 49 49 01 01 ℻ 05 49 49 01 10
🛏 75 ⊙ 320/390 F. 🍽 40 F.
🍴 95/180 F. 🍴 45 F. 🎱 260/305 F.
🄴 🅳 SP 🗔 ☎ 🚗 ♨ ⌨ 🛏 🌲 🔥 CV
ⓘ 🐾 CB 📷 ᴳᴿ

CHATELLERAULT (A-B2)
86100 Vienne
36870 hab. ⓘ

⌂⌂ LE CROISSANT ★★
15, av. Kennedy.
Mme Pied
☎ 05 49 21 01 77 ℻ 05 49 21 57 92
🍷100F 🛏 19 ⊙ 140/280 F. 🍽 32 F.
🍴 78/180 F. 🍴 46 F. 🎱 215/260 F.
⊠ 25 déc./6 janv., dim. soir et lun. sauf
juil./août.
🄴 🗔 ☎ CV ⓘ 🐾 CB 📷 ᴳᴿ

CHAUNAY (A3)
86510 Vienne
1157 hab.

⌂⌂ CENTRAL ★★★
Mme Bresson
☎ 05 49 59 25 04 ℻ 05 49 53 41 88
🛏 14 ⊙ 230/380 F. 🍽 38 F.
🍴 85/160 F. 🍴 55 F. 🎱 250/290 F.
⊠ fév. et dim. soir 1er oct./31 mars.
🗔 ☎ 🚗 🛏 🎾 🌲 ♂ ⓘ 🐾 CB

CHAUVIGNY (B2)
86300 Vienne
7000 hab. ⓘ

⌂ BEAUSEJOUR ★
18-22, rue Vassalour. M. Nibaudeau
☎ 05 49 46 31 30 ℻ 05 49 56 00 34
🛏 20 ⊙ 170/300 F. 🍽 30 F.
🍴 60/110 F. 🍴 45 F. 🎱 165/210 F.

⊠ 22 déc./5 janv. Hôtel dim. après 16h.
Rest. dim. soir.
🄴 🗔 ☎ 🚗 🎾 CV 🐾 CB

⌂⌂ DU LION D'OR ★★
8, rue du Marché. M. Chartier
☎ 05 49 46 30 28 ℻ 05 49 47 74 28
🛏 26 ⊙ 270/290 F. 🍽 34 F.
🍴 90/200 F. 🍴 48 F. 🎱 260/280 F.
⊠ 15 déc./15 janv. et sam. nov./mars.
🄴 🗔 ☎ 🚗 🔥 🐾 CB

COUHE (A3)
86700 Vienne
2150 hab. ⓘ

⌂ AUBERGE DU CHENE VERT
Rue des Bons Enfants. M. Musard
☎ 05 49 59 20 42 ℻ 05 49 53 42 20
🍷120F 🛏 9 ⊙ 190 F. 🍽 30 F. 🍴 80/120 F.
🍴 45 F.
🄴 🗔 ☎ 🚗 CV ⓘ 🐾 CB

COULOMBIERS (A2)
86600 Vienne
1000 hab.

⌂⌂ LE CENTRE - POITOU ★★
Mme Authe-Martin
☎ 05 49 60 90 15 ℻ 05 49 50 05 84
🍷100F 🛏 10 ⊙ 240/300 F. 🍽 35 F. 🍴 99 F.
🍴 50 F. 🎱 250/360 F.
⊠ dim. soir et lun. oct./juin.
🄴 🅳 SP 🗔 ☎ 🚗 🛏 🎾 🌲 🔥 ♂
🏃 ⓘ 🐾 CB

DANGE SAINT ROMAIN (B1)
86220 Vienne
3065 hab. ⓘ

⌂⌂ LE DAMIUS ★★
16, rue de la Gare. M. Malbrant
☎ 05 49 86 40 28 ℻ 05 49 93 13 69
🛏 10 ⊙ 270/300 F. 🍽 34 F.
🍴 82/190 F. 🍴 50 F. 🎱 190/200 F.
⊠ 1ère quinzaine oct., 23 déc./6 janv.,
dim. soir et lun.
🄴 🗔 ☎ 🚗 🛏 🎾 🔥 CV 🐾 CB

DISSAY (A2)
86130 Vienne
2498 hab. ⓘ

⌂⌂ LES RIVES DU CLAIN ★★
Av. du Clain. M. Artault
☎ 05 49 52 62 42 ℻ 05 49 52 62 62
🛏 43 ⊙ 250/280 F. 🍽 32 F.
🍴 55/160 F. 🍴 45 F. 🎱 480 F.
🄴 🅳 🗔 ☎ 🚗 🛏 🎾 🌲 ♨ 🔥 ♂
CV ⓘ 🐾 CB ᴳᴿ

GENCAY (A3)
86160 Vienne
1580 hab. ⓘ

⌂⌂ LE VIEUX CHATEAU ★★
10, route de Poitiers. M. Bercier
☎ 05 49 36 17 17 ℻ 05 49 36 01 55
🍷120F 🛏 12 ⊙ 250/270 F. 🍽 35 F.
🍴 56/198 F. 🍴 41 F. 🎱 195/235 F.
🗔 ☎ 🛏 🔥 CV ⓘ 🐾 CB 📷 ᴳᴿ

LATILLE (A2)
86190 Vienne
1300 hab.

DU CENTRE ★★
21, Place Robert Gerbier. M. Fraigneau
☎ 05 49 51 88 75 ℻ 05 49 54 81 86
🛏 12 🍽 150/200 F. 🍽 30 F.
🍴 50/100 F. 🍴 45 F. 🍴 190/210 F.
⊠ 15/28 fév. et dim. 1er oct./31 mars.
☎ 🚗 🖼 🛏 CV ▯ ◗ CB

LOUDUN (A1)
86200 Vienne
10000 hab. ⓘ

DE LA ROUE D'OR ★★
1, av. d'Anjou. M. Bozec
☎ 05 49 98 01 23 ℻ 05 49 22 31 05
🛏 14 🍽 280/330 F. 🍽 35 F.
🍴 90/210 F. 🍴 50 F.
⊠ dim. soir hs.
Ⓔ 🖼 ☎ 🖼 🛏 CV ▯ ◗ CB

LUSIGNAN (A2)
86600 Vienne
3000 hab. ⓘ

DU CHAPEAU ROUGE ★★
1, rue Nationale. M. Nau
☎ 05 49 43 31 10 ℻ 05 49 43 31 20
🛏 8 🍽 220/260 F. 🍽 30 F. 🍴 90/200 F.
🍴 45 F. 🍴 220/250 F.
⊠ 2ème quinzaine oct., vac. scol. fév.,
dim. soir et lun.
Ⓔ 🖼 ☎ 🖼 🛏 🌴 ◗

LUSSAC LES CHATEAUX (B2)
86320 Vienne
2235 hab. ⓘ

AUBERGE DU CONNESTABLE
CHANDOS ★★
(Pont de Lussac). M. Champeau
☎ 05 49 48 40 24 ℻ 05 49 84 07 89
🛏 7 🍽 185/250 F. 🍽 32 F.
🍴 100/250 F. 🍴 55 F. 🍴 300/320 F.
⊠ 11 fév./3 mars, 17 nov./3 déc., dim.
soir et lun. sauf fériés.
Ⓔ 🖼 ☎ 🖼 🛏 🌴 ◗

LE RELAIS ★
30, route de Limoges. M. Dardillac
☎ 05 49 48 40 20 ℻ 05 49 48 77 80
🛏 8 🍽 150/230 F. 🍽 26/ 38 F.
🍴 65/230 F. 🍴 40 F. 🍴 250/280 F.
⊠ 1 semaine fév., 3 semaines oct., dim.
soir et lun. sauf juil./août.
🖼 ☎ 🖼 🚗 CV ▯ ◗ CB

La ROCHE POSAY (B2)
86270 Vienne
1400 hab. ⓘ

CLOS PAILLE ★★
Mme Courtault
☎ 05 49 86 20 66 ℻ 05 49 86 67 10
🛏 12 🍽 185/260 F. 🍽 30 F.
🍴 85/160 F. 🍴 38 F. 🍴 210/260 F.
⊠ 30 oct./15 mars.
Ⓔ 🖼 ☎ 🖼 🛏 🌴 🛏 🛏 CV ▯ ◗
CB

HOSTELLERIE SAINT LOUIS ★★
3, rue Saint-Louis. M. Courtault
☎ 05 49 86 20 54 ℻ 05 49 86 00 79
🛏 17 🍽 160/240 F. 🍽 27 F.
🍴 75/130 F. 🍴 40 F. 🍴 170/220 F.
⊠ 15 oct./10 mars.
Ⓔ SP 🖼 ☎ 🖼 🛏 🌴 CV ◗ CB

SAINT BENOIT (A2)
86280 Vienne
5950 hab. ⓘ

L'OREE DES BOIS ★★
Route de Ligugé. Sortie A10 sud.
M. Galpin
☎ 05 49 57 11 44 ℻ 05 49 43 21 40
🛏 16 🍽 205/380 F. 🍽 40 F.
🍴 85/230 F. 🍴 60 F. 🍴 290/350 F.
⊠ dim. soir et lun.
Ⓔ 🖼 ☎ 🌴 CV ▯ ◗ CB

SAINT MACOUX (A3)
86400 Vienne
475 hab.

LE DRAVIR
Lieu-dit Comporte. M. Rivard
☎ 05 49 87 31 95 ℻ 05 49 87 69 56
🛏 9 🍽 220/330 F. 🍽 30 F. 🍴 95/125 F.
🍴 50 F.
Ⓔ 🖼 ☎ 🚗 🖼 🌴 🛏 ▯ ◗ CB ▭

VOUILLE (A2)
86190 Vienne
2800 hab. ⓘ

AUBERGE DU CHEVAL BLANC ET LE
CLOVIS ★★
M. Blondin
☎ 05 49 51 81 46 ℻ 05 49 51 96 31
🛏 39 🍽 130/320 F. 🍽 32 F.
🍴 70/220 F. 🍴 170/230 F.
Ⓔ 🖼 ☎ 🖼 🛏 🌴 CV ▯ CB ▭

Fédération régionale des Logis de France de Provence-Alpes-Côte d'Azur (Alpes-de-Haute-Provence, Hautes-Alpes, Alpes-Maritimes, Bouches-du-Rhône, Var, Vaucluse)
C.C.I.
8, rue Neuve Saint-Martin - B.P. 1880 - 13222 Marseille Cedex 01
Tél. 04 91 14 42 00 - Fax 04 91 91 85 37

Provence-
Alpes-
Côte d'Azur

C.R.T. Riviera / Le Studio

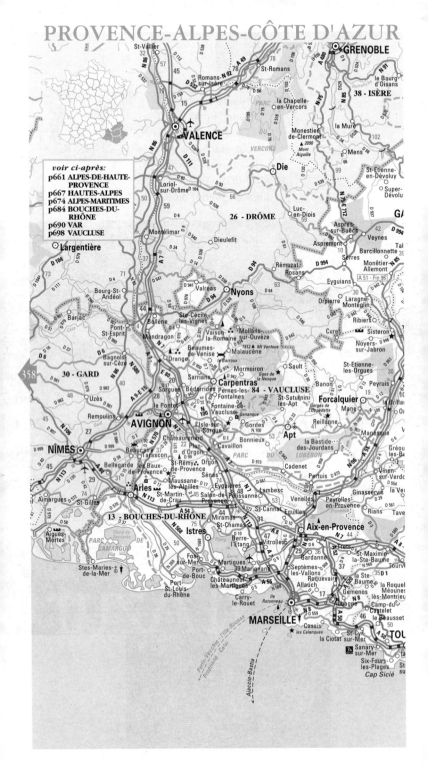

voir ci-après:

p661 ALPES-DE-HAUTE-
PROVENCE
p667 HAUTES-ALPES
p674 ALPES-MARITIMES
p684 BOUCHES-DU-
RHÔNE
p690 VAR
p698 VAUCLUSE

PROVENCE-ALPES-CÔTE D'AZUR

Sous
LE SOLEIL EXACTEMENT
In the Sunshine of the Midi

C.R.T. P.A.C.A. / Franz Marc Frei

 ———————————— ————————————

La région la plus visitée de France joue
sur la diversité de ses charmes : cigales
sous le vent, oliveraies en terrasse, lavandes
violettes, hautes montagnes et mer azurée...
Parmi toutes ces Provences, à vous
de choisir.

France's most-visited region owes its charm
to its diversity: crickets singing in the wind,
olive terraces, purple lavender, high
mountains and the sea a colour of azur...
It's up to you to choose between all these
different Provences.

Histoire, géographie et botanique

Colonie grecque, province romaine, annexée
par les Francs; tour à tour royaume,
marquisat, principauté et état comtal...
la région n'est devenue province française
qu'au XVIe siècle. Du Ventoux à la Camargue,
du Comtat Venaissin aux gorges du Verdon, de
la haute vallée du Queyras aux plages
de l'Esterel... comment évoquer une seule
Provence ? Du nord au sud, les plaines du
Rhône et de la Durance, sont dominées par les
Alpilles, la Sainte-Victoire, la montagne
de Lure, la Sainte-Baume, le Lubéron,
les Maures, l'Esterel... Les massifs des Ecrins,

History, Geography and Botany

This area was a Greek colony 28 centuries ago,
became a Roman province and then was
annexed by the Franks. It has been successively
a kingdom, a marquisate; a principality and
an earldom, not becoming a French province
until the 16th century. From Le Ventoux to
La Camargue, from the "Venaissin Comtat"
to the gorges of Verdon, from the high valley of
Queyras to the beaches of Esterel... how can
we speak of one Provence? From the north to
the south the plains of the Rhône and the
Durance are dominated by the Alpilles,
the Sainte-Victoire, the mountain of Lure,
the Sainte-Baume, the Lubéron, the Maures and

du Ventoux et du Mercantour se perdent les Alpes du sud. Cette diversité des reliefs va de pair avec la variété d'une forêt qui couvre les cinq départements : sapins, épicéas et mélèzes dans les zones montagneuses ; oliviers, cyprès et lavandes sur les collines ; platanes et pins parasols en bordure de mer.

Sur les traces des peintres

Quant à la lumière, encore plus pure et nette les jours de mistral, elle a conquis les peintres. Pourquoi ne pas partir du mont Ventoux, belvédère d'où Joseph Meissonier croqua les fines arcades de la cité des papes ? Un peu plus au sud, Saint-Rémy-de-Provence inspira Van Gogh, triste locataire des hospices du village. Sur la route d'Aix-en-Provence, faites le chemin jusqu'à Martigues, ville chérie des avant-gardistes, Dufy et Picabia, qui posèrent leur chevalet sur les rives de l'étang de Berre. A Marseille, Saint-Tropez ou Toulon, respirez les paysages marins de Cézanne, Manguin ou Courdouan…

L'art de jouer les cigales

Le charme de la Provence, c'est aussi de devoir choisir : entre la Camargue, Marseille et ses calanques, les stations balnéaires du Var, les senteurs de l'arrière-pays… Des Saintes-Maries-de-la-Mer, trop visitées l'été, échappez-vous par la route du Cacharel en direction de Pioch Badet, pour la beauté des paysages. En Arles, flânez au long des nostalgiques Alyscamps et à Roussillon, surnommée "Delphes la Rouge" par Jean Vilar, admirez l'embrasement du soleil

the Esterel. The massifs of Ecrins, Ventoux and Mercantour are lost in the mountains of the Alps. These different heights bring with them a huge range of forest, which covers the region: fir, spruce and larch in the mountainous areas; olive trees, cypress and lavender on the hills, and plain trees and parasol pines on the coast.

Following the Tracks of the Painters

As for the light, even purer on the days when the Mistral wind blows, it captivated the painters. Why not begin from Le Ventoux, the viewpoint from which Joseph Meissonier sketched the fine arcades of the Papal City? A little to the south is Saint-Rémy-de-Provence, which inspired Van Gogh. On route to Aix-en-Provence, pass through Martigues, which was the favourite town of the avant-garde painters Dufy and Picabia who propped up their easels on the banks of the Berre pond. In Marseille, Saint-Tropez or Toulon, you can breathe in the air of the seascapes by masters such as Cézanne, Manguin and Courdouan.

Spoilt for Choice

The charm of Provence is also the obligation to choose: should you go to La Camargue, or visit Marseille with its creeks, or the resorts of Var, or go up into the scented hills... Escape from the overcrowded places such as Saintes-Maries-de-la-mer and take the Cacharel road in the direction of Pioch Badet, admiring the beauty of the surrounding countryside. In Arles, stroll along the nostalgic Alyscamps; and in Roussillon, nicknamed "Red Delphi"

IN DER SONNE DES MIDI

Die am meisten besuchte Region Frankreichs setzt auf die Vielzahl ihrer Vorzüge: Zikaden im Wind, Olivenhänge, violetter Lavendel, Berge und himmelblaues Meer. Unter all den Gegenden, deren reines Licht die Maler verführt hat, können Sie wählen.

ONDER DE ZUIDERSE ZON

De meest bezochte streek van Frankrijk speelt met de diversiteit van haar charmes : krekels in de wind, olijfgaarden in terrasvorm, violette lavendelvelden, hoge bergen en azuurblauwe zee ... Aan u om te kiezen tussen al de charmes van deze streek, waarvan het heldere licht ook vele schilders heeft kunnen verleiden.

couchant. Gagnez Avignon et sa rue du Vieux Sextier, puis Aix-en-Provence et faites, le long du cours Mirabeau, une escapade au Jas-de-Bouffan pour imaginer Cézanne à l'ombre de sa bergerie…

Ne vous privez pas des beautés cachées en retrait du littoral. En partant d'Orange, gagnez Carpentras blottie derrière ses murailles, puis Gordes dont le château fort est décoré des toiles et des dessins de Vasarely, ou Apt réputée pour ses fruits confits et ses vanneries. Autres haltes : Manosque chère à Giono et Draguignan pour le plaisir de rayonner alentour. Sans oublier l'abbaye du Thoronet au sud, les gorges du Verdon au nord et les hauteurs de Nice d'où, de nouveau, il faut choisir entre la vallée de la Vésubie et la vallée de la Tinée connue pour ses Pénitents blancs. Tandis que les plus courageux s'en iront du côté des vallées des Merveilles et de la Roya.

Artisanat et saveurs

De Moustiers pour ses faïences à Aubagne pour ses céramiques, de la Camargue pour ses selleries au Queyras pour son ébénisterie… Sur les routes de Provence, vous apprécierez le goût des plats relevés d'une pointe d'ail, d'un filet d'huile d'olive, du parfum du basilic - à vous l'aïoli, l'anchoïade, la bouillabaisse -, ou la douceur des calissons d'Aix, des nougats de Sisteron, miels et chocolats de Puyricard. Pour en conserver les accents toute l'année, relisez les maîtres : Mistral et Pagnol, Giono et Daudet, Zola et Arène …

by Jean Vilar, you will be enthralled by the blaze of the setting sun. Don't miss Avignon with its Vieux Sextier street, nor Aix-en-Provence, and take a drive along the Mirabeau to Jas-de-Bouffon where you can imagine Cézanne behind his shepard's hut. You must also take time for the beauties hidden behind the coast. Leaving from Orange, head for Carpentras tucked behind its walls, then Gordes where the castle is decorated with canvases and drawings by Vaserely, or Apt, which is famed for its crystallized fruits and its wickerwork. Other possible destinations are Manosque, dear to Giono, and Draguignan for the pleasure of discovering the out-lying places. Don't forget the Abbey at Thoronet in the south, the Verdon gorges in the north and the hills overlooking Nice, where once again you have to choose between the Vésubie valley and the Tinée valley, known for its "Pénitents blancs." Meanwhile the more adventurous types will head off for the Roya and Merveilles valleys.

Craftwork and Flavours

From Moustiers for its earthenware to Aubagne for its ceramics, from the Camargue for its leather to Queyras for its woodwork… on the Provence roads, you will encounter the "aïoli," the "anchoïade," the "bouillabaisse" and some sweeter options, such as the "calissons" of Aix, the nougats of Sisteron and the honeys and chocolates of Puyricard…

BAJO EL SOL DEL MEDIODÍA

La región más visitada de Francia juega con la diversidad de sus encantos: cigarras bajo el viento, olivares en terrazas, lavandas violetas, altas montañas y mar azul… , Usted elige entre todas estas provenzas, en las que la pureza de su luz ha seducido tanto a los pintores.

SOTTO IL SOLO DEL MEZZOGIORNO

E' la regione più visitata della Francia che gioca sulla diversità del suo charme: cicale sotto il vento, boschetti in terrazza, lavande violette, alte montagne e mare azzurro. Fra tutte queste province, la cui luce così pura ha saputo sedurre i pittori, a voi di scegliere.

Aïoli

Ingrédients

Pour 4 à 6 personnes

- 2 jaunes d'œufs
- 1/2 l d'huile d'olive
- 1/2 jus de citron
- 5 à 7 gousses d'ail
- 1 pomme de terre
- sel, poivre

Recette

- Cuire la pomme de terre à l'eau.
- Ecraser les gousses d'ail dans un mortier, ajouter la pomme de terre réduite en purée. Incorporer les deux jaunes d'œuf, le sel et le poivre.
- Ajouter goutte à goutte l'huile d'olive pour préparer une mayonnaise, terminer avec le jus de citron.
- Servir avec de la morue dessalée bouillie à l'eau et des légumes de saison.

Liste des hôtels-restaurants

Alpes-de-Haute-Provence

C.R.T. Provence-Alpes-Côte d'Azur

Association départementale
des Logis de France des Alpes-de-Haute-Provence
C.C.I.
Bd Gassendi
04000 Digne-les-Bains
Téléphone 04 92 30 80 80

04 - ALPES-DE-HAUTE-PROVENCE

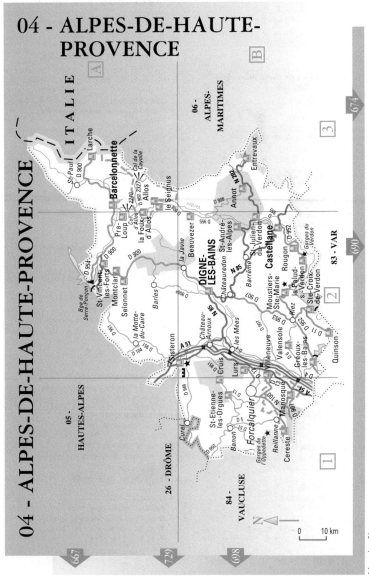

Légende p 21

ALLOS (A3)
04260 Alpes de Haute Provence
1425 m. • 705 hab. ⓘ

... à proximité

Le *SEIGNUS (A3)*
04260 Alpes de Haute Provence
1500 m. • 705 hab. ⓘ

1,5 km Ouest Allos par D 908 et D 26

⌂ ALTITUDE 1500 **
M.Me Bourdiol
☎ 04 92 83 01 07＼04 92 83 04 73
🛏 15 ⌷ 200/250 F. 🍽 45 F.
🍴 75/150 F. 🛗 250/300 F.
✉ 15 avr./30 juin et 10 sept./20 déc.
Ⓔ ☎ 🚗 CV 🐾 CB

ANNOT (B3)
04240 Alpes de Haute Provence
680 m. • 1053 hab. ⓘ

⌂ GRAC
Place du Germe.
M. Morenon
☎ 04 92 83 20 02 🅵🅰🆇 04 92 83 33 67
🛏 20 ⌷ 160/270 F. 🍽 30 F.
🍴 75/150 F. 🛗 50 F. 🛗 180/240 F.
✉ 15 déc./15 mars et lun. hs.
Ⓓ ⓘ ☎ 🚗 🍴 🛗 🐾 CB

BARCELONNETTE (A3)
04400 Alpes de Haute Provence
1132 m. • 3314 hab. ⓘ

⌂⌂ L'AUPILLON **
9, rue Ernest Pelloutier.
M. Oustry
☎ 04 92 81 01 09 🅵🅰🆇 04 92 81 04 19
120F 🛏 7 ⌷ 220/280 F. 🍽 36 F. 🍴 75/150 F.
🛗 260 F.
✉ 3/30 nov. et lun. hs.
Ⓔ ⓘ 🚗 ☎ 🚗 🍴 🛗 CV 🐾 CB

⌂⌂ LA GRANDE EPERVIERE ***
18, rue des Trois Frères Armand.
MeM. Geremia/Houbron
☎ 04 92 81 00 70 🅵🅰🆇 04 92 81 29 50
100F 🛏 10 ⌷ 270/380 F. 🍽 48 F.
🍴 90/120 F. 🛗 50 F. 🛗 290/360 F.
✉ nov.
Ⓔ Ⓓ ⓘ 🚗 ☎ 🚗 🍴 🛗 🌴 🎿 🎱 🐾
CB

BEAUVEZER (B2)
04370 Alpes de Haute Provence
1150 m. • 226 hab. ⓘ

⌂⌂ LE BELLEVUE **
Place de l'Eglise.
M. Thétiot
☎ 04 92 83 51 60
100F 🛏 11 ⌷ 190/225 F. 🍽 38 F.
🍴 68/128 F. 🛗 45 F. 🛗 205/230 F.
✉ 1er nov./31 déc. et mar.
Ⓔ Ⓓ SP ☎ 🐾 CB

CASTELLANE (B2)
04120 Alpes de Haute Provence
725 m. • 1200 hab. ⓘ

⌂⌂ AUBERGE BON ACCUEIL
Place Marcel Sauvaire. M. Tardieu
☎ 04 92 83 62 01
100F 🛏 10 ⌷ 250/280 F. 🍽 35 F.
🍴 85/170 F. 🛗 50 F. 🛗 250 F.
✉ fin sept./début avr.
Ⓔ 🚗 CV 🐾 CB

⌂ AUBERGE DU TEILLON **
(A la Garde, 6 Km - Route Napoléon).
M. Lépine
☎ 04 92 83 60 88 🅵🅰🆇 04 92 83 74 08
100F 🛏 9 ⌷ 210/260 F. 🍽 35 F.
🍴 100/210 F. 🛗 45 F. 🛗 250/275 F.
✉ 15 déc./6 mars, dim. soir et lun.
oct./Pâques.
Ⓓ 🚗 ☎ 🚗 🍴 🛗 🐾

CERESTE (B1)
04280 Alpes de Haute Provence
950 hab. ⓘ

⌂ L'AIGUEBELLE **
Place de la République.
MM. Boulanger/Delaetre
☎ 04 92 79 00 91 🅵🅰🆇 04 92 79 07 29
120F 🛏 16 ⌷ 200/270 F. 🍽 30 F.
🍴 88/210 F. 🛗 55 F. 🛗 250/280 F.
✉ 2 janv./1er fév.
Ⓔ 🚗 ☎ 🚗 CV 🎱 🐾 CB 🍴

CRUIS (B1-2)
04230 Alpes de Haute Provence
711 m. • 408 hab. ⓘ

⌂⌂ AUBERGE DE L'ABBAYE **
M. Fouache
☎ 04 92 77 01 93 🅵🅰🆇 04 92 77 01 92
100F 🛏 8 ⌷ 280/295 F. 🍽 35 F.
🍴 100/130 F. 🛗 65 F. 🛗 250/265 F.
✉ fév., mer. sept./juin, dim. soir, mar.
et mer. nov./mars.
Ⓔ 🚗 ☎ 🍴 🎱 🐾 CB

DIGNE LES BAINS (B2)
04000 Alpes de Haute Provence
600 m. • 16000 hab. ⓘ

⌂⌂ DE BOURGOGNE **
Av. de Verdun. M. Petit
☎ 04 92 31 00 19 🅵🅰🆇 04 92 32 30 59
120F 🛏 11 ⌷ 180/300 F. 🍽 30 F.
🍴 90/250 F. 🛗 50 F. 🛗 210/270 F.
✉ 20 déc./20 fév.
Ⓔ 🚗 ☎ 🚗 CV 🎱 🐾 CB

⌂ LE SAINT MICHEL **
Rue des Alpilles. Mme Patti
☎ 04 92 31 45 66 🅵🅰🆇 04 92 32 16 49
100F 🛏 21 ⌷ 195/260 F. 🍴 85/120 F.
🛗 40 F. 🛗 210/220 F.
✉ rest. dim. 1er nov./1er mars.
Ⓔ 🚗 ☎ 🚗 🚗 🍴 🍴 CV 🐾 CB 🛗

662

ENTREVAUX (B3)
04320 Alpes de Haute Provence
785 hab. 🛈

⌂ LE VAUBAN
Place Cours Moreau.
M. Sallé
☎ 04 93 05 42 40 ⅲ 04 93 05 48 38
120F ▮ 7 ⬡ 180/285 F. ▦ 30 F. � 75/140 F.
🍴 50 F. 🍽 220/250 F.
✉ 6/31 janv. dim. soir et lun.
[icons] CV ● CB

La FOUX D'ALLOS (A2-3)
04260 Alpes de Haute Provence
1800 m. • 680 hab. 🛈

▲▲▲ DU HAMEAU ★★
M. Lantelme
☎ 04 92 83 82 26 ⅲ 04 92 83 87 50
100F ▮ 36 ⬡ 420/480 F. ▦ 42 F.
🍴 85/170 F. 🍽 50 F. 🍽 310/390 F.
✉ 20 avr./10 juin et 20 sept./30 nov.
[icons] CV ● CB

GREOUX LES BAINS (B2)
04800 Alpes de Haute Provence
1637 hab. 🛈

▲▲ GRAND HOTEL DES COLONNES ★★
8, av. des Marronniers.
M. Angelini
☎ 04 92 70 46 46 ⅲ 04 92 77 64 37
100F ▮ 34 ⬡ 260/320 F. ▦ 33 F.
🍴 80/160 F. 🍽 45 F. 🍽 210/270 F.
✉ 5 nov./28 fév.
[icons] CV ● CB

▲▲ LA CASTELLANE
Av. des Thermes.
M. Coulomb
☎ 04 92 78 00 31 ⅲ 04 92 78 09 77
100F ▮ 10 ⬡ 250/350 F. ▦ 35 F.
🍴 98/130 F. 🍽 65 F. 🍽 250/320 F.
✉ 2 déc./31 mars.
[icons] CB

▲▲▲ LA CHENERAIE ★★
Les Hautes Plaines.
M. Humel
☎ 04 92 78 03 23 ⅲ 04 92 78 11 72
100F ▮ 20 ⬡ 270/350 F. ▦ 38 F.
🍴 88/168 F. 🍽 50 F. 🍽 270/300 F.
✉ début déc./mi-fév.
[icons] CV ● CB

LARCHE (A3)
04530 Alpes de Haute Provence
1700 m. • 60 hab.

⌂ AU RELAIS D'ITALIE
Mme Palluel
☎ 04 92 84 31 32 ⅲ 04 92 84 33 92
100F ▮ 13 ⬡ 160/280 F. ▦ 40 F.
🍴 85/145 F. 🍽 50 F. 🍽 200/250 F.
✉ 1er/16 mai et 1er/16 oct.
[icons] CV CB

LURS (B2)
04700 Alpes de Haute Provence
612 m. • 320 hab. 🛈

▲▲ LE SEMINAIRE ★★
M. Olleon
☎ 04 92 79 94 19 ⅲ 04 92 79 94 19
100F ▮ 16 ⬡ 342/357 F. ▦ 45 F.
🍴 98/310 F. 🍽 57 F. 🍽 300/308 F.
✉ 1er déc./28 fév. Rest. mer.
[icons] CV [icons]
● CB

MANOSQUE (B1)
04100 Alpes de Haute Provence
22000 hab. 🛈

▲▲ LE PROVENCE ★★
Rte de la Durance,sortie autoroute A 51.
M. Bruel
☎ 04 92 72 39 38 ⅲ 04 92 87 55 13
100F ▮ 13 ⬡ 250 F. ▦ 35 F. 🍴 85/145 F.
🍽 50 F. 🍽 230/260 F.
[icons] CB [icon]

▲▲ LE SUD ★★
Av. du Général de Gaulle. Mme Farnarier
☎ 04 92 87 78 58 ⅲ 04 92 72 66 60
▮ 36 ⬡ 265 F. ▦ 29 F. 🍴 77/160 F.
🍽 45 F. 🍽 234 F.
[icons] CV [icons] ●
CB

... *à proximité*

VILLENEUVE (B2)
04180 Alpes de Haute Provence
2516 hab. 🛈

10 km Nord Manosque par N 96

▲▲ LE MAS SAINT-YVES
Route de Sisteron. MeM. Agier/Hascoet
☎ 04 92 78 42 51 ⅲ 04 92 78 59 93
▮ 14 ⬡ 195/365 F. ▦ 35 F.
🍴 89/275 F. 🍽 49 F. 🍽 285/335 F.
✉ 1er/30 janv. Rest. lun. midi.
[icons] ● CB

MONTCLAR (A2)
04140 Alpes de Haute Provence
1120 m. • 258 hab. 🛈

▲▲ ESPACE ★★
(Station St-Jean de Montclar).
M. Savornin
☎ 04 92 35 37 00 ⅲ 04 92 35 31 92
100F ▮ 44 ⬡ 280/330 F. ▦ 35 F.
🍴 85/139 F. 🍽 49 F. 🍽 230/310 F.
✉ 15 oct./3 déc.
[icons]
CV [icons] ● CB CR

MOUSTIERS SAINTE MARIE (B2)
04360 Alpes de Haute Provence
630 m. • 600 hab. 🛈

▲▲ LA BONNE AUBERGE ★★
Route de Castellane. M. Bondil
☎ 04 92 74 66 18 ⅲ 04 92 74 65 11
▮ 16 ⬡ 280/360 F. ▦ 42 F.
🍴 108/260 F. 🍽 52 F. 🍽 310/390 F.
✉ 11 nov./15 fév.
[icons] ● CB

MOUSTIERS SAINTE MARIE (B2)
(suite)

⚐ LE RELAIS ✶✶
Place du Couvert
M. Eisenlohr
☎ 04 92 74 66 10 ✉ 04 92 74 60 47
🛏 20 ◎ 200/360 F. 🍽 35 F.
🍴 88/225 F. 🍴 40 F. 🍴 420/580 F.
✉ 1er déc./1er mars et ven.
[icons] CB

La PALUD SUR VERDON (B2)
04120 Alpes de Haute Provence
950 m. • 250 hab. ⓘ

⚐ AUBERGE DES CRETES ✶
Mme Sturma-Sedola
☎ 04 92 77 38 47 ✉ 04 92 77 30 40
🛏 12 ◎ 250/285 F. 🍽 35 F.
🍴 82/112 F. 🍴 50 F. 🍴 252/275 F.
✉ 1er oct./28 mars, jeu. hs et vac. scol.
sauf juil./août.
[icons] CB

⚐⚐⚐ DES GORGES DU VERDON ✶✶✶
Mme Bogliorio
☎ 04 92 77 38 26 ✉ 04 92 77 35 00
🛏 27 ◎ 250/600 F. 🍽 60 F.
🍴 110/180 F. 🍴 59 F. 🍴 260/435 F.
✉ 13 oct./27 mars.
[icons] CB

⚐⚐ LE PANORAMIC ✶✶
Route de Moustiers.
M. Caron
☎ 04 92 77 35 07 ✉ 04 92 77 30 17
🛏 20 ◎ 270/410 F. 🍽 40 F.
🍴 92/232 F. 🍴 45 F. 🍴 275/345 F.
✉ 12 nov./31 mars et mer. hs.
[icons] CB CR

⚐⚐ LE PROVENCE ✶✶
M. Seguin
☎ 04 92 77 36 50\04 92 77 38 88
✉ 04 92 77 31 05
🛏 20 ◎ 220/290 F. 🍽 38 F.
🍴 59/150 F. 🍴 48 F. 🍴 220/280 F.
✉ Toussaint/Pâques.
[icons] CB

PRA LOUP (A2)
04400 Alpes de Haute Provence
1630 m. • 3213 hab. ⓘ

⚐⚐⚐ DES BERGERS ✶✶✶
M. Schaeffer
☎ 04 92 84 14 54 ✉ 04 92 84 09 64
🛏 34 ◎ 300/400 F. 🍽 40 F.
🍴 85/160 F. 🍴 70 F. 🍴 395/530 F.
✉ 1er sept./15 déc. et 30 avr./15 juin.
[icons] CB

QUINSON (B2)
04480 Alpes de Haute Provence
274 hab. ⓘ

⚐⚐ RELAIS NOTRE DAME ✶✶
Mme Berne
☎ 04 92 74 40 01 ✉ 04 92 74 02 10
🛏 14 ◎ 200/280 F. 🍽 37 F.
🍴 85/210 F. 🍴 40 F. 🍴 214/269 F.
✉ 15 déc./15 mars, dim. soir et lun.
1er oct./Pâques.
[icons] CB

ROUGON (GORGES DU VERDON) (B2)
04120 Alpes de Haute Provence
800 m. • 78 hab. ⓘ

⚐⚐ AUBERGE DU POINT SUBLIME ✶✶
Sur D.952. Mme Monier/Sturma
☎ 04 92 83 60 35 ✉ 04 92 83 74 31
🛏 14 ◎ 230/283 F. 🍽 36 F.
🍴 88/186 F. 🍴 54 F. 🍴 238/258 F.
✉ 1er nov./1er avr.
[icons] CB

SAINT ANDRE LES ALPES (B2)
04170 Alpes de Haute Provence
900 m. • 1000 hab. ⓘ

⚐⚐ LE CLAIR LOGIS ✶✶
Route de Digne. M. Le Gac
☎ 04 92 89 04 05 ✉ 04 92 89 19 36
🛏 12 ◎ 230/280 F. 🍽 35 F.
🍴 68/135 F. 🍴 38 F.
✉ janv./fév. et 13 oct./31 déc.
[icons] CB CR

SAINT ETIENNE LES ORGUES (B1)
04230 Alpes de Haute Provence
700 m. • 1000 hab. ⓘ

⚐⚐ SAINT CLAIR ✶✶
Chemin du Serre. M. Brusseau
☎ 04 92 73 07 09 ✉ 04 92 73 12 60
🛏 29 ◎ 175/388 F. 🍽 37 F.
🍴 80/140 F. 🍴 50 F. 🍴 197/313 F.
✉ 1er nov./1er mars.
[icons]

SAINT JULIEN DU VERDON (B2)
04170 Alpes de Haute Provence
914 m. • 100 hab. ⓘ

⚐ LE PIDANOUX ✶✶
M. Prato
☎ 04 92 89 05 87 ✉ 04 92 89 09 65
🛏 15 ◎ 150/240 F. 🍽 30 F.
🍴 75/100 F. 🍴 45 F. 🍴 180/225 F.
[icons] CB

SAINT VINCENT LES FORTS (A2)
04340 Alpes de Haute Provence
1000 m. • 168 hab.

⚐ ROLLAND ✶
(A l'Auchette) Mme Michel
☎ 04 92 85 50 14 ✉ 04 92 85 57 36
🛏 16 ◎ 150/290 F. 🍽 30 F.
🍴 65/130 F. 🍴 65 F. 🍴 160/255 F.
✉ 15 nov./20 déc.
[icons] CB CR

SAINTE CROIX DE VERDON (B2)
04500 Alpes de Haute Provence
513 m. • 77 hab. ⒤

⚐ AUBERGE DU SANGLIER
M. Armand
☎ 04 92 77 85 74 ℻ 04 92 77 80 00
⛉ ▮ 8 ▧ 150/270 F. ▆ 35 F. ⑪ 85/260 F.
120F ⚹ 40 F. ▨ 250/270 F.
⊠ mer. 1er oct./1er avr.
🅴 ⒤ ☎ ● CB

Le SEIGNUS (A3)
04260 Alpes de Haute Provence

⫸⫸⫸ *voir ALLOS*

SELONNET (A2)
04140 Alpes de Haute Provence
1060 m. • 340 hab.

⚐⚐ LE RELAIS DE LA FORGE ★★
M. Turrel
☎ 04 92 35 16 98 ℻ 04 92 35 07 37
100F ▮ 15 ▧ 180/270 F. ▆ 35 F.
⑪ 75/170 F. ⚹ 40 F. ▨ 195/235 F.
⊠ 15 nov./15 déc., dim. soir et lun.
hors vac. scol.
🅴 🅳 ⒤ ☎ ☎ ● ⋈ ▼ ⚹ ⚞ ⚟ ●
CB ⒢

SISTERON (A-B2)
04200 Alpes de Haute Provence
7000 hab. ⒤

⚐⚐ LES CHENES ★★
300 route Gap-Grenoble N85 sortie
Nord M. Roustan
☎ 04 92 61 15 08 ⟍ 04 92 61 13 67
℻ 04 92 61 16 92
100F ▮ 25 ▧ 280/320 F. ▆ 38 F.
⑪ 88/142 F. ⚹ 50 F. ▨ 235/265 F.
⊠ 25 oct./4 nov., 22 déc./24 janv. et
dim. sauf juil./août.
🅴 ⒤ ☎ ● ⋈ ▼ ⚹ ⚞ ⚟ ● CB

⚐⚐ TOURING NAPOLEON ★★
22, av. de la Libération. M. Thomas
☎ 04 92 61 00 06 ℻ 04 92 61 01 19
100F ▮ 28 ▧ 250/300 F. ▆ 35 F.
⑪ 70/195 F. ⚹ 45 F. ▨ 217/242 F.
🅴 🅳 ⒤ ☎ ☎ ● ⋈ ⚹ ⚞ CV
● ● CB

VALENSOLE (B2)
04210 Alpes de Haute Provence
600 m. • 1950 hab. ⒤

⚐⚐⚐ PIES ★★
M. Pies
☎ 04 92 74 83 13 ℻ 04 92 74 94 14
▮ 16 ▧ 240/280 F. ▆ 35 F.
⑪ 75/300 F. ⚹ 50 F. ▨ 300 F.
⊠ janv. et mer. oct./mars.
🅴 🅳 ⒤ ☎ ● ⋈ ● ⚹ ⚞ CV ●
● CB

VILLENEUVE (B2)
04180 Alpes de Haute Provence

⫸⫸⫸ *voir MANOSQUE*

Logis de France dedica especial atención a promover
la cocina regional. Ayudenos en esta tarea,
enviándonos la ficha que está al final de la guía.

**Liste des
hôtels-restaurants**

Hautes-
Alpes

C.R.T. Provence-Alpes-Côte d'Azur

Association départementale
des Logis de France des Hautes-Alpes
C.C.I.
16 rue Carnot - B.P. 6
05001 Gap Cedex
Téléphone 04 92 51 73 73

Gap

Digne-les-
Bains 04

84
VAUCLUSE

Avignon

06
ALPES-
MARITIMES

ALPES-DE-
HTE-PROVENCE

Nice

13
BOUCHES-DU-RHÔNE

Marseille

83 VAR

Toulon

05 - HAUTES-ALPES

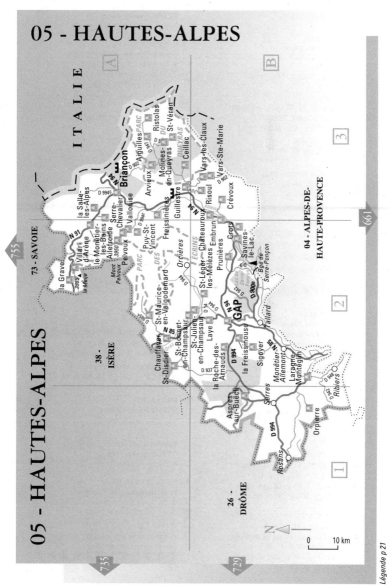

05 - HAUTES-ALPES

ITALIE

73 - SAVOIE

38 -
ISÈRE

26 -
DRÔME

04 - ALPES-DE-
HAUTE-PROVENCE

Briançon

la Salle-
les-Alpes

le Monêtier-
les-Bains

Villar
d'Arène

la Grave

Mont
Pelvoux
3950

Serre-
Chevalier

Vallouise

Pelvoux

Puy-St-
Vincent

Chauffayer
St-Disdier

St-Bonnet-
en-Champsaur

St-Julien-
en-Champsaur

St-Maurice-
en-Valgodemard

Orcières

la Roche-des-
Arnauds

Laye

GAP

Tallard

Serres

Aspres-
sur-Buëch

la Freissinouse

Sigoyer

Monêtier-
Allemont

Laragne-
Montéglin

Ribiers

Orpierre

Rosans

Aiguilles

Ristolas

St-Véran

Molines-
en-Queyras

Ceillac

Arvieux

Guillestre

Freissinières

Vars-les-Claux

Vars-Ste-Marie

Risoul

Crévoux

Châteauroux

Embrun

Crots

St-Léger-
les-Mélèzes

Prunières

Savines-
le-Lac

Bge de
Serre-Ponçon

PARC DES ÉCRINS

PARC DU QUEYRAS

0   10 km

Légende p 21

AIGUILLES (A3)
05470 Hautes Alpes
1470 m. • 310 hab. [i]

⚑ LES BALCONS DE COMBE-ROUSSET ★★
Mme Simond
☎ 04 92 46 77 15 [FAX] 04 92 46 74 36
[100F] [♨] 25 [⊗] 210/290 F. [♒] 45 F.
[Ⅱ] 55/135 F. [♨] 38 F. [⚑] 220/265 F.
[E] [i] [▭] [☎] [🚗] [♿] [CV] [⊞] [🐾] [CB]

AILEFROIDE (A2)
05340 Hautes Alpes
>>> *voir PELVOUX*

ARVIEUX (A3)
05350 Hautes Alpes
1680 m. • 350 hab. [i]

⚑⚑ LA BORNE ENSOLEILLEE ★★
La Chalp.
M. Durosne
☎ 04 92 46 72 89 [FAX] 04 92 46 79 96
[80F] [♨] 21 [⊗] 255/290 F. [♒] 32 F.
[Ⅱ] 80/128 F. [♨] 35 F. [⚑] 235/270 F.
[⊠] 30 sept./20 déc.
[☎] [🚗] [♈] [♿] [♿] [CV] [🐾] [CB]

ASPRES SUR BUECH (B1)
05140 Hautes Alpes
760 m. • 700 hab. [i]

⚑ DU PARC ★★
MeM. Rodriguez
☎ 04 92 58 60 01 [FAX] 04 92 58 67 84
[♨] 24 [⊗] 170 F. [♒] 35 F. [Ⅱ] 98/198 F.
[♨] 62 F. [⚑] 205/264 F.
[⊠] mer. hors saisons été et hiver et hors
jours fériés.
[E] [D] [SP] [▭] [☎] [🚗] [♈] [CV] [🐾] [CB]

BRIANCON (A3)
05100 Hautes Alpes
1326 m. • 12000 hab. [i]

⚑ AUBERGE «LE MONT PROREL» ★★
5, rue René Froger.
Mme Moranval-Vincent
☎ 04 92 20 22 88 [FAX] 04 92 21 27 76
[♨] 17 [⊗] 200/380 F. [♒] 40 F.
[Ⅱ] 68/175 F. [♨] 50 F. [⚑] 210/380 F.
[E] [D] [▭] [☎] [🚗] [♈] [♈] [♿] [CV] [⊞] [🐾]
[CB]

⚑ CRISTOL ★★
6, route d'Italie. Mme Huet
☎ 04 92 20 20 11 [FAX] 04 92 21 02 58
[♨] 19 [⊗] 220/340 F. [♒] 37 F.
[Ⅱ] 70/160 F. [♨] 45 F. [⚑] 235/295 F.
[E] [D] [i] [▭] [☎] [🚗] [CV] [🐾] [CB]

⚑ DE LA CHAUSSEE ★★
4, rue Centrale. M. Bonnaffoux
☎ 04 92 21 10 37 [FAX] 04 92 20 03 94
[100F] [♨] 12 [⊗] 250/300 F. [♒] 35 F.
[Ⅱ] 85/155 F. [♨] 45 F. [⚑] 250/270 F.
[▭] [☎] [🚗] [CV] [🐾] [CB]

CEILLAC (A3)
05600 Hautes Alpes
1640 m. • 290 hab. [i]

⚑⚑ LA CASCADE ★★
M. Bérard
☎ 04 92 45 05 92 [FAX] 04 92 45 22 09
[♨] 23 [⊗] 250/370 F. [Ⅱ] 72/120 F.
[♨] 49 F. [⚑] 225/345 F.
[⊠] 15 avr./31 mai et 8 sept./20 déc.
[E] [☎] [🚗] [♈] [♿] [♿] [CV] [⊞] [CB]

CHATEAUROUX (B2-3)
05380 Hautes Alpes
928 m. • 766 hab. [i]

⚑ DAUPHINOIS ★★
Les Aubergeries. M. Pouypoudat
☎ 04 92 43 22 01 [FAX] 04 92 43 27 93
[100F] [♨] 10 [⊗] 200/260 F. [♒] 35 F.
[Ⅱ] 85/145 F. [♨] 45 F. [⚑] 230 F.
[⊠] 12 nov./12 déc., 1er/8 mai et dim.
soir hs.
[▭] [☎] [🚗] [♈] [CV] [🐾] [CB] [▣]

CHAUFFAYER (A2)
05800 Hautes Alpes
915 m. • 500 hab. [i]

⚑ LE BERCAIL ★★
MM. Charpentier
☎ 04 92 55 22 21 [FAX] 04 92 55 31 55
[120F] [♨] 11 [⊗] 170/250 F. [♒] 30 F.
[Ⅱ] 70/140 F. [♨] 35 F. [⚑] 260 F.
[⊠] dim. soir sauf veille de fêtes.
[E] [D] [▭] [☎] [🚗] [♈] [CV] [🐾] [CB]

CREVOUX (B3)
05200 Hautes Alpes
1600 m. • 120 hab. [i]

⚑⚑ LE PARPAILLON ★★
M. Chastan
☎ 04 92 43 18 08 [FAX] 04 92 43 69 66
[80F] [♨] 28 [⊗] 240/300 F. [♒] 30 F.
[Ⅱ] 70/120 F. [♨] 55 F. [⚑] 230/260 F.
[⊠] 20/30 avr. et 10/30 nov.
[E] [D] [☎] [🚗] [🚗] [♨] [CV] [⊞] [🐾] [CB] [CR]

CROTS (B2)
05200 Hautes Alpes
>>> *voir EMBRUN*

EMBRUN (B2-3)
05200 Hautes Alpes
876 m. • 6000 hab. [i]

⚑⚑ DE LA MAIRIE ★★
Place Barthelon. M. François
☎ 04 92 43 20 65 [FAX] 04 92 43 47 02
[120F] [♨] 25 [⊗] 260/280 F. [♒] 37 F.
[Ⅱ] 92/120 F. [♨] 55 F. [⚑] 255/270 F.
[⊠] 1er oct./30 nov., 1er/20 mai, dim.
soir et lun. hors vac. scol.
[E] [D] [SP] [▭] [☎] [♨] [♈] [♿] [CV] [⊞] [🐾] [CB]
[CR]

... à proximité

CROTS (B2)
05200 Hautes Alpes
790 m. • 670 hab. ⓘ

4 km Sud Embrun par N 94

🏠🏠🏠 LES BARTAVELLES ★★★
M. Jaume
☎ 04 92 43 20 69 📠 04 92 43 11 92
🛏 43 ◫ 255/480 F. ▤ 45 F.
🍴 98/285 F. 🍽 70 F. 🎫 280/420 F.
🇪 D ⓘ 🗄 ☎ 🚗 🚙 ♨ 🏖 ⛱ ✎ 🎿 ♿
⛷ CV 🔌 🐾 CB 🧰

FREISSINIERES (A2-3)
05310 Hautes Alpes
1200 m. • 200 hab. ⓘ

🏠 LE RELAIS DES VAUDOIS
(Les Ribes). Mlle Moutier
☎ 04 92 20 93 01 📠 04 92 20 92 30
🛏 12 ◫ 270/370 F. ▤ 34 F.
🍴 91/120 F. 🍽 35 F. 🎫 240 F.
✉ 20 avr./3 juin et 1er oct./15 déc. sauf
vac. Toussaint.
☎ ⛱ 🐾

La FREISSINOUSE (B2)
05000 Hautes Alpes
1000 m. • 300 hab.

🏠🏠 AZUR ★★
M. Bourges
☎ 04 92 57 81 30 📠 04 92 57 92 37
🛏 43 ◫ 240/300 F. ▤ 30 F.
🍴 80/160 F. 🍽 40 F. 🎫 270/300 F.
🇪 ⓘ 🗄 ☎ 🚗 🚙 ♨ ✎ 🎿 ▶ ♿
CV 🔌 🐾 CB

GAP (B2)
05000 Hautes Alpes
800 m. • 32000 hab. ⓘ

🏠🏠 CARINA-PAVILLON 2 ★★
Route de Veynes-Valence. M. Bannwarth
☎ 04 92 52 02 73 📠 04 92 53 34 72
🛏 50 ◫ 206/308 F. ▤ 37 F.
🍴 78/212 F. 🍽 45 F. 🎫 180/257 F.
✉ 24 déc./8 janv.
🇪 D 🗄 ☎ 🚗 🚙 ♨ 🏖 ⛱ ✎ 🎿 ♿
▶ ⛷ CV 🔌 🐾 CB 🧰 🧰

La GRAVE (A2)
05320 Hautes Alpes
1500 m. • 600 hab. ⓘ

🏠 L'EDELWEISS ★★
M. Tonnelier
☎ 04 76 79 90 93 📠 04 76 79 92 64
🛏 15 ◫ 220/290 F. ▤ 35 F.
🍴 85/145 F. 🍽 55 F. 🎫 250/275 F.
✉ 10 mai/15 juin et 25 sept./22 déc.
🇪 SP 🚗 ⛱ 🚠 ♿ CV 🔌 🐾 CB

🏠🏠 LA MEIJETTE ★★
M.Me Juge
☎ 04 76 79 90 34 📠 04 76 79 94 76

🛏 18 ◫ 280/480 F. ▤ 37 F.
🍴 120/170 F. 🎫 300/450 F.
✉ 20 sept./1er mars, mai et mar. sauf
juil./août.
🇪 🗄 ☎ 🚗 ♨ ✈ 🎿 🔌 🐾 CB 🏠

GUILLESTRE (A3)
05600 Hautes Alpes
1000 m. • 2000 hab. ⓘ

🏠🏠 LE CATINAT FLEURI ★★
Mme Domeny
☎ 04 92 45 07 62 📠 04 92 45 28 88
🛏 30 ◫ 330/390 F. ▤ 36 F.
🍴 84/98 F. 🍽 39 F. 🎫 300/340 F.
🇪 ⓘ 🗄 ☎ 🚗 🚙 ✈ ⛱ ✎ 🎿 CV
🔌 🐾 CB 🏠

🏠🏠 MAISON DU ROY ★★
Sur D.902, (à 5 Km), direction Aiguilles
M. Bérard
☎ 04 92 45 08 34 📠 04 92 45 44 45
🛏 28 ◫ 260/355 F. ▤ 46 F.
🍴 80/155 F. 🍽 56 F. 🎫 260/320 F.
✉ 27 oct./20 déc., 1er/8 mai, lun.
avr./juin et sept./oct.
🗄 ✈ ⛱ 🚤 ✎ 🎿 ♿ CV 🔌 🐾
CB

LARAGNE (B2)
05300 Hautes Alpes
4000 hab. ⓘ

🏠 LES TERRASSES ★★
Mme Pellissier
☎ 04 92 65 08 54 📠 04 92 65 21 08
🛏 15 ◫ 180/290 F. ▤ 38 F.
🍴 98/135 F. 🍽 55 F. 🎫 230/280 F.
✉ 1er nov./1er avr.
🇪 D ⓘ 🗄 ☎ 🚗 ⛱ 🎿 CV 🐾 CB

LAYE (B2)
05500 Hautes Alpes
1200 m. • 192 hab.

🏠 DE L'AIGUILLE ★★
Station de Laye.
M. Vassallo
☎ 04 92 50 50 62 📠 04 92 50 51 89
🛏 10 ◫ 250/330 F. ▤ 40 F.
🍴 90/100 F. 🍽 50 F. 🎫 270/330 F.
✉ 4/30 nov.
🇪 ☎ 🚗 ⛱ 🎿 🔌 🐾 CB

MOLINES EN QUEYRAS (A3)
05350 Hautes Alpes
1750 m. • 400 hab. ⓘ

🏠🏠 L'EQUIPE ★★
Route de Saint Véran.
M. Catalin
☎ 04 92 45 83 20 📠 04 92 45 81 85
🛏 21 ◫ 280/320 F. ▤ 40 F.
🍴 70/150 F. 🍽 40 F. 🎫 270/300 F.
✉ 2 avr./17 mai et 1er oct./18 déc.
🇪 ⓘ ☎ 🚗 ⛱ 🎿 CV 🐾 CB

MOLINES EN QUEYRAS (A3) (suite)

AA LE CHAMOIS ★★
Mme Monetto
☎ 04 92 45 83 71 **FAX** 04 92 45 80 58
⬛100F ♦ 17 ◩ 290/300 F. ▣ 44 F.
🍴 80/194 F. ⧗ 55 F. ▦ 300 F.
✉ 6/30 avr., 3 nov./18 déc. Rest. sam.
midi hs et lun. saison.
[ℹ️][🕿][🚗][⋈][CV][♦][CB]

AA LE COGNAREL ★★
(Le Coin - à 2010 m.). M. Catala
☎ 04 92 45 81 03 **FAX** 04 92 45 81 17
⬛100F ♦ 21 ◩ 336/384 F. ▣ 38 F.
🍴 100/165 F. ⧗ 55 F. ▦ 305/360 F.
✉ 20 sept./18 déc. et 28 avr./1er juin.
[E][SP][ℹ️][🕿][🚗][🕆][♂][CV][▥][♦][CB][CR]

Le MONETIER LES BAINS (SERRE CHEVALIER) (A2)
05220 Hautes Alpes
1500 m. ● 987 hab. ℹ️

A ALLIEY ★★
11, rue de l'Ecole. M. Buisson
☎ 04 92 24 40 02 **FAX** 04 92 24 40 60
⬛120F ♦ 24 ◩ 270/490 F. ▣ 45 F.
🍴 92/125 F. ⧗ 75 F. ▦ 290/410 F.
✉ 20 avr./27 juin, 8 sept./20 déc. Rest.
mar. midi.
[E][D][ℹ️][🕿][🚗][🕆][♂][▥][♦]

AAA AUBERGE DU CHOUCAS ★★★
Rue de la Fruitière.
Mme SanchezVentura
☎ 04 92 24 42 73 **FAX** 04 92 24 51 60
♦ 13 ◩ 240/1350 F. ▣ 65 F.
🍴 95/380 F. ⧗ 80 F. ▦ 425/795 F.
✉ 2/15 mai, 3 nov./15 déc., dim.
soir/mar. après-midi 15 mai/15 juin et
2 oct./2 nov.
[E][SP][ℹ️][🕿][⋈][🕆][♿][♦][CB]

A CASTEL PELERIN ★★
(Le Lauzet à 6 km). M. Garambois
☎ 04 92 24 42 09
♦ 6 ◩ 265 F. ▣ 35 F. 🍴 95/155 F.
⧗ 50 F. ▦ 270 F.
✉ 1er avr./22 juin et 1er sept./22 déc.
[E][ℹ️][🕿][🚗][CB]

AA DE L'EUROPE ET DES BAINS ★★
1, rue Saint Eldrade. Mme Finat
☎ 04 92 24 40 03 **FAX** 04 92 24 52 17
♦ 30 ◩ 290/360 F. ▣ 50 F.
🍴 95/160 F. ⧗ 40 F. ▦ 285/395 F.
✉ 25 avr./1er juin et 25 sept./8 déc.
[E][D][🕿][🚗][🕆][CV][▥][♦][CB]

ORPIERRE (B1)
05700 Hautes Alpes
750 m. ● 51 hab.

AA LE CEANS ★★
(Les Bègues à 5 Km). M. Roux
☎ 04 92 66 24 22 **FAX** 04 92 66 28 29

⬛120F 🍴 24 ◩ 200/280 F. ▣ 35 F.
🍴 85/200 F. ⧗ 50 F. ▦ 210/235 F.
✉ 1er nov./15 mars.
[E][ℹ️][🕿][🚗][🕆][▥][⚓][♂][♿][♦][CB]

PELVOUX (A2)
05340 Hautes Alpes
1250 m. ● 350 hab. ℹ️

A LA CONDAMINE ★★
M. Estienne
☎ 04 92 23 35 48 **FAX** 04 92 23 49 71
⬛100F ♦ 19 ◩ 240/260 F. 🍴 80/150 F.
⧗ 60 F. ▦ 240/270 F.
✉ 30 mars/1er juin et 15 sept./20 déc.
[E][ℹ️][🕿][🚗][🕆][♿][♦]

A SAINT ANTOINE ★★
M. Staub
☎ 04 92 23 36 99 **FAX** 04 92 23 45 20
⬛100F ♦ 19 ◩ 175/265 F. ▣ 34 F.
🍴 79/139 F. ⧗ 42 F. ▦ 175/240 F.
✉ 11 mai/7 juin et 28 sept./15 déc.,
mer. et dim. après-midi.
[E][ℹ️][🕿][🕆][♿][♂][CV][♦][CB][CR]

... à proximité

AILEFROIDE (A2)
05340 Hautes Alpes
1550 m. ● 30 hab.

6 km N.O.Pelvoux par D 994

A CHALET HOTEL ROLLAND ★★
M. Chaud
☎ 04 92 23 32 01 **FAX** 04 92 23 46 23
⬛100F ♦ 24 ◩ 250/300 F. ▣ 35 F.
🍴 75/168 F. ⧗ 50 F. ▦ 215/250 F.
✉ 15 sept./15 juin.
[E][ℹ️][🕿][🚗][🕆][CV][▥][♦][CB][CR]

PRUNIERES (B2)
05230 Hautes Alpes
1000 m. ● 150 hab.

A LE PREYRET ★★
M. Ceard
☎ 04 92 50 62 29 **FAX** 04 92 50 64 64
⬛100F ♦ 30 ◩ 245/295 F. ▣ 40 F.
🍴 85/135 F. ⧗ 59 F. ▦ 270/305 F.
✉ 15 oct./20 déc. et 1er avr./1er mai.
[E][🕿][🚗][🕆][▥][⚓][♿][CV][▥][♦][CB]

PUY SAINT VINCENT (A2)
05290 Hautes Alpes
1380 m. ● 298 hab. ℹ️

AA L'AIGLIERE ★★
M. Engilberge
☎ 04 92 23 30 59 **FAX** 04 92 23 48 75
⬛120F ♦ 36 ◩ 180/330 F. ▣ 30/ 40 F.
🍴 68/160 F. ⧗ 55 F. ▦ 185/290 F.
✉ 15 avr./15 juin et 15 sept./15 déc.
[E][ℹ️][🕿][🚗][🕆][▥][🐕][♿][♂][CV][▥]
[♦][CB]

PUY SAINT VINCENT (A2) (suite)

⌂ LA PENDINE ★★
(Les Prés). MM. Blein
☎ 04 92 23 32 62 FAX 04 92 23 46 63
🛏 28 ⌂ 173/330 F. ☐ 45 F.
🍴 85/190 F. 🍷 60 F. ▦ 250/305 F.
✉ 10 avr./15 juin et 10 sept./10 déc.
🛈 ☎ 🚗 🛏 🎾 CV CB

RISOUL (B3)
05600 Hautes Alpes
1100 m. • 527 hab. 🛈

⌂ LA BONNE AUBERGE ★★
M. Maurel
☎ 04 92 45 02 40
🛏 25 ⌂ 300/310 F. ☐ 28 F.
🍴 90/115 F. 🍷 65 F. ▦ 265/270 F.
✉ 20 sept./31 janv. et 30 mars/31 mai.
🛈 ☎ 🚗 🛏 🎾 CV CB

RISTOLAS (A3)
05460 Hautes Alpes
1610 m. • 52 hab.

⌂ LE CHALET DE SEGURE ★★
M. Borel
☎ 04 92 46 71 30 FAX 04 92 46 79 54
🛏 10 ⌂ 250/260 F. ☐ 30 F.
🍴 70/140 F. 🍷 50 F. ▦ 250/260 F.
✉ 11 avr./24 mai et 25 sept./26 déc.
Rest. lun. sauf midi juil./août.
☎ 🚗 🛏 CB

La ROCHE DES ARNAUDS (B2)
05400 Hautes Alpes
933 m. • 750 hab.

⌂ CEUSE-HOTEL ★★
M. Para
☎ 04 92 57 82 02 FAX 04 92 57 94 62
🛏 20 ⌂ 220/290 F. ☐ 30 F.
🍴 75/140 F. 🍷 46 F. ▦ 230/260 F.
✉ 15 oct./15 nov.
🛈 ☎ 🚗 🛏 CV 🎮 CB

SAINT BONNET EN CHAMPSAUR (A-B2)
05500 Hautes Alpes
1025 m. • 1376 hab. 🛈

⌂⌂ LA CREMAILLERE ★★
M. Montier
☎ 04 92 50 00 60 FAX 04 92 50 01 57
🛏 21 ⌂ 270/330 F. ☐ 35 F.
🍴 100/190 F. 🍷 55 F. ▦ 250/300 F.
✉ 1er oct./28 mars.
🛈 🅳 SP 🚗 🛏 🎾 🎮 CV 🔌 🎮 CB

SAINT DISDIER (A2)
05250 Hautes Alpes
1040 m. • 160 hab.

⌂⌂ LA NEYRETTE ★★
M. Muzard
☎ 04 92 58 81 17 FAX 04 92 58 89 95

🍴 10 ⌂ 290 F. ☐ 35 F. 🍴 96/179 F.
🍷 61 F. ▦ 270 F.
✉ 1er nov./15 déc.
🛈 🅳 🛈 🚗 🛏 🎾 🎾 CV 🎮 CB

SAINT JULIEN EN CHAMPSAUR (B2)
05500 Hautes Alpes
1040 m. • 300 hab.

⌂ LES CHENETS ★★
M. Guerin
☎ 04 92 50 03 15 FAX 04 92 50 73 06
🛏 19 ⌂ 180/270 F. ☐ 35 F.
🍴 90/170 F. 🍷 50 F. ▦ 230/250 F.
✉ 8/26 avr., 12 nov./26 déc., mer. et dim. soir hs.
🛈 🅳 🛈 🚗 🛏 CV 🎮 CB

SAINT LEGER LES MELEZES (B2)
05260 Hautes Alpes
1260 m. • 190 hab. 🛈

⌂ LE GRILLON ★★
M. Gilbert-Jeanselme
☎ 04 92 50 75 76 FAX 04 92 50 70 94
🛏 12 ⌂ 250/280 F. ☐ 38 F. 🍴 105 F.
🍷 48 F. ▦ 245/275 F.
✉ 31 août/24 déc. et 1er avr./28 juin.
🛈 🛈 🚗 🛏 🎾 🎮 CB

SAINT MAURICE EN VALGODEMAR (A2)
05800 Hautes Alpes
1000 m. • 141 hab. 🛈

⌂ LE BAN DE L'OURS ★★
(A Lubac).
Mme Bourgeon
☎ 04 92 55 23 65
🛏 16 ⌂ 283/360 F. ☐ 32 F.
🍴 86/120 F. 🍷 50 F. ▦ 242/288 F.
✉ 1er janv./15 fév., 6 mars/15 avr.,
1er/29 oct. et 5 nov./31 déc.
🛈 🅳 🛈 🚗 🛏 🎾 🎮 CB

SAINT VERAN (A3)
05350 Hautes Alpes
2040 m. • 280 hab. 🛈

⌂⌂ BEAUREGARD ★★
M. Freychet
☎ 04 92 45 82 62 FAX 04 92 45 80 10
🛏 29 ⌂ 195/381 F. ☐ 40 F.
🍴 70/180 F. 🍷 45 F. ▦ 218/315 F.
✉ 1er mai/1er juin et 1er oct./20 déc.
🛈 SP 🚗 🛏 🎾 🔌 🎾 CV 🎮 CB

⌂⌂ LE GRAND TETRAS ★★
M. Plichon
☎ 04 92 45 82 42 FAX 04 92 45 85 98
🛏 21 ⌂ 243/420 F. ☐ 45 F.
🍴 84/120 F. 🍷 45 F. ▦ 278/354 F.
✉ 13 avr./30 mai et 15 sept./20 déc.
🛈 ☎ 🚗 🛏 🎾 🎮 CV 🎮 CB

SAINT VERAN (A3) (suite)

🔺🔺 LES CHALETS DU VILLARD ★★★
Le Villard. M. Weber
☎ 04 92 45 82 08 **FAX** 04 92 45 86 22
🛏 26 ◻ 230/450 F. ⬛ 45 F.
🍴 75/115 F. 👫 60 F. 🍴 240/450 F.
✉ 20 avr./20 juin et 20 sept./20 déc.
⬛ SP ⓘ 📷 ☎ 🚗 ⛵ 🎣 🐾 CV ⊞
🐾 CB

La SALLE LES ALPES
(SERRE CHEVALIER) (A2-3)
05240 Hautes Alpes
1400 m. • 1111 hab. ⓘ

🔺🔺 LE CHRISTIANIA ★★★
Mme Paul
☎ 04 92 24 76 33 **FAX** 04 92 24 83 82
⛽ 120F 🛏 28 ◻ 300/480 F. ⬛ 45 F.
🍴 98/150 F. 👫 45 F. 🍴 250/420 F.
✉ mi-sept./début déc. et mi-avr./mi-juin.
⬛ ⓘ 📷 ☎ 🚗 ☂ CV 🐾 CB

SAVINES LE LAC (B2)
05160 Hautes Alpes
790 m. • 850 hab. ⓘ

🔺🔺 EDEN LAC ★★
M. Andrzejewski
☎ 04 92 44 20 53 **FAX** 04 92 44 29 17
⛽ 100F 🛏 21 ◻ 240/360 F. ⬛ 40 F.
🍴 75/150 F. 👫 42 F. 🍴 270/330 F.
✉ 20 nov./4 fév.
SP ⓘ 📷 ☎ 🚗 ☂ ⛵ 🎣 ♿ CV ⊞
🐾 CB 📷 GR

SIGOYER (B2)
05130 Hautes Alpes
1060 m. • 420 hab.

🔺 MURET ★★
M. Paul
☎ 04 92 57 83 02 **FAX** 04 92 57 92 44
🛏 20 ◻ 220/320 F. ⬛ 35 F.
🍴 80/120 F. 👫 50 F. 🍴 260/290 F.
⬛ SP ☎ 🚗 🚗 🚗 ☂ ⛵ 🎣 🐦 🎣
CV ⊞ CB

VALLOUISE (A2-3)
05290 Hautes Alpes
1200 m. • 600 hab. ⓘ

🔺🔺 LES VALLOIS ★★
M. Morand
☎ 04 92 23 33 10 **FAX** 04 92 23 41 37
⛽ 100F 🛏 15 ◻ 275/325 F. ⬛ 42 F.
🍴 82/150 F. 👫 40 F. 🍴 270/320 F.
✉ 28 avr./31 mai et 22 sept./20 déc.
⬛ ⓘ 📷 ☎ 🚗 ☂ ⛵ 🎣 ♿ CV ⊞ 🐾
CB

VARS LES CLAUX (B3)
05560 Hautes Alpes
1850 m. • 1500 hab. ⓘ

🔺🔺 LES ESCONDUS ★★
M. David
☎ 04 92 46 67 00 **FAX** 04 92 46 50 47
🛏 22 ◻ 290/500 F. ⬛ 38 F.
🍴 65/120 F. 👫 55 F. 🍴 300/535 F.
✉ 20 avr./30 juin et 10 sept./15 déc.
⬛ ⓘ 📷 ☎ 🚗 🚗 ☂ 🕐 ⊞ 🐾 CB

VARS SAINTE MARIE (B3)
05560 Hautes Alpes
1650 m. • 880 hab. ⓘ

🔺 LA MAYT ★★
Mme Risoul
☎ 04 92 46 50 07 **FAX** 04 92 46 63 92
🛏 20 ◻ 250/430 F. ⬛ 38 F.
🍴 88/120 F. 👫 60 F. 🍴 260/380 F.
✉ 15 avr./1er juil. et 1er sept./20 déc.
ⓘ 📷 ☎ 🚗 ☂ 🎣 CV 🐾 CB

🔺🔺 LE VALLON ★★
M. Rostollan
☎ 04 92 46 54 72 **FAX** 04 92 46 61 62
🛏 33 ◻ 260/450 F. ⬛ 38 F.
🍴 90/122 F. 👫 53 F. 🍴 250/360 F.
✉ 20 avr./30 juin et 1er sept./20 déc.
⬛ ⓘ 📷 ☎ 🚗 ☂ 🎣 CV ⊞ 🐾 CB

VILLAR D'ARENE (A2)
05480 Hautes Alpes
1650 m. • 170 hab. ⓘ

🔺 LE FARANCHIN ★★
Mme Amieux
☎ 04 76 79 90 01 **FAX** 04 76 79 92 88
⛽ 100F 🛏 39 ◻ 155/310 F. ⬛ 37 F.
🍴 70/170 F. 👫 45 F. 🍴 190/275 F.
✉ 1er/10 avr., 20 avr./1er juin sauf
Ascension et Pentecôte, 15 oct./
1er janv.
⬛ ⓘ 📷 ☎ 🚗 🚗 ☂ 🎣 CV 🐾 CB

Liste des
hôtels-restaurants

Alpes-
Maritimes

C.R.T. Riviera Côte d'Azur / Image du Sud / D. Zintzmeyer

Association départementale
des Logis de France des Alpes-Maritimes
C.R.T.
55 promenade des Anglais
06000 Nice
Téléphone 04 93 18 61 39

PROVENCE-ALPES-
CÔTE D'AZUR

05
HAUTES-ALPES
Gap ○

84
VAUCLUSE
Avignon ○

Digne-les-
Bains ○ *04*
**ALPES-DE-
HTE-PROVENCE**

06
**ALPES-
MARITIMES**
Nice ○

13
BOUCHES-DU-RHÔNE
Marseille ○

83 VAR
Toulon ○

06 - ALPES-MARITIMES

Ⓐ   Ⓑ

I T A L I E ①

St-Etienne-
de-Tinée

PARC

Auron *DU*
Isola-
Village
Isola 2000

St-Martin-
d'Entraunes *MERCANTOUR*

Roure

Casterino Tende

Guillaumes St-Martin-Vésubie la Brigue

*Gges de
Daluis* Berthemont-
les-Bains St-Dalmas-
de-Tende

Léouve-
la-Croix Camp-
*Gges du
Cians* d'Argent

St-Léger Lantosque Col de
Turini Breil-
sur-Roya

**04 - ALPES-
DE-HAUTE-
PROVENCE**

Puget-
Théniers Villars-
sur-Var

661

le Suquet

Utelle Sospel ▲

Roqueeteron Levens

Aiglun Plan-
du-Var Coaraze Peille Monti

St-Auban Gréolières-
les-Neiges Berre-
des-Alpes Peillon-
Village

Thorenc Caros Menton 🏖 ▲

Courségoules Castagniers Roquebrune-Cap-Martin

la Mamda Aspremont Eze-
Village

Séranon St-Jeannet Colomars **Monte-Carlo**

N 85 ✝ Vence **Monaco**

St-Vallier-
de-Thiey le Bar-
sur-Loup la Gaude Cap-d'Ail

690 Tourrettes-
sur-Loup Eze-Bord-de-Mer
Villefranche-sur-Mer

St-Cézaire-
sur -Siagne **Grasse** Villeneuve-
Loubet **NICE** 🏖

Plascassier *l'Ile-Rousse
Bastia-Ajaccio*

Cabris Valbonne

Mouans-Sartoux Antibes 🏖 *Calvi*

83 - VAR Pégomas Juan-
les-Pins 🏖

Vallauris *Cap d'Antibes* d' *Azur*

Cannes 🏖 Golfe-
Juan *Cap d'Antibes* ② ③

Iles de Lérins *Côte*

0   10 km

Légende p 21

AIGLUN (A2)
06910 Alpes Maritimes
624 m. • 94 hab.

🅰 AUBERGE DE CALENDAL
Mme Blanc
☎ 04 93 05 82 32
🛏 6 ⌷ 210 F. 🛌 30 F. 🍽 75/140 F.
🍴 45 F. 📷 155/210 F.
✉ fév., mer. soir et jeu. hs.
Ⓔ ⬛ 🐾 ⬛ CB

ANTIBES (A-B3)
06600 Alpes Maritimes
80000 hab. 🅸

🅰🅰 AUBERGE PROVENCALE ★
61, place Nationale.
M. Martin
☎ 04 93 34 13 24
🛏 7 ⌷ 250/400 F. 🍽 145/240 F.
🍴 85 F.
✉ janv., lun. et mar. midi.
⬛ 🕾 CB

🅰🅰 LE PONTEIL ★★
11, impasse Jean Mensier.
M. Riedinger
☎ 04 93 34 67 92 📠 04 93 34 49 47
🛏 10 ⌷ 230/380 F. 🛌 42 F. 🍽 110 F.
🍴 85 F. 📷 260/360 F.
✉ 24 nov./27 déc. et 7 janv./3 fév.
Ⓔ Ⓓ 🅸 ⬛ 🕾 🚗 🌳 🛒 CV 🐾 CB

ASPREMONT (B2)
06790 Alpes Maritimes
530 m. • 1500 hab. 🅸

🅰🅰 HOSTELLERIE D'ASPREMONT ★★
Place Saint-Claude
M. Lanteri
☎ 04 93 08 00 05 📠 04 93 08 30 51
🛏 10 ⌷ 230 F. 🛌 30 F. 🍽 95/220 F.
🍴 45 F. 📷 200/230 F.
✉ ven.
Ⓔ 🅸 ⬛ 🕾 🚗 🌳 🚻 🐾 CB

🅰🅰 LE SAINT JEAN ★
Route de Castagniers
M. Viano
☎ 04 93 08 00 66 📠 04 93 08 06 46
🛏 9 ⌷ 170/225 F. 🛌 28 F. 🍽 98/170 F.
🍴 55 F. 📷 195/200 F.
✉ dim. soir et lun.
Ⓔ Ⓓ 🕾 🚗 🌳 🚻 🐾 CB

AURON (A1)
06660 Alpes Maritimes
1600 m. • 2000 hab. 🅸

🅰🅰 LAS DONNAS ★★
Grande Place.
M. Roques
☎ 04 93 23 00 03 📠 04 93 23 07 37
🛏 20 ⌷ 240/450 F. 🛌 30 F.
🍽 95/145 F. 🍴 70 F. 📷 200/370 F.
✉ 1er avr./13 juil. et 25 août/19 déc.
Ⓔ ⬛ 🚻 CB

Le BAR SUR LOUP (A3)
06620 Alpes Maritimes
1691 hab. 🅸

🅰 LA THEBAIDE ★
54, Chemin de la Santoline.
Mlle Reboul
☎ 04 93 42 41 19
🛏 9 ⌷ 130/260 F. 🛌 25 F. 🍽 75/ 85 F.
🍴 45 F. 📷 180/250 F.
Ⓔ 🅸 ⬛ 🕾 🚗 🌳 🐾

BERRE LES ALPES (B2)
06390 Alpes Maritimes
680 m. • 900 hab.

🅰🅰 DES ALPES ★
Au Borriglionne Mme Puons
☎ 04 93 91 80 05 📠 04 93 91 85 69
🛏 8 ⌷ 220/250 F. 🛌 28 F. 🍽 90/140 F.
🍴 60 F. 📷 260/280 F.
✉ 1er nov./15 déc. et lun. hs.
🚗 🐾

BERTHEMONT LES BAINS (B2)
06450 Alpes Maritimes
930 m. • 60 hab.

🅰 CHALET DES ALPES ★
M. Monni
☎ 04 93 03 51 65
🛏 7 ⌷ 180/200 F. 🍽 80/120 F. 🍴 50 F.
📷 250/280 F.
✉ 1er sept./1er avr.
Ⓔ 🅸 ⬛ 🕾 🚗 🌳 🐾 ⬛

BEUIL (A2)
06470 Alpes Maritimes
1450 m. • 387 hab. 🅸

🅰🅰 L'ESCAPADE ★★
M. Mary
☎ 04 93 02 31 27
🛏 9 ⌷ 220/310 F. 🛌 50 F.
🍽 105/150 F. 🍴 65 F. 📷 285/330 F.
✉ 15 nov./20 déc.
Ⓔ 🅸 ⬛ 🕾 🚗 🐾

BREIL SUR ROYA (B2)
06540 Alpes Maritimes
2160 hab. 🅸

🅰🅰🅰 CASTEL DU ROY ★★
Route de Tende.
M. Huyghe
☎ 04 93 04 43 66 📠 04 93 04 91 83
🛏 18 ⌷ 310/410 F. 🛌 40 F.
🍽 110/210 F. 🍴 70 F. 📷 260/350 F.
✉ 2 nov./28 fév. Rest. mar. midi hs.
Ⓔ ⬛ 🕾 🚗 🌳 🚻 🌳 🛒 CV 🐾 CB

🅰🅰 LE ROYA ★★
Place Bianchéri. M. Mathieu
☎ 04 93 04 48 10 📠 04 93 04 92 70
🛏 13 ⌷ 220/280 F. 🛌 35 F.
🍽 95/220 F. 🍴 55 F. 📷 270 F.
✉ vac. fév. et lun. hs.
Ⓓ 🅸 ⬛ 🕾 🚗 🌳 🛒 CV 🐾

La BRIGUE (B2)
06430 Alpes Maritimes
800 m. • 600 hab.

LE MIRVAL ★★
M. Dellepiane
☎ 04 93 04 63 71 ⌧ 04 93 04 79 81
🏠 13 ⌧ 260/330 F. 🍽 35 F.
🍴 85/150 F. 🛏 55 F. 🍴 250/290 F.
⌧ 1er janv./1er avr.

CABRIS (A3)
06530 Alpes Maritimes
1100 hab. ⓘ

L'HORIZON ★★
M. Léger-Roustan
☎ 04 93 60 51 69 ⌧ 04 93 60 56 29
🏠 22 ⌧ 330/610 F. 🍽 45 F. 🍴 105 F.
⌧ 16 oct./20 mars.

CAP D'AIL (B2-3)
06320 Alpes Maritimes
5000 hab. ⓘ

LA CIGOGNE ★★
Route de la Plage-Mala. M. Macchi
☎ 04 93 78 29 60 ⌧ 04 93 41 86 62
🏠 15 ⌧ 360/420 F. 🍽 35 F.
🍴 100/130 F. 🛏 38 F. 🍴 290/330 F.
⌧ 6 janv./6 mars.

CARROS (B2)
06510 Alpes Maritimes
10747 hab.

LOU CASTELET ★★
(Plan de Carros). M. Servella
☎ 04 93 29 16 66 ⌧ 04 93 08 86 18
🏠 14 ⌧ 250/400 F. 🍽 30 F.
🍴 98/180 F. 🛏 60 F. 🍴 240 F.
⌧ nov. et lun.

PROMOTEL ★★
Première av. de Carros.
M. Servella
☎ 04 93 08 77 80 ⌧ 04 93 08 73 96
🏠 27 ⌧ 295/315 F. 🍽 39 F. 🍴 98 F.
🛏 60 F. 🍴 240/260 F.

CASTAGNIERS (B2)
06670 Alpes Maritimes
1076 hab.

CHEZ MICHEL ★★
Place St Michel M. Michel
☎ 04 93 08 05 15 \ 04 93 08 06 66
⌧ 04 93 08 05 38
🏠 16 ⌧ 255/270 F. 🍽 32 F.
🍴 98/160 F. 🛏 50 F. 🍴 275 F.
⌧ 1er nov./1er déc. et lun.

SERVOTEL ★★
1976, route de Grenoble. M. Servella
☎ 04 93 08 22 00 ⌧ 04 93 29 03 66
🏠 36 ⌧ 250/330 F. 🍽 40 F.
🍴 90/150 F. 🛏 50 F. 🍴 220/270 F.

CASTERINO (B1)
06430 Alpes Maritimes
1600 m. • 25 hab. ⓘ

LES MELEZES ★
M.Me Boulanger
☎ 04 93 04 95 95 ⌧ 04 93 04 95 96
🏠 15 🍴 100/160 F. 🛏 45 F. 🍴 260 F.
⌧ 18 nov./27 déc., dim. soir et lun. hs.

COARAZE (B2)
06390 Alpes Maritimes
620 m. • 540 hab. ⓘ

AUBERGE DU SOLEIL ★★
Mme Jacquet
☎ 04 93 79 08 11 ⌧ 04 93 79 37 79
🏠 7 ⌧ 350/495 F. 🍽 45 F. 🍴 142 F.
🛏 70 F. 🍴 360/440 F.
⌧ 15 nov./15 mars.

COLOMARS (B2)
06670 Alpes Maritimes
2307 hab. ⓘ

DU REDIER ★★★
M. Scoffier
☎ 04 93 37 94 37 ⌧ 04 93 37 95 55
🏠 26 ⌧ 250/400 F. 🍽 40 F.
🍴 120/165 F. 🍴 350/400 F.

... *à proximité*

La MANDA (A-B2)
06670 Alpes Maritimes
3000 hab.

2 km Est Colomars par D 414

**AUBERGE DE LA MANDA Rest. LES
PALMIERS** ★★
(Pont de la Manda) Sur N.202.
Mme Castiglia
☎ 04 93 08 11 64 ⌧ 04 93 29 23 58
🏠 14 ⌧ 180/280 F. 🍽 35 F.
🍴 75/160 F. 🛏 50 F. 🍴 210/260 F.

COURSEGOULES (A2)
06140 Alpes Maritimes
1020 m. • 201 hab. ⓘ

L'ESCAOU ★★
M. Braganti
☎ 04 93 59 11 28 ⌧ 04 93 59 13 70
🏠 10 ⌧ 280 F. 🍽 35 F. 🍴 100/170 F.
🛏 45 F. 🍴 270 F.
⌧ 3 janv./3 fév., dim. soir et lun. hors
vac. scol.

EZE BORD DE MER (B2-3)
06360 Alpes Maritimes
2446 hab. ⓘ

▲▲ AUBERGE ERIC RIVOT ★★
Av. de la Liberté. M. Rivot
☎ 04 93 01 51 46 📠 04 93 01 58 40
🛏 7 ◎ 250/280 F. 🍽 30 F.
⑪ 120/205 F. 🍴 60 F. 🚗 250/280 F.
⊠ 28 oct./24 nov. et mer.
Ⓔ ⓘ 🖥 ☎ 🛌 🕭 CV 🎱 🎣 CB

EZE VILLAGE (B2)
06360 Alpes Maritimes
2400 hab. ⓘ

▲▲ AUBERGE DES 2 CORNICHES ★★
M. Maume
☎ 04 93 41 19 54 📠 04 93 41 19 54
🛏 7 ◎ 330 F. 🍽 30 F. 🚗 310 F.
⊠ 6 nov./22 déc.
Ⓔ Ⓓ 🖥 ☎ 🎣 🍴 🕭 CB

▲▲ L'HERMITAGE DU COL D'EZE ★★
(Sur la Grande Corniche). M. Bérardi
☎ 04 93 41 00 68 📠 04 93 41 24 05
🛏 14 ◎ 170/295 F. 🍽 27 F.
⑪ 90/180 F. 🍴 90 F. 🚗 205/260 F.
⊠ lun. et jeu. midi. Hôtel 15 déc./
15 janv. Rest. 15 oct./15 fév.
Ⓓ ⓘ 🖥 ☎ 🎣 🍴 ⚓ 🎣

La GAUDE (A-B3)
06610 Alpes Maritimes
3000 hab. ⓘ

▲ LES TROIS MOUSQUETAIRES ★
M. Gagliardini
☎ 04 93 24 40 60
🛏 8 ◎ 200/260 F. 🍽 25 F.
⑪ 130/160 F. 🍴 60 F. 🚗 190/240 F.
⊠ rest. 28 oct./9 nov. et mer.
Ⓔ ⓘ ☎ 🎣 🍴 CV 🎣 CB

GOLFE JUAN (A3)
06220 Alpes Maritimes
20000 hab. ⓘ

▲▲▲ BEAU SOLEIL ★★★
Impasse Beau Soleil M. Virenque
☎ 04 93 63 63 63 📠 04 93 63 02 89
🛏 30 ◎ 300/570 F. 🍽 50 F.
⑪ 89/125 F. 🍴 45 F. 🚗 290/395 F.
⊠ 15 oct./25 mars. Rest. mer. midi.
Ⓔ SP 🖥 ☎ 🚗 🛌 🎱 🎣 🎣 CV
CB

▲▲ CHEZ CLAUDE ★★
162, av. de la Liberté.Sur N.7.
M. Fugairon
☎ 04 93 63 71 30 📠 04 93 63 79 50
🛏 7 ◎ 280 F. 🍽 35 F. ⑪ 98/180 F.
🍴 45 F. 🚗 280 F.
Ⓔ ⓘ 🖥 ☎ 🚗 🚗 🍴 🎣 ⊘ CB

▲▲ DE CRIJANSY ★★
Av. Juliette Adam. Mme Bayol
☎ 04 93 63 84 44 📠 04 93 63 42 04
🛏 20 ◎ 250/380 F. 🍽 32 F.

⑪ 100/180 F. 🍴 50 F. 🚗 320/340 F.
⊠ 30 sept./10 fév.
Ⓔ ⓘ 🖥 ☎ 🎣 🍴 CV 🎣 CB

▲▲ PALM HOTEL ★★
17, av. de la Palmeraie.
M. Nigoghossian
☎ 04 93 63 72 24 📠 04 93 63 18 45
🛏 20 ◎ 200/400 F. 🍽 35 F.
⑪ 95/160 F. 🍴 45 F. 🚗 280/340 F.
Ⓔ Ⓓ ⓘ 🖥 ☎ 🚗 🍴 🎣 ⚓ CV 🎣 CB
🎱 CR

GRASSE (A3)
06130 Alpes Maritimes
45000 hab. ⓘ

▲▲ DE LA BELLAUDIERE ★★
78, route de Nice, D2085. M. Maure
☎ 04 93 36 02 57 📠 04 93 36 40 03
🛏 17 ◎ 200/360 F. 🍽 35 F. ⑪ 75 F.
🍴 45 F. 🚗 200/298 F.
⊠ 15 nov./28 déc., dim. et lun. hs.
Ⓔ ⓘ 🖥 ☎ 🚗 🍴 🏃 CV 🎣 CB

▲▲ LES AROMES ★★
115, route nationale 85. M. Buetto
☎ 04 93 70 42 01
🛏 7 ◎ 260/420 F. 🍽 25 F. ⑪ 95/190 F.
🍴 50 F. 🚗 230/250 F.
⊠ hôtel 24/31 déc. Rest. sam.
1er sept./30 juin.
Ⓔ ⓘ 🖥 ☎ 🚗 CV 🎣 CB

GREOLIERES LES NEIGES (A2)
06620 Alpes Maritimes
1400 m. ● 295 hab.

▲▲▲ AUBERGE ALPINA ★★
Mme Chahinian
☎ 04 93 59 70 19 📠 04 93 59 70 11
🛏 8 ◎ 270/350 F. 🍽 30/ 40 F.
🚗 245/270 F.
⊠ 3 nov./20 déc. Rest. 15 avr./15 juin
et jeu.
Ⓔ Ⓓ 🖥 ☎ 🚗 🍴 🎣 🎣 🏃 🎣 CV 🎣

GUILLAUMES (A2)
06470 Alpes Maritimes
800 m. ● 500 hab. ⓘ

▲ LES CHAUDRONS ★
Place de Provence. M. Coupery
☎ 04 93 05 50 01
🛏 10 ◎ 185 F. 🍽 25 F. ⑪ 78/148 F.
🚗 195/225 F.
⊠ 12 nov./3 janv., dim. soir et lun.
Ⓔ 🚗 🎱 🎣

ISOLA VILLAGE (A1)
06420 Alpes Maritimes
873 m. ● 540 hab. ⓘ

▲ DE FRANCE ★
Place Borelli. Mme Bacquez
☎ 04 93 02 17 04
🛏 16 🚗 215/255 F.
⊠ mai, oct. et ven.
Ⓔ 🖥 CV 🎣 CB

JUAN LES PINS (A-B3)
06160 Alpes Maritimes
80000 hab. ⓘ

A CECIL ★★
Rue Jonnard. M. Courtois
☎ 04 93 61 05 12 ℻ 04 93 67 09 14
🛏 18 ⬚ 200/360 F. 🍽 35 F. 🍴 80 F.
🚶 60 F. 🅿 250/300 F.
ⓔ ⓘ 🔲 ☎ CV 🐾 CB

AA JUAN BEACH ★★
5, rue de l'Oratoire. Mme Moreau
☎ 04 93 61 02 89 ℻ 04 93 61 16 63
120F 🛏 27 ⬚ 270/400 F. 🍽 40 F.
🍴 120/155 F. 🚶 50 F. 🅿 295/415 F.
✉ 1er nov./1er avr.
ⓘ 🔲 ☎ 🚗 🚶 CV 🐾 CB 📷 🎁

LANTOSQUE (B2)
06450 Alpes Maritimes
700 hab.

AAA HOSTELLERIE DE L'ANCIENNE
GENDARMERIE ★★★
(Le Rivet). M. Winther
☎ 04 93 03 00 65 ℻ 04 93 03 06 31
120F 🛏 8 ⬚ 350/710 F. 🍽 45 F.
🍴 120/285 F. 🚶 85 F. 🅿 385/565 F.
✉ 1er oct./Pâques et lun.
ⓔ Ⓓ SP ⓘ 🔲 ☎ 🚗 🛏 🚶 🔷 ♿ 🚶
🐾 CB

LEOUVE LA CROIX (A2)
06260 Alpes Maritimes
750 m. • 70 hab.

AA HOSTELLERIE LES TILLEULS ★★
Par D 16. Mme Belleudy
☎ 04 93 05 02 07 ℻ 04 93 05 09 95
120F 🛏 14 ⬚ 250/300 F. 🍽 45 F.
🍴 110/180 F. 🚶 70 F. 🅿 260/300 F.
ⓔ ☎ 🚶 🔷 🏄 ♿ CV 🐾 CB

LEVENS (B2)
06670 Alpes Maritimes
600 m. • 2800 hab. ⓘ

AA DES GRANDS PRES ★
M. Romulus
☎ 04 93 79 70 35
100F 🛏 8 ⬚ 190/290 F. 🍽 27 F. 🍴 85/125 F.
🚶 50 F. 🅿 240 F.
✉ 15 déc./15 fév.
Ⓓ 🚗 🚶 ♿ CV 🐾 CB

AA LA CHAUMIERE ★★
Quartier des Prés. M. Poblet
☎ 04 93 79 71 58
100F 🛏 16 ⬚ 220 F. 🍽 25 F. 🚶 50 F.
🅿 250 F.
✉ 25 oct./8 nov. et 5/20 janv.
ⓔ SP ⓘ 🔲 ☎ 🚗 🚶 ♿ CV 🚶
CB

AA MALAUSSENA ★★
9, place de la République.
M. Malausséna
☎ 04 93 79 70 06 ℻ 04 93 79 85 89

80F 🛏 13 ⬚ 180/290 F. 🍽 35 F.
🍴 95/180 F. 🚶 55 F. 🅿 200/230 F.
✉ 25 oct./15 déc.
ⓔ ⓘ 🔲 ☎ 🚗 🛏 🚶 ♿ CV 🔅 🐾

La MANDA (A-B2)
06670 Alpes Maritimes
>>> *voir COLOMARS*

MENTON (B2)
06500 Alpes Maritimes
30000 hab. ⓘ

AA DE LONDRES ★★
15, av. Carnot. M. Bensoussan
☎ 04 93 35 74 62 ℻ 04 93 41 77 78
100F 🛏 21 ⬚ 250/480 F. 🍽 33 F.
🍴 100/140 F. 🚶 50 F. 🅿 225/360 F.
✉ 20 oct./20 déc. Rest. mer.
ⓔ ⓘ 🔲 ☎ 🚗 🛏 🚶 🔷 🐾 CB 🎁

AA LE GLOBE ★★
21, av. de Verdun. M. Cannavo
☎ 04 92 10 59 70 ℻ 04 92 10 59 71
🛏 20 ⬚ 250/350 F. 🍽 30 F.
🍴 90/250 F. 🚶 40 F. 🅿 245/295 F.
✉ 15 nov./15 déc. Rest. lun. hs.
ⓔ ⓘ 🔲 ☎ 🚗 🛏 CV 🐾 CB

AAA PARIS ROME ★★
79, Porte de France. Mme Castellana
☎ 04 93 35 73 45 ℻ 04 93 35 29 30
🛏 15 ⬚ 290/450 F. 🍽 42 F.
🍴 85/175 F. 🚶 50 F. 🅿 263/345 F.
✉ 11 nov./27 déc. et lun.
ⓔ ⓘ 🔲 ☎ 🚗 🚗 🛏 🚶 ♿ 🔷 CV 🔅 🐾
CB 📷 🎁

... à proximité

MONTI (B2)
06503 Alpes Maritimes
300 hab. ⓘ

5 km Nord Menton par D 2566

AA LE RELAIS DE MONTI ★★
Route de Sospel. M. Bollaro
☎ 04 93 35 81 08
120F 🛏 10 ⬚ 256/326 F. 🍽 30 F.
🍴 118/195 F. 🚶 65 F. 🅿 255/290 F.
✉ 3 nov./15 déc. et mer.
ⓔ ⓘ 🔲 🚗 🐾 CB

MONTI (B2)
06503 Alpes Maritimes
>>> *voir MENTON*

MOUANS SARTOUX (A3)
06370 Alpes Maritimes
8000 hab. ⓘ

A LA PAIX ★
Route Nationale. Mme Saudino
☎ 04 93 75 65 30
🛏 14 ⬚ 130/290 F. 🍽 30 F.
🍴 58/75 F. 🚶 32 F. 🅿 158/200 F.
✉ rest. dim.
ⓔ ⓘ 🔲 ☎ 🚗 🛏 CV 🔅 🐾 CB

NICE (B3)
06000 Alpes Maritimes
295000 hab. 🛈

AA LE PANORAMIC ★★
107, bld Bischoffeim - Grande Corniche.
M. Dupupet
☎ 04 93 89 12 46 ⅎ 04 93 89 76 51
🛏 12 ◎ 200/290 F. 🍽 30 F.
⍁ 80/90 F. ⌁ 50 F. 🍴 230/260 F.
[E] [i] 🛉 🕾 🚗 CV ⍟ CB ⍐

A LES GEMEAUX ★
S/Grande Corniche-149, bld
Observatoire.
M. Dieude
☎ 04 93 89 03 60 ⅎ 04 93 26 90 38
🛏 12 ◎ 190/265 F. ⍁ 65/125 F.
⌁ 50 F. 🍴 170/225 F.
⊠ rest. dim. 1er nov./1er mars.
[E] [SP] [i] 🛉 🕾 🚗 ⍔ ⍕ CV ⍟ CB

PEGOMAS (A3)
06580 Alpes Maritimes
5000 hab. 🛈

A LES JASMINS ★
531, av. Frédéric Mistral.
M. Latour
☎ 04 93 42 22 94
🛏 14 ◎ 200/300 F. 🍽 30 F.
⍁ 65/160 F. ⌁ 35 F. 🍴 210/300 F.
⊠ nov. et mer.
🚗 CV ⍟ CB

PEILLE (B2)
06440 Alpes Maritimes
630 m. • 1000 hab. 🛈

A BELVEDERE HOTEL
3, place Jean Hiol.
M. Beauseigneur
☎ 04 93 79 90 45
🛏 5 ◎ 180/220 F. 🍽 30 F. ⍁ 88/155 F.
🍴 220/240 F.
⊠ 1er/24 déc.
[E] [i]

PEILLON VILLAGE (B2)
06440 Alpes Maritimes
110 hab. 🛈

AAA AUBERGE DE LA MADONE ★★★
M. Millo
☎ 04 93 79 91 17 ⅎ 04 93 79 99 36
🛏 18 ◎ 430/780 F. 🍽 60 F.
⍁ 140/280 F. ⌁ 85 F. 🍴 460/680 F.
⊠ 7/24 janv., 20 oct./20 déc. et mer.
[E] [D] [i] 🛉 🕾 🚗 ⍔ ⍕ ⍖ ⍗ ⍘ ⍙
⍏

PLAN DU VAR (A-B2)
06670 Alpes Maritimes
200 hab.

AA CASSINI ★★
231, av. de la porte des Alpes. M. Martin
☎ 04 93 08 91 03 ⅎ 04 93 08 45 48
🛏 14 ◎ 120/200 F. 🍽 30 F.

🍴 85/195 F. ⌁ 60 F. 🍴 190/220 F.
⊠ 15 jours fév., 15 jours juin, dim. soir
et lun. sauf juil./ août.
[E] [D] [i] 🛉 🕾 🚗 🚗 CV ⍘ ⍟ CB

PLASCASSIER DE GRASSE (A3)
06130 Alpes Maritimes
1500 hab.

AA AUBERGE LA TOURMALINE ★★
381, route de Plascassier.
Mme Jehanno-Pierens
☎ 04 93 60 14 44\04 93 60 10 08
ⅎ 04 93 60 07 92
🛏 5 ◎ 250/300 F. 🍽 35/ 50 F.
⍁ 115/249 F. ⌁ 65 F. 🍴 275/300 F.
[E] 🕾 🚗 ⍔ ⍕ ⍖ ⍟ CB

AA LES MOULINIERS ★★
92, chemin de Masseboeuf. M. Blary
☎ 04 93 60 10 37 ⅎ 04 93 60 17 82
🛏 10 ◎ 190/290 F. ⍁ 70/140 F.
⌁ 45 F. 🍴 220/300 F.
⊠ 2/20 nov. et dim. soir.
[E] 🛉 🕾 🚗 ⍔ ⍕ CV ⍟ CB

ROQUEBRUNE CAP MARTIN (B3)
06190 Alpes Maritimes
15000 hab. 🛈

A EUROPE VILLAGE ★
av. Virginie Hériot. M. Prat
☎ 04 93 35 62 45 ⅎ 04 93 57 72 59
🛏 24 ◎ 370 F. ⍁ 90 F. ⌁ 50 F.
🍴 275 F.
⊠ 10 nov./6 fév.
[E] [D] [i] 🛉 🕾 🚗 ⍔ ⍘ CB

AA WESTMINSTER ★★
14, av. Louis Laurens. M. Pérégrini
☎ 04 93 35 00 68 ⅎ 04 93 28 88 50
🛏 27 ◎ 205/440 F. 🍽 25 F.
⍁ 75/105 F. ⌁ 55 F. 🍴 250/360 F.
⊠ 15 nov./15 fév. Rest. mer.
[E] [D] [i] 🛉 🕾 🚗 ⍔ ⍕ ⍖ CV ⍘ ⍐

ROURE (A1-2)
06420 Alpes Maritimes
1100 m. • 147 hab. 🛈

A LE ROBUR ★
Rue Centrale. M. Galli
☎ 04 93 02 03 57
🛏 12 ◎ 170/340 F. ⍁ 90/160 F.
⌁ 50 F. 🍴 230/260 F.
[E] ⍘ ⍟ CB

SAINT CEZAIRE SUR SIAGNE (A3)
06530 Alpes Maritimes
2500 hab. 🛈

AAA L'HOSTELLERIE DES CHENES
BLANCS ★★
2020, route de Saint Vallier. M.Me Tort
☎ 04 93 60 20 09 ⅎ 04 93 60 81 66
🛏 20 ◎ 240/300 F. 🍽 35 F.
⍁ 98/198 F. ⌁ 45 F. 🍴 255/320 F.
[E] [SP] [i] 🛉 🕾 🚗 ⍔ ⍕ ⍖ ⍗ ⍘ CV
⍘ ⍟ CB

SAINT CEZAIRE SUR SIAGNE (A3)
(suite)

♨ LA PETITE AUBERGE
4, place Général de Gaulle.
M.Me Phillippoteaux
☎ 04 93 60 26 60 📠 04 93 60 26 60
🏷100F ♿ 6 ◎ 128/198 F. ⬛ 30 F. 🍴 75/158 F.
🚶 48 F. 🖼 182 F.
⊠ 15 déc./15 janv. Rest. lun. soir et
mar. sauf juil./août.
🅴 CV ◀ CB

SAINT DALMAS DE TENDE (B2)
06430 Alpes Maritimes
700 m. • 400 hab. 🛈

♨ TERMINUS ★★
Rue des Martyrs.
M. Giordano
☎ 04 93 04 96 96 📠 04 93 04 96 97
🏷120F ♿ 10 ◎ 190/320 F. ⬛ 35 F.
🍴 80/150 F. 🚶 49 F. 🖼 230/280 F.
⊠ 16 nov./31 mars.
🅴 SP 🛈 ☎ 🚗 �🐟 �🎿 CV 🕸 ◀ CB

SAINT ETIENNE DE TINEE (A1)
06660 Alpes Maritimes
1142 m. • 2030 hab. 🛈

♨ DES AMIS
3, rue Val Gelé.
Mme Fulconis-Bergé
☎ 04 93 02 40 30
♿ 7 ◎ 200/250 F. ⬛ 25 F. 🍴 80/100 F.
🚶 40 F. 🖼 185/190 F.
🗗 ☎ 🕸

♨♨ LE REGALIVOU ★
Bld d'Auron.
MeM. Grosso/Emeric
☎ 04 93 02 49 00 📠 04 93 23 00 40
♿ 12 ◎ 300 F. ⬛ 30 F. 🍴 90/120 F.
🚶 55 F. 🖼 250 F.
⊠ 15 avr./15 mai et 7 oct./20 déc.
🗗 ☎ 🚗 �🎿 🐟 CV 🕸 CB

SAINT JEANNET (A-B2)
06640 Alpes Maritimes
3500 hab. 🛈

♨ SAINTE-BARBE ★
Place Sainte Barbe.
M. Priori
☎ 04 93 24 94 38
♿ 4 ◎ 165/220 F. ⬛ 35 F. 🍴 80/110 F.
🚶 45 F. 🖼 240/260 F.
⊠ 20 oct./20 nov. et mer.
🅴 🛈 ☎ 🚗 🐟 ♿ CV 🕸 CB

SAINT LEGER (A2)
06260 Alpes Maritimes
1000 m. • 54 hab.

♨ AUBERGE DU COUSTET
Rue principale.
M. Ambaud
☎ 04 93 05 11 90 📠 04 93 05 10 00

♿ 7 ◎ 200 F. ⬛ 28 F. 🍴 98/120 F.
🚶 45 F. 🖼 205/255 F.
⊠ janv. et mer. 1er oct./1er avr.
🗗 🐟 ♿ CV 🕸

SAINT MARTIN D'ENTRAUNES (A1)
06470 Alpes Maritimes
1000 m. • 115 hab. 🛈

♨ AUBERGE LES AIGUILLES
(à Val Pelens, altitude 1650 m.)
Mme Dehais
☎ 04 93 05 52 83
♿ 7 ◎ 30 F. 🍴 85/115 F. 🚶 50 F.
🖼 210/230 F.
⊠ mar. après-midi et mer. sauf vac. scol.
🅴 🛈 🚗 ☎ 🐟 ♿ CV 🕸 CB

SAINT MARTIN VESUBIE (B2)
06450 Alpes Maritimes
960 m. • 1156 hab. 🛈

♨♨ EDWARD'S ET CHATAIGNERAIE ★★
M. Raiberti
☎ 04 93 03 21 22 📠 04 93 03 33 99
♿ 16 ◎ 350/440 F. ⬛ 25 F. 🍴 100 F.
🚶 50 F. 🖼 285/320 F.
⊠ 30 sept./10 juin.
🅴 D ☎ 🚗 ☎ 🐟 ▶ CV CB

♨♨ LA BONNE AUBERGE ★★
M. Roberi
☎ 04 93 03 20 49 📠 04 93 03 20 69
♿ 13 ◎ 240/290 F. ⬛ 30 F.
🍴 95/135 F. 🖼 230/260 F.
⊠ 15 nov./1er fév.
🗗 ☎ CB

SAINT VALLIER DE THIEY (A3)
06460 Alpes Maritimes
720 m. • 1800 hab. 🛈

♨♨♨ LE PREJOLY ★★
M. Pallanca
☎ 04 93 42 60 86 📠 04 93 42 67 80
♿ 17 ◎ 200/300 F. 🍴 98/220 F.
🚶 60 F. 🖼 300/360 F.
⊠ 15 déc./20 janv., mar. sauf juil./août.
🅴 D SP 🛈 🗗 ☎ 🚗 🍴 🕷 🐟 ♿
CV 🕸 ◀ CB

♨♨♨ LE RELAIS IMPERIAL ★★
Sur route Napoléon, N.85. M. Pasquier
☎ 04 93 42 60 07 📠 04 93 42 66 21
🏷100F ♿ 30 ◎ 170/450 F. ⬛ 35 F.
🍴 95/200 F. 🚶 45 F. 🖼 210/350 F.
🅴 D SP 🛈 🗗 ☎ ♿ 🖂 ☎ 🐟 CV 🕸
🕸 CB 🖨 🆑

SOSPEL (B2)
06380 Alpes Maritimes
2650 hab. [i]

DE FRANCE ★★
M. Volle
☎ 04 93 04 00 01 FAX 04 93 04 20 46
[100F] 11 ⊗ 200/300 F. 🍽 30 F.
🍴 65/110 F. 🛏 45 F. 🖼 200/250 F.
[E] [i] 🗆 ☎ 🚗 🍹 [⋮] ● [CB]

DES ETRANGERS ★★
7, bld de Verdun.
M. Domerego
☎ 04 93 04 00 09 FAX 04 93 04 12 31
[100F] 27 ⊗ 250/340 F. 🍽 36 F.
🍴 75/150 F. 🛏 40 F. 🖼 270/370 F.
⊠ 24 nov./20 fév.
[E] [SP] [i] 🗆 ☎ 🚗 ↕ 🔧 🖥 ♣ ♿
[CV] [⋮] ● [CB]

L'AUBERGE PROVENCALE ★★
Route du Col de Castillon.
Mme Luciano
☎ 04 93 04 00 31
🛏 9 ⊗ 170/350 F. 🍽 30 F. 🍴 75/150 F.
🛏 75 F. 🖼 205/295 F.
⊠ mi-nov./mi-déc. Rest. jeu. midi.
[E] [i] ☎ 🚗 🍹 ●

Le SUQUET (B2)
06450 Alpes Maritimes
60 hab.

AUBERGE DU BON PUITS ★★
Mlle Corniglion
☎ 04 93 03 17 65 FAX 04 93 03 10 48
[100F] 10 ⊗ 280/320 F. 🍽 38 F.
🍴 99/155 F. 🛏 75 F. 🖼 310/330 F.
⊠ 1er déc./10 avr. et mar. sauf
juil./août.
[E] [D] [i] 🗆 ☎ 🚗 🚗 ↕ 🅜 🖥 🍹 🔧
♿ [CV] [⋮] ●

TENDE (B1)
06430 Alpes Maritimes
815 m. • 2045 hab. [i]

LE MIRAMONTI ★
5-7, rue Vassalo.
Mme Amendola
☎ 04 93 04 61 82
[100F] 9 ⊗ 180/220 F. 🍽 30 F. 🍴 70/120 F.
🛏 40 F. 🖼 200 F.
⊠ 15/30 nov., dim. soir et lun. hs.
[E] [i] 🍹 🔧 [CV] ● [CB]

THORENC (A2)
06750 Alpes Maritimes
1250 m. • 120 hab. [i]

AUBERGE LES MERISIERS ★★
Av. du Belvédère. M. Maurel
☎ 04 93 60 00 23 FAX 04 93 60 02 17
[100F] 12 ⊗ 200/250 F. 🍽 30 F.
🍴 95/152 F. 🛏 45 F. 🖼 230/250 F.
⊠ mar. hs.
[E] [i] 🗆 ☎ 🖥 🍹 [CV] ● [CB]

DES VOYAGEURS ★★
Mme Rouquier
☎ 04 93 60 00 66 \ 04 93 60 00 18
FAX 04 93 60 03 51
[120F] 12 ⊗ 180/300 F. 🍽 35 F.
🍴 91/145 F. 🖼 250/300 F.
[E] [SP] [i] 🗆 ☎ 🚗 🍹 [CV] ● [CB]

TOURRETTES SUR LOUP (A3)
06140 Alpes Maritimes
2700 hab. [i]

AUBERGE BELLES TERRASSES ★★
Route de Vence, Nº 1315. M. Ferrando
☎ 04 93 59 30 03 FAX 04 93 59 31 27
🛏 14 ⊗ 190/260 F. 🍽 35 F.
🍴 90/150 F.
⊠ rest. 10 nov./1er déc., 12/20 janv. et
lun. sauf pensionnaires.
[E] [SP] ☎ 🚗 🔧 ● [CB]

LA GRIVE DOREE ★★
Route de Grasse. M. Smeteck
☎ 04 93 59 30 05 FAX 04 93 59 28 66
[100F] 14 ⊗ 190/260 F. 🍽 30 F.
🍴 98/175 F. 🛏 55 F. 🖼 215/240 F.
[E] ☎ 🚗 [CV] ●

TURINI (CAMP D'ARGENT) (B2)
06440 Alpes Maritimes
1750 m. • 10 hab.

LE YETI ★★
Camp d'Argent. Mme Maniccia
☎ 04 93 91 57 01 FAX 04 93 91 58 88
🛏 6 ⊗ 280 F. 🍽 30 F. 🍴 80/185 F.
🛏 35 F. 🖼 260 F.
[E] [i] 🗆 ☎ 🍹 🔧 ● [CB]

RELAIS DU CAMP D'ARGENT
M. Chiavarino
☎ 04 93 91 57 58 FAX 04 93 91 58 08
🛏 9 ⊗ 280 F. 🍽 35 F. 🍴 80/135 F.
🛏 40 F. 🖼 230 F.
[E] [i] 🗆 🚗 🔧 🔧 ● [CB]

TURINI (COL DE) (B2)
06440 Alpes Maritimes
1607 m. • 20 hab.

LES TROIS VALLEES ★★
Col de Turini. M. Lhommède
☎ 04 93 91 57 21 FAX 04 93 79 53 62
🛏 18 ⊗ 250/600 F. 🍽 48 F.
🍴 120/320 F. 🛏 75 F. 🖼 263/485 F.
[E] [D] [SP] 🗆 ☎ 🚗 🍹 🖥 🔧 ♿ 🔧
[CV] [⋮] ● [CB] [GR]

UTELLE (B2)
06450 Alpes Maritimes
800 m. • 450 hab.

BELLEVUE ★★
Route de la Madone. M. Martinon
☎ 04 93 03 17 19 FAX 04 93 03 17 19
🛏 17 ⊗ 190/280 F. 🍽 38 F.
🍴 70/150 F. 🛏 40 F. 🖼 240/280 F.
⊠ hôtel oct./avr. et mer. hs.
[E] [i] 🍹 [⋮] ●

VALBONNE (A3)
06560 Alpes Maritimes
7374 hab. [i]

▲▲ LA CIGALE ★★
Route d'Opio.
M. Marquebielle
☎ 04 93 12 24 43
[†] 11 ⬡ 310/330 F. ■ 37 F.
[†] 92/135 F. [†] 48 F. [†] 255 F.
⊠ rest. 15/31 janv., 10/20 juin,
23 nov./3 déc. et mar. sauf juil./août.
[E] [SP] [i] [□] [☎] [⊟] [⋈] [♿] [♠] [CB]

VALLAURIS (A3)
06220 Alpes Maritimes
14000 hab. [i]

▲▲ SIOU AOU MIOU ★★
Quartier Saint-Sébastien «Les Fumades».
Mme Isoardi
☎ 04 93 64 39 89 [FAX] 04 93 64 45 60
[†] 10 ⬡ 290/310 F. ■ 35 F.
[†] 90/140 F. [†] 45 F. [†] 290/320 F.
⊠ soir hiver.
[□] [☎] [⊟] [⋈] [�}] [CV] [♠] [CB] [■]

VENCE (A2-3)
06140 Alpes Maritimes
15000 hab. [i]

▲▲▲ LA ROSERAIE ★★
Av. Henri Giraud.
M. Ganier
☎ 04 93 58 02 20 [FAX] 04 93 58 99 31
[†] 12 ⬡ 395/560 F. ■ 55 F. [†] 190 F.
[†] 90 F.
[E] [D] [i] [□] [☎] [⊟] [⋈] [�}] [♿] [♠] [☼] [▥]
[♠] [CB]

🍴 LE COQ HARDI ★
Route de Cagnes. M. Maume
☎ 04 93 58 11 27
[†] 10 ⬡ 180 F. ■ 30 F. [†] 80/105 F.
[†] 60 F. [†] 210 F.
⊠ 6 janv./6 fév. Rest. mar.
[E] [D] [⋈] [�}] [⊠] [♠] [CB]

▲▲▲ MAS DE VENCE ★★
539, av. Emile Hugues. M. Grazzini
☎ 04 93 58 06 16 [FAX] 04 93 24 04 21
[†] 41 ⬡ 445/465 F. ■ 46 F.
[†] 150/160 F. [†] 90 F. [†] 370/390 F.
[E] [D] [SP] [i] [□] [☎] [⊟] [⋈] [♹] [⋈] [♠] [⊠]
[♿] [CV] [▥] [♠] [CB] [⊞]

VILLEFRANCHE SUR MER (B3)
06230 Alpes Maritimes
7000 hab. [i]

▲▲▲ LA FLORE ★★★
Bld Princesse Grace de Monaco.
Mme Desnos
☎ 04 93 76 30 30 [FAX] 04 93 76 99 99
[†] 31 ⬡ 300/700 F. ■ 60 F.
[†] 130/195 F. [†] 60 F. [†] 350/550 F.
[E] [D] [SP] [i] [□] [☎] [⊟] [⋈] [♹] [⋈] [♠]
[⊠] [꜀] [♿] [CV] [▥] [♠] [CB]

VILLENEUVE LOUBET (A-B3)
06270 Alpes Maritimes
8210 hab. [i]

▲▲▲ LA FRANC-COMTOISE ★★
369, route de la Colle la Grange Rimade.
M. Poinsot
☎ 04 93 20 97 58 [FAX] 04 92 02 74 76
[†] 29 ⬡ 400 F. ■ 20 F. [†] 120/160 F.
[†] 45 F. [†] 330 F.
⊠ 20 oct./1er déc., dim. soir et lun. sauf
juil./sept.
[E] [i] [□] [☎] [⊟] [⋈] [♹] [⊠] [CV] [▥] [♠] [CB]

Ce guide a été pensé, pour vous, comme un outil
pratique. L'améliorer encore est notre objectif.
N'hésitez pas à nous faire part de vos suggestions.

**Liste des
hôtels-restaurants**

Bouches-
du-Rhône

C.R.T. Provence-Alpes-Côte d'Azur / Franz Marc Frei

Association départementale
des Logis de France des Bouches-du-Rhône
Loisirs-Accueil
Domaine du Vergon
13370 Mallemort
Téléphone 04 90 59 49 26

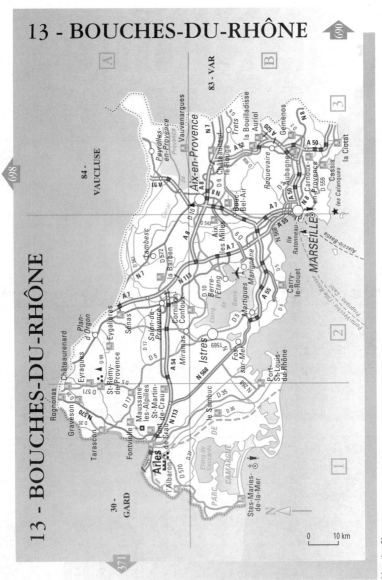

13 - BOUCHES-DU-RHÔNE

Légende p 21

AIX LES MILLES (B2)
13290 Bouches du Rhône
12000 hab.

▲▲ ARQUIER ★★
(à Roquefavour). CD65 les millos
M. Courtines
☎ 04 42 24 20 45   FAX 04 42 24 29 52
120F ▮ 13 ◫ 230/330 F. ☰ 40 F.
⫴ 120/290 F. ⫴ 70 F. ⫴ 265/315 F.
⊠ 15 fév./15 mars, dim. soir
1er mai/31 oct., dim. soir et lun.
1er nov./30 avr.

L'ALBARON (A1)
13123 Bouches du Rhône
50 hab.

▲ LE FLAMANT ROSE ★★
Sur D.37. M. Coulet
☎ 04 90 97 10 18   FAX 04 90 97 12 47
100F ▮ 19 ◫ 170/250 F. ☰ 29 F.
⫴ 90/190 F. ⫴ 50 F. ⫴ 220/265 F.
⊠ 3 semaines mars et mar., mar. midi
juil./août.

ARLES (A1)
13200 Bouches du Rhône
50000 hab.

✳ DE LA MUETTE ★★
15, rue des Suisses.
M.Me Deplancke
☎ 04 90 96 15 39   FAX 04 90 49 73 16
▮ 18 ◫ 160/320 F. ☰ 35 F.

▲▲ DES GRANGES ★★
Route de Tarascon. M. Baud
☎ 04 90 96 37 21   FAX 04 90 93 23 22
▮ 15 ◫ 185/300 F. ☰ 35 F. ⫴ 95 F.
⫴ 45 F. ⫴ 195/255 F.
⊠ 21 déc./19 janv.

... *à proximité*

PONT DE CRAU (A1)
13200 Bouches du Rhône
3500 hab.

3 km Sud Arles par N 113

▲ LA SOURCE ★★
Route de Barbegal M. Samazan
☎ 04 90 96 31 01   FAX 04 90 49 99 19
▮ 26 ◫ 200/250 F. ☰ 30 F.
⫴ 60/90 F. ⫴ 50 F. ⫴ 200/240 F.

Le SAMBUC (B1)
13200 Bouches du Rhône
300 hab.

22 km Sud Arles par D 570 et D 36

▲▲ LONGO MAI ★★
Sur D. 36. MM. Raynaud
☎ 04 90 97 21 91
120F ▮ 16 ◫ 235/408 F. ☰ 36 F.

⫴ 95/120 F. ⫴ 50 F. ⫴ 249/330 F.
⊠ 6 janv./15 mars.

AUBAGNE (B3)
13400 Bouches du Rhône
41100 hab.

▲▲ DE L'ETOILE ★★
N.396 (sortie A.péage Pont de l'Etoile).
M. Brarda
☎ 04 42 04 55 54   FAX 04 42 04 59 78
▮ 35 ◫ 200/250 F. ☰ 32 F.
⫴ 105/145 F. ⫴ 45 F. ⫴ 293 F.

AURIOL (B3)
13390 Bouches du Rhône
6788 hab.

▲ LE COMMERCE ★★
1 Grande Rue M. Suzanne
☎ 04 42 04 70 25
▮ 11 ◫ 200 F. ☰ 30 F. ⫴ 85/190 F.
⫴ 48 F. ⫴ 220 F.
⊠ fév., dim. soir et lun.

La BARBEN (A2)
13330 Bouches du Rhône
350 hab.

▲▲ LA TOULOUBRE ★★
Mme Martinez
☎ 04 90 55 16 85   FAX 04 90 55 17 99
▮ 6 ◫ 240 F. ☰ 30 F. ⫴ 120/240 F.
⫴ 65 F. ⫴ 290/350 F.
⊠ 10/25 fév., 13/28 oct., dim. soir et
lun.

BOUC BEL AIR (B3)
13320 Bouches du Rhône
12000 hab.

▲▲ L'ETAPE ★★
CD6. direction et sortie Gardanne.
M.Me Lani
☎ 04 42 22 61 90   FAX 04 42 22 68 67
▮ 30 ◫ 200/355 F. ☰ 40 F.
⫴ 140/260 F. ⫴ 85 F. ⫴ 215 F.
⊠ rest. 23/31 déc., 1er/18 août, dim.
soir et lun.

La BOUILLADISSE (B3)
13720 Bouches du Rhône
4115 hab.

▲▲ LA FENIERE ★★
8, rue Jean Pourchier Mme Richard
☎ 04 42 72 56 32   FAX 04 42 72 44 71
100F ▮ 10 ◫ 260/350 F. ☰ 38 F.
⫴ 78/200 F. ⫴ 55 F. ⫴ 235/285 F.
⊠ dim. soir.

CARNOUX EN PROVENCE (B3)
13470 Bouches du Rhône
6000 hab. [i]

▲▲ HOSTELLERIE DE LA CREMAILLERE ✶✶
Rue Tony Garnier. Mme Denis
☎ 04 42 73 71 52 [FAX] 04 42 73 67 26
[100F] 19 ⌧ 195/290 F. ▥ 38 F.
[ll] 65/195 F. [A] 48 F. [Z] 195/255 F.
⌧ dim. soir 1er oct./30 avr.
[E] [i] [□] [☎] [T] [⊡] [⋔] [⟨⟩] [CV] [⁞⁞⁞] [◀] [CB]

CARRY LE ROUET (B2)
13620 Bouches du Rhône
4570 hab. [i]

▲▲ LA TUILIERE ✶✶
34, av. Draio de la Mar.
M. Yalamas
☎ 04 42 44 79 79 [FAX] 04 42 44 74 40
[】] 21 ⌧ 300/400 F. ▥ 35 F.
[ll] 125/249 F. [A] 49 F. [Z] 275/325 F.
⌧ rest. 2/24 janv. et ven. hs.
[E] [i] [□] [☎] [🚗] [⋔] [T] [⟨⟩] [CV] [⁞⁞⁞] [◀] [CB]

CASSIS (B3)
13260 Bouches du Rhône
5830 hab. [i]

▲▲ DU COMMERCE ✶
12, rue Saint Clair M. Forestier
☎ 04 42 01 09 10 [FAX] 04 42 01 14 17
[】] 16 ⌧ 190/320 F. ▥ 30 F.
[ll] 82/150 F. [A] 45 F. [Z] 380/520 F.
⌧ 1er janv./6 fév. et dim. soir
15 oct./15 mars.
[E] [i] [□] [☎] [⋔] [◀] [CB]

CHATEAUNEUF LE ROUGE (B3)
13790 Bouches du Rhône
1300 hab.

▲▲▲ LA GALINIERE ✶✶✶
Mme Gagnières
☎ 04 42 53 32 55 [FAX] 04 42 53 33 80
[120F] 16 ⌧ 265/450 F. ▥ 45 F.
[ll] 110/340 F. [A] 70 F. [Z] 322/350 F.
⌧ fév.
[E] [□] [⟨⟩] [☎] [🚗] [🚗] [T] [⟨⟩] [⊡] [⋔] [◀]
[CB] [CR]

CHATEAURENARD (A1-2)
13160 Bouches du Rhône
12000 hab. [i]

▲ LA PASTOURELLE
12, rue des Ecoles.
M. Guiliani
☎ 04 90 94 10 68 [FAX] 04 90 94 71 00
[】] 9 ⌧ 125/175 F. ▥ 20 F. [ll] 54/120 F.
[A] 30 F. [Z] 155 F.
⌧ lun. soir.
[☎] [🚗] [⋔] [CV] [◀] [CB]

▲▲ LES GLYCINES ✶✶
14, av. Victor Hugo. M. Garagnon
☎ 04 90 94 78 10 \ 04 90 94 10 66
[FAX] 04 90 94 78 10

[】] 10 ⌧ 200/230 F. ▥ 30 F.
[ll] 86/180 F. [A] 40 F. [Z] 225/250 F.
⌧ dim. soir. 1er oct./1er avr. et lun.
[E] [□] [☎] [⋔] [CV] [⁞⁞⁞] [◀] [CB]

La CIOTAT (B3)
13600 Bouches du Rhône
30620 hab. [i]

▲ AUBERGE LE REVESTEL ✶✶
Corniche du Liouquet, route des
Lecques.
M.Me Siepen
☎ 04 42 83 11 06 [FAX] 04 42 83 29 50
[】] 6 ⌧ 300 F. ▥ 45 F. [ll] 150/195 F.
[A] 90 F. [Z] 290 F.
⌧ 25 nov./5 déc., 5/26 fév. Rest. mer.
et dim. soir 22 sept./5 juin, mer. midi
5 juin/21 sept.
[E] [☎] [🚗] [T] [◀] [CB]

▲ LE PROVENCE PLAGE ✶✶
3, av. de Provence.
M. Richard
☎ 04 42 83 09 61 [FAX] 04 42 08 16 28
[100F] 20 ⌧ 230/350 F. ▥ 35 F.
[ll] 60/150 F. [A] 50 F. [Z] 240/300 F.
[E] [i] [□] [☎] [🚗] [⟨⟩] [◀] [CB] [▣]

CORNILLON CONFOUX (A-B2)
13250 Bouches du Rhône
810 hab. [i]

▲▲▲ LE DEVEM DE MIRAPIER ✶✶✶
M. Pecoul
☎ 04 90 55 99 22 [FAX] 04 90 55 86 14
[】] 15 ⌧ 560/660 F. ▥ 70 F. [A] 80 F.
[Z] 500/600 F.
⌧ 15 déc./20 janv. et week-end oct./avr.
[E] [D] [i] [□] [☎] [🚗] [⊞] [⋔] [T] [⟨⟩] [🔧] [🚗]
[⟨⟩] [⁞⁞⁞] [◀] [CB]

EYGALIERES (A2)
13810 Bouches du Rhône
1599 hab.

▲▲▲ AUBERGE CRIN BLANC ✶✶
Route d'Orgon.
M. Bourgue
☎ 04 90 95 93 17 [FAX] 04 90 90 60 62
[】] 10 ⌧ 380/420 F. ▥ 45 F. [ll] 150 F.
[A] 70 F. [Z] 340/395 F.
⌧ 15 nov./15 mars. Rest. mer.
[E] [D] [☎] [🚗] [T] [⟨⟩] [🔧] [⟨⟩] [⊙] [⟨⟩] [CB]

EYRAGUES (A1-2)
13630 Bouches du Rhône
3000 hab.

▲ AUBERGE LA FARIGOULE ✶
Route de Saint-Rémy.
M. Mistral
☎ 04 90 94 15 08 [FAX] 04 90 92 86 47
[】] 7 ⌧ 180/300 F. ▥ 30 F. [ll] 75/125 F.
[A] 60 F. [Z] 190/220 F.
⌧ 24 déc./3 janv., 8 fév./3 mars et lun.
saison.
[E] [D] [☎] [🚗] [⁞⁞⁞] [CB]

FONTVIEILLE (A1)
13990 Bouches du Rhône
3450 hab. ⓘ

▲▲ HOSTELLERIE DE LA TOUR ★★
3, rue des Plumelets.
M. Cointet
☎ 04 90 54 72 21
🛏 10 ◎ 275/345 F. ▤ 40 F. ⫠ 95 F.
🍴 50 F. 🅿 243/278 F.
[E] [D] [SP] [☎] [🚗] [🌳] [🛒] [♠] [CB]

GEMENOS (B3)
13420 Bouches du Rhône
4000 hab. ⓘ

▲▲ DU PARC ★★
(Vallée de Saint Pons) Mme Uguen
☎ 04 42 32 20 38 📠 04 42 32 10 26
🛏 11 ◎ 270/350 F. ▤ 35 F.
⫠ 90/235 F. 🍴 65 F. 🅿 250/275 F.
[E] [☐] [☎] [🚗] [🌳] [🍴] [♠] [CB]

GRAVESON (A1)
13690 Bouches du Rhône
2700 hab. ⓘ

▲▲▲ MAS DES AMANDIERS ★★
Route d'Avignon. M. Bayol
☎ 04 90 95 81 76 📠 04 90 95 85 18
🛏 25 ◎ 300/320 F. ▤ 40 F.
⫠ 98/150 F. 🍴 68 F. 🅿 280/290 F.
⊠ 15 oct./15 mars sauf séminaires et
groupes.
[E] [SP] [☐] [☎] [🚗] [⛵] [🌳] [🥅] [🏊] [🎿] [♠]
[♿] [CV] [🍴] [♠] [CB]

MAUSSANE LES ALPILLES (A1)
13520 Bouches du Rhône
1850 hab. ⓘ

▲▲ HOSTELLERIE «LES
MAGNANARELLES» ★★
104, av. Vallée des Baux.
M. Priaulet
☎ 04 90 54 30 25 📠 04 90 54 50 04
🛏 18 ◎ 230/400 F. ▤ 35 F.
⫠ 80/190 F. 🍴 65 F. 🅿 270/280 F.
⊠ fév. et 15/30 nov.
[E] [SP] [☎] [🚗] [🌳] [♿] [🍴] [♠] [CB] [▪] [CR]

PONT DE CRAU (A1)
13200 Bouches du Rhône
>>> *voir ARLES*

PORT SAINT LOUIS DU RHÔNE (B1-2)
13230 Bouches du Rhône
10400 hab. ⓘ

▲▲ LE TAMARIS ★★
Route de la Plage Napoléon.
Mme Reynaud
☎ 04 42 86 10 49 📠 04 42 48 46 26
🛏 12 ◎ 280/320 F. ▤ 35 F.
⫠ 100/160 F. 🍴 50 F. 🅿 280/300 F.
⊠ rest. 22 déc./6 janv. et sam. midi.
[E] [SP] [ⓘ] [☐] [☎] [🚗] [🌳] [CV] [♠] [CB] [▪] [CR]

ROGNONAS (A1)
13870 Bouches du Rhône
3400 hab.

▲▲ AUBERGE ROGNONAISE ★★
10, bld des Arènes. M. Gaffet
☎ 04 90 94 88 43 📠 04 90 94 86 51
🛏 14 ◎ 210 F. ▤ 28 F. ⫠ 100/150 F.
🍴 50 F. 🅿 220 F.
⊠ rest. dim. soir 15 oct./15 mars.
[E] [☐] [☎] [🚗] [🌳] [♿] [♠] [CB]

SAINT MARTIN DE CRAU (A1)
13310 Bouches du Rhône
12000 hab. ⓘ

▲▲ AUBERGE DES EPIS ★★
13, av. de Plaisance. M. Eynaud
☎ 04 90 47 31 17 📠 04 90 47 16 30
🛏 11 ◎ 252/286 F. ▤ 36 F.
⫠ 95/176 F. 🍴 57 F. 🅿 260/290 F.
⊠ 17/26 nov., 31 janv./1er mars, dim.
soir et lun.
[E] [ⓘ] [☐] [☎] [🚗] [🌳] [CV] [♠] [CB]

SAINT REMY DE PROVENCE (A1-2)
13210 Bouches du Rhône
12000 hab. ⓘ

▲▲ AUBERGE DE LA REINE JEANNE ★★
12, bld Mirabeau. M. Carlotti
☎ 04 90 92 15 33 📠 04 90 92 49 65
🛏 10 ◎ 300/400 F. ▤ 38 F.
⫠ 85/195 F. 🍴 70 F. 🅿 320/450 F.
⊠ 10 jours vac. scol. fév., mar. nov./fév.
sauf fériés.
[E] [☐] [☎] [🚗] [🌳] [♿] [CV] [🍴] [♠] [CB]

▲ LE CHALET FLEURI ★★
15, rue Frédéric Mistral.
M.Me Charles
☎ 04 90 92 03 62 📠 04 90 92 60 28
🛏 12 ▤ 35 F. ⫠ 115 F. 🍴 65 F.
🅿 265/275 F.
⊠ 16 nov./7 mars. Rest. mar.
[E] [SP] [☎] [🚗] [🌳] [♿] [♠] [CB]

SAINTES MARIES DE LA MER (B1)
13460 Bouches du Rhône
2150 hab. ⓘ

▲▲ HOSTELLERIE DU PONT DE GAU ★★
Route d'Arles. M. Audry
☎ 04 90 97 81 53 📠 04 90 97 98 54
🛏 9 ◎ 250 F. ▤ 32 F. ⫠ 95/255 F.
🍴 70 F. 🅿 307 F.
⊠ 5 janv./20 fév. et mer.
15 nov./Pâques sauf vac. scol.
[☐] [☎] [🚗] [🍴] [♠] [CB]

▲ MAS DE LAYALLE
Route d'Arles, D.570. M. Michel
☎ 04 90 97 94 81 📠 04 90 97 70 16
🛏 17 ◎ 170/250 F. ▤ 25 F.
⫠ 80/150 F. 🍴 40 F. 🅿 380/460 F.
⊠ 10 janv./Râmeaux.
[🚗] [🌳] [🏊] [♠] [CB]

Le SAMBUC (B1)
13200 Bouches du Rhône

>>> *voir ARLES*

SENAS (A2)
13560 Bouches du Rhône
5600 hab. ⓘ

▲ TERMINUS ★★
Av. Gabriel Péri. M. Eychenne
☎ 04 90 57 20 08 ᖴᴬˣ 04 90 59 29 05
🛏 14 ⊗ 150/260 F. 🍽 35 F.
🍴 75/170 F. 🍽 55 F. ⓐ 180/250 F.
⊠ dim. soir et lun. hs.
🄴 🄳 🆂🄿 ⬜ ☎ 🚗 🚙 ⚓ 🕴 🚴 ⚕ CV ⋮⋮
⚓ CB 📷

TARASCON (A1)
13150 Bouches du Rhône
12500 hab. ⓘ

▲▲ LE SAINT JEAN ★★
24, bld Victor Hugo. M. Leyre
☎ 04 90 91 13 87 ᖴᴬˣ 04 90 91 32 42
🛏 12 ⊗ 245 F. 🍽 35 F. 🍴 88/250 F.
🍽 35 F. ⓐ 470 F.
⊠ 15 déc./15 janv., ven. et sam. midi.
🄴 🆂🄿 ⓘ ☎ CV CB

VAUVENARGUES (A3)
13126 Bouches du Rhône
700 hab.

▲ AU MOULIN DE PROVENCE ★
33,av des maquisards Mme Yemenidjian
☎ 04 42 66 02 22 ᖴᴬˣ 04 42 66 01 21
🛏 12 ⊗ 210/280 F. 🍽 35 F.
🍴 90/135 F. 🍽 60 F. ⓐ 245/280 F.
⊠ 1er nov./1er mars. Rest. mar. mais
service minimum assuré.
🄴 🄳 🆂🄿 ⓘ ☎ 🚗 ⋮⋮ ⚓ 🖼 🄶🅁

We have tried to design an easy-to-use guidebook
for you, our guest. We would like to make it even
better and your suggestions would be very much
appreciated. Thank you.

**Liste des
hôtels-restaurants**

Var

C.R.T. Provence-Alpes-Côte d'Azur

**Association départementale
des Logis de France du Var**
Conseil Général
1 bd Foch - B.P. 187
83005 Draguignan Cedex
Téléphone 04 94 68 97 74

05
HAUTES-ALPES
Gap

84
VAUCLUSE
Avignon

Digne-les-Bains
04
ALPES-DE-HTE-PROVENCE

06
ALPES-MARITIMES
Nice

13
BOUCHES-DU-RHÔNE
Marseille

83 VAR
Toulon

83 - VAR

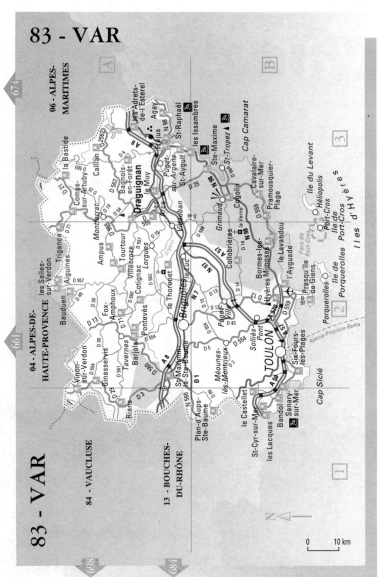

Légende p 21

Les ADRETS DE L'ESTEREL (A3)
83600 Var
1800 hab.

⚐ CHEZ PIERRE - LE RELAIS DES ADRETS
Quartier Panestel.
M. Dimeo
☎ 04 94 40 90 88
🛏 8 ⬙ 235/290 F. ▣ 30 F. 🍽 97/145 F.
🍴 35 F. 🍷 240/267 F.
⊠ sam. soir hs.
Ⓔ ⓘ 🖵 ☎ 🚗 ● CB 🖼

⚐ LE CHRYSTALLIN ★★★
Les Gieiris, chemin des Philippons.
M. Pandellé
☎ 04 94 40 97 56 FAX 04 94 40 94 66
🛏 14 ⬙ 380/600 F. ▣ 55 F.
🍽 105/155 F. 🍴 50 F. 🍷 395/530 F.
⊠ 1er nov./1er mars.
120F
🖵 ☎ 🚗 🏖 ⚲ ⚒ & CV ● CB 🖼
CR

AGAY (A3)
83530 Var
1200 hab. ⓘ

⚐ LE LIDO ★★
Bld de la Plage.
M. Cavataio
☎ 04 94 82 01 59 FAX 04 94 82 09 75
🛏 19 ⬙ 200/450 F. ▣ 39 F. 🍽 90 F.
🍴 45 F. 🍷 250/385 F.
⊠ rest. 15 oct./15 fév. et dim.
15 oct./15 fév.
Ⓔ SP ⓘ 🖵 ☎ 🚗 ● 🏖 ⚲ CV ● CB

AIGUINES (A2)
83630 Var
800 m. • 160 hab. ⓘ

⚐ DU GRAND CANYON DU VERDON ★★
Sur D.71 (Rive Gauche, à 15 Km).
M. Fortini
☎ 04 94 76 91 31 FAX 04 94 76 92 29
🛏 16 ⬙ 250/450 F. ▣ 40 F.
120F
🍽 100/180 F. 🍴 65 F. 🍷 250/350 F.
⊠ lun. 13 oct./avr. Rest. ven.
15 sept./14 juil.
Ⓔ ⓘ 🖵 ☎ 🚗 🏖 & CV ● CB CR

AMPUS (A2)
83111 Var
630 m. • 534 hab. ⓘ

⚐ LA BONNE AUBERGE
Route de Chateaudouble.
MM. Richard
☎ 04 94 70 97 10 FAX 04 94 70 98 01
🛏 9 ⬙ 200/240 F. ▣ 25 F. 🍽 88/160 F.
100F
🍴 45 F. 🍷 210 F.
Ⓔ 🖵 ☎ 🚗 🏖 ⚲ CV ● CB

Les ARCS (A3)
83460 Var
3915 hab. ⓘ

⚐⚐ AURELIA Rest. DU PONT D'ARGENS ★★
Le Pont d'Argens, sur N.7.
M. Scrimali
☎ 04 94 47 49 69 FAX 04 94 85 23 86
🛏 20 ⬙ 260/340 F. ▣ 40 F.
120F
🍽 80/150 F. 🍴 50 F. 🍷 240/260 F.
Ⓔ ⓘ 🖵 ☎ 🚗 ➰ 🍴 & ● CB

⚐⚐⚐ LE LOGIS DU GUETTEUR ★★★
Place du Château. M. Callegari
☎ 04 94 73 30 82 FAX 04 94 73 39 95
🛏 10 ⬙ 350/450 F. ▣ 48 F.
🍽 135/280 F. 🍴 50 F. 🍷 400/440 F.
⊠ 15 janv./15 fév.
Ⓔ ⓘ 🖵 ☎ 🚗 ⚲ 🍴 ▦ ● CB CR

L'AYGADE (B2)
83400 Var
>>> *voir HYERES*

BAGNOLS EN FORET (A3)
83600 Var
1000 hab.

⚐ LE BERNARD L'ERMITE ★★
Route de Fréjus. M. De Marcos
☎ 04 94 40 60 24 FAX 04 94 40 30 92
🛏 8 ⬙ 250 F. ▣ 30 F. 🍽 75/268 F.
🍴 45 F. 🍷 215 F.
⊠ dim. soir hiver.
Ⓔ Ⓓ SP 🖵 ☎ 🚗 CV ● CB 🖼

BANDOL (B1)
83150 Var
6700 hab. ⓘ

⚐ L'AUBERGE DES PINS ★★
Route du Beausset, quartier des Hautes.
MM. Jourdan/Combellas
☎ 04 94 29 59 10 FAX 04 94 32 43 46
🛏 7 ⬙ 250/300 F. ▣ 35 F. 🍽 95/215 F.
100F
🍴 48 F. 🍷 253/278 F.
⊠ lun. soir et mar. hs.
Ⓔ ⓘ 🖵 ☎ 🚗 🍴 ⚲ CV ▦ ● CB

⚐⚐ LE PROVENCAL ★★★
Rue des Ecoles. M. Calvinhac
☎ 04 94 29 52 11 FAX 04 94 29 67 57
🛏 19 ⬙ 290/390 F. ▣ 40 F.
100F
🍽 100/170 F. 🍴 55 F. 🍷 300/360 F.
⊠ 15 nov./20 déc.
Ⓔ SP 🖵 ☎ 🚗 ▦ ● CB

BARJOLS (A2)
83670 Var
2016 hab. ⓘ

⚐⚐ DU PONT D'OR ★★
Route de Saint-Maximin.
Mme Gros
☎ 04 94 77 05 23 FAX 04 94 77 09 95
🛏 16 ⬙ 220/300 F. ▣ 38 F.
100F
🍽 100/200 F. 🍴 50 F. 🍷 258/288 F.
⊠ 29 nov./14 janv. Rest. dim. soir
1er nov./Rameaux et lun. mi-sept./début
juil.
Ⓔ ⓘ 🖵 ☎ 🚗 CV ● CB

La BASTIDE (A3)
83840 Var
1025 m. • 186 hab.

⚑ DU LACHENS ★★
M. Isnard
☎ 04 94 76 80 01 ⓕ 04 94 84 21 88
🛏 12 ⬡ 160/300 F. 🍴 30 F.
🍽 80/150 F. 🍴 45 F. 🛏 180/260 F.
⌧ 1er déc./31 mars, dim. soir et lun.
sauf juil./août.
Ⓔ ⬚ 🕿 🚗 🚗 🌴 CV ⬣ CB

BAUDUEN (A2)
83630 Var
230 hab. ⓘ

⚑⚑ AUBERGE DU LAC ★★
Mme Bagarre
☎ 04 94 70 08 04 ⓕ 04 94 84 39 41
🛏 11 ⬡ 320/400 F. 🍴 38 F.
🍽 100/185 F. 🍴 55 F. 🛏 320/360 F.
⌧ 15 nov./1er mars.
Ⓔ ⬚ 🕿 ⬣ CB

⚑ LES CAVALETS
M. Blanc
☎ 04 94 70 08 64 ⓕ 04 94 84 39 37
🛏 23 ⬡ 200/315 F. 🛏 32 F.
🍽 100/195 F. 🍴 49 F. 🛏 253/279 F.
⌧ 1er déc./25 janv. et mar.
1er oct./31 mai.
ⓘ 🕿 🚗 🌴 🥾 🚲 ⏰ CV ⬣ ⓒⓡ

BORMES LES MIMOSAS (B2)
83230 Var
3000 hab. ⓘ

⚑ BELLE VUE ★
Mme Bret
☎ 04 94 71 15 15
🛏 13 ⬡ 180/195 F. 🛏 28 F.
🍽 80/130 F. 🍴 40 F. 🛏 210 F.
⌧ 1er oct./1er fév.
Ⓔ CV ⬣ CB

⚑ GRAND HOTEL ★★★
167, route du Baguier. Mme Gouttepifre
☎ 04 94 71 23 72 ⓕ 04 94 71 51 20
🛏 58 ⬡ 190/400 F. 🛏 48 F. 🍽 95 F.
🍴 60 F. 🛏 250 F.
⌧ 31 oct./1er déc.
Ⓔ Ⓓ ⓘ 🕿 🚗 ⬆ 🌴 🥾 🚲 CB

CALLIAN (A3)
83440 Var
1800 hab. ⓘ

⚑⚑ AUBERGE DES MOURGUES ★★
Quartier des Mourgues. Mme Lablanche
☎ 04 94 76 53 99 ⓕ 04 94 76 53 99
🛏 12 ⬡ 210/280 F. 🛏 35 F.
🍽 85/195 F. 🍴 55 F. 🛏 235/260 F.
⌧ 6 janv./23 fév. et 12 nov./7 déc.
Ⓔ Ⓓ SP ⓘ 🕿 🚗 🌴 🥾 🚲 ⏰ CV
⏹ ⬣ CB

Le CASTELLET (B1)
83330 Var
3084 hab. ⓘ

⚑⚑⚑ CASTEL LUMIERE ★★★
Le Portail ou 2, rue douce.
M. Laffargue
☎ 04 94 32 62 20 ⓕ 04 94 32 70 33
🛏 6 ⬡ 330/380 F. 🛏 55 F.
🍽 120/250 F. 🍴 65 F. 🛏 380/500 F.
⌧ 2 janv./2 fév., dim. soir et lun. hs.
Ⓔ SP ⓘ ⬚ 🕿 🚗 CV ⏹ ⬣ CB 🏠
ⓒⓡ

CAVALAIRE SUR MER (B3)
83240 Var
4188 hab. ⓘ

⚑⚑ RAYMOND ★★
av. des Alliés.
M. Meunier
☎ 04 94 64 07 32 ⓕ 04 94 64 02 73
🛏 36 ⬡ 250/408 F. 🛏 35 F.
🍽 100/220 F. 🍴 55 F. 🛏 258/337 F.
⌧ 14 oct./14 mars et mer. sauf
juil./août.
Ⓔ Ⓓ ⓘ 🕿 🚗 🚗 🌴 🥾 🚲 CV ⏹
⬣ CB ⓒⓡ

COGOLIN (B3)
83310 Var
7976 hab. ⓘ

⚑⚑ COQ HOTEL ★★
Place de la Mairie
Mmes Lemaitre
☎ 04 94 54 13 71＼04 94 54 63 14
ⓕ 04 94 54 03 06
🛏 24 ⬡ 250/450 F. 🛏 39 F.
🍽 95/145 F. 🍴 55 F. 🛏 260/360 F.
Ⓔ ⬚ 🕿 🚗 CV ⏹ ⬣ CB

COLLOBRIERES (B2)
83610 Var
1498 hab. ⓘ

⚑ NOTRE DAME ★
15, av. de la Libération.
M. Dapoigny
☎ 04 94 48 07 13 ⓕ 04 94 48 05 95
🛏 14 ⬡ 130/180 F. 🛏 26 F.
🍽 90/150 F. 🍴 48 F. 🛏 170/190 F.
⌧ 15 janv./15 fév.
🕿 🌴 ⏰ ⬣ CB

COMPS SUR ARTUBY (A3)
83840 Var
900 m. • 250 hab.

⚑⚑ GRAND HOTEL BAIN ★★
M. Bain
☎ 04 94 76 90 06 ⓕ 04 94 76 92 24
🛏 16 ⬡ 240/330 F. 🛏 35 F.
🍽 78/195 F. 🍴 55 F. 🛏 250/265 F.
⌧ 12 nov./24 déc., mer. soir et jeu.
1er oct./1er avr.
Ⓔ ⬚ 🕿 🚗 🚗 🌴 🥾 ⬣ CB

COTIGNAC (A2)
83850 Var
1628 hab. [i]

▲▲ LOU CALEN ★★★
1, cours Gambetta.
Mme Caren
☎ 04 94 04 60 40 [FAX] 04 94 04 76 64
[↑] 16 ◎ 300/550 F. ▣ 45 F.
[↕] 90/250 F. [卅] 50 F. ⚐ 330/455 F.
⊠ fév. et mer. hs.
[E] [i] [▢] [☎] [↔] [↑] [↖] [ð] [CV] [▦] [♠]
[CB]

DRAGUIGNAN (A2-3)
83300 Var
31350 hab. [i]

▲▲ HOSTELLERIE DU MOULIN DE LA
FOUX ★★
Chemin de la Foux.
Mme Fiaschi
☎ 04 94 68 55 33 [FAX] 04 94 68 70 10
[100F] [↑] 28 ◎ 250/290 F. ▣ 40 F.
[↕] 90/240 F. [卅] 80 F. ⚐ 260 F.
[E] [D] [SP] [i] [▢] [☎] [↔] [↔] [↑] [ð] [CV] [▦]
[♠] [CB]

▲▲ LE VICTORIA ★★★
52-54, av. carnot. M. Lucisano
☎ 04 94 47 24 12 [FAX] 04 94 68 31 69
[↑] 18 ◎ 260/850 F. ▣ 38 F.
[↕] 68/145 F. [卅] 45 F. ⚐ 280/360 F.
⊠ rest. dim.
[E] [SP] [i] [▢] [☎] [↔] [↕] [m] [↔] [↑] [▦]
[♠] [CB]

FOX AMPHOUX (A2)
83670 Var
600 m. • 349 hab.

▲▲ AUBERGE DU VIEUX FOX ★★★
M.Me Staudinger
☎ 04 94 80 71 69 [FAX] 04 94 80 78 38
[100F] [↑] 8 ◎ 350 F. ▣ 40 F. [↕] 135/250 F.
[卅] 60 F. ⚐ 330/400 F.
[E] [D] [SP] [i] [▢] [☎] [CV] [▦] [♠] [CB]

FREJUS (A3)
83600 Var
41486 hab. [i]

▲▲▲ L'ARENA ★★★
139, bld Général de Gaulle.
M.Me Bluntzer/Bouchot
☎ 04 94 17 09 40 [FAX] 04 94 52 01 52
[120F] [↑] 18 ◎ 300/650 F. ▣ 45 F.
[↕] 120/210 F. [卅] 75 F. ⚐ 350/480 F.
⊠ nov. Rest. sam. midi et lun. midi.
[E] [D] [▢] [☎] [↔] [↕] [m] [↔] [↑] [↖] [点]
[♠] [CB] [GR]

GINASSERVIS (A2)
83560 Var
911 hab.

▲▲▲ LE BASTIER ★★★
Route de Saint-Paul.
MeM. Mirales/Sauze
☎ 04 94 80 11 78 [FAX] 04 94 80 13 12

[↑] 24 ◎ 450 F. ▣ 50 F. [↕] 230/350 F.
[卅] 100 F. ⚐ 500 F.
[E] [SP] [▢] [☎] [↔] [↑] [↖] [↘] [点] [ð] [▶.]
[点] [CV] [▦] [CB]

HYERES (B2)
83400 Var
43500 hab. [i]

▲▲ DU PARC ★★
7, bld Pasteur.
Mme Moreau
☎ 04 94 65 06 65\04 94 65 12 00
[FAX] 04 94 65 93 28
[↑] 42 ◎ 160/375 F. ▣ 35/ 45 F.
[↕] 49/120 F. [卅] 45 F. ⚐ 170/300 F.
[E] [D] [SP] [i] [▢] [☎] [↔] [↑] [点] [CV] [▦] [♠] [CB]

... à proximité

L'AYGADE (B2)
83400 Var
3000 hab. [i]

4 km Est Hyères

▲▲ LE CEINTURON ★★
12, bld du Front de Mer. M. Hocquellet
☎ 04 94 66 33 63 [FAX] 04 94 66 32 29
[100F] [↑] 13 ◎ 200/350 F. ▣ 35 F.
[↕] 90/180 F. [卅] 45 F. ⚐ 270/320 F.
⊠ nov.
[E] [▢] [☎] [↔] [↑] [点] [CV] [♠] [CB]

HYERES (PRESQU'ILE DE GIENS) (B2)
83400 Var
1600 hab. [i]

▲ RELAIS BON ACCUEIL ★★
(A Giens).
MeM. Stocker/Coolen
☎ 04 94 58 20 48 [FAX] 04 94 58 90 46
[↑] 10 ◎ 250/470 F. ▣ 40 F.
[↕] 125/230 F. [卅] 60 F. ⚐ 380/500 F.
⊠ rest. 1er nov./21 déc., mar. et mer. hs.
[E] [D] [i] [▢] [☎] [↔] [↑] [CV] [♠] [CB]

Les ISSAMBRES (A-B3)
83380 Var
2000 hab. [i]

▲▲ LA QUIETUDE ★★
Sur N.98.
M. Farrero
☎ 04 94 96 94 34 [FAX] 04 94 49 67 82
[↑] 19 ◎ 310/350 F. ▣ 36 F.
[↕] 92/173 F. [卅] 52 F. ⚐ 302/340 F.
⊠ 16 oct./19 fév.
[E] [SP] [▢] [☎] [↔] [↑] [↖] [CV] [♠] [CB]

Le LAVANDOU (B2)
83980 Var
5212 hab. [i]

▲▲ AUBERGE DE LA FALAISE ★★
(à St-Clair, 34, bld de la Baleine). M. Brun
☎ 04 94 71 01 35 [FAX] 04 94 71 79 48
[↑] 13 ◎ 290/425 F. ▣ 38 F. [↕] 140 F.
[卅] 57 F. ⚐ 300/375 F.
⊠ 15 oct./25 mars.
[E] [D] [i] [▢] [☎] [↔] [↑] [♠] [CB]

Le LAVANDOU (B2) (suite)

🏠🏠🏠 BELLE VUE ★★★
A St-Clair, chemin du Four des Maures.
Mme Dalmasso
☎ 04 94 71 01 06 📠 04 94 71 64 72
🛏 19 ⬡ 290/700 F. 🍽 50 F.
🍴 170/200 F. 🍴 60 F. 🍴 370/600 F.
✉ nov./mars.
🅴 🗐 ☎ �car 🚗 ⛵ CV 🎬 ⬤ CB

🏠🏠 L'ESPADON ★★★
2, place Ernest Reyer
M. Blanquart
☎ 04 94 71 00 20 📠 04 94 64 79 19
🛏 20 ⬡ 300/600 F. 🍽 38 F.
🍴 120/160 F. 🍴 70 F. 🍴 370/450 F.
✉ 15 nov./1er déc. et 1er/15 fév.
🅴 🄳 ⓘ 🗐 ☎ ♨ 🛏 ⛵ ⬤ CB

🏠🏠 LA RAMADE ★★
16,rue Patron Ravello.
M. Friolet
☎ 04 94 71 20 40 📠 04 94 15 22 55
🛏 20 ⬡ 240/460 F. 🍽 35 F.
120F
🍴 88/168 F. 🍴 58 F. 🍴 255/475 F.
✉ 1er nov./26 déc. Rest. mar. et mer.
matin hs, ven. midi. saison.
🅴 🄳 ⓘ 🗐 ☎ 🛏 🖾 ⛵ CV ⬤ CB

... à proximité

PRAMOUSQUIER PLAGE (B3)
83980 Var
600 hab.

5 km Est Le Lavandou par D 559

🏠 BEAU SITE ★★
(à 7 km du Lavandou, sur D 559).
M. Jaume
☎ 04 94 05 80 08 📠 04 94 05 76 76
🛏 20 ⬡ 240/360 F. 🍽 35 F.
100F
🍴 90/130 F. 🍴 45 F. 🍴 250/310 F.
✉ 15 oct./15 mars.
🅴 🄳 ⓘ 🗐 ☎ 🚗 ♨ 🚴 ♿ CV ⬤ CB

LECQUES (LES) (SAINT CYR SUR MER) (B1)
83270 Var
5200 hab. ⓘ

🏠🏠 LE PETIT NICE ★★
11, allée du Docteur Seillon.
M. Chavant
☎ 04 94 32 00 64 📠 04 94 88 72 39
🛏 30 ⬡ 265/330 F. 🍽 33 F. 🍴 120 F.
120F
🍴 50 F. 🍴 270/338 F.
✉ 1er nov./15 mars.
🅴 🗐 ☎ 🚗 ♨ ⛱ 🚴 ♿ CV ⬤ CB

Le MUY (A3)
83490 Var
7248 hab. ⓘ

🏠🏠🏠 L'OREE DU BOIS ★★
Quartier Sainte Roseline, R.N. 555.
M. Benichou
☎ 04 94 45 02 20 📠 04 94 45 93 24
🛏 24 ⬡ 240/430 F. 🍽 40 F.
120F

🍴 115/165 F. 🍴 65 F. 🍴 290/420 F.
🅴 🄳 ⓘ 🗐 ☎ 🖾 🍴 ♨ ⛵ 🎿 🚴 ⚓
⛷ 🚴 ♿ 🎬 ⬤ CB 📷 🐕

PLAN D'AUPS SAINTE BAUME (B1)
83640 Var
700 m. • 650 hab. ⓘ

🏠🏠🏠 LOU PEBRE D'AI ★★
Sur D.80. M. Carteri
☎ 04 42 04 50 42 📠 04 42 62 55 52
100F 🛏 12 ⬡ 250/380 F. 🍽 35 F.
🍴 100/280 F. 🍴 60 F. 🍴 270/350 F.
✉ 2 janv./3 fév., mar. soir et mer. hs.
🗐 ☎ 🚗 🖾 ♨ 🎿 🚴 ♿ CV 🎬 ⬤
CB

PONTEVES (A2)
83670 Var
451 hab.

🏠🏠 LE ROUGE GORGE ★★
(Les Costes).
Mme Roux
☎ 04 94 77 03 97 📠 04 94 77 22 17
100F 🛏 10 ⬡ 250/310 F. 🍽 34 F.
🍴 90/140 F. 🍴 55 F. 🍴 252/285 F.
✉ 1er fév./1er mars, 14/31 oct., dim.
soir et lun. hs.
🅴 ⓘ 🗐 ☎ 🚗 ♨ 🎿 CV ⬤ CB

PRAMOUSQUIER PLAGE (B3)
83980 Var

>>> *voir Le LAVANDOU*

RIANS (A1)
83560 Var
2500 hab. ⓘ

🏠 L'ESPLANADE ★
M. Hotel
☎ 04 94 80 31 12
🛏 9 ⬡ 150/220 F. 🍽 25 F. 🍴 75/120 F.
🍴 35 F. 🍴 160/180 F.
✉ sam. hs.
🅴 🄳 ⓘ 🗐 ☎ 🚗 CV ⬤ CB

SAINT AYGULF (A3)
83370 Var
2800 hab. ⓘ

🏠 LA PALANGROTTE
246, av. F.Millet. Mme Mondin
☎ 04 94 81 21 69 📠 04 94 81 78 84
🛏 14 ⬡ 200/300 F. 🍽 30 F.
🍴 80/168 F. 🍴 45 F. 🍴 210/270 F.
✉ 20 nov./1er mars.
🅴 🚗 CV ⬤ CB

🏠🏠 LA PETITE AUBERGE ★★
118, rue d'Alsace M. Dubois
☎ 04 94 81 01 26 📠 04 94 81 78 08
🛏 12 ⬡ 230/320 F. 🍽 31 F.
🍴 98/148 F. 🍴 49 F. 🍴 240/310 F.
✉ 2/24 janv. et 10/26 déc.
🅴 🗐 ☎ 🚗 ♨ 🎿 CV ⬤ CB 📷

SAINT MAXIMIN LA SAINTE BAUME (A2)
83470 Var
9594 hab. ⓘ

DE FRANCE ★★★
1-5, av. Albert 1er. Mme Riss
☎ 04 94 78 00 14 ℻ 04 94 59 83 80
🏠 ⚑ 26 ⟨⟩ 320/350 F. ▦ 40 F.
🍽 120/225 F. ⚑ 60 F. ⚑ 315 F.
Ⓔ ⓘ ⬚ ☎ ⛐ ⇌ ⿻ ⛱ ⟐ ⟐ ⚡ CV ⓘ:
⬥ CB 🔲

SAINT RAPHAEL (A3)
83700 Var
47000 hab. ⓘ

LA POTINIERE ★★★
169, av. de Boulouris. M. Hotte
☎ 04 94 19 81 71 ℻ 04 94 19 81 72
🏠 ⚑ 28 ⟨⟩ 350/760 F. ▦ 50/ 70 F.
🍽 120/180 F. ⚑ 75 F. ⚑ 385/540 F.
⊠ rest. midi 1er oct./15 déc. et
8 janv./31 mars sauf week-ends.
Ⓔ Ⓓ ⓘ ⬚ ☎ ⛐ ⇌ ⿻ ⛱ ⟐ ⟐ ⟐
⬥ ⚡ ♿ ♿ CV ⓘ: ⬥ CB 🔲

LES AMANDIERS ★★
874, bld Maréchal Juin. Mme Tainturier
☎ 04 94 95 82 42 ℻ 04 94 83 00 32
🏠 ⚑ 10 ⟨⟩ 220/380 F. ▦ 30 F.
🍽 85/120 F. ⚑ 50 F. ⚑ 225/300 F.
Ⓔ ⬚ ☎ ⛐ ⇌ ⛱ ♿ CV ⬥ CB

SAINTE MAXIME (B3)
83120 Var
10000 hab. ⓘ

LE MANOIR ★★
N.98, 5 km dir. Fréjus, Plage
V. d'Esquières M. Laffont
☎ 04 94 49 40 90 ℻ 04 94 49 40 85
🏠 ⚑ 12 ⟨⟩ 260/420 F. ▦ 35 F.
🍽 85/190 F. ⚑ 50 F. ⚑ 270/375 F.
Ⓔ Ⓓ ⓘ ⬚ ☎ ⛐ 🅿 ⿻ ⬥ CB

Les SALLES SUR VERDON (A2)
83630 Var
500 m. • 154 hab. ⓘ

AUBERGE DES SALLES ★★
M. Anot
☎ 04 94 70 20 04 ℻ 04 94 70 21 78
🏠 ⚑ 30 ⟨⟩ 250/340 F. ▦ 35 F.
🍽 88/215 F. ⚑ 42 F. ⚑ 230/310 F.
⊠ 2 nov./30 mars, mar. soir et mer. hs.
Ⓔ ⬚ ☎ ⛐ ⇌ ⚑ ⛱ ♿ ♿ CV ⬥ CB

SANARY SUR MER (B1-2)
83110 Var
11699 hab. ⓘ

GRAND HOTEL DES BAINS ★★★
Av. d'Estienne d'Orves. Mme Lecomte
☎ 04 94 74 13 47 ℻ 04 94 88 14 02
🏠 ⚑ 30 ⟨⟩ 335/545 F. ▦ 50 F.
🍽 100/230 F. ⚑ 49 F. ⚑ 380/445 F.
Ⓔ Ⓓ ⬚ ☎ ⛐ ⚑ ⿻ ⛱ CV ⬥ CB
🔲

LE CASTEL
925, route de la Canolle.
M. Palacios
☎ 04 94 29 82 98 ℻ 04 94 32 53 32
⚑ 9 ⟨⟩ 310/360 F. ▦ 35 F.
🍽 145/220 F. ⚑ 50 F. ⚑ 320/345 F.
⊠ 15/25 nov., 15/30 janv. et dim. soir
15 nov./30 mars.
Ⓔ SP ⓘ ⬚ ☎ ⛐ ⿻ CV ⬥ CB

LE MARINA ★★
Ancien chemin de Toulon.
Mme Grasso
☎ 04 94 29 56 48 ℻ 04 94 29 40 14
⚑ 26 ⟨⟩ 250/380 F. ▦ 35 F.
🍽 100/220 F. ⚑ 50 F. ⚑ 260/420 F.
⊠ lun. 15 sept./15 mai.
Ⓔ ⓘ ⬚ ☎ ⛐ ⿻ ⛱ ♿ CV ⓘ: ⬥ CB
🔲

SIX FOURS LES PLAGES (B2)
83140 Var
27767 hab. ⓘ

LE CLOS DES PINS ★★
101 bis, rue de la République.
M. Rives
☎ 04 94 25 43 68 ℻ 04 94 07 63 07
🏠 ⚑ 30 ⟨⟩ 350 F. ▦ 35 F. 🍽 80/150 F.
⚑ 40 F. ⚑ 280/350 F.
⊠ 5/31 janv. Rest. sam. et dim. soir.
Ⓔ ⬚ ☎ ⛐ ⇌ 🅿 ⿻ ⛱ ♿ ♿
♿ CV ⓘ: ⬥ CB 🔲 🔲

Le THORONET (A2)
83340 Var
1087 hab. ⓘ

HOSTELLERIE DE L'ABBAYE ★★
Chemin du Château.
Mme Espitallier
☎ 04 94 73 88 81 ℻ 04 94 73 89 24
🏠 ⚑ 20 ⟨⟩ 295/320 F. ▦ 40 F.
🍽 100/175 F. ⚑ 50 F. ⚑ 275/305 F.
Ⓔ ⬚ ☎ ⛐ ⇌ 🅿 ⿻ ⛱ ♿ ♿ ♿
CV ⓘ: ⬥ CB 🔲 🔲

TOURTOUR (A2)
83690 Var
650 m. • 384 hab. ⓘ

LA PETITE AUBERGE ★★★
M. Jugy
☎ 04 94 70 57 16 ℻ 04 94 70 54 52
⚑ 10 ⟨⟩ 380/900 F. ▦ 50 F.
🍽 140/200 F. ⚑ 60 F. ⚑ 425/650 F.
⊠ 15 nov./15 déc. et jeu.
Ⓔ Ⓓ ⓘ ⬚ ☎ ⛐ ⿻ ⬥ 🅿 ♿ CV ⓘ:
⬥ CB 🔲

LE MAS DES COLLINES
Camp Fournier. Mme Josis
☎ 04 94 70 59 30 ℻ 04 94 70 57 62
🏠 ⚑ 7 ⟨⟩ 380/420 F. ▦ 35 F. 🍽 99/200 F.
⚑ 50 F. ⚑ 350/370 F.
⊠ Rest. mar. midi hs et vac. scol.
Ⓔ Ⓓ ⬚ ☎ ⛐ 🅿 ⿻ ⛱ ♿ CV ⬥
CB

TRIGANCE (A2)
83840 Var
800 m. • 122 hab. 🛈

▲▲ LE VIEIL AMANDIER ★★
Montée de Saint-Roch. M. Clap
☎ 04 94 76 92 92 ᴲᴬˣ 04 94 85 68 65
🍽 120F 🛏 12 ◻ 260/310 F. 🛌 40 F.
🍴 100/365 F. 🍽 50 F. 🖾 270/320 F.
⊠ 11 nov./1er avr.
[E] [i] [◻] [☎] [�car] [H] [🛥] [↖] [♿] [↩] [CB] [CR]

VILLECROZE (A2)
83690 Var
1029 hab. 🛈

▲▲ LES ESPARRUS ★★
Route de Draguignan Mme Audin
☎ 04 94 67 56 85 ᴲᴬˣ 04 94 70 63 19
🍽 100F 🛏 14 ◻ 250/330 F. 🛌 35 F.
🍴 85/160 F. 🍽 60 F. 🖾 250/275 F.
[E] [D] [i] [◻] [☎] [�car] [🛥] [↖] [↩] [CB] [📷]
[CR]

VINON SUR VERDON (A1-2)
83560 Var
2796 hab. 🛈

▲▲ OLIVIER HOTEL ★★★
Route de Manosque. M. Berton
☎ 04 92 78 86 99 ᴲᴬˣ 04 92 78 89 65
🍽 120F 🛏 20 ◻ 350/456 F. 🛌 50 F.
🍴 110/180 F. 🍽 49 F. 🖾 360/430 F.
⊠ 20 déc./1er mars.
[E] [◻] [☎] [�car] [H] [🛥] [↖] [↖] [👣] [⟐] [↩] [CB]

▲ RELAIS DES GORGES ★★
6, av. de la République. M. Givaudan
☎ 04 92 78 80 24 ᴲᴬˣ 04 92 78 96 47
🛏 10 ◻ 260 F. 🛌 40 F. 🍴 100/270 F.
🍽 65 F. 🖾 210/260 F.
⊠ 20 déc./20 janv.
[E] [◻] [☎] [�car] [H] [↩] [CB]

Dieser Reiseführer wurde leicht verständlich und praktisch gestaltet. Unser Ziel ist es jedoch, ihn noch weiter zu verbessern und neue Anregungen sind uns stets wilkommen.

Liste des
hôtels-restaurants
Vaucluse

"Le Blason de Provence" 84 - Monteux

Association départementale
des Logis de France du Vaucluse
C.D.T.
Place Campana - B.P. 147
84008 Avignon Cedex
Téléphone 04 90 86 43 42

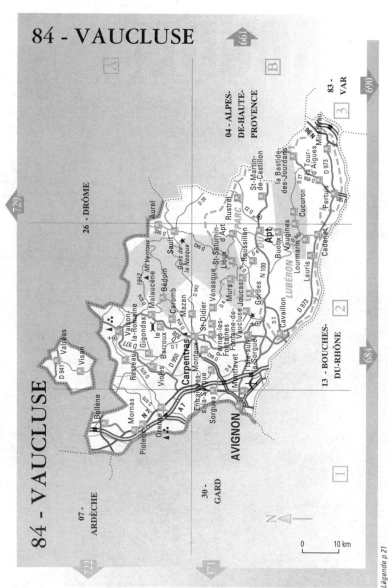

84 - VAUCLUSE

APT (B2)
84400 Vaucluse
12000 hab. 🛈

▲▲ AUBERGE DU LUBERON ★★★
8, place du Faubourg du Ballet.
M. Peuzin
☎ 04 90 74 12 50 📠 04 90 04 79 49
🛏 15 ▧ 235/500 F. 🍽 45 F.
🍴 125/345 F. 🍴 85 F. 🍷 313/445 F.
⊠ 2/31 janv., lun. midi saison, dim. soir
et lun. hs.

▲▲ RELAIS DE ROQUEFURE ★★
(Pres le Chêne, à 6 Km d'Apt).
M. Rousset
☎ 04 90 04 88 88
🛏 15 ▧ 200/350 F. 🍽 38 F.
🍴 110/130 F. 🍴 60 F. 🍷 250/320 F.
⊠ 5 janv./15 fév. Rest. midi sauf dim. et
réservations, mar. hs.

... à proximité

SAINT MARTIN DE CASTILLON (B3)
84750 Vaucluse
520 hab.

7 km d'Apt par N 100

▲▲▲ LOU CALEU ★★
A la Magdeleine,7km
s/N.100,direct.Digne
M. Rondard
☎ 04 90 75 28 88 📠 04 90 75 25 49
🛏 16 ▧ 240/370 F. 🍽 40 F.
🍴 85/185 F. 🍴 60 F. 🍷 290/340 F.

AUREL (A2-3)
84390 Vaucluse
890 m. • 113 hab.

▲ RELAIS DU MONT VENTOUX ★
Mme Pantoustier
☎ 04 90 64 00 62
🛏 13 ▧ 160/220 F. 🍽 35 F.
🍴 85/135 F. 🍴 45 F.
⊠ 5 janv./10 fév. et lun.

AVIGNON (B1)
84000 Vaucluse
100000 hab. 🛈

✳ D'ANGLETERRE ★★
29, bld Raspail.
M. Pons
☎ 04 90 86 34 31 📠 04 90 86 86 74
🛏 40 ▧ 190/390 F. 🍽 38 F.
⊠ 19 déc./12 janv.

▲▲ LA FERME ★★
Ile de la Barthelasse, 5 km N.par D 228.
M. Wawrzyniak
☎ 04 90 82 57 53 📠 04 90 27 15 47

🛏 20 ▧ 330/450 F. 🍽 50 F.
🍴 110/220 F. 🍴 50 F. 🍷 310/360 F.
⊠ 3 nov./1er mars.

▲ LE MAGNAN ★★
63, rue Portail Magnanen.
M. Jesset
☎ 04 90 86 36 51 📠 04 90 85 48 90
🛏 30 ▧ 245/355 F. 🍽 32 F.
🍴 70/100 F. 🍴 35 F. 🍷 345/450 F.
⊠ rest. 20 juin/15 sept.

... à proximité

MONTFAVET (B1-2)
84140 Vaucluse
3500 hab. 🛈

*4 km Est Avignon par D 58, sortie
autoroute Avignon Sud*

▲ AUBERGE DE BONPAS ★★
A 2,5km de l'aéroport,direct. Cavaillon.
M. Genovardo
☎ 04 90 23 07 64 📠 04 90 23 07 00
🛏 8 ▧ 240/380 F. 🍽 48 F.
🍴 100/268 F. 🍴 80 F. 🍷 380 F.

Le BARROUX (A2)
84330 Vaucluse
450 hab.

▲▲ LES GERANIUMS ★★
Place de la Croix.
M. Roux
☎ 04 90 62 41 08 📠 04 90 62 56 48
🛏 22 ▧ 220/250 F. 🍽 35 F.
🍴 80/250 F. 🍴 40 F. 🍷 240/260 F.
⊠ 6 janv./1er mars et mer. nov., déc.
sauf fêtes et mars.

La BASTIDE DES JOURDANS (B3)
84240 Vaucluse
724 hab. 🛈

▲ AUBERGE DU CHEVAL BLANC ★
Le Cours. M. Moullet
☎ 04 90 77 81 08 📠 04 90 77 86 51
🛏 5 ▧ 250/360 F. 🍽 40 F.
🍴 140/210 F. 🍴 100 F. 🍷 265/320 F.
⊠ fév. et jeu.

BEDOIN (A2)
84410 Vaucluse
2000 hab. 🛈

▲▲ DES PINS ★★
Chemin des Crans. Mmes Pauleau/Haud
☎ 04 90 65 92 92 📠 04 90 65 60 66
🛏 25 ▧ 320/350 F. 🍽 45 F.
🍴 110/130 F. 🍴 60 F. 🍷 310/325 F.
⊠ hôtel 2 janv./2 fév. Rest.
30 oct./15 mars.

BOLLENE (A1)
84500 Vaucluse
11520 hab. ℹ️

▲▲ LE CHENE VERT ★★
(Quartier Saint-Pierre). Mme Vandenbos
☎ 04 90 30 53 11 FAX 04 90 30 40 65
🛏 14 🍽 210/230 F. ■ 25 F.
🍴 70/115 F. 🍴 45 F. 🍴 230/260 F.
✉ dim. soir 1er oct./31 mars.
E SP 🚗 🛏 🚗 ♿ CV ● CB

▲▲ LE MAS DES GRES ★★
Route de Carpentras. M. Karkouz
☎ 04 90 30 10 79 FAX 04 90 30 04 43
🛏 13 🍽 270/350 F. ■ 35 F.
🍴 99/198 F. 🍴 65 F. 🍴 290 F.
E D SP 🚗 🛏 ⛱ ♿ CV 📠 ●
CB

BUOUX (B2)
84480 Vaucluse
103 hab.

▲ AUBERGE DES SEGUINS
Mme Pessemesse
☎ 04 90 74 16 37 FAX 04 90 74 16 37
🛏 27 🍴 110/160 F. 🍴 50 F.
🍴 210/270 F.
✉ 15 nov./1er mars.
E D 🚗 ⛱ 🍴 ♿ ●

CADENET (B2)
84160 Vaucluse
3300 hab. ℹ️

▲▲ LE MAS DU COLOMBIER ★★
Route de Pertuis. M. Marcin
☎ 04 90 68 29 00 FAX 04 90 68 36 77
🛏 15 🍽 285/350 F. ■ 36 F.
🍴 89/175 F. 🍴 48 F. 🍴 268/295 F.
✉ 27 janv./28 fév., dim. soir et lun.
1er oct./31 mars.
E 🚗 🛏 ⛱ 🍴 ♿ ● CB

CAROMB (A2)
84330 Vaucluse
2500 hab. ℹ️

▲▲ LA MIRANDE ★★
Place de l'Eglise. M. Hugon
☎ 04 90 62 40 31\04 90 62 46 03
FAX 04 90 62 34 48
🛏 10 🍽 270/290 F. ■ 38 F.
🍴 77/195 F. 🍴 50 F. 🍴 250/280 F.
✉ mer. hs.
E D 🚗 CV 📠 ● CB

CARPENTRAS (A-B2)
84200 Vaucluse
28000 hab. ℹ️

▲▲▲ SAFARI HOTEL Rest. HIBISCUS ★★★
Av. Jean-Henri Fabre. M. Roux
☎ 04 90 63 35 35 FAX 04 90 60 49 99
🛏 42 🍽 380 F. ■ 55 F. 🍴 110/160 F.
🍴 80 F. 🍴 370 F.
✉ 1er nov./1er mars.
E D SP 📠 🚗 🚗 🛏 ⛱ 🍴 CV
📠 ● CB 📠

... à proximité

MAZAN (A-B2)
84380 Vaucluse
4600 hab. ℹ️

6 km Est Carpentras par D 942

※ LE SIECLE ★
Le Terreau.
Mmes Faure/Ispa
☎ 04 90 69 75 70
🛏 12 🍽 140/300 F. ■ 30 F.
🚗 CV ● CB

MONTEUX (B2)
84170 Vaucluse
7750 hab. ℹ️

4 km S.O. Carpentras par D 195

▲▲▲ HOSTELLERIE BLASON DE
PROVENCE ★★★
Route de Carpentras.
M. Duvillet
☎ 04 90 66 31 34 FAX 04 90 66 83 05
🛏 18 🍽 315/410 F. ■ 55 F.
🍴 135/265 F. 🍴 60 F. 🍴 330/390 F.
✉ 15 déc./15 janv. Rest. sam. midi.
E D 🚗 🛏 ⛱ 🍴 ♿ 📠 ●
CB 📠 📠

▲▲ LE SELECT HOTEL ★★★
24, bld de Carpentras.
M. Peters
☎ 04 90 66 27 91 FAX 04 90 66 33 05
🛏 8 🍽 320 F. ■ 40 F. 🍴 95/165 F.
🍴 50 F. 🍴 320 F.
✉ 18 déc./8 janv. et sam. hs. Rest. sam.
midi.
E D 🚗 🚗 ⛱ 🍴 📠 CB 📠
📠

SAINT DIDIER (B2)
84210 Vaucluse
1657 hab.

6 km Sud Carpentras par D 39

▲▲▲ LES 3 COLOMBES ★★★
148, av. des Garrigues.
M. Montorfano
☎ 04 90 66 07 01 FAX 04 90 66 11 54
🛏 30 🍽 340/450 F. ■ 48 F.
🍴 120/230 F. 🍴 60 F. 🍴 320/370 F.
✉ 2 janv./28 fév.
E ℹ️ 🚗 🚗 🛏 ⛱ 🍴 ♿ 🍴 ♿
CV 📠 ● CB

CAVAILLON (B2)
84300 Vaucluse
24000 hab. ℹ️

▲ TOPPIN ★★
70, cours Gambetta.
M. Gesnot
☎ 04 90 71 30 42 FAX 04 90 71 91 94
🛏 32 🍽 200/300 F. ■ 34 F.
🍴 65/195 F. 🍴 45 F. 🍴 230/250 F.
✉ sam. midi et dim. 1er oct./30 avr.,
sam. midi et dim. midi 1er mai/30 sept.
E D 🚗 🚗 🛏 CV 📠 ●

CUCURON (B3)
84160 Vaucluse
1400 hab. 🛈

⌂ L'ARBRE DE MAI
Rue de l'Eglise.
M. Carmona
☎ 04 90 77 25 10   ℻ 04 90 77 25 10
🛏 6 ⬡ 220/300 F. 🍽 30 F. 🍴 85/150 F.
♨ 55 F. 🍴 250/290 F.
✉ fév., 16/29 nov., lun. soir et mar. hiver.
E SP ✆ CB

ENTRAIGUES SUR SORGUE (B1-2)
84320 Vaucluse
5335 hab.

⌂⌂ LE BEAL ★★
175, route de Carpentras.
M. Pajerols
☎ 04 90 83 17 22 ╲04 90 83 22 34
℻ 04 90 83 64 96
🛏 21 ⬡ 156/250 F. 🍽 30 F.
🍴 85/160 F. ♨ 45 F. 🍴 170/250 F.
✉ rest. 26 déc./7 janv., sam. midi et dim. hiver.
SP ▢ ☎ ➾ ⛩ ♨ ⛱ ☼ 🚲 CV 🎦 ✆ CB

FONTAINE DE VAUCLUSE (B2)
84800 Vaucluse
700 hab. 🛈

⌂⌂ DU PARC ★★
Les Bourgades. Mme Baffoni
☎ 04 90 20 31 57   ℻ 04 90 20 27 03
🛏 12 ⬡ 260/280 F. 🍽 40 F.
🍴 95/145 F. ♨ 40 F. 🍴 320 F.
✉ hôtel 11 nov./15 fév. Rest. 2 janv./15 fév. et mer.
SP 🛈 ☎ ➾ ♨ 🎦 ✆ CB

GIGONDAS (A2)
84190 Vaucluse
800 hab. 🛈

⌂⌂ LES FLORETS ★★
Route des Dentelles.
Mme Bernard
☎ 04 90 65 85 01   ℻ 04 90 65 83 80
🛏 13 ⬡ 410 F. 🍽 52 F. 🍴 120/220 F.
♨ 60 F. 🍴 400 F.
✉ janv. et fév., mar. soir hs et mer.
E SP ▢ ☎ ➾ ⛱ ♨ ✆ CB

GORDES (B2)
84220 Vaucluse
1800 hab. 🛈

⌂⌂⌂ AUBERGE DE CARCARILLE ★★
(Les Gervais, Sur D.2).
M. Rambaud
☎ 04 90 72 02 63   ℻ 04 90 72 05 74
🛏 11 ⬡ 330/380 F. 🍽 45 F.
🍴 98/195 F. ♨ 55 F. 🍴 340/370 F.
✉ 15 nov./28 déc et ven. sauf soir avr./sept.
E SP ▢ ☎ ⛱ ⛱ ☼ 🚲 CB

L'ISLE SUR LA SORGUE (B2)
84800 Vaucluse
17000 hab. 🛈

⌂ L'ERMITAGE VALLIS CLAUSA ★★
A 3 km, route de Fontaine de Vaucluse.
M. Viau
🛏 8 ⬡ 260/340 F. 🍽 35 F. 🍴 97/190 F.
♨ 60 F. 🍴 250/300 F.
✉ 14 janv./14 fév., lun. et mar. midi.
E D ☎ ➾ ⛱ ⛱ ♘ 🚲 CV ✆ CB

⌂⌂ LA GUEULARDIERE
1, av. J. Charmasson. M. Toppin
☎ 04 90 38 10 52   ℻ 04 90 20 83 70
🛏 5 ⬡ 280/300 F. 🍽 38 F. 🍴 95/180 F.
♨ 50 F. 🍴 255/270 F.
✉ 12 nov./9 déc., 16 fév./3 mars et mer.
▢ ☎ ➾ CV ✆ CB

⌂⌂ LE PESCADOR ★
(Le Partage des Eaux). Mme Rochet
☎ 04 90 38 09 69   ℻ 04 90 38 27 80
🛏 8 ⬡ 255 F. 🍽 30 F. 🍴 90/170 F.
♨ 45 F. 🍴 260 F.
✉ 15 nov./15 mars et lun.
E 🛈 ☎ ➾ ✆ CB

✻ LES NEVONS ★★
Quartier des Nevons. Mme Ovise
☎ 04 90 20 72 00   ℻ 04 90 38 31 20
🛏 26 ⬡ 280/370 F. 🍽 35/40 F.
✉ mi-déc./mi-janv.
E SP ☎ ➾ ➾ ⛲ 📺 ⛱ ➾ CV 🎦 CB

JOUCAS (B2)
84220 Vaucluse
220 hab.

⌂⌂ HOSTELLERIE DES COMMANDEURS ★★
Mme Michot
☎ 04 90 05 78 01   ℻ 04 90 05 74 47
🛏 13 ⬡ 310/330 F. 🍽 36 F.
🍴 100/160 F. ♨ 50 F. 🍴 280 F.
✉ janv. et mer.
E D 🛈 ▢ ☎ ➾ ⛱ ⛱ 🚲 CV ✆ CB

⌂⌂ LA PINEDE
Route de Murs. M. Jacquet
☎ 04 90 05 78 54   ℻ 04 90 05 64 45
🛏 7 ⬡ 360 F. 🍽 45 F. 🍴 100/170 F.
♨ 60 F. 🍴 320 F.
✉ 5 janv./4 fév. et lun. sauf fêtes.
SP ▢ ☎ ➾ ➾ ⛱ ⛱ 🚲 🎦 ✆ CB

LAURIS (B2)
84360 Vaucluse
1810 hab. 🛈

⌂⌂ HOSTELLERIE DE LA CADIERE
Chemin du Meou. M. Djihanian
☎ 04 90 08 20 41
🛏 6 ⬡ 280/360 F. 🍽 30 F.
🍴 100/150 F. ♨ 60 F. 🍴 380/450 F.
☎ ➾ ➾ ⛱ ⛱ 🚲 ✆ CB

LIOUX (B2)
84220 Vaucluse
324 hab.

♨ AUBERGE DE LIOUX
Route de Sault.
M. Mirouf
☎ 04 90 05 77 52 〘FAX〙 04 90 05 61 09
🛏 8 ⬓ 260 F. ⬒ 35 F. 🍽 95 F. 🍴 55 F.
🛌 260 F.
〚E〛〚SP〛🚗🚪🎣🏊〚CB〛

LOURMARIN (B2)
84160 Vaucluse
800 hab. 〘i〙

♨ HOSTELLERIE LE PARADOU
Route d'Apt.
Mme Mansuy
☎ 04 90 68 04 05\04 90 68 15 83
〘FAX〙 04 90 08 54 94
🛏 8 ⬓ 230/270 F. ⬒ 30 F.
🍽 100/160 F. 🍴 50 F. 🛌 225/245 F.
✉ 8 janv./15 fév., jeu. et ven. midi.
〚E〛〚SP〛🕾🚗🚪🎿🏊〚CB〛

MALAUCENE (A2)
84340 Vaucluse
2000 hab. 〘i〙

♨ HOSTELLERIE LA CHEVALERIE
Les Remparts. Mme Houdy
☎ 04 90 65 11 19 〘FAX〙 04 90 12 69 22
🛏 6 ⬓ 235/350 F. ⬒ 38 F. 🍽 92/143 F.
🍴 50 F. 🛌 250/300 F.
✉ 1er/10 juil., vac. Toussaint,
6/31 janv., mar. soir hs et mer.
〚E〛〚D〛🗗🕾🚗🚪〚CB〛

♨ ORIGAN ★★
Cours des Isnards.
M. Petidis
☎ 04 90 65 27 08 〘FAX〙 04 90 65 12 92
🛏 22 ⬓ 210/240 F. ⬒ 35 F.
🍽 65/120 F. 🍴 40 F. 🛌 220/240 F.
✉ fin oct./14 déc. et lun. Rest.
15 déc./1er mars sauf ven., sam. et dim.
〚E〛〚SP〛🕾🚗🎿🏊〚CB〛

MAZAN (A-B2)
84380 Vaucluse

>>> *voir CARPENTRAS*

MIRABEAU (B3)
84120 Vaucluse
458 hab.

♨♨ HOSTELLERIE DE MALACOSTE
(A la Beaume, sur N.96).
Mme Fromont
☎ 04 90 77 03 84 〘FAX〙 04 90 77 01 08
🎗100F 🛏 6 ⬓ 190/260 F. ⬒ 30 F. 🍽 60/118 F.
🍴 45 F. 🛌 210/300 F.
✉ 24 déc./2 janv. et sam. hiver.
〚E〛〚D〛🗗🕾🚗🚪🎿🏊〚CV〛🏊〚CB〛

MONTEUX (B2)
84170 Vaucluse

>>> *voir CARPENTRAS*

MONTFAVET (B1-2)
84140 Vaucluse

>>> *voir AVIGNON*

MORNAS (A1)
84550 Vaucluse
2000 hab.

♨♨ HOSTELLERIE DU BARON DES
ADRETS ★★
Ancienne N.7. M. Jastrzebski
☎ 04 90 37 05 15 〘FAX〙 04 90 37 01 57
🛏 7 ⬓ 200/250 F. 🍽 60/165 F. 🍴 40 F.
🛌 378 F.
✉ sam. hs.
🗗🕾🚗🚪🎿〚CV〛🏊〚CB〛

♨♨ LE MANOIR ★★
Sur N.7. Mme Caillet
☎ 04 90 37 00 79 〘FAX〙 04 90 37 10 34
🎗100F 🛏 24 ⬓ 240/320 F. ⬒ 40 F. 🍴 45 F.
🛌 295 F.
✉ 8 janv./10 fév., 11 nov./8 déc., dim.
soir et lun. 15 sept./31 mai.
〚E〛🗗🕾🚗🚪🚪🎣🎿〚CV〛〚⫶〛🏊
〚CB〛🕭〚GR〛

MURS (B2)
84220 Vaucluse
500 m. • 400 hab.

♨♨ LE CRILLON
Le Village. MM. Castelli/Sigrist
☎ 04 90 72 60 31\04 90 72 68 04
〘FAX〙 04 90 72 63 12
🛏 8 ⬓ 255/350 F. ⬒ 33 F. 🍽 70/130 F.
🍴 50 F. 🛌 275 F.
✉ jeu. hs.
〚E〛〚D〛🗗🕾🚗🎿🏊〚CB〛

ORANGE (A1)
84100 Vaucluse
27000 hab. 〘i〙

🍴 ARENE ★★★
Place de Langes. M. Coutel
☎ 04 90 11 40 40 〘FAX〙 04 90 11 40 45
🛏 30 ⬓ 340/500 F. ⬒ 44 F.
✉ 8 nov./1er déc.
〚E〛〚D〛〚SP〛🗗🕾🚗🚪〚⫶〛🎣〚CV〛〚⫶〛🏊〚CB〛

🍴 LE GLACIER ★★
46, cours Aristide Briand. M. Cunha
☎ 04 90 34 02 01 〘FAX〙 04 90 51 13 80
🛏 28 ⬓ 255/290 F. ⬒ 35 F.
✉ 23 déc./1er fév. et dim. nov./Pâques.
〚E〛〚D〛🗗🕾🚗🚗📶🎣〚CV〛🏊〚CB〛🕭〚GR〛

♨♨ LOUVRE TERMINUS Rest. LES JARDINS
DE L'ORANGERAIE ★★★
89, av. Frédéric Mistral.
MeM. Lena/Cabrera
☎ 04 90 34 10 08\04 90 34 74 32
〘FAX〙 04 90 34 68 71
🎗100F 🛏 24 ⬓ 250/390 F. ⬒ 38 F.
🍽 90/140 F. 🍴 40 F. 🛌 250/295 F.
✉ hôtel 20 déc./6 janv. Rest. 2/27 janv.,
lun. nov./Pâques et sam. midi.
〚E〛〚i〛🗗🕾🚗🚪🚪〚⫶〛🎣🎿🚪〚⫶〛🗄
🎿〚⫶〛🏊〚CB〛🕭〚GR〛

PERNES LES FONTAINES (B2)
84210 Vaucluse
5000 hab. ⓘ

❄ **L'HERMITAGE** ★★
Route de Carpentras. Mme Oury
☎ 04 90 66 51 41 🖷 04 90 61 36 41
🛏 20 ⌂ 280/450 F. 🍴 45 F. 🍽 60 F.
🍽 340/360 F.

PRATO-PLAGE ★★
Route de Carpentras.
M. Boffelli
☎ 04 90 61 31 72 🖷 04 90 61 33 34
🛏 12 ⌂ 200/320 F. 🍴 35 F.
🍽 75/115 F. 🍽 45 F. 🍽 235/275 F.

PERTUIS (B3)
84120 Vaucluse
15000 hab. ⓘ

L'AUBARESTIERO ★★
Place Garcin. MM. Jacqueline/Jalong
☎ 04 90 79 14 74
🛏 13 ⌂ 180/240 F. 🍴 35 F.
🍽 70/200 F. 🍽 50 F. 🍽 200/230 F.

PIOLENC (A1)
84420 Vaucluse
3259 hab. ⓘ

AUBERGE DE L'ORANGERIE
4, rue de l'Ormeau.
Mme Delarocque
☎ 04 90 29 59 88 🖷 04 90 29 67 74
🛏 5 ⌂ 240/420 F. 🍴 45 F. 🍽 90/200 F.
🍽 45 F. 🍽 255/345 F.

RASTEAU (A2)
84110 Vaucluse
700 hab.

BELLERIVE ★★
M. Petrier
☎ 04 90 46 10 20 🖷 04 90 46 14 96
🛏 20 ⌂ 400/510 F. 🍴 55 F.
🍽 120/195 F. 🍽 70 F. 🍽 395/475 F.
✉ 3 nov./22 mars. Rest. lun. et ven.
midi.

ROUSSILLON (B2)
84400 Vaucluse
2450 hab. ⓘ

MAS DE LA TOUR ★★
(A Gargas, 2km). M. Hardouin
☎ 04 90 74 12 10 🖷 04 90 04 83 67
🛏 31 ⌂ 230/420 F. 🍴 48 F.
🍽 75/130 F. 🍽 50 F. 🍽 255/350 F.
✉ 1er janv./31 mars et 22 sept./31 déc.

RUSTREL (B3)
84400 Vaucluse
600 hab.

AUBERGE DE RUSTREOU ★★
3, place de la Fête.
MM. Miraucourt
☎ 04 90 04 90 90
🛏 7 ⌂ 260/280 F. 🍴 32 F. 🍽 70/144 F.
🍽 40 F. 🍽 210/310 F.

SAINT DIDIER (B2)
84210 Vaucluse

⟩⟩⟩ *voir CARPENTRAS*

SAINT MARTIN DE CASTILLON (B3)
84750 Vaucluse

⟩⟩⟩ *voir APT*

SAINT SATURNIN D'APT (B2)
84490 Vaucluse
2000 hab.

DES VOYAGEURS ★★
Mme Augier
☎ 04 90 75 42 08
🛏 12 ⌂ 200/450 F. 🍴 50 F.
🍽 110/160 F. 🍽 70 F. 🍽 280/350 F.

SAULT (A2)
84390 Vaucluse
760 m. • 1206 hab. ⓘ

HOSTELLERIE DU VAL DE SAULT ★★★
Ancien chemin d'Aurel.
M. Gattechaut
☎ 04 90 64 01 41 🖷 04 90 64 12 74
🛏 11 ⌂ 490/640 F. 🍴 59 F.
🍽 123/217 F. 🍽 49 F. 🍽 420/540 F.
✉ 7 nov./29 mars.

SORGUES (B1-2)
84700 Vaucluse
17126 hab.

DAVICO ★★
67, rue Saint-Pierre. M. Davico
☎ 04 90 39 11 02 🖷 04 90 83 48 42
🛏 25 ⌂ 250/360 F. 🍴 35 F.
🍽 120/280 F. 🍽 60 F. 🍽 295/315 F.
✉ 15/31 août, 23 déc./6 janv., sam.
midi et dim.

VIRGINIA D'OUVEZE ★★
410, av. d'Orange. M. Laborie
☎ 04 90 83 31 82 🖷 04 90 83 07 17
🛏 20 ⌂ 150/230 F. 🍴 30 F.
🍽 69/155 F. 🍽 45 F. 🍽 180/210 F.
✉ 23 déc./2 janv.

La TOUR D'AIGUES (B3)
84240 Vaucluse
3260 hab. ⓘ

AA LES FENOUILLETS ★★
(Quartier Revol). M. Mondello
☎ 04 90 07 48 22 Ⅱ 04 90 07 34 26
🛏 12 ⊠ 290/350 F. 🍽 36 F.
🍴 135/190 F. 🍴 51 F. 🛏 283/313 F.
⊠ mer. Rest. midi sauf dim.
Ⓔ ⓘ 🗖 ☎ 🚗 🁢 🛆 CV 🐾 CB

VAISON LA ROMAINE (A2)
84110 Vaucluse
6000 hab. ⓘ

AAA LE LOGIS DU CHATEAU Rest. LE
DOLIUM ★★
(Les Hauts de Vaison). M. Beliando
☎ 04 90 36 09 98 Ⅱ 04 90 36 10 95
🛏 45 ⊠ 250/430 F. 🍽 40 F. 🍴 50 F.
🛏 250/343 F.
⊠ début avr./fin oct. Rest. mer. midi et
dim. midi.
Ⓔ Ⓓ 🗖 ☎ 🚗 ‡ 🁢 🖎 🐾 🀄 🛆 CV
🔅 🐾 CB

VALREAS (A2)
84600 Vaucluse
10000 hab. ⓘ

AA GRAND HOTEL ★★
28, av. Général de Gaulle. M. Gleize
☎ 04 90 35 00 26 Ⅱ 04 90 35 60 93
☞ 🛏 13 ⊠ 280/350 F. 🍽 39 F.
100F
🍴 98/300 F. 🍴 50 F. 🛏 280/350 F.
⊠ 22 déc./28 janv., sam. soir et dim. hs.
Rest. dim.
Ⓔ ⓘ 🗖 🁢 ☎ 🚗 🚗 🁢 🖎 🀄 🀄
🔅 🐾 CB

VAUGINES (B2-3)
84160 Vaucluse
325 hab.

AA L'HOSTELLERIE DU LUBERON ★★
Cours Saint-Louis. M. Renaudin
☎ 04 90 77 27 19 Ⅱ 04 90 77 13 08
🛏 16 ⊠ 320/340 F. 🍽 45 F.
🍴 100/190 F. 🍴 55 F. 🛏 280/290 F.
⊠ 1er nov./28 fév., mer. et jeu. midi.
Ⓔ ⓘ ☎ 🚗 🁢 🖎 🀄 🀄 🔅 🐾 CB 🅒🅡

VENASQUE (B2)
84210 Vaucluse
650 hab. ⓘ

AA LA GARRIGUE ★★
Route de l'Appie. Mme Montico
☎ 04 90 66 03 40 Ⅱ 04 90 66 61 43
🛏 16 ⊠ 330/450 F. 🍽 45 F.
🛏 330/400 F.
⊠ 15 oct./Pâques et mar.
ⓘ ☎ 🚗 🛋 🁢 🖎 CB

A LES REMPARTS
Rue Haute. M. Le Men
☎ 04 90 66 02 79
🛏 5 ⊠ 320 F. 🍴 90/200 F. 🍴 60 F.
🛏 250 F.
⊠ 1er déc./1er mars.
Ⓔ Ⓓ 🚗 CV 🐾 CB

VIOLES (A2)
84150 Vaucluse
1360 hab.

AA LE CHATEAU DU MARTINET
Route de Vaison la Romaine. M. Boursier
☎ 04 90 70 94 98 Ⅱ 04 90 70 97 09
☞ 🛏 10 ⊠ 250/400 F. 🍽 38 F.
100F
🍴 100/250 F. 🍴 50 F. 🛏 280/380 F.
⊠ mer. hs.
Ⓔ 🗖 ☎ 🚗 🁢 🖎 🔅 🐾 CB

VISAN (A2)
84820 Vaucluse
1210 hab.

A DU MIDI
Av. des Alliés. M. Demarle
☎ 04 90 41 90 05 Ⅱ 04 90 41 96 11
🛏 7 ⊠ 165/300 F. 🍽 28 F. 🍴 70/160 F.
🍴 45 F. 🛏 250 F.
⊠ 1er/15 oct. et mar.
Ⓔ Ⓓ SP 🗖 ☎ 🚗 🁢 🛆 🀄 🐾 CB

C.R.T. Rhône-Alpes / Rigaux

C.R.T. Rhône-Alpes

C.R.T. Rhône-Alpes / J.L. Rigaux

Rhône-Alpes

C.R.T. Rhône-Alpes / Rigollier

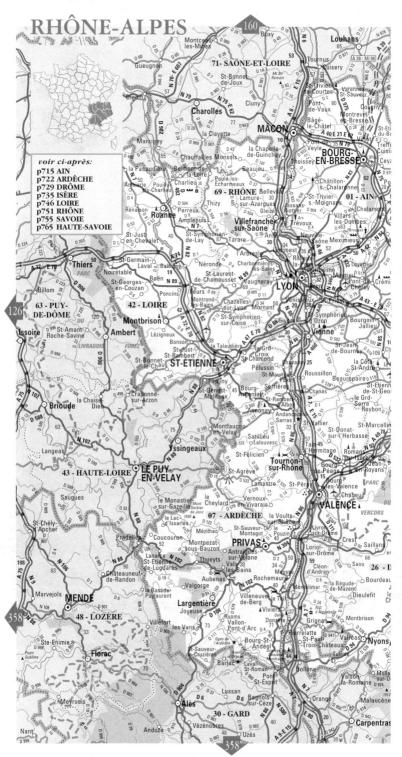

RHÔNE-ALPES

71 - SAÔNE-ET-LOIRE

Louhans

Montceau-les-Mines

Gueugnon

Digoin

Charolles

Cluny

MÂCON

la Chapelle-de-Guinchay

Marcigny

la Clayette

Chauffailles Monsols

BOURG-EN-BRESSE

01 - AIN

69 - RHÔNE

Belmont-de-la-Loire

Charlieu

Beaujeu

Belleville

la Pacaudière

Poule-les-Écharmeaux

Thizy

Lamure-sur-Azergues

Roanne

Perreux

Ampleepuis

Villefranche-sur-Saône

voir ci-après:
p715 AIN
p722 ARDÈCHE
p729 DRÔME
p735 ISÈRE
p746 LOIRE
p751 RHÔNE
p755 SAVOIE
p765 HAUTE-SAVOIE

St-Just-en-Chevalet

St-Symphorien-de-Lay

Tarare

l'Arbresle

Thiers

St-Germain-Laval

Balbigny

Néronde

Charbonnières-les-Bains

LYON

Noirétable

St-Georges-en-Couzan

Boën

St-Laurent-de-Chamousset

Billom

Feurs

Montrond-les-Bains

Chazelles-sur-Lyon

St-Symphorien-sur-Coise

Vénissieux

St-Priest

63 - PUY-DE-DÔME

42 - LOIRE

Issoire

St-Amant-Roche-Savine

Ambert

Montbrison

Lézigneux

Bonson

St-Just-St-Rambert

la Talaudière

la Grd Croix

St-Chamond

Givors

Vienne

Bourgoin-Jallieu

St-Bonnet-le-Châtel

ST-ÉTIENNE

Pélussin

Firminy

Brioude

la Chaise-Dieu

Craponne-sur-Arzon

St-Genest-Malifaux

Bourg-Argental

Serrières

Annonay

St-Rambert-d'Albon

la Côte-St-André

Beaurepaire

St-Étienne-de-St-Geoirs

le Grd-Serre

Roybon

Montfaucon-en-Velay

Satillieu

Sarras

St-Vallier

St-Marcellin

Langeac

Yssingeaux

St-Félicien

St-Donat-sur-l'Herbasse

Romans-sur-Isère

St-Jean-en-Royans

43 - HAUTE-LOIRE

LE PUY-EN-VELAY

St-Agrève

Tournon-sur-Rhône

Bourg-de-Péage

Sauges

le Monastier-sur-Gazeille

le Cheylard

Lamastre

St-Péray

les-Valence

Chabeuil

VERCORS

St-Chély-d'Apcher

le Lac d'Issarlès

Vernoux-en-Vivarais

VALENCE

07 - ARDÈCHE

la Voulte-sur-Rhône

Pradelles

Coucouron

Mézilhac

St-Sauveur-Montagut

Livron-sur-Drôme

Crest

Saillans

Montpezat-sous-Bauzon

Privas

le Pouzin

Loriol-sur-Drôme

26 - D

Marvejols

Châteauneuf-de-Randon

St-Étienne-de-Lugdarès

Thueyts

Vals-les-Bains

Rochemaure

Cléon-d'Andran

Saou

Bourdeau

la Bégude-de-Mazenc

Dieulefit

MENDE

la Bastide-Puylaurent

Valgorge

Aubenas

Meysse

Montélimar

Largentière

Joyeuse

Villeneuve-de-Berg

Grignan

Montbrison

48 - LOZÈRE

Villefort

les Vans

Ruoms

Vallon-Pont-d'Arc

Vivier

Donzère

Grignan

Valréas

Nyons

Ste-Enimie

Florac

St-Sauveur-de-Cruzières

Gges de l'Ardèche

Bourg-St-Andéol

St-Paul-Trois-Châteaux

Tulette

Valson-la-Romaine

Meyrueis

Barjac

St-Roman

Pont-St-Esprit

Bollène

Molla

Lussan

Bagnols-sur-Cèze

Orange

Malaucène

Alès

30 - GARD

Vézénobres

Uzès

Carpentras

Anduze

Nant

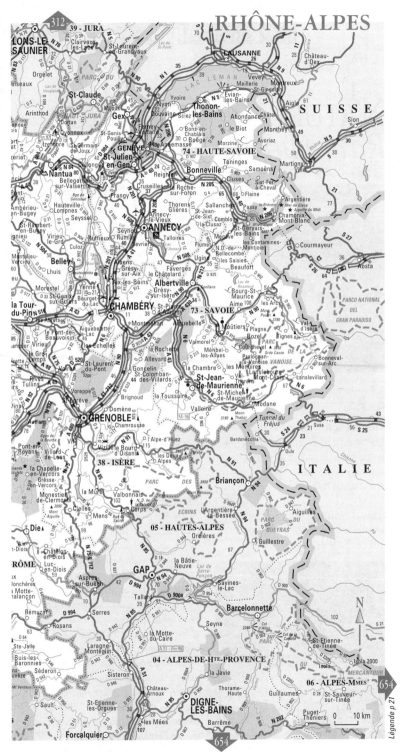

Légende p 21

La NATURE À L'ÉTAT BRUT
Raw Nature

C.R.T. Rhône-Alpes / Castel / Courtois

SI TOUT COMME ROUSSEAU, VOUS AIMEZ "LES TORRENTS, LES ROCHERS, LES SAPINS, LES BOIS NOIRS, LES CHEMINS RABOTEUX À MONTER, À DESCENDRE. . .», PARTEZ POUR LA RÉGION RHÔNE-ALPES.

Trait d'union
Curieuse union que celle d'un fleuve et d'une chaîne de montagnes. Subtil

C.R.T. Rhône-Alpes

IF, LIKE ROUSSEAU, YOU LOVE «WATERFALLS, ROCKS, FIR TREES, BLACK FORESTS, ROUGH PATHS TO FOLLOW. . .» THE RHÔNE-ALPES REGION IS FOR YOU.

Meeting of Opposites
This region is marked by the curious combination of a river and a chain of mountains. With this subtle mixture of the fluid and the stationary, it offers a whole range of vistas and experiences. Dominating the Saône valley, the Dombes spreads out into a thousand ponds and small lakes, reaching as far as the outskirts of Lyon. To the west the Rhône valley vineyards enjoy their worldwide reputation, while the east displays its majestic white mountain with pride. The south is not lacking in attributes either: you'll find the breath-taking Ardèche gorges, the false hostility of the Vercors and the calm expanses of the Vivarais.

mélange de fluide et d'immuable, la région
propose toute une palette de paysages et
de sensations. Dominant la vallée
de la Saône, la Dombes humide étale
ses mille étangs jusqu'en périphérie de Lyon.
A l'ouest, les vignobles de la vallée du Rhône
jouissent de leur réputation mondiale,
tandis que l'est s'enorgueillit de son Mont,
si blanc, si culminant. Le sud ne manque
pas non plus d'arguments : profondeur
vertigineuse des gorges de l'Ardèche, fausse
hostilité du Vercors, calmes étendues
du Vivarais.

C.R.T. Rhône-Alpes / Rigaux

Altitude et oxygène

Sur les pentes des Alpes, plus de
6 000 kilomètres de pistes vous attendent.
Le plus grand domaine skiable au monde
a de quoi satisfaire les sportifs les
plus chevronnés. Chamonix, Grenoble
et Albertville, stars de l'olympisme, ont su,
malgré leurs heures de gloire, rester
sauvages et accueillantes pour tous : ceux
qui se grisent dans la poudreuse et ceux
qui s'amusent des dénivelés dans
l'herbeuse, au printemps et en été,
quand la région passe du blanc au vert.
Tour des lacs de la Vanoise, randonnée
au mont d'Aiguille, promenade au cœur
des Cévennes ardéchoises… les paysages
se suivent et ne se ressemblent pas.
Comme les eaux, tantôt paisibles, tantôt
furieuses. Enragées lorsqu'elles ruissellent
par grandes saccades aux trente cascades
du Fer à Cheval, près de Sixt en
Haute-Savoie, impétueuses quand elles
dévalent les gorges, elles savent se faire

Altitude and Oxygen

*More than 6000 kilometres of ski-slopes
await you in the Alps. It is the biggest
skiing area in the world and has more
than enough to satisfy the most
experienced skier. Chamonix, Grenoble
and Albertville, all graced with Olympic
glory, have nonetheless remained untamed
and inviting for everyone whether you love
the powder experience or prefer romps in
the grass in the spring and summer when
the region turns from white to green.
Then there are the trips around Vanoise
lakes, hiking in the Aiguille mountain and
walks in the heart of the Ardèche
Cévennes… no end of possibilities and
all very different.
The waterways alternate between
being peaceful and furious:
the thirty waterfalls at Fer à Cheval
near Sixt in Haute-Savoie are a swirl
of churning water, while the gorges
are more impetuous and the lakes
of Léman, Annecy and Nantua are
a lapping calm.*

NATUR IM URSPRÜNGLICHEN ZUSTAND

Einmalige Verbindung eines Flusses und
einer Bergkette. Wenn Sie, wie
Rousseau "die Wildbäche, die Felsen, die
Tannen, die schwarzen Wälder, die
holprigen Wege bei Aufstieg und bei
Abstieg" mögen, fahren Sie in die
Region der Rhône-Alpen.

DE NATUUR IN HAAR OORSPRONKELIJKE TOESTAND

Een merkwaardige samenvoeging van
een rivier en een bergketen. Indien u,
zoals Rousseau, houdt
van "bergstromen, rotsen, dennebomen,
donkere bossen, hobbelige wegen
beklimmen en afdalen …" ga dan naar
de Rhône-Alpes streek.

douces et clapotantes aux lacs Léman, d'Annecy et de Nantua.

Vestiges du passé

Région d'art et d'histoire, Rhône-Alpes a conservé les traces de ses locataires successifs. Préhistoriques, les peintures pariétales de la grotte Chauvet. Médiéval, le somptueux village de Crémieu. Renaissance, la Bâtie d'Urfé ou le quartier Saint-Jean de Lyon qui connut les grandes heures des soyeux. A ne pas manquer non plus : le château des Ducs à Chambéry, les forts de la Maurienne, le château de Tournon en Ardèche qui veille à la fois sur la ville et sur le Rhône, l'abbaye cistercienne d'Aiguebelle dans la Drôme…

Goûts de "bouchon"

Au menu de vos étapes : raclette, fondue et vins de Savoie, quenelles sauce Nantua, poulet de Bresse à la crème, gratin dauphinois. Sans oublier les délicates ravioles de Romans. La Région a vu naître de grands chefs qui font sa réputation. Lyon préfère vous inviter dans ses "bouchons", là où très simplement on se régale de saucisson chaud - nature, truffé ou pistaché -, et de ces tripes que l'on nomme ici "le tablier de sapeur". Deux plats qui s'accompagnent à toutes les bonnes tables, d'un pot de Beaujolais ou d'un côtes du Rhône trié sur le volet.

Vestiges of the Past

The Rhône-Alpes is also a region of history and art, and it has conserved the traces of its successive inhabitants.

From prehistory there are the cave paintings at Chauvet; from the Middles Ages, the beautiful village of Crémieu; from the Renaissance, the Bâtie d'Urfé or the district of Saint-Jean de Lyon which prospered at the height of the silk trade. You must also visit the château of the Dukes of Chambéry, the Maurienne forts, the château of Tournon in Ardèche which looks out over both the town and the river Rhône and, lastly, the Cistercian abbey of Aiguebelle in the Drôme…

The Taste of "Bouchon"

For each area of the region there is a particular delicacy: fondue, "raclette" and Savoie wines, quenelles in a Nantua sauce, chicken of Bresse, "gratin dauphinois," and, of course, the delicate Roman raviolis. This region has produced many a great chef, building itself a lasting culinary reputation. In Lyon the best way to eat is in a "bouchon" where you will quite simply feast on boiled sausage - plain, with truffles or pistachios - and tripes known locally as "the soldier's apron." Both these dishes go exceptionally well with either a carafe of Beaujolais or a côte du Rhône selected by a connoisseur.

LA NATURALEZA EN ESTADO SALVAJE

Curiosa unión la de un río y una cadena de montañas. Si, como a Rousseau, le gustan "los torrentes, las rocas, los abetos, los bosques sombrías, los caminos escabrosos que hay que subir o bajar...", vaya a la región Rhône–Alpes.

LA NATURA ALLO STATO BRADO

Curiosa unione fra un fiume e una catena di montagne. Se come Rousseau amate "i torrenti, le rocce, i pini, le foreste nere, i sentieri scoscesi da salire o da scendere...", andate nella regione Rodano Alpi.

Quenelles de Brochet

Ingrédients

Pour 6 personnes

- 200 g de chair de brochet
- 200 g de mie de pain
- 200 g de graisse de rognon de veau
- 100 g de beurre
- 4 œufs
- sel, poivre, muscade

Recette

- Tremper la mie de pain dans du lait chaud et bien l'égoutter. Piler finement la chair de brochet. Piler aussi la graisse de rognon et y ajouter le beurre.
- Malaxer la mie de pain, y incorporer la graisse, la chair de brochet et les oeufs. Assaisonner avec le sel, le poivre et la muscade râpée. Le mélange doit être homogène.
- Former des quenelles oblongues ayant de 10 cm de long.
- Les pocher à l'eau bouillante (frémissante) de 3 à 5 minutes. Servir avec une sauce aux herbes.

**Liste des
hôtels-restaurants**

Ain

**Association départementale
des Logis de France de l'Ain**
Chambre Hôtelière de l'Ain
4 rue Bourgmayer
01000 Bourg-en-Bresse
Téléphone 04 74 22 54 73

RHÔNE-ALPES

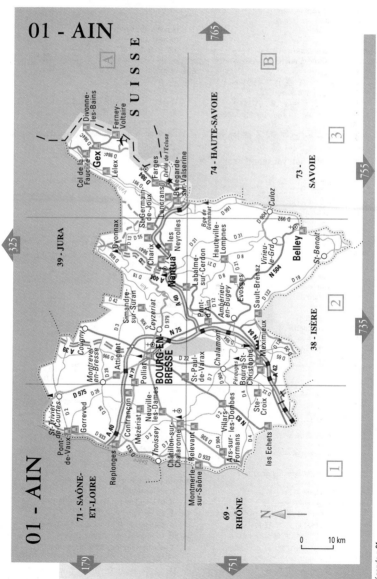

ARS SUR FORMANS (B1)
01480 Ain
851 hab. [i]

[A] REGINA ★★
M. Pelot
☎ 04 74 00 73 67 [FAX] 04 74 00 73 37
[120F] [↑] 42 [◎] 200 F. [†|] 82/180 F. [⚷] 50 F.
[⊠] 200/208 F.
[⊠] 31 oct./15 mars.
[E] [🚗] [⚷] [📶] [CB]

ATTIGNAT (A2)
01340 Ain
1682 hab. [i]

[AA] DOMINIQUE MARCEPOIL ★★
(Attignat sortie A.Bourg en Bresse Nord)
M. Marcepoil
☎ 04 74 30 92 24 [FAX] 04 74 25 93 48
[↑] 10 [◎] 270/370 F. [☞] 36 F.
[†|] 125/360 F. [⚷] 80 F. [⚷] 265/315 F.
[⊠] 26 mai/9 juin, 18 août/1er sept., dim.
soir et lun.
[E] [i] [☎] [🚗] [📶] [⛱] [⚷] [⚷] [📶] [📶] [CB]

BELLEGARDE SUR VALSERINE (A3)
01200 Ain
12000 hab. [i]

[A] AUBERGE LE CATRAY ★
(à 12km, Plateau de Retord,
alt. 1000 m.)
M. Chappuis
☎ 04 50 56 56 25
[↑] 7 [◎] 180/280 F. [☞] 30 F. [†|] 95/160 F.
[⚷] 45 F. [⚷] 220/245 F.
[⊠] 16/20 juin, 8/19 sept., 17/28
nov., lun. soir et mar. sauf séjours.
[☎] [🚗] [⛱] [⚷] [▶] [⚷] [CV] [📶] [📶] [CB]

[AAA] BELLE EPOQUE ★★★
10, place Gambetta. M. Sevin
☎ 04 50 48 14 46 [FAX] 04 50 56 01 71
[↑] 20 [◎] 250/400 F. [☞] 45 F. [⚷] 75 F.
[⚷] 350/400 F.
[⊠] 7/22 juil., 10 nov./2 déc., dim. soir et
lun. midi hs.
[E] [D] [SP] [i] [📶] [C-] [☎] [🚗] [🚗] [m] [📶] [📶]
[📶] [CB]

... à proximité

LANCRANS (A3)
01200 Ain
625 m. • 815 hab.

3 km Nord Bellegarde par D 991

[AA] DU SORGIA ★★
M. Marion
☎ 04 50 48 15 81 [FAX] 04 50 48 44 72
[↑] 17 [◎] 215/235 F. [☞] 32 F.
[†|] 75/190 F. [⚷] 50 F. [⚷] 420/440 F.
[⊠] 22 août/16 sept., 20/31 déc., dim.
soir et lun. midi.
[E] [i] [☎] [🚗] [🚗] [⛱] [⚷] [⚷]

BELLEY (B2)
01300 Ain
8372 hab. [i]

[AA] DU BUGEY ★★
10, Rue Georges Girerd.
M. Guinet
☎ 04 79 81 01 46 [FAX] 04 79 81 52 14
[↑] 10 [◎] 240/270 F. [☞] 32 F.
[†|] 70/160 F. [⚷] 55 F. [⚷] 440/470 F.
[⊠] 1er/10 mai, 20 déc./13 janv. Rest.
sam. et dim. soir.
[E] [📶] [C-] [☎] [🚗] [📶] [📶] [📶] [CB]

BOURG EN BRESSE (A2)
01000 Ain
50000 hab. [i]

[AAA] LE MAIL ★★
46, av. du Mail.
M. Charolles
☎ 04 74 21 00 26 [FAX] 04 74 21 29 55
[↑] 9 [◎] 180/270 F. [☞] 30 F.
[†|] 105/320 F. [⚷] 80 F. [⚷] 240/300 F.
[⊠] 16 juil./8 août, 22 déc./6 janv., dim.
soir et lun.
[E] [📶] [☎] [🚗] [🚗] [m] [📶] [⛱] [CV] [📶] [📶] [CB]

BOURG SAINT CHRISTOPHE (B2)
01800 Ain
650 hab.

[A] CHEZ GINETTE ★
Mme Gouttefangeas
☎ 04 74 61 01 49 [FAX] 04 74 61 36 13
[100F] [↑] 7 [◎] 150/250 F. [☞] 35 F. [†|] 62/170 F.
[⚷] 42 F. [⚷] 205/240 F.
[📶] [☎] [🚗] [CV] [📶] [CB]

CHARIX (A2)
01130 Ain
850 m. • 250 hab.

[A] AUBERGE DU LAC GENIN
M. Godet
☎ 04 74 75 52 50 [FAX] 04 74 75 51 15
[100F] [↑] 5 [◎] 130/250 F. [☞] 28 F. [†|] 65/110 F.
[⚷] 35 F.
[⊠] 15 oct./1er déc., dim. soir et lun.
[E] [📶] [☎] [🚗] [🚗] [⛱] [⚷] [CV] [📶]

CHATILLON SUR CHALARONNE (A1)
01400 Ain
3900 hab. [i]

[AA] DE LA TOUR ★★
Mme Rassion
☎ 04 74 55 05 12 [FAX] 04 74 55 09 19
[↑] 13 [◎] 170/350 F. [☞] 35 F.
[†|] 100/350 F. [⚷] 70 F. [⚷] 215/310 F.
[⊠] 15 jours fin nov./début déc.,
3 semaines fin fév./début mars , dim.
soir et mer.
[E] [📶] [☎] [🚗] [🚗] [📶] [📶] [CB]

COL DE LA FAUCILLE (A3)
01170 Ain
1323 m. • 40 hab. i

▲▲ LA PETITE CHAUMIERE ★★
M. Giroud
☎ 04 50 41 30 22   **FAX** 04 50 41 33 22
$\boxed{120F}$ 🛏 34 🍽 250/350 F. 🍴 44 F.
📶 98/163 F. 🍴 58 F. 🍴 275/340 F.
✉ 7/26 avr. et 5 oct./20 déc.
E 🖬 🕿 ⬍ ♻ CV 🎦 ♠ CB

CONFRANCON (A1)
01310 Ain
805 hab.

▲▲ DE BRESSE ★★
Au Logis Neuf, N. 79.
M. Rolly
☎ 04 74 30 27 13   **FAX** 04 74 25 21 18
🛏 10 🍽 170/260 F. 🍽 35 F.
📶 75/180 F. 🍴 60 F. 🍴 230/280 F.
✉ dim. soir et lun.
E 🖬 🕿 🚗 🚙 ⛴ ♻ 🎦 ♠ CB

DIVONNE LES BAINS (A3)
01220 Ain
6500 hab. i

▲▲ BEAUSEJOUR ★★
9, Place Perdtemps.
M. Dalla Longa
☎ 04 50 20 06 22   **FAX** 04 50 20 71 87
$\boxed{120F}$ 🛏 25 🍽 200/320 F. 🍽 40 F.
📶 90/200 F. 🍴 65 F.
✉ déc., mar. soir été, mar. soir et mer.
hiver.
E 🖬 **D** 🖬 🕿 🚗 ⛴ 🕭 🎦 CV 🎦
♠ CB 🖨

▲ LA TERRASSE FLEURIE ★★
315, rue Fontaine.
MM. Ferragut
☎ 04 50 20 06 32   **FAX** 04 50 20 40 34
🛏 18 🍽 240/300 F. 🍽 30 F.
📶 70/93 F. 🍴 45 F.
✉ 20 oct./1er mars.
E 🖬 🖬 🕿 ⛴ 🕭 CV CB

Les ECHETS (B1)
01706 Ain
500 hab.

▲▲ MARGUIN ★★
916, route de Strasbourg.
M. Marguin
☎ 04 78 91 80 04   **FAX** 04 78 91 06 83
🛏 8 🍽 185/310 F. 🍽 45 F. 📶 99/299 F.
🍴 65 F.
✉ 1er/22 août et 24 déc./2 janv.
E 🖬 🕿 🚗 🚙 ⛴ 🎦 ♠ CB

EVOSGES (B2)
01230 Ain
740 m. • 104 hab.

▲ L'AUBERGE CAMPAGNARDE ★★
MM. Mano et Merloz
☎ 04 74 38 55 55   **FAX** 04 74 38 55 62

$\boxed{100F}$ 🛏 15 🍽 180/380 F. 🍽 35 F.
📶 100/250 F. 🍴 55 F. 🍴 280/350 F.
✉ 2/26 janv., 1 semaine sept., mar. soir
et mer. sauf hôtel juin/sept.
E 🖬 🕿 🚗 🚙 ⛴ 🕭 ▶ 🎦 CV 🎦
♠ CB

FARGES (A3)
01550 Ain
513 m. • 559 hab. i

▲ CHATEAU DE FARGES ★★
M. Wenger
☎ 04 50 56 71 71   **FAX** 04 50 56 71 27
🛏 34 🍽 130/280 F. 🍽 32 F.
📶 110/340 F. 🍴 50 F. 🍴 242/272 F.
✉ Rest. 24 déc./3 janv., dim. soir et lun.
midi.
E 🖬 **D** 🖬 🕿 🚗 🚙 ⬍ ⛴ 🕭 🎦 CV
🎦 ♠

FERNEY VOLTAIRE (A3)
01210 Ain
6400 hab. i

▲▲ DE FRANCE ★★
1, rue de Genève.
M. Boillat
☎ 04 50 40 63 87   **FAX** 04 50 40 47 27
$\boxed{120F}$ 🛏 14 🍽 290/360 F. 🍽 40 F.
📶 115/245 F. 🍴 50 F. 🍴 270 F.
✉ 25 déc./15 janv. Rest. dim. et lun.
E **D** **SP** 🖬 🕿 🚗 ⛴ CV 🎦
♠ CB

GEX (A3)
01170 Ain
600 m. • 6000 hab. i

▲▲ DU PARC ★★
M. Jean-Prost
☎ 04 50 41 50 18   **FAX** 04 50 42 37 29
🛏 17 🍽 220/330 F. 🍽 45 F.
📶 180/335 F. 🍴 70 F.
✉ 15 jours sept., 26 déc./1er fév., dim.
soir et lun.
E **D** 🖬 🕿 🚗 ⛴ 🕭 ♠ CB

GORREVOD (A1)
01190 Ain
>>> *voir PONT DE VAUX*

HAUTEVILLE LOMPNES (B2)
01110 Ain
850 m. • 5000 hab. i

▲ AUBERGE DU COL DE LA LEBE ★
M. Clerc
☎ 04 79 87 64 54   **FAX** 04 79 87 54 26
🛏 7 🍽 195/265 F. 🍽 32 F. 📶 83/215 F.
🍴 65 F. 🍴 225/255 F.
✉ 3/31 janv., 20/30 juin, 15 nov./15
déc., lun. et mar. Rest. lun. soir et mar.
juil./août.
🖬 ⛴ 🕭 🎦 ♠ CB

LABALME SUR CERDON (A-B2)
01450 Ain
600 m. • 117 hab.

⌂ CARRIER ★
Sur N. 84.
M. Carrier
☎ 04 74 37 37 05 ᴲᴬˣ 04 74 37 36 39
🛏 12 ⌕ 120/280 F. ▦ 30 F.
🍴 70/230 F. ⌁ 55 F. ⌕ 185/245 F.
⌧ 2 janv./1er fév., mar. soir et mer. sauf
juil./août.
[symbols]

LANCRANS (A3)
01200 Ain

>>> *voir BELLEGARDE SUR VALSERINE*

LELEX (A3)
01410 Ain
900 m. • 230 hab. [i]

⌂ DU CENTRE ★★
M. Grossiord
☎ 04 50 20 90 81 ᴲᴬˣ 04 50 20 93 97
🛏 19 ⌕ 190/300 F. ▦ 32 F.
🍴 85/130 F. ⌁ 50 F. ⌕ 240/310 F.
⌧ 20 avr./10 juil., 20 sept./20 déc.
[symbols]

⌂ DU CRET DE LA NEIGE ★★
Mme Grospiron
☎ 04 50 20 90 15 ᴲᴬˣ 04 50 20 94 46
🛏 25 ⌕ 184/332 F. ▦ 32 F.
🍴 85/145 F. ⌁ 50 F. ⌕ 238/315 F.
⌧ 20 avr./21 juin et 14 sept./21 déc.
[symbols]

MEXIMIEUX (B2)
01800 Ain
6000 hab. [i]

⌂⌂ LUTZ ★★
17, rue de Lyon.
M. Lutz
☎ 04 74 61 06 78 ᴲᴬˣ 04 74 34 75 23
🛏 13 ⌕ 190/320 F. ▦ 40 F.
🍴 160/330 F. ⌁ 70 F.
⌧ 15/23 juil., 13 oct./4 nov., dim. soir
et lun.
[symbols]

MEZERIAT (A1)
01660 Ain
1600 hab. [i]

⌂ LES BESSIERES
M. Foraison
☎ 04 74 30 24 24
🛏 5 ⌕ 180/250 F. 🍴 128/170 F.
⌁ 60 F. ⌕ 230/280 F.
⌧ 15 nov./12 fév., lun. et mar.
[symbols]

MONTMERLE SUR SAONE (B1)
01090 Ain
2200 hab.

⌂⌂ DU RIVAGE ★★
12, rue du Pont. M. Job
☎ 04 74 69 33 92 ᴲᴬˣ 04 74 69 49 21
🛏 21 ⌕ 260/350 F. ▦ 35 F.
🍴 100/290 F. ⌁ 70 F. ⌕ 300/350 F.
⌧ nov., 1 semaine fév., lun. midi
1er juin/30 sept., dim. soir et lun.
1er oct./31 mai.
[symbols]

NANTUA (A2)
01130 Ain
3800 hab. [i]

⌂⌂ EMBARCADERE ★★
M. Jantet
☎ 04 74 75 22 88 ᴲᴬˣ 04 74 75 22 25
🛏 49 ⌕ 245/330 F. ▦ 32 F.
🍴 105/290 F. ⌁ 50 F. ⌕ 280/315 F.
⌧ Rest. lun., lun. et mar. midi juin/sept.
[symbols]

... *à proximité*

Les **NEYROLLES (A2)**
01130 Ain
525 m. • 615 hab. [i]

2 km Est Nantua par N 84 et D 55

⌂ REFFAY ★
Route de Genève. M. Reffay
☎ 04 74 75 04 35 ᴲᴬˣ 04 74 75 09 75
🛏 14 ⌕ 130/220 F. ▦ 25 F.
🍴 65/140 F. ⌁ 42 F. ⌕ 160/200 F.
⌧ 2ème quinz. avr., 2ème quinz. nov.,
mer. et dim. soir.
[symbols]

NEUVILLE LES DAMES (A1)
01400 Ain
1200 hab. [i]

⌂ DU MIDI ★★
M. Noblet
☎ 04 74 55 60 26 ᴲᴬˣ 04 74 55 60 40
🛏 7 ⌕ 170/400 F. ▦ 38 F. 🍴 95/100 F.
⌁ 70 F. ⌕ 250/270 F.
⌧ mar. soir et mer.
[symbols]

Les **NEYROLLES (A2)**
01130 Ain

>>> *voir NANTUA*

OYONNAX (A2)
01100 Ain
540 m. • 25000 hab. [i]

⌂ BUFFARD ★★
Place de l'Eglise. M. Perrin
☎ 04 74 77 86 01 ᴲᴬˣ 04 74 73 77 68
🛏 18 ⌕ 180/300 F. ▦ 35 F.
🍴 70/180 F. ⌁ 50 F. ⌕ 200/300 F.
⌧ Rest. 25 juil./12 août, ven. soir, sam.
et dim. soir.
[symbols]

POLLIAT (A2)
01310 Ain
2000 hab.

⌂ DE LA PLACE ★★
51, place de la Mairie
M. Tejerina
☎ 04 74 30 40 19 Ⅲ 04 74 30 42 34
🛏 8 ▭ 130/270 F. ☕ 32 F. ⅱ 82/220 F.
🍴 50 F. 🚗 240/290 F.
✉ 30 juin/7juil., 3/17 oct. et dim. soir.
Rest. lun.
[icons]

PONT D'AIN (B2)
01160 Ain
2000 hab. ⓘ

✳ DES ALLIES ★★
M. Vieudrin
☎ 04 74 39 00 09 Ⅲ 04 74 39 13 66
🛏 18 ▭ 170/330 F. ☕ 35 F.
✉ nov./janv.
[icons]

PONT DE VAUX (A1)
01190 Ain
2165 hab. ⓘ

⌂⌂ LE RAISIN ★★
2, place Michel Poisat.
M. Chazot
☎ 03 85 30 30 97 Ⅲ 03 85 30 67 89
🛏 18 ▭ 270/320 F. 🍴 40 F.
ⅱ 110/320 F. 🍴 70 F. 🚗 300/400 F.
✉ 8/23 janv., dim. soir et lun. hs sauf
fériés.
[icons]

... *à proximité*

GORREVOD (A1)
01190 Ain
512 hab.

2 km Sud Pont de Vaux par N 933

⌂ DE LA REYSSOUZE ★★
(Les Quatre-Vents).
M. Gaudet
☎ 03 85 30 32 13 Ⅲ 03 85 30 69 38
🛏 8 ▭ 200/230 F. ☕ 30/ 35 F.
ⅱ 70/200 F. 🍴 60 F. 🚗 230/250 F.
✉ 22 fév./9 mars, tous les soirs du
24/31 déc., ven. soir de sept./mai.
[icons]

⌂ LES PLATANES ★★
(Les Quatre-Vents).
M. Perron
☎ 03 85 30 32 84
🛏 7 ▭ 170/220 F. ☕ 32 F. ⅱ 70/235 F.
🍴 55 F.
✉ jeu.
[icons]

RELEVANT (B1)
01990 Ain
350 hab.

⌂ CHEZ NOELLE ★★
Mme Bouchard
☎ 04 74 55 32 90 Ⅲ 04 74 55 17 57
🛏 7 ▭ 190/250 F. ☕ 34 F. ⅱ 90/200 F.
🍴 45 F. 🚗 230 F.
✉ 15 déc./15 fév., lun. midi mai/fin
sept., mer. et dim. soir oct./avr.
[icons]

REPLONGES (A1)
01750 Ain
2687 hab.

⌂⌂⌂ HOSTELLERIE LA SARRASINE ★★★
204, rue du Chemin Vieux. M. Bevy
☎ 03 85 31 02 41 Ⅲ 03 85 31 11 74
🛏 7 ▭ 380/700 F. ☕ 60 F. ⅱ 98/320 F.
🍴 75 F. 🚗 398/499 F.
✉ 6 jan./6 fév. et mer. hs. Rest. midi
sauf séjours.
[icons]

SAINT GERMAIN DE JOUX (A2-3)
01130 Ain
600 hab.

⌂⌂ HOSTELLERIE REYGROBELLET ★★
Mme Pannier-Gavard
☎ 04 50 59 81 13 Ⅲ 04 50 59 83 74
🛏 10 ▭ 210/300 F. ☕ 33 F.
ⅱ 98/260 F. 🍴 65 F. 🚗 220/280 F.
✉ 10/17 mars, 29 juin/8 juil.,
12 oct./4 nov., dim. soir et lun.
[icons]

SAINT PAUL DE VARAX (A-B2)
01240 Ain
1200 hab.

⌂ DE LA GARE
M. Duverger
☎ 04 74 42 51 97 Ⅲ 04 74 42 50 04
🛏 6 ▭ 170/235 F. ☕ 25 F. ⅱ 95/240 F.
🍴 60 F.
✉ 1er janv. soir/27 janv., dim. soir et
lun.
[icons]

SAINTE CROIX (B1)
01120 Ain
340 hab. ⓘ

⌂⌂ CHEZ NOUS ★★
Mme Vincent
☎ 04 78 06 60 60＼04 78 06 61 20
Ⅲ 04 78 06 63 26
🛏 29 ▭ 200/280 F. ☕ 34 F.
ⅱ 105/265 F. 🍴 75 F. 🚗 210/240 F.
✉ vac. scol. fév., dim. soir et lun.
[icons]

SAULT BRENAZ (B2)
01790 Ain
1100 hab.

⌂ DU RHONE
M. Baudin
☎ 04 74 36 61 35
▮ 8 ◔ 210/300 F. ▦ 32 F.
⍢ 100/230 F. ⚐ 70 F.
☎ 🚗 🚙 ♿ ← CB

SIMANDRE SUR SURAN (A2)
01250 Ain
574 hab.

⌂ TISSOT ★
M. Tissot
☎ 04 74 30 65 04 ⓕ 04 74 30 61 04
📺 ▮ 9 ◔ 150/250 F. ▦ 28 F. ⍢ 60/170 F.
100F
⚐ 50 F. ▦ 150/180 F.
⊠ dim. soir et lun. midi.
▯ ⬜ ☎ 🚗 🚙 CV ← CB

VILLARS LES DOMBES (B1)
01330 Ain
3415 hab. ⓘ

⌂⌂ RIBOTEL Rest. J.C.BOUVIER ★★
Route de Lyon. M. André
☎ 04 74 98 08 03 \ 04 74 98 11 91
ⓕ 04 74 98 29 55
▮ 47 ◔ 290 F. ▦ 38 F. ⍢ 75/320 F.
⚐ 50 F. ▦ 280 F.
⊠ rest. 26 déc./13 janv. sauf 1er janv.,
dim. soir et lun.
▯ Ⅾ ⬜ ☎ 🚗 ⬍ ♠ 🏃 ♿ ⍰ ← CB

Deze gids is voor U. Als U suggesties heeft om hem
nog beter te maken, twijfel dan niet, maar laat het
ons weten.

**Liste des
hôtels-restaurants**

Ardèche

Association départementale
des Logis de France de l'Ardèche
C.D.T.
4 cours du Palais - B.P. 221
07000 Privas
Téléphone 04 75 64 04 66

RHÔNE-ALPES

69 RHÔNE
42 LOIRE
01 AIN
74 HAUTE-SAVOIE
Bourg-en-Bresse
Lyon
Annecy
St-Etienne
Chambéry
73 SAVOIE
38 ISÈRE
Grenoble
Privas
07 ARDÈCHE
Valence
26 DRÔME

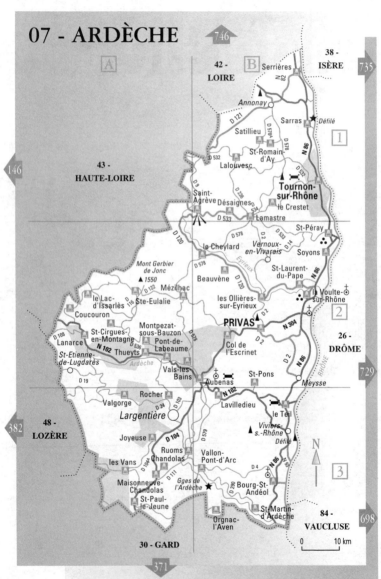

07 - ARDÈCHE

746

42 - LOIRE

38 - ISÈRE

735

Serrières
Annonay
Sarras
Défilé
Satillieu
St-Romain-d'Ay
Lalouvesc
1
D 121
N 82
D 578
D 578
N 86
D 532

146

43 - HAUTE-LOIRE

Saint-Agrève
Désaignes
Tournon-sur-Rhône
le Crestet
Lamastre
St-Péray
le Cheylard
Vernoux-en-Vivarais
Soyons
St-Laurent-du-Pape
Beauvène
la Voulte-sur-Rhône
Mont Gerbier de Jonc
▲1550
Mézilhac
les Ollières-sur-Eyrieux
PRIVAS
le Lac-d'Issarlès
Ste-Eulalie
Coucouron
Montpezat-sous-Bauzon
Pont-de-Labeaume
N 304
26 - DRÔME
St-Cirgues-en-Montagne
Lanarce
Thueyts
Col de l'Escrinet
St-Etienne-de-Lugdarès
Vals-les-Bains
Ardèche
729
Aubenas
St-Pons
Meysse
Rocher
Lavilledieu
le Teil
Valgorge
Largentière
Viviers-s.-Rhône
Défilé
48 - LOZÈRE
382
Joyeuse
Ruoms
Chandolas
Vallon-Pont-d'Arc
Bourg-St-Andéol
les Vans
Maisonneuve-Chandolas
Gges de l'Ardèche
St-Paul-le-Jeune
St-Martin-d'Ardèche
Orgnac-l'Aven
84 - VAUCLUSE
698

30 - GARD

371

N
0   10 km

D 9
D 236
D 532
D 34
D 533
D 578
D 120
D 578
D 14
D 533
D 2
Eyrieux
D 120
D 122
D 116
D 2
D 108
D 536
N 102
D 2
N 86
D 19
D 578
D 104
D 24
D 103
D 579
D 104
D 111
D 104
D 4
N 86
N 86
Rhône

Légende p 21

722

AUBENAS (B2)
07200 Ardèche
13700 hab. 🛈

⚑⚑ LA PINEDE ★★
Route du Camping des Pins D.235.
M. Mazet
☎ 04 75 35 25 88 FAX 04 75 93 06 42
⌂ 🛏 30 ⛌ 260/350 F. 🍽 36 F.
80F
🍴 98/180 F. 🚶 50 F. 🏩 260/285 F.
✉ 25/26 déc.
🇪 🕿 🚗 🚙 🌴 🎣 🔨 🔥 CV 🔟

BEAUVENE (B2)
07190 Ardèche
230 hab.

⚑ DES TOURISTES Rest. PERRIER ★★
(Pont de Chervil). M. Perrier
☎ 04 75 29 06 19
🛏 8 ⛌ 185/215 F. 🍽 25 F. 🍴 72/ 95 F.
🚶 38 F. 🏩 180 F.
✉ hôtel 1er oct./1er avr. Rest.
17 fév./7 mars et sam.
🇪 🕿 🚗 🚙 🔥

BOURG SAINT ANDEOL (B3)
07700 Ardèche
7665 hab.

⚑⚑ LE PRIEURE ★★
Quai Fabry. Mme Julien
☎ 04 75 54 62 99 FAX 04 75 54 63 73
🛏 16 ⛌ 280/380 F. 🍴 68/145 F.
🚶 50 F. 🏩 280/320 F.
✉ 3 semaines sept., entre Noël/jour de
l'An, sam. midi et dim. soir.
🖥 🕿 🔥 🔟 🔥 CB

CHANDOLAS (A3)
07230 Ardèche
385 hab.

⚑ AUBERGE LES MURETS
a Lengarnayre D.4 M. Rignanèse
☎ 04 75 39 08 32 FAX 04 75 39 39 90
⌂ 🛏 7 ⛌ 270 F. 🍽 30 F. 🍴 90/130 F.
100F
🚶 50 F. 🏩 255 F.
✉ 2/19 janv. et mar. nov./mars.
🇪 🄳 🛈 🚗 🌴 🎣 🔥 CV 🔥 CB

Le CHEYLARD (B2)
07160 Ardèche
4000 hab. 🛈

⚑ DES VOYAGEURS ★★
2, rue du Temple. M. Faure
☎ 04 75 29 05 88 FAX 04 75 29 34 87
🛏 15 ⛌ 160/250 F. 🍽 25 F.
🍴 60/160 F. 🚶 45 F. 🏩 160/180 F.
✉ 26 mai/9 juin, 3/16 nov., ven. soir et
dim. soir en hiver.
🇪 🖥 🕿 CV 🔥 CB

LE PROVENCAL ★★
17, av. de la Gare. M. Ayroulet
☎ 04 75 29 02 08 FAX 04 75 29 35 63
🛏 8 ⛌ 250/280 F. 🍽 40 F. 🍴 80/230 F.
🚶 65 F. 🏩 240/280 F.
✉ 7/26 fév., 17 août/3 sept., 26 déc./
6 janv., ven. soir, dim. soir et lun.
🇪 🖥 🕿 🚗 🚙 🔥 🔥 CV 🔥 CB

COUCOURON (A2)
07470 Ardèche
1130 m. ● 800 hab. 🛈

⚑ CARREFOUR DES LACS ★★
M. Haon
☎ 04 66 46 12 70 FAX 04 66 46 16 42
🛏 17 ⛌ 170/310 F. 🍽 32 F.
🍴 85/180 F. 🚶 50 F. 🏩 200/235 F.
✉ 1er déc./15 fév.
🇪 🖥 🕿 🚗 🚙 🔥 🚶 CV 🔥 CB

Le CRESTET (B1)
07270 Ardèche
520 hab.

⚑ DE LA TERRASSE ★★
Mme Abattu
☎ 04 75 06 24 44 FAX 04 75 06 23 25
⌂ 🛏 14 ⛌ 170/230 F. 🍽 30 F.
100F
🍴 65/160 F. 🚶 45 F. 🏩 170/200 F.
✉ mer. hs.
🇪 🖥 🕿 🚗 🚙 🌴 🎣 🚶 CV 🔥 CB

DESAIGNES (B1)
07570 Ardèche
600 hab.

⚑⚑ DES VOYAGEURS ★★
M. Ranc
☎ 04 75 06 61 48 FAX 04 75 06 64 43
⌂ 🛏 15 ⛌ 170/280 F. 🍽 35 F.
120F
🍴 62/180 F. 🚶 45 F. 🏩 170/260 F.
✉ fin sept./Pâques.
🇪 🛈 🕿 🚗 🚙 🌴 🎣 🔥 🚶 CV 🔥 CB

L'ESCRINET (COL DE) (B2)
07200 Ardèche
>>> *voir PRIVAS*

JOYEUSE (A3)
07260 Ardèche
1293 hab. 🛈

⚑⚑ LES CEDRES ★★
M.Me Lardy
☎ 04 75 39 40 60 FAX 04 75 39 90 16
🛏 44 ⛌ 305 F. 🍽 39 F. 🍴 70/175 F.
🚶 45 F. 🏩 300 F.
✉ 15 oct./15 avr.
🇪 SP 🛈 🕿 🚗 ⚡ 🏊 🌴 🎣 🚶
🔥 CV 🔟 🔥 CB

Le LAC D'ISSARLES (A2)
07470 Ardèche
1000 m. • 300 hab.

⌂ LE BEAUSEJOUR ★
M. Gineys
☎ 04 66 46 21 69 FAX 04 66 46 20 94
🛏 18 ⬡ 130/220 F. 🍽 26 F.
🍴 68/150 F. 🍷 30 F. 🛏 190/210 F.
⊠ 15 nov./1er mars.

Le PANORAMIC ★
M. Lafont
☎ 04 66 46 21 65 FAX 04 66 46 21 22
🛏 11 ⬡ 140/230 F. 🍽 30 F.
🍴 70/155 F. 🍷 40 F. 🛏 170/220 F.

LALOUVESC (B1)
07520 Ardèche
1050 m. • 500 hab. ℹ

⌂ RELAIS DU MONARQUE ★★
Mme Moutard-Solnon
☎ 04 75 67 80 44 FAX 04 75 67 83 33
🛏 20 ⬡ 190/290 F. 🍽 35 F.
🍴 90/170 F. 🍷 55 F. 🛏 250/300 F.
⊠ 1er oct./Pentecôte.

LAMASTRE (B1)
07270 Ardèche
500 m. • 2800 hab. ℹ

⌂ DES NEGOCIANTS ★★
M. Lopez
☎ 04 75 06 41 34 FAX 04 75 06 32 58
🛏 17 ⬡ 130/245 F. 🍽 30 F.
🍴 68/160 F. 🍷 45 F. 🛏 150/220 F.
⊠ 1er déc./8 janv., dim. soir et ven.
8 janv./20 mars.

⌂ GRAND HOTEL DU COMMERCE ★★
Place Rampon. M. Ranc
☎ 04 75 06 41 53 FAX 04 75 06 33 48
🛏 16 ⬡ 195/285 F. 🍽 28 F.
🍴 78/200 F. 🍷 48 F. 🛏 195/280 F.
⊠ 20 oct./20 mars.

LANARCE (A2)
07660 Ardèche
1200 m. • 252 hab.

⌂⌂ DES SAPINS ★★
M. Ollier
☎ 04 66 69 46 08 FAX 04 66 69 42 87
🛏 16 ⬡ 150/240 F. 🍴 72/180 F.
🍷 38 F. 🛏 180/210 F.
⊠ 1er/20 déc., 6 janv./15 fév. et dim.
soir hors vac. scol.

⌂⌂ LE PROVENCE ★★
Mme Philippot
☎ 04 66 69 46 06 FAX 04 66 69 41 56

🛏 15 ⬡ 150/250 F. 🍽 30 F.
🍴 75/170 F. 🍷 40 F. 🛏 170/225 F.
⊠ 15 nov./15 mars.

LAVILLEDIEU (B3)
07170 Ardèche
1086 hab.

⌂⌂ LES PERSEDES ★★
Sur N.102 (à 5 Km d'Aubenas).
M. Chambon
☎ 04 75 94 88 08 FAX 04 75 94 29 02
🛏 24 ⬡ 280/360 F. 🍽 40 F.
🍴 85/180 F. 🍷 60 F. 🛏 290/330 F.
⊠ 28 mars/15 oct., dim. soir et lun.
midi sauf juil./août et jours fériés.

MAISONNEUVE CHANDOLAS (A3)
07230 Ardèche
300 hab.

⌂⌂ LE RELAIS DE LA VIGNASSE ★★
M. Benoist
☎ 04 75 39 31 91 FAX 04 75 39 08 12
🛏 12 ⬡ 260/320 F. 🍽 40 F.
🍴 100/220 F. 🍷 60 F. 🛏 270/320 F.
⊠ 10 jours nov., 15 jours janv. ou fév.

MEZILHAC (A2)
07530 Ardèche
1140 m. • 124 hab.

⌂ DES CEVENNES ★
M. Mazè
☎ 04 75 38 78 01 FAX 04 75 38 77 08
🛏 15 ⬡ 220 F. 🍽 30 F. 🍴 75/130 F.
🍷 40 F. 🛏 210 F.
⊠ 15 oct./15 déc.

MONTPEZAT SOUS BAUZON (A2)
07560 Ardèche
550 m. • 680 hab. ℹ

⌂ AUBERGE DE LA FONTAINE ★★
Mme Marquand
☎ 04 75 94 50 00
🛏 9 ⬡ 160/250 F. 🍽 26 F. 🍴 75/125 F.
🍷 35 F. 🛏 200 F.
⊠ ven. et dim. soir.

Les OLLIERES SUR EYRIEUX (B2)
07360 Ardèche
800 hab. ℹ

⌂⌂ AUBERGE DE LA VALLEE ★★
Bas Pranles-Les Ollières. M. Serre
☎ 04 75 66 20 32 FAX 04 75 66 20 63
🛏 7 ⬡ 210/340 F. 🍽 43 F. 🍴 95/320 F.
🍷 65 F. 🛏 240/290 F.
⊠ 30 janv./12 mars, 23/30 sept., dim.
soir et lun. hs.

ORGNAC L'AVEN (B3)
07150 Ardèche
360 hab.

▲▲ DE L'AVEN ★★
Place de la Mairie M. Sarrazin
☎ 04 75 38 61 80 [FAX] 04 75 38 66 39
♐ 🛏 25 ⬚ 190/250 F. ⬛ 31 F.
⟦⫴⟧ 68/120 F. ⫼ 45 F. ⚅ 200/285 F.
⊠ 30 nov./1er mars.
[E] 🔲 🕾 🚗 🌴 🏃 CV 🦢 CB

PONT DE LABEAUME (A2)
07380 Ardèche
500 hab.

▲▲ LE VENTADOUR ★★
M. Rivière
☎ 04 75 38 01 33 [FAX] 04 75 38 06 73
♐ 🛏 15 ⬚ 230 F. ⬛ 35 F. ⟦⫴⟧ 65/170 F.
⫼ 45 F. ⚅ 250 F.
⊠ 1er/15 fév.
🔲 🕾 🚗 🚙 🌴 ⛹ 🏃 ♿ CV 🔅 🦢 CB 🎦

PRIVAS (B2)
07000 Ardèche
12000 hab. 🅸

... à proximité

L'ESCRINET (COL DE) (B2)
07200 Ardèche
787 m. • 250 hab.

11 km Ouest Privas par N 104

▲▲▲ PANORAMIQUE DU COL DE
L'ESCRINET ★★
M. Rojon
☎ 04 75 87 10 11 [FAX] 04 75 87 10 34
♐ 🛏 20 ⬚ 270/480 F. ⬛ 38 F.
⟦⫴⟧ 130/300 F. ⫼ 70 F. ⚅ 320/390 F.
⊠ 16 nov./15 mars., lun. midi 15 mars/
15 juin et 1er oct./15 nov.
[E] [SP] 🔲 🕾 🚗 🚙 🌴 ⛹ 🏃 CV 🦢
CB 🎦

ROCHER (A3)
07110 Ardèche
300 hab.

▲▲ LE CHENE VERT ★★
M. Jacquet
☎ 04 75 88 34 02 [FAX] 04 75 88 33 85
♐ 🛏 22 ⬚ 250/380 F. ⬛ 40 F.
⟦⫴⟧ 80/185 F. ⫼ 40 F. ⚅ 250/320 F.
⊠ 15 nov./15 mars.
[E] 🔲 🕾 🚗 🚙 🌴 ⛹ 🏃 CV 🔅 🦢 CB

RUOMS (A3)
07120 Ardèche
3000 hab. 🅸

▲▲ LA CHAPOULIERE ★★
Quartier la Chapoulière. Mme Mazars
☎ 04 75 39 65 43 [FAX] 04 75 39 75 82
♐ 🛏 12 ⬚ 240/310 F. ⬛ 40 F.

⟦⫴⟧ 90/200 F. ⫼ 46 F. ⚅ 260/305 F.
⊠ 12 nov./15 mars. et lun. sauf
Pâques/20 sept.
[E] 🔲 🕾 🚗 🌴 🏃 CV 🦢

SAINT AGREVE (B1)
07320 Ardèche
1050 m. • 3000 hab. 🅸

▲▲ AU BOIS SAUVAGE ★★
Quartier de Ribes, route de Valence.
M.Me Lespinasse/Pandrot
☎ 04 75 30 15 15 [FAX] 04 75 30 12 02
♐ 🛏 27 ⬚ 250/290 F. ⬛ 35 F.
⟦⫴⟧ 70/220 F. ⫼ 45 F. ⚅ 230/260 F.
🔲 🕾 🚗 🚙 🌴 🏃 ♿ CV 🔅 🦢 CB

SAINT CIRGUES EN MONTAGNE (A2)
07510 Ardèche
1040 m. • 300 hab. 🅸

▲▲ AU PARFUM DES BOIS ★★
M. Lespinasse
☎ 04 75 38 93 93 [FAX] 04 75 38 95 38
♐ 🛏 24 ⬚ 240/290 F. ⬛ 35 F.
⟦⫴⟧ 68/220 F. ⫼ 45 F. ⚅ 230/260 F.
⊠ 6 janv./début vac. fév.
🔲 🕾 🚗 🚙 🏃 ⛹ ▶ CV 🔅 🦢 CB

SAINT LAURENT DU PAPE (B2)
07800 Ardèche
1300 hab.

▲▲ DE LA VALLEE DE L'EYRIEUX ★★
M. Allègre
☎ 04 75 62 20 19 [FAX] 04 75 62 44 42
♐ 🛏 12 ⬚ 250/350 F. ⬛ 30 F.
⟦⫴⟧ 98/350 F. ⫼ 49 F. ⚅ 250/350 F.
⊠ 15 fév./15 mars., dim. soir et lun.
15 oct./15 avr.
[E] [SP] 🔲 🕾 🚗 🌴 🚙 CV 🦢 CB

SAINT MARTIN D'ARDECHE (B3)
07700 Ardèche
500 hab. 🅸

▲▲ L'ESCARBILLE ★★
Rue Andronne. M. Raoux
☎ 04 75 04 64 37 [FAX] 04 75 98 71 13
♐ 🛏 10 ⬚ 300/320 F. ⬛ 41 F.
⟦⫴⟧ 100/170 F. ⫼ 50 F. ⚅ 300/320 F.
⊠ oct./fév. Rest. mar. sauf juin/sept.
🔲 🕾 🚗 🚙 🚙 ⛹ 🏃 CV 🦢 CB 🎦

SAINT PAUL LE JEUNE (A3)
07460 Ardèche
820 hab.

▲ LE MODERNE ★
Place de la Gare. M. Dell'erba
☎ 04 75 39 82 75
♐ 🛏 9 ⬚ 190/200 F. ⬛ 28 F. ⟦⫴⟧ 85/175 F.
⫼ 50 F. ⚅ 210 F.
⊠ mer.
[E] [D] [SP] 🅸 🕾 🚗 🔅 🦢 CB

SAINT PERAY (B2)
07130 Ardèche
5500 hab. ℹ️

🏯 DE LA GARE ★
Place de l'Europe. M. Boyer-Russier
☎ 04 75 40 30 06 📠 04 75 81 02 03
🛏 11 🍽 120/270 F. 🍴 25 F.
🍽 90/180 F. 🍴 40 F. 🛏 150/250 F.
✉ août.
🇫 ℹ️ 🏠 ☎ 🚗 🍴 🕍 📶 🐾 CB

SAINT PONS (B2)
07580 Ardèche
181 hab.

🏯🏯🏯 HOSTELLERIE GOURMANDE MERE
BIQUETTE ★★
(Les Allignols). M.Me Bossy
☎ 04 75 36 72 61 📠 04 75 36 76 25
🛏 9 🍽 280/450 F. 🍴 40/ 75 F.
🛏 270/340 F.
✉ rest. 24 déc.
🇫 ℹ️ 🍷 🏠 ☎ 🚗 🏊 ⚓ 👟 ♿ CV 📶 🐾 CB

SAINT ROMAIN D'AY (B1)
07290 Ardèche
620 hab.

🏯🏯 DU VIVARAIS ★★
M. Poinard
☎ 04 75 34 42 01 📠 04 75 34 48 23
🛏 8 🍽 220/300 F. 🍴 30 F. 🍴 60 F.
🛏 250/270 F.
✉ 15 janv./20 fév., dim. soir et lun.
🇫 🏠 ☎ 🚗 🍴 🏊 ⚓ 👟 ♿ CV 🐾 CB

SAINTE EULALIE (A2)
07510 Ardèche
1230 m. ● 400 hab.

🏯 DE LA POSTE ★★
M. Laurent
☎ 04 75 38 81 09
🛏 10 🍽 190/240 F. 🍴 30 F.
🍽 75/130 F. 🍴 35 F. 🛏 200/225 F.
✉ 1er oct./20 déc.
🇫 🏠 🚗 🍴 👟 CV

🏯 DU NORD
M. Mouyon
☎ 04 75 38 80 09 📠 04 75 38 80 09
100F 🛏 14 🍽 220/270 F. 🍴 32 F.
🍽 95/140 F. 🍴 45 F. 🛏 215/240 F.
✉ 16 nov./15 fév. et mer. sauf juil./août.
🇫 🏠 ☎ 🚗 🍴 👟 ♿ CV 🐾 CB

SARRAS (B1)
07370 Ardèche
1800 hab. ℹ️

🏯🏯 LE VIVARAIS ★★
Av. du Vivarais. M. Guironnet
☎ 04 75 23 01 88 📠 04 75 23 49 73
🛏 7 🍽 250/290 F. 🍴 38 F. 🍽 95/320 F.

🍴 50 F.
✉ 1er/15 fév., dim. soir et mar. sauf
juin/sept.
🇫 🏠 ☎ 🚗 🍴 🕍 🐾 CB

SATILLIEU (B1)
07290 Ardèche
2000 hab. ℹ️

🏯 CHALEAT-SAPET ★★
Place de la Faurie. M. Sapet
☎ 04 75 34 95 42 📠 04 75 69 91 13
80F 🛏 12 🍽 230/240 F. 🍴 30 F.
🍽 60/160 F. 🍴 40 F. 🛏 210 F.
🇫 🏠 ☎ 🚗 🍴 🏊 👟 ♿ CV 🐾 CB

SERRIERES (B1)
07340 Ardèche
1342 hab. ℹ️

🏯🏯 SCHAEFFER ★★
Quai Jules Roche. M. Mathe
☎ 04 75 34 00 07 📠 04 75 34 08 79
🛏 12 🍽 290/340 F. 🍴 40 F.
🍽 120/350 F. 🍴 70 F.
✉ vac. scol. Toussaint., 2/25 janv.,
dim. soir et lun. sauf juil./août.
🇫 🇮 🏠 ☎ 🚗 🌐 🍴 🐾 CV 🐾 CB

SOYONS (B2)
07130 Ardèche
1551 hab.

🏯🏯🏯 LA CHATAIGNERAIE ★★★
Domaine de la Musardière. M. Michelot
☎ 04 75 60 83 55 📠 04 75 60 85 21
120F 🛏 17 🍽 440/900 F. 🍴 90 F.
🍽 120/290 F. 🍴 80 F. 🛏 470/900 F.
🇫 🇩 SP 🏠 ☎ 🚗 🌐 🍴 🍴 🏊 🛶 📶
👟 ♿ 🕍

Le TEIL (B3)
07400 Ardèche
7800 hab. ℹ️

🏯 DE L'EUROPE ★★
45, Av. Paul Langevin. M. Charrier
☎ 04 75 49 01 96
🛏 7 🍽 240/280 F. 🍴 30 F. 🍽 65/130 F.
🍴 40 F. 🛏 180/230 F.
✉ dim.
🇫 🏠 ☎ 🚗 CV 🐾 CB

THUEYTS (A2)
07330 Ardèche
1100 hab. ℹ️

🏯🏯 DES MARRONNIERS ★★
M. Labrot
☎ 04 75 36 40 16 📠 04 75 36 48 02
100F 🛏 19 🍽 175/280 F. 🍴 30 F.
🍽 85/180 F. 🍴 50 F. 🛏 235/270 F.
✉ 20 déc./6 mars.
🇫 🇩 🏠 ☎ 🚗 🍴 🍴 🏊 👟 CV 🕍
🐾 CB

THUEYTS (A2) (suite)

LES PLATANES ★★
M.Me Fayette/Serret
☎ 04 75 93 78 66 FAX 04 75 36 41 67
100F 📞 25 🛏 160/260 F. 🍽 35 F.
🍴 75/180 F. 🛁 45 F. 📷 220/260 F.
☒ 7 nov./15 fév.

TOURNON (B1)
07300 Ardèche
10000 hab. ℹ

AZALEES ★★
Av. de la Gare. M. Couix
☎ 04 75 08 05 23 FAX 04 75 08 18 27
100F 📞 35 🛏 230/280 F. 🍽 30 F.
🍴 84/154 F. 🛁 45 F. 📷 230 F.
☒ 25 déc./2 janv.

DU CHATEAU ★★★
Quai Marc-Seguin M. Gras
☎ 04 75 08 60 22 FAX 04 75 07 02 95
100F 📞 14 🛏 320 F. 🍽 40 F. 🍴 100/295 F.
🛁 50 F. 📷 320 F.
☒ 1er/15 nov. Rest. sam. midi en saison.

LA CHAUMIERE ★★
Quai Farconnet. M. Fercire
☎ 04 75 08 07 78
100F 📞 10 🛏 230/280 F. 🍽 30 F.
🍴 71/200 F. 🛁 50 F. 📷 250/270 F.
☒ 3 fév./3 mars, lun. soir et mar. sauf 20 juin/10 sept.

VALGORGE (A3)
07110 Ardèche
432 hab. ℹ

LE TANARGUE - CHEZ COSTE ★★
Mme Coste
☎ 04 75 88 98 98 \ 04 75 88 98 20
FAX 04 75 88 96 09
120F 📞 22 🛏 240/365 F. 🍽 39 F.
🍴 95/195 F. 🛁 50 F. 📷 275/360 F.
☒ janv./1er mars.

VALLON PONT D'ARC (B3)
07150 Ardèche
2000 hab. ℹ

LE BELVEDERE
Rte des Gorges. (5km Vallon/300m P.Arc) Mme Saulnier
☎ 04 75 88 00 02 \ 04 75 88 00 27
FAX 04 75 88 12 22
100F 📞 27 🛏 240/500 F. 🍽 35 F.
🍴 85/130 F. 🛁 48 F. 📷 235/345 F.
☒ 15 nov./15 mars.

LE MANOIR DU RAVEYRON
Rue du Raveyron. MM. Bourdat/Gauthier
☎ 04 75 88 03 59 FAX 04 75 37 11 12
100F 📞 14 🛏 175/280 F. 🍽 33 F.
🍴 70/220 F. 🛁 42 F. 📷 225/255 F.
☒ 15 oct./15 mars.

VALS LES BAINS (A2)
07600 Ardèche
4300 hab. ℹ

GRAND HOTEL DE LYON ★★★
11, av. Paul Ribeyre. Mme Bonneton
☎ 04 75 37 43 70 FAX 04 75 37 59 11
120F 📞 35 🛏 320/450 F. 🍽 40 F.
🍴 120/180 F. 🛁 50 F. 📷 300/380 F.
☒ 10 oct./30 mars.

SAINT-JACQUES ★★
Rue Auguste Clément. M. Fontbonne
☎ 04 75 37 46 02 FAX 04 75 37 47 33
📞 24 🛏 220/360 F. 🍽 35 F.
🍴 85/120 F. 🛁 45 F. 📷 250/280 F.
☒ rest. 15 oct./Pâques.

Les VANS (A3)
07140 Ardèche
2668 hab. ℹ

LE MAS DE L'ESPAIRE ★★
Bois de Païolive. M. Lapierre
☎ 04 75 94 95 01 FAX 04 75 37 21 00
120F 📞 30 🛏 270/390 F. 🍽 40 F.
🍴 120/180 F. 🛁 50 F. 📷 280/340 F.
☒ 15 nov./15 mars.

La VOULTE SUR RHÔNE (B2)
07800 Ardèche
6000 hab. ℹ

DE LA VALLEE ★★
Quai Anatole France. M. Lavenent
☎ 04 75 62 41 10 FAX 04 75 62 26 22
100F 📞 15 🛏 160/300 F. 🍽 32 F.
🍴 75/220 F. 🛁 40 F. 📷 230/270 F.
☒ 26 déc./20 janv. et sam. sauf juil./août.

Drôme

C.R.T. Rhône-Alpes / F. Da Costa

Association départementale
des Logis de France de la Drôme
C.D.T.
31 avenue Herriot
26000 Valence
Téléphone 04 75 82 19 26

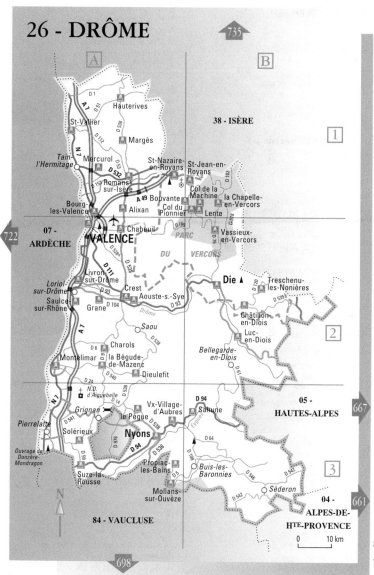

ALIXAN (A1)
26300 Drôme
1099 hab.

▲▲ ALPES PROVENCE ✶✶
Sur N. 532, Aire de Bayanne. M. Bocaud
☎ 04 75 47 02 84 ⛝ 04 75 47 11 72
🛏 20 ⬛ 135/320 F. ⬛ 35 F.
🍽 100/250 F. ⚑ 50 F. ⬛ 175/215 F.
⊠ 20 nov./10 déc. Hôtel dim. soir. Rest.
dim. soir et lun. sauf juil./août.
[E] [D] ⬛ ⬛ ⬛ ⬛ ⬛ ⬛ ⬛ ⬛ [CV] ⬛ [CB] [CR]

AOUSTE SUR SYE (A2)
26400 Drôme
1800 hab.

▲ DE LA GARE ✶✶
M. Guier
☎ 04 75 25 14 12
🛏 8 ⬛ 180/290 F. ⬛ 38 F.
🍽 100/210 F. ⚑ 50 F. ⬛ 220/250 F.
⊠ ven. soir et sam. hs.
[E] ⬛ ⬛ ⬛ ⬛ ⬛ ⬛ ⬛ [CB]

La BEGUDE DE MAZENC (A2)
26160 Drôme
1024 hab. [i]

▲ DU JABRON ✶✶
MM. Sadeler/Pottier
☎ 04 75 46 28 85 ⛝ 04 75 46 24 31
🛏 12 ⬛ 180 F. ⬛ 30 F. 🍽 100/180 F.
⚑ 50 F. ⬛ 180 F.
⊠ janv., mar. soir et mer. sauf juil./août.
[E] [D] [SP] ⬛ ⬛ ⬛ ⬛ ⬛ ⬛ ⬛ [CV] ⬛ ⬛

BOURG LES VALENCE (A1)
26500 Drôme

>>> *voir VALENCE*

BOUVANTE (A-B1)
26190 Drôme
585 m. ● 220 hab.

... *à proximité*

PIONNIER (Col du) (A-B1)
26190 Drôme
1060 m. ● 3 hab. [i]

6 km Sud Bouvante par D 331

▲ AUBERGE DU PIONNIER ✶
Mme Brusegan
☎ 04 75 48 57 12 ⛝ 04 75 48 58 26
🛏 9 ⬛ 150/240 F. ⬛ 26 F. 🍽 52 F.
⬛ 180/220 F.
⊠ 1er nov./20 déc.
[E] [i] ⬛ ⬛ ⬛ ⬛ ⬛ [CV] ⬛

CHABEUIL (A2)
26120 Drôme
3916 hab. [i]

▲▲ RELAIS DU SOLEIL ✶✶✶
Sur D.538. M. Rigollet
☎ 04 75 59 01 81 ⛝ 04 75 59 11 82

🛏 16 ⬛ 320/420 F. ⬛ 50 F.
🍽 95/200 F. ⚑ 60 F. ⬛ 280/330 F.
⊠ dernière semaine déc.
[E] [D] [SP] ⬛ ⬛ ⬛ ⬛ ⬛ ⬛ ⬛ ⬛ ⬛
[CV] ⬛ [CB] ⬛ [CR]

La CHAPELLE EN VERCORS (B1)
26420 Drôme
955 m. ● 700 hab. [i]

▲▲ BELLIER ✶✶
Mme Bellier
☎ 04 75 48 20 03 ⛝ 04 75 48 25 31
🛏 13 ⬛ 300/450 F. ⬛ 40 F.
🍽 90/216 F. ⚑ 69 F. ⬛ 270/380 F.
⊠ 2ème et 3ème semaines déc., mar.
soir et mer. hs sauf réservations.
[E] [D] ⬛ ⬛ ⬛ ⬛ ⬛ ⬛ ⬛ [CB]

CHAROLS (A2)
26450 Drôme
400 hab.

▲ DES VOYAGEURS ✶
Mme Gaucherand
☎ 04 75 90 15 21 ⛝ 04 75 90 29 41
🛏 11 ⬛ 165/195 F. ⬛ 35 F.
🍽 70/175 F. ⚑ 50 F. ⬛ 175/200 F.
⊠ dim. soir hs.
[E] ⬛ ⬛ ⬛ ⬛ ⬛ ⬛ [CV] ⬛ ⬛ [CB]

CHATILLON EN DIOIS (B2)
26410 Drôme
570 m. ● 545 hab.

... *à proximité*

TRESCHENU LES NONIERES (B2)
26410 Drôme
912 m. ● 968 hab.

13 km N.E. Chatillon en Diois par D 120

▲▲ LE MONT BARRAL ✶✶
M. Favier
☎ 04 75 21 12 21 ⛝ 04 75 21 12 70
🛏 22 ⬛ 195/275 F. ⬛ 35 F.
🍽 86/190 F. ⚑ 35 F. ⬛ 230/278 F.
⊠ 15 nov./25 déc., mar. soir et mer.
sauf juil./août.
[E] ⬛ ⬛ ⬛ ⬛ ⬛ ⬛ ⬛ ⬛ ⬛ [CV] ⬛

CREST (A2)
26400 Drôme
8000 hab. [i]

▲ GRAND HOTEL ✶✶
60, rue de l'Hôtel de Ville. M. Lattier
☎ 04 75 25 08 17 ⛝ 04 75 25 46 42
🛏 20 ⬛ 140/330 F. ⬛ 33 F.
🍽 80/200 F. ⚑ 47 F. ⬛ 195/270 F.
⊠ 23 fév./3 mars, 22 déc./19 janv., lun.
midi, dim. soir sauf 15 juin/5 sept. et
lun. soir nov./mars.
[E] ⬛ ⬛ ⬛ [CV] ⬛ ⬛ [CB]

CREST (A2) (suite)

▲▲ LA PORTE MONTSEGUR ★★
Sur D.93. M. Allier
☎ 04 75 25 41 48 **FAX** 04 75 25 22 63
🛏 9 🍽 265/290 F. 🍴 95/290 F. 🚶 60 F.
✉ vac. fév., vac. Toussaint, mer. et lun.
soir.
🄴 🄳 🛈 🗇 ☎ 🚗 🛌 🍴 🕙 🕤 ♠ CB

DIE (B2)
26150 Drôme
4200 hab. 🛈

❄ DES ALPES ★★
Rue C. Buffardel. Mme Donche
☎ 04 75 22 15 83 **FAX** 04 75 22 09 39
🛏 24 🍽 200/240 F. 🍴 35 F.
🄴 🄳 🛈 🗇 ☎ 🚗 CV ♠ CB

▲▲ LA PETITE AUBERGE ★★
Av. Sadi-Carnot. M. Montero
☎ 04 75 22 05 91 **FAX** 04 75 22 24 60
🛏 11 🍽 150/270 F. 🍴 40 F.
🍴 98/200 F. 🚶 55 F. 🕙 210/270 F.
✉ 15 déc./15 janv., dim. soir et mer.
🄴 🗇 ☎ 🚗 🛌 🍹 CV 🕙 ♠ CB

▲▲ LE RELAIS DE CHAMARGES ★★
Av. de la Clairette. M. Boustie
☎ 04 75 22 00 95 **FAX** 04 75 22 19 34
🛏 12 🍽 250 F. 🍴 38 F. 🍴 90/250 F.
🚶 50 F. 🕙 260/280 F.
✉ 15 janv./1er mars, dim. soir et lun.
sauf jours fériés.
🗇 ☎ 🚗 🍹 CV

▲ SAINT DOMINGUE ★★
44, rue C. Buffardel. Mme Perez
☎ 04 75 22 03 08 **FAX** 04 75 22 24 48
🏷100F 🛏 26 🍽 205/250 F. 🍴 32 F.
🍴 70/140 F. 🚶 45 F. 🕙 205/230 F.
✉ Rest. sam. oct./avr.
🄴 🄳 SP 🗇 ☎ 🚗 🛌 🍹 🕹 🚶 CV 🕙 ♠ CB

DIEULEFIT (A2)
26220 Drôme
3000 hab. 🛈

▲ L'ESCARGOT D'OR ★★
Route de Nyons. M. Randon
☎ 04 75 46 40 52 **FAX** 04 75 46 89 49
🏷80F 🛏 15 🍽 170/280 F. 🍴 25/ 30 F.
🍴 78/175 F. 🚶 45 F. 🕙 175/245 F.
✉ 20 déc./20 janv., dim. soir et lun.
1er oct./31 mars.
🄴 ☎ 🚗 🍹 🕹 🚶 CV ♠ CB

GRANE (A2)
26400 Drôme
1200 hab. 🛈

▲▲ GIFFON ★★
M. Giffon
☎ 04 75 62 60 64 **FAX** 04 75 62 70 11
🛏 14 🍽 220/860 F. 🍴 50 F.
🍴 130/380 F. 🚶 75 F. 🕙 360/480 F.
✉ dim. soir 1er oct./1er mai et lun.
🄴 🄳 🗇 ☎ 🚗 🛌 🍴 🍹 🕙 ♠ CB

HAUTERIVES (A1)
26390 Drôme
1125 hab. 🛈

▲ LE RELAIS ★★
M. Graillat
☎ 04 75 68 81 12 **FAX** 04 75 68 92 42
🛏 17 🍽 150/250 F. 🍴 30 F.
🍴 78/160 F. 🚶 50 F. 🕙 240/280 F.
✉ 15 janv./fin fév., dim. soir, lun. sauf
juil./août.
🚗 🍹 🚶 ♠

LENTE (B1)
26190 Drôme
1070 m. • 45 hab.

▲ DE LA FORET
M. Faravellon
☎ 04 75 48 26 32 **FAX** 04 75 48 29 45
🛏 8 🍽 205/300 F. 🍴 35 F. 🍴 80/150 F.
🚶 50 F. 🕙 185/250 F.
✉ 15 nov./15 déc. et 15 jours après
Pâques.
🗇 🚗 🚶 🕹 ♠ CB

LIVRON SUR DROME (A2)
26250 Drôme
8000 hab. 🛈

▲ DES VOYAGEURS ★★
132, av. Mazade.
M. Robin
☎ 04 75 61 65 20 **FAX** 04 75 85 52 20
🏷100F 🛏 17 🍽 110/270 F. 🍴 28 F.
🍴 78/240 F. 🚶 50 F. 🕙 180/240 F.
✉ dim. soir sauf juil./août.
🄴 🗇 ☎ 🚗 🛌 🍹 CV 🕙 ♠ CB

LUC EN DIOIS (B2)
26310 Drôme
565 m. • 470 hab. 🛈

▲ DU LEVANT ★★
Route Nationale.
M. Guagliardo
☎ 04 75 21 33 30 **FAX** 04 75 21 31 42
🛏 17 🍽 160/340 F. 🍴 32 F.
🍴 65/166 F. 🚶 45 F. 🕙 190/265 F.
✉ 1er nov./1er avr.
🄴 SP 🛈 🗇 ☎ 🚗 🍹 🕹 🚶 CV 🕙 ♠ CB

La MACHINE (Col de) (B1)
26190 Drôme
>>> *voir SAINT JEAN EN ROYANS*

MARGES (A1)
26260 Drôme
475 hab.

▲▲ AUBERGE LE PONT DU CHALON ★★
Sur D.538. M. Milan
☎ 04 75 45 62 13 **FAX** 04 75 45 60 19
🏷100F 🛏 9 🍽 200/230 F. 🍴 30 F. 🍴 70/220 F.
🚶 40 F. 🕙 250 F.
✉ 1ère quinzaine oct., 1ère quinzaine
janv., lun. et dim. soir.
🄴 🄳 🗇 ☎ 🚗 🛌 🍴 🚶 🕹 🕙 ♠ CB

MERCUROL (A1)
26600 Drôme
1600 hab. ⓘ

Ⓐ DE LA TOUR ★★
Mme Gauchier
☎ 04 75 07 40 07 🖷 04 75 07 46 20
🛏 16 🅢 200/260 F. 🍽 30 F.
🍴 65/125 F. 🛌 40 F. 🍲 205/225 F.
🅴 🗋 🖨 ☎ 🚗 🛌 ⚓ CB ⒸⓇ

MOLLANS SUR OUVEZE (A3)
26170 Drôme
690 hab.

ⒶⒶ LE SAINT MARC ★★
M. Veilex
☎ 04 75 28 70 01 🖷 04 75 28 78 63
🛏 14 🅢 300/370 F. 🍽 48 F.
🍴 100/180 F. 🛌 60 F. 🍲 300/340 F.
🗓 2 janv./1er mars. Rest. mar. midi.
🅴 ☎ 🚱 🌴 🗋 🦯 🛌 ♿ CV 🎮 ⚓ CB

MONTELIMAR (A2)
26200 Drôme
32000 hab. ⓘ

ⒶⒶ DAUPHINE-PROVENCE ★★
41, bld Général de Gaulle. Mme Ditmar
☎ 04 75 01 24 08 🖷 04 75 53 08 29
🛏 19 🅢 180/260 F. 🍽 35 F.
🍴 70/165 F. 🛌 40 F. 🍲 160/215 F.
🗓 20 oct./4 nov. Rest. dim. soir et lun.
🅴 SP 🗋 🖨 ☎ 🚗 🚙 ⓓ CV CB ▦

🍴 PIERRE ★★
7, place des Clercs. Mme Enjolvin
☎ 04 75 01 33 16
🛏 11 🅢 135/240 F. 🍽 30 F.
🗓 fév.
🗋 ☎ ⚓ CB

NYONS (A3)
26110 Drôme
6000 hab. ⓘ

ⒶⒶ LA PICHOLINE ★★★
Promenade de la Perrière.
M.Me Romanet
☎ 04 75 26 06 21 🖷 04 75 26 40 72
🛏 16 🅢 280/390 F. 🍴 125/195 F.
🛌 70 F. 🍲 270/375 F.
🗓 10/28 fév., 20 oct./4 nov., mar. et
lun. soir hs.
🅴 🗋 🖨 ☎ 🚗 🌴 🗋 ♿ 🎮 ⚓ CB

... *à proximité*

VIEUX VILLAGE D'AUBRES (A3)
26110 Drôme
207 hab. ⓘ

3 km N.E. Nyons par D 94

ⒶⒶ AUBERGE DU VIEUX VILLAGE
D'AUBRES ★★★
Aubres. Mme Colombe.
☎ 04 75 26 12 89 🖷 04 75 26 38 10
🛏 22 🅢 300/780 F. 🍽 52/ 67 F.
🍴 80/240 F. 🛌 45 F. 🍲 360/657 F.
🗓 mer.
🅴 🗋 Ⓓ 🗋 ☎ 🖨 ⊮ 🌴 🗋 ▦ ⚓ ✚
🦯 CV 🎮 ⚓ CB

Le PEGUE (A3)
26770 Drôme
315 hab.

Ⓐ AUBERGE DU DONJON
M. Beaud
☎ 04 75 53 55 71 🖷 04 75 53 69 44
🛏 11 🅢 160/250 F. 🍽 35 F.
🍴 110/160 F. 🛌 45 F. 🍲 200/265 F.
🗓 janv. et lun.
ⓘ ☎ 🌴 🗋 🦯 ⚓

PIONNIER (Col du) (A-B1)
26190 Drôme

>>> *voir BOUVANTE*

PROPIAC LES BAINS (A3)
26170 Drôme
50 hab.

Ⓐ PLANTEVIN ★★
Mme Auguste
☎ 04 75 28 02 42
🛏 16 🅢 270/285 F. 🍽 42 F.
🍴 115/160 F. 🛌 48 F. 🍲 260/270 F.
🗓 30 sept./Pâques et mer. sauf
juil./août.
☎ 🚗 🌴 🗋

ROMANS SUR ISERE (A1)
26100 Drôme
34202 hab. ⓘ

ⒶⒶ DES BALMES Rest. AU TAHITI ★★
Quartier des Balmes, route de Tain.
Mme Grégoire
☎ 04 75 02 29 52 🖷 04 75 02 75 47
🛏 12 🅢 240/320 F. 🍽 35 F.
🍴 85/160 F. 🛌 50 F. 🍲 240/280 F.
🗓 Rest. dim. soir et lun. midi.
🅴 Ⓓ SP 🗋 🖨 ☎ 🚗 🚙 🌴 🗋 ♿ 🦯
CV 🎮 ⚓ CB

SAHUNE (B3)
26510 Drôme
300 hab. ⓘ

Ⓐ DAUPHINE PROVENCE ★
M. Aumage
☎ 04 75 27 40 99
🛏 10 🅢 230/250 F. 🍽 27 F.
🍴 95/180 F. 🛌 42 F. 🍲 210 F.
🗓 28 août/10 sept. et mer.
☎ 🛌 🎮 ⚓ CB

SAINT JEAN EN ROYANS (B1)
26190 Drôme
2895 hab. ⓘ

ⒶⒶ LE CASTEL FLEURI ★★
Place du Champs de Mars.
M. Colin
☎ 04 75 47 58 01 🖷 04 75 47 79 30
🛏 12 🅢 160/280 F. 🍽 35 F.
🍴 87/169 F. 🛌 55 F. 🍲 370 F.
🗓 12 nov./3 déc., 3/18 fév., dim. soir et
lun.
🗋 ☎ 🚗 🖨 ⊮ 🌴

... à proximité

La MACHINE (Col de) (B1)
26190 Drôme
1015 m. • 3 hab. 🛈

11 km Sud Saint Jean en Royans par D 76

🔺🔺 DU COL DE LA MACHINE ★
(Au Col). M. Faravellon
☎ 04 75 48 26 36 📠 04 75 48 29 12
📞 14 🛏 160/260 F. 🍽 38 F.
🍴 90/180 F. 🎣 48 F. 🍷 210/260 F.
✉ 10/24 mars, 12 nov./10 déc., dim.
soir et lun. hs.
[icons] CV 🔔 CB

SAINT NAZAIRE EN ROYANS (A1)
26190 Drôme
600 hab.

🔺🔺 ROME ★★
M. Rome
☎ 04 75 48 40 69 📠 04 75 48 31 17
📞 13 🛏 190/290 F. 🍽 40 F.
🍴 90/250 F. 🎣 50 F. 🍷 255/275 F.
✉ 2/30 nov., dim. soir et lun. sauf
juil./août.
[icons] SP [icons] 🔔 CB

SAINT VALLIER (A1)
26240 Drôme
5425 hab. 🛈

🔺 DES VOYAGEURS ★★
2, av. Jean Jaurès. M. Brouchard
☎ 04 75 23 04 42 📠 04 75 23 46 99
📞 9 🛏 130/180 F. 🍽 26 F. 🍴 90/190 F.
🎣 60 F. 🍷 194/266 F.
✉ 4/25 nov. et dim. soir.
[icons] CV 🔔 CB

SAULCE SUR RHÔNE (A2)
26270 Drôme
1199 hab.

🔺🔺 LES REYS DE SAULCE ★★
62, av. de Provence. M. Clutier
☎ 04 75 63 00 22 📠 04 75 63 12 60
📞 20 🛏 200/300 F. 🍽 35 F.
🍴 68/210 F. 🎣 50 F. 🍷 230/320 F.
✉ 10/20 oct., 23 déc./24 janv., dim. soir
sauf juil./août et lun.
[icons] D [icons] CV [icons]
🔔 CB

SOLERIEUX (A3)
26130 Drôme
172 hab.

🔺🔺 FERME SAINT MICHEL ★★
M. Laurent
☎ 04 75 98 10 66 📠 04 75 98 19 09
📞 14 🛏 300/500 F. 🍽 40 F.

🍴 90/180 F. 🎣 40 F. 🍷 300/350 F.
✉ rest. dim. soir, lun. midi et mar. midi.
[icons] CB

SUZE LA ROUSSE (A3)
26790 Drôme
1200 hab. 🛈

🔺🔺🔺 RELAIS DU CHATEAU ★★
M. Mouraud
☎ 04 75 04 87 07 📠 04 75 98 26 00
120F 📞 39 🛏 385/445 F. 🍽 40 F.
🍴 98/365 F. 🎣 50 F. 🍷 330/360 F.
✉ 27 oct./25 mars.
[icons] D SP 🛈 [icons]
[icons] CV [icons] CB

TRESCHENU LES NONIERES (B2)
26410 Drôme

>>> *voir CHATILLON EN DIOIS*

VALENCE (A2)
26000 Drôme
75000 hab. 🛈

🔺🔺 SAINT JACQUES ★★
9, faubourg Saint-Jacques. M. Fadda
☎ 04 75 42 44 60 📠 04 75 42 70 88
📞 29 🛏 185/255 F. 🍽 28 F.
🍴 68/182 F. 🎣 50 F. 🍷 210 F.
✉ rest. dim. soir en hiver.
[icons] D [icons] CV [icons] 🔔
CB 🔔

... à proximité

BOURG LES VALENCE (A1)
26500 Drôme
18230 hab. 🛈

1 km Nord Valence par N 7

🔺🔺 SEYVET ★★
24, av. Marc Urtin sur N.7. M. Hervo
☎ 04 75 43 26 51 📠 04 75 55 61 49
📞 34 🛏 240/305 F. 🍽 34 F.
🍴 98/230 F. 🎣 50 F. 🍷 235 F.
✉ dim. soir hs.
[icons] D [icons] CV
[icons] 🔔 CB

VASSIEUX EN VERCORS (B2)
26420 Drôme
1057 m. • 310 hab. 🛈

🔺🔺 ALLARD ★★
M. Allard
☎ 04 75 48 28 04 📠 04 75 48 26 90
80F 📞 22 🛏 180/360 F. 🍽 32 F.
🍴 50/150 F. 🎣 45 F. 🍷 220/320 F.
✉ 15 oct./30 nov.
[icons] CV [icons] 🔔 CB

VIEUX VILLAGE D'AUBRES (A3)
26110 Drôme

>>> *voir NYONS*

Liste des
hôtels-restaurants
Isère

C.R.T. Rhône-Alpes / A. Lejeune

Association départementale
des Logis de France de l'Isère
C.D.T.
14 rue de la République
B.P. 227
38019 Grenoble Cedex
Téléphone 04 76 54 34 36

RHÔNE-ALPES

74 HAUTE-SAVOIE
Annecy
Bourg-en-Bresse
01 AIN
69 RHÔNE
Lyon
42 LOIRE
St-Etienne
Chambéry
73 SAVOIE
38 ISÈRE
Grenoble
Privas
07 ARDÈCHE
Valence
26 DRÔME

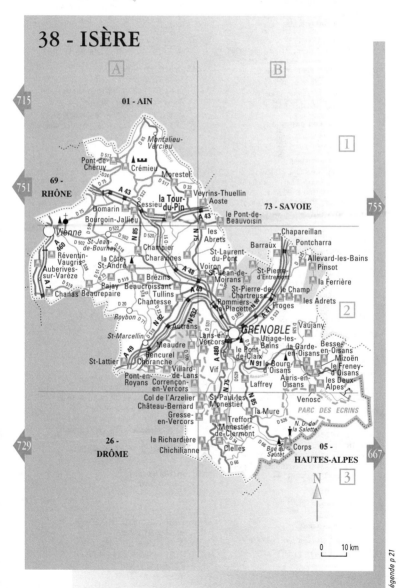

38 - ISÈRE

[A]   [B]

715

01 - AIN

1

751

69 - RHÔNE

755

Montalieu-Vercieu
Pont-de-Chéruy
Crémieu
Morestel
la Tour-du-Pin
Cessieu
Veyrins-Thuellin
Aoste
73 - SAVOIE
Domarin
Bourgoin-Jallieu
le Pont-de-Beauvoisin
Vienne
Réventin-Vaugris
St-Jean-de-Bournay
Champier
les Abrets
Chapareillan
Pontcharra
Barraux
Auberives-sur-Varèze
la Côte-St-André
Charavines
St-Laurent-du-Pont
Voiron
Allevard-les-Bains
Pinsot
Chanas
Pajay
Brézins
St-Jean-de-Moirans
St-Pierre-d'Entremont
Beaucroissant
Tullins
Chantesse
St-Pierre-de-Chartreuse
le Champ
la Ferrière
Beaurepaire
les Adrets
Roybon
Pommiers-la-Placette
Froges
Autrans
GRENOBLE
Vaujany
St-Marcellin
Lans-en-Vercors
Uriage-les-Bains
Besse-en-Oisans
Meaudre
le Pont-de-Claix
la Garde-en-Oisans
Mizoën
Bencurel
le Bourg-d'Oisans
le Freney-d'Oisans
St-Lattier
Choranche
Villard-de-Lans
Vif
Auris-en-Oisans
les Deux-Alpes
Pont-en-Royans
Corrençon-en-Vercors
Laffrey
Venosc
Col de l'Arzelier
St-Paul-les-Monestier
PARC DES ECRINS
Château-Bernard
Gresse-en-Vercors
la Mure
N.D. de la Salette
la Richardière
Treffort
Monestier-de-Clermont
26 - DRÔME
Chichilianne
Clelles
Bge du Sautet
Corps
05 - HAUTES-ALPES

729

667

2

3

N

0   10 km

Légende p 21

735

Les ABRETS (B1-2)
38490 Isère
2500 hab. [i]

▲▲ LE SAVOY ★★
5, rue de la République. M. Lantiat
☎ 04 76 32 03 54 [FAX] 04 76 31 02 41
[100F] 📞 9 ◎ 180/220 F. 🍽 25 F. 🍴 78/220 F.
🛏 50 F. 🗓 370/420 F.
⊠ rest. 29 juin/21 juil., dim. soir et lun.
[E][◻][☎][🚗][♿][CV][⊙][●][CB]

Les ADRETS (B2)
38190 Isère
800 m. ● 400 hab. [i]

▲▲ LE VIEUX MANEGE ★★
Les Avons les Adrets. M. Savioz-Fouillet
☎ 04 76 71 09 91 [FAX] 04 76 71 03 95
[100F] 📞 16 ◎ 235/245 F. 🍽 29 F.
🍴 90/150 F. 🛏 58 F. 🗓 244/254 F.
⊠ rest. lun. sauf pour résidents.
[◻][☎][🚗][⛅][♿][CV][⊙][●][CB]

ALLEVARD LES BAINS (B2)
38580 Isère
2400 hab. [i]

▲ LA BONNE AUBERGE
Rue Laurent Chataing. M. Vial
☎ 04 76 97 53 04 [FAX] 04 76 45 84 62
[120F] 📞 14 ◎ 100/180 F. 🍽 35 F.
🍴 52/165 F. 🛏 48 F. 🗓 165/200 F.
[E][◻][SP][☎][⛅][CV][●][CB][●]

▲▲ LES ALPES ★★
Place du Temple. M. Chaumy
☎ 04 76 97 51 18 \ 04 76 45 06 03
[FAX] 04 76 45 80 81
[100F] 📞 18 ◎ 195/260 F. 🍽 36 F.
🍴 69/250 F. 🛏 38 F. 🗓 220/265 F.
⊠ dim. soir hs.
[E][◻][◻][☎][⛅][⛅][♿][CV][⊙][●]
[CB][⊞][⊙]

▲▲▲ LES PERVENCHES ★★
Route de Grenoble M. Badin
☎ 04 76 97 50 73 [FAX] 04 76 45 09 52
📞 30 ◎ 258/372 F. 🍽 43 F. 🛏 55 F.
🗓 262/360 F.
⊠ 10 oct./1er fév. et 20 avr./9 mai.
[◻][☎][⛅][⛅][CV][⊙][●][CB]

▲▲▲ SPERANZA ★★
Route du Moutaret. M. Janot
☎ 04 76 97 50 56
📞 18 ◎ 190/270 F. 🍽 34 F.
🍴 95/135 F. 🛏 53 F. 🗓 195/265 F.
⊠ 1er oct./24 fév. et 18 mars/13 mai.
[☎][🚗][⛅][⛅][♿][CV][⊙][●]

... *à proximité*

PINSOT (B2)
38580 Isère
730 m. ● 145 hab.

7 km Sud Allevard par D 525 A

▲▲▲ PIC DE LA BELLE ETOILE ★★
M. Raffin
☎ 04 76 45 89 45 [FAX] 04 76 45 89 46

[100F] 📞 40 ◎ 376/418 F. 🍽 50 F.
🍴 100/200 F. 🛏 64 F. 🗓 344/383 F.
⊠ 19 avr./15 mai et 20 oct./20 déc.
[E][◻][◻][☎][🚗][↕][⛅][⛅][🎿][⬚][✈][⬚]
[⬚][♿][♿][CV][⊙][●][CR]

AOSTE (B1)
38490 Isère
1500 hab. [i]

▲▲▲ AU COQ EN VELOURS ★★
Route de Saint Genix M. Bellet
☎ 04 76 31 60 04 [FAX] 04 76 31 77 55
📞 7 ◎ 240/350 F. 🍽 35 F.
🍴 100/270 F. 🗓 250/330 F.
⊠ 2/26 janv., dim. soir et lun.
[◻][☎][🚗][🚗][⛅][⛅][♿][⬚][⊙][●][CB]

▲▲▲ LA VIEILLE MAISON ★★
M. Bertrand
☎ 04 76 31 60 15 [FAX] 04 76 31 69 75
📞 16 ◎ 270/400 F. 🍽 40 F.
🍴 110/290 F. 🛏 70 F. 🗓 260/290 F.
⊠ 18 sept./3 oct., 16 déc./2 janv., dim.
soir et mer. sauf juil./août.
[i][◻][☎][🚗][⛅][⛅][⬚][CV][⊙][●]

L'ARZELIER (Col de) (A-B3)
38650 Isère

⟫⟫⟫ *voir CHATEAU BERNARD*

AUBERIVES SUR VAREZE (A2)
38550 Isère
896 hab.

▲ LE CLOS DE LOUZE
Sur N 7. Plateau de Louze. M. Jolivet
☎ 04 74 84 90 25 [FAX] 04 74 79 91 11
📞 6 ◎ 160/280 F. 🍽 30 F. 🍴 90/206 F.
🛏 50 F.
⊠ lun.
[E][i][◻][🚗][⛅][♿][♿][●][CB]

AURIS EN OISANS (B2)
38142 Isère
1350 m. ● 130 hab. [i]

▲ BEAU SITE ★
(Les Orgières). M. Gardent
☎ 04 76 80 06 39 [FAX] 04 76 80 19 04
📞 21 ◎ 160/294 F. 🍽 34 F.
🍴 63/147 F. 🛏 40 F. 🗓 252/283 F.
⊠ 15/31 mai et week-ends hs sauf
réservations.
[E][i][◻][☎][⛅][CV][⊙][●][CB]

AUTRANS (A2)
38880 Isère
1050 m. ● 1600 hab. [i]

▲ AU FEU DE BOIS ★★
Lieu-dit Le Tonkin. M. Maizeret
☎ 04 76 95 33 32
📞 10 ◎ 275/295 F. 🍽 41 F.
🍴 85/145 F. 🛏 50 F. 🗓 289/315 F.
⊠ 15 nov./4 déc.
[☎][🚗][🚗][⛅][⛅][♿]

AUTRANS (A2) (suite)

▲▲▲ DE LA BUFFE ★★
M. Aribert
☎ 04 76 94 70 70   **FAX** 04 76 95 72 48
100F 🛏 23 ◌ 300/510 F. ▭ 55 F.
🍽 79/155 F. ⊞ 60 F. 🛠 341/401 F.
⊠ 12 nov./6 déc., mar. soir et mer. hs.
🄴 🗇 🕾 🚗 🍴 🍽 🔌 🔼 ♨ 🚶 🖢 🔟 CB

▲▲▲ DE LA POSTE ★★★
M. Barnier
☎ 04 76 95 31 03   **FAX** 04 76 95 30 17
100F 🛏 29 ◌ 250/350 F. ▭ 45 F.
🍽 80/230 F. ⊞ 50 F. 🛠 330/370 F.
⊠ 25 oct./10 déc. et 25 avr./10 mai.
🄴 SP 🔼 🗇 🕾 ♨ 🛠 ⌖ 🍴 🔼 🖢 🚶
🖢 CV 🔟 ♠ CB 🄶

▲▲ LE VERNAY ★★
M. Repellin
☎ 04 76 95 31 24   **FAX** 04 76 95 73 88
100F 🛏 18 ◌ 295/330 F. ▭ 45 F.
🍽 80/130 F. ⊞ 45 F. 🛠 290/315 F.
⊠ 1er/25 oct.
🄴 🄳 🗇 🕾 🚗 🍴 ⌖ 🍽 🔌 🚶 🖢 CV
🔟 ♠ CB

▲▲ MA CHAUMIERE ★★
M. Faure
☎ 04 76 95 30 12
🛏 18 ◌ 280/300 F. ▭ 40 F.
🍽 80/145 F. ⊞ 45 F. 🛠 280/295 F.
⊠ 24 mars/26 avr. et 13 oct./22 nov.
🄴 🗇 🕾 🚗 🖢 CV 🔟 ♠ CB

BARRAUX (B2)
38530 Isère

>>> *voir PONTCHARRA*

BEAUCROISSANT (A2)
38140 Isère
1052 hab.

▲▲ LE PONT DE CHAMP ★★
Sur N. 85. 40, Le Pont de Champ.
M. Ruel-Gallay
☎ 04 76 65 22 10   **FAX** 04 76 91 53 45
🛏 13 ◌ 240/280 F. ▭ 35 F.
🍽 72/180 F. ⊞ 60 F. 🛠 280 F.
⊠ 22 déc./6 janv. et 14/25 août.
SP 🗇 🕾 🚗 🍴 🖢 🔟 ♠ CB

BEAUREPAIRE (A2)
38270 Isère
3800 hab. 🄸

▲▲▲ FIARD-ZORELLE ★★
Av. des Terreaux. Mme Zorelle
☎ 04 74 84 62 02   **FAX** 04 74 84 71 13
🛏 15 ◌ 250/300 F. ▭ 40 F.
🍽 128/300 F. ⊞ 70 F. 🛠 318/390 F.
⊠ 15 janv./10 fév., lun. midi sauf jours
de fêtes et dim. soir hs.
🄴 🄳 SP 🗇 🕾 🚗 🖢 CV 🔟 ♠ CB

BESSE EN OISANS (B2)
38142 Isère
1450 m. ● 116 hab.

▲ ALPIN
Rue principale. Mme Barthélémy
☎ 04 76 80 06 55   **FAX** 04 76 80 12 45
🛏 7 ◌ 200/250 F. ▭ 30 F. 🍽 70/140 F.
⊞ 45 F. 🛠 200/230 F.
CV

BOURG D'OISANS (B2)
38520 Isère
720 m. ● 3000 hab. 🄸

▲ LE FLORENTIN ★★
Rue Thiers. M. Nervo
☎ 04 76 80 01 61   **FAX** 04 76 80 05 49
🛏 18 ◌ 175/300 F. ▭ 45 F.
🍽 98/195 F. ⊞ 55 F. 🛠 215/280 F.
⊠ 1er oct./15 janv., 1 semaine mai et
mar. hs.
🄴 🄳 SP 🔼 🗇 🕾 🚗 🍴 🚶 CV 🔟 ♠
CB

... à proximité

La GARDE EN OISANS (B2)
38520 Isère
1450 m. ● 52 hab. 🄸

4 km N.E.Bourg d'Oisans par N 211

▲▲ LA FORET DE MARONNE ★
Hameau du Châtelard. M.Me Ougier
☎ 04 76 80 00 06   **FAX** 04 76 79 14 61
120F 🛏 12 ◌ 200/350 F. ▭ 34 F.
🍽 95/175 F. ⊞ 54 F. 🛠 250/300 F.
⊠ 31 avr./10 juin et 20 sept./20 déc.
🕾 🚗 🍽 🚶 CV ♠ CB

BOURGOIN JALLIEU (A1)
38300 Isère
22950 hab.

▲▲ LA COMMANDERIE DE CHAMPAREY ★★
Boulevard de Champaret. M.Me Ruel
☎ 04 74 93 04 26   **FAX** 04 74 28 67 49
100F 🛏 9 ◌ 240/255 F. ▭ 32 F. 🍽 98/165 F.
⊞ 55 F. 🛠 298 F.
⊠ 3/24 août, sam. midi et dim. sauf
groupes.
🄴 🗇 🄶 🕾 🚗 ⌖ 🍴 🚶 🖢 🔟 ♠ CB

... à proximité

DOMARIN (A1)
38300 Isère
1382 hab.

3 km Ouest Bourgoin Jallieu par N 6

▲ MENESTRET ★
68, route de Lyon. M. Menestret
☎ 04 74 93 13 01   **FAX** 04 74 28 46 70
80F 🛏 9 ◌ 190/255 F. ▭ 30 F. 🍽 80/190 F.
⊞ 48 F. 🛠 180/226 F.
⊠ 24 déc./3 janv., dim. soir et lun. midi.
🄴 🄳 🗇 🕾 🚗 ⌖ 🍴 ♠ CB

BREZINS (A2)
38590 Isère
1245 hab.

⌂ AUBERGE DU PELERIN
Mme Popa
☎ 04 76 65 42 01
🛏 9 ⬛ 200 F. ⬛ 30 F. 🍽 58/ 85 F.
🏃 45 F. ⬛ 190 F.
⊠ rest. dim. soir et lun.
Ⓔ 🚗 🔟 🐾

CESSIEU (A1)
38110 Isère
2000 hab.

⌂⌂⌂ LA GENTILHOMMIERE ★★
M. Cottaz
☎ 04 74 88 30 09 ⊞ 04 74 88 32 61
🛏 7 ⬛ 250/370 F. ⬛ 30 F.
🍽 105/260 F. 🏃 65 F.
⊠ 2ème quinzaine nov., dim. soir et
lun.
Ⓔ 🗂 ☎ 🚗 🌴 🏃 🐾 CB

CHAMP (B2)
38190 Isère
>>> *voir FROGES*

CHAMPIER (A2)
38260 Isère
830 hab.

⌂⌂ AUBERGE DE LA SOURCE ★★
M. Chauffard
☎ 04 74 54 40 44 ⊞ 04 74 54 50 36
🛏 10 ⬛ 210/260 F. ⬛ 25 F.
🍽 80/230 F. 🏃 70 F. ⬛ 230 F.
⊠ 2/15 janv., dim. soir et lun. soir sauf
juil./sept.
🗂 ☎ 🚗 🌴 ⬛

CHANAS (A2)
38150 Isère
1486 hab.

⌂⌂ PARIS NICE ★★
43, route de Marseille.
Mme Leclerc Besselia
☎ 04 74 84 21 22 ⊞ 04 74 84 29 34
🛏 15 ⬛ 200/290 F. ⬛ 35 F.
🍽 75/180 F. 🏃 45 F. ⬛ 210/250 F.
⊠ dim. midi.
Ⓔ Ⓓ SP 🗂 🖾 ☎ 🚗 🚗 ⬛ 🛏 🏃 CV
🔟 🐾 CB 📷 🗂

CHANTESSE (A2)
38470 Isère
262 hab.

⌂⌂ AUBERGE LE CATH LOU
M. Milan
☎ 04 76 64 75 20 ⊞ 04 76 64 70 65
🛏 6 ⬛ 200/240 F. ⬛ 35 F. 🍽 90/160 F.
🏃 50 F. ⬛ 220/250 F.
⊠ 23 déc./8 janv., mer. et dim. soir.
SP 🗂 ☎ 🚗 🌴 ⬛ 🏃 🔟 📷 🗂

CHAPAREILLAN (B2)
38530 Isère
2000 hab. 🇮

⌂⌂ DE L'AVENUE ★
(Le Cernon).
Mme Sache
☎ 04 76 45 23 35 ⊞ 04 76 45 56 50
🛏 8 ⬛ 170/250 F. ⬛ 30 F. 🍽 75 F.
🏃 42 F. ⬛ 245/295 F.
⊠ 8 jours avr., 15 jours sept., dim. soir
et lun.
Ⓔ ☎ 🗂 🚗 🌴 🏃 🔟 🐾 CB

CHARAVINES (A2)
38850 Isère
1010 hab. 🇮

⌂⌂⌂ BEAU RIVAGE - PLAGE BEAU SITE ★★
Rue Principale le Bord du Lac.
M. Valentin
☎ 04 76 06 61 08 ⊞ 04 76 06 66 58
🛏 31 ⬛ 195/300 F. ⬛ 40 F.
🍽 78/240 F. 🏃 60 F. ⬛ 240/258 F.
⊠ 20 déc./1er fév., dim. soir et lun. sauf
juil./août.
Ⓔ Ⓓ 🗂 ☎ 🚗 🚗 🌴 🏃 🛏 CV 🔟
🐾 CB

⌂⌂⌂ DE LA POSTE ★★
Mme Despierre Corporon
☎ 04 76 06 60 41 ⊞ 04 76 55 62 42
🛏 15 ⬛ 200/350 F. ⬛ 38 F.
🍽 98/260 F. 🏃 60 F. ⬛ 250 F.
⊠ 10/28 fév., 3/10 nov., dim. soir et
lun.
Ⓔ SP 🗂 ☎ 🏃 CV 🔟 🐾 CB

⌂⌂ HOSTELLERIE DU LAC BLEU ★★
(Lac de Paladru).
Mlle Corino
☎ 04 76 06 60 48 ⊞ 04 76 06 66 81
🛏 11 ⬛ 230/260 F. ⬛ 40 F.
🍽 78/180 F. 🏃 60 F. ⬛ 240/260 F.
⊠ 15 oct./15 mars, lun. soir et mar. hs.
Ⓔ Ⓓ 🗂 ☎ 🚗 🌴 🏃 CV 🔟 CB 🗂

CHATEAU BERNARD (A-B3)
38650 Isère
855 m. • 134 hab.

... *à proximité*

L'ARZELIER (Col de) (A-B3)
38650 Isère
1154 m. • 147 hab. 🇮

3 km Nord Château Bernard par D 8 B

⌂⌂ DES DEUX SOEURS ★★
M. Riondet
☎ 04 76 72 37 68 ⊞ 04 76 72 20 25
🛏 24 ⬛ 190/240 F. ⬛ 35 F.
🍽 70/180 F. 🏃 50 F. ⬛ 230/265 F.
⊠ 15 sept./4 oct., lun. soir et mar.
Ⓔ 🗂 ☎ 🚗 ⬛ 🌴 ⬛ 🏃 🛏 CV 🔟
🐾 CB 🗂

CHICHILIANNE (A-B3)
38930 Isère
1000 m. • 160 hab.

... à proximité

La *RICHARDIERE (A-B3)*
38930 Isère
1050 m. • 150 hab.

3 km N.O. Chichilianne par D 7

▲▲ AU GAI SOLEIL DU MONT AIGUILLE ★★
M. Beaume
☎ 04 76 34 41 71 ☒ 04 76 34 40 63
🛏 23 ◇ 185/280 F. ☲ 35 F.
⑪ 85/200 F. ⚄ 50 F. 🅿 200/250 F.
☒ 5 nov./20 déc.
🄴 🕿 🚘 🏕 🏇 ♿ ▶ CV ⑧ ⬥ CB 🇨🇷

CHORANCHE (A2)
38680 Isère

⋙ *voir PONT EN ROYANS*

CLELLES (B3)
38930 Isère
830 m. • 320 hab. ⓘ

▲▲ FERRAT ★★
M. Ferrat
☎ 04 76 34 42 70 ☒ 04 76 34 47 47
🛏 16 ◇ 260/320 F. ☲ 30 F.
⑪ 90/180 F. ⚄ 50 F. 🅿 250/310 F.
☒ 15 nov./1er mars et mar. hs.
🄴 ⓘ 🕿 🚘 🚘 🏕 🔶 🏇 ⑧ ⬥ CB

CORPS (B3)
38970 Isère
950 m. • 505 hab. ⓘ

▲▲ BOUSTIGUE HOTEL ★★
M. Dumas
☎ 04 76 30 01 03 ☒ 04 76 30 04 04
🛏 29 ◇ 250/352 F. ☲ 38 F.
⑪ 90/140 F. ⚄ 55 F. 🅿 299/335 F.
☒ 20 oct./20 avr.
🄴 🕿 🚘 🚘 🔶 🔶 ♒ 🏊 ❄ 🏇 ⑧
⬥ CB 🇨🇷

▲▲▲ DE LA POSTE ★★
Route Napoléon.
M. Delas
☎ 04 76 30 00 03 ☒ 04 76 30 02 73
🛏 17 ◇ 220/420 F. ☲ 40 F.
⑪ 98/250 F. ⚄ 68 F. 🅿 235/320 F.
☒ début déc./mi-janv.
🄴 🕿 🚘 🚘 ✉ 🏊 ♿ CV ⑧ ⬥ CB
🚗 🇨🇷

▲▲ DU TILLEUL ★★
Route Napoléon. M. Jourdan
☎ 04 76 30 00 43 ☒ 04 76 30 06 12
🛏 10 ◇ 220/270 F. ☲ 30 F.
⑪ 70/160 F. ⚄ 45 F. 🅿 220/240 F.
☒ 1er nov./15 déc.
🄴 🄳 🕿 🚘 🚘 ✉ CV ⑧ ⬥ CB

▲ NOUVEL HOTEL ★★
Mme Pellissier
☎ 04 76 30 00 35 ☒ 04 76 30 03 00
🛏 20 ◇ 200/300 F. ☲ 35 F.
⑪ 85/140 F. ⚄ 50 F. 🅿 220/240 F.
☒ 1er déc./30 janv.
🄴 🕿 🚘 🏇 ⬥ CB

CORRENCON EN VERCORS (A2)
38250 Isère
1100 m. • 260 hab.

▲▲ LES CLARINES ★★
MeM. Repellin
☎ 04 76 95 81 81 ☒ 04 76 95 84 98
🛏 27 ◇ 250/460 F. ☲ 40 F.
⑪ 88/160 F. ⚄ 50 F. 🅿 285/390 F.
☒ 20 avr./20 mai et 5 oct./15 déc. Rest.
mar. hors période scol.
🄴 🄳 🕿 🚘 🔶 🏇 CV ⑧ ⬥ CB

La COTE SAINT ANDRE (A2)
38260 Isère
5000 hab. ⓘ

▲▲ DE FRANCE ★★
Place Saint-André. Mme France
☎ 04 74 20 25 99 ☒ 04 74 20 35 30
🛏 13 ◇ 340/380 F. ☲ 50 F.
⑪ 145/430 F. ⚄ 95 F. 🅿 360/400 F.
☒ rest. dim. soir et lun. sauf jours fériés.
🄴 🕿 🚘 ⒨ 🏇 ⑧ ⬥ CB

CREMIEU (A1)
38460 Isère
2750 hab. ⓘ

▲ AUBERGE DE LA CHAITE ★★
Cours Baron Raverat. M. Seroux
☎ 04 74 90 76 63 ☒ 04 74 90 88 08
🛏 11 ◇ 150/285 F. ☲ 30 F.
⑪ 70/170 F. ⚄ 38 F. 🅿 175/225 F.
☒ 21/28 avr., 2/31 janv., dim. soir et
lun.
🄴 🕿 🚘 🚘 ⬥ CB

Les DEUX ALPES (B2)
38860 Isère
1650 m. • 1000 hab. ⓘ

▲▲▲ LA MARIANDE ★★★
M. Marnac
☎ 04 76 80 50 60 ☒ 04 76 79 04 99
🛏 25 ◇ 300/480 F. ☲ 50 F.
⑪ 120/170 F. ⚄ 47 F. 🅿 240/430 F.
☒ 26 avr./28 juin et 1er sept./13 déc.
🄴 🄳 ⓘ 🕿 🚘 🏕 ♒ 🏊 ❄ 🏇
♿ CV ⑧ ⬥ CB

▲▲ LES AMETHYSTES ★★
M. Rousset
☎ 04 76 79 22 43 ☒ 04 76 79 23 69
🛏 26 ◇ 250/330 F. ☲ 50 F. ⑪ 110 F.
🅿 60 F. 🅿 365/405 F.
☒ 2 mai/20 juin et 10 sept./15 déc.
🄴 ⓘ 🕿 🚘 🏊 ❄ CV ⑧ ⬥ CB

DOMARIN (A1)
38300 Isère

>>> voir BOURGOIN JALLIEU

La FERRIERE (B2)
38580 Isère
1000 m. • 300 hab. [i]

▲▲▲ DU CURTILLARD ★★★
(Au Sept Laux).
M. Moulin
☎ 04 76 97 50 82 [FAX] 04 76 97 56 57
[100F] [🛏] 22 [◈] 309/465 F. [🍽] 47 F.
[🍴] 98/220 F. [♨] 65 F. [▦] 330/420 F.
[E] [🗍] [☎] [🛏] [⤢] [🏠] [🌴] [⚓] [🔧] [👤] [👍]
[CV] [🔲] [CB]

Le FRENEY D'OISANS (B2)
38142 Isère
1000 m. • 200 hab. [i]

▲▲ LE CASSINI ★★
M. Ougier
☎ 04 76 80 04 10 [FAX] 04 76 80 23 06
[100F] [🛏] 12 [◈] 180/290 F. [🍽] 33 F.
[🍴] 88/190 F. [♨] 55 F. [▦] 240/300 F.
[☒] 1er nov./20 déc. et week-ends mai.
[E] [🗍] [☎] [🛏] [⤢] [🌴] [👤] [⚙] [CV] [🔲]
[CB] [📷] [🍴]

FROGES (B2)
38190 Isère
2300 hab.

▲ LE MAS
Rue Victor-Hugo
M. Vaccarini
☎ 04 76 71 41 36
[120F] [🛏] 7 [◈] 155/210 F. [🍽] 30 F. [🍴] 82/150 F.
[♨] 50 F. [▦] 180/210 F.
[☒] 1er/20 oct., ven. soir selon saison et
dim. soir.
[🗍] [🛏] [⤢] [🌴] [👤] [⚓] [CB]

... à proximité

CHAMP (B2)
38190 Isère
600 m. • 1000 hab.

3 km Nord Froges par D 250

▲ LA VIEILLE AUBERGE
M. Josserand
☎ 04 76 71 40 80
[80F] [🛏] 10 [◈] 160/200 F. [🍽] 25 F.
[🍴] 75/140 F. [♨] 40 F. [▦] 180/220 F.
[☒] 27 avr./12 mai, 10 août/1er sept.
Rest. dim. soir et lun.
[E] [SP] [i] [☎] [🛏] [⤢] [🌴] [⚓]

La GARDE EN OISANS (B2)
38520 Isère

>>> voir BOURG D'OISANS

GRESSE EN VERCORS (A-B3)
38650 Isère
1205 m. • 295 hab. [i]

▲▲▲ LE CHALET ★★★
M. Prayer
☎ 04 76 34 32 08 [FAX] 04 76 34 31 06
[100F] [🛏] 25 [◈] 210/460 F. [🍽] 44 F.
[🍴] 94/290 F. [♨] 57 F. [▦] 340/382 F.
[☒] 1er avr./7 mai et 20 oct./20 déc.
[E] [🗍] [☎] [🛏] [⤢] [🌴] [✈] [⚓] [CV] [🔲] [CB]

LAFFREY (B2)
38220 Isère
910 m. • 200 hab. [i]

▲▲ DU GRAND LAC ★
(La Plage). M. Martin
☎ 04 76 73 12 90 [FAX] 04 76 73 12 34
[🛏] 23 [◈] 210/300 F. [🍽] 40 F.
[🍴] 120/200 F. [♨] 60 F. [▦] 230/270 F.
[☒] 14 oct./15 nov.
[E] [🗍] [☎] [🛏] [🌴] [👤] [CV] [🔲] [⚓] [CB]

LANS EN VERCORS (B2)
38250 Isère
1020 m. • 1500 hab. [i]

▲▲▲ DU COL DE L'ARC ★★
M. Mayousse
☎ 04 76 95 40 08 [FAX] 04 76 95 41 25
[100F] [🛏] 25 [◈] 250/320 F. [🍴] 75/140 F.
[♨] 50 F. [▦] 250/290 F.
[E] [🗍] [☎] [🛏] [🌴] [⚓] [👤] [CV] [🔲] [⚓] [CB]

▲▲ LA SOURCE ★★
Lieu-dit Bouilly. M. Leroux
☎ 04 76 95 42 52 [FAX] 04 76 95 41 29
[🛏] 13 [◈] 230/320 F. [🍽] 35 F.
[🍴] 90/145 F. [♨] 45 F. [▦] 245/265 F.
[☒] 15 oct./1er déc., dim. soir et lun.
hors vac. scol.
[E] [☎] [🛏] [🌴] [👤] [CV] [🔲] [⚓] [CB]

MEAUDRE (A2)
38112 Isère
1012 m. • 840 hab. [i]

▲▲▲ AUBERGE DU FURON ★★
M. Arnaud
☎ 04 76 95 21 47 [FAX] 04 76 95 24 71
[100F] [🛏] 9 [◈] 260 F. [🍽] 35 F. [🍴] 80/230 F.
[♨] 42 F. [▦] 255/285 F.
[☒] 1er nov./15 déc., dim. soir et lun. hs.
[E] [🗍] [☎] [🛏] [⤢] [🌴] [CV] [⚓] [📷] [🍴]

▲▲ LA PRAIRIE ★★
MM. Barnier Père et Fils
☎ 04 76 95 22 55 [FAX] 04 76 95 20 59
[🛏] 20 [◈] 250/280 F. [🍽] 32 F.
[🍴] 85/140 F. [♨] 36 F. [▦] 240/260 F.
[☒] 5 avr./2 mai, 20 oct./10 nov. et
week-ends 25 sept./15 déc.
[E] [🗍] [☎] [🛏] [🌴] [⚙] [👤] [CV] [🔲] [⚓] [CB]

MIZOEN (B2)
38142 Isère
1200 m. • 94 hab. ℹ️

▲▲▲ LE PANORAMIQUE ★★
M. Manenti
☎ 04 76 80 06 25 🅵🅰🆇 04 76 80 25 12
🛏️ 10 🛏 255/310 F. 🍽 32 F.
100F
⬛ 95/165 F. 🛁 60 F. 🛒 245/270 F.
⊠ 30 sept./20 déc. et 1er/30 mai.
🄴 ℹ️ 🗖 🖭 🚗 🍽 🌴 🖼 ♨ 🖊 🖕 🎱
🐾 CB

MONESTIER DE CLERMONT (B3)
38650 Isère
850 m. • 917 hab. ℹ️

▲▲ PIOT ★★
7, rue des Chambons.
M. Piot
☎ 04 76 34 07 35 🅵🅰🆇 04 76 34 12 74
🛏️ 19 🛏 150/290 F. 🍽 38 F.
100F
⬛ 80/150 F. 🛁 50 F. 🛒 195/260 F.
⊠ 15 nov./15 janv., mar. soir et mer. hs.
🄴 🄳 🗖 🖭 🚗 🍽 ♨ CV 🎱 🐾 CB

... *à proximité*

SAINT PAUL LES MONESTIER (B3)
38650 Isère
850 m. • 190 hab.

3 km Nord Monestier par N 75

▲▲▲ AU SANS SOUCI ★★
M. Maurice
☎ 04 76 34 03 60 🅵🅰🆇 04 76 34 17 38
🛏️ 11 🛏 265/290 F. 🍽 36 F.
100F
⬛ 85/230 F. 🛁 52 F. 🛒 285 F.
⊠ 20 déc./fin janv., dim. soir et lun.
sauf juil./août.
🄴 ℹ️ 🗖 🖭 🚗 🍽 🌴 ♨ 🖊 🖕 🎱
🐾 CB

MORESTEL (A1)
38510 Isère
3000 hab. ℹ️

▲▲▲ DE FRANCE ★★★
319, Grande Rue.
M. Tachet
☎ 04 74 80 04 77 🅵🅰🆇 04 74 33 07 47
🛏️ 11 🛏 260/425 F. 🍽 39 F.
⬛ 95/250 F. 🛁 80 F. 🛒 330/350 F.
🄴 🗖 🖭 🚗 🚙 🍽 🖕 🎱 🐾 CB 🖼 🄲🅁

La MURE (B3)
38350 Isère
900 m. • 7000 hab. ℹ️

▲▲ HELME ★★
51, av. du 22 Août 1944. M. Helme
☎ 04 76 81 01 96 🅵🅰🆇 04 76 81 17 68
🛏️ 16 🛏 180/260 F. 🍽 25 F.
100F
⬛ 70/130 F. 🛁 40 F.

🖼 180/210 F.
⊠ 25 déc./5 janv., 9/31 août et sam.
🄴 🄳 SP ℹ️ 🗖 🖭 🚗 🍽 🌴 ♨ 🖕 CV 🎱
🐾 CB

▲▲ MURTEL ★★
Coteau de Beauregard. M. Charnay
☎ 04 76 30 96 10 🅵🅰🆇 04 76 30 91 38
100F
🛏️ 39 🛏 240/260 F. 🖼 80/145 F.
⬛ 38 F. 🛒 205 F.
🄴 🗖 🚗 🍽 🌴 ♨ 🖕 CV 🎱 🐾 CB 🖼 🄲🅁

PAJAY (A2)
38260 Isère
800 hab.

▲ MA PETITE AUBERGE
Mme Vivier
☎ 04 74 54 26 06 🅵🅰🆇 04 74 54 33 93
80F
🛏️ 7 🛏 130/220 F. 🍽 30 F. 🖼 60/180 F.
⬛ 50 F. 🛒 150/210 F.
🄴 🚗 🍽 🌴 🖊 🖕 CV 🎱 CB

PINSOT (B2)
38580 Isère

>>> *voir ALLEVARD LES BAINS*

POMMIERS LA PLACETTE (B2)
38340 Isère
600 m. • 500 hab.

▲ DU COL ★★
Col de la Placette. M. Fagot
☎ 04 76 56 30 42 🅵🅰🆇 04 76 56 32 15
🛏️ 7 🛏 180/230 F. 🍽 25 F. 🖼 62/165 F.
🛁 40 F. 🛒 190/200 F.
⊠ 22 oct./5 nov., dim. soir et lun.
🄴 SP 🗖 🚗 🍽 🌴 🖊 CV 🎱

Le PONT DE BEAUVOISIN (B1)
38480 Isère
2369 hab. ℹ️

▲ MORRIS ★★
av. de la Gare. M. Thomas-Bourgneuf
☎ 04 76 37 02 05 🅵🅰🆇 04 76 32 92 88
100F
🛏️ 12 🛏 160/280 F. 🍽 35 F.
⬛ 70/200 F. 🛁 45 F. 🛒 230/300 F.
🄴 🄳 🗖 🖭 🚗 🍽 🌴 🖕 CV 🐾 CB

PONT DE CHERUY (A1)
38230 Isère
4000 hab.

✳ BERGERON ★
3, rue Giffard. M. Hyvert
☎ 04 78 32 10 08 🅵🅰🆇 04 78 32 11 70
🛏️ 16 🛏 150/230 F. 🍽 25 F.
🖼 120/200 F.
⊠ 2ème et 3ème semaine août et dim.
12h/20h.
🄴 ℹ️ 🖭 🚗 🍽 🌴 🐾 CB

PONT DE CLAIX (B2)
38800 Isère
15000 hab.

LE VILLANCOURT ★★
98, cours Saint-André. M. Egea
☎ 04 76 98 18 54   04 76 98 05 24
100F   33   250 F.   28 F.   69/150 F.
45 F.   210 F.
rest. sam. midi, dim. soir et lun. midi.

PONT EN ROYANS (A2)
38680 Isère
1038 hab.

BEAU RIVAGE ★
Rue Gambetta. M. Simonnard
☎ 04 76 36 00 63   04 76 36 00 11
80F   14   110/200 F.   28 F.
80/200 F.   45 F.   175/220 F.
30 nov./1er fév., dim. soir et lun. hs.

... à proximité

CHORANCHE (A2)
38680 Isère
132 hab.

4,5 km E. Pont en Royans par D 531

LE JORJANE ★★
M. Pontvianne
☎ 04 76 36 09 50   04 76 36 00 80
7   220/280 F.   35 F.   98/120 F.
25 F.   350/450 F.
mer.

PONTCHARRA (B2)
38530 Isère
5824 hab.

... à proximité

BARRAUX (B2)
38530 Isère
1214 hab.

Sortie autoroute, sur N. 90

LE VAUBAN ★★
Sur N.90. Sortie Grenoble Chambéry.
M. Giroud
☎ 04 76 71 91 84   04 76 71 99 30
100F   24   200/260 F.   35 F.
100/135 F.   45 F.   245 F.
25 déc./1er janv. et dim. soir.

RENCUREL (A2)
38680 Isère
800 m. • 300 hab.

PERAZZI ★★
Mme Blanc-Gonnet
☎ 04 76 38 97 68   04 76 38 98 99
100F   18   130/270 F.   38 F.
69/155 F.   45 F.

210/280 F.
1er nov./20 avr.

REVENTIN VAUGRIS (A2)
38121 Isère
1230 hab.

LE REVENTEL ★★
(RN 7 St Christ Vienne Sud).
Mme Degoulange
☎ 04 74 53 17 09   04 74 85 27 88
100F   16   200/280 F.   30 F.
60/155 F.   48 F.   200/220 F.
26 déc./8 janv., 25 août/7 sept. et
sam. midi.

RELAIS 500 DE VIENNE ★★
Sur N.7, Vienne Sud. Mme Courant
☎ 04 74 58 81 44   04 74 58 85 30
100F   30   235/260 F.   30 F.
60/205 F.   49 F.   225/245 F.

La RICHARDIERE (A-B3)
38930 Isère
⋙ *voir CHICHILIANNE*

SAINT JEAN DE MOIRANS (B2)
38430 Isère
2399 hab.

LE BEAUSEJOUR ★★
R.N. 85 M. Meunier-Carus
☎ 04 76 35 30 38   04 76 35 59 80
7   250 F.   40 F.   170/380 F.
70 F.   300 F.
28 juil./19 août, 5/20 janv., dim. soir
et lun.

SAINT LATTIER (A2)
38840 Isère
850 hab.

BRUN ★★
(Les Fauries). M.Me Brun
☎ 04 76 64 54 76 \ 04 76 64 54 08
04 76 64 31 78
10   220 F.   30 F.   100/230 F.
45 F.   220 F.

SAINT LAURENT DU PONT (B2)
38380 Isère
4600 hab.

DES VOYAGEURS ★★
Rue Pasteur. Mme Martinet
☎ 04 76 55 21 05   04 76 55 12 68
17   175/295 F.   35 F.
61/198 F.   40 F.   175/230 F.
1 semaine printemps,
20 déc./20 janv., ven. soir et dim. soir
sauf 14 juil./15 août.

SAINT PAUL LES MONESTIER (B3)
38650 Isère

>>> *voir MONESTIER DE CLERMONT*

SAINT PIERRE D'ENTREMONT (B2)
73670 Isère
640 m. • 840 hab. ⓘ

AA DU CHATEAU DE MONTBEL ★★
M. Vincent
☎ 04 79 65 81 65 ℻ 04 79 65 89 49
⌂ 15 ⬡ 200/260 F. 🛏 32 F.
🍽 80/180 F. 🍴 60 F. 🛍 220/265 F.
⊠ 27 oct./30 nov., dim. soir et lun. sauf
vac. scol.
🇪 🖹 ☎ ♨ 🌴 CV CB

AA LE GRAND SOM ★★
M. Giroud
☎ 04 79 65 80 22 ℻ 04 79 65 81 98
⌂ 18 ⬡ 230/320 F. 🛏 30 F.
🍽 80/220 F. 🍴 60 F. 🛍 240/290 F.
⊠ 30 oct./20 déc., mar. soir et mer. sauf
vac. scol.
🇪 ☎ 🦽 CV 🈲 ♠

SAINT PIERRE DE CHARTREUSE (B2)
38380 Isère
900 m. • 600 hab. ⓘ

AA BEAU SITE ★★★
(Le Bourg). M. Sestier
☎ 04 76 88 61 34 ℻ 04 76 88 64 69
⌂ 31 ⬡ 200/350 F. 🛏 35 F.
🍽 80/200 F. 🍴 50 F. 🛍 280/320 F.
⊠ 15 oct./25 déc. sauf groupes et
séminaires. Rest. dim. soir et lun. sauf
groupes et séminaires.
🇪 🄳 ⓘ ☎ ♨ 🌴 ⬛ 🦽 CV ♠
CB ᴄʀ

A BEAUREGARD ★
Baffardière. M. Borrel
☎ 04 76 88 60 12 ℻ 04 76 88 65 16
⌂ 7 ⬡ 174/250 F. 🛏 30 F. 🍽 75/150 F.
🍴 48 F. 🛍 220/250 F.
⊠ vac. Pâques, vac. Toussaint, mar. soir
et mer. hs.
☎ 🚗 ♠ CB

A LE SAINT PIERRE ★★
La Diat. Mme Levesque
☎ 04 76 88 65 79 ℻ 04 76 88 68 95
⌂ 7 ⬡ 180/280 F. 🛏 30 F. 🍽 60/158 F.
🍴 50 F. 🛍 240/260 F.
⊠ 15 nov./15 déc., dim. soir et lun. hs.
🇪 ☎ 🚗 ⬛ CV CB

La TOUR DU PIN (A1)
38110 Isère
8000 hab. ⓘ

AA DE FRANCE Rest. LE BEC FIN ★★
Place Champ de Mars. Mme Meyer
☎ 04 74 97 00 08 ℻ 04 74 97 36 47
⌂ 30 ⬡ 150/230 F. 🛏 25 F.

🍽 80/250 F. 🍴 45 F. 🛍 210/230 F.
⊠ rest. dim. soir et dernière semaine
déc.
🇪 🖹 ☎ 🚗 🚗 CV 🈲 ♠ CB

TREFFORT (B3)
38650 Isère
618 hab.

AAA CHATEAU D'HERBELON ★★
M. Castillan
☎ 04 76 34 02 03 ℻ 04 76 34 05 44
⌂ 9 ⬡ 300/430 F. 🛏 35 F.
🍽 100/198 F. 🍴 55 F. 🛍 305/370 F.
⊠ 2 janv./8 mars, vac. scol.
Toussaint, lun. soir et mar. sauf
juil./août.
🇪 🖹 ☎ 🚗 🚗 🌴 🏃 🦽 🈲 ♠ CB

TULLINS (A2)
38210 Isère
6000 hab. ⓘ

AAA AUBERGE DE MALATRAS ★★
Sur N.92. Mme Fortunato
☎ 04 76 07 02 30 ℻ 04 76 07 76 48
⌂ 19 ⬡ 220/290 F. 🛏 40 F.
🍽 95/300 F. 🍴 75 F. 🛍 275/305 F.
⊠ dim. soir sauf juil./août.
🇪 ⓘ 🖹 ☎ 🚗 ⬛ 🦽 CV 🈲 ♠ CB 🧳 ᴄʀ

URIAGE LES BAINS (B2)
38410 Isère
1800 hab. ⓘ

AA LE MANOIR ★★
M. Huchon
☎ 04 76 89 10 88 ℻ 04 76 89 20 63
⌂ 15 ⬡ 150/360 F. 🛏 35 F.
🍽 75/250 F. 🍴 55 F. 🛍 210/310 F.
⊠ 15 nov./15 fév., dim. soir et lun. oct.,
nov., fév. et mars.
🇪 🖹 ☎ 🚗 🌴 🏃 CV 🈲 ♠ 🧳 ᴄʀ

AA LES MESANGES ★★
(Le Vache. Dir. de St Martin d'Uriage).
M. Prince
☎ 04 76 89 70 69 ℻ 04 76 89 56 97
⌂ 37 ⬡ 170/290 F. 🛏 38 F.
🍽 98/230 F. 🍴 75 F. 🛍 190/250 F.
⊠ 20 oct./1er mai sauf vac. scol. et
week-ends 1er fév./Pâques. Rest. mar.
soir sauf résidents.
🇪 🄳 🖹 ☎ 🚗 🌴 ⬛ 🏃 🕐 CV 🈲 CB

VAUJANY (B2)
38114 Isère
1250 m. • 250 hab. ⓘ

AA DU RISSIOU ★★
Mme Manin
☎ 04 76 80 71 00 ℻ 04 76 80 77 58
⌂ 17 ⬡ 210/270 F. 🛏 35 F.
🍽 70/150 F. 🍴 35 F. 🛍 240/260 F.
⊠ 30 sept./30 mai.
🇪 ☎ 🌴 ⬛ 🦽 ♠ CB

VENOSC (B2-3)
38520 Isère
1000 m. • 862 hab. [i]

⚲ LES AMIS DE LA MONTAGNE ★
M. Durdan
☎ 04 76 80 06 94 [FAX] 04 76 80 20 56
[100F] [�] 23 🅂 230/370 F. 🍽 36 F.
[🍴] 65/195 F. [🛏] 42 F. [🍴] 210/320 F.
[✉] 19 avr./14 juin et 6 sept./20 déc.
[E] [☎] [⤢] [⛱] [♨] [CV] [▦] [◗] [CB]

VEYRINS THUELLIN (A-B1)
38630 Isère
1315 hab.

⚲ DE LA GARE ★★
M. Jullien
☎ 04 74 33 74 69 [FAX] 04 74 33 98 18
[♨] 9 🅂 185/325 F. 🍽 32 F. [🍴] 60/150 F.
[🛏] 45 F. [🍴] 210/280 F.
[✉] 20 déc. après-midi/13 janv. matin,
ven. soir et sam. midi Toussaint/Pâques.
[E] [▭] [▣] [☎] [🚗] [⛱] [🎿] [CV] [◗] [CB]

VIF (B2)
38450 Isère
5600 hab.

⚲ DE LA PAIX ★★
Place des 11 otages. M. Antouly
☎ 04 76 72 46 75 [FAX] 04 76 72 74 99
[♨] 7 🅂 240/270 F. 🍽 35 F. [🍴] 80/180 F.
[🛏] 45 F. [🍴] 225 F.
[▭] [☎] [🚗] [⤢] [⛱] [🎿] [▦] [◗] [CB]

VILLARD DE LANS (A-B2)
38250 Isère
1050 m. • 5000 hab. [i]

⚲⚲ GEORGES ★★
M.Me Ferrero
☎ 04 76 95 11 75 [FAX] 04 76 95 92 66
[100F] [♨] 17 🅂 230/350 F. 🍽 40 F.
[🍴] 95/120 F. [🛏] 60 F. [🍴] 250/300 F.
[✉] 1er oct./15 déc.
[E] [SP] [i] [▭] [☎] [🚗] [🚗] [⛱] [⛱] [♨] [⚓] [🎿]
[CV] [◗] [CB] [GR]

⚲⚲ LA ROCHE DU COLOMBIER ★★
Route de Bois Barbu. Mme Verni
☎ 04 76 95 10 26 [FAX] 04 76 95 56 31
[120F] [♨] 29 🅂 200/350 F. 🍽 40 F.
[🍴] 100/200 F. [🛏] 65 F. [🍴] 250/315 F.
[✉] 12/28 avr. et fin sept./20 déc.
[E] [i] [▭] [☎] [🚗] [🚗] [⛱] [⛲] [🎿] [♿] [CV] [▦]
[◗] [CB] [GR]

⚲ LA TAIGA ★★
La Balmette, rue des J.O. 1968.
M. Lambert
☎ 04 76 95 15 40 [FAX] 04 76 95 13 83
[100F] [♨] 11 🅂 230/320 F. 🍽 35 F.
[🍴] 78/175 F. [🛏] 52 F. [🍴] 240/290 F.
[✉] 25 oct./25 nov., 3ème semaine avr.,
mer. et dim. soir hs.
[▭] [☎] [🚗] [⛱] [🎿] [CV] [◗] [CB] [▦] [GR]

⚲⚲⚲ LE PRE FLEURI ★★
(Les Cochettes). M. Cach
☎ 04 76 95 10 96 [FAX] 04 76 95 56 23
[♨] 18 🅂 350/380 F. 🍽 40 F.
[🍴] 98/175 F. [🛏] 60 F. [🍴] 320/350 F.
[✉] 15 avr./25 mai et 1er oct./20 déc.
[E] [▭] [☎] [🚗] [🚗] [⛱] [🎿] [CV] [CB] [GR]

⚲⚲ LES BRUYERES ★★
Rue Victor-Hugo.
M. Etain
☎ 04 76 95 11 83 [FAX] 04 76 95 58 76
[100F] [♨] 20 🅂 200/280 F. 🍽 38 F.
[🍴] 78/158 F. [🛏] 48 F. [🍴] 290/310 F.
[E] [▭] [☎] [🚗] [🚗] [⛱] [🎿] [CV] [▦] [◗] [CB] [▦]
[GR]

VOIRON (B2)
38500 Isère
23000 hab. [i]

⚲⚲ LA CHAUMIERE ★★
Rue de la Chaumière, dir. Criel.
M. Stephan
☎ 04 76 05 16 24 [FAX] 04 76 05 13 27
[100F] [♨] 24 🅂 130/280 F. 🍽 35 F.
[🍴] 78/200 F. [🛏] 50 F. [🍴] 160/240 F.
[✉] 23 déc./4 janv. et sam. sauf hôtel
juil./août.
[E] [▭] [▣] [☎] [🚗] [🎿] [CV] [▦] [CB] [▦] [GR]

Liste des
hôtels-restaurants

Loire

C.R.T. Rhône-Alpes / Rigaux

Association départementale
des Logis de France de la Loire

C/° G. Berthomier

8 allée des Acacias

42160 St. Cyprien

Téléphone 04 77 55 22 94

42 - LOIRE

179

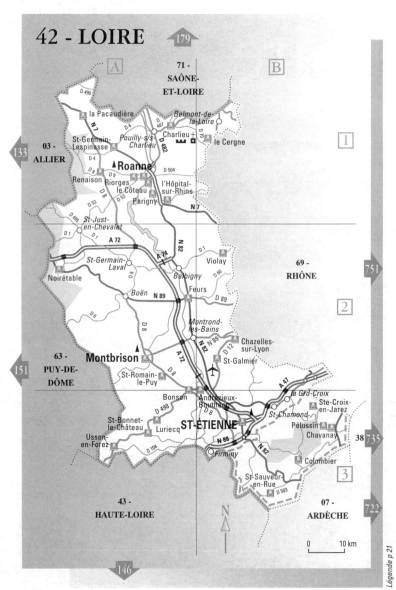

A   71 -
SAÔNE-
ET-LOIRE   B

1

133   D 490

la Pacaudière

03 -
ALLIER   St-Germain-
Lespinasse   Pouilly-s/s-
Charlieu   Belmont-de-
la-Loire
Charlieu +   le Cergne

▲ Roanne   D 504

Renaison   D 9   l'Hôpital-
sur-Rhins
Riorges
le Côteau   D 53
Parigny   N 7

D 498   St-Just-
en-Chevalet   D 1

A 72   A 74   Violay   69 -
RHÔNE   751

St-Germain-
Laval   N 82   D 60

Noirétable   Balbigny   2

Boën   N 89   Feurs   D 89

D 6   Montrond-
les-Bains   N 89

Chazelles-
sur-Lyon
63 -   D 12
PUY-DE-
DÔME   Montbrison ▲   St-Galmier

151   St-Romain-
le-Puy   A 72   A 47   la Grd-Croix

Bonson   Andrézieux-
Bouthéon   Ste-Croix-
en-Jarez
St-Chamond
St-Bonnet-
le-Château   D 498   ST-ÉTIENNE   Pélussin
Luriecq   Chavanay   38   735
Usson-
en-Forez   N 88   N 82   Colombier

D 104   Firminy   3

St-Sauveur-
en-Rue   D 503   722

43 -   N   07 -
HAUTE-LOIRE   ↑   ARDÈCHE

0   10 km

ANDREZIEUX BOUTHEON (B2-3)
42160 Loire
9407 hab. ⓘ

▲▲▲ LES IRIS ★★★
32, av. Jean Martouret Mme Fontvieille
☎ 04 77 36 09 09 ℻ 04 77 36 09 00
🛏 10 ◎ 380/405 F. ⬛ 45 F.
🍴 110/280 F. 🛏 70 F. 🖵 485/515 F
✉ 1er/6 janv., 4/20 août. Rest.
gastronomique dim. soir et lun. Rest.
«La Cave» mar. et mer.
🄴 SP 🗔 🎂 🕾 🚗 🚌 ⌶ ⍗ ⛄ CV 📶
🔌 CB 🈺

BONSON (A2-3)
42160 Loire
4500 hab.

▲▲ DES VOYAGEURS ★
4, av. de Saint Rambert. M. Meschi
☎ 04 77 55 16 15 ℻ 04 77 36 76 33
🛏 7 ◎ 210/235 F. ⬛ 28 F. 🍴 60/140 F.
🛏 56 F.
✉ 2/24 août.
🄴 🄳 🗔 🕾 🚗 ⍗ CV 🔌 CB

Le CERGNE (B1)
42460 Loire
673 m. ● 800 hab.

▲▲ LE BEL'VUE ★★
M. Vaillant
☎ 04 74 89 87 73 ℻ 04 74 89 78 61
🛏 8 ◎ 210/300 F. ⬛ 35 F. 🍴 68/280 F.
🛏 50 F. 🖵 250/280 F.
✉ dim. soir.
🄴 🗔 🎂 🕾 🚗 🚌 ⍗ ⛄ CV 📶 🔌 CB

CHARLIEU (A1)
42190 Loire
3800 hab. ⓘ

▲▲ LE LION D'OR
2, bld Louis Valorge. Mme Dubanchet
☎ 04 77 60 29 36 ℻ 04 77 69 02 41
🛏 11 ◎ 140/300 F. ⬛ 30 F.
🍴 65/159 F. 🛏 45 F. 🖵 180/250 F.
🄴 🗔 🎂 🕾 🚗 🚌 ⍗ 📶 🔌 CB 🈺

▲▲ RELAIS DE L'ABBAYE ★★
(Le Pont de Pierre). M.Me Klein/Parenti
☎ 04 77 60 00 88 ℻ 04 77 60 14 60
🛏 27 ◎ 263/283 F. ⬛ 35 F.
🍴 95/185 F. 🛏 52 F. 🖵 262 F.
✉ janv., dim. soir hs. Rest. lun. midi.
🄴 🄳 🗔 🎂 🕾 🚗 ⌶ ⍗ CV 📶 🔌 CB

CHAVANAY (B3)
42410 Loire
2071 hab.

▲▲▲ CHARLES
R.N. 86. M. Charles
☎ 04 74 87 23 02 ℻ 04 74 87 01 42

🛏 4 ◎ 270 F. ⬛ 38 F. 🍴 85/320 F.
🛏 52 F. 🖵 320 F.
✉ 2/10 janv., 16 août/5 sept., dim. soir
et lun. sauf fériés.
🄴 🗔 🎂 🕾 🚗 🚌 🕅 ⍗ ⌶ ⛄ 📶 🔌
🔌 CB

CHAZELLES SUR LYON (B2)
42140 Loire
630 m. ● 4895 hab. ⓘ

▲▲ CHATEAU BLANCHARD ★★
36, route de Saint-Galmier M. Bonnidal
☎ 04 77 54 28 88 ℻ 04 77 54 36 03
120F 🛏 12 ◎ 290/390 F. ⬛ 35 F.
🍴 88/245 F. 🛏 60 F.
✉ 1ère semaine janv., dim. soir et lun.
🄴 🗔 🎂 🕾 🚗 ⌶ ⍗ ⛄ CV 📶 🔌 CB

COLOMBIER (B3)
42220 Loire
1000 m. ● 310 hab.

▲ DE L'OEILLON ★★ & ★
(Col de l'Oeillon). Mme Rivory
☎ 04 77 51 50 61\04 77 51 51 41
100F 🛏 12 ◎ 160/200 F. ⬛ 18 F.
🍴 50/120 F. 🛏 50 F. 🖵 180 F.
✉ 15 jours nov. et ven.
🄴 🕾 🕅 ⍗ ⌶ ⛄ CV 📶 🔌 CB

Le COTEAU (A1)
42120 Loire

>>> *voir ROANNE*

FEURS (A-B2)
42110 Loire
7803 hab. ⓘ

▲▲ LA SAUZEE Rest. LE COMTY ★★
30, av. Jean-Jaurès. Mme Billon
☎ 04 77 26 07 22\04 77 27 09 39
℻ 04 77 26 57 47
120F 🛏 15 ◎ 120/260 F. ⬛ 30 F.
🍴 80/200 F. 🛏 45 F. 🖵 280/380 F.
✉ rest. dim. soir et lun. soir.
🄴 🗔 🕾 🚗 ⌶ CV 🔌 CB

L'HOPITAL SUR RHINS (A1)
42123 Loire
600 hab. ⓘ

▲ LE FAVIERES ★★
Le Bourg M. Veluire
☎ 04 77 64 80 30
🛏 11 ◎ 150/195 F. ⬛ 27 F.
🍴 60/235 F. 🛏 40 F. 🖵 182/205 F.
✉ 13/31 janv., 1er/4 avr., dim. soir et
lun. hs.
🄴 🗔 🎂 🚗 🚌 ⌶ ⛄ CV 📶 🔌 CB

LURIECQ (A3)
42380 Loire

>>> *voir SAINT BONNET LE CHATEAU*

MONTBRISON (A2)
42600 Loire
15000 hab. 🛈

🏠🏠 GIL DE FRANCE ★★
18 bis, Bld Lacheze. M. Bajard
☎ 04 77 58 06 16 📠 04 77 58 73 78
🛏 28 🔲 250 F. 🍽 35 F. 🍴 68/170 F.
🚶 45 F. �"" 225 F.
🅴 SP 🖵 🕾 🚗 🍴 🏃 🕊 CV 📻
⚫ CB

🏠🏠 L'ESCALE ★★
27, rue de la République. M. Crepet
☎ 04 77 58 17 77 📠 04 77 96 12 14
🛏 16 🔲 120/200 F. 🍽 23 F.
🍴 58/95 F. 🚶 30 F. 🚗 180/230 F.
☒ 15 jours août. Rest. sam. soir et dim.
🅴 🅳 SP 🖵 🕾 🚗 🚐 🍴 CV 📻 ⚫ CB

NOIRETABLE (A2)
42440 Loire
800 m. ● 1780 hab. 🛈

🏠🏠 RENDEZ-VOUS DES CHASSEURS ★★
Route de l'Hermitage. M. Rouillat
☎ 04 77 24 72 51 📠 04 77 24 93 40
🛏 14 🔲 130/260 F. 🍽 28 F.
🍴 60/200 F. 🚶 45 F. 🚗 165/215 F.
☒ 22 fév./3 mars, 13 sept./7 oct., dim.
soir et lun. oct./juin .
🅴 🛈 🖵 🕾 🚗 🚶 ⚫ CB

La PACAUDIERE (A1)
42310 Loire
1222 hab. 🛈

🏠 DU LYS ★★
Mme Richard
☎ 04 77 64 35 20 📠 04 77 64 11 62
🛏 7 🔲 128/210 F. 🍽 25 F. 🍴 69/168 F.
🚶 40 F. 🚗 170/230 F.
☒ mer. sauf saison ou sur réservation.
🅴 🅳 SP 🖵 🕾 🚗 🚐 CV ⚫ CB

PARIGNY (A1)
42120 Loire
⟫⟫ *voir ROANNE*

PELUSSIN (B3)
42410 Loire
3000 hab. 🛈

🏠🏠 LE COTTAGE ★★
3, rue de la Barge. M. Thomas
☎ 04 74 87 52 52 📠 04 74 87 52 40
🛏 24 🔲 130/320 F. 🍽 28 F.
🍴 72/160 F. 🚶 50 F. 🚗 170/300 F.
☒ 10 fév./10 mars et ven.
🅴 🛈 🕾 🚗 🚐 🍴 🕊 CV 📻 ⚫

RENAISON (A1)
42370 Loire
2500 hab. 🛈

🏠🏠 CENTRAL ★★
Place du 11 Novembre. M. Sonnery
☎ 04 77 64 25 39 📠 04 77 62 13 09
🛏 8 🔲 200/250 F. 🍽 33 F. 🍴 68/250 F.
🚶 55 F. 🚗 210/260 F.
☒ 8/23 fév., 23 sept./24 oct. et mer.
🅴 🅳 🖵 🕾 🚗 🚶 📻 ⚫ CB

🏠🏠 JACQUES COEUR ★★
15, rue de Roanne. M. Giraudon
☎ 04 77 64 25 34 📠 04 77 64 43 88
🛏 8 🔲 220/295 F. 🍽 37 F. 🍴 90/365 F.
🚗 280/320 F.
☒ 16 fév./17 mars, dim. soir et lun.
🅴 🛈 🕾 🚗 🍴 ⚫ CB

RIORGES (A1)
42153 Loire
⟫⟫ *voir ROANNE*

ROANNE (A1)
42300 Loire
41756 hab. 🛈

... à proximité

Le COTEAU (A1)
42120 Loire
7469 hab. 🛈

2 km Sud Roanne par D 43

🏠🏠🏠 ARTAUD ★★★
133, av. de la Libération.
M. Artaud
☎ 04 77 68 46 44 📠 04 77 72 23 50
🛏 25 🔲 180/400 F. 🍽 36 F.
🍴 98/350 F. 🚶 65 F.
☒ 27 juil./17 août et dim.
🅴 🛈 🕾 🚗 🚐 🍴 CV 📻 ⚫ CB 🖅 🚋

PARIGNY (A1)
42120 Loire
503 hab.

6 Km Sud Roanne par N 7

🏠🏠 LE DAHU ★★
Les Plaines. M. Duret
☎ 04 77 62 06 56 📠 04 77 62 05 47
🛏 16 🔲 200/260 F. 🍽 38 F.
🍴 68/200 F. 🚶 40 F. 🚗 190/260 F.
🅴 🖵 🕾 🚗 🍴 🕊 🏃 🕊 CV 📻 ⚫ CB

RIORGES (A1)
42153 Loire
9868 hab. 🛈

4 km Ouest Roanne par D 9

🏠🏠 LE MARCASSIN ★★
Le Bourg. M. Farge
☎ 04 77 71 30 18 📠 04 77 23 11 22
🛏 9 🔲 250/280 F. 🍽 30 F.
🍴 105/295 F. 🚶 80 F. 🚗 285/305 F.
☒ 3 premières semaines août, 15 jours
vac. scol. fév., sam. et dim. soir.
🅴 🛈 🖵 🕾 🚗 🍴 🚶 📻 ⚫ CB

SAINT GERMAIN LESPINASSE (A1)
42640 Loire
1063 hab.

5 km Nord Roanne par N 7

🏠🏠 RELAIS DE ROANNE ★★★
M. Besnier
☎ 04 77 71 97 35 📠 04 77 70 88 15
🛏 30 🔲 300/315 F. 🍽 35 F.
🍴 88/250 F. 🚶 65 F. 🚗 250/330 F.
🅴 🅳 SP 🛈 🖵 🕾 🚗 🚐 🍴 📻
⚫ CB

SAINT BONNET LE CHATEAU (A3)
42380 Loire
860 m. • 1687 hab. 🛈

🏠🏠 LE BEFRANC ★★
7, route d'Augel. M. Duclos
☎ 04 77 50 54 54 ℻ 04 77 50 73 17
🛏 17 ⌂ 210 F. ⬛ 25 F. 🍴 75/165 F.
🏃 25 F. ⏰ 280/370 F.
Ⓔ ⬚ ☎ 🛏 🚗 🏊 ⚹ CV 🗲 CB

... à proximité

LURIECQ (A3)
42380 Loire
710 m. • 625 hab.

4 km Est Saint Bonnet le Château par D 498

🏠 LE DOLMEN
Le Bourg. M. Bourgin
☎ 04 77 50 05 28
🛏 6 ⌂ 190/240 F. ⬛ 25 F. 🍴 61/195 F.
🏃 40 F. ⏰ 190/240 F.
⊠ 1er/7 mars, 15 sept./2 oct., 26 déc./
3 janv., dim. soir et lun. sauf juil./août.
Ⓔ ⬚ 🚗 🛏 ⚑ 🗲 CB

SAINT ETIENNE (A-B3)
42000 Loire
516 m. • 201569 hab. 🛈

🏠🏠 TERMINUS DU FOREZ ★★★
29-31, av. Denfert Rochereau.
M. Stribick
☎ 04 77 32 48 47 ℻ 04 77 34 03 30
🛏 66 ⌂ 285/385 F. ⬛ 45 F.
🍴 69/198 F. 🏃 49 F. ⏰ 230/290 F.
⊠ rest. 27 juil./24 août, 21/28 déc.,
sam. midi, dim. et lun. midi.
Ⓔ Ⓓ ⬚ 🖵 ☎ 🚗 🛏 ⚹ 🏠 ⚑ CV 🗲
🗲 CB ▦ CR

SAINT GALMIER (B2)
42330 Loire
4272 hab. 🛈

🏠🏠 LE FOREZ ★★
6, rue Didier Guetton. M. Renaudier
☎ 04 77 54 00 23 ℻ 04 77 54 07 49
🛏 17 ⌂ 200/240 F. ⬛ 32 F.
🍴 63/175 F. 🏃 50 F. ⏰ 280/320 F.
⊠ 2 dernières semaines fév., 2 dernières
semaines août et dim. soir.
Ⓔ SP 🛈 ⬚ ☎ 🚗 🛏 ⚑ CV 🗲 🗲 CB

SAINT GERMAIN LESPINASSE (A1)
42640 Loire

>>> *voir ROANNE*

SAINT ROMAIN LE PUY (A2)
42610 Loire
2616 hab. 🛈

🏠 AUBERGE LES TRABUCHES
Lieu-dit La Fumouse. M. Desemard
☎ 04 77 97 79 70
🛏 7 ⌂ 220/280 F. ⬛ 25 F.
🍴 100/200 F. 🏃 45 F. ⏰ 200/250 F.
⊠ 20 déc./10 janv. et lun.
Ⓔ 🛈 ⬚ ☎ 🚗 ⚑ ⚹ 🏊 ⚹ CV 🗲 🗲
CB

SAINT SAUVEUR EN RUE (B3)
42220 Loire
730 m. • 1053 hab.

🏠 AUBERGE DU CHATEAU DE
BOBIGNEUX
A Bobigneux 3 km par N. 503.
M.Me Labère
☎ 04 77 39 24 33 ℻ 04 77 39 25 74
🛏 6 ⌂ 250 F. 🍴 65/130 F. 🏃 45 F.
⏰ 220 F.
⊠ janv., fév. et mer.
Ⓔ 🚗 ⚹ ⚹ 🗲 🗲 🏊 CB

SAINTE CROIX EN JAREZ (B3)
42800 Loire
342 hab. 🛈

🏠🏠 LE PRIEURE
Au Bourg. M. Blondeau
☎ 04 77 20 20 09
🛏 4 ⌂ 240/280 F. ⬛ 33 F. 🍴 64/240 F.
🏃 45 F. ⏰ 240/280 F.
⊠ fév. et lun.
⬚ ☎ CV 🗲 CB

USSON EN FOREZ (A3)
42550 Loire
950 m. • 1200 hab. 🛈

🏠🏠 RIVAL ★
Rue Centrale. M. Rival
☎ 04 77 50 63 65 ℻ 04 77 50 67 62
🛏 10 ⌂ 140/300 F. ⬛ 26 F.
🍴 68/240 F. 🏃 50 F. ⏰ 165/225 F.
⊠ vac. scol. fév. et lun. sauf juil./août.
Ⓔ ⬚ ☎ 🚗 🛏 ⚹ CV 🗲 🗲 CB ▦

VIOLAY (B2)
42780 Loire
830 m. • 1400 hab. 🛈

🏠 PERRIER ★★
Place de l'Eglise. M. Clot
☎ 04 74 63 91 01 ℻ 04 74 63 91 77
🛏 9 ⌂ 160 F. ⬛ 35 F. 🍴 85/245 F.
🏃 50 F. ⏰ 180/205 F.
⊠ sam. sept./mars.
⬚ ☎ 🚗 🛏 ⚹ 🗲 🗲 CB

Liste des hôtels-restaurants

Rhône

Association départementale
des Logis de France du Rhône
C.C.I.
317 bd Gambetta - B.P. 427
69654 Villefranche/Saône Cedex
Téléphone 04 74 62 73 00

RHÔNE-ALPES

- 69 RHÔNE
- 42 LOIRE
- 01 AIN
- Bourg-en-Bresse
- 74 HAUTE-SAVOIE Annecy
- St-Etienne
- Lyon
- Chambéry
- 73 SAVOIE
- 38 ISÈRE
- Grenoble
- Privas
- 07 ARDÈCHE
- Valence
- 26 DRÔME

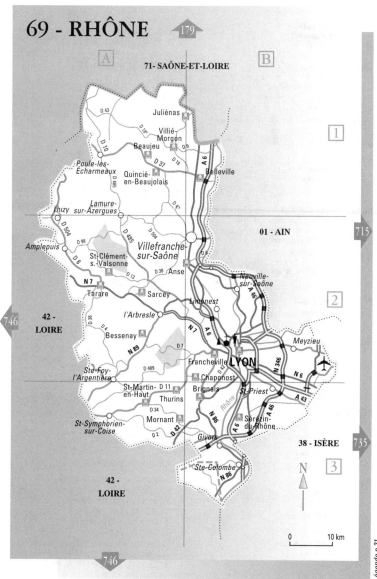

69 - RHÔNE

A   **71- SAÔNE-ET-LOIRE**   B

1

Juliénas
Villié-Morgon
Beaujeu
Poule-les-Écharmeaux
Quincié-en-Beaujolais
Belleville
Lamure-sur-Azergues
Lhizy

01 - AIN

Amplepuis
Villefranche-sur-Saône
St-Clément-s.-Valsonne
Anse
Tarare
Sarcey
Neuville-sur-Saône
l'Arbresle
Limonest
Bessenay
Meyzieu
Francheville
LYON
Ste-Foy-l'Argentière
Chaponost
St-Martin-en-Haut
Brignais
St-Priest
Thurins
Mornant
Sérézin-du-Rhône
St-Symphorien-sur-Coise
Givors

2

42 - LOIRE

38 - ISÈRE

3

Ste-Colombe

42 - LOIRE

N

0   10 km

Légende p 21

ANSE (A-B2)
69480 Rhône
3800 hab. ℹ️

🏠🏠🏠 SAINT-ROMAIN ★★
Route de Graves. M. Levet
☎ 04 74 60 24 46 📠 04 74 67 12 85
🛏 24 🔲 250/319 F. 🍽 34 F.
🍴 98/300 F. 🛏 68 F. 🛏 253/269 F.
✉ 1er/10 déc. et dim. soir
2 nov./30 avr.
🇪 D 📷 ☎ 🚗 🚌 🌴 🏊 ⛷ CV 🈁
🅿 CB

BEAUJEU (A1)
69430 Rhône
2200 hab. ℹ️

🏠🏠 ANNE DE BEAUJEU ★★
28, rue République. M. Cancela
☎ 04 74 04 87 58 📠 04 74 69 22 13
🛏 7 🔲 290/365 F. 🍽 37 F.
🍴 115/365 F. 🛏 60 F. 🛏 310/390 F.
✉ 4/12 août, 21 déc./20 janv., dim. soir
et lun.
🇪 D 📷 ☎ 🚗 🚌 🌴 🚴 🈁 🅿

BELLEVILLE (B1)
69220 Rhône
5935 hab. ℹ️

🏠 L'ANGE COURONNE ★★
18, rue de la République. M. Hutin
☎ 04 74 66 42 00 📠 04 74 66 49 20
🛏 17 🔲 220/250 F. 🍽 30 F.
🍴 87/175 F. 🛏 55 F.
✉ 6/13 oct., 5/20 janv., dim. soir et lun.
🇪 📷 ☎ 🚗 🚌 🈁 🅿 CB

BESSENAY (A2)
69690 Rhône
1500 hab.

🏠🏠🏠 AUBERGE DE LA BREVENNE ★★★
La Brevenne. M. Rigaud
☎ 04 74 70 80 01 📠 04 74 70 82 31
🛏 20 🔲 290/330 F. 🍽 35 F.
🍴 95/260 F. 🛏 60 F. 🛏 360 F.
✉ rest. dim. soir.
🇪 D SP 📷 🅲 ☎ 🚗 🍽 🌴 ⛷ 🚴
🈁 🅿 CB

BRIGNAIS (B3)
69530 Rhône

>>> *voir LYON*

CHAPONOST (B2)
69630 Rhône

>>> *voir LYON*

FRANCHEVILLE (B2)
69340 Rhône

>>> *voir LYON*

JULIENAS (A-B1)
69840 Rhône
700 hab.

🏠 CHEZ LA ROSE ★★
M. Alizer
☎ 04 74 04 41 20 📠 04 74 04 49 29
🏠 120F 🛏 10 🔲 200/550 F. 🍽 40 F.
🍴 98/300 F. 🛏 70 F. 🛏 290/410 F.
✉ 20 nov./15 déc. et vac. scol. fév.
Rest. lun. et mar. midi.
🇪 D 📷 ☎ 🚗 🌴 🚴 🅿 CB

❄ DES VIGNES ★★
M. Ochier
☎ 04 74 04 43 70 📠 04 74 04 41 95
🛏 22 🔲 255/280 F. 🍽 35 F.
✉ dim. soir hiver.
🇪 D 📷 ☎ 🚗 🚌 🚴 🅿 CB

LYON (B2)
69000 Rhône
413095 hab. ℹ️

... à proximité

BRIGNAIS (B3)
69530 Rhône
10036 hab. ℹ️

10 km S.O. Lyon par D 486

🏠🏠🏠 RESTOTEL DES BAROLLES ★★
14, route de Lyon. M. Cortèse
☎ 04 78 05 24 57 📠 04 78 05 37 57
🛏 27 🔲 280 F. 🍽 40 F. 🍴 75/150 F.
🛏 70 F.
✉ rest. sam. et dim. soir.
🇪 SP ℹ️ 📷 🅲 ☎ 🚗 🍽 🌴 🏊 ⛷ 🈁
🈁 🅿 CB

CHAPONOST (B2)
69630 Rhône
8000 hab. ℹ️

7 km S.O. Lyon par D 50

🏠🏠 LE PRADEL ★★
46B, av. Paul Doumer. Mme Brangi
☎ 04 78 45 49 49 📠 04 78 45 49 45
🛏 30 🔲 255/350 F. 🍽 39 F.
🍴 65/170 F. 🛏 65 F. 🛏 210/260 F.
✉ dim. soir.
🇪 ℹ️ 📷 🅲 ☎ 🚗 🌴 🏊 ⛷ 🚴 CV 🈁
🅿 CB

FRANCHEVILLE (B2)
69340 Rhône
10863 hab. ℹ️

6 km Ouest Lyon par D 75

🏠🏠 AUBERGE DE LA VALLEE ET LE
FLEURY ★★
39, av. Chater. M.Me Porteneuve
☎ 04 78 59 11 88 📠 04 78 59 47 16
🛏 12 🔲 190/300 F. 🍽 30 F.
🍴 72/260 F. 🛏 290 F.
✉ rest. vac. scol. fév., 3 semaines août,
dim. soir et lun.
🇪 📷 🅲 ☎ 🚗 🏧 🍽 CV 🈁 🅿 CB

MORNANT (A3)
69440 Rhône
4000 hab. ℹ️

🔼🔼 DE LA POSTE ★★
5, place de la Liberté. M. Bajard
☎ 04 78 44 00 40 [FAX] 04 78 44 19 07
🛏 14 🍽 220/250 F. 🍴 32 F.
🍴 66/175 F. 🛏 55 F. 🚗 220/250 F.
✉ rest. dim. soir.
[E] [D] 🔲 🔲 🔲 🚗 🔲 ⛷ [CV] ◀ [CB] ▪

QUINCIE EN BEAUJOLAIS (A1)
69430 Rhône
1020 hab.

🔼🔼 LE MONT BROUILLY ★★
(Le Pont des Samsons). M. Bouchacourt
☎ 04 74 04 33 73 [FAX] 04 74 69 00 72
🛏 29 🍽 270/330 F. 🍴 35 F. 🛏 50 F.
🚗 260/280 F.
✉ dim. soir et lun. oct./mars.
[E] 🔲 🔲 🔲 🔲 🚗 🔲 🔲 ⛷ 🔲
◀ [CB]

SAINT CLEMENT SUR VALSONNE (A2)
69170 Rhône
457 hab.

🔼🔼 LE SAINT CLEMENT ★★
Place de l'Europe. M. Royer
☎ 04 74 05 17 80
🛏 9 🍽 240 F. 🍴 25 F. 🍴 60/200 F.
🛏 45 F. 🚗 180 F.
✉ 3 premières semaines fév., lun. soir
et mar. sauf juil./août.
🔲 🔲 ⛷ 🔲 ◀ [CB]

SAINT MARTIN EN HAUT (A3)
69850 Rhône
750 m. • 3160 hab. ℹ️

🔼🔼 RELAIS DES BERGERS ★★
2, place Neuve. M. Cousin
☎ 04 78 48 51 22 [FAX] 04 78 48 57 89
🛏 20 🍽 240/260 F. 🍴 30/ 33 F.
🍴 68/180 F. 🛏 60 F. 🚗 280 F.
✉ 11 nov./8 déc.
[E] 🔲 🚗 🔲 [CV] 🔲 ◀

SARCEY (A2)
69490 Rhône
600 hab.

🔼🔼🔼 LE CHATARD ★★
M. Chatard
☎ 04 74 26 85 85 [FAX] 04 74 26 89 99
🛏 35 🍽 250/310 F. 🍴 38 F.
🍴 85/315 F. 🛏 50 F. 🚗 245/300 F.
✉ 2/20 janv.
[E] 🔲 🔲 🚗 🔲 🔲 🔲 🔲 ⛷ 🔲
◀ [CB] [GR]

SEREZIN DU RHÔNE (B3)
69360 Rhône
2000 hab.

🔼🔼🔼 LA BOURBONNAISE ★★
Par A7 sort.Solaise,parA46 sort.Marennes
M. Pascual
☎ 04 78 02 80 58 [FAX] 04 78 02 17 39
🛏 36 🍽 179/295 F. 🍴 40 F.
🍴 70/235 F. 🛏 50 F. 🚗 500/650 F.
[E] [D] [SP] 🔲 🔲 🚗 🔲 🔲 🔲 ⛷ [CV]
🔲 ◀ [CB] [GR]

TARARE (A2)
69170 Rhône
11000 hab. ℹ️

🔼🔼🔼 BURNICHON - GIT'OTEL ★★
Sur N.7. M. Burnichon
☎ 04 74 63 44 01 [FAX] 04 74 05 08 52
🛏 34 🍽 210/280 F. 🍴 33 F.
🍴 70/230 F. 🛏 40 F. 🚗 215 F.
✉ rest. dim.
[E] [D] 🔲 🔲 🚗 🔲 ⛷ 🔲 ◀ [CB]

THURINS (A3)
69510 Rhône
2059 hab.

🔼 BONNIER ★
51, route de la Vallée du Garon.
MM. Bonnier
☎ 04 78 48 92 06
🛏 12 🍽 130/170 F. 🍴 30 F.
🍴 50/160 F. 🛏 40 F. 🚗 180/220 F.
✉ août et sam.
🚗 🔲 [CV] ◀ [CB]

VILLIE MORGON (A1)
69910 Rhône
1522 hab.

🔼🔼🔼 LE VILLON ★★
M. Cancela
☎ 04 74 69 16 16 [FAX] 04 74 69 16 81
🛏 45 🍽 320/340 F. 🍴 38 F.
🍴 110/235 F. 🛏 60 F. 🚗 305/310 F.
✉ dim. soir et lun. oct./avr.
[E] [D] 🔲 🔲 🚗 🔲 🔲 🔲 ⛷ 🔲 ◀ [CB]

Liste des
hôtels-restaurants

Savoie

C.R.T Rhône-Alpes

Association départementale
des Logis de France de la Savoie
Syndicat Hôtelier
221 avenue de Lyon - B.P. 448
73004 Chambéry Cedex
Téléphone 04 79 69 26 18

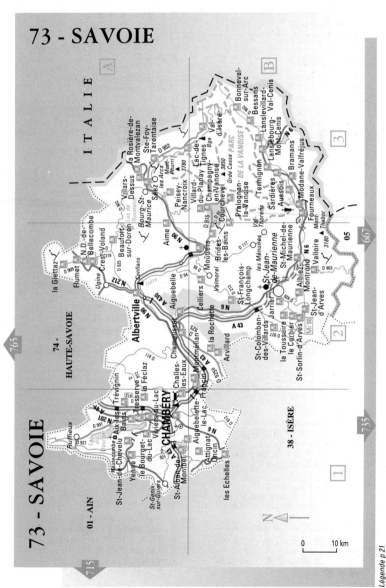

AIGUEBELETTE LE LAC (A-B1)
73610 Savoie
150 hab.

▲▲ DE LA COMBE ★★
M. Dufour
☎ 04 79 36 05 02 FAX 04 79 44 11 93
🛏 9 ▦ 200/312 F. ■ 38 F.
🍴 125/240 F. ☷ 72 F. ▦ 267/340 F.
✉ 28 oct./2 déc. et lun. après-midi/mer.
matin.
Ⓔ SP 🖿 ☎ �car 🚪 🌴 ♿ CB

AIGUEBELLE (A2)
73220 Savoie
858 hab. 🅸

▲ DE LA POSTE ★★
Mme Vincent-Ivanoff
☎ 04 79 36 20 05 FAX 04 79 36 38 84
🛏 21 ▦ 145/270 F. ■ 23 F.
🍴 65/130 F. ☷ 40 F. ▦ 180/200 F.
✉ 20 déc./20 janv. et sam. sauf vac.
scol.
🖿 ☎ 🚗 🚪 🌴 ♿ ▶ ♿ ♟ CB

▲ DU SOLEIL
Grand'Rue. M. Rattier
☎ 04 79 36 20 29 FAX 04 79 36 20 29
🛏 11 ▦ 120/260 F. ■ 25 F.
🍴 65/200 F. ☷ 50 F. ▦ 180/200 F.
✉ 15 oct./30 nov., dim. soir et lun.
🖿 🌴 ♿ ♟

AIME (A2-3)
73210 Savoie
690 m. • 2500 hab. 🅸

▲ PALANBO ★★
(Prés Roux). M. Boch
☎ 04 79 55 67 55 FAX 04 79 09 70 74
🛏 20 ▦ 230/310 F. ■ 30 F.
🍴 65/100 F. ☷ 35 F. ▦ 210/245 F.
Ⓔ 🖿 ☎ 🚗 🌴 ♿ ♟ CB

AIX LES BAINS (A1)
73100 Savoie
25000 hab. 🅸

▲▲ AU PETIT VATEL ★★
11, rue du Temple. M. Kahlouch
☎ 04 79 35 04 80 FAX 04 79 34 01 51
🛏 26 ▦ 180/250 F. ■ 32 F.
🍴 60/180 F. ☷ 42 F. ▦ 200/240 F.
Ⓔ 🅸 🖿 ☎ 🚗 ♿ CV 🎛 CB

▲▲ AUBERGE SAINT SIMOND ★★
130, av. de Saint Simond. Mme Mattana
☎ 04 79 88 35 02 FAX 04 79 88 38 45
🛏 25 ▦ 200/290 F. ■ 40 F.
🍴 80/165 F. ☷ 50 F. ▦ 200/260 F.
✉ 3 semaines janv. et dim. soir 1er oct./
30 avr.
Ⓔ 🅸 🖿 ☎ 🚗 🚪 🌴 ♿ ♿ CV 🎛 ♿
CB 📷 CR

▲▲ CHEZ LA MERE MICHAUD ★★
82 bis, rue de Genève.
Mlle Chappel
☎ 04 79 35 06 03 FAX 04 79 61 57 72
🛏 16 ▦ 160/240 F. ■ 30 F.
🍴 55/130 F. ☷ 40 F. ▦ 165/234 F.
✉ 5 déc./10 fév. Rest. dim. soir et lun.
🖿 ☎ 🌴 CV ♿ CB

▲▲ COTTAGE HOTEL ★★
9, rue Davat.
M. Collet
☎ 04 79 35 00 55 FAX 04 79 88 22 85
🛏 40 ▦ 250/330 F. ■ 30 F.
🍴 90/120 F. ☷ 40 F. ▦ 210/280 F.
✉ 5 nov./17 fév.
Ⓔ 🅸 🖿 ☎ 🚗 🚪 ♿ ♟ 🌴 CV 🎛
♿ CB 📷 CR

▲▲ DAUPHINOIS ET NIVOLET ★★
14, av. de Tresserve.
M. Cochet
☎ 04 79 61 22 56 FAX 04 79 34 04 62
🛏 40 ▦ 140/260 F. ■ 35 F.
🍴 89/175 F. ☷ 55 F. ▦ 170/240 F.
✉ 15 déc./20 fév.
Ⓔ Ⓓ 🖿 ☎ 🚗 ♿ 🌴 ♿ 🎛 CB 📷

▲▲ DAVAT ★★
21, chemin des Bateliers. M.Me Davat
☎ 04 79 63 40 40 FAX 04 79 54 35 68
🛏 20 ▦ 230/280 F. ■ 35 F.
🍴 90/250 F. ☷ 70 F. ▦ 260/295 F.
✉ 1er nov./28 fév., lun. soir et mar. sauf
juil./août.
Ⓔ Ⓓ 🖿 ☎ 🚗 🌴 🎛 ♿ CB

▲▲ LA PASTORALE ★★★
221, av. du Grand Port.
M. Aimonier-Davat
☎ 04 79 63 40 60 FAX 04 79 63 44 26
🛏 30 ▦ 290/340 F. ■ 30 F.
🍴 90/200 F. ☷ 60 F. ▦ 300/350 F.
✉ 1er fév./20 mars, dim. soir et lun
oct./avr.
Ⓔ Ⓓ 🅸 🖿 ☎ 🚗 ♿ 🌴 CV 🎛 ♿ CB

▲▲ THERMAL ★★
2, rue Davat. M. Montréal
☎ 04 79 35 20 00 FAX 04 79 88 16 48
🛏 67 ▦ 220/260 F. ■ 25 F.
🍴 85/130 F. ☷ 45 F. ▦ 235/295 F.
Ⓔ Ⓓ 🅸 🖿 ☎ 🚗 🚪 CV 🎛 ♿
CB

... _à proximité_

TRESSERVE (A1)
73100 Savoie
2806 hab. 🅸

limitrophe Aix les Bains par N 201

▲▲ DU POETE Rest. ALEXANDRIN ★★
Route du bord du Lac. M.Me Madezo
☎ 04 79 61 21 67 FAX 04 79 34 03 82
🛏 23 ▦ 250/270 F. ■ 30 F.
🍴 75/170 F. ☷ 50 F. ▦ 250/270 F.
🖿 ☎ 🚗 CV 🎛 ♿ CB 📷 CR

TREVIGNIN (A1-2)
73100 Savoie
620 m. • 459 hab.

3 km Est Aix les Bains par D 913

BELLEVUE ★★
M. Traversaz
☎ 04 79 61 48 32   FAX 04 79 61 47 98
🛏 18 ⊙ 200/300 F. 🍽 30 F.
🍴 70/300 F. 🛏 40 F. 🖾 215/240 F.
⊠ 1er nov./31 janv., dim. soir, soirs
fériés et mer.
E ⬚ ☎ 🚗 🍴 🛗 ❦ CB

ALBERTVILLE (A2)
73200 Savoie
20000 hab. ⓘ

ALBERT 1er ★★★
38-40, av. Victor Hugo.
MeM. Duc/Guéridon
☎ 04 79 37 77 33   FAX 04 79 37 89 01
🛏 11 ⊙ 340/380 F. 🍽 48 F.
🍴 76/120 F. 🛏 58 F. 🖾 320/360 F.
⊠ mar. soir et dim. 1er avr./31 déc.
E SP ⓘ ⬚ ☎ 🚗 ⊠ 🛗 CV I⬚I ❦

ALBIEZ MONTROND (B2)
73300 Savoie
1500 m. • 295 hab. ⓘ

LA RUA ★★
M. Constantin
☎ 04 79 59 30 76   FAX 04 79 59 33 15
🛏 22 ⊙ 230/270 F. 🍽 32 F.
🍴 85/150 F. 🛏 50 F. 🖾 220/285 F.
⊠ 20 avr./15 juin et 15 sept./15 déc.
E ⓘ ☎ 🚗 🍴 🛗 CV ❦ CB

ARVILLARD (B2)
73110 Savoie
>>> *voir La ROCHETTE*

ATTIGNAT ONCIN (B1)
73610 Savoie
590 m. • 397 hab. ⓘ

LE MONT GRELE ★★
M. Botinelly
☎ 04 79 36 07 06   FAX 04 79 36 09 54
🛏 11 ⊙ 210/270 F. 🍽 35 F.
🍴 115/180 F. 🛏 68 F. 🖾 245/295 F.
⊠ 2 janv./15 fév., mar. soir et mer. sauf
juil./août.
E ⬚ ☎ 🚗 🍴 🛗 ❦ 🛗 CV I⬚I
❦ CB CR

AUSSOIS (B3)
73500 Savoie
1500 m. • 600 hab. ⓘ

LE CHOUCAS ★★
15, le Plan Champ. M. Pelissier
☎ 04 79 20 32 77   FAX 04 79 20 39 87

🛏 28 ⊙ 290/330 F. 🍽 35 F.
🍴 85/120 F. 🛏 50 F. 🖾 270/290 F.
⊠ mai et 10 oct./10 déc.
E SP ⓘ ⬚ ☎ 🚗 🍴 ❦ CV I⬚I ❦ CB

LES MOTTETS ★★
6, rue les Mottets. M. Montaz
☎ 04 79 20 30 86   FAX 04 79 20 34 22
🛏 25 ⊙ 300/330 F. 🍽 38 F.
🍴 94/185 F. 🛏 55 F. 🖾 265/325 F.
E ⬚ ☎ 🚗 🍴 🛗 ❦ 🛗 CV I⬚I
❦ CB

BEAUFORT SUR DORON (A2)
73270 Savoie
750 m. • 1000 hab. ⓘ

DU DORON ★
M. Bouchage
☎ 04 79 38 33 18   FAX 04 79 38 30 96
🛏 23 ⊙ 170/300 F. 🍽 28 F.
🍴 75/140 F. 🛏 50 F. 🖾 215/270 F.
⊠ fin vac. Noël/fin janv., 20/27 avr. et
15 nov./19 déc.
☎ 🚗 CV I⬚I ❦ CB

DU GRAND MONT ★★
Place de l'Eglise. Mme Frison-Roche
☎ 04 79 38 33 36   FAX 04 79 38 39 07
🛏 13 ⊙ 255/270 F. 🍽 45 F.
🍴 85/150 F. 🛏 55 F. 🖾 265/275 F.
⊠ 24 avr./2 mai et oct.
E ⬚ ☎ CV I⬚I ❦ CB

BESSANS (B3)
73480 Savoie
1750 m. • 300 hab. ⓘ

LA VANOISE ★★
M. Clappier
☎ 04 79 05 96 79   FAX 04 79 05 84 34
🛏 29 ⊙ 260/350 F. 🍽 45 F.
🍴 75/150 F. 🛏 50 F. 🖾 260/330 F.
E ⓘ ☎ 🚗 🍴 🏊 ❦ ❦ CB

LE MONT ISERAN ★★
Place de la Mairie. M. Clappier
☎ 04 79 05 95 97   FAX 04 79 05 84 67
🛏 19 ⊙ 240/350 F. 🍽 45 F.
🍴 75/150 F. 🛏 55 F. 🖾 195/315 F.
⊠ 1er oct./10 déc. et 26 avr./25 juin.
E ⓘ ⬚ ☎ 🚗 🍴 CV ❦ CB

BONNEVAL SUR ARC (B3)
73480 Savoie
1850 m. • 210 hab. ⓘ

LA MARMOTTE ★★
M. Ginet
☎ 04 79 05 94 82   FAX 04 79 05 90 08
🛏 28 ⊙ 250/330 F. 🍽 38 F.
🍴 98/200 F. 🛏 55 F. 🖾 260/320 F.
⊠ 20 sept./20 déc. et 1er mai/15 juin.
E ⓘ ☎ 🚗 🍴 ⊠ 🛗 ❦ 🏊 🛗 I⬚I CB

Le BOURGET DU LAC (A1)
73370 Savoie
2900 hab. ⓘ

🏨 DU PORT ★★
Bld du Lac.
Mme Henry
☎ 04 79 25 00 21 📠 04 79 25 26 82
🛏 25 ⬚ 250/330 F. 🍽 117/210 F.
🍴 60 F. 🛎 300/350 F.
✉ 20 déc./1er fév., dim. soir hs et lun.
[icons]

🏨 LA CERISAIE
618, route des Tournelles.
M. Coutier
☎ 04 79 25 01 29 📠 04 79 25 26 19
🛏 7 ⬚ 200/250 F. 🍽 30 F. 🍴 98/225 F.
🍴 60 F. 🛎 220/250 F.
✉ 25 oct./6 nov., 1er/8 janv., mer. et
dim. soir hs.
[icons]

BRAMANS (B3)
73500 Savoie
1223 m. • 331 hab. ⓘ

🏨 L'AUBERGE RELAIS LES GLACIERS ★★
M. Dupré
☎ 04 79 05 22 32 📠 04 79 05 23 16
🛏 10 ⬚ 195/290 F. 🍽 29 F.
🍴 75/110 F. 🍴 42 F. 🛎 195/310 F.
✉ mai, nov., 1er/15 déc., 1 week-end
sur 2 au printemps et automne.
[icons]

BRIDES LES BAINS (B2)
73570 Savoie
600 m. • 620 hab. ⓘ

🏨 ALTIS - VAL VERT ★★
M. Chedal
☎ 04 79 55 22 62 📠 04 79 55 29 12
🛏 35 ⬚ 270/420 F. 🍽 40 F.
🍴 75/140 F. 🍴 65 F. 🛎 300/370 F.
✉ 30 oct./20 déc.
[icons]

🏨 LES BAINS ★★
Rue Joseph Fontanet. M. Russo
☎ 04 79 55 22 05 📠 04 79 55 27 81
🛏 35 ⬚ 300 F. 🍽 25 F. 🛎 275/320 F.
✉ 27 oct./21 déc.
[icons]

CELLIERS (B2)
73260 Savoie
1300 m. • 40 hab. ⓘ

🏨 LE GRAND PIC ★★
M.Me Leger/Dubaux
☎ 04 79 24 03 72 📠 04 79 24 38 78
🛏 15 ⬚ 185/265 F. 🍽 30 F.
🍴 75/140 F. 🍴 40 F. 🛎 195/240 F.
✉ 1er oct./20 déc. et 15 avr./22 mai.
[icons]

CHALLES LES EAUX (A1-2)
73190 Savoie
2500 hab. ⓘ

🏨 DE LA MAIRIE ★
117, av. Charles Pillet. Mme Bernard
☎ 04 79 72 86 26 📠 04 79 72 68 59
🛏 18 ⬚ 185/285 F. 🍽 32 F. 🍴 50 F.
🛎 175/245 F.
✉ 1 oct./5 nov., 22 déc./6 janv., sam.
et dim. soir 5 nov./25 mars.
[icons]

CHAMBERY (A1)
73000 Savoie
70000 hab. ⓘ

🏨 AUX PERVENCHES ★★
600, chemin des Charmettes. M. Bonnet
☎ 04 79 33 34 26 📠 04 79 60 02 52
🛏 11 ⬚ 150/190 F. 🍽 27 F.
🍴 95/160 F. 🍴 60 F. 🛎 165/185 F.
[icons]

🏨 SAVOYARD ★★
35, place Monge. M. Gachet
☎ 04 79 33 36 55 📠 04 79 85 25 70
🛏 10 ⬚ 220/260 F. 🍽 32 F.
🍴 75/180 F. 🍴 52 F. 🛎 210/235 F.
✉ dim. sauf fériés et fêtes ou sur
réservations.
[icons]

CHAMOUSSET (A2)
73390 Savoie
380 hab.

🏨 CHRISTIN ★★
M. Christin
☎ 04 79 36 42 06 📠 04 79 36 45 43
🛏 11 ⬚ 160/270 F. 🍽 27 F.
🍴 70/150 F. 🍴 50 F. 🛎 200/225 F.
✉ 20 sept./5 oct., 30 avr./8 mai, dim.
soir et lun.
[icons]

CHAMPAGNY EN VANOISE (B3)
73350 Savoie
1250 m. • 500 hab. ⓘ

🏨 L'ANCOLIE Rest. L'ALPENROSE ★★
Les Hauts du Crey. M.Me Pélican
☎ 04 79 55 05 00 📠 04 79 55 04 42
🛏 31 ⬚ 305/620 F. 🍽 50 F.
🍴 95/115 F. 🍴 48 F. 🛎 265/460 F.
✉ 20 avr./14 juin et 6 sept./20 déc.
[icons]

🏨 LES GLIERES ★★
M. Lejeune
☎ 04 79 55 05 52 📠 04 79 55 04 84
🛏 20 ⬚ 272/390 F. 🍽 35 F.
🍴 95/145 F. 🍴 45 F. 🛎 279/396 F.
✉ 13 avr./21 juin et 6 sept./20 déc.
[icons]

Le CORBIER (B2)
73300 Savoie
1292 m. • 260 hab. ℹ️

⚑ LE GRILLON ★★
A Villarembert à 3 km de la station.
Mme Duverney-Guichard
☎ 04 79 56 72 59
⌂80F 🍽 8 ⊠ 250 F. 🍴 30 F. 🍴 65/180 F.
🛏 40 F. 🚗 230/250 F.
[icons]

COURCHEVEL (B2-3)
73120 Savoie
1300 m. • 1732 hab. ℹ️

⚑ LES ALLOBROGES ★
Saint Bon le Haut. M.Me Jankovic
☎ 04 79 08 10 15 FAX 04 79 08 10 15
⌂120F 🍽 9 ⊠ 170/750 F. 🍴 120/225 F.
🛏 75 F. 🚗 300/400 F.
⊠ 1er juin/1er juil. et lun. inter-saison.
[icons]

CREST VOLAND (A2)
73590 Savoie
1230 m. • 395 hab. ℹ️

⚑ DU MONT BISANE ★★
M.Me Borgis
☎ 04 79 31 60 26 FAX 04 79 31 69 43
🍽 19 ⊠ 180/220 F. 🍴 28 F.
🍴 68/75 F. 🛏 40 F. 🚗 195/285 F.
⊠ sept./déc. et mai/juil.
[icons]

⚑ DU MONT CHARVIN ★★
Mme Bourgeois
☎ 04 79 31 61 21 FAX 04 79 31 82 10
🍽 21 ⊠ 240/260 F. 🍴 30 F.
🍴 88/120 F. 🛏 50 F. 🚗 255/265 F.
⊠ 10 avr./28 juin et 31 août/15 déc.
[icons]

⚑⚑ LE CAPRICE DES NEIGES ★★
(Les Reys). Route du Col des Saisies.
M. Marin-Lamellet
☎ 04 79 31 62 95 FAX 04 79 31 79 30
🍽 16 ⊠ 320 F. 🍴 32 F. 🍴 85/120 F.
🛏 45 F. 🚗 295 F.
⊠ 20 avr./20 juin et 20 sept./15 déc.
[icons]

Les ECHELLES (B1)
73360 Savoie
1250 hab. ℹ️

⚑⚑ AUBERGE DU MORGE
(Gorges de Chailles). M. Bouvier
☎ 04 79 36 62 76 FAX 04 79 36 51 65
🍽 7 ⊠ 160/220 F. 🍴 28 F. 🍴 80/250 F.
🚗 250/260 F.
⊠ 2 déc./17 janv. et mer. sauf vac. scol.
[icons]

⚑⚑ DU CENTRE ★★
Mme Samson
☎ 04 79 36 60 14 FAX 04 79 36 61 72

⌂120F 🍽 12 ⊠ 150/280 F. 🍴 35 F.
🍴 65/200 F. 🛏 55 F. 🚗 210/250 F.
⊠ janv./fin fév., dim. soir et lun. sauf
juil./août.
[icons]

La FECLAZ (A1-2)
73230 Savoie
1350 m. • 500 hab. ℹ️

⚑⚑ LE BON GITE ★★
M. Lacaille
☎ 04 79 25 82 11 FAX 04 79 25 80 91
⌂120F 🍽 29 ⊠ 280/320 F. 🍴 40 F.
🍴 100/140 F. 🛏 55 F. 🚗 260/285 F.
⊠ mi-avr./mi-juin et mi-sept./mi déc.
[icons]

FLUMET (A2)
73590 Savoie
1010 m. • 760 hab. ℹ️

⚑ LES SAPINS ★★
Rue du Mont Blanc. Mme Girard
☎ 04 79 31 65 03
⌂120F 🍽 7 ⊠ 180 F. 🍴 25 F. 🍴 59/135 F.
🛏 39 F. 🚗 230 F.
[icons]

⚑ PANORAMIC
Route de Mégève, à 2km500.
M. Mongellaz
☎ 04 79 31 60 01
🍽 10 ⊠ 140/220 F. 🍴 25 F.
🍴 60/80 F. 🛏 40 F. 🚗 180/195 F.
[icons]

FOURNEAUX (B3)
73500 Savoie

>>> *voir MODANE VALFREJUS*

FRANCIN (B1-2)
73800 Savoie
550 hab.

⚑ LA SAVOYARDE ★
M. Girard
☎ 04 79 84 21 74
🍽 14 ⊠ 115/180 F. 🍴 25 F.
🍴 65/150 F. 🛏 45 F. 🚗 145/175 F.
⊠ sept. et sam.
[icons]

La GIETTAZ (A2)
73590 Savoie
1100 m. • 510 hab. ℹ️

⚑⚑ ARONDINE ★★
M. Bouchex-Bellomié
☎ 04 79 32 90 60 FAX 04 79 32 91 78
⌂100F 🍽 17 ⊠ 205/345 F. 🍴 80/180 F.
🛏 48 F. 🚗 210/285 F.
⊠ 10 sept./20 déc. et 10 avr./20 juin.
[icons]

JARRIER (B2)
73300 Savoie
1100 m. • 450 hab. 𝑖

⌂ BELLEVUE ⋆
Mme Leard
☎ 04 79 64 31 03 · FAX 04 79 64 28 61
🛏 13 ⬚ 140/210 F. ▪ 28 F.
🍽 80/150 F. 🍴 45 F. 🛏 190/220 F.
Ⓔ 𝑖 ☎ ⌂ CV 🔟 ⌂

LANSLEBOURG (B3)
73480 Savoie
1400 m. • 650 hab. 𝑖

⌂⌂⌂ ALPAZUR ⋆⋆⋆
(Val Cenis). M. Jorcin
☎ 04 79 05 93 69 · FAX 04 79 05 81 96
100F 🛏 21 ⬚ 290/400 F. ▪ 40 F.
🍽 98/180 F. 🍴 60 F. 🛏 290/365 F.
⬚ 20 avr./1er juin et 20 sept./20 déc.
Ⓔ 𝑖 ⌂ ☎ ⌂ ⌂ ⌂ CV 🔟 ⌂ CB

⌂⌂ DE LA VIEILLE POSTE ⋆⋆
Mme Dimier
☎ 04 79 05 93 47 · FAX 04 79 05 86 85
100F 🛏 18 ⬚ 250/260 F. ▪ 38 F.
🍽 73/105 F. 🍴 40 F. 🛏 260/270 F.
⬚ 15 avr./15 mai, 1er nov./24 déc. et
week-ends hs.
Ⓔ 𝑖 ⌂ ☎ ⌂ ⌂ ⌂ CV 🔟 ⌂ CB

⌂ LES MARMOTTES ⋆
Grande Rue. M. Boch
☎ 04 79 05 93 67 · FAX 04 79 05 84 94
100F 🛏 17 ⬚ 220/280 F. ▪ 35 F.
🍽 75/130 F. 🍴 45 F. 🛏 210/240 F.
⬚ 20 sept./20 déc. et 25 avr./10 juin.
Ⓔ 𝑖 ☎ ⌂ CV ⌂ CB

⌂ RELAIS DES ALPES ⋆
MM. Burdin
☎ 04 79 05 90 26 · FAX 04 79 05 86 42
🛏 18 ⬚ 190/260 F. ▪ 32 F.
🍽 63/125 F. 🍴 45 F. 🛏 200/300 F.
⬚ 1er oct./20 déc. et 1er mai/15 juin.
Ⓔ 𝑖 ☎ ⌂ ⌂ ⌂ CV ⌂ CB

⌂⌂ RELAIS DES DEUX COLS ⋆⋆
M. Gagnière
☎ 04 79 05 92 83 · FAX 04 79 05 83 74
100F 🛏 28 ⬚ 250/300 F. ▪ 35 F.
🍽 80/200 F. 🍴 50 F. 🛏 250/300 F.
⬚ 15 avr./1er mai et 5 nov./20 déc.
Ⓔ Ⓓ 𝑖 ⌂ ☎ ⌂ ⌂ ⬚ 🔟 ✦ CV 🔟
⌂ CB

LANSLEVILLARD VAL-CENIS (B3)
73480 Savoie
1480 m. • 410 hab. 𝑖

⌂⌂ LE GRAND SIGNAL ⋆⋆
M. Clert
☎ 04 79 05 91 24 · FAX 04 79 05 82 47
🛏 18 ⬚ 250/290 F. ▪ 35 F.
🍽 97/160 F. 🍴 43 F. 🛏 270/340 F.
⬚ 6 avr./22 juin et 7 sept./21 déc.
Ⓔ 𝑖 ☎ ⌂ ⌂ 🔟 ✦ ⌂ ✦ CB

⌂⌂ LES MELEZES ⋆⋆
(La Mathia).
M.Me De Simone
☎ 04 79 05 93 82
100F 🛏 16 ⬚ 255/315 F. ▪ 34 F.
🍽 90/145 F. 🍴 45 F. 🛏 240/273 F.
⬚ 11 sept./19 déc. et 21 avr./21 juin.
Ⓔ SP 𝑖 ⌂ ☎ ⌂ ⌂ ⌂ ⌂

MODANE VALFREJUS (B3)
73500 Savoie
1057 m. • 4500 hab. 𝑖

⌂⌂ DES VOYAGEURS ⋆⋆
16, place Sommeiller.
Mme Boniface
☎ 04 79 05 01 39 · FAX 04 79 05 03 88
🛏 19 ⬚ 240/300 F. ▪ 28 F.
🍽 78/170 F. 🍴 55 F. 🛏 245/275 F.
⬚ 14 nov./15 déc. et dim.
Ⓔ Ⓓ 𝑖 ⌂ ☎ ⌂ ⌂ CV ⌂ CB

⌂⌂⌂ LE PERCE-NEIGE ⋆⋆
14, av. Jean-Jaurès.
M. Nousse
☎ 04 79 05 00 50 · FAX 04 79 05 12 92
100F 🛏 18 ⬚ 240/335 F. ▪ 29 F.
🍽 82/190 F. 🍴 50 F. 🛏 230/276 F.
⬚ 1er/15 mai et 19 oct./4 nov.
Ⓔ 𝑖 ⌂ ☎ ⌂ ⌂ ⌂ CV 🔟 CB CR

... *à proximité*

FOURNEAUX (B3)
73500 Savoie
1050 m. • 1078 hab. 𝑖

*limitrophe Ouest Modane Valfréjus par
N 6*

⌂ BELLEVUE
15, rue du Replat. M. Mestre
☎ 04 79 05 20 64 · FAX 04 79 05 37 42
🛏 14 ⬚ 190/250 F. ▪ 30 F.
🍽 70/120 F. 🍴 45 F. 🛏 190/230 F.
⬚ rest. sam. et dim. hs.
Ⓔ Ⓓ ⌂ ☎ ⌂ ⌂ ⌂ CV ✦ CB

MONTMELIAN (B2)
73800 Savoie
5000 hab. 𝑖

⌂⌂ VIBOUD ⋆⋆
(Vieux Montmelian). M. Viboud
☎ 04 79 84 07 24 · FAX 04 79 84 44 07
🛏 8 ⬚ 195 F. ▪ 35 F. 🍽 98 F. 🍴 45 F.
🛏 220 F.
⬚ 1er/10 juil., oct., 1er/15 janv., dim.
soir et lun.
Ⓔ 𝑖 ⌂ ☎ ⌂ ⌂ 🔟 ✦ CB

MOUTIERS (B2)
73600 Savoie
5000 hab. 𝑖

⌂⌂ AUBERGE DE SAVOIE ⋆⋆
M. Elia
☎ 04 79 24 20 15 · FAX 04 79 24 54 65
🛏 20 ⬚ 290/320 F. ▪ 35 F.
🍽 78/170 F. 🍴 48 F. 🛏 240/300 F.
Ⓔ Ⓓ ⌂ ☎ 🍴 CV

NOTRE DAME DE BELLECOMBE (A2-3)
73590 Savoie
1130 m. • 500 hab. 🛈

⚐ BEAU SEJOUR
Mme Mollier
☎ 04 79 31 61 84 🆑 04 79 31 86 10
🛏 14 ⌧ 290/320 F. 🍽 40 F.
🍴 78/95 F. 🍴 40 F. 🛌 250/300 F.
Ⓔ 🕿 🚗 ⛄ 🎿 🚵 CV 🔌 🏧 CB

⚐⚐ BELLEVUE ★★
M. Perrin
☎ 04 79 31 60 56 🆑 04 79 31 69 84
🛏 18 ⌧ 240/335 F. 🍽 38 F.
🍴 100/150 F. 🍴 52 F. 🛌 265/335 F.
⌧ 25 avr./20 juin et 15 sept./18 déc.
Ⓔ 🕿 🚗 CV 🔌 🏧

⚐⚐⚐ LE TETRAS ★★
(Les Frasses-Alt. Hôtel 1500m).
M. Rossat-Mignod
☎ 04 79 31 61 70 🆑 04 79 31 77 31
🛏 22 ⌧ 220/360 F. 🍽 43 F.
🍴 78/148 F. 🍴 46 F. 🛌 260/450 F.
⌧ 20 avr./8 mai et 4 oct./13 déc.
Ⓔ Ⓓ 🕿 🚗 ⛄ 🎿 🚵 🏂 🎿 ▶
🚴 CV 🔌 🏧 CB ⒼⓇ

PEISEY NANCROIX (A3)
73210 Savoie
1600 m. • 500 hab. 🛈

⚐⚐ LA VANOISE ★★
Plan Peisey. M.Me Villiod
☎ 04 79 07 92 19 🆑 04 79 07 97 48
🛏 34 ⌧ 280/350 F. 🍽 35 F.
🍴 89/120 F. 🍴 50 F. 🛌 260/320 F.
⌧ 21 avr./19 juin et 10 sept./20 déc.
Ⓔ 🕿 🚗 ⛄ CV 🔌 🏧 CB

PRALOGNAN LA VANOISE (B3)
73710 Savoie
1430 m. • 650 hab. 🛈

⚐⚐⚐ DU GRAND BEC ★★
M. Favre
☎ 04 79 08 71 10 🆑 04 79 08 72 22
🛏 39 ⌧ 280/400 F. 🍽 45 F.
🍴 125/190 F. 🍴 55 F. 🛌 280/360 F.
⌧ 15 avr./15 mai et 30 sept./15 déc.
Ⓔ Ⓓ 🕿 🚗 ⛄ 🎿 🎿 🚵 🏂 🚴
CV 🔌 🏧 CB

⚐⚐ LES AIRELLES ★★
Rue des Darbelays. M. Boyer
☎ 04 79 08 70 32 🆑 04 79 08 73 51
🛏 21 ⌧ 315/430 F. 🍽 45 F.
🍴 89/180 F. 🍴 45 F. 🛌 295/390 F.
⌧ 19 avr./1er juin et 23 sept./20 déc.
Ⓔ 🕿 🚗 ⛄ 🎿 CV CB

⚐ PARISIEN ★
M. Vion
☎ 04 79 08 72 31 🆑 04 79 08 76 26

🛏 22 ⌧ 190/350 F. 🍽 30 F.
🍴 65/150 F. 🍴 40 F. 🛌 190/295 F.
⌧ 20 sept./20 déc. et 25 avr./1er juin.
Ⓔ 🕿 🚗 ⛄ 🎿 CV 🔌 🏧 CB

La ROCHETTE (B2)
73110 Savoie
3260 hab. 🛈

... à proximité

ARVILLARD (B2)
73110 Savoie
654 hab. 🛈

4 km Sud La Rochette par D 207

⚐⚐ LES IRIS ★★
M. Lepers
☎ 04 79 25 51 29 🆑 04 79 25 54 62
🛏 24 ⌧ 190/230 F. 🍽 35 F.
🍴 45/155 F. 🍴 45 F. 🛌 190/260 F.
Ⓔ 🛈 🕿 🚗 ⛄ 🎿 🚵 CV 🔌 🏧

La ROSIERE MONTVALEZAN (A3)
73700 Savoie
1850 m. • 500 hab. 🛈

⚐⚐ LE SOLARET ★★
(à La Rosière). M. Herbigny
☎ 04 79 06 80 47 🆑 04 79 06 82 02
🛏 21 ⌧ 190/390 F. 🍽 35 F.
🍴 85/150 F. 🍴 50 F. 🛌 225/365 F.
⌧ 28 avr./1er juil. et 30 août/19 déc.
Ⓔ Ⓓ 🛈 🕿 🚗 🚕 ⛄ 🎿 🚵 CV
🔌 🏧 CB

⚐⚐ RELAIS DU PETIT SAINT BERNARD ★★
(à La Rosière). M. Arpin
☎ 04 79 06 80 48 🆑 04 79 06 83 40
🛏 20 ⌧ 175/285 F. 🍽 36 F.
🍴 75/110 F. 🍴 45 F. 🛌 260/350 F.
⌧ 27 avr./21 juin et 8 sept./26 déc.
Ⓔ 🕿 🚗 CV 🔌 🏧 CB

SAINT ALBAN DE MONTBEL (A1)
73610 Savoie
190 hab.

⚐⚐ LE LYONNAIS ★★
(Lac d'Aiguebelette). M. Bernet
☎ 04 79 36 00 10 🆑 04 79 44 10 57
🛏 12 ⌧ 135/255 F. 🍽 32 F.
🍴 72/188 F. 🍴 50 F. 🛌 175/240 F.
⌧ 24 déc./31 janv. Rest. dim. soir et lun.
Ⓔ 🕿 🚗 ⛄ 🎿 🚵 🚴 CV 🔌 🏧 CB

SAINT COLOMBAN DES VILLARDS (B2)
73130 Savoie
1104 m. • 205 hab. 🛈

⚐ DE LA POSTE ★
M. Martin-Fardon
☎ 04 79 56 25 33 🆑 04 79 59 12 22
🛏 17 ⌧ 150/230 F. 🍽 30 F.
🍴 65/130 F. 🍴 45 F. 🛌 175/210 F.
🕿 🚗 🚲 CV 🔌 🏧 CB

SAINT FRANCOIS LONGCHAMP (B2)
73130 Savoie
1650 m. • 236 hab. ⓘ

▲▲ LE CHEVAL NOIR ★★
A Longchamp 1650. M. Daumas
☎ 04 79 59 10 88 ⅢA 04 79 59 10 00
▢ 27 ◪ 150/340 F. ▤ 38 F.
120F
Ⅲ 98/175 F. ⅋ 54 F. 🛏 310/410 F.
☒ 21 avr./30 juin et 1er sept./20 déc.
🅴 ⓘ 🗇 ☎ 🚗 ⋈ CV 🔌 ◀ CB

▲▲ LES AIRELLES ★★
Mme Renzetti
☎ 04 79 59 10 63 ⅢA 04 79 59 13 44
▢ 🛏 13 ◪ 200/290 F. ▤ 40 F.
100F
Ⅲ 90/180 F. ⅋ 45 F. 🛏 260/350 F.
☒ 1er/15 juin, 15 nov./10 déc., dim.
soir et lun. 15 sept./15 déc. et 15
avr./1er juil.
🅴 ⓘ 🗇 ☎ 🚗 ⋈ T 🐾 ᵭ CV 🔌 ◀ CB

SAINT JEAN D'ARVES (B2)
73530 Savoie
1600 m. • 240 hab. ⓘ

▲ CHALET DE L'OULE ROUGE ★★
(La Chal). M. Gladki
☎ 04 79 59 70 99
🛏 8 ◪ 250/340 F. ▤ 29 F. Ⅲ 90/190 F.
⅋ 40 F.
🗇 ☎ 🚗 T 🍽 ◉ ᵭ CV ◀ CB

SAINT JEAN DE CHEVELU (A1)
73170 Savoie
600 hab.

▲▲ LA SOURCE ★★
Route Col du Chat. MM. Jacquet
☎ 04 79 36 80 16
🛏 8 ◪ 220/340 F. ▤ 35 F. Ⅲ 95/225 F.
⅋ 80 F. 🛏 270/300 F.
☒ janv.
🅴 🗇 ☎ 🚗 T 🐾 ᵭ 🔌 ◀ CB

SAINT MICHEL DE MAURIENNE (B2)
73140 Savoie
730 m. • 3500 hab. ⓘ

▲▲ SAVOY HOTEL ★★
25, rue du Général Ferrie. M. Barbarot
☎ 04 79 56 55 12 ⅢA 04 79 59 27 00
▢ 🛏 18 ◪ 200/260 F. ▤ 32 F.
100F
Ⅲ 75/190 F. ⅋ 45 F. 🛏 248 F.
☒ vac. Toussaint et dim. sauf vac.
🅴 ⓘ 🗇 🎞 ☎ 🚗 🚙 ⋈ CV 🔌 ◀ CB

SAINT SORLIN D'ARVES (B2)
73530 Savoie
1550 m. • 310 hab. ⓘ

▲▲ BEAUSOLEIL ★★
M. Vermeulen
☎ 04 79 59 71 42 ⅢA 04 79 59 75 25
🛏 23 ◪ 225/260 F. ▤ 35 F.

Ⅲ 98/120 F. ⅋ 45 F. 🛏 230/290 F.
☒ 20 avr./25 juin et 10 sept./18 déc.
🅴 🗇 ☎ 🚗 ⋈ T 🐾 ᵭ CV 🔌 ◀ CB

▲ DE L'ETENDARD ★★
Mme Bizel Bizellot
☎ 04 79 59 71 25 ⅢA 04 79 59 77 57
🛏 20 ◪ 220/240 F. ▤ 30/ 35 F.
⅋ 45 F. 🛏 230/250 F.
☒ 15 sept./15 déc. et 30 avr./15 juin.
☎ 🚗 T 🐾 CV 🔌 ◀ CB

▲ DES NEIGES ★
M. Baudray
☎ 04 79 59 71 57 ⅢA 04 79 59 77 54
🛏 15 ◪ 175 F. ▤ 30 F. Ⅲ 75/ 85 F.
⅋ 50 F. 🛏 250/310 F.
☒ 1er sept./15 déc. et 15 avr./30 juin.
ⓘ ☎ 🚗 ᵭ CV ◀ CB

SAINTE FOY TARENTAISE (A3)
73640 Savoie
1050 m. • 707 hab. ⓘ

▲▲ LE MONAL ★★
M. Marmottan
☎ 04 79 06 90 07 ⅢA 04 79 06 94 72
▢ 🛏 24 ◪ 250/300 F. ▤ 35 F.
100F
Ⅲ 80/150 F. ⅋ 45 F. 🛏 260/280 F.
☒ 12 mai/10 juin et 11 oct./11 nov.
🅴 🄳 🗇 ☎ ▮ CV ◀ CB

SARDIERES (B3)
73500 Savoie
1500 m. • 32 hab. ⓘ

▲▲ DU PARC ★★
Mme Gagnière
☎ 04 79 20 51 73 ⅢA 04 79 20 51 73
▢ 🛏 30 ◪ 170/280 F. ▤ 28/ 37 F.
100F
Ⅲ 85/140 F. ⅋ 45 F. 🛏 230/275 F.
☒ 31 mars/28 juin et 31 août/20 déc.
sauf groupes sur réservations.
🅴 ⓘ ☎ 🚗 T 🐾 CV 🔌 ◀ CB

SEEZ (A3)
73700 Savoie
904 m. • 1300 hab. ⓘ

▲▲ MALGOVERT ★★
M. Gaymard
☎ 04 79 41 00 41 ⅢA 04 79 41 01 48
▢ 🛏 18 ◪ 220/290 F. ▤ 35 F.
100F
Ⅲ 95/110 F. ⅋ 40 F. 🛏 235/275 F.
🅴 🄳 ⓘ ☎ 🚗 🚙 T 🐾 ᵭ 🔌 ◀ CB

SEEZ (VILLARD DESSUS) (A3)
73700 Savoie
1000 m. • 200 hab. ⓘ

▲▲ RELAIS DES VILLARDS ★★
N 90. Mme Merendet
☎ 04 79 41 00 66 ⅢA 04 79 41 08 13
▢ 🛏 11 ◪ 240/300 F. ▤ 38 F.
100F
Ⅲ 75/130 F. ⅋ 40 F. 🛏 240/295 F.
🅴 🄳 ⓘ 🗇 ☎ 🚗 ⋈ T ◉V ◀ ◉D

TERMIGNON (B3)
73500 Savoie
1300 m. • 340 hab. ⓘ

🏠 AUBERGE DE LA TURRA ★★
M. Peaquin
☎ 04 79 20 51 36 ⅋ 04 79 20 53 12
🛏 13 ◎ 150/250 F. 🍽 38 F.
🍴 75/100 F. 🍴 40 F. 🍴 190/265 F.
✉ 5 avr./6 juin et 20 sept./19 déc.
🎛 ⓘ ☎ CV 🅿 CB

TIGNES (LAC DE) (A-B3)
73320 Savoie
2100 m. • 2000 hab. ⓘ

🏠🏠 LE GENTIANA ★★
Lotissement du Rosset. MM. Revial
☎ 04 79 06 52 46 ⅋ 04 79 06 35 61
🛏 31 ◎ 320/750 F. 🍽 70 F.
🍴 100/190 F. 🍴 55 F. 🍴 295/560 F.
✉ 8 mai/28 juin et 31 août/25 oct.
🎛 🅳 ⓘ ☎ ⚑ 🍽 🚶 📺 🛠 ♿ CV 🅿
CB 💼

La TOUSSUIRE (B2)
73300 Savoie
1800 m. • 603 hab. ⓘ

🏠🏠 LE GENTIANA ★★
M. Truchet
☎ 04 79 56 75 09 ⅋ 04 79 56 75 02
🛏 20 ◎ 150/280 F. 🍽 35 F.
🍴 60/130 F. 🍴 45 F. 🍴 190/280 F.
✉ 15 avr./1er juil. et 5 sept./15 déc.
ⓘ 🗄 ☎ ⚑ 🍽 🚶 CV CB

🏠🏠 LES MARMOTTES ★★
M. Gilbert-Collet
☎ 04 79 56 74 07 ⅋ 04 79 56 74 07
🛏 14 ◎ 150/220 F. 🍽 30 F.
🍴 85/95 F. 🍴 37 F. 🍴 200/320 F.
✉ 16 avr./30 juin et 1er sept./21 déc.
🗄 ☎ ⚑ 🍽 🔌 🚶 🐕 🅿 CV 🅿 CB

TRESSERVE (A1)
73100 Savoie
>>> *voir AIX LES BAINS*

TREVIGNIN (A1-2)
73100 Savoie
>>> *voir AIX LES BAINS*

VAL D'ISERE (B3)
73150 Savoie
1850 m. • 1300 hab. ⓘ

🏠🏠 VIEUX VILLAGE ★★
Mme Roche
☎ 04 79 06 03 79 ⅋ 04 79 06 07 73
🛏 24 ◎ 290/690 F. 🍽 35 F. 🍴 120 F.
🍴 80 F. 🍴 370/490 F.
✉ 1er mai/1er juil. et 1er sept./15 déc.
🎛 🅳 ⓘ ☎ ⚑ 🅿

VALLOIRE (B2)
73450 Savoie
1450 m. • 1000 hab. ⓘ

🏠🏠 CHRISTIANIA HOTEL ★★
Mme Chinal
☎ 04 79 59 00 57 ⅋ 04 79 59 00 06
🛏 26 ◎ 170/330 F. 🍽 35 F.
🍴 80/170 F. 🍴 45 F. 🍴 230/360 F.
✉ 20 avr./15 juin et 15 sept./1er déc.
🎛 🅳 ⓘ 🗄 ☎ ⚑ 🍽 🕆 CV 🔌 🅿 CB

🏠🏠 CRET ROND ★★
(Les Verneys). Mlle Martin
☎ 04 79 59 01 64 ⅋ 04 79 83 33 24
🛏 18 ◎ 230/255 F. 🍽 35 F.
🍴 65/140 F. 🍴 40 F. 🍴 220/300 F.
✉ 20 avr./30 juin et 1er oct./15 déc.
🎛 🗄 ☎ ⚑ 🍽 🕆 🔌 🛠 🔌 🅿 CB

🏠 DU CENTRE ★★
Mme Magnin/Serafini
☎ 04 79 59 00 83 ⅋ 04 79 59 06 87
🛏 36 ◎ 180/270 F. 🍽 40 F.
🍴 80/120 F. 🍴 40 F. 🍴 185/358 F.
✉ 15 sept./15 déc. et 20 avr./20 juin.
🎛 🅳 ⓘ 🗄 ☎ 🕆 🔌 CV 🅿 CB

🏠🏠 RELAIS DU GALIBIER ★★
(Les Verneys - 1550m). M. Rapin
☎ 04 79 59 00 45 ⅋ 04 79 83 31 89
🛏 26 ◎ 200/340 F. 🍽 33 F.
🍴 90/170 F. 🍴 45 F. 🍴 255/370 F.
✉ 20 sept./1er déc. et 10 avr./15 juin
🎛 🅳 ⓘ 🗄 ☎ ⚑ 🍽 🕆 🔌 CV 🔌 🅿
CB

VILLARD DU PLANAY (B3)
73350 Savoie
900 m. • 347 hab.

🏠🏠 L'AVENIR ★★
M. Barberis-Négra
☎ 04 79 55 02 24 ⅋ 04 79 22 01 81
🛏 10 ◎ 260/280 F. 🍽 40 F.
🍴 80/200 F. 🍴 50 F. 🍴 280/300 F.
✉ 1er oct./1er déc., sam. soir et dim.
hs.
🗄 ☎ 🕆 🔌 🚶 CV 🅿 CB 🇬

VIVIERS DU LAC (A1)
73420 Savoie
1000 hab.

🏠🏠 CHAMBAIX ★★
21, route de Chambery. M. Gros
☎ 04 79 61 31 11 ⅋ 04 79 88 43 69
🛏 29 ◎ 240/320 F. 🍽 35 F.
🍴 75/140 F. 🍴 45 F. 🍴 240/270 F.
🎛 🗄 ☎ ⚑ 🍽 🕆 🔌 🚶 CV
🔌 🅿 CB

YENNE (A1)
73170 Savoie
2170 hab. ⓘ

🏠 DU FER A CHEVAL ★★
Rue des Prêtres. M. Laurent
☎ 04 79 36 70 33
🛏 12 ◎ 180/230 F. 🍽 30 F.
🍴 95/185 F. 🍴 50 F. 🍴 180/200 F.
✉ dim. soir 1er oct./31 mars.
🎛 🅳 🗄 ☎ CV 🅿 CB 💼

**Liste des
hôtels-restaurants**

Haute-
Savoie

C.R.T. Rhône-Alpes / Rigaux

Association départementale
des Logis de France de la Haute-Savoie
C.C.I.
B.P.128
74004 Annecy Cedex
Téléphone 04 50 33 72 00

RHÔNE-ALPES

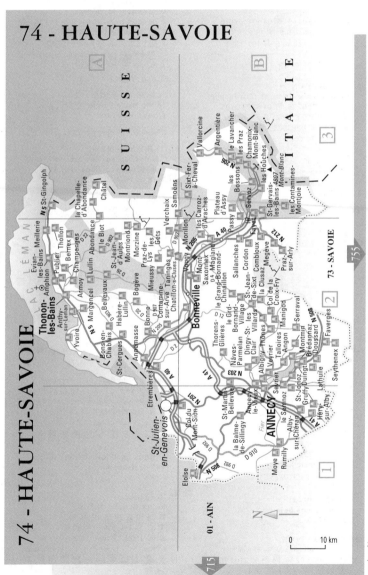

74 - HAUTE-SAVOIE

74 - HAUTE-SAVOIE

0   10 km

Légende p 21

ABONDANCE (A2-3)
74360 Haute Savoie
1050 m. • 1500 hab. 🛈

♨ BEL AIR ★★
A Richebourg. M. Devoos
☎ 04 50 73 01 71 🖷 04 50 73 08 37
🛏 16 🍽 170/250 F. 🍴 30 F.
🍽 70/130 F. 🍴 48 F. 🛎 195/240 F.
⊠ 1er oct./15 déc.
[E] [SP] [🕿] [🚗] [🌴] [🏃] [CV] [🍴] [🏔] [CB]

♨ DE L'ABBAYE ★
M. Maxit
☎ 04 50 73 02 03 🖷 04 50 81 60 46
🛏 19 🍽 190/260 F. 🍴 38 F.
🍽 95/165 F. 🍴 50 F. 🛎 180/260 F.
⊠ 15/30 juin.
[🕿] [🕿] [🌴] [CV] [🏔] [CB]

♨♨ LE FERRAILLON ★★
(A Richebourg, 2Km). M. Girard-Soppet
☎ 04 50 73 07 75 🖷 04 50 73 04 35
🛏 24 🍽 250 F. 🍽 25 F. 🍴 75/180 F.
🍴 55 F. 🛎 190/230 F.
⊠ 5 oct./18 déc.
[E] [🕿] [🚗] [🕱] [🌴] [🔦] [CV] [🍴] [🏔]

ALBY SUR CHERAN (B1)
74540 Haute Savoie
1015 hab.

♨♨ ALB'HOTEL ★★
Sur N.201. M. Blanc
☎ 04 50 68 24 93 🖷 04 50 68 13 01
🛏 37 🍽 250/320 F. 🍴 32 F.
🍽 70/180 F. 🍴 45 F. 🛎 240/300 F.
⊠ sam. midi et dim.
[E] [D] [SP] [🛈] [🕿] [🚗] [🕱] [🌴] [🔦]
[🔦] [CV] [🍴] [🏔] [CB] [CR]

AMPHION LES BAINS (A2)
74500 Haute Savoie
5000 hab. 🛈

♨♨ DE LA PLAGE ★★
Mme Barras
☎ 04 50 70 00 06 🖷 04 50 70 88 05
🛏 37 🍽 260/420 F. 🍴 38 F.
🍽 60/190 F. 🍴 50 F. 🛎 255/400 F.
⊠ 12 oct./12 mai.
[E] [SP] [🛈] [🕿] [🚗] [🌴] [🔦] [🏃] [🔦]
[CV] [🍴] [🏔] [CB]

ANGON (B2)
74290 Haute Savoie

>>> *voir TALLOIRES*

ANNECY (B1-2)
74000 Haute Savoie
51000 hab. 🛈

♨♨♨ AU FAISAN DORE ★★★
34, av. d'Albigny. M.Me Clavel
☎ 04 50 23 02 46 🖷 04 50 23 11 10
🛏 40 🍽 330/490 F. 🍽 48 F.

🍴 100/190 F. 🍴 60 F. 🛎 300/400 F.
⊠ 21 déc./26 janv. Rest. dim. soir et
lun. 1er oct./1er mai.
[E] [D] [🕿] [🕿] [🛎] [🍴] [🏔] [CB]

♨♨ BELLEVUE ★
90, av. de Genève. M. Bozet
☎ 04 50 57 14 37 🖷 04 50 46 02 93
🛏 20 🍽 220 F. 🍽 25 F. 🍴 68/ 93 F.
🍴 30 F. 🛎 190 F.
[E] [🕿] [🕿] [🔦] [CV] [🏔] [CB]

♨♨♨ LA RESERVE ★★★
Av. d'Albigny. M. Eigenmann
☎ 04 50 23 50 24 🖷 04 50 23 51 17
🛏 12 🍽 300/360 F. 🍴 40 F.
🍴 115/270 F. 🍴 55 F. 🛎 345/380 F.
⊠ 20 déc./15 janv. et 22 juin/5 juil.
[E] [🕿] [🕿] [🕿] [🚗] [🌴] [🏔] [CB]

... *à proximité*

Le SEMNOZ (B1-2)
74000 Haute Savoie
1700 m. • 10 hab.

17 km S.O. Annecy par D 41

♨♨ LES ROCHERS BLANCS ★★
Crêt de Chatillon. Mme Schmidt
☎ 04 50 01 23 60 🖷 04 50 01 40 68
🛏 18 🍽 190/320 F. 🍽 35 F.
🍴 70/145 F. 🍴 48 F. 🛎 240/290 F.
⊠ oct./nov.
[🕿] [🕿] [🚗] [🌴] [🏃] [🔦] [CV] [🍴] [🏔] [CB] [CR]

ANNECY LE VIEUX (B1-2)
74940 Haute Savoie
18000 hab.

♨ L'ARC EN CIEL ★★
26, rue de l'Arc en Ciel.
MeM. Tarnaud/Rey
☎ 04 50 23 08 86 🖷 04 50 23 13 95
🛏 11 🍽 240 F. 🍽 35 F. 🍴 65/110 F.
🍴 55 F. 🛎 220 F.
⊠ sam. et dim. soir.
[E] [🕿] [🕿] [🚗] [🌴] [🏃] [🔦] [CV] [🏔] [CB] [📷]

♨♨ LA MASCOTTE ★★
Rue Capitaine-Baud. M. Domenjoud
☎ 04 50 23 51 47 🖷 04 50 23 24 59
🛏 14 🍽 160/310 F. 🍽 37 F.
🍴 80/185 F. 🍴 45 F. 🛎 240/305 F.
⊠ 1er/15 oct. et lun.
[E] [🕿] [🕿] [🚗] [🌴] [🏃] [🔦] [CV] [🍴] [🏔] [CB] [📷]

ANNECY LE VIEUX ALBIGNY (B2)
74940 Haute Savoie
18000 hab. 🛈

♨♨ DES MUSES ★★
61, rue Centrale. M. Gay
☎ 04 50 23 29 26 🖷 04 50 23 74 18
🛏 27 🍽 190/350 F. 🍽 40 F.
🍴 60/160 F. 🍴 40 F. 🛎 215/295 F.
⊠ rest. 5/27 janv., dim. soir et lun. janv.
[E] [D] [🛈] [🕿] [🕿] [🚗] [🕱] [🌴] [🔦] [CV] [🔦]
[CR] [📷]

ANNEMASSE (A2)
74100 Haute Savoie
27669 hab. ⓘ

... *à proximité*

ETREMBIERES (A1-2)
74100 Haute Savoie
1374 hab. ⓘ

2 km S.O. Annemasse par N 206

🅰 MAISON BLANCHE ★★
41, route de St-Julien. Mme Bajulaz
☎ 04 50 92 01 01 ℻ 04 50 37 60 50
🛏 12 ◪ 220/280 F. ◨ 30 F.
🍽 70/130 F. ♿ 50 F. 🍴 200/240 F.
⊠ 1 semaine printemps, dernière
semaine oct. et nov., dim./lun. matin hs.
[icons]

ANTHY SUR LEMAN (A2)
74200 Haute Savoie
1370 hab. ⓘ

🅰🅰 L'AUBERGE D'ANTHY
Rue des Ecoles. M. Dubouloz
☎ 04 50 70 35 00 ℻ 04 50 70 40 90
🛏 7 ◪ 252/309 F. ◨ 35 F. 🍽 73/210 F.
♿ 67 F. 🍴 216/254 F.
⊠ lun. soir et mar.
[icons]

🅰🅰🅰 LES CINQ CHEMINS ★★
(Les Cinq Chemins). M.Me Denarie
☎ 04 50 72 63 45 ℻ 04 50 72 30 69
🛏 27 ◪ 280/400 F. ◨ 35 F.
🍽 86/160 F. ♿ 50 F. 🍴 280/350 F.
⊠ 21 déc./20 janv., 9/22 juin. Rest. dim.
soir et lun. midi sauf juil./août.
[icons]

ARGENTIERE (B3)
74400 Haute Savoie
1250 m. ● 600 hab. ⓘ

🅰🅰 LE DAHU ★★
325, rue Charlet Straton.
M. Devouassoux
☎ 04 50 54 01 55 ℻ 04 50 54 03 27
🛏 22 ◪ 220/350 F. ◨ 33 F.
🍽 63/90 F. ♿ 36 F.
⊠ 11 mai/14 juin, 12 oct./13 déc. et
mer. 15 sept./12 oct.
[icons]

ARMOY (A2)
74200 Haute Savoie
630 m. ● 700 hab.

🅰🅰🅰 L'ECHO DES MONTAGNES ★★
Mme Colloud
☎ 04 50 73 94 55 ℻ 04 50 70 54 07
🛏 47 ◪ 230/280 F. ◨ 35 F.
🍽 88/180 F. ♿ 50 F. 🍴 245/255 F.

⊠ 17 déc./7 fév., dim. soir et lun.
oct./juin.
[icons]

La BALME DE SILLINGY (B1)
74330 Haute Savoie
3000 hab.

🅰🅰🅰 LES ROCHERS ET LA
CHRISSANDIERE ★★
M. Puthod
☎ 04 50 68 70 07 ℻ 04 50 68 82 74
🛏 36 ◪ 200/340 F. ◨ 34 F.
🍽 85/260 F. ♿ 52 F. 🍴 220/330 F.
⊠ 1er/11 nov., 2/31 janv., dim. soir et
lun. sauf été.
[icons]

BELLEVAUX (A2)
74470 Haute Savoie
950 m. ● 1050 hab. ⓘ

🅰🅰🅰 LES MOINEAUX ★★
M. Meynet
☎ 04 50 73 71 11 ℻ 04 50 73 75 79
🛏 14 ◪ 220/270 F. ◨ 38 F.
🍽 80/150 F. ♿ 60 F. 🍴 250/270 F.
⊠ 11 avr./20 juin et 20 sept./25 déc.
[icons]

BERNEX (A2)
74500 Haute Savoie
950 m. ● 700 hab. ⓘ

🅰🅰🅰 CHEZ TANTE MARIE ★★
M. Birraux
☎ 04 50 73 60 35 ℻ 04 50 73 61 73
🛏 27 🍽 90/240 F. ♿ 55 F.
🍴 300/355 F.
⊠ 15 oct./15 déc.
[icons]

Le BIOT (A2)
74430 Haute Savoie
820 m. ● 350 hab. ⓘ

🅰🅰 LES TILLEULS ★★
Mme Prémat
☎ 04 50 72 13 41 ℻ 04 50 72 14 57
🛏 18 ◪ 170/240 F. ◨ 30 F.
🍽 60/180 F. ♿ 45 F. 🍴 230/250 F.
⊠ 1er/15 mai et 1er/15 oct.
[icons]

BOGEVE (A2)
74250 Haute Savoie
925 m. ● 530 hab. ⓘ

🅰 DES BRASSES ★
M. Julliard
☎ 04 50 36 62 34 ℻ 04 50 36 65 37
🛏 12
[icons]

BONNE (A2)
74380 Haute Savoie
542 m. • 1815 hab.

▲▲ BAUD ★★
MM. Roussel/Baker
☎ 04 50 39 20 15 ⚫FAX⚫ 04 50 36 28 96
🛏 8 ⬡ 150/270 F. 🍽 35 F. 🛏 98/225 F.
🀆 48 F. 🚗 200/220 F.
⊠ 1er/15 janv., 24 juin/10 juil. et dim.
soir sauf juil./août.
🄴 🅳 🄸 ▫ ☎ 🚐 🚗 🏖 🎿 CV ▫ ⚓
▫ CR

BONNEVILLE (B2)
74130 Haute Savoie
9100 hab. 🄸

▲▲ DES ALPES ★★
85, rue de la Gare. M. Charrière
☎ 04 50 97 10 47 ⚫FAX⚫ 04 50 97 13 28
🏮100F 🛏 16 ⬡ 220/250 F. 🍽 30 F.
🍽 70/115 F. 🀆 50 F. 🚗 195/220 F.
🄴 ▫ 🄸 ▫ ☎ 🚐 🚗 🏖 🎿 🎿 CV ▫
⚓ CB

BONS EN CHABLAIS (A2)
74890 Haute Savoie
548 m. • 2780 hab. 🄸

▲▲ LE PROGRES ★★
Route de l'Annexion. M. Colly
☎ 04 50 36 11 09 ⚫FAX⚫ 04 50 39 44 16
🛏 10 ⬡ 280/320 F. 🍽 38 F.
🍽 95/275 F. 🀆 55 F. 🚗 290 F.
⊠ 30 juin/20 juil., 29 déc./14 janv., dim.
soir et lun. sauf 22 juil./22 août.
🄴 ▫ ☎ 🚐 🚗 🎿 🀆 🎿 ⚓ CB

Les BOSSONS (B3)
74400 Haute Savoie

>>> *voir CHAMONIX MONT BLANC*

BREDANNAZ DOUSSARD (B2)
74210 Haute Savoie
50 hab. 🄸

▲▲ PORT ET LAC ★★
Mme Rassat
☎ 04 50 68 67 20 ⚫FAX⚫ 04 50 68 92 01
🛏 18 ⬡ 180/350 F. 🍽 37 F.
🍽 70/200 F. 🀆 45 F. 🚗 240/335 F.
⊠ fin oct./fin janv.
🄴 ▫ ☎ 🚐 🚗 🏖 🀆 CV ⚓ CB

Les CARROZ D'ARACHES (B2-3)
74300 Haute Savoie
1140 m. • 1550 hab. 🄸

▲ LA CROIX DE SAVOIE ★★
768, route du Pernant. Mme Sapin
☎ 04 50 90 00 26 ⚫FAX⚫ 04 50 90 00 63
🏮100F 🛏 19 ⬡ 230/250 F. 🍽 32 F.
🍽 68/120 F. 🀆 48 F.
🄴 🚐 🏖 🎿 CV ⚓ CB

▲ LES AIRELLES ★
346, route des Moulins. M. Duguet
☎ 04 50 90 01 02 ⚫FAX⚫ 04 50 90 03 75

🏮100F 🛏 10 ⬡ 260/370 F. 🍽 35 F.
🍽 95/130 F. 🀆 50 F. 🚗 210/320 F.
⊠ 1er mai/15 juin.
🄴 🅳 ☎ 🚐 🀆 CV ⚓ CB

▲ LES BELLES PISTES ★★
56, route du Pernand.
MeM. Kadisch/Moss
☎ 04 50 90 00 17 ⚫FAX⚫ 04 50 90 30 70
🛏 18 ⬡ 250/300 F. 🍽 30 F.
🍽 95/125 F. 🀆 50 F. 🚗 255/360 F.
⊠ 16 avr./1er juin et 1er oct./15 déc.
🄴 ☎ 🚐 🚗 🎿 🎿 ⚓ CB

CHAMONIX MONT BLANC (B3)
74400 Haute Savoie
1050 m. • 10000 hab. 🄸

▲▲ ARVEYRON ★★
Chemin des Cristalliers. M. Schmitt
☎ 04 50 53 18 29 ⚫FAX⚫ 04 50 53 06 43
🏮100F 🛏 32 ⬡ 196/330 F. 🍽 36 F.
🍽 55/110 F. 🀆 40 F. 🚗 200/281 F.
⊠ 7 avr./30 mai et 27 sept./21 déc.
🄴 🅳 SP ☎ 🚐 🏖 🎿 CV ⚓ CB

▲▲ AU RELAIS DES GAILLANDS ★★
964, route des Gaillands. M. Onorati
☎ 04 50 53 13 58 ⚫FAX⚫ 04 50 55 85 06
🏮100F 🛏 21 ⬡ 250/330 F. 🍽 35 F.
🍽 80/140 F. 🀆 50 F. 🚗 250/290 F.
⊠ 15 oct./15 déc.
🄴 🄸 ☎ 🚐 🚗 🎿 CV ⚓ CB

▲▲ DE L'ARVE ★★
Rue Vallot, quai de l'Alpina.
M.Me Didillon/Lochet
☎ 04 50 53 02 31 ⚫FAX⚫ 04 50 53 56 92
🏮100F 🛏 39 ⬡ 212/454 F. 🍽 37 F.
🍽 73/105 F. 🀆 50 F. 🚗 223/328 F.
⊠ hôtel 3 nov./18 déc. Rest. 27 avr./
30 mai et 22 sept./18 déc. sauf groupes
3 nov./18 déc.
🄴 ☎ 🚐 🚗 🎿 🎿 🀆 CV ▫ ⚓ CB

▲▲ EXCELSIOR ★★
Les Tines. 257, chemin de Saint-Roch.
MM. Cheilan
☎ 04 50 53 18 36 ⚫FAX⚫ 04 50 53 56 16
🏮100F 🛏 42 ⬡ 315/402 F. 🍽 35 F.
🍽 75/165 F. 🀆 49 F. 🚗 241/302 F.
⊠ 1er oct /15 déc.
🄴 🅳 🄸 ▫ ☎ 🚐 🚗 🏖 🎿 🎿
CV ▫ ⚓ CB

... à proximité

Les BOSSONS (B3)
74400 Haute Savoie
1032 m. • 600 hab. 🄸

2 km S.O. Chamonix par N 506

▲▲▲ L'AIGUILLE DU MIDI ★★
479, chemin Napoléon. M. Farini
☎ 04 50 53 00 65 ⚫FAX⚫ 04 50 55 93 69
🏮120F 🛏 45 ⬡ 280/460 F. 🍽 50 F.
🍽 120/216 F. 🀆 66 F. 🚗 285/428 F.
⊠ 5 janv./5 fév., 27 avr./7 mai et
20 sept./20 déc.
🄴 ▫ ☎ 🚐 🚗 🎿 ▫ 🏖 🎿 ▫ 🎿 🎿
🎿 CV ▫ ⚓ CB

Le LAVANCHER (B3)
74400 Haute Savoie
1240 m. • 120 hab. [i]

6 km Nord Chamonix par N 506

▲▲ CHALET-HOTEL BEAU SOLEIL ★★
60, allée des Peupliers. M. Bossonney
☎ 04 50 54 00 78 [FAX] 04 50 54 17 34
[100F] [i] 15 🍽 350/565 F. 🍴 42 F.
[ii] 90/150 F. [iii] 55 F. 🅿 290/400 F.
✉ 20 sept./20 déc. Rest. midi 6/18 janv.
et 1er avr./7 juin.
[E] [D] [🖐] [☎] [🚗] [🛏] [🍴] [🏊] [CB]

Les PRAZ (B3)
74400 Haute Savoie
1060 m. • 150 hab. [i]

2 km Nord Chamonix par N 506

▲▲ LES RHODODENDRONS ★★
M. Gavard
☎ 04 50 53 06 39 [FAX] 04 50 53 55 76
[100F] [i] 18 🍽 250/320 F. 🍴 35 F.
[ii] 80/120 F. [iii] 48 F. 🅿 250/280 F.
✉ 22 sept./20 déc. et 20 avr./5 juin.
[E] [i] [☎] [🚗] [🍴] [CV] [🛏] [CB]

CHAMPANGES (A2)
74500 Haute Savoie
720 m. • 710 hab.

▲▲ DES ALPES ★★
M. Dutruel
☎ 04 50 73 45 76 [FAX] 04 50 73 49 70
[i] 15 🍽 170/300 F. 🍴 35 F.
[ii] 70/130 F. [iii] 45 F. 🅿 200/240 F.
✉ lun. sauf saison.
[E] [i] [☎] [🚗] [🛏] [🍴] [CV] [🛏] [CB] [GR]

La CHAPELLE D'ABONDANCE (A3)
74360 Haute Savoie
1020 m. • 770 hab. [i]

▲▲▲ L'ALPAGE ★★
M. Ancey
☎ 04 50 73 50 25 [FAX] 04 50 73 52 43
[100F] [i] 32 🍽 280/360 F. 🍴 40 F. [iii] 60 F.
🅿 240/330 F.
✉ 13 avr./1er mai et 27 sept./25 oct.
[E] [☎] [🚗] [🛏] [🍴] [🛏] [CV] [🛏] [CB]

▲▲▲ L'ENSOLEILLE ★★
M. Trincaz
☎ 04 50 73 50 42 [FAX] 04 50 73 52 96
[120F] [i] 34 🍽 270/300 F. 🍴 40 F.
[ii] 95/240 F. [iii] 60 F. 🅿 260/320 F.
✉ après Pâques/30 mai et
21 sept./19 déc.
[E] [☎] [🚗] [🛏] [🍴] [🛏] [🛏] [CB]

▲▲ LE RUCHER ★★
M. Maxit
☎ 04 50 73 50 23 [FAX] 04 50 73 54 67
[i] 22 🍽 250/340 F. 🍴 37 F.

[i] 87/140 F. [iii] 50 F. 🅿 220/320 F.
✉ 15 avr./15 juin et 15 sept./20 déc.
[E] [☎] [🚗] [🍴] [🛏] [CV] [🛏] [🛏] [CB]

▲▲ LE VIEUX MOULIN ★★
Route de Chevennes. M. Maxit
☎ 04 50 73 52 52 [FAX] 04 50 73 55 62
[120F] [i] 16 🍽 200/270 F. 🍴 40 F.
[ii] 95/230 F. [iii] 55 F. 🅿 245/310 F.
✉ 20 oct./20 déc. et 15 avr./15 mai.
[🖐] [☎] [🚗] [🍴] [CV] [🛏] [CB]

▲▲▲ LES CORNETTES DE BISES ★★
MM. Trincaz
☎ 04 50 73 50 24 [FAX] 04 50 73 54 16
[i] 40 🍽 260/420 F. 🍴 50 F.
[ii] 110/320 F. [iii] 50 F. 🅿 310/440 F.
✉ mi-avr./mi-mai et 20 oct./20 déc.
[E] [D] [🖐] [☎] [🚗] [🍴] [🛏] [🛏] [🛏] [🏊] [🛏] [▶]
[CV] [🛏] [🛏] [CB]

▲▲▲ LES GENTIANETTES ★★
Route de Chevenne. M.Me Trincaz
☎ 04 50 73 56 46 [FAX] 04 50 73 56 39
[100F] [i] 32 🍽 250/450 F. 🍴 35 F.
[ii] 85/270 F. [iii] 45 F. 🅿 245/365 F.
[E] [D] [🖐] [☎] [🚗] [🍴] [🛏] [🛏] [🛏] [🛏]
[CV] [🛏] [🛏] [CB]

CHATEL (A3)
74390 Haute Savoie
1200 m. • 1000 hab. [i]

▲ LA CHAUMIERE ★★
Route de Thonon. M. Novaro
☎ 04 50 73 22 12 [FAX] 04 50 81 30 45
[i] 12 🍽 150/250 F. 🍴 35 F.
[ii] 55/80 F. [iii] 35 F. 🅿 170/300 F.
✉ 15 avr./15 juin et 15 sept./15 déc.
[E] [i] [🖐] [☎] [🚗] [🍴] [CV] [🛏] [CB]

▲▲ LE KANDAHAR ★★
(Clos du Tour). Mme Vuarand
☎ 04 50 73 30 60 [FAX] 04 50 73 25 17
[120F] [i] 16 🍽 230/280 F. 🍴 35 F.
[ii] 90/200 F. [iii] 50 F. 🅿 240/330 F.
✉ 16 avr./6 mai et 3 nov./15 déc. Rest.
dim. soir hs.
[E] [D] [🖐] [☎] [🚗] [🛏] [🍴] [🛏] [🛏] [🛏] [CV]
[🛏] [🛏] [CB]

▲ LE ROITELET ★
Route de Thonon. M. Marchand
☎ 04 50 73 24 79 [FAX] 04 50 73 25 83
[100F] [i] 20 🍽 180/240 F. 🍴 35 F.
[ii] 80/130 F. 🅿 180/270 F.
✉ 1er mai/20 juin et 30 sept./20 déc.
[E] [D] [i] [🖐] [☎] [🚗] [🍴] [🛏] [CV] [🛏] [CB]

▲▲ LES TRIOLETS ★★
Route du Petit-Châtel. M. Grillet-Aubert
☎ 04 50 73 20 28 [FAX] 04 50 73 24 10
[i] 20 🍽 350/550 F. 🍴 38 F.
[ii] 100/170 F. [iii] 55 F. 🅿 285/415 F.
✉ 12 avr./30 juin et 31 août/19 déc.
[E] [🖐] [☎] [🚗] [🍴] [🛏] [🛏] [🛏] [CV] [🛏] [CB]

CHATILLON SUR CLUSES (A-B2)
74300 Haute Savoie
750 m. • 858 hab.

△△△ LE BOIS DU SEIGNEUR ★★
Col de Chatillon. Route de Taninges
M. Denizot
☎ 04 50 34 27 40 FAX 04 50 34 80 20
🛏 10 ⌂ 245 F. ▭ 34 F. ⦀ 89/280 F.
⫯ 40 F. 🍴 220 F.
✉ dim. soir.

La CLUSAZ (B2)
74220 Haute Savoie
1100 m. • 1600 hab. ⓘ

△ DU TELEPHERIQUE
Plateau de Beauregard, Altitude 1650 m.
M. Masson
☎ 04 50 02 44 00 FAX 04 50 02 54 75
🛏 12 ⌂ 185/250 F. ▭ 33 F.
⦀ 80/110 F. ⫯ 48 F. 🍴 220/335 F.
✉ 28 avr./25 juin et 30 sept./20 déc.

△△ LE BELLACHAT ★★
Route des Confins. MM. Gallay
☎ 04 50 32 66 66 FAX 04 50 32 65 84
🛏 25 ⌂ 250/400 F. ▭ 40 F.
⦀ 75/200 F. ⫯ 50 F. 🍴 250/400 F.
✉ 20 oct./18 déc. et 20 avr./30 mai.

△△△ LE CHRISTIANIA ★★
M. Thèvenet
☎ 04 50 02 60 60 FAX 04 50 32 66 98
🛏 28 ⌂ 280/370 F. ▭ 40 F.
⦀ 95/125 F. ⫯ 55 F. 🍴 275/420 F.
✉ 15 avr./30 juin et 15 sept./20 déc.

△△ LES AIRELLES ★★
M. Jakkel
☎ 04 50 02 40 51 FAX 04 50 32 35 33
🛏 14 ⌂ 250/400 F. ▭ 40 F.
⦀ 80/150 F. ⫯ 60 F. 🍴 250/420 F.
✉ mai, 30 sept./20 déc.

△△ LES SAPINS ★★
Mme Jakkel
☎ 04 50 02 40 12 FAX 04 50 02 43 24
🛏 24 ⌂ 280/400 F. ▭ 40 F. ⫯ 55 F.
🍴 280/420 F.
✉ 20 avr./15 juin et 15 sept./18 déc.

COL DU MONT SION (B1)
74350 Haute Savoie
800 m. • 50 hab.

△△△ LA CLEF DES CHAMPS ET HOTEL REY ★★
(Au Col). Mme Rey
☎ 04 50 44 13 29 \ 04 50 44 13 11
FAX 04 50 44 05 48

🛏 36 ⌂ 260/420 F. ⫯ 66 F.
🍴 316/366 F.
✉ 5/25 janv., 17 oct./7 nov. Rest. jeu. et
ven. matin.

COMBLOUX (B2)
74920 Haute Savoie
1000 m. • 1425 hab. ⓘ

△△△ CHALET HOTEL LE FEUG ★★★
Ancienne route de Mégève. M. Paget
☎ 04 50 93 00 50 FAX 04 50 21 21 44
🛏 28 ⌂ 290/610 F. ▭ 45 F.
⦀ 95/195 F. ⫯ 65 F. 🍴 285/435 F.
✉ 15 sept./20 déc.

△△△ IDEAL MONT BLANC ★★★
Route du Feu. Mme Muffat
☎ 04 50 58 60 54 FAX 04 50 58 64 50
🛏 28 ⌂ 470/610 F. ▭ 61 F.
⦀ 208/260 F. ⫯ 77 F. 🍴 438/535 F.
✉ 20 avr./15 juin et 30 sept./20 déc.

CONTAMINE SUR ARVE (A2)
74130 Haute Savoie
1125 hab.

△ LE TOURNE BRIDE
Mme Blescel
☎ 04 50 03 62 18 FAX 04 50 03 91 99
🛏 8 ⌂ 170/195 F. ▭ 30 F. ⦀ 98/178 F.
⫯ 49 F. 🍴 180/210 F.
✉ 2/12 janv., 23 juin/6 juil., dim. soir et
lun.

Les CONTAMINES MONTJOIE (B3)
74170 Haute Savoie
1164 m. • 1050 hab. ⓘ

△△ GAI SOLEIL ★★
Mme Mermoud
☎ 04 50 47 02 94
🛏 19 ⌂ 280/410 F. ▭ 38 F.
⦀ 98/145 F. ⫯ 55 F. 🍴 280/350 F.

△△ LE RELAIS DU MONT BLANC ★★
2570, route de Saint-Gervais.
M. Dommange
☎ 04 50 47 02 08 FAX 04 50 47 16 15
🛏 21 ⌂ 250/360 F. ▭ 35 F.
⦀ 70/130 F. ⫯ 45 F. 🍴 255/325 F.

△△ LES MORANCHES ★★
260, chemin des Echenaz. M. Chévrat
☎ 04 50 47 03 35 FAX 04 50 47 19 46
🛏 20 ⌂ 245/405 F. ▭ 39 F.
⦀ 100/140 F. ⫯ 45 F. 🍴 245/365 F.
✉ 29 avr./14 juin et 16 sept./14 déc.

CORDON (B2)
74700 Haute Savoie
871 m. • 766 hab. [i]

▲▲ LE PERRON ★★
Mme Bottollier-Curtet
☎ 04 50 58 11 18　[FAX] 04 50 91 25 27
[🛏] 14 [🛏] 250/300 F. [🍽] 30 F.
[🍴] 98/150 F. [♨] 45 F. [🏨] 270/320 F.
[I] [🖥] [☎] [�car] [🛏] [🐕] [CV] [📞] [CB]

▲ LES BRUYERES ★★
(A Frebouge-Cordon).
M. Bottollier-Curtet
☎ 04 50 58 09 75　[FAX] 04 50 47 93 72
[🛏] 15 [🛏] 230/290 F. [🍽] 32 F.
[80F] [🍴] 55/100 F. [♨] 38 F. [🏨] 220/260 F.
⊠ 24 sept./22 déc.
[🖥] [☎] [�car] [🛏] [♨] [CV] [📞]

CROIX FRY (Col de la) (B2)
74230 Haute Savoie
>>> *voir MANIGOD*

DINGY SAINT CLAIR (B2)
74230 Haute Savoie
1000 m. • 658 hab.

▲ AUBERGE DE LA BLONNIERE
La Blonnière. Mme Losson
☎ 04 50 32 18 30
[80F] [🛏] 3 [🛏] 200 F. [🍽] 25 F. [🍴] 60/120 F.
[♨] 35 F.
⊠ 22 déc./5 janv. Rest. mar. soir et mer.
hors vac. scol.
[D] [🖥] [♨] [🐕] [📞] [CB]

DOUSSARD (B2)
74210 Haute Savoie
2500 hab. [i]

▲▲▲ ARCALOD - GRAND PARC ★★
(Lac d'Annecy). M. Littoz-Monnet
☎ 04 50 44 30 22　[FAX] 04 50 44 85 03
[🛏] 33 [🛏] 200/400 F. [🍴] 90/155 F.
[♨] 50 F. [🏨] 260/350 F.
⊠ 15 oct./13 fév.
[I] [🖥] [🛏] [☎] [�car] [🛏] [♨] [🚶] [🐕] [🏑]
[⏰] [♿] [CV] [📞] [CB]

DUINGT (B2)
74410 Haute Savoie
635 hab. [i]

▲▲▲ AUBERGE DU ROSELET ★★
M. Falquet
☎ 04 50 68 67 19　[FAX] 04 50 68 64 80
[🛏] 14 [🛏] 250/350 F. [🍽] 35 F.
[🍴] 100/300 F. [♨] 60 F. [🏨] 250/350 F.
⊠ 1er nov./3 janv. le soir sauf ven. et
sam.
[🖥] [☎] [�car] [🛏] [♨] [🐕] [♿] [⏰] [📞] [CB]

▲▲ DES BAINS ★
Route d'Annecy. M. Curt
☎ 04 50 68 66 48　[FAX] 04 50 68 61 57
[100F] [🛏] 22 [🛏] 225/250 F. [🍽] 35 F.
[🍴] 70/160 F. [♨] 45 F. [🏨] 234/260 F.
[I] [🖥] [☎] [�car] [🛏] [♨] [CV] [⏰] [📞] [CB]

▲▲ LE CLOS MARCEL ★★
M. Molveau
☎ 04 50 68 67 47　[FAX] 04 50 68 61 11
[100F] [🛏] 15 [🛏] 210/375 F. [🍽] 45 F.
[🍴] 100/160 F. [♨] 55 F. [🏨] 310/430 F.
⊠ 1er oct./14 avr., lun. et mar. hs.
[I] [i] [🖥] [☎] [�car] [🛏] [♨] [🐕] [CV] [CB]

ELOISE (B1)
01200 Haute Savoie
600 hab.

▲▲▲ LE FARTORET ★★★
M. Bachmann
☎ 04 50 48 07 18　[FAX] 04 50 48 23 85
[🛏] 40 [🛏] 240/480 F. [🍽] 50 F.
[🍴] 123/290 F. [♨] 66 F. [🏨] 320/428 F.
⊠ 24 déc. après-midi/26 déc. matin et
31 déc. après-midi/1er janv. matin.
[I] [D] [SP] [i] [🖥] [☎] [�car] [🛏] [♨] [🌴] [🏊] [🏑]
[🏑] [🐕] [⏰] [CB]

ETREMBIERES (A1-2)
74100 Haute Savoie
>>> *voir ANNEMASSE*

EVIAN LES BAINS (A2)
74500 Haute Savoie
6200 hab. [i]

▲▲▲ DES PRINCES ★★
(à Amphion les Bains). Mme Magnin
☎ 04 50 75 02 94　[FAX] 04 50 75 59 93
[100F] [🛏] 35 [🛏] 180/500 F. [🍽] 35 F.
[🍴] 85/250 F. [♨] 60 F. [🏨] 200/400 F.
⊠ 1er oct./30 avr.
[I] [🖥] [☎] [�car] [🛏] [♨] [🌴] [🐕] [CV] [⏰] [📞] [CB]

▲▲ LES MATEIRONS ★★
30, bld du Royal. M. Vuitton
☎ 04 50 75 04 16
[100F] [🛏] 19 [🛏] 180/330 F. [🍽] 30 F.
[🍴] 90/120 F. [♨] 50 F. [🏨] 200/310 F.
⊠ 1er oct./30 avr.
[I] [🖥] [☎] [�car] [🌴] [🐕] [CV] [📞] [CB]

▲▲ PANORAMA ★★
Grande rive. M. Biancard
☎ 04 50 75 14 50　[FAX] 04 50 75 59 12
[120F] [🛏] 29 [🛏] 260/330 F. [🍽] 32 F.
[🍴] 72/175 F. [♨] 50 F. [🏨] 235/290 F.
⊠ 1er oct./30 avr.
[I] [🖥] [☎] [�car] [✉] [🌴] [⏰] [📞]

... *à proximité*

PUBLIER (A2)
74500 Haute Savoie
500 m. • 3740 hab. [i]

2 km Ouest Evian par D 11

▲▲ LE CHABLAIS ★★
Rue du Chablais. M. Colliard
☎ 04 50 75 28 06　[FAX] 04 50 74 67 32
[100F] [🛏] 25 [🛏] 145/280 F. [🍽] 34 F.
[🍴] 75/160 F. [♨] 48 F. [🏨] 160/265 F.
⊠ 24 déc./24 janv. et dim. mai/oct.
[I] [🖥] [☎] [�car] [🌴] [🐕] [CV] [📞] [CB]

FAVERGES (B2)
74210 Haute Savoie
507 m. • 6330 hab. [i]

▲▲▲ DU PARC - MANOIR DU BARON
BLANC ★★
Mme Falcy
☎ 04 50 44 50 25 [FAX] 04 50 44 59 74
[100F] [↑] 12 [◩] 250/450 F. [☐] 40 F.
[↑↑] 98/220 F. [↑↑] 50 F. [▦] 280/350 F.
[✉] 20 déc./13 janv. et sam. midi.
[E] [☐] [☎] [▦] [↑] [↓▦] [↓] [CV] [CB]

... *à proximité*

SEYTHENEX (B2)
74210 Haute Savoie
730 m. • 440 hab. [i]

3 km Sud Faverges par D 12

▲▲▲ AU GAY SEJOUR ★★★
M. Gay
☎ 04 50 44 52 52 [FAX] 04 50 44 49 52
[↑] 12 [◩] 340/480 F. [☐] 60 F.
[↑↑] 150/420 F. [↑↑] 80 F. [▦] 400/470 F.
[✉] 5/28 janv., dim. soir et lun. hors vac.
scol.
[E] [D] [☐] [☎] [▦] [▦] [↑] [▦] [▦] [CB]

Le FAYET LES THERMES (B2-3)
74190 Haute Savoie
600 m. • 2000 hab. [i]

▲ LES ALLOBROGES ★★
Rue de Genève. M. Raffin
☎ 04 50 78 12 21 [FAX] 04 50 78 25 24
[100F] [↑] 20 [◩] 190/270 F. [☐] 35 F.
[↑↑] 50/150 F. [↑↑] 45 F. [▦] 200/260 F.
[✉] 20 oct./20 déc.
[E] [i] [☐] [☎] [▦] [↓] [↓] [CV] [CB]

Les GETS (A2)
74260 Haute Savoie
1200 m. • 1150 hab. [i]

▲▲ A LA BONNE FRANQUETTE ★★
(Les Perrières). M.Me Anthonioz
☎ 04 50 79 72 68 [FAX] 04 50 75 84 37
[↑] 18 [◩] 220/260 F. [☐] 40 F.
[↑↑] 85/150 F. [↑↑] 50 F. [▦] 250/280 F.
[E] [SP] [i] [☐] [▦] [▦] [↑] [↓] [CV] [▦] [CB]

▲▲ HASTINGS ★★
M. Merkin
☎ 04 50 79 82 78 [FAX] 04 50 75 82 69
[100F] [↑] 15 [◩] 140/440 F. [☐] 25 F.
[↑↑] 59/165 F. [↑↑] 35 F. [▦] 165/350 F.
[✉] 30 sept./15 déc. et 15 avr./1er juin.
[E] [D] [SP] [i] [☐] [☎] [▦] [↑] [↓▦] [▦] [CV] [▦]
[▦] [CB]

▲▲ LA BOULE DE NEIGE ★★
M. Coppel
☎ 04 50 79 75 08 [FAX] 04 50 75 87 87
[80F] [↑] 23 [◩] 280/380 F. [☐] 28 F.

[↑↑] 50/135 F. [↑↑] 40 F. [▦] 260/380 F.
[✉] 15 avr./20 juin et 15 sept./15 déc.
[E] [☐] [☎] [▦] [▦] [▦] [↑] [↓] [↓] [CV] [▦] [CB]

Le GRAND BORNAND
CHINAILLON (B2)
74450 Haute Savoie
1300 m. • 1695 hab. [i]

▲▲ LA CREMAILLERE ★★
(Le Chinaillon). M. Gachet
☎ 04 50 27 02 33 [FAX] 04 50 27 07 91
[↑] 15 [◩] 240/285 F. [☐] 30 F.
[↑↑] 98/160 F. [↑↑] 33 F. [▦] 243/343 F.
[✉] 21 avr./14 déc.
[E] [D] [☐] [☎] [▦] [CV] [▦] [CB]

▲▲▲ LE CORTINA ★★
M. Dusonchet
☎ 04 50 27 00 22 [FAX] 04 50 27 06 31
[120F] [↑] 30 [◩] 255/340 F. [☐] 38 F.
[↑↑] 90/260 F. [↑↑] 53 F. [▦] 255/365 F.
[✉] 10 avr./20 juin et 10 sept./20 déc.
[E] [i] [☐] [☎] [▦] [▦] [▦] [CV] [▦] [CB]

Le GRAND BORNAND VILLAGE (B2)
74450 Haute Savoie
970 m. • 1800 hab. [i]

▲▲ CROIX SAINT-MAURICE ★★
M. Baugey
☎ 04 50 02 20 05 [FAX] 04 50 02 35 37
[100F] [↑] 21 [◩] 230/310 F. [☐] 34 F.
[↑↑] 88/240 F. [↑↑] 54 F. [▦] 240/332 F.
[✉] 25 avr./22 juin et 14 sept./20 déc.
Rest. fermé été.
[E] [i] [☐] [☎] [▦] [▦] [▦] [CV] [▦] [CB]

▲▲▲ LES GLAIEULS ★★
M. Betemps
☎ 04 50 02 20 23 [FAX] 04 50 02 25 00
[↑] 21 [◩] 240/350 F. [☐] 39 F.
[↑↑] 89/240 F. [↑↑] 54 F. [▦] 243/342 F.
[E] [☐] [☎] [▦] [CV] [▦] [CB]

GRUFFY (B1)
74540 Haute Savoie
565 m. • 835 hab.

▲▲ AUX GORGES DU CHERAN ★★
(Pont de l'Abîme). M. Savary
☎ 04 50 52 51 13 [FAX] 04 50 52 57 33
[100F] [↑] 9 [◩] 180/320 F. [☐] 32 F. [↑↑] 79/140 F.
[↑↑] 45 F. [▦] 200/266 F.
[✉] 15 nov./15 mars.
[E] [D] [☐] [☎] [▦] [▦] [▦] [↑] [▦] [▦] [CB]

▲ DE LA POSTE ★
M. Guevin
☎ 04 50 77 50 89
[↑] 14 [◩] 160/190 F. [☐] 32 F. [↑↑] 40 F.
[▦] 190/210 F.
[✉] oct. et mer. hs.
[☎] [▦] [↑] [↓] [↓] [▦]

HABERE LULLIN (A2)
74420 Haute Savoie
850 m. • 400 hab.

⚑ AUX TOURISTES ★★
Mme Cheneval-Pallud
☎ 04 50 39 50 42
⬛ 18 ⌧ 158/260 F. ▧ 28 F.
🍴 65/150 F. 🛏 50 F. ⬛ 190/230 F.
⊠ 20 oct./15 déc., mar. soir et mer.
[icons] CB

HERY SUR ALBY (B1)
74540 Haute Savoie
600 m. • 471 hab.

⚑⚑ AUBERGE LES CARIGNAN
Mme Audebert
☎ 04 50 68 11 50
⬛ 6 ⌧ 230/280 F. ▧ 35 F. 🍴 90/250 F.
🛏 50 F.
⊠ 24/25 déc., 31 déc./1er janv., dim. et
lun. soir.
[icons] CB

Les HOUCHES (B3)
74310 Haute Savoie
1000 m. • 2000 hab. ⓘ

⚑⚑ LA FONTAINE ★★★
M. Verdier
☎ 04 50 47 21 96 FAX 04 50 47 24 57
⬛ 30 ⌧ 280/350 F. ▧ 40 F.
🍴 98/120 F. 🛏 39 F. ⬛ 250/285 F.
[icons]
[icons] CB

LATHUILE (B1-2)
74210 Haute Savoie
600 hab.

⚑⚑⚑ LA CHATAIGNERAIE ★★
Lieu-dit Chaparon, à 1 km. M. Millet
☎ 04 50 44 30 67 FAX 04 50 44 83 71
⬛ 25 ⌧ 260/410 F. ▧ 48 F.
🍴 100/280 F. 🛏 50 F. ⬛ 285/385 F.
⊠ 31 oct./1er fév., dim. soir et lun.
1er oct./1er mai.
[icons]
CV [icons] CB

Le LAVANCHER (B3)
74400 Haute Savoie

>>> *voir CHAMONIX MONT BLANC*

LULLIN (A2)
74470 Haute Savoie
860 m. • 515 hab. ⓘ

⚑⚑ L'UNION ★★
M. Piccot
☎ 04 50 73 81 02 FAX 04 50 73 87 32
⬛ 22 ⌧ 190/265 F. ▧ 30 F.
🍴 75/190 F. 🛏 45 F. ⬛ 225/235 F.

⊠ 15 avr./20 juin et 10 sept./20 déc.
sauf groupes.
[icons] CV CR

MAGLAND (B2)
74300 Haute Savoie
513 m. • 2873 hab.

⚑ LE RELAIS DU MONT BLANC ★★
19, route de Bellegarde. M. Lanovaz
☎ 04 50 34 75 33 FAX 04 50 34 75 91
⬛ 11 ⌧ 160/230 F. ▧ 30 F.
🍴 100/190 F. 🛏 60 F. ⬛ 200/225 F.
⊠ rest. dim. soir et lun. midi.
E SP [icons] CB

MANIGOD (B2)
74230 Haute Savoie
950 m. • 636 hab.

... *à proximité*

CROIX FRY (Col de la) (B2)
74230 Haute Savoie
1477 m. • 15 hab. ⓘ

7 km N.E. Manigod par D 16

⚑⚑ LES ROSIERES ★★
M. Tissot
☎ 04 50 44 90 27 FAX 04 50 44 94 70
⬛ 17 ⌧ 220/250 F. ▧ 30 F.
🍴 69/140 F. 🛏 40 F. ⬛ 240/300 F.
⊠ 1cr/20 nov. et 1er/20 mai. Rest. lun.
soir hs.
[icons] CV [icons]

MARGENCEL (A2)
74200 Haute Savoie
1180 hab.

⚑ LES CYGNES ★
Port de Sechex. Mme Plassat
☎ 04 50 72 63 10 FAX 04 50 72 68 22
⬛ 9 ⌧ 260/280 F. 🛏 45 F.
⬛ 260/280 F.
⊠ 18 nov./6 fév. et mar. hs.
[icons] CV [icons] CB

MEGEVE (B2)
74120 Haute Savoie
1113 m. • 4750 hab. ⓘ

⚑⚑ LE SEVIGNE ★★
Mme Mollier
☎ 04 50 21 23 09 FAX 04 50 91 80 45
⬛ 7 ⌧ 250/360 F. ▧ 30 F. 🍴 80/120 F.
🛏 40 F. ⬛ 260/290 F.
[icons] CV [icons]

⚑⚑ LES CIMES ★★
341, av. Charles Feuge. M. Freixas
☎ 04 50 21 01 71
⬛ 8 ⌧ 320/370 F. ▧ 35 F. 🍴 80/139 F.
🛏 42 F. ⬛ 300/320 F.
⊠ 13 mai/15 juin et 14 oct./30 nov.
[icons] CV [icons]

MEGEVE (B2) (suite)

A LES POMMIERS ★
2370, route de Praz.
M. Rivière
☎ 04 50 21 01 67 📠 04 50 21 56 88
🛏 15 ◈ 170/280 F. ▭ 30 F.
🍴 73/130 F. 🍽 50 F. 🍷 230/280 F.
▦ ▦ 🚶 CV 🔄 CB

AAA LES SAPINS ★★
42, allée verte.
M. Socquet-Juglard
☎ 04 50 21 02 79 📠 04 50 93 07 54
🛏 18 ◈ 500/600 F. ▭ 45 F.
🍴 186/310 F. 🍽 102 F. 🍷 520 F.
⊠ 15/20 avr., 20/25 juin, 10/15 sept. et
18 déc.
▦ ▦ ▦ 📶 ▦ ▦ 🚶 ▦ ▦ 🚶
▦ CB

MEILLERIE (A2)
74500 Haute Savoie
258 hab.

AA LES TERRASSES ★★
Lieu-Dit «La Tronche».Sur Nationale.
M. Wengler
☎ 04 50 76 04 06 📠 04 50 76 05 95
🛏 14 ◈ 220/340 F. ▭ 35/ 40 F.
🍴 75/200 F. 🍽 60 F. 🍷 320/340 F.
⊠ 15 jours nov., 15 jours janv./début
fév., lun. soir et mar. hs.
▦ ▦ SP 📶 ▦ ▦ ▦ ▦ ▦ 🕍 ▦
▦ CB

MIEUSSY (A2)
74440 Haute Savoie
600 m. • 1340 hab. 🛈

AA L'ACCUEIL SAVOYARD ★★
M. Gaudin
☎ 04 50 43 01 90 📠 04 50 43 09 59
🛏 19 ◈ 170/295 F. ▭ 35 F.
🍴 68/150 F. 🍽 40 F. 🍷 180/290 F.
⊠ 28/30 juin et 24 oct./4 nov.
▦ ▦ ▦ ▦ ▦ ▦ ▦ CV ▦ ▦ CB

MONT SAXONNEX (B2)
74130 Haute Savoie
1000 m. • 750 hab. 🛈

A DU BARGY ★
M. Donat-Magnin
☎ 04 50 96 90 42 📠 04 50 96 99 30
🛏 14 ◈ 220/240 F. ▭ 35 F.
🍴 75/135 F. 🍽 42 F. 🍷 208/212 F.
⊠ Pâques/15 juin et 15 sept./26 déc.
▦ ▦ ▦ ▦ ▦ 🚶 ▦ CV ▦ CB

MONTMIN (B2)
74210 Haute Savoie
1157 m. • 180 hab.

A LE CHARDON BLEU
Mme Maniglier
☎ 04 50 60 70 10

🛏 9 ◈ 210/260 F. ▭ 29 F. 🍴 70/120 F.
🍽 46 F. 🍷 215/250 F.
▦ 🚶

MONTRIOND (A2)
74110 Haute Savoie
1065 m. • 650 hab. 🛈

AA DES PLAGNETTES ★★
M. Neuraz
☎ 04 50 79 05 41 📠 04 50 75 95 46
🛏 20 ◈ 240/300 F. ▭ 40 F.
🍴 95/130 F. 🍽 50 F. 🍷 245/300 F.
⊠ 10 avr./1er juin et 15 sept./20 déc.
▦ ▦ ▦ ▦ ▦ ▦ ▦ ▦ CV ▦ ▦

AA LES SAPINS ★★
(Au Lac). M. Seguin
☎ 04 50 75 90 56 📠 04 50 75 96 43
🛏 18 ◈ 184/304 F. ▭ 32 F.
🍴 75/150 F. 🍽 50 F. 🍷 230/280 F.
⊠ 19/30 avr., 28 sept./20 déc., mer.
mai/juin et sept.
▦ ▦ ▦ ▦ ▦ ▦ 🚶 ▦ CV ▦ CB ▦

MORILLON (A-B2)
74440 Haute Savoie
687 m. • 428 hab.

AAA LE MORILLON ★★
M. Jourdan
☎ 04 50 90 10 32 📠 04 50 90 70 08
🛏 22 ◈ 235/300 F. 🍴 85/120 F.
🍽 48 F. 🍷 220/310 F.
⊠ 5 avr./13 juin et 15 sept./19 déc.
▦ 📶 ▦ ▦ ▦ ▦ 🚶 ▦ CV ▦ ▦
CB ▦

MORZINE (A2)
74110 Haute Savoie
1000 m. • 3500 hab. 🛈

AA ALPINA ★★
(Bois-Venants). M. Marullaz
☎ 04 50 79 05 24 📠 04 50 79 53 35
🛏 15 ◈ 220/380 F. ▭ 40/ 50 F.
🍴 100/180 F. 🍽 60 F. 🍷 300/385 F.
▦ 📶 ▦ ▦ ▦ ▦ ▦ ▦ ▦ 🚶 CV
▦ CB

AAA BEAU-REGARD ★★
(Les Bois-Venants). M. Grorod
☎ 04 50 79 11 05 📠 04 50 79 07 41
🛏 30 ◈ 300/440 F. ▭ 50 F. 🍴 120 F.
🍽 60 F. 🍷 300/385 F.
⊠ après Pâques/fin juin et début
sept./Noël.
▦ ▦ ▦ ▦ ▦ ▦ ▦ 🚶 ▦ ▦ CB

AA BONNEVALETTE ★★
M. Berger
☎ 04 50 79 04 31 📠 04 50 74 71 36
🛏 19 ◈ 280/320 F. 🍴 90/120 F.
🍽 60 F. 🍷 260/300 F.
⊠ 20 avr./20 juin et 20 sept./20 déc.
▦ ▦ ▦ ▦ ▦ ▦ ▦ ▦ ▦ CV ▦ ▦ CB

MORZINE (A2) (suite)

DES BRUYERES ★★
M. Deffert
☎ 04 50 79 15 76 FAX 04 50 74 70 09
22 ◎ 250/280 F. ⬛ 40 F.
100/120 F. 40 F. 260/330 F.
⊠ 15 avr./25 juin et 10 sept./20 déc.

L'EQUIPE HOTEL ★★
Place du Téléphérique. M. Beard
☎ 04 50 79 11 43 FAX 04 50 79 26 07
34 ◎ 250/350 F. ⬛ 35 F.
85/120 F. 35 F. 260/380 F.
⊠ 5 avr./25 juin et 15 sept./20 déc.

LE CRET ★★
M. Coquillard
☎ 04 50 79 09 21 FAX 04 50 75 93 62
34 ⬛ 35 F. 85/105 F. 45 F.
300/410 F.
⊠ 13 avr./6 juin et 14 sept./19 déc.

LE LAURY'S ★★
Route des Ardoisières. Mme Figueiredo
☎ 04 50 79 06 10 FAX 04 50 79 09 38
100F
9 ◎ 180/320 F. ⬛ 35 F. 62/150 F.
40 F. 220/320 F.

LE NEVE ★★
La Muraille. Mme Dides-Monnet
☎ 04 50 79 01 96 FAX 04 50 79 20 91
20 ◎ 240/400 F. ⬛ 40 F.
60/130 F. 50 F. 240/340 F.
⊠ 15 avr./15 juin et 10 sept./20 déc.
sauf groupes.

LE SOLY-VARNAY ★★
M. Passaquin
☎ 04 50 79 09 45 FAX 04 50 74 71 82
100F
19 ◎ 230/245 F. ⬛ 40 F.
98/140 F. 78 F. 280/370 F.
⊠ 15 avr./15 juin et 15 sept./15 déc.

LES FLEURS ★★
M. Trombert
☎ 04 50 79 11 30 FAX 04 50 75 95 60
80F
20 ◎ 260/310 F. ⬛ 35 F.
70/120 F. 45 F. 260/300 F.
⊠ 15 avr./15 juin et 15 sept./15 déc.

RESIDENCE HOTEL LES COTES ★★
(A la Salle). M. Marullaz
☎ 04 50 79 09 96 FAX 04 50 75 97 38
20 ◎ 260/320 F. ⬛ 48 F.
100/120 F. 60 F. 270/340 F.
⊠ 20 avr./28 juin et 10 sept./20 déc.

SPORTING HOTEL ★★
M. Passaquin
☎ 04 50 79 15 03 FAX 04 50 79 11 25
18 ◎ 240/480 F. ⬛ 40 F.
120/145 F. 300/395 F.
⊠ 15 avr./15 juin et 15 sept./15 déc.

NAVES PARMELAN (B2)
74370 Haute Savoie
640 m. • 500 hab.

PANISSET ★
Mme Panisset
☎ 04 50 60 64 38
11 ◎ 140/230 F. 70/140 F.
40 F. 160/205 F.
⊠ sept.

PASSY (B2-3)
74190 Haute Savoie
700 m. • 10000 hab. ℹ

DU CENTRE ET DU COTEAU ★★
63, place de la Mairie. M. Devillaz
☎ 04 50 78 23 66 FAX 04 50 78 15 76
15 ◎ 220/320 F. ⬛ 35 F.
60/130 F. 50 F. 220/270 F.
⊠ oct. et sam. hs.

PLATEAU D'ASSY (B3)
74480 Haute Savoie
1000 m. • 1000 hab. ℹ

LA REGENCE ★★
54, route du Docteur Davy.
Mme Goffette
☎ 04 50 58 80 20 FAX 04 50 93 80 00
23 ◎ 165/205 F. ⬛ 30 F.
65/165 F. 45 F. 230/270 F.
⊠ mer. soir et jeu.

Les PRAZ (B3)
74400 Haute Savoie

>>> *voir CHAMONIX MONT BLANC*

PRAZ DE LYS (A2)
74440 Haute Savoie

>>> *voir TANINGES*

PRAZ SUR ARLY (B2)
74120 Haute Savoie
1036 m. • 982 hab. [i]

AUBERGE DES 2 SAVOIES ★★
M. Goulard
☎ 04 50 21 90 14 [FAX] 04 50 21 93 28
[▪] 18 [◌] 210/270 F. [▪] 45 F.
[Ⅱ] 82/150 F. [▪] 48 F. [▪] 250/300 F.
[⊠] 1er/20 avr., ven. soir, sam. midi et
dim. soir hs.
[E] [D] [i] [☎] [▦] [⟷] [⚄] [CV] [⟞] [CB] [CR]

PUBLIER (A2)
74500 Haute Savoie
>>> *voir EVIAN LES BAINS*

RUMILLY MOYE (B1)
74150 Haute Savoie
700 hab. [i]

RELAIS DU CLERGEON ★★
Route du Clergeon. M. Chal
☎ 04 50 01 23 80 [FAX] 04 50 01 41 38
[▪] 18 [◌] 140/330 F. [▪] 34 F.
[Ⅱ] 80/240 F. [▪] 48 F. [▪] 210/280 F.
[⊠] 2/31 janv., dim. soir et lun.
[E] [D] [i] [☎] [▦] [⟷] [🛏] [⟟] [⚄] [CV]
[▦] [⟞] [CB]

SAINT CERGUES (A2)
74140 Haute Savoie
615 m. • 2200 hab.

DE FRANCE ★★
M. Jacquet
☎ 04 50 43 50 32 [FAX] 04 50 94 66 45
[▪] 20 [◌] 150/300 F. [▪] 38 F.
[Ⅱ] 95/240 F. [▪] 60 F. [▪] 200/265 F.
[⊠] 11 avr./2 mai, 17 oct./3 nov., dim.
soir et lun. sauf été.
[E] [D] [i] [☎] [▦] [⟷] [🛏] [⟟] [⚄] [CV] [▦] [⟞]
[CB] [▪]

SAINT GERVAIS LES BAINS (B3)
74170 Haute Savoie
900 m. • 5000 hab. [i]

LA MAISON BLANCHE ★★
64, rue du Vieux Pont. M. Satonay
☎ 04 50 47 75 81 [FAX] 04 50 93 68 36
[▪] 10 [◌] 230/300 F. [Ⅱ] 65/165 F.
[▪] 45 F. [▪] 230/250 F.
[E] [☎] [🛏] [CV] [CB]

SAINT GINGOLPH (A3)
74500 Haute Savoie
750 hab. [i]

LE LEMAN ★
(A Bret St-Gingolph). MM. Mongellaz
☎ 04 50 76 73 67 [FAX] 04 50 76 73 96
[▪] 20 [◌] 185/280 F. [▪] 32 F.
[Ⅱ] 90/200 F. [▪] 60 F. [▪] 195/270 F.
[E] [▦] [☎] [⟷] [CV] [⟞] [CB]

NATIONAL ★★
20, rue Nationale.
M. Chevallay
☎ 04 50 76 72 97 [FAX] 04 50 76 71 93
[▪] 14 [◌] 180/320 F. [▪] 35 F.
[Ⅱ] 95/230 F. [▪] 60 F. [▪] 230/290 F.
[⊠] 21 oct./21 nov., mar. soir et mer. hs.
[E] [D] [SP] [☎] [⟷] [🛏] [⟟] [⚄] [CV] [⟞] [CB]

SAINT JEAN D'AULPS (A2)
74430 Haute Savoie
801 m. • 914 hab. [i]

LE PERROUDY ★★
Mme Bastide
☎ 04 50 74 84 00 [FAX] 04 50 74 85 42
[▪] 10 [◌] 300 F. [▪] 36 F. [Ⅱ] 63/120 F.
[▪] 52 F. [▪] 270 F.
[E] [SP] [☎] [⟷] [⟞] [🛏] [⟟] [⚄] [CV]
[▦] [⟞] [CB] [CR]

SAINT JEAN DE SIXT (B2)
74450 Haute Savoie
960 m. • 800 hab. [i]

BEAU-SITE ★★
M. Bastard-Rosset
☎ 04 50 02 24 04 [FAX] 04 50 02 35 82
[▪] 15 [◌] 250/310 F. [▪] 32 F.
[Ⅱ] 85/160 F. [▪] 50 F. [▪] 230/290 F.
[⊠] 10 avr./15 juin et 15 sept./Noël.
[E] [☎] [⟷] [🛏] [⟟] [⚄] [CV] [▦]
[⟞] [CB]

LE VAL D'OR ★★
M. Dallara
☎ 04 50 02 24 15 [FAX] 04 50 02 28 76
[▪] 20 [◌] 215 F. [▪] 30 F. [Ⅱ] 75/150 F.
[▪] 45 F. [▪] 248 F.
[⊠] ven. soir/dim. soir hs.
[E] [SP] [i] [☎] [⟷] [⚄] [CV] [▦] [⟞] [CB]

SAINT JORIOZ (B1-2)
74410 Haute Savoie
4000 hab. [i]

AUBERGE LE SEMNOZ ★★
Mme Herisson
☎ 04 50 68 60 28 [FAX] 04 50 68 98 38
[▪] 40 [◌] 230/350 F. [▪] 35 F.
[Ⅱ] 90/120 F. [▪] 35 F. [▪] 230/320 F.
[⊠] 15 oct./15 avr.
[E] [☎] [⟷] [🛏] [⟟] [⚄] [CV] [▦]
[⟞] [CB]

LE MANOIR BON ACCUEIL ★★
M. Berthier
☎ 04 50 68 60 40 [FAX] 04 50 68 94 84
[▪] 28 [◌] 280/420 F. [▪] 40 F.
[Ⅱ] 120/180 F. [▪] 50 F. [▪] 300/490 F.
[⊠] 20 déc./20 janv. et dim. soir hs.
[E] [i] [☎] [⟷] [🛏] [⟟] [⚄] [CV]
[▦] [⟞] [CB]

SAINT JORIOZ (B1-2) (suite)

LES CHATAIGNIERS ★★
Route de Lornard. Mme Bolle-Duval
☎ 04 50 68 63 29 FAX 04 50 68 57 11
🍴 49 ⊘ 260/540 F. ☰ 38 F.
🍽 110/240 F. 🍴 50 F. ☷ 295/500 F.
✉ 6 oct./25 avr.

LES TILLEULS ★★
Route de l'Ancienne Gare. M.Me Agnelli
☎ 04 50 68 60 19 FAX 04 50 68 60 01
🍴 15 ⊘ 250/280 F. ☰ 32 F.
🍽 78/168 F. 🍴 55 F. ☷ 265 F.
✉ sam.

SAINT MARTIN BELLEVUE (B1-2)
74370 Haute Savoie
650 m. • 1200 hab. ℹ

BEAU-SEJOUR ★★
Lieu-dit Mercier. Mme Deprez
☎ 04 50 60 30 32 FAX 04 50 60 38 44
🍴 26 ⊘ 240/360 F. ☰ 40 F.
🍽 98/195 F. 🍴 55 F. ☷ 240/320 F.
✉ 15 déc./15 mars. Rest. dim. soir et
lun.

SALLANCHES (B2)
74700 Haute Savoie
600 m. • 12000 hab. ℹ

BEAUSEJOUR ★★
Place de la Gare. M. Cattin
☎ 04 50 58 00 06 FAX 04 50 58 53 76
🍴 33 ⊘ 200/300 F. ☰ 35 F.
🍽 75/150 F. 🍴 55 F. ☷ 200/250 F.
✉ 25 avr./12 mai et 31 oct./10 nov.

SAINT JACQUES ★★
84, quai Saint-Jacques. M. Vez
☎ 04 50 58 01 35
🍴 9 ⊘ 150/250 F. ☰ 28 F.

SAMOENS (A-B3)
74340 Haute Savoie
714 m. • 2000 hab. ℹ

GAI SOLEIL ★★
M. Coffy
☎ 04 50 34 40 74 FAX 04 50 34 10 78
🍴 20 ⊘ 240/330 F. ☰ 39 F.
🍽 75/168 F. 🍴 45 F. ☷ 205/295 F.

LE MOULIN DU BATHIEU ★★
(à Vercland). M. Pontet
☎ 04 50 34 48 07 FAX 04 50 34 43 25

🍴 7 ⊘ 280/340 F. ☰ 35 F. 🍽 80/220 F.
🍴 50 F. ☷ 240/295 F.
✉ 2/30 mai, 2 nov./22 déc., dim. soir et
lun. hs.

LES SEPT MONTS ★★
Place des 7 Monts. M. Coffy
☎ 04 50 34 40 58 FAX 04 50 34 13 89
🍴 15 ⊘ 200/360 F. ☰ 35 F.
🍽 75/160 F. 🍴 49 F. ☷ 205/305 F.
✉ 5/25 sept., 5/15 avr. et mar. hs.

Le SEMNOZ (B1-2)
74000 Haute Savoie

≫ *voir ANNECY*

SERRAVAL (B2)
74230 Haute Savoie
760 m. • 430 hab. ℹ

DE LA TOURNETTE ★★
M. Tissot
☎ 04 50 27 50 13 FAX 04 50 27 52 68
🍴 18 ⊘ 150/300 F. ☰ 30 F.
🍽 90/120 F. 🍴 60 F. ☷ 180/270 F.
✉ 2 dernières semaines oct. et mar.

SERVOZ (B3)
74310 Haute Savoie
820 m. • 670 hab. ℹ

LA SAUVAGEONNE ★★
M. Prudhomme
☎ 04 50 47 20 40 FAX 04 50 47 22 22
🍴 10 ⊘ 250/300 F. ☰ 37 F.
🍽 82/185 F. 🍴 50 F. ☷ 265/290 F.
✉ 10/31 janv., 15 mars/4 avr. et
10 oct./20 déc.

SEVRIER (B1-2)
74320 Haute Savoie
3200 hab. ℹ

AUBERGE DES TONNELLES ★★
Route d'Albertville. M.Me Colin
☎ 04 50 52 41 58 FAX 04 50 52 60 05
🍴 23 ⊘ 150/300 F. ☰ 35 F.
🍽 65/180 F. 🍴 45 F. ☷ 210/290 F.
✉ mer. sauf été.

LA FAUCONNIERE ★★
Lieu-dit Letraz-Chuguet. Sur N.508.
M. Raffatin
☎ 04 50 52 41 18 FAX 04 50 52 63 33
🍴 27 ⊘ 210/290 F. ☰ 39 F.
🍽 60/200 F. 🍴 50 F. ☷ 245/295 F.
✉ dim. soir et lun. midi hs.

SEYTHENEX (B2)
74210 Haute Savoie

>>> *voir FAVERGES*

SIXT FER A CHEVAL (B3)
74740 Haute Savoie
800 m. • 770 hab. ⓘ

▲▲ LE PETIT TETRAS ★★
Lieu-dit Salvagny.
M. Scuri
☎ 04 50 34 42 51 Ⅲ 04 50 34 12 02
🛏100F ⅰ 26 ▧ 220/300 F. ■ 35 F.
Ⅲ 85/130 F. ⅲ 55 F. ⅱ 220/285 F.
⊠ 5 avr./31 mai et 13 sept./20 déc.
Ⅰ SP ⬚ ☎ ⬚ ⅰ ⅰ ⅰ ⊡ ⅰ ⅰ CV
⅏ ⬅ CB ⅼ

TALLOIRES (B2)
74290 Haute Savoie
1350 hab. ⓘ

▲▲▲ LA CHARPENTERIE ★★
M. Excoffier
☎ 04 50 60 70 47 Ⅲ 04 50 60 79 07
🛏100F ⅰ 18 ▧ 249/390 F. ■ 45 F.
Ⅲ 85/149 F. ⅲ 45 F. ⅱ 265/370 F.
⊠ 1er déc./31 janv.
Ⅰ Ⅾ ⬚ ⅰ ☎ ⬚ ⅰ ⅰ CV ⅏ ⬅ CB

▲▲▲ VILLA DES FLEURS ★★★
Route du Port.
M. Jaegler
☎ 04 50 60 71 14 ⅢⅨ 04 50 60 74 06
ⅰ 8 ▧ 320/460 F. ■ 55 F.
Ⅲ 145/285 F. ⅲ 85 F. ⅱ 320/430 F.
⊠ 15 nov./15 déc., 15 janv./10 fév.,
dim. soir et lun.
Ⅰ Ⅾ ⬚ ☎ ⬚ ⅰ CV ⅏ ⬅ CB

... *à proximité*

ANGON (B2)
74290 Haute Savoie
1200 hab. ⓘ

3 km Sud Talloires par D 909 A

▲▲▲ LES GRILLONS ★★
Le Clos Devant.
M. Casali
☎ 04 50 60 70 31 ⅢⅨ 04 50 60 72 19
ⅰ 28 ▧ 250/450 F. ■ 40 F.
Ⅲ 100/180 F. ⅲ 60 F. ⅱ 250/395 F.
⊠ 13 déc./28 mars.
Ⅰ SP ⬚ ☎ ⬚ ⅰ ⊡ ⅰ ⅰ CV ⅏
⬅ CB

TANINGES (A2)
74440 Haute Savoie
640 m. • 2756 hab.

▲▲ DE PARIS ★★
M. Le Toumelin
☎ 04 50 34 20 10 ⅢⅨ 04 50 34 34 40

ⅰ 11 ▧ 200/280 F. ■ 32 F.
Ⅲ 58/160 F. ⅲ 48 F. ⅱ 200/260 F.
Ⅰ ⬚ ☎ ⬚ ⅰ ⅰ CV CB

... *à proximité*

PRAZ DE LYS (A2)
74440 Haute Savoie
1500 m. • 2791 hab. ⓘ

12 km Nord Taninges par D 328

▲▲ LE TACONET ★★
M.Me Petryk
☎ 04 50 34 22 01
ⅰ 12 ▧ 220/290 F. ■ 32 F.
Ⅲ 99/124 F. ⅲ 48 F. ⅱ 260/310 F.
⊠ 13 avr./21 juin et 31 août/15 déc.
Ⅰ Ⅾ ☎ ⬚ ⅰ ⅰ ⅰ CB

THOLLON LES MEMISES (A2)
74500 Haute Savoie
920 m. • 533 hab. ⓘ

▲▲▲ BELLEVUE ★★
Le Nouy.
M. Vivien
☎ 04 50 70 92 79 ⅢⅨ 04 50 70 97 63
ⅰ 37 ▧ 320/370 F. ■ 30 F.
Ⅲ 130/220 F. ⅲ 65 F. ⅱ 260/310 F.
⊠ 15 nov./15 déc.
Ⅰ SP ⬚ ☎ ⬚ ⅰ ⅰ ⅰ ⅰ ⅰ
CV ⅏ ⬅ CB

▲▲ LES GENTIANES ★★
M. Forget
☎ 04 50 70 92 39 \ 04 50 70 92 03
ⅢⅨ 04 50 70 95 51
🛏100F ⅰ 22 ▧ 280/300 F. ■ 30 F.
Ⅲ 100/160 F. ⅲ 50 F. ⅱ 270/310 F.
⬚ ☎ ⬚ ⅰ ⅰ CV

THONES (B2)
74230 Haute Savoie
630 m. • 4800 hab. ⓘ

▲▲ L'HERMITAGE ★★
Av. du Vieux Pont.
M. Bonnet
☎ 04 50 02 00 31 ⅢⅨ 04 50 02 04 86
ⅰ 39 ▧ 220/280 F. Ⅲ 65/165 F.
ⅲ 42 F. ⅱ 220/250 F.
⊠ 1er/10 mai, 20 oct./10 nov. et lun.
midi hs.
Ⅰ ⬚ ☎ ⬚ ⬚ ⅰ ⅰ ⅰ ⅰ ⅰ CV
⅏ CB

▲▲▲ NOUVEL HOTEL DU COMMERCE ★★
5, rue des Clefs.
M. Bastard-Rosset
☎ 04 50 02 13 66 ⅢⅨ 04 50 32 16 24
🛏100F ⅰ 25 ▧ 230/410 F. ■ 37 F.
Ⅲ 73/350 F. ⅲ 48 F. ⅱ 225/330 F.
⊠ 27 oct./27 nov. Rest. dim. soir et lun.
hs. été et hiver.
Ⅰ ⬚ ☎ ⬚ ⅰ ⅰ ⅰ CV ⬅ CB

THONON LES BAINS (A2)
74200 Haute Savoie
30000 hab. 🛈

🔺 BELLEVUE ★
Av. de la Dame. (Les Fleyssets).
M. Angles
☎ 04 50 71 02 53 📠 04 50 70 26 95
100F 🛏 10 ⬠ 160/260 F. ▤ 30 F.
🍽 75/170 F. 🛁 45 F. 🖼 190/230 F.
⊠ 20 sept./8 oct. et dim. soir sauf
juil./août.

DUCHE DE SAVOIE ★★
43, av. Général Leclerc. Mme Lamy
☎ 04 50 71 40 07 📠 04 50 71 14 00
🛏 15 ⬠ 265/305 F. ▤ 36 F. 🛁 60 F.
🖼 280/295 F.
⊠ 1er déc./31 janv. et dim. soir.

L'ARC EN CIEL ★★
18, place de Crête. MeM. Favre
☎ 04 50 71 90 63 📠 04 50 26 27 47
100F 🛏 41 ⬠ 320/490 F. ▤ 40 F.
🍽 75/200 F. 🛁 50 F. 🖼 300/390 F.
⊠ rest. nov., dim. soir et lun.
1er oct./1er mai.

**L'OMBRE DES MARRONNIERS - VILLA
DES FLEURS** ★ & ★★
17, place de Crête. M.Me Bordet
☎ 04 50 71 26 18\04 50 71 11 38
📠 04 50 26 27 47
100F 🛏 28 ⬠ 180/290 F. ▤ 30 F.
🍽 75/200 F. 🛁 50 F. 🖼 200/260 F.
⊠ rest. nov., dim. soir et lun.
1er oct./1er mai.

LE TERMINUS ★★
Place de la Gare. M. Ducrot
☎ 04 50 26 52 52 📠 04 50 26 00 92
🛏 35 ⬠ 159/250 F. ▤ 32 F.
🍽 65/150 F. 🛁 45 F. 🖼 235/270 F.

TRIANON DU LEMAN ★★
Av. de Corzent-Port des Clerges.
M. Dubouloz-Monnet
☎ 04 50 71 25 78 📠 04 50 26 51 26
120F 🛏 15 ⬠ 320/430 F. ▤ 38 F.
🍽 95/220 F. 🛁 45 F. 🖼 330/380 F.
⊠ 20 sept./Pâques.

THORENS GLIERES (B2)
74570 Haute Savoie
670 m. • 1800 hab. 🛈

🔺 AUBERGE DES GLIERES ★
Plateau des Glières, alt. 1450 m.
Mme Millaud
☎ 04 50 22 45 62 📠 04 50 22 82 37
100F 🛏 15 ⬠ 150/245 F. ▤ 30 F.

🍽 60/120 F. 🛁 45 F. 🖼 200/235 F.
⊠ nov. et 14/30 avr.

LA CHAUMIERE SAVOYARDE ★★
M. Gonnet
☎ 04 50 22 40 39 📠 04 50 22 81 84
🛏 28 ⬠ 220/240 F. ▤ 36 F.
🍽 95/145 F. 🛁 30 F. 🖼 250/260 F.
⊠ 20 sept./1er nov.

VALLORCINE (B3)
74660 Haute Savoie
1265 m. • 303 hab. 🛈

CHALET HOTEL L'ERMITAGE ★★
(Le Chante). Mme Berguerand
☎ 04 50 54 60 09
100F 🛏 14 ⬠ 300/350 F. ▤ 45 F.
🍽 120/160 F. 🛁 70 F. 🖼 280/340 F.
⊠ 7/30 janv. et 1er oct./23 déc.

🔺 MONT BLANC ★
MM. Ancey/Gil
☎ 04 50 54 60 02
🛏 24 ⬠ 177/350 F. ▤ 31 F.
🍽 77/131 F. 🛁 53 F. 🖼 178/290 F.
⊠ 3/30 janv., 16 mars/15 mai,
20 mai/15 juin et 15 sept./22 déc.

VERCHAIX (A2-3)
74440 Haute Savoie
800 m. • 296 hab. 🛈

🔺 LE VUAIRNEIGE ★
M. Roul
☎ 04 50 90 12 67 📠 04 50 90 19 17
100F 🛏 14 ⬠ 160/260 F. ▤ 32 F.
🍽 78/150 F. 🛁 48 F. 🖼 195/255 F.
⊠ 26 oct./5 nov. et mer. hs.

VEYRIER DU LAC (B2)
74290 Haute Savoie
500 m. • 1967 hab. 🛈

🔺 LES ACACIAS
14, route d'Annecy. M. Blanc
☎ 04 50 60 11 60 📠 04 50 60 15 99
🛏 19 ⬠ 160/300 F. ▤ 33 F.
🍽 79/175 F. 🛁 45 F. 🖼 175/285 F.

Les VILLARDS SUR THONES (B2)
74230 Haute Savoie
900 m. • 700 hab. 🛈

LE VIKING ★★
M. Matcharaze
☎ 04 50 02 11 78 📠 04 50 02 98 20
🛏 26 ⬠ 140/200 F. ▤ 30 F. 🍽 65 F.
🛁 40 F. 🖼 190/210 F.
⊠ 1er/15 oct.

VOUGY (B2)
74130 Haute Savoie
520 hab.

▲▲ LA POMME D'OR ★★
  M. Mangin
  ☎ 04 50 34 58 23 📠 04 50 34 08 91
  🛏 7 ⬡ 200/260 F. ⬛ 30 F. 🍽 50/260 F.
  🍴 50 F. 🖼 220/260 F.
  ⊠ 5/20 août et dim. soir.
  🅴 🅳 SP ℹ 🗖 ☎ 🚗 🚙 ⤞ 🛆 🏃 ⟳
  🚶 🕮 🐾 CB

YVOIRE (A2)
74140 Haute Savoie
432 hab. ℹ

▲▲▲ LE PRE DE LA CURE ★★
  M.Me Magnin
  ☎ 04 50 72 83 58 📠 04 50 72 91 15
  🛏 25 ⬡ 330 F. ⬛ 40 F. 🍽 100/270 F.
  🍴 58 F. 🖼 350 F.
  ⊠ 3 nov./13 mars, mer. mars, avr. et
  oct.
  🅴 🅳 SP 🗖 ☎ 🚗 🚙 ⬍ ⤞ 🛆 🚶 CV
  🐾 CB

▲▲▲ LES FLOTS BLEUS ★★
  M. Blanc
  ☎ 04 50 72 80 08 📠 04 50 72 84 28
  🛏 11 ⬡ 290/350 F. ⬛ 42 F.
  🍽 100/340 F. 🍴 58 F. 🖼 300/360 F.
  ⊠ début oct./Pâques.
  🅴 ℹ 🗖 ☎ 🛆 🚶 CV 🕮 🐾 CB

Per voi, abbiamo concepito questa guida come un strumento pratico. Il nostro objettivo è di perfezionarla sempre di più. Non esitate, quindi, a comunicarci i vostri suggerimenti

Association départementale des Logis de France de l'île de La Réunion
Hôtel Le Vieux Cep - 2, rue des trois Mares - 97413 Cilaos
Tél. 0262 31 71 89

Photos C.R.T. La Réunion

Réunion

Un Feu Intérieur
The Fire Within

Didier Alle

 ——————— ———————

Des villages aux noms intrigants - Possession, Grand Coude, la Chaloupe, Colimassons, Confiance ou Sans Souci -, un volcan qui s'éveille selon son bon plaisir... La Réunion nous offre le spectacle d'une île au cœur qui bat.

With its intriguingly named villages - Possession, Grand Coude or "big elbow," Sans Souci or "no worry" and Confiance or "trust" - and its volcano that comes to life occasionally and unexpectedly, Reunion Island promises an exciting spectacle.

Arômes et parfums

Dès l'arrivée, l'île a un parfum exotique. Les arômes se mêlent aux étals des marchés : vétiver, ylang-ylang, safran, cannelle, girofle, muscade et cette somptueuse vanille Bourbon droit venue de Sainte-Suzanne, Bras-Panon ou Saint-André. Déjà, les papilles salivent à l'idée de s'attabler devant un cari de langouste, un rougail de tomates ou un gratin de chouchous de Salazie. Ici, dans cette île où, dit-on, le feu a épousé la mer, les goûts, la végétation et les

Scented Aromas

Upon arrival you are struck by the exotic aromas of the island. They make a heady mixture in the market: vetiver, ylang-ylang, saffron, cinnamon, cloves, nutmeg and that wonderful Bourbon vanilla that comes straight from Sainte-Suzanne, Bras-Panon or Saint-André. Your taste-buds are already tingling at the thought of a crayfish curry a tomato "rougail," or a dish of baked Salazie "chouchou." They say of this island that it is the marriage of fire with water, and the

hommes sont les fruits d'un savant métissage.

flavours, the vegetation and the people are the product of a successful mixing of origins.

Tours de cirque

L'émotion s'accentue en grimpant, car c'est "entre le battant des lames et le sommet des montagnes" que se trouvent Mafate, Salazie et Cilaos, trois cirques autour desquels s'organise La Réunion. On accède à Mafate à pied ou en hélicoptère, et là, loin de toute circulation, le randonneur se sent aux portes du paradis. Choisira-t-il d'emprunter le Grand Rein, un sentier de crête entre le bord de Martin et l'îlet à Malheur ou préférera-t-il traverser le plateau Kerval et sa forêt de tamarins ? Si rien ne le presse, il peut marcher huit jours sans emprunter deux fois le même chemin.

Le cirque de Salazie offre un tout autre panorama : la canne à sucre et le bananier y prospèrent ainsi que de nombreux légumes tels le fameux chouchou, une variété proche de la pomme de terre.

De ce jardin de verdure baigné par "le voile de la mariée", l'une des plus belles cascades de l'île, la route monte jusqu'à Hell-Bourg. Un détour qui permet de visiter la Villa des Châtaigners, ses cases créoles, son verger, et de s'imprégner - mais le jeudi seulement - de l'ambiance d'un marché rural traditionnel.

Réservez aussi quelques jours pour profiter des charmes du cirque de Cilaos et de la ville thermale du même nom blottie au pied du Piton des Neiges, volcan aujourd'hui en sommeil qui culmine à 3 070 mètres. Là, les "petits blancs", les "z'oreilles" en patois malgache, cultivent les lentilles, l'art de la

A Ring of Peaks

Emotions are heightened as you climb, and it is "between the beating of blades and the summit of the mountains" that you will find Mafate, Salazie and Cilaos, the three mountain ranges around which the island is organised. You can reach the top of Mafate by foot or helicopter and from there, far from all traffic, the walker is on the threshold of paradise. The Grand-Rein route leads along the crest between the bank of the Martin and the islet of Malheur; another across the Kerval plateau with its tamarind forest. If you have the time you can walk for eight days without taking the same route.

The Salazie range offers a completely different panorama: sugar cane and bananas grow there as well as many other vegetables including the famous "chouchou," which is akin to the potato.

From this green garden, bathed in the beautiful waterfall known as the "bride's veil," the road climbs up to Hell-Bourg. A detour allows you to take in the Villa des Châtaigners with its creole huts, and its orchard where, on a Thursday, you will be able to imbibe the atmosphere of a traditional rural market.

You must also set aside a few days to enjoy the delights of the Cilaos range and the thermal springs of the same name situated at the foot of the dormant volcano Piton des Neiges, which reaches a height of 3070

DIE INNERE FLAMME

Dörfer mit fremdartigen Namen – Possession, Grand Coude, la Chaloupe, Colimassons, Confiance oder Sans Souci –, ein Vulkan, der erwacht, wenn ihm danach ist... Die Insel Réunion bietet Ihnen ihre exotischen Düfte und das Schauspiel einer Insel mit einem pochenden Herzen.

EEN INNERLIJK VUUR

Dorpen met intrigerende namen – Possession, Grand Coude, la Chaloupe, Colimassons, Confiance of Sans Souci –, een vulkaan die tot leven komt wanneer hij er zin in heeft ... La Réunion biedt haar exotische geuren en het schouwspel van een eiland, waarvan het hart slaat.

broderie, et le cépage Isabelle qui produit un délicieux petit vin local.

Enfin, la Fournaise donne à l'île toute sa majesté et lui offre même, à l'occasion d'une éruption, quelques hectares volés sur la mer. Il est aisé de l'escalader et impossible d'éviter les émotions fortes en découvrant, dans la Plaine des Sables, le décor lunaire des pitons éteints ou en plongeant, au centre de la terre, vers ce cratère qui fumotte…

En dessous du volcan

Au loin, l'océan et quelques très belles plages - la Saline, Saint-Gilles, Saint-Leu, l'Hermitage, la crique du Boucan-Canot… - promettent d'autres plaisirs. Sur la côte du Sud Sauvage, les eaux demontées jaillissent en gerbe des "trous du souffleur", le Jardin des épices et des parfums de Saint-Philippe se visite avec délices. Et, plus à l'ouest, le cimetière marin de Saint-Paul, abrite la tombe d'un des grands enfants du pays, Leconte de Lisle. Restent bien d'autres curiosités : les temples tamouls de la région de Saint-André, la Maison du volcan de Bourg-Murat, la beauté simple des maisons créoles… Un seul séjour paraît toujours trop court.

metres. There the "poor white people," the "z'oreilles" in the malgachian dialect, grow lentils, practice the art of embroidery and produce a delicious local wine from the Isabelle vine.

Finally, la Fournaise gives the island its truly majestic air and, when it erupts, it even steals a few hectares from the sea. It is easy to climb and no-one remains immune to the emotions provoked by the moon-like landscape of the Plaine des Sables with its extinct craters or the sensation of diving into the earth's core as you look into the smoking crater…

Beneath the Volcano

In the distance the sea and some very beautiful beaches - La Saline, Saint-Gilles, Saint-Leu, l'Hermitage and the creek at Boucan-Canot - promise other pleasures. On the "wild" southern coast, the raging waters spray out of the "blowing holes." Here you can visit the delicious spice and perfume garden at Saint-Philippe. Further to the west, the seaman's cemetery of Saint-Paul contains the tomb of one of the great men of this island, Leconte de Lisle. There are many other things to see: the Tamil temples in the Saint-André district, the "Maison du volcan" at Bourg-Murat, the simple beauty of the creole houses… one trip to this island always seems too short.

C.R.T. La Réunion

UN FUEGO INTERIOR

Pueblos con nombres intrigantes – Possesion, Grand Coude, la Chaloupe, Colimassons, Confiance o San Souci –, un volcán que se despierta según su capricho... La Reunión le ofrece sus perfumes exóticos y el espectáculo de una isla con un corazón que late.

UN FUOCO INTERNO

Villaggi dai nomi intriganti – Possesion, Grand Coude, la Chaloupe, Colimassons, Confiance o Sans Souci e un vulcano che si sveglia quando più gli piace... la Riunione vi offre i suoi profumi esotici e lo spettacolo di un'isola dal cuore che batte.

Cari de langouste

Ingrédients

Pour 4 personnes

- 2 queues de langouste (800 g)
- 4 oignons
- 4 tomates
- 2 gousses d'ail
- 20 g de gingembre frais
- 1/2 cuil à café de curcuma
- 3 cuil à soupe d'huile
- aneth et coriandre
- sel, poivre

Recette

- Couper les queues en tronçons. Hacher les oignons. Couper la pulpe des tomates en cubes. Râper le gingembre dans un bol, mettre l'ail haché, le curcuma, du sel et du poivre. Dans l'huile, faire revenir les oignons, le contenu du bol et les tomates. Laisser cuire 4 mn.
- Déposer les morceaux de langouste dans la cocotte et remuer pour qu'ils s'imprègnent de sauce.
- Mouiller de 10 cl d'eau, couvrir, laisser cuire 15 mn en remuant. Présenter décoré de brins d'aneth et de coriandre.
- Servir avec du riz blanc.

974 - RÉUNION

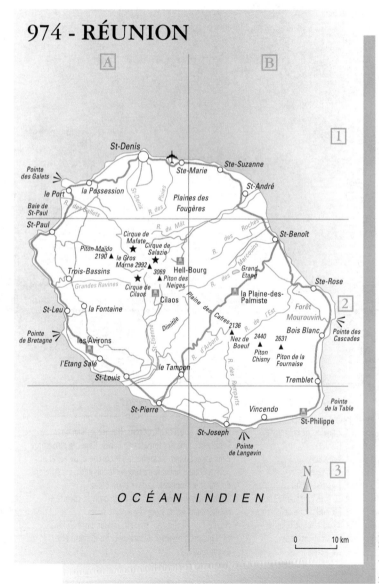

Les AVIRONS (A2)
97425 Réunion
5150 hab.

AUBERGE LES FOUGERES ★★
Le Tevelave. 53, route des Merles.
MM. Grondin
☎ 02 62 38 32 96 FAX 02 62 38 30 26
100F 🛏 15 ⬡ 290 F. 🍽 30 F. 🍴 75/150 F.
🏃 40 F. 🖼 220 F.
⊠ rest. dim. soir et lun. midi sauf
réservations groupes.
[E] 🖨 ☎ 🚗 ⛱ 🏃 ♿ CV 🅿 🐾 CB

CILAOS (A2)
97413 Réunion
1200 m. • 5740 hab. ⓘ

LE VIEUX CEP ★★
2, rue des Trois Mares. Mme Dijoux
☎ 02 62 31 71 89 FAX 02 62 31 77 68
120F 🛏 20 ⬡ 325/450 F. 🍽 50 F.
🍴 95/120 F. 🏃 35 F. 🖼 390 F.
[E] [D] 🖨 ☎ 🚗 🎣 ⛱ 🏃 ♿ CV 🅿
🐾

HELL BOURG (A-B2)
97433 Réunion
950 m. • 2000 hab. ⓘ

RELAIS DES CIMES ★★
Rue Général de Gaulle. M. Javel
☎ 02 62 47 81 58 FAX 02 62 47 82 11
120F 🛏 17 ⬡ 308 F. 🍽 36 F. 🍴 75/ 95 F.
🏃 36 F. 🖼 330 F.
[E] ☎ 🎣 🐾 ⛱ ♿ CV 🅿 🐾 CB

PLAINE DES PALMISTES (B2)
97431 Réunion
1134 m. • 3000 hab. ⓘ

DES PLAINES ★★★
(2ème Village). M. Doki-Thonon
☎ 02 62 51 31 97 FAX 02 62 51 45 70
100F 🛏 14 ⬡ 360 F. 🍽 40 F. 🍴 90/125 F.
🏃 60 F. 🖼 300/345 F.
[E] 🖨 ☎ 🚗 ⛱ ♿ CV 🅿 🐾 CB

SAINT PHILIPPE (B3)
97442 Réunion
4000 hab. ⓘ

LE BARIL ★★
Sur N.2. M. Tesnière
☎ 02 62 37 01 04 FAX 02 62 37 07 62
100F 🛏 11 ⬡ 330/360 F. 🍽 30 F.
🍴 98/175 F. 🏃 30 F. 🖼 270/285 F.
[E] [D] ☎ 🚗 ⛱ 🏃 ♿ CV 🐾 CB

Esta guía ha sido diseñada para usted, como una herramienta práctica. Nuestro objetivo es mejorarla aún más. No dude en hacernos llegar sus sugerencias.

LE CALENDRIER DES VACANCES SCOLAIRES 1997

	ZONE A	ZONE B	ZONE C
Hiver	Mercredi 19 février 1997 Mercredi 5 mars 1997	Mercredi 12 février 1997 Mercredi 26 février 1997	Mercredi 5 février 1997 Mercredi 19 février 1997
Printemps	Samedi 12 avril 1997 Lundi 28 avril 1997	Jeudi 10 avril 1997 Jeudi 24 avril 1997	Samedi 5 avril 1997 Lundi 21 avril 1997
Rentrée scolaire	Écoles et collèges : jeudi 4 septembre 1997 Lycées : jeudi 11 septembre 1997		
Toussaint	Vendredi 24 octobre 1997 Mardi 4 novembre 1997		
Noël	Samedi 20 décembre 1997 Lundi 5 janvier 1998		

Zone A : académies de Caen, Clermont-Ferrand, Grenoble, Lyon, Montpellier, Nancy-Metz, Nantes, Rennes et Toulouse.
Zone B : académies d'Aix-Marseille, Amiens, Besançon, Dijon, Lille, Limoges, Nice, Orléans-Tours, Poitiers, Reims, Rouen et Strasbourg.
Zone C : académies de Bordeaux, Créteil, Paris et Versailles.

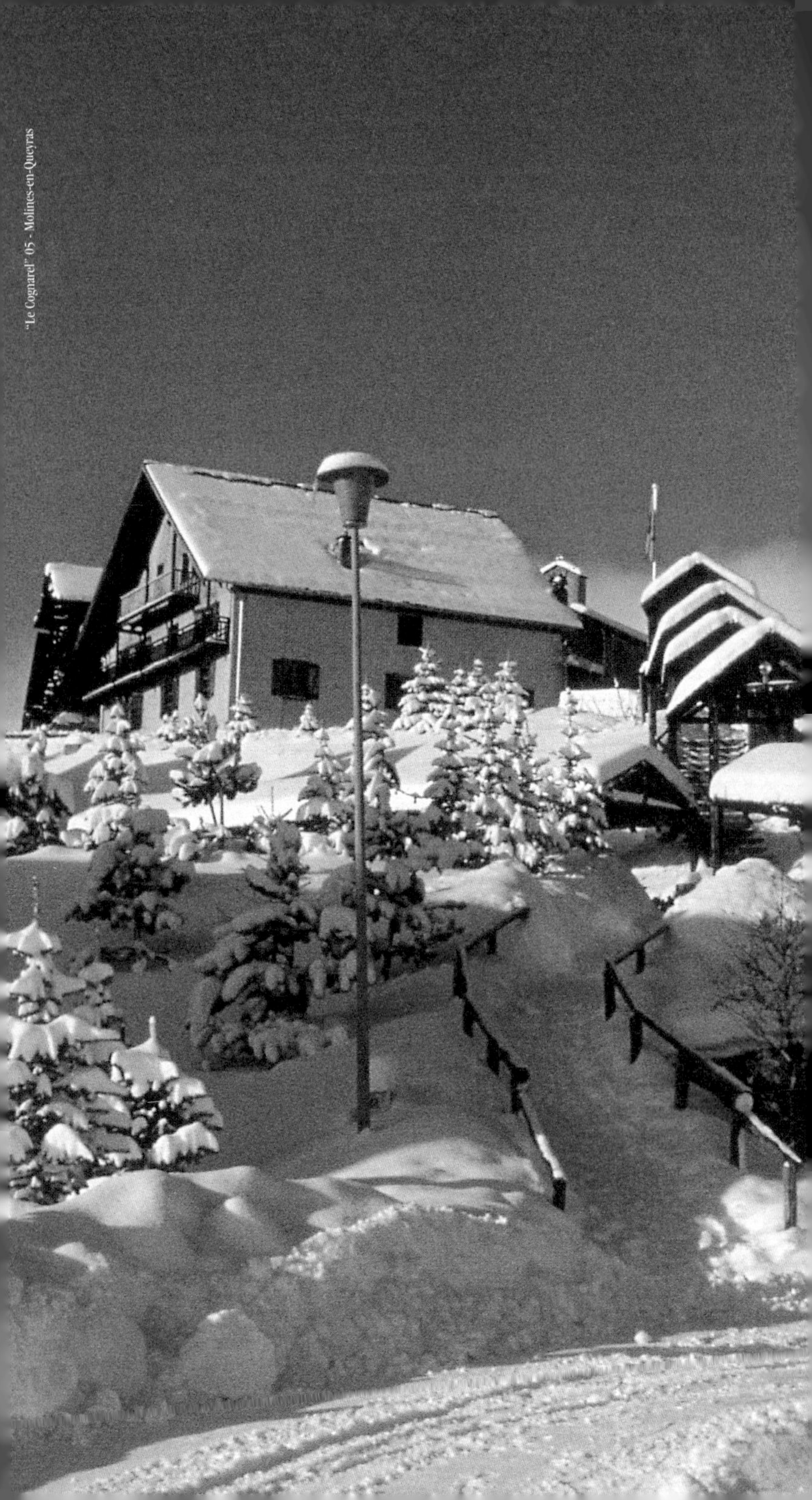
"Le Cognarel" 05 - Molines-en-Queyras

Annexes à découper

- Carte de fidélité 1997
- Fiche "Suivi Qualité"
- Fiche "Cuisine régionale"
- Fiche "Étape Affaires 1997"

LES LOGIS DE FRANCE MODE D'EMPLOI

LA
CHARTE DE QUALITÉ
LOGIS DE FRANCE

Vous avez choisi les Logis de France. Savez-vous que notre Chaîne regroupe les hôteliers-restaurateurs autour d'une même idée de leur métier et consignée dans une Charte de Qualité ? Voici les points forts de la Charte des Logis de France.

ETRE LOGIS DE FRANCE, C'EST :

Etre un hôtelier qui gère son entreprise dans un cadre familial où vous êtes accueillis en hôtes payants. Vous bénéficiez de toute l'attention qui permet d'établir, dès votre arrivée à l'hôtel, un climat de confiance appelé à se prolonger durant tout votre séjour.

Faciliter - par un accueil personnalisé - votre vie à l'hôtel et répondre à toutes les demandes d'informations pratiques sur la région, les activités culturelles ou sportives, les services aux automobilistes…

S'attacher à ce que l'environnement, la décoration, l'ameublement de l'hôtel et la table, s'inscrivent avec harmonie dans la région et dans sa tradition du terroir.

Préserver votre tranquillité et votre repos en s'interdisant, par exemple, d'installer des appareils à jeux ou à musique bruyants.

Respecter les critères généraux de la Charte. Critères repris dans une grille d'évaluation interne à la Chaîne et matérialisés par un classement en cheminées, affiché à la porte de l'hôtel et en regard du nom de celui-ci dans ce Guide national.

Accueillir nos amis étrangers en essayant de vaincre l'obstacle de la langue.

Offrir un bon niveau de confort et de propreté.

Assurer un excellent rapport confort/qualité/prix conforme à la réglementation en vigueur.

Favoriser l'accueil des parents et des enfants par divers moyens : Menu enfant, aire de jeux, services…

Veiller à ce que le personnel soit à votre écoute avec gentillesse et disponibilité.

Faciliter la réservation de votre prochaine étape dans un Logis de France pour vous faire bénéficier des mêmes prestations de qualité.

THE
LOGIS DE FRANCE
QUALITY CHARTER

You have chosen Logis de France for your next stay. Do you know that our chain gathers hoteliers and restaurateurs who share the same professional commitment laid down in a Quality Charter ? Here are the main points of the Logis de France Charter:

BEING PART OF THE LOGIS DE FRANCE MEANS:

Being a professional Running a hotel in a family atmosphere where paying guests receive the same hospitality as in a private home. Each guest enjoys attentive service from the moment he or she arrives, which brings with it a feeling of trust that develops throughout the stay.

Making the guest's stay in the hotel easier with personalised service and answering inquiries about the region, cultural and sporting activities and services available for drivers.

Ensuring that the hotel's general surroundings, decor, furnishing and cuisine fit in with regional and local traditions.

Caring for peace and quiet without, for example, noisy electronic games and loud music.

Respecting the general criteria of the Charter, which correspond to the chain's grading system represented by the number of chimney symbols shown at the entrance of each hotel and reproduced alongside each entry in this guidebook.

Welcoming foreign visitors and trying to overcome language barriers.

Providing a good level of comfort and cleanliness.

Offering an excellent comfort/quality/price ratio in accordance with the laws and regulations in force.

Providing a special welcome for parents with children by offering children's menus, playgrounds and other amenities.

Ensuring that staff is aware of each guest's needs and responds promptly and politely

Making it easier to book in a next Logis de France with the same quality of service and facilities.

Die
Qualitätscharta
der Logis de France

Sie haben die Logis de France gewählt. Wußten Sie, daß unsere Hotelkette Gastwirte vereint, die alle dieselbe, in einer Qualitätscharta hinterlegten, Auffassung ihres Berufes haben ? Hier nun die Hauptpunkte der Charta der Logis de France.

DER LOGIS DE FRANCE ANGEHÖREN BEDEUTET :

einen Hotelbesitzer, der sein Geschäft in einem familiären Rahmen führt und der Sie als zahlende Gäste empfängt. Man wird Sie mit großer Zuvorkommenheit begrüßen und vom ersten Augenblick Ihrer Ankunft an ein Vertrauensverhältnis herstellen, das sich auch während Ihres ganzen Aufenthalts fortsetzen wird.

daß man durch einen sehr persönlichen Empfang Ihren Aufenthalt im Hotel vereinfachen und auf Ihre Anfragen um praktische Auskünfte, über die Gegend, kulturelle und sportliche Aktivitäten, Informationen für Autofahrer u.s.w. eingehen wird.

daß man darauf achtet, die Gestaltung, die Hotelausstattung und die Kost harmonisch in die Region und ihre erdverbundene Tradition einzugliedern.

daß man Ihren Wunsch nach Ruhe und Erholung berücksichtigt, indem man zum Beispiel Spielapparate und laute Musik verbietet.

daß man die allgemeinen Kriterien der Charta, die in Kategorien eingestuft und nach Kaminen bewertet werden, respektiert und die Sie sowohl am Hoteleingang sowie auch in diesem Reiseführer vorfinden werden.

daß man für unsere ausländischen Gäste die Sprachschwierigkeiten so gut wie möglich überwinden wird.

daß Ihnen stets ein hoher Standard an Komfort und Sauberkeit geboten wird.

daß stets eine equitable Beziehung zwischen Komfort - Qualität - Preis gewährleistet wird.

daß man den Aufenthalt für Eltern mit Kindern fördert : spezielle Menüs für Kinder, Spielplätze und andere Dienstleistungen.

daß darauf geachtet wird, daß das Personal Ihnen stets freundlich und aufmerksam Gehör schenkt.

daß Sie mühelos Ihre nächste Etappe in einem Logis-Hotel reservieren können, um dieselben Qualitätsleistungen in Anspruch nehmen zu dürfen.

KWALITEITSOVEREENKOMST "LOGIS DE FRANCE"

U heeft Logis de France uitgekozen, maar wist U dat al onze hotel-restaurants zich houden aan de regels van de kwaliteitsovereenkomst, waarvan hierbij de belangrijkste regels...

LOGIS DE FRANCE ZIJN BETEKENT :

Gastvrij te worden ontvangen in een gezellig familiehotel. Vanaf Uw ontvangst zal alles worden gedaan om Uw verblijf zo aangenaam mogelijk te maken, en dit alles in zeer vertrouwelijke sfeer.

Dat U op persoonlijke wijze wordt ontvangen, Tijdens Uw verblijf krijgt U informatie over de streek waar U bent, over eventuele culturele en sportieve activiteiten, practische informatie, enz.

Belang hechten aan het feit dat de decoratie, binnen en buiten, in het hotel en in het restaurant, is aangepast aan de omgeving en aan de tradities van de streek.

Rust. Tijdens Uw verblijf is het bijvoorbeeld verboden om harde muziek aan te zetten.

Dat de regels van de kwaliteitsovereenkomst gerespecteerd worden.
De classificatie in schoorstenen, aangegeven in deze gids, naast de naam van het hotel, en bij de ingang van het hotel, garanderen deze regels.

Dat buitenlandse gasten zonder taalproblemen ontvangen zullen worden.

Dat de hotels comfortabel en schoon zijn.

Dat de uitstekende verhouding comfort/kwaliteit/prijs overeenstemt met de geldende regels.

Dat ouders met kinderen van harte welkom zijn, U kunt rekenen op een kindermenu, een speeltuintje, en andere aanbiedingen.

Dat het personeel vriendelijk is, en klaar staat voor Uw vragen.

Dat U zonder problemen kunt reserveren voor een volgende hotel, waar U natuurlijk dezelfde ontvangst kunt verwachten.

La Carta della Qualità Logis de France

Avete scelto Logis de France. Sapevate che la nostra catena raggruppa gli albergatori-ristoratori intorno ad un'idea comune del loro mestiere, stabilita in una Carta della qualità ? Ecco i punti chiave della Carta dei Logis de France.

ESSERE LOGIS DE FRANCE, SIGNIFICA :

Essere un albergatore che gestisce la propria impresa in un contesto familiare, nel quale siete accolti da ospiti paganti. L'attenzione di cui goderete permetterà di instaurare, sin dal vostro arrivo in albergo, un clima di fiducia che si prolungherà per tutta la durata del vostro soggiorno.

Facilitare grazie ad un'accoglienza personalizzata, la vostra vita in albergo e rispondere a tutte le vostre domande di informazioni pratiche sulla regione, le attività culturali o sportive, i servizi per gli automobilisti...

Affezionarsi all'ambiente, all'arredamento, ai mobili, per essere in armonia con la regione e con la tradizione locale.

Preservare la vostra tranquillità e il vostro riposo proibendo, per esempio, l'installazione di giochi o apparecchi musicali rumorosi.

Rispettare i criteri generali della Carta, criteri ripresi in un ordine di classificazione interno alla nostra Catena e corrispondente ad una classificazione per camini, affissa all'ingresso dell'albergo ed'a fronte del nome di quest'ultimo nella presente Guida nazionale.

Accogliere i nostri amici stranieri cercando di superare l'ostacolo della lingua.

Offrire un buon livello di comfort e di pulizia.

Garantire un optimo rapporto comfort / qualità / prezzo in accordo con la normativa in vigore.

Favorire il soggiorno della famiglia in diversi modi : menu bambino, area giochi, servizi...

Dare al personale la possibilità di essere gentile e disponibile.

Facilitare la prenotazione della vostra prossima tappa in un Logis de France alfine di farvi approfittare della stesse prestazioni di qualità.

La
Carta de Calidad
de los Logis de France

Usted ha elegido Logis de France. ¿Sabía que nuestra cadena agrupa a los hoteleros-restauradores en torno a una misma idea sobre su profesión, inscrita en una Carta de Calidad? He aqui los principales puntos de la Carta de Logis de France.

SER LOGIS DE FRANCE ES :

Ser un hotelero que administra su empresa en un ambiente familiar, en donde usted es acogido como huésped de pago y recibe toda la atención que permite entablar, desde el primer momento, relaciones de confianza que deberán prolongarse durante toda la estancia.

Facilitar su estancia en el hotel - mediante un recibimiento personalizado - y responder a todas las preguntas de informaciones prácticas sobre la región, actividades culturales o deportivas, servicios a los automovilistas, etc.

Hacer lo necesario para que el entorno, la decoración, el mobiliario del hotel y la mesa se inscriban con armonía en la región y en la tradición de la tierra.

Preservar la tranquilidad y el reposo de los huéspedes, por ejemplo evitando instalar máquinas ruidosas de juego o de música.

Respetar los criterios generales de la Carta, tomados en un baremo de clasificación interno a nuestra cadena, y materializados por una clasificación con chimeneas fijadas en la entrada del hotel, y que figura en frente de su nombre en la Guía nacional.

Recibir a nuestros amigos extranjeros tratando siempre de vencer la barrera del idioma.

Ofrecer un buen nivel de comodidad y limpieza.

Garantizar una excelente relación comodidad/calidad/precio, de acuerdo a la reglamentación en vigor.

Favorecer de diferentes formas la recepción de familias con niños : menú infantil, juegos al aire libre, servicios, etc.

Procurar que el personal esté a la escucha del huésped con amabilidad y disponibilidad.

Facilitar al huésped la reserva de su próxima etapa en otro Logis de France, donde pueda recibir el mismo nivel de servicios y de calidad.

LES
ASSOCIATIONS RÉGIONALES
ET DÉPARTEMENTALES

Les Associations régionales et départementales des Logis de France assurent le relais de la Fédération nationale des Logis de France au plan local. Elles coordonnent l'activité, informent les différentes structures et participent à la promotion générale du Mouvement auprès des médias, des élus locaux, des organismes à vocation touristique ou économique…N'hésitez pas à les contacter.

The Regional and Departmental Associations
The regional and departmental Logis de France associations are the local representatives of the National Federation of Logis de France. They coordinate activities, send information to their members and, take part in the promotion of the chain with the press, local politicians as well as the different organisations involved in tourism and local economy. Please do not hesitate to contact them.

Die Verbände der Regionen und der Départements
Die Verbände der Regionen und der Départements der Logis de France sind lokale Vertretungen innerhalb des nationalen Verwaltungsbereichs. Sie koordinieren die mannigfaltigen Tätigkeiten, informieren die verschiedenen Abteilungen und beteiligen sich an der Werbung für das Unternehmen auf dem Medienmarkt, bei Ortsbehörden und Amtsstellen, die sich mit Fremdenverkehr und Wirtschaft befassen. Sie stehen für Auskünfte zu Ihrer Verfügung.

De regionale en departementale verenigingen
De regionale en departementale verenigingen van Logis de France vertegenwoordigen de Nationale Federatie van Logis de France op locaal gebied. Zij coördineren de activiteiten, informeren de hotel-restaurants, en nemen deel aan de algemene promotie van de keten bij de media, de plaatselijke overheid en organismen die zich bezighouden met toerisme en economie. Aarzel niet om contact met ons op te nemen.

Le Associazioni regionali e dipartimentali
Le Associazioni regionali e dipartimentali dei Logis de France assicurano il collegamento della Federazione nazionale dei Logis de France sul piano locale, ne coordinano l'attività, informano le diverse strutture e partecipano alla promozione generale del Movimento presso i media, gli eletti locali, gli organismi a vocazione turistica o economica… Non esitate a prendere contatto con loro.

Las Asociaciones regionales y departamentales
Las Asociaciones regionales y departamentales de los Logis de France representan a la Federación Nacional al nivel local. Coordinan las actividades, informan a las diferentes estructuras y participan en la promoción general del Movimiento ante los medios de comunicación, los representantes gubernamentales locales, los organismos de tipo turístico o económico, etc. No dude en ponerse en contacto con ellas.

11 associations régionales des Logis de France

- **Auvergne (Allier, Cantal, Haute-Loire, Puy-de-Dôme)**
  C.R.C.I. d'Auvergne - B.P. 25 - 63510 Aulnat - tél. 04 73 60 46 46
- **Bourgogne (Côte-d'Or, Nièvre, Saône-et-Loire, Yonne)**
  C.R.C.I. - 68, rue Chevreul -B.P. 209
  21006 Dijon Cedex - tél. 03 80 63 52 51
- **Bretagne (Côtes-d'Armor, Finistère, Ille-et-Vilaine, Morbihan)**
  B.P. 94 - 35413 Saint-Malo Cedex - tél. 02 99 81 31 46
- **Franche-Comté (Doubs, Jura, Haute-Saône, Territoire de Belfort)**
  4 ter, Faubourg Rivotte - 25000 Besançon - tél. 03 81 82 80 48
- **Languedoc-Roussillon (Aude, Gard, Hérault, Lozère, Pyrénées-Orientales)**
  Centre administratif départemental - Conseil Général - Plateau de Grazailles
  11855 Carcassonne Cedex 09 - tél. 04 68 11 65 88
- **Limousin (Corrèze, Creuse, Haute-Vienne)**
  C.C.I. - 10, avenue Maréchal Leclerc - 19316 Brive Cedex - tél. 05 55 74 32 32
- **Lorraine (Meurthe-et-Moselle, Meuse, Moselle, Vosges)**
  C.C.I. - 10/12, av. Foch - B.P. 330 - 57016 Metz Cedex 1 - tél. 03 87 52 31 00
- **Midi-Pyrénées (Aveyron, Gers, Haute-Garonne, Hautes-Pyrénées,**
  Lot, Tarn, Tarn-et-Garonne)
  C.D.T. - 14, rue Bayard - 31000 Toulouse - tél. 05 61 99 44 00
- **Normandie (Calvados, Eure, Manche, Orne, Seine-Maritime)**
  Maison du Département - Route de Villedieu - 50008 Saint-Lo - tél. 02 33 05 98 70
- **Pays de la Loire (Loire-Atlantique, Maine-et-Loire, Mayenne, Sarthe, Vendée)**
  C.D.T. - Immeuble Acropole - 2, allée Baco - 44000 Nantes - tél. 02 51 72 95 30
- **Provence-Alpes-Côte d'Azur (Alpes de Haute-Provence, Hautes-Alpes, Alpes-Maritimes,**
  Bouches-du-Rhône, Var, Vaucluse)
  CRCI - 8, rue Neuve Saint-Martin - B.P. 1880 - 13222 Marseille Cedex 01 - tél. 04 91 14 42 00

1 association interdépartementale

- **Association interdépartementale des Logis de France des Pyrénées de l'Atlantique**
  à la Méditerranée (Ariège, Aude, Haute-Garonne, Pyrénées-Atlantiques, Hautes-Pyrénées)
  Secrétariat : 14, rue Bayard - 31000 Toulouse - tél. 05 61 99 44 00

93 associations départementales

01 **Ain** Chambre Hôtelière de l'Ain - 4, rue Bourgmayer - 01000 Bourg-en-Bresse
   tél. 04 74 22 54 73
02 **Aisne** C.D.T. - 1, rue Saint-Martin - B.P. 116 - 02005 Laon Cedex - tél. 03 23 26 70 00
03 **Allier** C.D.T. - Hôtel de Rochefort - 12, cours Anatole France - 03000 Moulins
   tél. 04 70 46 81 50
04 **Alpes-de-Haute-Provence** C.C.I. - Boulevard Gassendi - 04000 Digne-les-Bains
   tél. 04 92 30 80 80
05 **Hautes-Alpes** C.C.I. - 16, rue Carnot - B.P. 6 - 05001 Gap Cedex - tél. 04 92 51 73 73
06 **Alpes-Maritimes** C.R.T. - 55, promenade des Anglais - 06000 Nice - tél. 04 93 18 61 39
07 **Ardèche** C.D.T. - 4, cours du Palais - B.P. 221 - 07000 Privas - tél. 04 75 64 04 66
08 **Ardennes** C.D.T. - résidence Arduinna - 18, avenue G. Corneau
   08000 Charleville-Mézières - tél. 03 24 59 46 78
09 **Ariège** Hôtel du Département - B.P. 143 - 09000 Foix - tél. 05 61 02 30 70
10 **Aube** C.D.T. - 34, quai Dampierre - 10003 Troyes Cedex - tél. 03 25 42 50 94
11 **Aude** Centre administratif départemental - Conseil Général - Plateau de Grazailles
   11855 Carcassonne Cedex 09 - tél. 04 68 11 65 88
12 **Aveyron** C.C.I. - 10, place de la Cité - 12033 Rodez Cedex 09 - tél. 05 65 77 77 00
13 **Bouches-du-Rhône** Loisirs-Accueil - Domaine du Vergon - 13370 Mallemort
   tél. 04 90 59 49 26
14 **Calvados** Péricentre II - 66, avenue de Thiès - 14000 Caen - tél. 02 31 93 10 74

15 CANTAL Fédération Hôtelière - 8, rue Marie-Maurel - 15000 Aurillac - tél. 04 71 48 08 10

16 CHARENTE C.D.T. - Place Bouillaud - 16021 Angoulême - tél. 05 45 69 79 19

17 CHARENTE-MARITIME C.D.T. - 11 bis, rue des Augustins - B.P. 1152
17008 La Rochelle Cedex - tél. 05 46 41 43 33

18 CHER C.C.I. - Route d'Issoudun - B.P. 54 - 18001 Bourges Cedex - tél. 02 48 67 80 80

19 CORRÈZE C.C.I. - 10, avenue Maréchal Leclerc - 19316 Brive Cedex - tél. 05 55 74 32 32

20 CORSE DU SUD Hôtel Holtzer - 12, rue Jean Jaurès - 20137 Porto-Vecchio - tél. 04 95 70 05 93

20 HAUTE-CORSE C.C.I. de Bastia et de la Haute-Corse - Hôtel Consulaire,
rue du Nouveau Port - B.P. 210 - 20293 Bastia Cedex - tél. 04 95 54 44 44

21 CÔTE-D'OR C.R.C.I. - 68 rue du Chevreul - B.P. 209 - 21006 Dijon Cedex
tél. 03 80 63 52 51

22 CÔTE-D'ARMOR Hôtel de Diane - 22240 Sables-d'Or-les-Pins - tél. 02 96 41 42 07

23 CREUSE C.C.I. - 1, avenue de la République - B.P. 35 - 23001 Guéret Cedex - tél. 05 55 51 96 60

24 DORDOGNE C.D.T. - 25, rue du Président Wilson - 24009 Périgueux Cedex - tél. 05 53 35 50 30

25 DOUBS 4 ter, Faubourg Rivotte - 25000 Besançon - tél. 03 81 82 80 48

26 DRÔME C.D.T. - 31, avenue Herriot - 26000 Valence - tél. 04 75 82 19 26

27 EURE C.D.T. - Hôtel du Département - boulevard Georges Chauvin - B.P. 367
27003 Evreux Cedex - tél. 02 32 31 51 51

28 EURE-ET-LOIR C.D.T. - 10, rue du Dr. Maunoury - B.P. 67 - 28002 Chartres - tél. 02 37 84 01 03

29 FINISTÈRE Syndicat Hôtelier - 2, rue Frédéric Le Guyader - 29000 Quimper
tél. 02 98 95 12 31

30 GARD C.C.I. - 12, rue de la République - 30032 Nîmes Cedex - tél. 04 66 76 33 33

31 HAUTE-GARONNE C.D.T. - 14, rue Bayard - 31000 Toulouse - tél. 05 61 99 44 00

32 GERS Syndicat Hôtelier - 1, rue Dessoles - B.P. 114 - 32002 Auch Cedex - tél. 05 62 05 05 38

33 GIRONDE Maison du Tourisme - 21, cours de l'Intendance - 33000 Bordeaux
tél. 05 56 52 61 40

34 HÉRAULT C.D.T. - Maison du Tourisme - avenue des Moulins - B.P. 3067
34034 Montpellier Cedex 1 - tél. 04 67 84 71 24

35 ILLE-ET-VILAINE Syndicat Hôtelier - 74, boulevard de Rochebonne - 35400 Saint-Malo
tél. 02 99 56 60 95

36 INDRE C.C.I. - 24, place Gambetta - 36028 Châteauroux Cedex - tél. 02 54 53 52 51

37 INDRE-ET-LOIRE C.C.I. - 4 bis, rue Jules Fabre - 37010 Tours Cedex - tél. 02 47 47 20 88

38 ISÈRE C.D.T. - 14, rue de la République - B.P. 227 - 38019 Grenoble Cedex - tél. 04 76 54 34 36

39 JURA C.D.T. - 8, rue Louis Rousseau - 39000 Lons-Le-Saunier
tél. 03 84 87 08 88

40 LANDES Syndicat Hôtelier - 38, cours Maréchal-Joffre - B.P. 364 - 40108 Dax Cedex
tél. 05 58 74 08 03

41 LOIR-ET-CHER C.D.T. - 5, rue de la Voûte du Château - 41000 Blois - tél. 02 54 78 55 50

42 LOIRE C°/Georges Berthomier - 8, allée des Acacias - 42160 Saint-Cyprien
tél. 04 77 55 22 94

43 HAUTE-LOIRE C.C.I. du Puy-Yssingeaux - 16, boulevard du Pdt Bertrand - B.P. 127
43004 Le Puy-en-Velay Cedex - tél. 04 71 09 90 00

44 LOIRE-ATLANTIQUE C.D.T. - Immeuble Acropole - 2, allée Baco - 44000 Nantes
tél. 02 51 72 95 30

45 LOIRET C.C.I. - 23, place du Martroi - 45044 Orléans Cedex 01 - tél. 02 38 77 77 77

46 LOT C.C.I. - 107, quai Cavaignac - B.P. 79 - 46002 Cahors Cedex - tél. 05 65 20 35 02

47 LOT-ET-GARONNE Syndicat Hôtelier - 42, rue Lamouroux - 47000 Agen - tél. 05 53 66 88 39

48 LOZÈRE Hôtel du Pont Roupt - 48000 Mende - tél. 04 66 65 01 43

49 MAINE-ET-LOIRE C.D.T de l'Anjou - place Kennedy - B.P. 2147 - 49021 Angers Cedex 02 -
tél. 02 41 23 51 51

50 MANCHE Maison du Département - route de Villedieu - 50008 Saint-Lô - tél. 02 33 05 98 83

51 MARNE C.D.T. - 13 bis, rue Carnot - 51000 Châlons-en-Champagne - tél. 03 26 68 37 52

52 HAUTE-MARNE C.D.T - 40 bis, avenue Foch - 52000 Chaumont - tél. 03 25 30 39 00

53 MAYENNE C.D.T. - 84, av. Robert Buron - B.P. 1429 - 53014 Laval Cedex - tél. 02 43 53 18 18

54 **MEURTHE-ET-MOSELLE** C.D.T. - 48, rue du Sergent Blandan - B.P. 65 - 54062 Nancy Cedex
tél. 03 83 94 51 90

55 **MEUSE** C.D.T - Hôtel du Département - 55012 Bar-le-Duc - tél. 03 29 45 78 40

56 **MORBIHAN** C.C.I. - 21, quai des Indes - 56323 Lorient Cedex - tél. 02 97 02 40 85

57 **MOSELLE** C.C.I. - 10/12, avenue Foch - B.P. 330 - 57016 Metz Cedex 1 - tél. 03 87 52 31 00

58 **NIÈVRE** Nièvre Tourisme - 3, rue du Sort - 58000 Nevers - tél. 03 86 36 39 80

59 **NORD** C.D.T. - 15/17, rue du Nouveau Siècle - B.P. 135 - 59027 Lille Cedex - tél. 03 20 57 00 61

60 **OISE** C.D.T. - 19, rue Pierre Jacoby - B.P. 822 - 60008 Beauvais Cedex - tél. 03 44 45 82 12

61 **ORNE** C.D.T. - 88, rue Saint-Blaise - B.P. 50 - 61002 Alençon Cedex - tél. 02 33 28 88 71

62 **PAS-DE-CALAIS** C.D.T. - 24, rue Desille - 62200 Boulogne-sur-Mer Cedex - tél. 03 21 83 32 59

63 **PUY-DE-DÔME** C.D.T. - 26, rue Saint-Esprit - 63038 Clermont-Ferrand Cedex
tél. 04 73 42 21 23

64 **PYRÉNÉES-ATLANTIQUES** C.C.I. - 1, rue de Donzac - 64100 Bayonne - tél. 05 59 46 59 57

65 **HAUTES-PYRÉNÉES** Maison du Tourisme - 9, rue André Fourcade - 65000 Tarbes
tél. 05 62 93 01 10

66 **PYRÉNÉES-ORIENTALES** C.C.I. - Quai de Lattre de Tassigny - B.P. 941
66020 Perpignan Cedex - tél. 04 68 35 66 33

67 **BAS-RHIN** Maison du Tourisme - 9, rue du Dôme - B.P. 53 - 67061 Strasbourg Cedex
tél. 03 88 15 45 88

68 **HAUT-RHIN** C.C.I. - 2, rue Georges Lasch - B.P. 7 - 68001 Colmar - tél. 03 89 20 20 20

69 **RHÔNE** C.C.I. - 317, boulevard Gambetta - B.P. 427 - 69654 Villefranche-sur-Saône Cedex
tél. 04 74 62 73 00

70 **HAUTE-SAÔNE** C.D.T. - Maison du Tourisme - Le Rialto - rue des Bains - B.P. 117
70002 Vesoul Cedex - tél. 03 84 75 43 66

71 **SAÔNE-ET-LOIRE** C.C.I. - place Gérard Genevès - B.P. 531 - 71010 Mâcon Cedex
tél. 03 85 21 53 00

72 **SARTHE** C.D.T. - Hôtel du Département - 72072 Le Mans Cedex 9 - tél. 02 43 54 72 72

73 **SAVOIE** Syndicat Hôtelier - 221, avenue de Lyon - B.P. 448 - 73004 Chambéry Cedex -
tél. 04 79 69 26 18

74 **HAUTE-SAVOIE** C.C.I. - B.P. 128 - 74004 Annecy Cedex - tél. 04 50 33 72 00

76 **SEINE-MARITIME** C.R.C.I. - 9, rue Robert Schuman - 76000 Rouen - tél. 02 35 88 44 42

77 **SEINE-ET-MARNE** Maison du Tourisme - Château de Soubiran
170, avenue Henri Barbusse - 77190 Dammarie-les-Lys - tél. 01 64 10 10 64

78 **YVELINES** C.C.I. - 21, avenue de Paris - 78021 Versailles Cedex - tél. 01 30 84 79 47

79 **DEUX-SÈVRES** C.D.T. - 15, rue Thiers - B.P. 49 - 79002 Niort Cedex - tél. 05 49 77 19 70

80 **SOMME** C.D.T. - 21, rue Ernest Cauvin - 80000 Amiens - tél. 03 22 92 26 39

81 **TARN** C.D.T. - Moulin Albigeois - B.P. 225 - 81006 Albi Cedex - tél. 05 63 77 32 38

82 **TARN-ET-GARONNE** C.C.I. - 22, allée de Mortarieu - B.P. 527 - 82005 Montauban Cedex
tél. 05 63 22 26 26

83 **VAR** Conseil Général - 1, boulevard Foch - B.P. 187 - 83005 Draguignan Cedex - tél. 04 94 68 97 74

84 **VAUCLUSE** C.D.T. - Place Campana - B.P. 147 - 84008 Avignon Cedex - tél. 04 90 86 43 42

85 **VENDÉE** C.D.T. - 8, place Napoléon - B.P. 233 - 85006 La-Roche-sur-Yon Cedex
tél. 02 51 44 26 29

86 **VIENNE** C.D.T. - 15, rue Carnot - B.P. 287 - 86007 Poitiers - tél. 05 49 37 48 48

87 **HAUTE-VIENNE** C.C.I. - 16, place Jourdan - 87000 Limoges - tél. 05 55 45 15 15

88 **VOSGES** C.D.T. - 7, rue Gilbert - B.P. 332 - 88008 Epinal Cedex - tél. 03 29 82 49 93

89 **YONNE** C.D.T. - 1/2, quai de la République - 89000 Auxerre - tél. 03 86 52 26 27

90 **TERROIRE DE BELFORT** C.C.I. - 1, rue du Docteur Fréry - B.P. 199 - 90004 Belfort Cedex
tél. 03 84 54 54 54

91 **ESSONNE** Chambre Industrielle Touristique et Hôtelière de l'Essonne
2, cours Monseigneur Roméro - 91025 Evry Cedex - tél. 01 69 91 07 06

95 **VAL-D'OISE** Maison du Tourisme - Château de la Motte - rue François de Ganay
95270 Luzarches - tél. 01 34 71 90 00

974 **ILE DE LA RÉUNION** Hôtel Le Vieux Cep - 2, rue des Trois Mares - 97413 Cilaos - tél. 02 62 31 71 89

EUROPLOGIS

Les Logis de France ont toujours pris des initiatives face aux grandes évolutions de leur époque.

Ainsi, plus de 45 ans d'histoire ont contribué à la naissance d'**Europlogis** qui a vu le jour le 26 octobre 1993. Pour retrouver l'accueil et la qualité "Logis" dans l'un des pays d'Europe où ils sont présents, commandez vite le guide national concerné, auprès de la Fédération nationale des Logis de France. **Bon voyage !**

The Logis de France have always strived to keep ahead of the times and with 45 years of experience, the **Europlogis** chain was founded on 26th October 1993. You can now find "Logis" quality and hospitality in different European countries. Order now their national guidebooks from the Fédération Nationale des Logis de France in Paris. **Have a good trip !**

Pour en savoir plus
sur **Europlogis**,
composez sur votre minitel :
36 15 Logis de France

When in France, for further information on Logis de France by minitel, dial 36 15 Logis de France.

Weitere Informationen im französischen Videotexnetz über Btx: *1333# und dann 36 15 Logis de France.

Minitel (via Videotext) 36 15 Logis de France.

Nostro servizio sul vostro Videotel 36 15 Logis de France

Si desea más información, marque el 36 15 Logis de France en el minitel.

Die Logis de France haben angesichts der Entwicklungen ihrer Epoche stets Unternehmungsgeist gezeigt, So haben mehr als 45 Jahre Geschichte am 26. Oktober 1993 zur Gründung der **Europlogis** geführt.

Damit Sie in jedem Land Europas, in dem die "Logis" vertreten sind, stets denselben Empfang und dieselbe **Qualität** vorfinden könen, bestellen Sie bitte schnell den entsprechenden Reiseführer beim Nationalverband der Logis de France. **Gute Reise !**

Logis de France volgt de nieuwe
ontwikkelingen op de voet.
Daarom is het logisch dat sinds
26 oktober 1993 **Europlogis** bestaat.
Als U wilt weten waar U de ontvangst en
kwaliteit, eigen aan Logis de France, kunt
terugvinden, bestel dan de gids van één van
de betreffende landen bij de Nationale
Federatie van Logis de France. Goede reis.

I Logis di Francia hanno sempre preso
dell` iniziative sulla scia dell` evoluzioni
del loro tempo.
Più di 45 anni di storia hanno contribuito
alla nascita di **Europlogis**, che ha visto la
luce il 26 ottobre 1993.
Per ritrovare l'ospitalità e la qualità "Logis"
in uno dei paesi europei in cui sono
presenti, ordinate al più presto la guida
nazionale alla Federazione nazionale dei
Logis de France. Buon viaggio !

Los Logis de France siempre han tomado
iniciativas ante las principales evoluciones
de su época.
Así, mas de 45 años de historia han
contribuido a la creación de **Europlogis**,
fundado el 26 de octubre de 1993. Para
recibir la acogida y la calidad Logis en uno
de los países de Europa donde se encuentran,
solicite rapidamente la guía nacional
deseada en la Federación Nacional de Logis
de France. ¡Feliz viaje!

- **Fédération nationale
  des Logis de France**
  83, avenue d'Italie - 75013 Paris - France
  tél. : 01 45 84 70 00
  fax : 01 45 83 59 66
  Guide national : 95 FF ttc
  Centrale de réservation :
  tél. : 01 45 84 83 84

- **Logis de Belgique
  Logis van België
  Logis von Belgien**
  15, rue de l'Eglise - B 6980
  La Roche - Belgique
  tél. : 00 32 84 41 27 67
  fax : 00 32 84 41 11 42
  Guide national : 35 F ttc

- **Logis of Great Britain**
  20 Church Road - Horspath
  Oxford OX33 1RU - England
  tél. : 00 44 1865 875 888
  fax : 00 44 1865 875 777
  Guide national : 70 F ttc
  Réservation centrale :
  tél. : 00 44 1865 875 888

- **Logis of Ireland**
  Unit 2 - Sandymount village centre
  Sandymount - Dublin 4 - Ireland
  tél. : 00 35 31 66 89 743
  fax : 00 35 31 66 89 727
  Réservation centrale :
  tél. : 00 353 1668 97 43

La **liste des hôtels-restaurants** est incluse
dans le Guide 97 des Logis of Great Britain.
La **carte de l'Irlande**, avec l'implantation des
Logis, est disponible gratuitement sur simple
demande à la Fédération nationale des Logis
de France.

- **Logis d'Italia**
  Via Padova 41 - 20127 Milano - Italia
  tél. : 00 39 2 26 82 97 42
  fax : 00 39 2 26 82 97 43
  Réservation centrale :
  tél. : 00 39 6 446 43 99
  fax : 00 39 6 445 28 45
  Guide national : 50 F ttc

LES LOGIS DE GRANDE-BRETAGNE, C'EST COMME LES LOGIS DE FRANCE MAIS EN GRANDE-BRETAGNE.

Ce qui fait la réputation des Logis de France fait aujourd'hui la réputation des Logis de Grande-Bretagne : des adresses rigoureusement sélectionnées en Angleterre, en Ecosse et au Pays de Galles, un accueil toujours chaleureux et une très bonne table permettant d'apprécier la gastronomie locale. Pour plus d'informations, consultez la brochure Outre-Manche de SeaFrance Sealink qui vous aidera à établir votre itinéraire et vos étapes.

Renseignements et réservations chez votre agent de voyages. Dans les agences SEAFRANCE : 23 rue Louis le Grand 75002 Paris Tél 01 44 94 40 40 - 2 place d'Armes 62100 Calais Tél 03 21 34 55 00 - 11 place du Théâtre 59800 Lille Tél 03 20 06 29 44

N° Azur **0801 63 63 01** Informations : 3615 SEAFRANCE. (2,23F TTC la minute).
Pour le coût d'une communication locale

 SEAFRANCE
SEALINK

Licence 075951/247 RCS PARIS B 377 524 319 Garanti par le Crédit du Nord.

Une tradition de l'accueil et de la qualité
Where hospitality and quality
are a tradition
Empfang und Qualität : eine Tradition !
Een traditie van ontvangst en kwaliteit
Tradizione dell'ospitalità e della qualità
Una acogida y una calidad de tradición

Hôtel de la Poste et de la Perdrix 66 – Perpignan

Logis de France

LGB: Moortown lodge – Ringwood

**Logis
of
Great Britain**

Logis de Belgique

**Logis de Belgique
Logis van België
Logis von Belgien**

Logis of Ireland

**Logis of
Ireland**

Logis d'Italia

Logis d'Italia

Vingt et une
Recettes
régionales

Finale 1996 des Chefs Logis de France

Tradition et terroir

LA CUISINE RÉGIONALE

LAURÉATS ET FINALISTES 96
DU "CONCOURS DE LA CUISINE RÉGIONALE LOGIS DE FRANCE"

Lauréats nationaux

- **"ENTRÉE LOGIS DE FRANCE 1996"**
  Région Haute-Normandie. Huîtres chaudes de Saint-Vaast au cidre de Serpolette.
  Lauréat : Jean-Michel Tixier - Chef de cuisine : Sébastien Collin
  "Les Cloches de Corneville-sur-Risle" - 27500 Corneville-sur-Risle
- **"PLAT LOGIS DE FRANCE 1996"**
  Région Limousin. Tarte à l'envers à la limousine. Lauréat : Raymond Besanger
  Chef de cuisine : Patrick Fageolle. "Relais du Bas Limousin" - 19270 Donzenac
- **"DESSERT LOGIS DE FRANCE 1996"**
  Région Alsace. Feuillantines caramélisées à la poire Streussel et crème glacée au miel
  de sapin. Lauréat : Paul Golla - Patissière : Marie-Claude Golla
  "Au Bœuf rouge" - 67500 Niederschaeffolsheim

Finalistes régionaux

- **ALSACE (BAS-RHIN)** Au Bœuf Rouge
  M. Paul Golla (Mme Marie-Claude Golla) -
  67 Niederschaeffolsheim
- **AQUITAINE (LANDES)** Relais des Plages
  Mme Danièle Lageyre (M. Jean-Michel
  Dutournier) - 40 St-Paul-Les-Dax
- **AUVERGNE (CANTAL)** L'Auberge
  des Montagnes - Mme Denise Combourieu
  15 Pailherols
- **BOURGOGNE (CÔTE-D'OR)** Le Santenoy
  M. Pierre Roblot - 21 Marcenay-le-Lac
- **BRETAGNE (CÔTES-D'ARMOR)**
  Relais de l'Argoat - M. Pierre Marais
  22 Belle Isle en Terre
- **CENTRE VAL-DE-LOIRE (EURE & LOIR)**
  Auberge de la Pomme de Pin - M. Guy
  Bauer (M. Rémy Bauer) - 28 Senonches
- **CHAMPAGNE-ARDENNE (AUBE)**
  Le Val Moret - Mme Thérèse Marisy
  (M. Daniel Vioix) - 10 Magnant
- **FRANCHE-COMTÉ (DOUBS)** Le Bellevue
  Mme Catherine Claude (M. Dominique
  Claude) - 25 St-Hippolyte
- **ILE-DE-FRANCE (SEINE & MARNE)**
  La Baraque - M. Alain Bequignon - 77 Nangis
- **LANGUEDOC-ROUSSILLON (AUDE)**
  Hôtel d'Alibert - M. Frédéric Guiraud
  (M. José Caselles) - 11 Caunes Minervois
- **LIMOUSIN (CORRÈZE)** Le Relais du Bas
  Limousin - M. Raymond Besanger
  (M. Patrick Fageolle) - 19 Donzenac
- **LORRAINE (MOSELLE)** Hostellerie
  du Lion d'Or - M. Henri Erman
  (M. Olivier Mertens) - 57 Gorze
- **MIDI-PYRÉNÉES (AVEYRON)**
  Hôtel du Commerce - M. Bruno Delmas
  12 Rieupeyroux
- **NORD-PAS-DE-CALAIS (NORD)** Le Grand
  Hôtel - M. Jean-Claude Marszolik
  (M. Dominique Jumiaux) - 59 Maubeuge
- **BASSE-NORMANDIE (ORNE)** Le Cheval Blanc
  M. Louis Feret (Mme Aline Feret)
  61 La Chapelle d'Andaine
- **HAUTE-NORMANDIE (EURE)**
  Les Cloches de Corneville
  M. Jean-Michel Tixier (M. Sébastien
  ollin) - 27 Corneville-sur-Risle
- **PAYS-DE-LA-LOIRE (LOIRE-ATLANTIQUE)**
  Hôtel de Bretagne - M. Gérald Lorin
  44 Nort sur Erdre
- **PICARDIE (AISNE)** Le Cygne d'Argent
  Mme Sylvie Guillemin
  (M. Christian Cavallaro, M. Sébastien
  Guery) - 02 Domptin
- **POITOU-CHARENTES (VIENNE)** Auberge
  du Cheval Blanc et le Clovis - M. Patrick
  Blondin - 86 Vouille
- **PACA (ALPES-MARITIMES)** Hôtel des
  Voyageurs Mme Claudette Rouquier
  06 Thorenc
- **RHÔNE-ALPES (ISÈRE)** Hôtel de la Poste
  M. Gilbert Delas - 38 Corps

Vous voulez être critique gastronomique Logis de France

et participer au grand jeu des cuisines régionales ?

...rendez-vous p. 821

Would you like to be a Logis de France gastronomic Critic

and take part in the great regional cuisine competition?

...see p. 821

Möchten Sie gerne ein gastronomischer Kritiker Logis de France werden und an dem großen Spiel der regionalen Küche teilnehmen ? Näheres auf Seite 821.

Wilt U gastronomisch criticus zijn voor Logis de France en deelnemen aan het grote spel voor regionale kookkunst ? Afspraak op bladzijde 821.

Se volete fare il critico gastronomico di Logis de France e partecipare al gran gioco delle cucine regionali, appuntamento alla pagina 821.

¿Desea ser crítico gastronómico Logis de France y participar en el gran juego de las cocinas regionales? Cita en la página 821.

LOGIS DE FRANCE *Services*

Logis de France Services vous propose, pour faciliter vos séjours ou déplacements professionnels, une gamme de produits aux meilleures conditions de confort et de prix. Les hôtels adhérant à la centrale de réservation grand public des Logis de France sont indiqués dans la liste des hôtels par le symbole

* LA BROCHURE "LOGIS EN LIBERTÉ" vous permet de découvrir la France, d'hôtel en hôtel pour un prix unique.
* LA BROCHURE "GROUPES" vous indique les hôtels pouvant recevoir des groupes de 20 personnes minimum, à un tarif spécifique.
* LA BROCHURE "SÉMINAIRES" offre aux entreprises un choix d'hôtels-restaurants possédant l'équipement et les compétences nécessaires à l'organisation de séminaires.
* LES "LOGIS DE PÊCHE" (forfaits week-end ou semaine) pour les amateurs de pêche.

Pour tout renseignement, toute demande de brochures ou réservation :
* FRANCE : Logis de France Services - 83 avenue d'Italie, 75013 Paris. Tél. : 01 45 84 83 84
  Fax : 01 44 24 08 74 - Télex : 202 030 F - Minitel : 3615 Logis de France (1,29 F/mm).

In order to make your leisure or professional trips run smoothly, **Logis de France Services** offers a set of guides and packages at the best price and comfort conditions. The hotel members of the Logis de France central reservations service are identified in the list of hotels by the sign

* THE "LOGIS EN LIBERTÉ" brochure guides you through France, hotel by hotel, all for one flat rate price.
* THE "GROUPES" brochure will tell you which hotels have the capacity for group reservation at a specific price with a minimum of 20 people required.
* THE "SÉMINAIRES" brochure offers companies a choice of hotel-restaurants having both the necessary facilities and skills for the organisation of seminars.
* THE "LOGIS DE PÊCHE" are designed for anglers and inform you about week-end or weekday packages.

For further information, brochures or reservations:
* Logis de France Services - 83 avenue d'Italie, 75013 Paris. Tel. 01 45 84 83 84,
  Fax: 01 44 24 08 74, Telex: 202 030 F. Minitel: 3615 Logis de France (1.29 FF per minute).

Logis de France bietet Ihnen zur Vereinfachung Ihrer Aufenthalte und Ihrer Geschäftsreisen eine Palette von Leistungen mit dem besten Komfort an. Die Hotels, die an die öffentliche Reservierungszentrale von Logis de France angeschlossen sind, werden in der Hotelliste durch die Abkürzung gekennzeichnet.

* DIE BROSCHÜRE "LOGIS NACH WAHL" ermöglicht Ihnen, Frankreich zu entdecken, von Hotel zu Hotel mit einem einheitlichen Preis.
* DIE BROSCHÜRE "GRUPPEN" gibt Ihnen die Hotels an, die Gruppen von mindestens 20 Personen aufnehmen können, zu einem besonderen Preis.
* DIE BROSCHÜRE "SEMINARE" bietet den Unternehmen ein Angebot von Hotels-Restaurants, die die zur Organisation von Seminaren notwendigen Ausstattung und Kompetenzen vorweisen.
* DIE "LOGIS FÜR ANGLER" (Wochenend- oder Wochenpauschalen) für die Liebhaber des Angelns.

Für Auskünfte, Versand von Broschüren und Reservierungen:
* Logis de France Services - 83 avenue d'Italie, 75 013 Paris. Tel : 01.45.04.03.01
  Fax: 01.44.24.08.74 - Telex: 202 030 F - Minitel: 3615 Logis de France (1,29 FF/min).

Om uw verblijf en verplaatsingen voor beroepsredenen aangenamer te maken, biedt **Logis de France Services** U een reeks van producten aan tegen voorwaarden met het hoogste comfort. De hotels, aangesloten bij de centrale voor reserveringen voor het grote publiek van Logis de France, worden in de lijst van hotels aangeduid door het symbool

- DOOR MIDDEL VAN DE BROCHURE "LOGIS EN LIBERTÉ" (NL : "Logies in alle Vrijheid") kunt U Frankrijk ontdekken, van hotel tot hotel, voor één en dezelfde prijs.
- DE BROCHURE "GROUPES" (NL : "Groepen") geeft de hotels aan, waarin groepen van minimum 20 personen kunnen overnachten tegen een specifiek tarief.
- DE BROCHURE "SÉMINAIRES" (NL : "Seminaries") biedt de ondernemingen een keuze van hotels-restaurants, die de uitrusting en kennis van zaken hebben, vereist voor het organiseren van seminaries.
- DE "LOGIS DE PÊCHE" (NL : "Logies voor Vissers") (weekend-en weekforfaits) voor de visserijliefhebbers.

Voor alle inlichtingen, het aanvragen van brochures of reserveringen :
- Logis de France Services - 83 avenue d'Italie, 75013 Paris. - Tel. : 01.45.84.83.84.
  Fax : 01.44.24.08.74. - Telex : 202 030 F - Minitel : 3615 Logis de France (1,29 F/mm).

Gli Alberghi "**Logis de France**" vi propongono, per facilitare i vostri soggiorni e i vostri spostamenti professionali, una gamma di prodotti nelle migliori condizioni di comfort. Gli alberghi che fanno parte della centrale di prenotazione sono indicati nella lista degli alberghi con il simbolo

- L'OPUSCOLO "LOGIS EN LIBERTÉ" vi permette di scoprire la Francia, di albergo in albergo, ad un prezzo unico.
- L'OPUSCOLO "GROUPES" vi indica gli alberghi che possono accogliere gruppi di un minimo di 20 persone a prezzi speciali.
- L'OPUSCOLO "SEMINAIRES" offre alle aziende una scelta di alberghi ristoranti che dispongono delle attrezzature e delle competenze necessarie all'organizzazione dei seminari.
- I "LOGIS DE PÊCHE" (prezzi per i week-end o per le settimane) è riservato agli amatori di pesca.

Per ogni informazione o per la richiesta di opuscoli o prenotazioni :
- Logis de France Services, 83 avenue d'Italie, 75013 Parigi - Tel. : 01.45.84.83.84
  Fax : 01.44.24.08.74 - Telex : 202 030 F - Minitel : 3615 Logis de France (1,29 FF al minuto)

Para facilitar sus estancias de ocio y desplazamientos profesionales, **Logis de France Services** les propone una gama de productos con las mejores condiciones de confort. Los hoteles afiliados a la central de reservas para el gran público de Logis de France figuran en la lista de hoteles con el símbolo

- EL FOLLETO "LOGIS EN LIBERTAD" les permite descubrir Francia de hotel en hotel por un precio único.
- EL FOLLETO "GRUPOS" les indica los hoteles que pueden recibir a grupos de 20 personas como mínimo por una tarifa específica.
- EL FOLLETO "SEMINARIOS" ofrece a las empresas una amplia gama de hoteles-restaurantes que poseen el equipamiento y las competencias necesarias para la organización de seminarios.
- LOS "LOGIS DE PESCA" (forfait fin de semana o semana) para los aficionados a la pesca.

Para cualquier información, solicitud de folletos o reservas:
- Logis de France Services - 83 avenue d'Italie, 75013 París. Tel.: 01.45.84.83.84
  Fax: 01.44.24.08.74 - Télex: 202 030 F - Minitel: 3615 Logis de France (1,29 FRF/min.).

ETAPE AFFAIRES 1997

Etape Affaires ! Que vous soyez hommes d'affaires, V.R.P., commerciaux, techniciens,
dès maintenant, commandez votre Carte Etape Affaires, grâce à la fiche située à la fin
de ce guide !
La carte et la brochure "Etape Affaires", vous permettront de bénéficier
d'un prix forfaitaire incluant : un repas, une nuit en single et
un petit-déjeuner, dans trois catégories de prix :
255 F, 285 F ou 310 F, auprès d'un réseau
de plus de 500 hôtels-restaurants,
signalés dans ce guide par le symbole
De plus, pour dix nuits passées dans
au moins trois établissements Etape Affaires
Logis de France, différents, recevez
une invitation pour deux personnes
à valoir sur un repas Logis de France
d'une valeur de 200 F.

Etape Affaires 1997: For your business travels

Etape Affaires! If you are a businessman or a sales representative or a technician, order your
Etape Affaires Card now, using the form at the end of the guidebook!
The Etape Affaires card and brochure will give you three different all-inclusive rates
(255FF, 285FF or 310FF) for a meal, a night in a single room and breakfast. These rates
are offered by a network of 500 hotel-restaurants, indicated in this guide by the sign
In addition, if you spend ten nights in at least three different Etape Affaires Logis de France
hotels, you will receive an invitation for two people to a Logis de France meal worth 200FF.

Geschäftsreise 1997

Geschäftsreisen ! Ob Sie Geschäftsmann, Handelsreisender, Vertreter oder Techniker sind,
bestellen Sie gleich jetzt Ihre Karte 'Geschäftsreisen' mit dem Bogen am Ende dieses Führers!
Die Karte und die Broschüre 'Geschäftsreisen' ermöglichen Ihnen von einem Pauschalpreis
zu profitieren, der eine Mahlzeit, ein Einzelbett und ein Frühstück umfaßt. Die Pauschale
wird in drei Preisklassen angeboten: 255 FF, 285 FF oder 310 FF und in einem Verbund
von über 500 Hotels-Restaurants, die in diesem Führer durch das Symbol
gekennzeichnet werden, angeboten.
Wenn Sie zehn Nächte in mindestens drei verschiedenen Hotels 'Geschäftsreise'
Logis de France verbringen, erhalten Sie eine Einladung für eine Mahlzeit Logis de France
für zwei Personen im Wert von 200 FF.

Etape Affaires 1997 (NL : Zakenreis 1997)

Etape Affaires ! (NL : Zakenreis !) Of U nu zakenman, VRP, handelsvertegenwoordiger, of technicus bent, U kunt vanaf nu uw Zakenreiskaart bestellen met het formulier dat zich achteraan in deze gids bevindt !

De kaart en de brochure "Zakenreis" laten U toe een forfaitaire prijs te genieten, waarin het volgende is begrepen : een maaltijd, een nacht in een éénpersoonskamer en een ontbijt, in drie prijscategorieën : 255 F, 285 F of 310 F, in een net van méér dan 500 hotels-restaurants, aangeduid in deze gids door het symbool

Bovendien krijgt U voor 10 nachten, doorgebracht in tenminste 3 verschillende etablissementen van Zakenreis Logis de France, een uitnodiging voor twee personen voor een maaltijd Logis de France voor een waarde van 200 F.

Tappa Affari 1997

Tappa Affari ! Qualsiasi la vostra professionne, uomini d'affari, rappresentanti, commessi viaggiatori o tecnici, ordinate fin da ora la Vostra Carta Tappa Affari, tramite la scheda che troverete alla fine di questa guida.

La carta e l'opuscolo "Etape Affaires" vi permetteranno di beneficiare di un prezzo forfetario comprendente : un pasto, una notte in camera singola e una colazione in tre categorie di prezzi : 225, 285 o 310 FF in ben 500 alberghi ristoranti, segnalati nella guida con il simbolo

Inoltre per dieci notti trascorse in almeno tre alberghi diversi "Etapes Affaires Logis de France", vi verrà offerto un'invito per due persone per un pranzo Logis de France del valore di 200 FF.

Etapa Negocios 1997

Etapa Negocios: Si ustedes son hombres de negocios, viajantes, comerciales o técnicos, desde ahora pueden solicitar su Tarjeta Etapa Negocios, gracias a la ficha que encontrarán al final de esta guía.

La tarjeta y el folleto "Etapa Negocios" les permitirán beneficiar de un precio global que incluye: una comida, una noche en habitación individual y un desayuno, con tres categorías de precios: 225, 285 ó 310 FRF, en una red de más de 500 hoteles-restaurantes señalados en esta guía con el símbolo

Además, por diez noches pasadas en al menos tres establecimientos diferentes de Etapa Negocios Logis de France, recibirán una invitación para dos personas para una comida Logis de France, por un valor de 200 FRF.

De Logis de France en Logis de France, Gagnez La Réunion !

La carte de fidélité 1997 vous offre la chance de gagner un voyage à La Réunion et de nombreux autres lots en participant gratuitement à un tirage au sort.

RECEVEZ AU CHOIX APRÈS 10 VISITES :
- *Un guide des Logis de France 98.*
- *Un bon à valoir sur un repas ou un séjour Logis de France.*

Pour cela, à chaque visite dans un Logis de France, soit à l'hôtel, soit au restaurant, faites tamponner une case sur votre carte de fidélité.

PARTICIPEZ AU TIRAGE AU SORT POUR GAGNER PEUT-ÊTRE :
- Un séjour à La Réunion pour 2 personnes.
- Un des 10 week-ends Logis de France pour 2 personnes.

Détachez, découpez et pliez votre carte de fidélité ci-contre.